Sommets littéraires français

SOMMETS LITTÉRAIRES FRANÇAIS

Anthologie-Histoire de la Littérature française des origines à nos jours

François Denoeu

Agrégé de l'Université
Professeur à Dartmouth College

D. C. HEATH AND COMPANY   BOSTON

A mon petit-fils **JOHN DENOEU CONE** *à qui je passerai le flambeau*

PREFACE

Sommets littéraires français is both an anthology and a survey of French literature, from *La Chanson de Roland* to the present day. I hope that it will not be dubbed "just another anthology." I have tried to make it somewhat different from the others, not for the sake of being different, but with a view to greater interest and usefulness from the standpoint of both the teacher and the student.

1. The passages have been selected first of all for their readability. Their vocabulary and style are easy enough for an intermediate student to understand readily. Many footnotes in English take care of the difficulties which the student cannot be expected to surmount without some help. In the case of sentences and ideas over which editors usually disagree, extensive research has been done and an honest interpretation has been presented. Sometimes I have not been satisfied with the results and I have said so, instead of disregarding the difficulty entirely. Also, the attitude of the editor has not been one of blind admiration for the great writers introduced. Great writers are human beings and make mistakes like the rest of us; such mistakes have been pointed out and explained honestly, rather than connived at or whitewashed.

2. The passages have also been selected for the modern appeal of their contents, and even for the story told. At this stage, with intermediate students, the instructor cannot afford to bring in abstract or even abstruse ideas; his concern is not a course in philosophy, but a course in the French language, with the addition of simple ideas representative of the French mind and civilization in the last nine hundred years.

3. Because all the cross currents of French thought could not be brought in, I have emphasized the main stream of ideas that have placed France intellectually in the foreground of the modern civilized world. The study of French literature is particularly rewarding if the student follows the trend toward liberalism and democracy which is so characteristically French, and just as characteristically American. The contribution of each great author toward enlightenment, progress, tolerance, individualism, and originality has been emphasized.

4. No attempt has been made to present every French author of note; only those who are outstanding have been given a place. If the student continues his studies in French, he will be given a bulkier anthology — or century, or genre, anthologies — or, much better, he will be invited to

familiarize himself, not with excerpts, but with particular masterpieces *in toto*. This *Anthologie-Histoire* is not a kaleidoscope of names and works, but a guide to the essentials. "Fewer pre-twentieth-century authors, and fewer works," such has been my guiding principle. In general, an attempt has been made to acquaint the student with only one masterpiece by an individual great author. I preferred to give several extracts from one work, rather than one extract from each of several works. A chapter has been devoted to each of fifty-five authors whose main work was done before 1900. Twenty-nine writers of the present century have been presented in somewhat shorter selections and introductory notices. This is the first complete one-volume anthology of French literature in which so much space has been given to contemporary literary productions. It seems to be in keeping with students' and teachers' preferences. I apologize for the absence of important authors like Bayle, Buffon, Bernardin de Saint-Pierre, Benjamin Constant, Alexandre Dumas père et fils, George Sand, Lautréamont, les Goncourt, Renan, Huysmans, Becque, Loti, Barrès, Romain Rolland, Martin du Gard, and Giono, who, for lack of space, could not be retained. They have been presented in the introductions to centuries and authors, and also in the footnotes.

5. The order is chronological, in keeping with literary periods; this avoids mixing generations whose main trends and ideas were different.

6. Special care has been taken to present the biography and basic ideas of each author. The presence of arresting details and anecdotes should also help to make each great writer live again as a human being, with his good qualities and also with his shortcomings.

7. Likewise, each extract has been introduced with the essential facts and ideas to make its significance plain. A summary of intervening incidents links each extract with the following one from the same masterpiece.

8. A few simplifications of spelling, punctuation, and phrasing have been brought in when the style was too obsolete for the intermediate student; they have been kept to a minimum.

9. A few deletions have been made, within some selections, for the sake of interest; they have been indicated by the usual points of suspension.

10. Notes of comparison with American history, literature, and life bring the passages closer to the student and make them more readily understood and assimilated.

11. Quite a few extracts appearing here have never been published in French anthologies prepared in America. These selections, along with the abundance of contemporary material, should relieve the teacher of the uncomfortable feeling of being kept in a rut.

12. Each great period or century is preceded by a *Contour littéraire*, which explains and links together fundamental creative ideas. A list of recommended readings follows each chapter, for the students should be encouraged to read a few books in their entirety, or in large sections. A *Discographie* is a novelty which should supplement the enjoyment of reading with the enjoyment of listening and reciting. A *Critique* lists the important studies on authors and periods, with emphasis on those that have been published in the last ten years.

Such have been the general and particular aims of the editor. He hopes that his book will be considered to have accomplished its purpose.

I wish to thank heartily the many teachers of French who answered our questionnaire about the original table of contents; the many opinions expressed helped a great deal toward deciding which authors and selections were to be included. This final product is a fair average of all the suggestions received. If some of the recommended selections do not appear here, it is mostly because space was limited.

I am especially indebted to Professor Jean-Albert Bédé, of Columbia University, who read the manuscript and contributed many valuable ideas, also to Professors Harold E. Washburn, and Hugh M. Davidson, of Dartmouth College, and to my wife, Suzanne, for their comprehensive criticism and their help in the reading of proofs.

Dartmouth College   F.D.

TABLE of CONTENTS

Le Dix-Septième Siècle   **69**

Contour littéraire

Le Dix-Neuvième Siècle   241

Contour littéraire

Le Vingtième Siècle   4I5

Contour littéraire

FRANCE

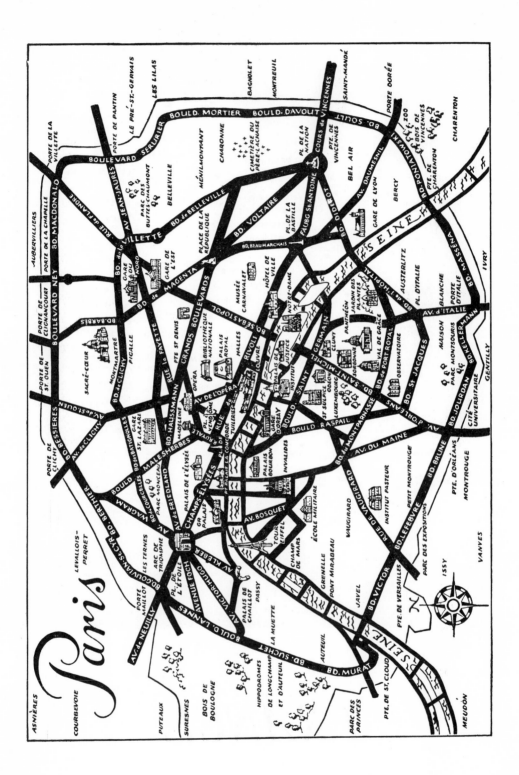

LE MOYEN AGE

Des origines à la fin du quinzième siècle

LE MOYEN AGE
Contour littéraire

Le Moyen Age, l'âge des ténèbres,[1] «*the Dark Ages*» comme on dit en anglais, commence, pour l'historien, avec l'extinction presque complète de la civilisation gallo-romaine par les invasions barbares du cinquième siècle; pour l'étudiant de la littérature, il n'est ténébreux que pendant sa première moitié. Il ne commence vraiment qu'avec cette belle aurore, cette première grande création littéraire qu'est, à la fin du onzième siècle, ou au début du douzième, *La Chanson de Roland*. Les premiers documents écrits qui nous aient été conservés, comme *Le Serment de Strasbourg*, sont intéressants surtout pour l'histoire de la langue.

Non, le Moyen Age n'a pas été une longue nuit intellectuelle; les cathédrales qu'il nous a laissées en sont la preuve la plus frappante; convaincants aussi sont l'esprit des Croisades (1096–1291) et de la Trêve de Dieu,[2] la création d'universités comme la Sorbonne (1255), et les idées de foi et de patriotisme qui animent une œuvre comme *La Chanson de Roland*. Elle est en vers; elle est épique. La littérature française, comme toutes les littératures, commence par la poésie.

Romans bretons. Au douzième siècle, des poètes, dont le plus célèbre est CHRÉTIEN DE TROYES,[3] composèrent des romans d'aventures, en vers, sur des légendes de Grande-Bretagne, surtout sur celles du roi Arthur et de ses douze chevaliers de la Table Ronde: Lancelot du Lac, Perceval le Gallois, Yvain, Gauvain, etc. Une autre légende est celle de *Tristan et Iseut* (p. 15). Ces récits poétiques d'inspiration celtique, bretonne, aussi appelés **romans courtois** parce que chaque héros fait des exploits pour la dame de son cœur, sont pénétrés de mystère; ils expriment la toute-puissance et la fatalité de l'amour; ils sont plus humains, et d'une psychologie moins grossière, que les poèmes épiques.

Littérature satirique. La guerre de Cent Ans (1337–1453) fit faire un pas en arrière à la littérature. Les défaites de la chevalerie française tuèrent la littérature épique et idéaliste; une littérature bourgeoise et satirique apparut. Elle se manifesta par des **fabliaux**, courts récits réalistes, parfois grossiers, toujours naturels et comiques: *Le Vilain mire* (Le Paysan médecin), — dont Molière a fait *Le Médecin malgré lui* —, *Le Jongleur de Notre-Dame*, — dont Jules Massenet[4] a tiré un opéra-comique et Anatole France

[1] darkness. [2] the Truce of God, *a suspension of hostilities, every week, from Wednesday evening to Monday morning. It was accepted generally about 1003.* [3] *See p. 5.* [4] *Massenet (1842–1912) also composed the operas* Manon (*p. 207*), Thaïs, *and* Werther.

un conte —, et surtout *Le Roman de Renart* (p. 20). L'esprit gaulois,[5] gaieté franche, un peu libre, y fait la joie du plus grand nombre.

Plus savant et allégorique, mais beaucoup moins vivant que *Le Roman de Renart*, est le *Roman de la Rose*, de GUILLAUME DE LORRIS [lɔris], mort
5 vers 1230. Sa deuxième partie cependant, écrite par JEAN DE MEUNG,[6] est non seulement une révolte contre la société aristocratique, mais une attaque contre la scolastique ou tyrannie spirituelle de l'Église et des universités. Elle annonce Luther et Descartes; elle est un exposé, bien incertain encore, de la philosophie laïque, démocratique, basée sur le respect de l'homme, de
10 la nature et de la science.

Littérature dramatique.   Mais tous ces poèmes, destinés à la récitation aussi bien qu'à la lecture, firent moins d'impression sur le public que les drames composés dès la fin du treizième siècle. Ils furent d'abord religieux et représentés à l'intérieur des églises; ils visaient à l'édification du peuple; on les
15 appelait des **Miracles** car ils avaient pour sujet l'intervention surnaturelle des saints, surtout de la Vierge. Dans *Le Miracle de Théophile*, du poète RUTEBEUF (fin du treizième siècle), un prêtre, dépouillé de ses biens par un évêque, vend son âme au diable comme Faust plus tard. Sept ans après il se repent; il invoque la Vierge qui le sauve du démon. Les **Mystères,**
20 au quinzième siècle, donnèrent de grandes scènes des Écritures et de la vie des saints. Tout naturellement le drame en vint, pour ses sujets, à la vie qui touchait de plus près les hommes: la vie bourgeoise et domestique. Avec ces sujets profanes, il sortit de l'église et monta sur une scène construite d'abord sur la place de l'église, puis sur un char qu'on promenait
25 partout; cette scène fut enfin installée définitivement dans des salles spéciales appelées *théâtres*. Les pièces comiques s'appelèrent des **farces;** la plus belle est *La Farce de Maître Pathelin* (p. 32). C'est aussi un petit chefd'œuvre que *La Farce du cuvier:* la spirituelle vengeance d'un mari dont la femme porte la culotte. Ces deux farces sont anonymes.
30 Le grand nom de la littérature comique du Moyen Age est celui d'ADAM DE LA HALLE (treizième siècle); c'était un bossu d'Arras.[7] Dans *Le Jeu de la Feuillée*, il se met en scène avec son père et ses voisins. *Le Jeu de Robin et Marion* est le premier, par la date, des opéras-comiques; il traite des amours d'un berger et d'une bergère.
35 La tentation est grande, pour un auteur d'anthologie, de moderniser des extraits de la littérature du Moyen Age et de les offrir en régal.[8] Mais il faut savoir se limiter; il faut arriver sans trop tarder aux œuvres que l'on peut donner dans la langue telle qu'elle a été écrite, orthographe mise à part, naturellement, car l'orthographe n'a été à peu près fixée qu'avec
40 Voltaire.

Littérature lyrique. Elle commença par des chansons d'amour et de guerre, par des récits en prose et en vers comme *Aucassin et Nicolette* (amours enfin heureuses du fils du comte de Beaucaire et de la fille du roi de Carthage, treizième siècle). C'est l'époque des poètes-musiciens, **trouvères** du Nord
45 et **troubadours** du Midi. Pour la date, le premier grand nom en poésie

---

[5] Gallic wit.   [6] [mœ̃] (*1250?–1305?*), *from Meung-sur-Loire, pop. 3,000, 90 mi. SW of Paris. Villon was imprisoned* *in a dungeon of the Saint-Liphard church.* [7] [arɑs], *capital of the province of Artois, 110 mi. N of Paris.*   [8] as a treat.

lyrique est celui du duc CHARLES D'ORLÉANS (p. 23). Une génération plus tard est venu FRANÇOIS VILLON (p. 25), le vrai père de la poésie française.

OUVRAGES RECOMMANDÉS
Textes

Chrétien de Troyes. Classiques Larousse.

——. *Érec et Énide,* traduit par Lot-Borodine. de Boccard.

——. *Perceval le Gallois ou Le Conte du Graal,* version moderne de Lucien Foulet. Stock.

Chansons de geste, Romans courtois. Poésie lyrique au Moyen Age, Littérature morale au Moyen Age. Classiques Larousse, 4 vol.

Les Romans de la Table Ronde (Merlin l'enchanteur, Lancelot du Lac, Galehaut, Le Chevalier à la charrette, Le Saint Graal, La Mort d'Arthur), rédigés par Jacques Boulenger. 4 vol. Plon.

Le Roman de la Rose, version moderne d'André Mary. Gallimard.

Aucassin et Nicolette, version moderne d'Alexandre Bida. Heath.

Aucassin et Nicolette, édition de Mario Roques. Champion.

Aucassin et Nicolette and Four Lais of Marie de France, ed. by E. B. Williams. Appleton-Century-Crofts.

Le Théâtre religieux au Moyen Age. Le Théâtre comique au Moyen Age. Classiques Larousse, 2 vol.

Medieval French Literature, modernized versions, by T. R. Palfrey and W. C. Holbrook. Appleton-Century-Crofts.

Critique

V.-L. Saulnier. *La Littérature française au Moyen Age.* Presses universitaires de France.

Gustave Cohen. *Le Théâtre en France au Moyen Age.* Presses universitaires de France.

——. *La Poésie française au Moyen Age.* Richard-Masse.

Foster Erwin Guyer. *Romance in the Making, Chrétien de Troyes and the Earliest French Romances.* New York: S. F. Vanni.

LES ORIGINES DE LA LANGUE ET DE LA LITTÉRATURE FRANÇAISES

Le celtique. Les Gaulois, premiers habitants suffisamment bien connus du pays qui est aujourd'hui la France, parlaient le celtique; c'est une langue qui, de nos jours, est encore le dialecte de la Bretagne et qui est apparentée au celtique du Pays de Galles [1] et de la Cornouailles,[2] et au gaélique d'Écosse et d'Irlande. Nous pouvons donc imaginer des échanges assez actifs entre la Grande-Bretagne et la Bretagne.

Le gallo-romain. De 58 à 51 avant Jésus-Christ, la Gaule fut conquise par les Romains de Jules César. Au bout de quatre siècles, le latin populaire des soldats, fonctionnaires, colons,[3] artisans, marchands, esclaves, etc., avait complètement éliminé le celtique, sauf en Bretagne et dans des villages écartés, surtout ceux des régions montagneuses; il gardait cependant environ 450 mots gaulois

---

[1] Wales, *administrative division, formerly a kingdom, in western Great Britain.*   [2] Cornwall, *county forming the SW extremity of England.*   [3] settlers.

qu'il avait latinisés et qui, entre autres, devinrent les mots suivants du français moderne:

alouette *f. lark*
ambassade *f. embassy*
arpent *m. acre*
bec *m. beak*
borne *f. boundary, milestone*

bouleau *m. birch*
char *m. chariot, wagon*
charpentier *m. carpenter*
charrue *f. plow*
lieue *f. league*

On peut, par ces mots, se faire déjà une petite idée de la civilisation des Gaulois.

Au début du cinquième siècle, seconde invasion générale. De nombreuses tribus germaniques, dont les plus importantes furent les Wisigoths, les Burgondes et les Francs, introduisirent dans le pays gallo-romain leurs dialectes tudesques; [4] ceux-ci fondirent assez vite au contact de la langue infiniment supérieure des vaincus. Environ cinq cents mots germaniques restèrent — eux aussi sous une forme latinisée —; le plus intéressant de ces mots est le nom *Francia*, France, nouveau pays des Francs du roi Clovis (466–511).

Le roman. Le latin populaire, *lingua romana rustica*, déjà modifié par les Gaulois, — dans sa prononciation et dans sa syntaxe —, le fut bien davantage encore par ces Barbares. C'est sous le nom de *roman* qu'il fut connu dès le neuvième siècle; en voici le premier texte qui ait été conservé; c'est *Le Serment de Strasbourg*, prononcé en 842 par le roi Louis le Germanique [5] qui voulait se faire comprendre des soldats français de son jeune frère Charles.[5] Louis et Charles, pour une question d'héritage, étaient alors en guerre contre leur frère aîné, Lothaire,[5] qu'ils venaient de battre en Champagne.

LE SERMENT DE STRASBOURG

ROMAN   Pro Deo   amur,   et pro christian poblo
LATIN CLASSIQUE   *Per Dei*   *amorem, et per christiani populi*
FRANÇAIS MODERNE   Pour l'amour de Dieu et pour le salut commun du peuple chrétien

et nostro commun salvament,   d'ist di in avant, in quant   Deus savir   et podir
et nostram communem salutem,   *ab hac die,*   *quantum*   *Deus scire   et posse*
et le nôtre,   dorénavant,[6]   autant que Dieu savoir et pouvoir

me dunat, si salvarai   eo cist   meon fradre Karlo,   et in   aiudha et in
mihi dat,   *servabo*   *hunc meum fratrem Carolum, et ope mea*   *et in*
me donne,   soutiendrai-je ce   mien frère   Charles   et par aide   et en

cadhuna cosa, si cum om   per dreit   son fradra   salvar dift
quacumque re, ut quilibet   *jure*   *fratrem suum servare debet,*
chaque chose, comme on doit par droit (devoir) son frère   soutenir,

in o quid il mi altresi   fazet, et ab   Ludher nul
dummodo idem mecum   *faciat, et cum Clotario nullam*
à la condition que de même il me fasse, et avec Lothaire aucun

[4] Teutonic. [5] **Louis..., Charles..., Lothaire.** *These three bad brothers were the grandsons of Charlemagne. At the treaty of Verdun (843), which divided Charlemagne's empire into three parts, Charles, later nicknamed "the Bald," received France. Louis received Germany. The defeated Lothaire had to be content with a narrow strip of land which ran from the North Sea down along the west of the Rhine and into Italy; it was called Lothaire's Land, Lotharingia, which became Lorraine, although modern Lorraine is only a small part of former Lotharingia.* [6] henceforth.

{ plaid nunquam prindrai,   qui meon vol,   cist
unquam pactionem faciam,   *quæ, voluntate mea,*   *huic*
arrangement jamais je ne prendrai, qui, par ma volonté, au détriment de [7]

{ meon fradre Karle in damno sit.
meo fratri Carolo   sit damno.
mon frère Charles ici présent, soit.

Il est facile de voir, d'après ces trois versions, qu'il faut plus de mots au roman (71), et plus encore au français (78) qu'au latin (60), pour exprimer les mêmes faits et idées.   La langue parlée en France deviendra de plus en plus analytique, avec la suppression ou la simplification des finales latines qui, pour les noms, seront remplacées par des articles et des prépositions, et, pour les verbes aux temps passés et à la forme passive, par des formes composées accompagnées de pronoms et d'auxiliaires.

Ce qu'était le roman à la fin du neuvième siècle, les candidats à l'érudition peuvent l'étudier dans la *Cantilène* [8] (ou *Séquence* [9]) *de sainte Eulalie*, court poème de caractère liturgique sur le martyre de la sainte.   Pour le milieu du onzième siècle, le meilleur spécimen linguistique, en dialecte de la région parisienne, est la *Vie de saint Alexis*, en 265 vers assonancés [10] groupés en strophes [11] de cinq décasyllabes.

Le roman du Sud de la France fut naturellement moins influencé que celui du Nord par les dialectes germaniques.   On l'appela langue d'oc [12] parce qu'au sud de la Loire « oui » se disait « oc ».   Au nord de la Loire on disait « oïl », et l'on donna le nom général de langue d'oïl aux quatre dialectes qui s'y parlaient: le français, ou dialecte de l'Ile-de-France, région dont Paris est le centre, le normand, le bourguignon [13] et le picard. [14]   C'est en normand, à la fin du onzième siècle ou au début du douzième, qu'un poète inconnu composa le premier chef-d'œuvre de la littérature française, *La Chanson de Roland*.

LA CHANSON DE ROLAND

C'est un poème épique, une chanson de geste [1] de 3998 vers décasyllabiques distribués en 291 **laisses** [2] d'inégale longueur, mais avec une seule assonance par laisse.   D'un obscur combat de l'arrière-garde de l'armée de Charlemagne, en 778, [3] contre les Basques, combat où fut tué un certain Hrolandus, comte des marches [4] de Bretagne, le poète, plus de trois cents ans après, fit une bataille homérique contre les Sarrasins, bien qu'Homère fût tout à fait oublié à cette époque; mieux encore, il en fit l'issue d'un conflit de sentiments fort humains, honneur et traîtrise, vaillance et lâcheté, mesure et démesure, [5] entre des personnages dont la plupart sont légendaires.   Le récit est souvent animé, pittoresque parfois, comme dans la description des luxueux équipements et des hautes montagnes.   La camaraderie,

---

[7] detrimental to.   [8] cantilena, old song.   [11] stanzas.   [12] *Languedoc became the name of a province in the South of France, with Toulouse as its capital.*   [13] the dialect of Burgundy.   [14] the dialect of Picardy (*province, N of Paris, capital Amiens*).
[9] [sekãs].   [10] *Rhyming in the accented vowel and in the vowel that follows; for example* story *and* holy *in English,* âge *and* âme *in French.   The consonants of the two assonant words are different.*

[1] heroic deeds.   [2] *Old French epic stanzas of various lengths.*   [3] *Charlemagne's expedition in Spain took place in the spring and* summer of 778.   [4] frontiers.   [5] lack of moderation.

l'amour de la patrie et les devoirs envers Dieu s'expriment tantôt avec force, tantôt avec une mélancolie discrète et poétique. On jugera des progrès de la langue, depuis *Le Serment de Strasbourg*, par la première laisse que nous traduisons mot à mot. Le manuscrit se trouve à la bibliothèque Bodléienne, Université d'Oxford.

{ Carles li reis, nostre emperere magnes,
{ Charles le roi, notre empereur grand,

{ Set anz tuz pleins ad estet en Espaigne:
{ Sept ans tout pleins est resté en Espagne:

{ Tresqu'en la mer   cunquist la terre altaigne.
{ Jusqu'à   la mer il a conquis la terre haute.

{ N'i   ad castel ki devant lui remaigne;
{ Il n'y a castel qui devant lui résiste;

{ Mur ne citet n'i est remés a fraindre,
{ Mur ni cité ne   reste à briser,

{ Fors   Sarraguce, ki est en une muntaigne.
{ Hormis[6] Saragosse, qui est sur une montagne.

{ Li reis Marsilie la tient, ki Deu nen aimet.
{ Le roi Marsile la tient, qui n'aime pas Dieu.

{ Mahumet   sert e Apollin recleimet:
{ C'est Mahomet qu'il sert, et Apollon[7] qu'il invoque:

{ Nes poet   guarder que mals   ne l'i ateignet.
{ Il ne peut se garder que le malheur ne l'atteigne.[8]

Donc, Charlemagne, âgé de deux cents ans, voudrait bien s'emparer de Saragosse où le roi Marsile, couché dans un verger, sur un perron de marbre bleu, au milieu de vingt mille de ses soldats, écoute le vieux Blancandrin qui lui suggère une ruse pour faire évacuer à l'empereur « claire Espagne la belle »: Que Marsile envoie à Charle-magne des otages et de riches présents, qu'il lui promette d'aller lui rendre hommage en sa capitale d'Aix-la-Chapelle et de se faire chrétien avec mille de ses fidèles guerriers! Les Français quitteront le pays. Certes ils tueront les otages quand ils ne verront pas arriver les Sarrasins à Aix, mais l'essentiel n'est-il pas de libérer l'Es-pagne?

Marsile accepte cette proposition. Dix messagers, dont Blancandrin, montés sur des mules blanches aux freins[9] d'or et aux selles d'argent, se mettent en route. Portant des branches d'olivier en signe de paix, ils arrivent dans la ville de Cordres[10] que Charles vient de prendre. Lui aussi se tient dans un verger, parmi quinze mille de ses chevaliers, assis sur de blancs tapis de soie. Les messagers lui font connaître les propositions de leur roi, mais l'empereur réserve sa réponse. Le lendemain, après avoir entendu la messe, il réunit ses barons pour leur demander conseil.

(Suivent des laisses où, pour garder le rythme poétique tout en respectant la lettre et l'esprit du texte, les vers modernisés n'ont pu tous rester décasyllabiques.)

---

[6] Except.   [7] Apollo, *Greek and Roman god of light, poetry, and music.*   [8] He cannot keep misfortune from befalling him (eventually).   [9] bits.   [10] *An un-identified town, certainly not the Córdoba of Spain.*

POURQUOI GANELON SE VENGERA DE ROLAND
Le Conseil[1] de Charlemagne

12

L'empereur s'en va sous un pin;
Il mande[2] ses barons pour tenir son conseil:
Le duc Ogier,[3] l'archevêque Turpin,[4]
Richard le Vieux[5] et son neveu Henri,
5 De Gascogne[6] le preux[7] comte Acelin,
Thibaud de Reims et Milon son cousin.
Vinrent aussi et Gérier et Gérin;
Avec eux vinrent le comte Roland
Et Olivier le preux et le bien né;[8]
10 Les Francs de France[9] ils sont plus d'un millier;
Ganelon vint, qui les trahira tous.
Le conseil commença, qui se termina mal.

13

« Seigneurs barons, disait l'empereur Charles,
Le roi Marsile a envoyé ses messagers.
15 De sa fortune il veut me donner grande part,
Ours et lions, lévriers pour la laisse,[10]
Sept cents chameaux et mille autours mués,[11]
Cinq cents mulets chargés d'or d'Arabie,
Outre ceci plus de cinquante chars,
20 A condition qu'en France je m'en aille.
Il me suivra à Aix,[12] en mon palais,
Recevra notre loi[13] qu'il dit être plus sainte;
Il deviendra chrétien, tiendra de moi ses marches.[14]
Mais je ne connais pas le fond de sa pensée. »[15]
25 Et les Français de dire:[16] « Il nous faut prendre garde! »

---

[1] council.   [2] *He summons.*   [3] *Duke Ogier the Dane, son of the king of Denmark. At the age of 100 he was restored to youth by Morgan le Fay, one of King Arthur's sisters, who possessed magic powers.*   [4] *Archbishop of Rheims.*   [5] *Duke of Normandy.*   [6] Gascony, *province in the SW of France, capital Auch.*   [7] the gallant knight.   [8] well-born (*born of an aristocratic family). Oliver's father was duke of Genoa.*   [9] *The descendants of the Salian Franks of the Lower Rhine, who had conquered Gaul under Clovis, between 481 and 511, and had given their name, France, to the country. There were a few other Frankish tribes in Germany.*

[10] greyhounds for the leash.   [11] molted goshawks, *having shed their first beak and feathers, therefore full-grown and fit for hawking.*   [12] [ɛks]: *Aix-la-Chapelle; Aachen in German. The capital of Charlemagne's empire, situated in Germany, near the eastern border of Belgium.*   [13] **notre loi religieuse, notre religion.**   [14] will have his border provinces (his kingdom) from me, *and therefore will acknowledge me as his suzerain (liege lord, feudal lord). The original meaning of* **marche** *is military province, on the borders of an empire.*   [15] what's in the back of his mind.   [16] **Et les Français dirent** (ont **dit**); *historical infinitive.*

14

L'empereur a terminé son discours.
Le comte Roland, qui n'y souscrit pas,[17]
Se lève tout droit et le contredit:
« Malheur à nous, dit-il, si vous croyez Marsile !
5 Voilà sept ans tout pleins qu'en Espagne nous sommes;
Je vous ai conquis Noples [18] et Commibles,
J'ai pris Valterne et la terre de Pine,
Et Balaguer, et Tuèle et Sézille.
Marsile alors fit grande trahison:
10 Il envoya quinze de ses païens,
Chacun portant un rameau d'olivier,[19]
Vous disant toutes ces mêmes paroles.[20]
De vos Français vous prîtes le conseil;
Ils eurent la folie d'être de votre avis;
15 Deux de vos comtes au païen vous envoyâtes;
L'un s'appelait Basan et l'autre Basilie:
Leurs têtes il coupa dans les monts d'Haltilie.
Faites la guerre ainsi que l'avez commencée,[21]
A Saragosse allez avec toute l'armée;
20 Assiégez-la, toute votre vie s'il le faut,
Et vengez ceux que le félon fit massacrer. »

15

L'empereur garde la tête baissée;
Il tire sur sa barbe, arrange sa moustache;
Ni oui ni non il ne répond à son neveu.[22]
25 Les Français sont muets, excepté Ganelon
Qui se lève tout droit, vient devant Charlemagne,
Et de fière façon commence son discours:
« Malheur, dit-il au roi, si vous croyez le traître,
Un autre ou moi, ne parlant pas pour votre bien.
30 Quand Marsile le roi vous dit par messagers
Que joignant les deux mains il deviendra votre homme,[23]
Que toute l'Espagne il tiendra de vous,
Puis qu'il recevra notre religion,
L'homme qui vous excite à rejeter ce pacte
35 Peu lui importe de quelle mort nous mourrons.
Conseil d'orgueil ne doit pas prévaloir;
Laissons les fous et tenons-nous aux sages! »

---

[17] who does not approve of it.   [18] Not Naples; this town and those mentioned in this selection are situated in N Spain. [19] Symbol of peace.   [20] Those same words of flattery that the present messengers are speaking.   [21] i.e. vigorously.   [22] Roland, according to legend, was the son of the emperor's sister by her first husband. Her second husband was Ganelon, who will speak next.   [23] votre homme lige, your liege man, vassal.

16

Ensuite s'avança Naimes, duc de Bavière.[24]
Meilleur vassal n'était en cette cour de Charles.
Il dit au roi: « Vous l'avez entendue
La réponse du comte Ganelon;
5 Elle a du sens, il n'y a qu'à la suivre.
Le roi Marsile à la guerre est vaincu:
Vous lui avez ravi tous ses châteaux,
Vos catapultes ont brisé ses murs,
Ses cités sont brûlées et ses hommes vaincus.
10 Puisqu'il vous prie d'avoir merci de lui,[25]
Combattre encor [26] ce serait un péché.
Ses otages pour vous sont une garantie,
Et cette grande guerre il la faut arrêter. »
Et les Français de dire: « Il a fort bien parlé! »

17

15 « Seigneurs barons, qui donc enverrons-nous
A Saragosse, vers le roi Marsile? »
Naimes répond: « J'irai, si vous le permettez;
Donnez-moi maintenant le gant et le bâton. » [27]
Le roi répond: « Vous êtes homme sage;
20 Par cette barbe et par cette moustache,
Vous n'irez pas de sitôt [28] loin de moi.
Retournez vous asseoir, car nul ne vous appelle. »

18

« Seigneurs barons, qui faut-il envoyer
Au Sarrasin qui détient [29] Saragosse? »
25 Roland répond: « J'y puis très bien aller.
— Vous n'irez pas, dit le comte Olivier,
Car votre cœur est fort violent et fier,
Et j'aurais peur que vous vous querelliez.
Si le roi veut, moi j'y puis bien aller. »
30 Le roi répond: « Taisez-vous tous les deux!
Ni vous ni lui vous n'y mettrez les pieds.
Par cette barbe que vous voyez toute blanche,
Malheur à qui désigne un de mes douze pairs! » [30]
Et Français de se taire et rester interdits.[31]

[24] Bavaria. [25] *The modern form is* **avoir pitié de lui.** [26] **Encore** *is the regular spelling; the spelling* **encor** *is tolerated in poetry, before a consonant.* [27] *The glove and the baton (staff, truncheon) were the official attributes of emissaries.* [28] *for* a long time. [29] holds. [30] *The twelve peers (equals) were: Roland, Olivier, Samson, Anséis, Gérin, Gérier, Ivon, Ivoire, Engelier, Oton, Béranger, Girard de Roussillon.* [31] nonplussed.

19

L'archevêque Turpin lui aussi reçoit l'ordre de se rasseoir quand il s'offre pour la dangereuse ambassade.

20

« Chevaliers français, dit l'empereur Charles,
Élisez-moi un baron de ma terre,
Qui porte au roi Marsile mon message. »
Roland dit : « Ce sera Ganelon, mon parâtre. » [32]
5 Et les Français de dire : « Il est l'homme qu'il faut.
Plus sage messager vous ne pourrez trouver. »
Le comte Ganelon est pénétré d'angoisse.
Il ôte de son cou ses grandes peaux de martre, [33]
Et alors apparaît en tunique de soie.
10 Vairs [34] sont ses yeux, son visage est très fier,
Son corps est bien fait, sa poitrine est large.
« Fou, dit-il à Roland, quelle rage te prend ?
Tout le monde le sait que je suis ton parâtre,
Et tu m'as désigné pour aller à Marsile ?
15 Si le bon Dieu permet que de là je revienne,
Je te causerai dommage si grand
Qu'il durera toute ta vie. »
« Propos d'orgueil et de folie ! répond Roland.
On le sait bien que je n'ai cure des menaces ; [35]
20 Pour l'ambassade il faut un homme sage.
Si le roi veut, me voici prêt, j'irai pour vous. »

21

« Tu n'iras pas pour moi, lui répond Ganelon.
Tu n'es pas mon vassal, je ne suis pas ton maître.
Charles a commandé que j'aille en ambassade ;
25 J'irai à Saragosse et j'irai vers Marsile ;
Mais je veux vous jouer un tour de ma façon
Avant que mon courroux ne se trouve apaisé ! »
En entendant ces mots, Roland se met à rire.

Voici le « tour » que Ganelon joue à ses compagnons d'armes : Il décide Marsile à se soumettre en apparence, pour que l'armée française se retire, puis à attaquer, dans les défilés pyrénéens, l'arrière-garde qu'il promet de faire commander par ce Roland, qui est le seul obstacle à la paix générale.

Tout se passe selon les plans du traître Ganelon. Près de Roncevaux,[36] Olivier aperçoit l'avant-garde des Sarrasins, cent mille hommes, cinq fois les effectifs [37] de Roland à qui il dit :

[32] *The modern word is* **beau-père** (stepfather). [33] marten (sable) skins. *The marten resembles the weasel but is bigger.* [34] variegated, of different colors. [35] I don't trouble myself (I don't care) about threats. [36] *Roncesvalles, in Spanish; a very small Spanish village on the western Franco-Spanish border, with a famous monastery.* [37] forces.

« Roland, mon compagnon, sonnez de votre cor;
L'empereur l'entendra, et l'armée reviendra. »
Alors Roland répond: « Ce serait être fou;
Que dirait-on de moi dans notre douce France? »

Olivier insiste; par deux fois encore Roland lui dit qu'appeler à l'aide ce serait le déshonneur pour sa famille et lui-même. Avec ses onze pairs et ses vingt mille hommes, Roland, monté sur son cheval Veillantif [vɛjɑ̃tif] et armé de Durandal, son épée, détruit l'avant-garde sarrasine. Il ne peut cependant repousser trois cent mille autres guerriers qu'amène Marsile. Ce n'est que lorsqu'il ne lui reste plus que soixante hommes que Roland se décide à sonner du cor; puis il continue de faire des prodiges de valeur et tranche [38] le poing droit de Marsile. L'archevêque Turpin, mortellement blessé, bénit les corps des dix preux tués que Roland a alignés devant lui, et expire. Les Sarrasins s'enfuient en entendant les clairons de l'armée de Charlemagne qui, à l'appel de Roland, a rebroussé chemin,[39] malgré Ganelon qui a tâché de l'en dissuader. Roland n'a pas reçu de blessure, mais il a sonné si puissamment de son cor que sa tempe s'est rompue.[40] Il a continué de combattre, cependant. Il est resté maître du champ de bataille, mais il sent qu'il va mourir. Il est sur un tertre herbeux,[41] près d'un rocher sur lequel il essaie de briser Durandal pour qu'elle ne tombe pas aux mains d'un lâche; c'est en vain. Mais il se sent mourir.

LA MORT DE ROLAND

174

5 Roland sent bien que la mort l'entreprend,[1]
Qu'elle lui descend de la tête au cœur.
Jusque sous un pin il s'en va courant;
Face contre terre il s'étend sur l'herbe,
Met sous lui l'épée, puis son olifant;[2]
10 Vers la gent païenne[3] il tourne la tête.
« Pourquoi? » direz-vous. — Mais parce qu'il veut
Que Charles dise avec l'armée française:
« Le noble comte est mort en conquérant. »[4]
Il bat sa coulpe,[5] à faibles coups, souvent;
15 Pour ses péchés il tend vers Dieu son gant[6] . . .

176

Le comte Roland gît dessous un pin;[7]
Vers l'Espagne il a tourné son visage;
De mainte chose il lui vient souvenance:[8]
De tant de pays qu'il a subjugués,
20 De douce France et gens de son lignage,[9]

---

[38] cuts off.   [39] has retraced its steps.   [40] he burst his temples.   [41] a grassy hillock.

[1] undertakes (to conquer) him.   [2] his horn made of elephant's ivory.   [3] the pagan nation.   [4] like a conqueror.   [5] *Old for* il se frappe la poitrine en disant « mea culpa » (en regrettant ses péchés), he beats his breast in repentance.   [6] his glove, gauntlet. *The gauntlet was a symbol of power. Roland relinquishes his gauntlet to God; he submits to his fate.*   [7] is lying under a pine.   [8] Recollection of many a thing comes to him (to his mind).   [9] his lineage, race, family.

De Charles, son seigneur, qui l'éduqua.
Il ne peut que pleurer et soupirer.
Mais il ne veut pas s'oublier lui-même.
Il bat sa coulpe, implore son pardon:
5 « Dieu, vrai Père qui jamais ne mentis,
Qui ressuscitas saint Lazare,
Et des lions sauva Daniel,
Sauve mon âme de tous les périls
A cause des péchés que j'ai faits dans ma vie! »
10 Il offre à Dieu le gant de sa main droite,
Et de sa main saint Gabriel le prend.[10]
Dessus son bras sa tête s'est penchée;
Il est allé mains jointes à sa fin.
Dieu lui envoie son ange Chérubin,[11]
15 Et saint Michel du Péril de la Mer; [12]
Avec eux saint Gabriel est venu,
Et dans le paradis portent l'âme du comte.

Arrivés à Roncevaux, Charlemagne et son armée pleurent les morts. Ils rattrapent les Sarrasins en fuite, les massacrent, les jettent dans l'Èbre.[13] Bientôt la grande armée de Baligant, émir de Babylone, venu au secours de Marsile, est anéantie avec l'aide de saint Gabriel. Saragosse est pris. Cent mille païens sont baptisés. Marsile meurt de douleur. Charlemagne ramène en France les restes [14] de Roland, d'Olivier et de Turpin, qu'il enterre dans l'église Saint-Romain, à Blaye.[15] Il rentre à Aix-la-Chapelle où la belle Aude tombe morte en apprenant la mort de Roland, son fiancé. Ganelon est jugé, déclaré coupable et écartelé.[16]

OUVRAGES RECOMMANDÉS
Textes

La Chanson de Roland, publiée d'après le manuscrit d'Oxford et traduite
par Joseph Bédier. Texte avec traduction en regard. H. Piazza.
——, annotée par T. A. Jenkins, glossaire. Heath.
——, introduction et notes par E. Faral. Mellottée.
——. Classiques Larousse, Hachette et Hatier.

Discographie

La Chanson de Roland. L'Épisode de Roncevaux, enregistré avec musique par Jean Deschamps. Collection des héros et des idées. Hachette-
Ducretet-Thomson.

Critique

E. Mireaux. *La Chanson de Roland et l'histoire de France*. Albin Michel.
K. Vodoz. *Roland, un symbole*. Champion.

[10] Saint Gabriel takes it (*the gauntlet*); a proof that the Lord accepts Roland's homage. [11] his archangel Raphael. [12] *The abbey of Mont-Saint-Michel, built during the eighth century on an islet between Brittany and Normandy, is dedicated to Saint Michael. Roland was count of the Marches (border provinces).* [13] the Ebro River; *it flows through Saragossa and into the Mediterranean.* [14] mortal remains. [15] [blaj]: *port on the Gironde, 20 mi. N of Bordeaux.* [16] quartered, dismembered.

TRISTAN ET ISEUT
(12ᵉ siècle)

La légende de Tristan et Iseut[1] fut presque aussi populaire au Moyen Age que celle du roi Arthur (p. 3). Elle aussi est d'origine celtique. On suppose qu'elle prit naissance en Écosse, passa au Pays de Galles, puis dans l'Angleterre normande. Ce fut sans doute une œuvre collective, composée de fragments en vers, destinés à la récitation, et dont beaucoup furent perdus. Elle fut reprise vers 1150 par un poète normand, Béroul,[2] et, vers 1170, par un poète anglo-normand, Thomas. Tous deux écrivirent en octosyllabes à rimes plates,[3] selon le modèle du **cycle breton**. Béroul s'attacha à la première partie de la légende, Thomas à la seconde. Nous donnons la conclusion de Thomas, modernisée, dont nous avons essayé de garder le rythme libre, sinon toujours la rime.

Tristan, ainsi nommé « triste » parce qu'il est né après la mort de son père, et que sa mère est morte peu après lui avoir donné le jour, est élevé par son oncle Marc, roi de Cornouailles. Jeune homme, il se distingue par des exploits, tue un géant, le Morholt, passe en Irlande et tue un dragon. Ayant reçu une blessure empoisonnée, il est guéri par Iseut la Blonde, fille du roi d'Irlande. Plus tard il retourne en Irlande chercher Iseut qui doit devenir la femme de Marc. Par erreur, pendant la traversée de retour, Tristan et Iseut boivent un philtre[4] préparé par la mère d'Iseut; sa vertu est de lier d'un amour éternel ceux qui en ont bu ensemble. Marc épouse Iseut. Bientôt il surprend l'infidélité de sa femme et de son neveu. Il les chasse dans une forêt sauvage, le Morois, où ils vivent misérablement. Il les rencontre trois ans après. Apitoyé, il consent à reprendre Iseut à la cour, à condition que Tristan passe la mer. Dans son pays d'exil, la Bretagne française, Tristan épouse une autre Iseut, Iseut aux Blanches Mains, fille d'un duc et sœur de Kaherdin, son fidèle compagnon d'armes. Blessé d'un coup de lance empoisonnée, il envoie Kaherdin prier Iseut la Blonde de venir le soigner. Au retour, dans quarante jours au plus tard, en vue de la côte, on hissera[5] une voile blanche si le bateau ramène Iseut, une voile noire dans le cas contraire. Sans hésitation, Iseut s'embarque, mais une tempête s'élève.

LA MORT DE TRISTAN ET D'ISEUT

Et tant que dure la tourmente,[6]
Iseut se plaint et se lamente.
Plus de cinq jours pour elle durent
L'orage et du temps la laideur.[7]
5 Puis le vent tombe; beau temps il fait.
On a voile blanche hissé,
Et l'on cingle[8] à si grande allure[9]
Que Kaherdin Bretagne voit.
Donc on est gais, joyeux, contents.
10 L'on hisse la voile bien haut
Pour que de loin on puisse voir
Comment elle est: ou blanche, ou noire.
De loin il faut voir la couleur,

---

[1] [izœt]. [2] [berul]. [3] successive (couplet) rhymes. [4] philter, love potion. [5] they will hoist. [6] storm. [7] ugliness of the weather. [8] sail. [9] speed.

Car c'était le tout dernier jour
Que Tristan leur avait fixé
Quand ils partirent du pays.

   Tandis qu'ils cinglent fort gaiement
5 Chaleur s'élève et tombe vent
Au point que naviguer ne peuvent.
Calmes et plates sont les vagues.
Ni çà ni là leur nef [10] ne va
Sauf lorsque le courant l'entraîne;
10 Et puis ont perdu leur canot.[11]
Grande est maintenant leur angoisse.
Devant eux proche voient la terre,
N'ont vent qui puisse les pousser.
Amont, aval, vont louvoyant,[12]
15 Tantôt arrière, tantôt avant.
Leur voyage n'avance pas;
Il leur advient grand embarras.[13]
Iseut en est fort ennuyée:
La terre voit, si désirée,
20 Et elle n'y peut parvenir;
Elle en meurt presque de désir.
Terre on désire dans la nef.
Le vent qu'il fait est bien trop doux.
Souvent Iseut crie son malheur.
25 On voudrait la nef à la rive,[14]
Que maintenant on ne voit plus.

   Tristan en est dolent et las.[15]
Souvent se plaint, souvent soupire
Pour Iseut que tant il désire.
30 Ses yeux pleurent, son corps se tord,[16]
Il s'en faut peu qu'il ne soit mort.[17]

   En cette angoisse, en cet ennui [18]
Vient sa femme Iseut devant lui.
Roulant de perfides pensées,
35 Dit: « Voici venir Kaherdin.
Sa nef j'ai vue dessus la mer
Avec grand-peine s'avancer;
De telle sorte je l'ai vue
Que pour sienne l'ai reconnue.
40 Puisse-t-il nouvelle apporter
Dont votre cœur ait réconfort! » [19]

---

[10] **bateau, vaisseau.** [11] **canot de sauve-tage,** lifeboat. [12] Up and down, they go tacking. [13] Great trouble befalls them. [14] shore. [15] suffering and tired.

[16] writhes. [17] He is almost dead. [18] **cette torture.** [19] comfort, encourage-ment.

Tristan tressaille [20] à la nouvelle,
Dit à Iseut: « Mon amie belle,
Savez pour sûr que c'est sa nef ?
Dites-moi comment est la voile. »
5 Iseut dit: « Vous pouvez me croire
Quand je dis que la voile est noire.
Ils l'ont hissée tout au plus haut
Parce que le vent fait défaut. »
Donc Tristan a grande douleur,
10 Jamais n'eut ni n'aura plus grande.
Il se tourne vers la paroi [21]
Et dit: « Dieu sauve Iseut et moi!
Puisqu'à moi ne voulez venir,
Pour votre amour me faut mourir.
15 Je ne puis plus tenir ma vie;
Pour vous je meurs, Iseut, amie.
N'avez pitié de ma langueur,
Mais de ma mort aurez douleur.
Ce m'est, amie, grand réconfort
20 Que pitié aurez de ma mort. »
« Amie, Iseut » trois fois a dit,
A la quarte [22] rendit l'esprit.[23]
Alors pleurent par la maison
Les chevaliers, les compagnons.
25 Les cris sont hauts, la plainte grande.
Sortent chevaliers, serviteurs,
Emportent le corps de son lit,
Puis le couchent sur un samit,[24]
Le couvrent d'un beau drap brodé.

30 Le vent sur la mer s'est levé
Et frappe la voile au milieu;
A terre fait venir la nef.
Iseut est de la nef issue,[25]
Entend les plaintes dans la rue,
35 Cloches des moutiers,[26] des chapelles;
Demande aux hommes la nouvelle,
Pourquoi l'on fait ces sonneries,
Et la cause de tous ces pleurs.
Un vieillard alors lui dit:
40 « Belle dame, que Dieu m'assiste,[27]
Nous avons ici un malheur
Tel que jamais on ne vit pire.
Tristan, le preux, le franc, est mort:
Du pays fut le réconfort;

---

[20] gives a start. [21] **le mur.** [22] **la qua-**
trième. [23] gave up the ghost. [24] samite, [25] **sortie.** [26] monasteries. [27] help me
God.
heavy silk fabric interwoven with gold.

Il était large aux besogneux [28]
Et d'un grand secours aux souffrants.
D'une blessure qu'il reçut,
Tout à l'heure en son lit mourut.
5 Jamais si grande punition [29]
Ne tomba sur cette région. »

Dès qu'Iseut la nouvelle entend,
De douleur ne peut souffler mot.
De sa mort est si affligée
10 Que par rue va désaffublée [30]
Jusqu'au portique du palais.
Les Bretons ne virent jamais
Femme d'une telle beauté;
Se demandent, par la cité,
15 D'où elle vient et qui elle est.
Iseut voit le corps, va à lui.
Elle se tourne vers l'orient,
Avec pitié, pour lui priant:

« Ami Tristan, quand mort vous vois,
20 Vivre je ne puis ni ne dois.
Mort êtes pour l'amour de moi,
Je meurs de tendresse pour vous,
Parce qu'à temps ne pus venir
Pour vous et votre mal guérir.
25 Ami, du fait de votre mort
N'aurai jamais de réconfort,
Ni joie, ni plaisir, nul déduit.[31]
Que cet orage soit maudit
Qui tant me tint, ami, en mer
30 Que dus loin de vous demeurer!
Ah, si j'étais à temps venue,
Je vous aurais la vie rendue
Et parlé doucement à vous
De l'amour qui fut entre nous,
35 Vous rappelant notre aventure,
Notre joie et notre *emveisure*,[32]
La peine et la grande douleur
Qui fut au fond de notre amour!
Cela vous aurais rappelé
40 Et je vous aurais accolé.[33]
Donc, si je n'ai pu vous guérir,
Ensemble puissions-nous mourir!
Puisqu'à temps venir je ne pus

[28] generous to the needy.   [29] malheur, désastre.   [30] ses vêtements en désordre.   [31] nul divertissement, nulle distraction, no amusement.   [32] nos réjouissances, our rejoicings.   [33] I would have put my arms around your neck,

Et votre aventure ne sus,
Que je vins quand vous étiez mort,
De même mort j'aurai confort.[34]
Pour moi avez perdu la vie,
5 Et je ferai en vraie amie: [35]
Pour vous veux mourir mêmement. » [36]

Elle donc l'embrasse et s'étend,
Lui baise la bouche et la face,
Étroitement l'étreint,[37] l'enlace,[38]
10 Corps à corps, bouche contre bouche.
A ce temps elle rend l'esprit
Et meurt ainsi près de lui
Pour la douleur de son ami.

Tristan mourut de son désir,
15 Iseut qu'à temps ne put venir.[39]
Tristan mourut par amour d'elle,
Elle de tendresse pour lui.

Thomas, *Le Roman de Tristan*, vers 2967-3124
(*Société des anciens textes français,*
Librairie Firmin Didot, Paris, 1902.)

Le roi Marc, qui connaît enfin la cause de leur irrésistible amour, vient chercher leurs corps. Il les fait enterrer séparément, à droite et à gauche d'une chapelle de Tintagel, son château de Cornouailles. Une ronce [40] repousse sitôt qu'on la coupe, et unit indissolublement la tombe de Tristan à celle d'Iseut.

OUVRAGES RECOMMANDÉS
Textes

Le Roman de Tristan et Iseut, renouvelé par Joseph Bédier. H. Piazza.
Béroul. *Le Roman de Tristan*, présenté par E. Muret et L. M. Defourques. Champion.

Critique

Gaston Paris. *Poèmes et légendes du Moyen Age.* Hachette, 1900.

---

[34] **réconfort.**   [35] I shall act as a real friend.   [36] likewise.   [37] hugs him hard.   [38] clasps him in her arms.   [39] Iseut because she could not come in time.   [40] brier.

LE ROMAN DE RENART
(12e et 13e siècles)

Le Roman de Renart.[1] C'est une épopée animale, réaliste, spirituelle. Son origine remonte aux fables de l'Orient, de la Grèce et de Rome, et aussi au folklore de l'Ouest. Il fut ébauché[2] au dixième siècle, mais fut surtout composé aux douzième et treizième dans la région parisienne et le Nord de la France, par de nombreux poètes dont la plupart sont inconnus. Il contient vingt-sept longs poèmes ou branches, en vers octosyllabiques. Les animaux représentent les hommes; ils parodient les institutions féodales, leurs injustices et leur littérature, chansons de geste et romans courtois. Ils font la joie du peuple. Renart en est le héros.

Il est le seigneur rebelle au roi Noble, le lion. Échappant à l'impunité en se réfugiant dans sa forteresse de Maupertuis où vivent sa femme Hermeline et ses renardeaux,[3] il joue des tours aux autres barons. Sa lutte est celle de l'intelligence rusée contre la force brutale, représentée par le loup Ysengrin. Il trouve parfois plus rusé que lui, témoin[4] son aventure avec Chantecler, le coq, que nous avons traduite en prose.

RENART ET CHANTECLER

Renart commence à se demander comment il pourrait bien attraper Chantecler, car, s'il ne le mange pas, il a vraiment perdu son temps.

— Chantecler, lui dit-il, ne te sauve pas, n'aie pas peur. Je suis ravi que tu sois en bonne santé, car n'es-tu pas mon cousin germain?[5]

5 Chantecler alors se rassura; de joie il chanta un air, et Renart dit à son cousin:

— Tu ne te rappelles plus Chanteclin, ton bon père qui t'engendra? Jamais coq ne chanta comme lui. On l'entendait d'une grande lieue. Il montait très haut les sons et avait un souffle d'une belle longueur. Comme 10 sa voix était forte quand il chantait avec les deux yeux fermés! Les gens arrivaient d'une lieue quand il chantait et reprenait au refrain.

— Renart, mon cousin, dit Chantecler, tu veux me jouer un tour?

— Certes non! répond Renart. Je voudrais que tu chantes les yeux fermés. Nous sommes de la même chair et du même sang. J'aimerais 15 mieux perdre une patte que de te voir arriver malheur, car tu es mon très proche parent.

— Je ne te crois pas. Écarte-toi un peu de moi et je chanterai une chanson, très fort. Il n'y aura personne aux environs qui n'entende clairement mon fausset.[6]

20 Renart sourit:

— Or donc,[7] à voix haute! chante, cousin! Je saurai bien si Chanteclin, mon oncle, fut vraiment ton père.

Alors Chantecler commença à lancer de hautes notes; il tenait un œil clos et l'autre ouvert, car il redoutait fort Renart et ne le perdait pas de vue.

25 — Cela ne vaut rien, lui dit Renart. Chanteclin chantait autrement, à

---

[1] *Spelled with a* t *as the fox's name.* [5] first cousin. [6] falsetto, high-pitched
[2] sketched out. [3] cubs. [4] for example. voice. [7] Now then.

longues notes, les deux yeux fermés. On l'entendait bien dans vingt enclos.[8]

Chantecler croit qu'il dit vrai; il laisse aller sa mélodie, les yeux clos, avec une grande ardeur.

Renart ne veut plus attendre; de dessous un chou rouge il bondit et [5] happe [9] l'autre par le cou. Il s'enfuit; grande est sa joie de tenir une proie. Pinte [10] voit que Renart emporte son mari. Dolente, fort découragée, elle commence à se lamenter:

— Sire,[11] je vous l'ai bien dit; vous vous moquiez toujours de moi et me teniez pour folle. Elle est vraie maintenant la parole dont je vous ai [10] averti. Votre orgueil vous a perdu. J'étais folle en effet de vous mettre en garde, et le fou est celui qui ne craint que quand il est pris. Renart vous tient et vous emporte. Hélas, pauvre de moi,[12] je suis morte, car si je perds ici mon seigneur, pour toujours j'ai perdu mon honneur!

La bonne femme de la métairie [13] a ouvert la porte de sa petite cour. [15] C'était le soir et elle voulait rentrer ses poules. Elle appela Pinte, Bise et Rosette. Aucune ne rentre. Ne les voyant pas venir, elle se demande ce qu'elles font. Elle appelle de nouveau son coq, à en perdre haleine. Elle voit Renart qui l'emporte. Elle s'élance pour le secourir, et le renard se met à courir. Quand elle voit qu'elle ne pourra l'attraper, elle se décide à [20] crier « haro! » [14] à plein gosier.[15] Entendant ses cris, des paysans qui jouent au ballon se précipitent vers elle et lui demandent ce qu'elle a. Elle soupire:

— Malheureuse que je suis!

— Comment? demandent-ils.   [25]

— J'ai perdu mon coq; le renard l'emporte.

— Sale vieille! crie Constant Desnoues, le fermier; pourquoi ne l'avez-vous pas attrapé?

— Sire, fait-elle, vous avez tort de m'insulter. Par les saints de Dieu je n'ai pas pu l'attraper.   [30]

— Pourquoi?

— Il n'a pas voulu m'attendre.

— Vous auriez dû l'assommer.[16]

— Je n'avais rien.

— Et ce bâton?   [35]

— Par Dieu, je n'ai pas pu, car il trotte si vite que deux chiens bretons ne pourraient pas l'attraper.

— Par où est-il parti?

— Par là tout droit!

Les paysans courent en toute hâte, criant: « Par là! Par là! » Renart [40] les entend et redouble de vitesse. Il arrive au trou d'une clôture, saute et retombe, le derrière par terre. Tous les paysans qui ont entendu le bruit de la chute s'écrient: « Par ici! Par ici! »

— Vite, sus! [17] leur crie Constant.

Les paysans courent à toutes jambes. Constant appelle ses chiens: [45]

---

[8] farmyards (*fenced in*).   [9] snatches.   stop him!   [15] full-throatedly, at the top [10] *The hen*.   [11] My master, Sir.   [12] poor   of her lungs.   [16] knocked him over the me.   [13] sharecropper's house.   [14] help!   head.   [17] after 'm!

— Mauvoisin, Bardol, Travers, Humbaut, Rebors, attrapez ce rouquin de Renart![18]

A force de courir on l'aperçoit. On crie tous en chœur: « Voilà le renard! » Grand est maintenant le danger pour Chantecler si, à son tour, il ne trouve
5 une ruse.

— Comment? dit-il, Sire Renart, vous n'entendez donc pas les insultes que ces vilains vous crient? Constant vous suit au galop. Lancez-lui donc un de vos traits [19] en sortant de cette porte-là. Quand il dira: « Renard l'emporte », répondez « Malgré vous! » Vous ne pourrez mieux le
10 déconfire.[20]

Il n'y a si sage qui ne fasse des sottises.[21] Renart, qui trompe tout le monde, fut trompé cette fois. A haute voix il s'écria:

— Malgré vous j'emporte ma part de coq! Malgré vous!

Quand celui-ci sentit se desserrer la gueule,[22] il battit des ailes et s'envola
15 sur un pommier. Renart, en bas, sur un tas de fumier,[23] était triste, fâché, préoccupé d'avoir laissé échapper le coq. Chantecler éclata de rire:

— Renart, fit-il, que penses-tu de la situation mondiale? Que t'en semble? [24]

Le glouton frémit [25] de colère et répondit méchamment:

20 — Honnie soit [26] la bouche qui s'occupe de parler à l'heure qu'elle doit se taire.

— Qu'il en soit comme je veux! dit le coq. Que la maladie crève [27] l'œil de celui qui s'occupe de sommeiller [28] à l'heure qu'il doit veiller! Cousin Renart, nul ne peut se fier à toi. Que maudit soit ton cousinage! [29]
25 Il a failli me perdre. Renart parjure,[30] va-t'en! Si tu restes ici longuement tu y laisseras ta casaque.[31]

Renart n'a cure de [32] son discours. Il ne veut plus parler; il s'en retourne sans plus tarder. Affamé, le cœur épuisé, par des broussailles,[33] près d'une plaine, tout au long d'un sentier [34] il s'en va, fuyant. Il est triste; il se
30 lamente d'avoir laissé échapper le coq. Quel régal il en aurait fait!

> *Branche II*, vers 299–468, composée entre 1174 et 1177,
> édition Ernest Martin

OUVRAGES RECOMMANDÉS
Textes

Le Roman de Renart, éd. de J. de Foucault. Bordas.
——, version moderne de Léopold Chauveau. Payot.
——, extraits. Classiques Larousse, Hachette.

Critique

Gaston Paris. *Le Roman de Renart*. Boulenger, 1895.

---

[18] that red Fox.   [19] gibes.   [20] hurt him more.   [21] foolish things.   [22] felt that the mouth was loosening its grip.   [23] manure pile.   [24] How do you feel about it?   [25] The glutton shook.   [26] Evil be to.   [27] pierce.   [28] doze.   [29] cousinship.   [30] perjurer.   [31] your jacket, skin, bones.   [32] does not care about.   [33] through brushwood.   [34] path.

LA LITTÉRATURE ET LA LANGUE FRANÇAISES
DU XIIᵉ AU XVᵉ SIÈCLE

Le *français*, ou dialecte de l'Ile-de-France, rendu plus riche et sûr par le latin des gens d'église et des savants, vit son influence grandir avec l'extension de l'autorité des Capétiens[1] dont le berceau était cette même Ile-de-France. La langue d'oc, qu'avaient illustrée les troubadours, fut comme les autres dialectes de la langue d'oïl réduite au rang de patois quand, après la Croisade des Albigeois,[2] la province de Languedoc fut réunie à la couronne royale (1271). Des chroniqueurs comme VILLEHARDOUIN (1164-1213), JOINVILLE (1224-1319), FROISSART (1337-1405) et COMMINES (1445-1511) firent du français une langue littéraire: il devint de plus en plus souple et simple; dès le treizième siècle, il n'y eut plus qu'une seule déclinaison; l's final, marque du génitif, ne fut plus que le signe du pluriel; c'est l'époque du *français moyen* dont nous donnons un exemple (p. 28), tiré de François Villon qui écrivit au milieu du quinzième siècle, cinquante ans avant que le français moyen ne devînt, sous l'influence de la Renaissance, de la Pléiade surtout, le français moderne.

OUVRAGES RECOMMANDÉS
Textes

Les Chroniqueurs français au Moyen Age. Classiques Larousse.
Joinville. *La Vie de saint Louis.* Classiques Hachette, Hatier.
Froissart. *Chroniques.* Classiques Hachette, Hatier.

Deux Poètes lyriques du Moyen Age

I. CHARLES D'ORLÉANS
(1394-1465)
Un Prince

Le roi de France, Charles VI, était son oncle; son fils devint Louis XII; lui, après une jeunesse de luxe, fut fait prisonnier à Azincourt, dans le Nord de la France, par les Anglais (1415). Sa captivité de vingt-cinq ans en Angleterre fut assez douce. Elle ne l'empêcha ni d'aimer ni de composer des poésies où la note est, ou souriante, ou d'une tristesse légère, un peu conventionnelle, même dans ses regrets « en regardant vers le pays de France ». La forme qu'il emprunte, toujours charmante, est celle du rondeau (*Le Printemps*, treize vers sur deux rimes, avec répétitions), et de la ballade (*L'Homme égaré*, trois strophes égales et symétriques, plus une quatrième plus courte appelée *envoi*, les quatre strophes étant terminées par le même vers).

---

[1] *Hugh Capet and his direct descendants, who ruled France from 987 to 1328.* [2] *Crusade preached by Pope Innocent III, in 1208. It was led by Arnold of Cîteaux and Simon de Montfort against the people of the south of France, especially those of Albi, who were charged with Manichean errors (for example: the soul seeks escape from the body, or Kingdom of Darkness, to rejoin the Kingdom of Light). The Albigenses were exterminated.*

LE PRINTEMPS
Rondeau

Le temps [1] a laissé son manteau
De vent, de froidure [2] et de pluie,
Et s'est vêtu de broderie,[3]
De soleil luisant, clair et beau.

5 Il n'y a bête ni oiseau
Qu'en son jargon [4] ne chante ou crie:
« Le temps a laissé son manteau
De vent, de froidure et de pluie. »

Rivière, fontaine et ruisseau [5]
10 Portent en livrée jolie [6]
Gouttes d'argent d'orfèvrerie; [7]
Chacun s'habille de nouveau,[8]
Le temps a laissé son manteau.

L'HOMME ÉGARÉ [1] QUI NE SAIT OÙ IL VA
Ballade

En la forêt d'ennuyeuse tristesse
Un jour m'advint qu'à part moi cheminais; [2]
S'i [3] rencontrais l'amoureuse déesse,[4]
Qui m'appela, demandant où j'allais.
5 Je répondis que par Fortune [5] étais
Mis en exil en ce bois, long temps a,[6]
Et qu'à bon droit appeler me pouvait [7]
L'homme égaré qui ne sait où il va.

En souriant par sa très grand humblesse [8]
10 Me répondit: « Ami, si je savais
Pourquoi tu es mis en cette détresse,
A mon pouvoir [9] volontiers t'aiderais,
Car ja, piéça,[10] je mis ton cœur en voie [11]
De tout plaisir; ne sais qui l'en ôta.
15 Or me déplaît [12] qu'à présent je te vois
L'homme égaré qui ne sait où il va. »

---

[1] The weather. [2] cold. [3] has clothed itself with embroidery. [4] **Qui en son jargon,** Which in its language. [5] brook. [6] Wear as a pretty livery (uniform). [7] Drops of artistically worked silver; orfèvrerie *f.*, silversmith's work. [8] puts on new clothes.

[1] lost. [2] **il m'arriva de cheminer** (walk) **seul.** [3] **Alors là.** [4] *Venus.* [5] Fate. [6] **depuis longtemps.** [7] **on pouvait à bon droit** (rightfully) **m'ap-** peler. [8] informality. [9] **Autant qu'il m'est possible.** [10] **Car déjà il y a longtemps.** [11] **sur la route.** [12] Now I am displeased.

Hélas! dis-je, souveraine princesse,
Mon fait savez:[13] pourquoi le vous dirais-je?
C'est par la mort, qui fait à tous rudesse,[14]
20 Qui m'a tollu [15] celle que tant aimais,
Et qui était tout l'espoir que j'avais,
Qui me guidait, si bien m'accompagna
En son vivant que point ne me trouvais
L'homme égaré qui ne sait où il va.

Envoi

25 Aveugle suis, ne sais où aller dois:
De mon bâton, afin que ne fourvoie,[16]
Je vais tâtant [17] mon chemin çà et là.
C'est grand pitié qu'il convient [18] que je sois
L'homme égaré qui ne sait où il va.

OUVRAGES RECOMMANDÉS
Textes
Charles d'Orléans. *Poésies.* Introduction et notes par Pierre Champion. Champion.

——. *Choix de rondeaux.* Présentation par J. Tardieu. Plon.

Critique
Pierre Champion. *Vie de Charles d'Orléans.* Champion.

II. FRANÇOIS VILLON
(1431–1466?)
Un Bandit, premier grand poète lyrique français

Si l'on connaît la date de naissance de François Villon [vijɔ̃], 1431, l'année où Jeanne d'Arc fut brûlée, on en ignore le lieu.   Sa mère, veuve du peu riche de Montcorbier dit [1] des Loges, le confia, tout enfant, à Guillaume dit de Villon, chapelain de l'église de Saint-Benoît-le-Bétourné, près de la Sorbonne.   Il devint François Villon.

Il fit de bonnes études à la Sorbonne, reçut son diplôme de maître ès arts,[2] mais fréquenta les tavernes, les filles et les bandits.   Emprisonné plusieurs fois pour cambriolage,[3] puis pour le meurtre d'un prêtre, il ne fut sauvé de la potence de Montfaucon [4] que parce qu'il était tonsuré, c'est-à-dire assimilé aux gens d'église.   Il quitta Paris (1463) et disparut sur les grands chemins, probablement avec des vagabonds.   On suppose qu'il ne tarda pas à mourir dans la misère.

[13] **Vous savez mon histoire.**   [14] which does violence to all.   [15] **m'a ravi, enlevé,** has taken away from me.   [16] **afin que** je ne m'égare, so that I don't get lost.   [17] feeling.   [18] that it is proper (needful).

[1] called.   [2] master of arts.   [3] burglary. [4] the Montfaucon gallows.   *They stood on a hillock now occupied by the block between the rues Grange-aux-Belles, Louis Blanc, and the quais Jemmapes and des Écluses-Saint-Martin.   They were used from the beginning of the 13th century to 1760.*

Il a laissé environ trois mille vers, surtout deux longs poèmes, *Le Petit Testament*, *Le Grand Testament* (1461), et quelques pièces détachées.

Son œuvre est remarquable par sa sincérité courageuse qui tourne souvent à la confession. Dans une chaleur d'expression et d'imagination, sa verve se mêle à ses regrets d'être devenu un mauvais garçon; il est hanté par l'idée d'une mort précoce et violente, punition de ses turpitudes.

AU TEMPS DE MA JEUNESSE FOLLE

Je plains[1] le temps de ma jeunesse,
— Auquel j'ai plus qu'autre gallé[2]
Jusqu'à l'entrée de vieillesse —
Qui son partement[3] m'a celé.[4]
5 Il[5] ne s'en est à pied allé,
N'à[6] cheval; hélas! comment donc?
Soudainement s'en est volé,[7]
Et ne m'a laissé quelque don.

Allé s'en est,[8] et je demeure,
10 Pauvre de sens et de savoir,
Triste, failli,[9] plus noir que mûre,[10]
Qui n'ai cens, rente, n'avoir:[11]
Des miens le moindre,[12] je dis voir,[13]
De me désavouer s'avance,[14]
15 Oubliant naturel devoir
Par faute d'un peu de chevance.[15]

Hé Dieu! si j'eusse étudié
Au temps de ma jeunesse folle,
Et à bonnes mœurs dédié,
20 J'eusse maison et couche molle!
Mais quoi? Je fuyais l'école
Comme fait le mauvais enfant.
En écrivant cette parole
A peu que le cœur ne me fend[16] . . .

25 Pauvre je suis de ma jeunesse,
De pauvre et de petite extrace.[17]
Mon père n'eut oncq grand richesse,[18]
Ni son aïeul,[19] nommé Horace.
Pauvreté tous nous suit et trace.[20]

---

[1] Je regrette.   [2] frolicked.   [3] départ.
[4] caché.   [5] Il *refers to* le temps de ma jeunesse.   [6] Ni à, Nor on.   [7] il s'est envolé, it flew away.   [8] Il s'en est allé.
[9] tombé, désespéré.   [10] blackberry.
[11] Moi qui n'ai ni cens [sɑ̃ːs] (tax paid to me), ni rente (income), ni avoir (property).   [12] The least important of my relatives.   [13] je dis vrai.   [14] Comes forth to disown me.   [15] Parce que je manque d' (I lack) un peu de bien (property).   [16] Peu s'en faut (Almost) que mon cœur ne se fende (splits).   [17] extraction, lineage.   [18] jamais grande richesse.   [19] grand-père.   [20] nous suit à la trace, follows in our footsteps.

30 Sur les tombeaux de mes ancêtres
  (Les âmes desquels Dieu embrasse! [21])
  On n'y voit couronnes ni sceptres ...

Le Grand Testament, 22–35

MORT SAISIT SANS EXCEPTION

Je connais que [1] pauvres et riches,
Sages et fous, prêtres et lais,[2]
Nobles, vilains,[3] larges [4] et chiches,[5]
Petits et grands, et beaux et laids,
5 Dames à rebrassés [6] collets,
De quelconque [7] condition,
Portant atours [8] et bourrelets,[9]
Mort saisit sans exception.

Et meure Pâris ou Hélène,[10]
10 Quiconque meurt meurt à douleur
Telle [11] qu'il perd vent et haleine.
Son fiel [12] se crève sur son cœur,
Puis sue [13] Dieu sait quelle sueur!
Et n'est qui [14] de ses maux l'allège:
15 Car enfant n'a, frère ni sœur
Qui lors voudrait être son plège.[15]

La mort le fait blêmir, pâlir,[16]
Le nez courber, les veines tendre,
Le col enfler, la chair mollir,
20 Jointes [17] et nerfs [18] croître et étendre.
Corps féminin, qui tant es tendre,
Poli,[19] souef,[20] si précieux,
Te faudra-t-il ces maux attendre?
Oui, ou tout vif aller aux cieux.

Le Grand Testament, 39–41

---

[21] embrace.

[1] **Je sais que.** [2] laymen. [3] villeins, commoners, serfs. [4] generous. [5] stingy. [6] **retroussés et ouverts,** turned up and open. [7] whatever. [8] hennins, long conical hats; *nowadays* **atours** *m. pl. means* finery, fine clothes. [9] tall round hats. [10] whether it is Paris or Helen that dies. *The handsome Trojan prince Paris carried off Helen, the beautiful wife of Menelaus, king of Sparta, and thus brought on the Trojan War (twelfth century B.C.).* [11] **Avec une douleur telle.** [12] His gall bladder. [13] he sweats. [14] **Et il n'est personne qui.** [15] **son répondant,** his bail, surety, pledge. [16] turn ghastly pale. [17] **Articulations,** joints. [18] **muscles.** [19] Smooth. [20] **suave,** soft.

BALLADE DES DAMES DU TEMPS JADIS[1]

Đictes moy ou, n'en quel pays,
Est Flora la belle Rommaine;
Archipiada, ne Thaïs,
Qui fut sa cousine germaine;
5 Echo, parlant quant bruyt on maine
Dessus riviere ou sus estan,
Qui beaulte ot trop plus qu'umaine?
Mais ou sont les neiges d'antan?

Ou est la tres sage Heloÿs,
10 Pour qui chastre fut, et puis moyne,
Pierre Esbaillart a Saint Denis?
Pour son amour ot ceste essoyne.
Semblablement, ou est la royne
Qui commanda que Buridan
15 Fust gecte en ung sac en Saine?
Mais ou sont les neiges d'antan?

La royne Blanche comme lis,
Qui chantoit a voix de seraine,
Berte au grant pie, Bietris, Alis,
20 Haremburgis, qui tint le Maine,

Dites-moi où, en quel pays,
Est Flora[2] la belle Romaine;
Archipiada,[3] et Thaïs,[4]
Qui fut sa cousine germaine;[5]
Écho,[6] parlant quand bruit on mène[7]
Dessus rivière ou sur étang,[8]
Qui beauté eut trop plus qu'humaine?
Mais où sont les neiges d'antan?[9]

Où est la très sage[10] Héloïse,[11]
Pour qui châtré[12] fut, et puis moine,[13]
Pierre Abélard à Saint-Denis?
Pour son amour eut cette peine.
Semblablement,[14] où est la reine[15]
Qui commanda que Buridan[16]
Fût jeté en un sac en Seine?
Mais où sont les neiges d'antan?

La reine Blanche[17] comme un lis,[18]
Qui chantait à voix de sirène;
Berthe au grand pied,[19] Béatrix, Alis;[20]
Éremburge[21] qui tint le Maine,[22]

[1] of time gone by.   [2] *Roman courtesan. See Juvenal, Satires, II, 9.*   [3] *Alcibiades (fifth century B.C.), Athenian politician and general, famous for his capriciousness and good looks. The medieval writers mistook him for a woman.*   [4] *Greek courtesan about whom Anatole France wrote a novel,* Thaïs. *She lived in Egypt.* [5] first cousin. *Actually, Alcibiades and Thaïs had only good looks in common.* [6] *Forest nymph whom Juno changed into a rock and condemned to repeat the last words of those who asked questions of her. She loved Narcissus.*   [7] **mener grand bruit,** to make a great noise.   [8] pond. [9] of yesteryear? *From the Latin ante annum, meaning last year.*   [10] learned. [11] *Young lady, pupil of Pierre Abélard, a bold theologian who became her husband. The marriage enraged Héloïse's uncle, Fulbert, canon of Notre-Dame, who hired ruffians to make of Abélard a eunuch; consequently, the poor lover became a monk at Saint-Denis, near Paris. Héloïse became an abbess at the convent of le Paraclet (NW of Troyes) where she and Abélard were buried (twelfth century). Their bodies have been trans-* ferred *to the Père-Lachaise cemetery in Paris.*   [12] castrated (*not* **mis en châtre,** imprisoned).   [13] monk.   [14] *Similarly.* [15] *Marguerite de Bourgogne, wife of Louis X. This king ordered her to be stifled to death between two mattresses because of her orgies (1315).*   [16] *Professor of philosophy and rector (president) of the University of Paris. Buridan is incorrectly regarded as the author of the sophism known as "Buridan's Ass," used to demonstrate the inability of the will to act between two equally powerful motives. He is said to have participated in the orgies at la Tour de Nesle. (See Dumas père's play* La Tour de Nesle.*) He died in 1360.* [17] *Maybe Queen Blanche of Castille, mother of Saint Louis.*   [18] a lily. [19] *She was the mother of Charlemagne and had one foot much bigger than the other.* [20] *Béatrix and Alis are two female characters in a* **chanson de geste** (*verse chronicle of heroic acts) from Lorraine, Hervi de Metz.*   [21] *Countess of Maine, who married Foulques d'Anjou, a tyrannical count.*   [22] *Province to the south of Normandy; capital, Le Mans.*

Et Jehanne, la bonne Lorraine,	Et Jeanne, la bonne Lorraine,
Qu'Englois brulerent a Rouan;	Qu'Anglais brûlèrent à Rouen; [23]
Ou sont ilz, Vierge souveraine?	Où sont-elles, Vierge souveraine?
Mais ou sont les neiges d'antan?	Mais où sont les neiges d'antan?

Envoi	*Envoi*
25 Prince, n'enquerez de sepmaine	Prince,[24] n'enquérez[25] de semaine[26]
Ou elles sont, ne de cest an,	Où elles sont, ni cette année,
Que ce reffrain ne vous remaine:[27]	Sans vous souvenir du refrain:
Mais ou sont les neiges d'antan?	Mais où sont les neiges d'antan?

Le Grand Testament, 329–356

BALLADE
que fit Villon à la requête de sa mère pour prier Notre-Dame

Dame du ciel, Régente terrienne,[1]
Empérière[2] des infernaux paluds,[3]
Recevez-moi votre humble chrétienne,
Que comprise sois entre vos élus.[4]
5 Ce nonobstant qu'oncques[5] rien ne valus,
Les biens de vous,[6] Ma Dame et Ma Maîtresse,
Sont trop plus grands que ne suis pécheresse,[7]
Sans lesquels biens âme ne peut mérir[8]
N'avoir[9] les cieux. Je n'en suis jangleresse;[10]
10 En cette foi, je veux vivre et mourir.

A Votre Fils dites que je suis sienne;
De lui soient mes péchés absolus.[11]
Pardonne-moi comme à l'Égyptienne,[12]
Ou comme il fit au clerc Théophilus,[13]
15 Lequel par vous fut quitte et absolus[14]
Combien qu'il[15] eût au diable fait promesse.
Préservez-moi de faire jamais ce,[16]

[23] *Joan of Arc was burned at the stake in 1431, the year Villon was born.*   [24] *The envoy of a ballade often begins with* **Prince,** *which was the title of the president of a medieval puy, or poetic club.*   [25] **ne vous enquérez pas,** do not inquire.   [26] **de la semaine,** this week.   [27] *Some editors interpret this line as* **Pour que je ne vous ramène pas ce refrain,** *which does not make as much sense as* **Sans vous souvenir de ce refrain;** remaine *is either* **ramène** *or* **remember,** *from the old French verb* **remembrer, se souvenir.**

[1] **Reine de la terre.**   [2] **Impératrice.**   [3] **marais,** marshes.   [4] Include me among your elect (chosen).   [5] **Bien que jamais,** Although never.   [6] **Vos bontés,** Your kindnesses.   [7] **Sont bien plus grandes que mes péchés** (sins); **la pécheresse,** sinner.   [8] **Biens sans lesquels âme ne peut mériter** (deserve).   [9] **Ni avoir.**   [10] **menteuse,** a liar.   [11] **abolis, réduits à néant, absous,** abolished, annihilated, absolved.   [12] *Saint Mary the Egyptian (345–421), a prostitute from Alexandria, who repented.*   [13] the cleric (priest) Theophilus (*p. 4*).   [14] **acquitté et absous.**   [15] **Bien qu'il.**   [16] **ceci.**

Vierge portant, sans rompure encourir,
Le sacrement qu'on célèbre [17] à la messe.
20 En cette foi je veux vivre et mourir.

Femme je suis pauvrette et ancienne,
Qui rien ne sais; oncques lettre ne lus.[18]
Au moutier [19] vois dont je suis paroissienne
Paradis peint,[20] où sont harpes et luths,
25 Et un enfer où damnés sont bouillus: [21]
L'un me fait peur, l'autre joie et liesse.[22]
La joie avoir fais-moi,[23] haute Déesse,
A qui pécheurs doivent tous recourir,
Comblés de [24] foi, sans feinte [25] ni paresse.
30 En cette foi je veux vivre et mourir.

Envoi
*V*ous portâtes, digne Vierge, Princesse,
*I*ésus régnant qui n'a ni fin ni cesse.
*L*e Tout-Puissant, prenant notre faiblesse,
*L*aissa les cieux et nous vint secourir,
35 *O*ffrit à mort sa très chère jeunesse;
*N*otre-Seigneur tel est, tel le confesse.[26]
En cette foi je veux vivre et mourir.[27]

Le Grand Testament, 873–909

BALLADE DES PENDUS

Épitaphe en forme de ballade que fit Villon pour lui et
ses compagnons, s'attendant à être pendu avec eux

Frères humains qui après nous vivez,
N'ayez les cœurs contre nous endurcis,
Car, si pitié de nous pauvres avez,
Dieu en [1] aura plus tôt de vous merci.[2]
5 Vous nous voyez ci [3] attachés, cinq, six.
Quant de [4] la chair, que trop avons nourrie,
Elle est piéça [5] dévorée et pourrie,
Et nous, les os, devenons cendre et poudre.
De notre mal personne ne s'en rie,[6]
10 Mais priez Dieu que tous nous veuille absoudre!

[17] **Vous, la Vierge, qui avez porté, sans
rompre votre chasteté, le corps de Jésus
(the Host) qu'on nous donne en sacrement.** [18] **je ne sus jamais reconnaître
une lettre.** [19] monastery. [20] on the
stained-glass windows. [21] **bouillis.**
[22] gives me joy and happiness. [23] **Fais-**
moi avoir la joie. [24] Filled with.
[25] feint, feigned appearance, hypocrisy.
[26] **tel je le reconnais,** I acknowledge him
as such. [27] *Read vertically the first
letters of the first five lines of the envoy,
and you have the name VILLON.*

[1] because of that. [2] **miséricorde,** mercy.
[3] **ici.** [4] **Quant à,** As for. [5] **depuis**
longtemps. [6] **que personne ne se rie,**
let no one laugh.

Si vous clamons [7] frères, pas n'en devez
Avoir dédain, quoique fûmes occis [8]
Par justice. Toutefois, vous savez
Que tous hommes n'ont pas bon sens rassis; [9]
15 Excusez-nous, puisque sommes transis,[10]
Envers le [11] fils de la Vierge Marie,
Que [12] sa grâce ne soit pour nous tarie,[13]
Nous préservant de l'infernale foudre.
Nous sommes morts; âme ne nous harie; [14]
20 Mais priez Dieu que tous nous veuille absoudre!

La pluie nous a bués [15] et lavés,
Et le soleil desséchés et noircis;
Pies, corbeaux,[16] nous ont les yeux cavés [17]
Et arraché la barbe et les sourcils.
25 Jamais nul temps nous ne sommes assis; [18]
Puis çà, puis là, comme le vent varie,
A son plaisir sans cesser nous charrie,
Plus becquetés d'oiseaux que dés à coudre.[19]
Ne soyez donc de notre confrérie;
30 Mais priez Dieu que tous nous veuille absoudre!

Envoi
Prince Jésus, qui sur tous as maîtrie,[20]
Garde qu'Enfer n'ait de nous seigneurie:
A lui, n'ayons que faire ni que soudre.[21]
Hommes, ici n'a point [22] de moquerie,
35 Mais priez Dieu que tous nous veuille absoudre!

Le Codicille [23]

OUVRAGES RECOMMANDÉS
Textes
François Villon. *Œuvres*, éditées par Auguste Longnon et Lucien Foulet.
3ᵉ éd. Champion.
Villon-Marot. *Poésies choisies.* Classiques Larousse.
Critique
Pierre Champion. *François Villon, sa vie et son temps.* 2 vol. Champion.
Francis Carco. *Le Roman de François Villon.* Plon.
J. Castelnau. *François Villon.* Tallandier.
F. Desonay. *Villon.* Genève: Droz.

[7] **Si nous vous appelons.** [8] **tués.** sivés, steamed. [16] Magpies, crows. [9] sane judgment. [10] **trépassés,** dead. [17] **creusés,** scooped out. [18] **tranquilles,** still. [19] thimbles. [20] **maîtrise,** power. [11] **Auprès du.** [12] **Pour que,** So that. [13] dried up. [14] **que nulle âme ne nous tourmente,** let no one harry us. [15] **les-** [21] **solder, régler,** pay. [22] **il n'y a point.** [23] Codicil, Supplement to the will.

LA FARCE DE MAÎTRE PATHELIN
(vers 1465)

Les malheurs de la guerre de Cent Ans furent assez vite oubliés si l'on en juge par une farce écrite une douzaine d'années après. L'esprit gaulois n'était pas mort. Par la sûreté de sa composition, son mouvement dramatique, sa force comique, sa vérité psychologique, *La Farce de Maître Pathelin* mérite d'être appelée une comédie; elle est digne de Molière. L'auteur en est inconnu; elle est en vers octosyllabiques que nous avons traduits en prose.

Maître Pierre Pathelin est un avocat plus riche de ruse que d'argent. Simulant la maladie, il refuse de payer le drap que lui a fourni le marchand Guillaume. Plus tard celui-ci traduit en justice [1] *son berger Agnelet qu'il accuse d'avoir assommé quelques moutons. Pathelin, à qui Agnelet a demandé de le défendre, lui conseille de simuler la folie et de répondre « bê » à toutes les questions. A la séance* [2] *du tribunal, Guillaume reconnaît Pathelin et dans sa déposition mêle l'histoire du drap volé à celle des moutons. Le croyant fou, le juge acquitte Agnelet qui maintenant se trouve seul avec Pathelin.*

A TROMPEUR, TROMPEUR ET DEMI [3]

PATHELIN. Dis donc, Agnelet!

LE BERGER. Bê!

PATHELIN. Viens ici, viens. Est-ce que j'ai bien arrangé ton affaire?

LE BERGER. Bê!

5   PATHELIN. Ton adversaire s'est retiré; ne dis plus « bê »; ce n'est plus la peine. Je lui ai fait mordre la poussière,[4] hein? Et je t'ai donné de bons conseils.

LE BERGER. Bê!

PATHELIN. Hé diable! on ne t'entendra pas; parle hardiment;[5] ne
10 t'inquiète pas.

LE BERGER. Bê!

PATHELIN. Il est temps que je m'en aille; paie-moi!

LE BERGER. Bê!

PATHELIN. A dire vrai, tu as très bien fait ton devoir, et aussi bonne
15 contenance.[6] Ce qui l'a fait tomber dans le piège [7] c'est que tu t'es retenu de rire.

LE BERGER. Bê!

PATHELIN. Quoi, « bê! » Il ne faut plus le dire. Paie-moi bien; sois gentil.

20   LE BERGER. Bê!

PATHELIN. Quoi, « bê! » Parle sagement et paie-moi; alors je m'en irai.

LE BERGER. Bê!

PATHELIN. Sais-tu quoi? Je vais te le dire. Je te prie, sans plus bêler
25 devant moi, de penser à me payer. Je ne veux plus de tes bêlements.[8]
Paie vite!

---

[1] sues.   [2] sitting, session.   [3] Set a thief to catch a thief.   [4] bite the dust.   [5] boldly and plainly.   [6] you showed a bold front.   [7] trap.   [8] bleating.

LE BERGER. Bê!

PATHELIN. Tu te moques de moi? C'est tout ce que tu fais de mes services? Foi [9] d'avocat, tu me paieras, entends-tu, à moins que tu ne t'envoles comme un oiseau. Allons, de l'argent!

LE BERGER. Bê!   5

PATHELIN. Tu plaisantes? Comment? N'aurai-je pas autre chose que des plaisanteries?

LE BERGER. Bê!

PATHELIN. Tu fais le rimeur en prose? [10] A qui vends-tu tes coquilles? [11] Sais-tu qui je suis? Ne te fatigue plus de ton « bê! » et paie-moi!   10

LE BERGER. Bê!

PATHELIN. N'aurai-je de toi d'autre argent? De qui penses-tu te moquer? Et je devais tant me louer de toi! [12] Fais donc que je m'en loue!

LE BERGER. Bê!

PATHELIN. Me fais-tu manger de l'oie? [13] Palsambleu! [14] Ai-je tant vécu [15] pour qu'un berger, un mouton habillé en homme, un vilain paillard [15] se fiche de moi? [16]

LE BERGER. Bê!

PATHELIN. Est-ce que je ne tirerai pas de toi une autre parole? Si tu fais ça pour rigoler,[17] dis-le; ne me fais plus discuter. Viens souper chez [20] moi.

LE BERGER. Bê!

PATHELIN. Par saint Jean, tu as raison: les oisons mènent paître les oies.[18] (*A part.*) Voilà! Je croyais être le maître des trompeurs d'ici et d'ailleurs, des escrocs [19] et des beaux parleurs qui remettent le paiement au [25] jour du Jugement, et un berger des champs est plus fort [20] que moi! (*Au berger.*) Si je trouve un sergent [21] je te fais arrêter.

LE BERGER. Bê!

PATHELIN. Heu,[22] « bê! » Que l'on me pende si je ne vais pas faire venir un bon sergent! Malheur à lui s'il ne te met pas en prison!   30

LE BERGER, *s'enfuyant.* S'il m'attrape, je lui pardonne!

Traduit d'après l'édition Richard T. Holbrook,
Librairie Champion, 1924

---

[9] On the word. [10] Trying to be smart? *lit.* 'You act like a rhymer in prose?' [11] shells, worthless wares. [12] And I was supposed to be so pleased with you! [13] **Tu te fiches de moi?** Are you pulling my leg? [14] For God's sake! [15] bum (sleeping on straw). [16] make fun of me? [17] for fun. [18] goslings lead grown-up geese to pasture; young people are smarter than old folks. [19] crooks. [20] smarter. [21] policeman. [22] Pooh.

OUVRAGES RECOMMANDÉS
Textes

Pathelin et autres pièces (*Le Cuvier, Les Deux aveugles, Le Pâté et la tarte, L'Homme qui épousa une femme muette*), texte modernisé par Mathurin Dondo. Heath.

Maistre Pierre Pathelin. Introduction et notes par R. T. Holbrook. Champion.

La Farce de Maître Pathelin. Texte en vers, modernisé par Mlle Périer. Classiques Hatier.

La Farce de Maître Pierre Pathelin. Traduction en prose par Frappier et Gossart, *Le Théâtre comique au Moyen Age.* Classiques Larousse.

Critique

Louis Cons. *L'Auteur de la farce de Pathelin* (*Guillaume Alecis*). Elliott Monographs, 17, 1926.

LA RENAISSANCE

LA RENAISSANCE
Contour littéraire

A la fin du quinzième siècle et au début du seizième, les rois de France firent des expéditions militaires, héroï-comiques, en Italie, où ils croyaient avoir des droits sur le royaume de Naples et le duché de Milan. Ils ne gardèrent pas ces territoires qu'ils conquirent d'abord facilement. Le meilleur résultat des guerres d'Italie fut qu'elles firent connaître aux Français 5 la Renaissance italienne qui avait remis la civilisation grecque en honneur. Cette Renaissance fut plutôt une naissance, une création complète au pays de France qui n'avait jamais connu la floraison littéraire, philosophique et artistique qui avait embelli la Grèce et Rome. Les Français comprirent que, pour la vie intellectuelle, il y avait autre chose que la tyrannique 10 scolastique, l'acceptation aveugle de l'autorité d'Aristote et de l'Église. Non seulement ils devinrent plus érudits, mais ils commencèrent à prendre une attitude critique qu'ils poussèrent plus loin que celle de Jean de Meung (p. 4). L'individualisme commença la prodigieuse ascension vers la liberté qu'il n'a pas encore terminée. Les Français devinrent aussi plus 15 artistes; leurs idées sur la vie ne furent plus celles que leur inspiraient l'Enfer et ses terreurs; elles se colorèrent d'optimisme. La découverte de l'imprimerie, puis celle de l'Amérique et d'autres continents, enfin la Réforme, contribuèrent à former l'**humanisme,** à donner une vie nouvelle, une radieuse impulsion à la littérature et aux arts qu'encouragèrent Fran- 20 çois Ier et beaucoup de grands seigneurs. Ainsi en venons-nous à Rabelais, Marot, du Bellay, Ronsard et Montaigne.

OUVRAGES RECOMMANDÉS
Textes

La Comédie au XVIe siècle
La Tragédie au XVIe siècle
Conteurs français du XVIe siècle } Classiques Larousse.
Historiens et mémorialistes du XVIe siècle
Les Humanistes français
Poètes du XVIe siècle. Classiques Hachette.
S. H. Bush and C. E. Young. *Sixteenth Century French Anthology.* Heath.

Critique

V.–L. Saulnier. *La Littérature française de la Renaissance.* Presses universitaires.

A. Bailly. *La Vie littéraire sous la Renaissance.* Tallandier.

Jean Plattard. *La Renaissance des lettres en France, de Louis XII à Henri IV.* Armand Colin.

Henri Chamard. *Histoire de la Pléiade.* 4 vol. Didier.

FRANÇOIS RABELAIS
(1494 ?–1553)
Le Joyeux Amant de la bonne vie et du savoir

Par la date, Rabelais est le premier des grands prosateurs français; par la qualité de son œuvre, il n'est pas loin de la première place dans la littérature française.

Jeune moine (1494–1530). Il naquit probablement en 1494, à La Devinière, petite ferme qui existe encore à quelques kilomètres de Chinon, en Touraine, et que possédait son père qui était avocat. Fit-il ses études à l'abbaye voisine de Seuilly, puis au couvent de La Baumette, près d'Angers? Peut-être; ce qui est sûr c'est qu'en 1520 il était moine franciscain à Fontenay-le-Comte (Vendée), et qu'il était très versé en latin, grec et théologie scolastique. En fut-il chassé parce qu'il lisait des livres suspects d'hérésie, en particulier les commentaires d'Érasme[1] sur le texte grec de l'évangile[2] de saint Luc? On ne peut l'affirmer; toujours est-il que, vers 1525, il passa au monastère plus intellectuel et tolérant des bénédictins de Maillezais, dans la même région. Secrétaire de l'abbé, il l'accompagna dans ses nombreux voyages en Poitou et ses séjours au vieux prieuré de Ligugé, au sud de Poitiers, rendez-vous d'humanistes. De 1528 à 1530 il suivit des cours de théologie à l'Université de Paris, sous l'habit de prêtre séculier, ce qui lui permettait de vivre plus librement. A la même époque il visita peut-être, comme son héros Pantagruel, les universités de Bourges et d'Orléans, et sûrement celles de Bordeaux et de Toulouse.

Médecin, écrivain à ses débuts (1530–33). On ne sait où il avait acquis les connaissances qui lui permirent d'être reçu bachelier en médecine six semaines après l'ouverture des cours de la Faculté de Montpellier, à la fin de l'année 1530; mais, pour l'examen, le latin n'était-il pas en ce temps-là plus important que la médecine elle-même? Deux ans plus tard il était nommé médecin d'un hôpital de Lyon. Il occupa ses loisirs[3] à éditer des textes de médecine, latins et grecs. Un petit livre, *Les grandes et inestimables Chroniques du grand et énorme géant Gargantua*, venait d'être publié à Lyon avec beaucoup de succès. François Rabelais, sous le pseudonyme comique d'Alcofribas Nasier, anagramme de son nom, y donna une suite intitulée *Horribles et épouvantables faits[4] et prouesses[5] du très renommé Pantagruel, roi des Dipsodes,[6] fils du grand géant Gargantua* (1532). Le *Pantagruel* fut aussi populaire que le *Gargantua*, mais la Sorbonne le condamna comme obscène.

Voyageur, curé, bohème (1533–53). Les vingt dernières années de la vie de Rabelais furent actives. Il fit quatre voyages en Italie, dont trois à Rome en qualité de médecin et secrétaire du cardinal Jean du Bellay, cousin de Joachim du Bellay (p. 50). En 1536 il retourna à la Faculté de médecine de Montpellier où, en quelques mois, il passa sa licence et son doctorat; il y professa ensuite pendant un semestre.

Il n'avait pas abandonné les lettres. Il avait publié à Lyon, en 1534, *La Vie très horrifique du grand Gargantua*, qui concernait la légende du père de Pantagruel. Il continua en 1546 par le *Tiers Livre des faits et dits[7] héroïques du bon Pantagruel*, livre « farci[8] d'hérésies diverses », déclarèrent cette fois les théologiens de la Sorbonne, plus intolérants que jamais. Prudent comme son héros Panurge,

---

[1] Erasmus (*1466–1536*), *Dutch humanist who at first favored the Reformation, but subsequently opposed it. His best-known work is* The Praise of Folly, *a satire directed against theologians and Church dig-* nitaries.   [2] gospel.   [3] leisure.   [4] **hauts faits,** high deeds.   [5] prowesses, feats of valor.   [6] Thirsty Ones.   [7] sayings.   [8] stuffed.

Rabelais ne voulut pas avoir le sort de son ami Étienne Dolet, pendu et brûlé à Paris la même année pour ses écrits agressifs. Il s'enfuit à Metz (Lorraine) qui dépendait alors de l'empereur d'Allemagne, puis rejoignit à Rome le cardinal du Bellay, en même temps qu'il publiait à Lyon le début du *Quart Livre des faits et dits héroïques du bon Pantagruel*, tout à fait orthodoxe cette fois.

Deux ans après il rentra en France. Il reçut le bénéfice de deux cures qu'il n'occupa probablement pas et que même il abandonna bientôt: Meudon, près de Paris, et Saint-Christophe-du-Jambet, dans le Maine. Ses dernières années semblent s'être passées dans la pauvreté et dans la bohème,[9] comme celles de Cervantès. Ses ennemis, dont Calvin, lui reprochèrent de vivre dans l'irréligion, le matérialisme et la débauche.

Rabelais mourut à Paris en 1553. « Je m'en vais chercher un grand peut-être... Tirez le rideau, la farce est jouée! » furent, dit la légende qui entoure sa vie, ses dernières paroles. Onze ans plus tard parut le *Cinquième livre de Pantagruel*, dont tous les chapitres ne sont pas de Rabelais.

La pensée et le rire de Rabelais. Ses cinq livres sont savoureux de « substantifique moelle » où la passion de la science, le goût de l'action, le respect de la nature et de l'instinct, la tolérance, se mêlent pour créer un vigoureux optimisme qui s'exprime en un rire que les délicats voudraient plus fin, mais qui n'en est pas moins « le propre[10] de l'homme. » Un jour, en écrivant la brillante généalogie du grand Gargantua, maître François Rabelais, pourtant assez peu ambitieux, se laissa aller à souhaiter d'être « roi et riche. » Était-ce, à l'exemple du roi François Ier, — qu'il connaissait bien —, pour faire courber les fronts et trembler les cœurs? Que non pas![11] C'était « afin de faire grande chère,[12] pas ne travailler, point ne me soucier, et bien enrichir mes amis, et tous les gens de bien et de savoir. » Épicurisme, fidélité dans l'amitié, honnêteté, recherche de la science, — oublions la paresse et l'insouciance, qui ne correspondent pas à ce que nous savons de lui —, beaucoup du vrai Rabelais est dans cette citation.

LIVRE I. — *GARGANTUA*

Gargantua (que grande tu as la gorge!), fils du roi géant Grandgousier (grand gosier[1]*), est né avec dix-huit mentons et en criant « A boire! » Comme il mange et comme il boit! Pour son éducation, il est d'abord confié aux soins d'un savant docteur en théologie, Tubal Holoferne, qui le rend stupide par sa méthode d'enseignement arbitraire. Il réussit beaucoup mieux sous le sage Ponocratès*[2] *qui, délaissant la scolastique du Moyen Age, son « par cœur »,*[3] *même à l'envers,*[4] *et ses classifications peu rationnelles, adopte l'éducation naturelle, c'est-à-dire par l'observation, le raisonnement, la musique et les exercices physiques.*

Étudiant à la Sorbonne, Gargantua enlève les grosses cloches de la cathédrale Notre-Dame de Paris et les suspend au cou de sa jument[5] *africaine, qui « avait les pieds fendus en doigts ». Pour se venger, les Parisiens concentrent sur lui toute leur artillerie. Invulnérable, le jeune géant fait tomber avec un peigne les boulets de canon restés dans ses cheveux. Il retourne en hâte en Touraine où son père vient d'être attaqué par un roi belliqueux, Picrochole.*[6] *Avec l'aide d'un moine, frère Jean des Entommeures,*[7] *qui brise les têtes avec une grande croix de bois fort dur, il met les ennemis en déroute. Après la bataille, il demande au brave moine ce qu'il veut comme récompense, et Jean des Entommeures répond:*

[9] Bohemian life.   [10] the characteristic.   [11] Not at all!   [12] to eat gorgeously.

[1] gullet.   [2] *Meaning* hard worker *in Greek.*   [3] method of learning by heart.   [4] backward.   [5] mare.   [6] [pikrɔkɔl]; *in Greek*, bitter gall.   [7] **Entonnoirs,** Funnels.

L'ABBAYE DE THÉLÈME

— Octroyez-moi de fonder [8] une abbaye à mon devis.[9]

La demande plut à Gargantua, et il offrit tout son pays de Thélème, au bord de la rivière de Loire, à deux lieues de la grande forêt du Port-Huault. Le moine requit à Gargantua qu'il instituât son couvent [10] au 5 contraire de tous les autres.

— Premièrement donc, dit Gargantua, il n'y faudra pas bâtir murailles au circuit,[11] car toutes autres abbayes sont fièrement murées.

— Vrai, dit le moine, et non sans cause: où mur y a, et devant, et derrière, y a force murmure,[12] envie et conspiration mutuelle.

10 Davantage,[13] vu qu'en certains couvents de ce monde il est d'usage que, si une femme y entre, on nettoie la place par laquelle elle est passée, il fut ordonné que, si religieux [14] ou religieuse y entrait par cas fortuit,[15] on nettoierait soigneusement tous les lieux par lesquels ils seraient passés. Et parce qu'en religions [16] de ce monde tout est compassé,[17] limité et réglé 15 par heures, il fut décrété que là ne serait horloge, ni cadran [18] aucun... Item, parce qu'en ce temps-là on ne mettait en religion des femmes sinon celles qui étaient borgnes,[19] boiteuses, bossues, laides, défaites,[20] folles, insensées, maléficiées,[21] et tarées,[22] ni les hommes sinon catarrheux,[23] mal nés,[24] niais et un fardeau pour leur famille..., il fut ordonné que là ne seraient 20 reçus sinon les belles, bien formées et d'une heureuse nature, et les beaux, bien formés et d'une heureuse nature...

Item, parce que tant hommes que femmes,[25] une fois reçus en religion, après l'an de noviciat, étaient forcés et astreints d'y demeurer perpétuellement leur vie durant, il fut établi que tant hommes que femmes là reçus 25 sortiraient quand bon leur semblerait, franchement [26] et entièrement...

Le bâtiment fut en hexagone, en telle façon qu'à chaque angle était bâtie une grosse tour ronde..., le tout bâti à six étages... Ledit bâtiment était cent fois plus magnifique que n'est Bonnivet,[27] ni Chambord,[28] ni Chantilly,[29] car il y avait neuf mille trois cent trente-deux chambres, 30 chacune garnie d'arrière-chambre, cabinet, garde-robe, chapelle, et issue en une grande salle. Entre chaque tour, au milieu dudit corps de logis,[30] était un escalier à vis brisée,[31] dont les marches étaient en partie de porphyre, en partie de pierre de Numidie,[32] en partie de marbre serpentin,[33] et longues de vingt-deux pieds...

35 Depuis la tour Artice (*North*) jusqu'à la tour Crière (*Ice*) étaient les

---

[8] Grant me leave to found.   [9] according-ing to my own plans.   [10] requested Gargantua's permission to establish his convent; *in modern French:* **requérir quelqu'un de faire quelque chose.**   [11] around it.   [12] much grumbling.   [13] Moreover.   [14] monk.   [15] by chance.   [16] in convents.   [17] planned; *lit.* **mesuré avec le compas.**   [18] dial.   [19] one-eyed.   [20] **contrefaites,** deformed.   [21] **ensorcelées,** bewitched.   [22] corrupt.   [23] sickly.   [24] ill-bred.   [25] both men and women.   [26] freely.   [27] *Castle near Poitiers, torn down in 1788.*   [28] *Chambord is, along with Chenonceaux and Azay-le-Rideau, the most beautiful of the many Loire châteaux.*   [29] [Šātiji]: *20 mi. N of Paris.*   [30] of the aforesaid main building.   [31] a winding staircase broken by landings; **la vis,** screw.   [32] Numidia, *old name of Algeria. Numidian marble is red.*   [33] serpentine marble (*green with red and white spots*).

belles grandes librairies [34] en grec, latin, hébreu, français, toscan [35] et espagnol, réparties [36] par les divers étages, selon les langues.

Au milieu était un merveilleux escalier à vis, dont l'entrée était par le dehors du logis en un arceau [37] large de six toises.[38] Cet escalier était fait en telle symétrie et capacité [39] que six hommes d'armes, la lance sur la cuisse,[40] 5 pouvaient de front [41] ensemble monter jusqu'au-dessus de tout le bâtiment.

Depuis la tour Anatole (*Orient*) jusqu'à Mésembrine (*South*) étaient belles grandes galeries, toutes peintes des antiques prouesses, histoires et descriptions de la terre.   Au milieu était une pareille montée [42] et porte . . .; sur cette porte était écrit, en grosses lettres antiques,[43] ce qui s'ensuit: [44] 10

> Ci [45] n'entrez pas, hypocrites, bigots,
> Vieux matagots,[46] marmiteux,[47] boursouflés [48] . . .
> Ci entrez, vous, et bien soyez venus [49]
> Et parvenus,[50] tous nobles chevaliers! . . .
> Ci entrez, vous, dames de haut parage [51] . . .,   15
> Fleurs de beauté à céleste visage . . .

Au milieu de la cour intérieure était une fontaine magnifique de bel albâtre; [52] au-dessus, les trois Grâces, avec cornes d'abondance,[53] qui jetaient l'eau par les mamelles,[54] bouche, oreilles, yeux et autres ouvertures du corps.   20

Le dedans du logis sur ladite cour était sur gros piliers de calcédoine [55] et porphyre, à beaux arcs d'antique,[56] au-dedans desquels étaient belles galeries, longues et amples, ornées de peintures et cornes de cerfs, licornes,[57] rhinocéros, hippopotames, dents [58] d'éléphants et autres choses remarquables.

Le logis des dames s'étendait depuis la tour Artice jusqu'à la porte 25 Mésembrine.   Les hommes occupaient le reste.   Devant ledit logis des dames . . . étaient les lices,[59] l'hippodrome, le théâtre et les piscines,[60] avec les bains mirifiques [61] à trois marches,[62] bien garnis de tous assortiments,[63] et foison d'eau de myrte.[64]

Près de la rivière était le beau jardin de plaisance; [65] au milieu de celui-ci, 30 le beau labyrinthe.   Entre les deux autres tours étaient les jeux de paume [66] et de grosse balle.   Du côté de la tour Crière était le verger, plein de tous arbres fruitiers, tous plantés en quinconce.[67]   Au bout était le grand parc, foisonnant de gibier.[68]

---

[34] *obs. for* **bibliothèques,** libraries; **la librairie** *is now* bookstore.   [35] Tuscan, *the standard speech of Italy.*   [36] distributed.   [37] an arch.   [38] six fathoms; *a fathom is six feet.*   [39] size.   [40] on their thighs.   [41] abreast.   [42] ascent, staircase.   [43] ancient (Roman, *here*).   [44] what follows.   [45] Here.   [46] [matago]: queer people, hypocrites.   [47] starvelings, dissemblers.   [48] bloated, bombastic people.   [49] **soyez les bienvenus,** be welcome.   [50] *And* very welcome.   [51] lineage.   [52] alabaster.   [53] horns of plenty.   [54] breasts.   [55] chalcedony, *a translucent variety of quartz, pale-blue or gray.*   [56] **arcs en** plein cintre, semicircular arches; *used in Roman and Romanesque architecture.*   [57] unicorns.   [58] teeth and tusks (**defenses**).   [59] lists, tournament fields, tiltyards.   [60] swimming pools.   [61] the most admirable baths.   [62] with three steps (*to step down into the baths*).   [63] articles needed.   [64] plenty of myrtle water.   *The ancients considered the myrtle* (**le myrte**) *sacred to Venus.*   [65] pleasure.   [66] tennis courts.   [67] [kɛ̃-kɔ̃s]; in a quincunx (*arrangement of five objects with one at each corner and one in the middle of a square*).   [68] abounding with game.

Entre les tierces tours [69] étaient les buttes pour l'arquebuse,[70] l'arc et l'arbalète; [71] les offices [72] hors de la tour Hespérie (*Occident*), à simple étage; l'écurie, au-delà des offices; la fauconnerie [73] au-devant de celles-ci... La vénerie [74] était un peu plus loin, tirant vers [75] le parc.

5   Toutes les salles, chambres et cabinets [76] étaient tapissés [77] en diverses sortes, selon les saisons de l'année. Tout le pavé [78] était couvert de drap vert. Les lits étaient de broderie.[79] En chaque arrière-chambre était un miroir en cristal de Venise enchâssé d'or fin, au tour garni de perles,[80] et était de telle grandeur qu'il pouvait véritablement représenter toute la 10 personne. A l'issue [81] des salles du logis des dames étaient les parfumeurs et coiffeurs par les mains desquels passaient les hommes quand ils visitaient les dames.

(*Suit la description des somptueux vêtements des religieuses et religieux de Thélème.*)

Gargantua, chapitres 52–56

COMMENT ÉTAIENT RÉGLÉS LES THÉLÉMITES DANS LEUR MANIÈRE DE VIVRE

Toute leur vie était employée, non par lois, statuts ou règles, mais selon leur vouloir et franc arbitre.[1] Se levaient du lit quand bon leur semblait, 15 buvaient, mangeaient, travaillaient, dormaient quand le désir leur venait. Nul ne les éveillait, nul ne les forçait ni à boire, ni à manger, ni à faire chose quelconque. Ainsi l'avait établi Gargantua. En leur règle n'était que cette clause:

FAIS CE QUE VOUDRAS,

parce que gens libres, bien nés, bien instruits,[2] vivant en compagnies hon-20 nêtes, ont par nature un instinct et aiguillon [3] qui toujours les pousse à faits vertueux et les retire du vice: lequel instinct ils nommaient honneur...

Par cette liberté, entrèrent en louable [4] émulation de faire, tous, ce qu'à un seul voyaient plaire.[5] Si quelqu'un ou quelqu'une disait: « Buvons », tous buvaient; s'il disait: « Jouons », tous jouaient; s'il disait: « Allons 25 nous ébattre [6] dans les champs », tous y allaient. Si c'était pour chasser au faucon,[7] ou chasser autrement, les dames, montées sur belles haquenées,[8] avec leur palefroi [9] richement harnaché, sur le poing mignonnement ganté [10] portaient chacune ou un épervier,[11] ou un laneret,[12] ou un émerillon; [13] les hommes portaient les autres oiseaux.[14]

[69] third couple of towers.   [70] harquebus (*portable gun supported on a forked stand*).   [71] crossbow.   [72] pantries.   [73] the hawkhouse.   [74] The venery (*huntsmen's lodgings and kennels*).   [75] in the direction of.   [76] small rooms.   [77] hung with tapestries.   [78] the pavement, tiled floor.   [79] covered with embroidery.   [80] set in a frame of fine gold studded with pearls.   [81] At the end.

[1] **libre arbitre,** free will.   [2] well-bred.   [3] spur.   [4] laudable.   [5] what they saw did please one.   [6] disport ourselves.   [7] to go a-hawking.   [8] ambling mares.   [9] palfrey (*saddle horse for state occasions*).   [10] on their closed hands which were covered with attractive gloves.   [11] sparrow hawk.   [12] lanneret; *lannerets and merlins are small falcons*.   [13] merlin, pigeon hawk.   [14] *the larger birds used in falconry* (*eagles, falcons, gerfalcons, hawks, goshawks*).

Tant noblement étaient appris [15] qu'il n'était entre eux celui ni celle qui ne sût lire, écrire, chanter, jouer d'instruments harmonieux, parler de cinq à six langages, et en ceux-ci composer tant en vers qu'en prose. Jamais ne furent vus chevaliers tant preux, tant galants, tant adroits à pied et à cheval, plus vigoureux, mieux remuants,[16] mieux maniant toutes armes 5 que là étaient;[17] jamais ne furent vues dames tant élégantes, tant mignonnes, moins ennuyeuses, plus doctes à la main, à l'aiguille,[18] à tout acte féminin honnête et libre que là étaient.

Par cette raison, quand le temps venu était que quelqu'un de cette abbaye, ou à la requête [19] de ses parents, ou pour autres causes, voulût 10 s'en aller, avec soi il emmenait une des dames, celle qui l'avait pris pour son amoureux, et étaient ensemble mariés; et si bien avaient vécu à Thélème en dévouement et amitié, encore mieux la continuaient-ils en mariage; autant s'entr'aimaient-ils [20] à la fin de leurs jours, comme le premier de leurs noces.   15

Gargantua, chapitre 57

LIVRE II. — *PANTAGRUEL*

Gargantua succède à son père Grandgousier et, à l'âge de quatre cent quatre-vingt-quatre ans, a un fils qui, en naissant, coûte la vie à sa mère, de sorte que Gargantua ne sait s'il doit pleurer de la mort de sa femme ou se réjouir de la naissance d'un superbe héritier aussi gros mangeur et surtout bon buveur que lui; c'est pour cette raison qu'il le nomme Pantagruel (en grec, le tout assoiffé [1]). Devenu grand, Pantagruel visite les universités de Poitiers, Toulouse, Montpellier, Bourges, Orléans, et Paris où il reçoit une lettre de son père qui lui trace un programme complet et admirable d'éducation rationnelle.

COMMENT PANTAGRUEL, ÉTANT A PARIS, REÇUT LETTRE DE SON PÈRE GARGANTUA, ET LA COPIE DE CELLE-CI

Mais encore que [2] mon feu père, de bonne mémoire,[3] Grandgousier, eût adonné [4] tout son soin à ce que je profitasse en toute perfection et savoir politique . . ., toutefois . . . le temps n'était tant idoine (favorable) ni commode aux lettres [5] comme est à présent, et n'avais abondance de tels précepteurs comme tu as eue. Le temps était encore ténébreux,[6] et sentant 20 l'infélicité [7] et calamité des Goths [8] qui avaient mis à destruction toute bonne littérature . . .

Maintenant toutes disciplines (études) sont restituées (rétablies), les langues restaurées: grecque, sans laquelle c'est honte qu'une personne se dise savante, hébraïque, chaldaïque,[9] latine; les impressions [10] tant élégantes 25

---

[15] taught. [16] nimble. [17] handling all weapons than were there. [18] more clever with hand and needle. [19] at the request. [20] they loved each other.

[1] thirsty. [2] although. [3] **dont je vénère la mémoire.** [4] devoted. [5] nor proper for learning. [6] It was still a period of ignorance. [7] savoring of the misery. [8] wrought by the Goths (Barbarians). [9] [kaldaik], Chaldean. [10] book printing. *The first French printing press was set up at the Sorbonne in 1470.*

et correctes en usage, qui ont été inventées de mon âge par inspiration divine, comme, à contrefil (au contraire), l'artillerie par suggestion diabolique. Tout le monde est plein de gens savants, de précepteurs très doctes, de librairies (bibliothèques) très amples, et m'est avis que,[11] ni
5 au temps de Platon, ni de Cicéron ... n'était telle commodité [12] d'étude qu'on y voit maintenant ... Je vois les brigands, les bourreaux,[13] les aventuriers, les palefreniers [14] de maintenant, plus doctes que les docteurs et prêcheurs de mon temps.

Que dirai-je? Les femmes et les filles [15] ont aspiré à cette louange et
10 manne [16] céleste de bonne doctrine.[17] Tant y a [18] qu'en l'âge où je suis j'ai été contraint d'apprendre les lettres (la langue et la littérature) grecques ...

C'est pourquoi, mon fils, je t'avertis [19] d'employer ta jeunesse à bien profiter en études et en vertus. Tu es à Paris, tu as ton précepteur Épistémon,
15 dont l'un (Épistémon), par vives et vocales [20] instructions, l'autre (Paris), par louables exemples, te peut endoctriner (instruire).

J'entends et veux [21] que tu apprennes les langues parfaitement. Premièrement la grecque ..., secondement la latine, et puis l'hébraïque pour les saintes lettres,[22] et la chaldaïque et arabique pareillement; et que tu formes
20 ton style, quant à la grecque, à l'imitation de Platon, quant à la latine,[23] de Cicéron. Qu'il n'y ait d'histoire [24] que tu ne tiennes en mémoire présente,[25] à quoi t'aidera la Cosmographie (Géographie) de ceux qui en ont écrit.

Des arts libéraux, géométrie, arithmétique et musique, je t'en donnai
25 quelque goût quand tu étais encore petit, à l'âge de cinq à six ans; poursuis le reste; et d'astronomie sache tous les canons (toutes les lois); laisse-moi [26] l'astrologie divinatrice [27] et l'art de Lullius,[28] comme abus [29] et vanités.[30]

De droit civil,[31] je veux que tu saches par cœur les beaux textes et me les
30 confères (compares) avec philosophie.

Et quant à la connaissance des faits de nature,[32] je veux que tu t'y adonnes soigneusement; qu'il n'y ait mer, rivière ni fontaine dont tu ne connaisses les poissons, tous les oiseaux de l'air, tous les arbres, arbustes et buissons des forêts, toutes les herbes de la terre, tous les métaux cachés
35 au ventre des abîmes,[33] les pierreries [34] de tout Orient et Midi; [35] que rien ne te soit inconnu.

Puis soigneusement, revisite (recherche) les livres des médecins grecs,

[11] I am the opinion that.   [12] facilities.   [13] hangmen, executioners.
[14] grooms, hostlers.   [15] *For example, the sister of Francis I, Marguerite de Navarre (the author of* The Heptameron, *a collection of true love stories), and his daughter Marguerite de Savoie.*   [16] manna.
[17] learning.   [18] So much so.   [19] I advise you.   [20] by lively and oral.   [21] It is my intention and desire, I insist.
[22] **les saintes écritures,** the Holy Scripture.   [23] *All these languages were taught at the Collège Royal (Collège de France today), founded in Paris by Francis I, in 1530.*   [24] Let there be no history.
[25] ready in your memory.   [26] do leave aside.   [27] divining.   [28] *Raymond Lully (Lulle, in French), Spanish alchemist (1235–1315).*   [29] as deceitful.   [30] empty subjects.   [31] Of civil law.   [32] works of nature, *natural history, botany, and geology.*   [33] in the hidden recesses (*lit.* 'bellies') of the deepest precipices (*lit.* 'abysses').   [34] gems.
[35] South.

arabes et latins, sans contemner (mépriser) les Talmudistes [36] et Cabalistes,[37] et par fréquentes anatomies (dissections) acquiers-toi parfaite connaissance de l'autre monde qui est l'homme [38] . . .

Somme,[39] que je voie un abîme de science: [40] car maintenant que tu deviens homme et te fais grand,[41] il te faudra sortir de cette tranquillité et repos d'étude, et apprendre la chevalerie et les armes [42] pour défendre ma maison, et nos amis secourir en toutes leurs affaires [43] contre les assauts des malfaisants.[44]

Et veux que bientôt tu essaies [45] combien tu as profité, ce que tu ne pourras mieux faire que tenant conclusions [46] en tout savoir, publiquement, envers tous et contre tous,[47] et hantant (fréquentant) les gens lettrés qui sont tant à Paris qu'ailleurs.

Mais, — parce que, selon le sage Salomon, sapience (sagesse) n'entre point en âme malévole (malveillante [48]) et science sans conscience n'est que ruine de l'âme [49] —, il te convient [50] servir, aimer et craindre Dieu, et en lui mettre toutes tes pensées et tout ton espoir . . .

Pantagruel, chapitre 8

Pantagruel devient bientôt l'ami d'un garçon famélique [51] et pervers, mais plein de verve et malice,[52] Panurge.

Livre III. *Voulant savoir s'il ferait bien de se marier, Panurge, accompagné de Pantagruel, consulte les dés, la clé des songes, une sibylle,[53] un muet, un vieux poète mourant, le précepteur Épistémon, un astrologue, un théologien, un médecin du nom de Rondibilis, et un philosophe. Les réponses sont contradictoires. Il voit enfin le fou Triboulet qui lui conseille d'aller au-delà des mers consulter l'oracle de la Dive (Divine) Bouteille.*

Livre IV. *Pantagruel, Panurge, Frère Jean et beaucoup de leurs amis mettent donc à la voile pour un long voyage qui rappelle ceux que Jacques Cartier venait d'accomplir vers l'Amérique du Nord où il avait remonté le Saint-Laurent jusqu'à Montréal (1535). En route on visite beaucoup d'étranges pays: celui des gens de justice ou chats fourrés [54] (fourrés d'hermine), des protestants, des catholiques, des Andouilles [55] et des Épicuriens. Une tempête s'élève et Panurge a grand-peur. Pantagruel tue une baleine. Frère Jean, encore une fois, fait un grand massacre d'ennemis.*

Livre V. *On aborde à l'Ile-Sonnante, parodie de Rome où les cloches des nombreuses églises n'arrêtent pas de sonner. Des oiseaux rapaces et sales y vivent, qui ressemblent à des hommes. Enfin, sous la conduite de la Lanterne, symbolisant l'étude, on arrive au royaume de la Quinte Essence, en un temple, devant la Dive Bouteille dont la réponse à la question du mariage est* Trinc *(Buvez!). Donc, il*

---

[36] commentators of the Talmud (*a body of Jewish civil and religious laws*). [37] devotees of the cabala; **la cabale,** *a mystical system of Hebrew philosophy, magic, and science.* [38] *Man, the microcosm, as opposed to the macrocosm, the universe.* [39] **En somme,** In brief. [40] let me see an abyss of knowledge (in you). [41] now that you are growing up and becoming a man. [42] chivalry and warfare. [43] troubles. [44] evildoers. [45] you assay, try out. [46] **sou-** **tenant des thèses,** discussing conclusions (defending your point of view). [47] with all and against all (**envers et contre tous** *is the modern idiom*). [48] **la sagesse n'entre pas dans une âme malveillante,** wisdom entereth not in a malicious soul. [49] science without conscience is but the ruin of the soul. [50] it behooves you. [51] starving. [52] cunning. [53] [sibil], sibyl, prophetess. [54] furry. [55] Sausages.

vaut mieux boire que de se marier; plus noblement, il faut aussi boire, comme l'a recommandé Gargantua dans sa lettre à Pantagruel (p. 43), à toutes les sources du savoir.

OUVRAGES RECOMMANDÉS
Textes

Œuvres complètes, présentées par J. Boulenger. La Pléiade, Gallimard.
——. Classiques Garnier. (L. Moland, H. Clouzot). 2 vol.
Pages choisies. Classiques Larousse (2 vol.), Hachette (1 vol.).

Critique

Jean Plattard. *La Vie et l'œuvre de Rabelais.* Hatier-Boivin.
John Charpentier. *Rabelais.* Tallandier.
S. Valot. *Regardons vivre Rabelais.* Grasset.

CLÉMENT MAROT
(1496?-1544)
Un Calviniste à l'élégant badinage

Il eut une enfance heureuse à Cahors, puis à Paris où, quand il eut environ dix ans, il suivit son père, secrétaire de la reine et poète-historiographe. Il fut, comme Villon, dont il publia une édition (1532), étudiant à la Sorbonne. Il devint page et poète à la cour, soldat à la frontière de l'Est et en Italie. La religion réformée qu'il embrassa vers 1525 le conduisit plusieurs fois en prison, et même à l'exil à la cour de Marguerite de Navarre, à Genève et en Italie où il mourut à Turin. Malgré les persécutions, il resta le « gentil poète » dont Boileau loua « l'élégant badinage ». Ses œuvres principales sont surtout de petites pièces, 65 *Épîtres*, des élégies, ballades, rondeaux et épigrammes, et une traduction des *Psaumes*.

SUR LE PRINTEMPS DE MA JEUNESSE FOLLE

Sur le printemps de ma jeunesse folle
Je ressemblois l'arondelle qui vole
Puis ça, puis là: l'aage me conduisoit
Sans paour ne soing, ou le cueur me disoit.
5 En la forest, sans la crainte des loups,
Je m'en allois souvent cueillir le houx,
Pour faire gluz a prendre oyseaulx ramages,
Tous differents de chantz et de plumages;
Ou me soulois, pour les prendre, entremettre

Sur le printemps de ma jeunesse folle [1]
Je ressemblais à l'hirondelle [2] qui vole
De-ci, de-là: [3] l'âge [4] me conduisait
Sans peur ni souci, où le cœur me disait. [5]
En la forêt, sans la crainte des loups,
Je m'en allais souvent cueillir le houx, [6]
Pour faire de la glu [7] à prendre les oiseaux ramiers, [8]
Tous différents de chants et de plumages;
Ou j'avais l'habitude, pour les prendre, de m'occuper

[1] frolicsome. [2] swallow. [3] Here and there. [4] *le jeune âge,* youth. [5] where my heart prompted me. [6] to gather holly; *le houx* [u]. [7] birdlime (*made from the bark of holly, boiled in water*). [8] birds of the woods; **ramier,** which lives in branches (**rameaux** *m.*); **un pigeon ramier,** ringdove, wood pigeon.

o A faire bricz, ou cages pour les mettre . . .;
Ou pas a pas, le long des buyssonnetz,
Allois chercher les nidz des chardon-netz,
Ou des serins, des pinsons, ou lynottes.
Desja pourtant je faisois quelcques nottes
15 De chant rustique, et dessoubz les ormeaux,
Quasy enfant, sonnois des chalumeaux.

A faire des pièges,[9] ou des cages pour les mettre . . .;
Ou pas à pas, le long des buissonnets,[10]
J'allais chercher les nids des chardon-nerets,[11]
Ou des serins, des pinsons, ou linottes.[12]
Déjà pourtant je faisais quelques notes
De chant rustique, et sous les or-meaux,[13]
Presque enfant,[14] je faisais résonner des chalumeaux.[15]

Églogue au roi sous les noms de Pan et Robin, 1538

REMARQUES SUR LA LANGUE

De la *Ballade des dames du temps jadis,* dont nous avons donné l'orthographe de l'époque (1461), à la poésie précédente, quatre-vingts ans à peu près ont passé. La langue s'est modernisée lentement. Remarquons les mots disparus de l'usage moderne: **arondelle** pour **hirondelle, me soulais** (j'avais l'habitude), etc.; ceux dont le sens a changé: **soin** pour **souci, oiseaux ramages** pour **oiseaux ramiers** (qui vivent dans les arbres, comme les pigeons ramiers), **bris** (pièges faits avec des branches brisées); **y** est mis pour **i** (**oyseaulx** pour **oiseaux**); **z** est mis pour **s** à la fin de quelques mots (**chantz** pour **chants**); **oi** est mis pour **ai** (cette forme restera jusqu'à Voltaire qui en fera accepter la suppression au profit de **ai**). Les accents n'existent pas; c'est Ronsard qui introduisit l'usage de l'accent aigu et de l'accent circonflexe, et Corneille celui de l'accent grave; ici tiennent lieu[16] d'accent circonflexe, un **s** (**forest** pour **forêt**) ou un redoublement de voyelle (**aage** pour **âge**). Le sujet pronom est parfois supprimé: **ou me soulois** pour **ou je me soulais**. Un verbe transitif direct comme **ressembler** est devenu aujourd'hui transitif indirect, **ressembler à**, etc.

AU ROI POUR LE DÉLIVRER DE PRISON

Ayant essayé d'arracher un prisonnier aux archers du guet,[1] qui constituaient alors la police, Marot, un des nombreux valets de chambre du roi François Ier, fut lui-même arrêté et conduit à la prison du Châtelet, au centre de Paris.

Roi des Français, plein de toutes bontés,
Quinze jours a,[2] je les ai bien comptés,
Et dès demain seront justement seize,
Que je fus fait confrère au diocèse
5 De Saint-Marri,[3] en l'église Saint-Pris.[4]

---

[9] snares.   [10] small bushes.   [11] goldfinch nests.   [12] canaries, finches, or linnets.   [13] little elms.   [14] barely out of childhood.   [15] I played on reed pipes.   [16] stands for.

[1] rescue a prisoner from the bowmen of the watch.   [2] Il y a quinze jours.
[3] *This is a pun;* marri *means* sad, sorry; *it is also the name of the parish, — written* **Merry,** *pronounced* [mari] *at the time —, where the Châtelet stood. The Châtelet was* *torn down in 1802, but the Saint-Merri church, which was started seven years before Marot wrote this epistle, still exists* ⅕ *mi. NE of the place du Châtelet.*
[4] Saint Taken, *another pun.*

Si [5] vous dirai comment je fus surpris,
Et me déplaît qu'il faut que je le die.[6]

Trois grands pendards [7] vinrent à l'étourdie [8]
En ce palais me dire en désarroi: [9]
10 « Nous vous faisons prisonnier par le Roi. »
Incontinent,[10] qui fut bien étonné?
Ce fut Marot, plus que s'il eût tonné.
Puis m'ont montré un parchemin écrit,
Où n'y avait seul mot de Jésus-Christ;
15 Il ne parlait tout que de plaiderie [11]
De conseillers et d'emprisonnerie.[12]
« Vous souvient-il, ce me dirent-ils lors,[13]
Que vous étiez l'autre jour là dehors,
Qu'on recourut [14] un certain prisonnier
20 Entre nos mains? » Et moi de le nier:
Car soyez sûr, si j'eusse dit oui,[15]
Que le plus sourd d'entre eux m'eût bien ouï.[16]
Et d'autre part j'eusse publiquement
Été menteur: car pourquoi et comment
25 Eussé-je pu un autre recourir,[17]
Quand je n'ai su moi-même secourir?
Pour faire court, je ne sus tant prêcher
Que ces paillards [18] me voulussent lâcher.
Sur mes deux bras ils ont la main posée,[19]
30 Et m'ont mené ainsi qu'une épousée,[20]
Non pas ainsi, mais plus roide un petit.[21]
Et toutefois j'ai plus grand appétit
De pardonner à leur folle fureur
Qu'à celle-là de mon beau procureur:[22]
35 Que male mort [23] les deux jambes lui casse!
Il a bien pris de moi une bécasse,[24]
Une perdrix et un levraut [25] aussi:
Et toutefois je suis encor ici.
Encor, je crois, si j'en envoyais plus,
40 Qu'il le prendrait; car ils ont tant de glus
Dedans leurs mains, ces faiseurs de pipée,[26]
Que toute chose où touchent est grippée.[27]
Mais pour venir au point de ma sortie,[28]
Tant doucement j'ai chanté ma partie,

---

[5] **Donc.** [6] que je le dise. [7] gallows birds. [8] thoughtlessly. [9] in confusion, in disarray. [10] Right away. [11] **procès** *m.*, lawsuit. [12] **emprisonnement** *m.* [13] **me dirent-ils alors.** [14] **arracha.** [15] *Pronounce* **oui** *as two syllables.* [16] **entendu.** [17] **aller à la rescousse** (rescue) **d'un autre.** [18] *With the original meaning of* **hommes qui couchent sur la paille,** low-down trash, bums. [19] **ils ont posé la main.** [20] **bride.** [21] **un peu plus brutalement.** [22] **bel avocat.** [23] **Que la malemort,** Let foul death. [24] woodcock. [25] **un petit lièvre,** a young hare. [26] bird snarers, deceivers, frauds. [27] **à laquelle ils touchent est ravie avidement.** [28] **à ce qui concerne ma sortie de prison.**

45 Que nous avons bien accordé ensemble,[29]
   Si que [30] n'ai plus affaire, ce me semble,
   Sinon à vous. La partie [31] est bien forte;
   Mais le droit point, où je me réconforte,[32]
   Vous n'entendez procès non plus que moi;
50 Ne plaidons point: ce n'est que tout émoi.[33]
   Je vous en crois, si je vous ai méfait.[34]
   Encor posé [35] le cas que l'eusse fait,
   Au pis aller n'y cherrait qu'une amende.[36]
   Prenez le cas que je la vous demande; [37]
55 Je prends le cas que vous me la donnez;
   Et si plaideurs furent onc [38] étonnés
   Mieux que ceux-ci,[39] je veux qu'on me délivre,
   Et que soudain en ma place on les livre.
   Si [40] vous supplie, sire, mander [41] par lettre
60 Qu'en liberté vos gens me veuillent mettre:
   Et si j'en sors, j'espère qu'à grand-peine
   M'y reverront, si on ne m'y ramène.
   Très humblement requérant [42] votre grâce
   De pardonner à ma très grande audace
65 D'avoir empris [43] ce sot écrit vous faire,
   Et m'excuser si, pour le mien affaire,[44]
   Je ne suis point vers vous allé parler:
   Je n'ai pas eu le loisir d'y aller.

Épître 27, composée en 1527, publiée en 1531 et 1532

OUVRAGES RECOMMANDÉS
Textes

Œuvres complètes, présentées par A. Grenier. 2 vol. Garnier.
Villon — Marot, poésies choisies. Classiques Larousse.

Critique

Pierre Jourda. *Marot, l'homme et l'œuvre*. Boivin, 1951.

---

[29] **que nous nous sommes bien accordés, nous sommes tombés d'accord.** [30] **Si bien que,** So that. [31] My opponent. [32] **la meilleure raison de mon espoir c'est que.** [33] **cela n'amène que des soucis.** [34] **je vous ai fait du tort,** I have wronged you. [35] **Même en supposant.** [36] At worst there would be only a fine; **cher-** rait *is the conditional of* **choir,** to fall. [37] **je vous la demande; la** *refers to* **amende** *f.,* fine. [38] **jamais,** ever. [39] *those who arrested me.* [40] **Ainsi.** [41] send word. [42] **suppliant,** beseeching. [43] **entrepris.** [44] **cette mienne affaire,** this case of mine.

JOACHIM DU BELLAY

(1522–1560)

Il passa une jeunesse maladive et studieuse au château de la Turmelière, près du village de Liré qui, planté sur une colline, regarde, de l'autre côté de la Loire, les rues étroites et montantes de la petite ville d'Ancenis. En 1549, dans sa *Défense et Illustration de la Langue française*, il soutint que la langue française était propre à l'expression de toutes les idées, mais que c'était la mission des poètes de l'enrichir, non seulement en faisant revivre les vieux mots français et en mettant en honneur des formes provinciales, mais surtout en imitant prudemment les beautés linguistiques et littéraires des trois littératures classiques: la grecque, la latine et l'italienne.

Il vécut quatre ans à Rome (1553–58) comme secrétaire et économe de son cousin le cardinal du Bellay qui, ambassadeur de France, avait eu Rabelais comme médecin jusqu'en 1549. Il s'y ennuya et composa les *Regrets* (1558), sonnets nostalgiques qui évoquent le charme de la patrie absente et, par contraste, satirisent la vie hypocrite que l'on mène à Rome.

LA NOSTALGIE

REGRETS DU VILLAGE NATAL

Heureux qui, comme Ulysse,[1] a fait un beau voyage,
Ou comme celui-là qui conquit la toison,[2]
Et puis est retourné, plein d'usage [3] et raison,
Vivre entre ses parents [4] le reste de son âge!

5 Quand reverrai-je, hélas, de mon petit village [5]
Fumer la cheminée, et en quelle saison
Reverrai-je le clos [6] de ma pauvre maison,[7]
Qui m'est une province, et beaucoup davantage?

Plus me plaît le séjour [8] qu'ont bâti mes aïeux,
10 Que des palais romains le front audacieux:
Plus que le marbre dur me plaît l'ardoise fine,[9]

---

[1] Ulysses, *the Greek hero of Homer's* Iliad *and* Odyssey, *who, after the fall of Troy, wandered for ten years over the Mediterranean and its shores, before he could again reach his island of Ithaca* (Ithaque, *in French*), *the modern Thiaki, 20 mi. W of the mainland of Greece.* [2] la Toison d'Or, *the Golden Fleece, which Jason and his Argonauts secured from the former kingdom of Colchis* (la Colchide, *S of the Caucasus*), *with the help of the king's daughter, the sorceress Medea* (Médée) *who had fallen in love with Jason, and who later slew the children she bore him.* [3] experience. [4] relatives, kin. [5] *Liré,* 20 mi. NE of Nantes. [6] the garden. [7] *Judging from its ruins, the old château of la Turmelière must have been as stately as the modern one. Du Bellay called it a* pauvre maison *by way of contrast to the marble palaces of Rome. A few people of Liré still assert that this* pauvre maison *with a* clos *is actually a house in Liré proper, where Joachim lived independently from his brother, the lord of la Turmelière. It stands on a corner of the church square, and boasts a big tower and dungeons.* [8] abode. [9] fine slate. *There are many slate quarries in Anjou, especially at Trélazé.*

Plus mon Loire [10] gaulois que le Tibre [11] latin,
Plus mon petit Liré que le mont Palatin,[12]
Et plus que l'air marin [13] la douceur angevine.[14]

Les Regrets, sonnet 31

LA SATIRE
LA VIE GUINDÉE [1] DE ROME

Quel contraste, pour du Bellay, entre sa vie libre et enthousiaste de gentilhomme et de poète en France, et cette vie guindée et même hypocrite qu'il
doit mener à Rome comme secrétaire et trésorier de son cousin le cardinal ! Il
rentrera en France au bout de quatre ans, rejoindra Ronsard à Paris, et mourra
d'apoplexie en 1560, à l'âge de trente-sept ans.

Flatter un créditeur [2] pour son terme allonger,[3]
Courtiser un banquier, donner bonne espérance,[4]
Ne suivre [5] en son parler la liberté de France,
Et, pour répondre un mot, un quart d'heure y songer;

5 Ne gâter sa santé [6] par trop boire et manger,
Ne faire sans propos [7] une folle dépense,[8]
Ne dire à tous venants [9] tout cela que [10] l'on pense,
Et d'un maigre discours gouverner [11] l'étranger;

Connaître les humeurs,[12] connaître qui demande,
10 Et, d'autant que l'on a la liberté plus grande,
D'autant plus se garder que l'on ne soit repris; [13]

Vivre avecque [14] chacun, de chacun faire compte: [15]
Voilà, mon cher Morel [16] (dont [17] je rougis de honte),
Tout le bien qu'en trois ans à Rome j'ai appris.

Les Regrets, sonnet 85

---

[10] *The Loire River flows at the foot of Liré; the name is feminine now,* **la Loire.**
[11] *The Tiber River flows through Rome.*

[1] formal. [2] creditor; *one would say* **créancier** *today.* [3] **pour retarder** (to put off, extend) **le terme, l'échéance** (falling due, maturity) **d'un billet** (note). [4] **espérance de paiement.** [5] **Ne pas suivre.** [6] **Ne pas gâter sa santé.** [7] **sans bonne raison.** [8] extravagant expense. [9] to all comers, to all and sundry. [10] **tout ce que.** [11] *obs. for* **entretenir, converser** (converse) **avec.**

[12] Mount Palatine, *one of the seven hills of Rome.* [13] the sea air (*of Rome*). [14] the mild climate of Anjou.

[12] the dispositions of people. [13] the more liberty you have, the more you must be careful (not to run the risk) of being reprimanded (by your master). [14] *obs. for* **avec.** [15] **tenir compte de chacun,** to pay attention to everyone. [16] *The best friend that du Bellay had. It was he who gave the first complete edition of du Bellay's works, in 1568.* [17] **ce dont,** a thing about which.

LA DÉFENSE ET ILLUSTRATION DE LA LANGUE FRANÇAISE

POURQUOI LA LANGUE FRANÇAISE N'EST SI RICHE QUE LA GRECQUE ET LATINE

Si notre langue n'est si copieuse et riche que la grecque ou latine, cela ne doit être imputé au défaut d'icelle,[1] comme si d'elle-même elle ne pouvait jamais être sinon[2] pauvre et stérile; mais bien on le doit attribuer à l'ignorance de nos majeurs[3] qui, ayant ... en plus grande recommanda-
5 tion[4] le bien-faire que le bien-dire,[5] et mieux aimant laisser à leur postérité des exemples de vertu que les préceptes, se sont privés de la gloire de leurs biens-faits,[6] et nous du fruit de l'imitation d'iceux;[7] et par même moyen[8] nous ont laissé notre langue si pauvre et nue qu'elle a besoin des ornements et, s'il faut ainsi parler, des plumes d'autrui.[9] Mais qui voudrait dire que
10 la grecque et romaine eussent toujours été en l'excellence qu'on les a vues du temps d'Homère et de Démosthène, de Virgile et de Cicéron? Et si ces auteurs eussent jugé que jamais, pour quelque diligence[10] et culture qu'on y eût pu faire, elles n'eussent su produire plus grand fruit, se fussent-ils tant efforcés de les mettre au point où nous les voyons maintenant?
15 Ainsi puis-je dire de[11] notre langue, qui commence encore à fleurir sans fructifier, ou plutôt, comme une plante et vergette,[12] n'a point encore fleuri, tant s'en faut qu'elle ait apporté[13] tout le fruit qu'elle pourrait bien produire. Cela, certainement, non pour le défaut de la nature d'elle,[14] aussi apte à engendrer que les autres, mais pour la coulpe[15] de ceux qui
20 l'ont eue en garde et ne l'ont cultivée à suffisance,[16] mais, comme une plante sauvage, en celui[17] même désert où elle avait commencé à naître, sans jamais l'arroser,[18] la tailler,[19] ni défendre des ronces et épines[20] qui lui faisaient ombre,[21] l'ont laissée envieillir[22] et quasi mourir.
Que si[23] les anciens Romains eussent été aussi négligents à la culture de
25 leur langue, quand premièrement elle commença à pulluler,[24] pour certain[25] en si peu de temps elle ne fût devenue si grande. Mais eux, en guise de[26] bons agriculteurs, l'ont premièrement transmuée[27] d'un lieu sauvage en un domestique;[28] puis, afin que plus tôt et mieux elle pût fructifier, coupant à l'entour les inutiles rameaux,[29] l'ont, pour échange d'iceux, restaurée
30 de[30] rameaux francs[31] et domestiques, magistralement tirés de la langue grecque; lesquels soudainement se sont si bien entés[32] et faits semblables à leur tronc, que désormais n'apparaissent plus adoptifs mais naturels. De

[1] **de celle-ci** (*our language*).   [2] **que,** anything except.   [3] **ancêtres.**   [4] **estime,** consideration.   [5] fine deeds rather than fine words.   [6] **belles actions.**   [7] de **ceux-ci** (*these fine deeds*).   [8] **par le même procédé,** in the same way.   [9] other people's feathers.   [10] **soin,** care.   [11] **Autant puis-je en dire au sujet de.**   [12] **petite branche.**   [13] and it is far from having yielded.   [14] **de sa nature.**

[15] **par la faute,** through the fault.   [16] **suffisamment.**   [17] **ce.**   [18] watering it.   [19] pruning it.   [20] briers and thorns.   [21] **faisaient de l'ombre,** shaded it.   [22] **vieillir.**   [23] **Si.**   [24] **fructifier,** bear fruit.   [25] **assurément,** surely.   [26] **à la façon de,** like.   [27] **transplantée.**   [28] **privé,** private.   [29] branches.   [30] with.   [31] pure.   [32] **greffés,** grafted.

là sont nées en la langue latine ces fleurs et ces fruits colorés de cette grande éloquence, avec ces nombres [33] et cette liaison si artificielle [34] . . .

Le temps viendra peut-être, et je l'espère, moyennant la bonne destinée française,[35] que ce noble et puissant royaume obtiendra à son tour les rênes de la monarchie,[36] et que notre langue . . . qui commence encore [37] à jeter 5 ses racines, sortira de terre et s'élèvera en telle hauteur et grosseur qu'elle se pourra égaler aux mêmes Grecs et Romains.

Livre I, chapitre 3

QUE LA LANGUE FRANÇAISE N'EST SI PAUVRE QUE BEAUCOUP L'ESTIMENT [38]

Qui voudra de bien près y regarder, trouvera que notre langue française n'est si pauvre qu'elle ne puisse rendre fidèlement ce qu'elle emprunte des autres: si infertile, qu'elle ne puisse produire de soi quelque fruit de bonne 10 invention, au moyen de l'industrie et diligence des cultivateurs d'icelle, si quelques-uns se trouvent tant amis de leur pays, et d'eux-mêmes, qu'ils s'y veuillent employer.[39]

Livre I, chapitre 4

QUE LE NATUREL [40] N'EST SUFFISANT A CELUI QUI EN POÉSIE VEUT FAIRE ŒUVRE DIGNE DE L'IMMORTALITÉ

Qu'on ne m'allègue point aussi [41] que les poètes naissent, car cela s'entend de [42] cette ardeur et allégresse [43] d'esprit, qui naturellement excite les poètes, 15 et sans laquelle toute doctrine leur serait manque [44] et inutile. Certainement ce serait chose trop facile, et partant [45] contemptible,[46] se faire éternel par renommée,[47] si la félicité de nature,[48] donnée même aux plus indoctes,[49] était suffisante pour faire chose digne de l'immortalité. Qui veut voler par les mains et bouches des hommes doit longuement demeurer en sa 20 chambre; et qui désire vivre en la mémoire de la postérité, doit, comme mort en soi-même, suer et trembler maintes fois,[50] et, autant que nos poètes courtisans [51] boivent, mangent et dorment à leur aise, endurer de faim,[52] de soif et de longues vigiles.[53] Ce sont les ailes dont les écrits des hommes volent au ciel. 25

Livre II, chapitre 3

DU LONG POÈME [54] FRANÇAIS

O toi qui, doué d'une excellente félicité de nature,[55] instruit de tous bons arts et sciences, principalement naturelles et mathématiques, versé en tous

---

[33] **rythmes.** [34] **cette liaison des phrases entre elles, si artistique.** [35] provided the destiny of France is a happy one. [36] **le premier rang en littérature; rênes** *f.*, reins, control. [37] **qui ne fait que commencer.** [38] think. [39] that they are willing to work at it. [40] talent, natural dispositions. [41] Let not people allege (declare) before me (advance the argument) either. [42] this is understood to mean. [43] **vivacité, vigueur.** [44] **insuffisante.** [45] **par conséquent,** consequently. [46] **méprisable.** [47] **de s'assurer une gloire éternelle.** [48] **la félicité naturelle.** [49] uneducated. [50] many times. [51] just as our court poets (*like Marot*). [52] **souffrir de la faim.** [53] **longues veilles,** sleepless nights. [54] epic poem. [55] endowed with an excellent disposition.

genres de bons auteurs grecs et latins, non ignorant des parties et offices [56] de la vie humaine, non de trop haute condition, ou appelé au régime public,[57] non aussi abject [58] et pauvre, non troublé d'affaires domestiques, mais en repos et tranquillité d'esprit, ... choisis-moi [59] quelqu'un de ces beaux 5 vieux romans français comme un Lancelot, un Tristan, ou autres, et en fais renaître au monde une admirable *Iliade* et laborieuse [60] *Énéide* ... Toi à qui les dieux et les muses auront été si favorables, bien que tu sois dépourvu de la faveur des hommes, ne laisse pourtant pas d'entreprendre [61] une œuvre digne de toi ... Espère le fruit de ton labeur de l'incorruptible 10 et non envieuse postérité: c'est la gloire, seule échelle par les degrés de laquelle les mortels d'un pied léger montent au ciel et se font compagnons des dieux.

Livre II, chapitre 5

FONCTION DU POÈTE

Sache, lecteur, que celui [62] sera véritablement le poète que je cherche en notre langue, qui [63] me fera indigner, apaiser, éjouir,[64] douloir,[65] aimer, 15 haïr, admirer, étonner: bref, qui tiendra la bride [66] de mes affections,[67] me tournant çà et là à son plaisir. Voilà la vraie pierre de touche [68] où il faut que tu éprouves [69] tous poèmes et en toutes langues.

Livre II, chapitre 11

OUVRAGES RECOMMANDÉS
Textes

La Défense et Illustration de la Langue française.   Classiques Garnier.
Œuvres choisies. Classiques Larousse.

Critique

V.–L. Saulnier. *Du Bellay, l'homme et l'œuvre.* Hatier-Boivin.
J. Vianey. *"Les Regrets" de Du Bellay.* Malfère (Nizet).

PIERRE DE RONSARD
(1524?–1585)

Il naquit au château de la Possonnière, dans les vertes campagnes de la région de Vendôme (100 milles au sud-ouest de Paris). Ses études au collège de Navarre,[1] à Paris, furent trop courtes car il devint à la cour page de princes, et même du roi Jacques V d'Écosse qu'il suivit à Édimbourg (1540). Après des voyages en Allemagne et en Italie, il contracta une otite [2] qui le rendit à moitié sourd (1542).

---

[56] rôles et devoirs.   [57] au gouvernement de l'État.   [58] de basse condition. [59] pick out indeed.   [60] *Laborious, because Vergil worked at it very much.* [61] don't fail however to undertake.

[62] celui qui.   [63] sera celui qui.   [64] me réjouir, rejoice.   [65] m'affliger, grieve. [66] bridle.   [67] emotions.   [68] touchstone. [69] test.

[1] *Founded in 1304 by Jeanne of Navarre. Its most prominent students have been Henry IV, Richelieu, and Bossuet. Its* *site is now occupied by the École Polytechnique, near the Pantheon.*   [2] otitis *(inflammation of the ear).*

Il se mit alors à étudier le latin et le grec en compagnie d'humanistes et de poètes. Ils formèrent un groupe, la *Brigade*, qu'en 1553 ils nommèrent la *Pléiade*.

Ronsard fut l'étoile la plus brillante de cette constellation de sept poètes, la *Pléiade*, qui par l'imitation souvent originale des littératures grecque et latine donna à la poésie française ses lettres de noblesse.   A son érudition d'homme de la Renaissance, sur laquelle il bâtit l'ambitieux monument de ses grandes *Odes* et de son épopée sur Francus, ancêtre légendaire des Francs, *La Franciade*, nous préférons ses courts poèmes où il a chanté l'amour, — même l'amour ravi par la mort —, la brièveté de la vie, la nature, avec une voluptueuse mélancolie; ceci dans une langue harmonieuse et sûre d'elle-même, dont nous n'avons modernisé que l'orthographe.

Il partagea son temps entre la cour, Vendôme et le pays de la Loire.   Il mourut au prieuré de Saint-Côme, près de Tours, en ruines aujourd'hui, mais où ses restes sont encore.

L'AMOUR ET LA BRIÈVETÉ DE LA VIE
A CASSANDRE [1]

La langue de Marot était presque aussi archaïque que celle de Villon.   Quoique ce poème de Ronsard n'ait été écrit que quinze ans après *Sur le printemps de ma jeunesse folle* (p. 46), il montre quel progrès la Renaissance a fait faire au français.

Mignonne,[2] allons voir si la rose,
Qui, ce matin, avait déclose [3]
Sa robe de pourpre [4] au soleil,
A point perdu, cette vêprée,[5]
5 Les plis de sa robe pourprée,
Et son teint [6] au vôtre pareil.

Las! [7] Voyez comme en peu d'espace,[8]
Mignonne, elle a, dessus la place,
Las! las! ses beautés laissé choir! [9]
10 O vraiment marâtre [10] Nature,
Puisqu'une telle fleur ne dure
Que du matin jusques au soir! [11]

Donc, si vous me croyez, mignonne,
Tandis que votre âge fleuronne [12]
15 En sa plus verte nouveauté,[13]
Cueillez, cueillez votre jeunesse:
Comme à cette fleur, la vieillesse
Fera ternir [14] votre beauté.

Les Odes (1553), Livre I, 17

[1] *Naughty Cassandre Salviati, a Florentine girl whom Ronsard met in 1545 at the court of Blois.*   [2] *Darling.*   [3] *obs. for* **déplié,** *unfolded, opened.   Contrary to modern usage, until the 18th century the past participle with* **avoir** *could agree with the following direct object.*   [4] *purple, red.*   [5] **N'a point perdu, ce soir; la vêprée,** *vesper.*   [6] *complexion, color.*   [7] **[la],** **Hélas !**   [8] **en peu de temps.**   [9] *let fall, dropped.*   [10] *You are indeed unmotherly;* **une marâtre** *is a cruel mother or stepmother.*   [11] *Poetical for* **jusqu'au soir.**   [12] **pousse des fleurons,** *grows flowerets, blossoms out.*   [13] *lushest youth.*   [14] *tarnish, fade.*

LA NATURE
A LA FONTAINE BELLERIE

Cette fontaine Bellerie, aujourd'hui appelée Belle Iris, se trouve dans une cour de ferme, au village de Couture, non loin du château de la Possonnière. Si Ronsard imite quelque peu l'ode d'Horace à la fontaine Bandusie (III, 13), les détails pittoresques sont bien de lui.

O fontaine Bellerie !
Belle fontaine chérie
De nos nymphes, quand ton eau
Les cache au creux [1] de ta source,
5 Fuyantes [2] le satyreau [3]
Qui les pourchasse à la course [4]
Jusqu'au bord de ton ruisseau,[5]

Tu es la nymphe éternelle
De ma terre [6] paternelle.
10 Pour c'en [7] ce pré verdelet,[8]
Vois ton poète qui t'orne [9]
D'un petit chevreau de lait,[10]
A qui l'une et l'autre corne
Sortent du front nouvelet.[11]

15 L'été je dors ou repose
Sur ton herbe où je compose,
Caché sous tes saules [12] verts,
Je ne sais quoi qui ta gloire
Enverra [13] par l'univers,
20 Commandant à la Mémoire
Que tu vives par mes vers.[14]

L'ardeur de la canicule [15]
Ton vert rivage [16] ne brûle,
Tellement qu'en [17] toutes parts
25 Ton ombre est épaisse et drue [18]
Aux pasteurs venant des parcs,[19]
Aux bœufs las de la charrue,[20]
Et aux bestiaux épars.[21]

[1] in the hollow. [2] Fleeing from. *Until the 18th century, present participles agreed like adjectives.* [3] **le petit satyre,** the little faun (satyr). *The Pléiade poets were fond of diminutives in* **–eau, –et,** *etc.* [4] Who chases them; **à la course** *is redundant.* [5] brook. [6] my estate. [7] *obs. for* **Pour cela (Donc) en,** Therefore in. [8] greenish; **verdelet** *is a much more harmonious adjective than the more current* **verdâtre.** [9] **qui te fait présent** (*Lat.* ornat). [10] suckling kid. [11] **jeunet,** youngish. [12] willows. [13] **qui enverra ta gloire.** [14] *In this lack of modesty, Ronsard is only imitating the ancient poets.* [15] The heat of the dog days (midsummer). [16] banks. [17] **De sorte qu'en,** So that in. **Tellement** *did not mean* to such a high degree *until the 18th century.* [18] Your shadow is deep. **Dru** *usually means* thickset, closely planted; *here it is only one of those redundances that Ronsard used too freely.* [19] **parcs à moutons,** sheep pens. [20] oxen tired from pulling the plow. [21] to the scattered cattle.

Iô![22] tu seras sans cesse
30 Des fontaines la princesse,
  Moi célébrant [23] le conduit [24]
  Du rocher percé, qui darde,[25]
  Avec un enroué [26] bruit,
  L'eau de ta source jasarde [27]
35 Qui trépillante se suit.[28]

Odes, 1550

A HÉLÈNE [1]

Quand vous serez bien vieille, au soir, à la chandelle,[2]
Assise auprès du feu, dévidant et filant,[3]
Direz,[4] chantant mes vers, et vous émerveillant: [5]
« Ronsard me célébrait, du temps que [6] j'étais belle! »

5 Lors,[7] vous n'aurez servante oyant [8] telle nouvelle,
Déjà sous le labeur, à demi sommeillant,[9]
Qui, au bruit de Ronsard,[10] ne s'aille réveillant,[11]
Bénissant votre nom de louange immortelle.[12]

Je serai sous la terre, et, fantôme sans os,
10 Par les ombres myrteux [13] je prendrai mon repos;
Vous serez au foyer [14] une vieille accroupie,[15]

Regrettant mon amour et votre fier dédain.
Vivez,[16] si m'en croyez,[17] n'attendez à demain,
Cueillez dès aujourd'hui les roses de la vie.[18]

Sonnets pour Hélène (1578), Livre II, 42

---

[22] Ah! **Iô** *is a Greek exclamation express-ing joy.* [23] **Grâce à moi qui célèbre.** [24] the channel. [25] gushes forth; **darder,** to dart. [26] hoarse. [27] *obs. for* **jaseuse, babillarde,** babbling. [28] Which spirts back (upon the stones) and chases itself (forming whirlpools); **trépillante** (*Lat.* trepida) *is obs. for* **trépidante, bondissante,** bouncing.

[1] *Hélène de Surgères, lady in waiting to Queen Catherine de Médicis.* [2] by candlelight. [3] winding thread and spinning. [4] **Vous direz.** [5] marveling. [6] **au temps où.** [7] **Alors.** [8] *Present participle of* **ouïr,** *obs. for* **entendre.** [9] half-asleep. [10] **en entendant parler du célèbre Ronsard; le renom,** fame, *was the former meaning of* **le bruit.** *Not a particularly modest statement.* [11] **ne se réveille,** does not wake up. [12] And praising (*lit.* 'blessing,' **disant du bien de**) your name upon which he has bestowed immortal fame (*lit.* 'praise'). [13] **A l'ombre des myrtes des Enfers,** In the shade of the myrtles of Hades (*the abode of the dead*); **ombre** *is now feminine.* [14] **au coin de votre feu,** by your fireside. [15] an old woman sitting all bent over. [16] **Profitez de la vie,** Enjoy life. [17] **si vous m'en croyez, croyez-m'en,** take my word for it. [18] Beginning today, gather (enjoy) the roses of life. " Carpe diem" (Enjoy the day) *advised the Latin poet Horace.*

JE VOUS ENVOIE UN BOUQUET

Ce sonnet fut adressé à Marie Dupin, fille d'auberge de Bourgueil, en Touraine.

Je vous envoie un bouquet que ma main
Vient de trier [1] de ces fleurs épanies; [2]
Qui [3] ne les eût à ce vêpre [4] cueillies,
Chutes [5] à terre elles fussent demain.

5 Cela vous soit [6] un exemple certain
Que vos beautés, bien qu'elles soient fleuries, [7]
En peu de temps seront toutes flétries,
Et, comme fleurs, périront tout soudain.

Le temps s'en va, le temps s'en va, ma Dame,
10 Las! le temps, non, mais nous nous en allons,
Et tôt serons étendus sous la lame. [8]

Et des amours desquelles nous parlons,
Quand serons morts, n'en sera plus nouvelle. [9]
Pour ce [10] aimez-moi, cependant [11] qu'êtes belle.

Amours de Marie, Sonnets retranchés, 17

L'AMOUR RAVI PAR LA MORT
SUR LA MORT DE MARIE

Il est peut-être vrai que le roi Henri III ait demandé à Ronsard de pleurer la mort, à vingt et un ans, de Marie de Clèves, mais la discrète douleur du poète rend un ton si personnel et profond qu'on ne peut s'empêcher de croire que la morte est plutôt Marie Dupin, — inspiratrice du sonnet précédent —, qu'il aima, et qui mourut très jeune.

Comme on voit sur la branche, au mois de mai, la rose,
En sa belle jeunesse, en sa première fleur,
Rendre le ciel jaloux de sa vive couleur,
Quand l'Aube, [1] de ses pleurs, [2] au point du jour l'arrose: [3]

5 La grâce dans sa feuille [4] et l'amour se repose, [5]
Embaumant les jardins et les arbres d'odeur, [6]
Mais, battue ou de pluie ou d'excessive ardeur,
Languissante, elle meurt, feuille à feuille déclose. [7]

[1] Has just sorted. [2] épanouies, full-blown. [3] Si l'on. [4] ce soir.
[5] Tombées. [6] Que cela vous soit.
[7] en fleur, in bloom. [8] la pierre du tombeau, the tombstone; la lame, blade, thin plate. [9] il n'y en aura plus de nouvelles, on n'en parlera plus. [10] Pour cela. *Drop the* e *in reciting.* [11] pendant.

[1] Aurora, *goddess of the dawn.* [2] tears, dew. [3] moistens it. [4] au sein de ses pétales, within its petals. [5] *Should be plural,* se reposent, *today.* [6] de parfum, with perfume; odeur *has become deroga-* tory. *In* embaumant d'odeur *we have another redundance;* embaumant *is enough, as it means* remplissant de parfum. [7] perdant ses pétales un à un; la feuille *doesn't mean* le pétale *any more.*

Ainsi, en ta première et jeune nouveauté,
10 Quand la terre et le ciel honoraient ta beauté,
La Parque [8] t'a tuée, et cendre tu reposes.

Pour obsèques [9] reçois mes larmes et mes pleurs,[10]
Ce vase plein de lait, ce panier plein de fleurs,[11]
Afin que, vif et mort,[12] ton corps ne soit que roses.

Amours de Marie (1578), 2e partie, 4

OUVRAGES RECOMMANDÉS
Textes

Œuvres complètes, présentées par G. Cohen. La Pléiade, 2 vol. Gallimard.
Poésies choisies. Classiques Larousse.

Critique

Pierre Champion. *Ronsard et son temps*. Champion.
R. Lebègue. *Ronsard, l'homme et l'œuvre*. Hatier.
P. Laumonier. *Ronsard poète lyrique*. Hachette.

MICHEL DE MONTAIGNE
(1533–1592)
Un sage au fin sourire

L'élève précoce.   Monsieur le Conseiller au Parlement de Bordeaux.   Michel
Eyquem,[1] seigneur de Montaigne, naquit au château de Montaigne, à une trentaine
de milles à l'est de Bordeaux.   Mis immédiatement en nourrice chez des paysans
voisins, à Papessus, il fut, à l'âge de deux ans, confié à un Allemand qui ignorait
le français et qui lui apprit le latin par la méthode directe.   A six ans il quitta les
douceurs de son éducation moderne pour le collège de Guyenne,[2] à Bordeaux, où
cependant il ne fut pas malheureux.   A treize ans, cet élève précoce avait terminé
ses études secondaires et commençait l'étude de la philosophie à la Faculté des
Arts (Lettres) de Bordeaux.   Il la continua par celle du droit, à Toulouse.
Sa carrière de conseiller au Parlement [3] de Bordeaux ne le remplit pas d'enthousiasme.   Le meilleur souvenir qu'il en garda fut celui d'une amitié exemplaire
avec Étienne de La Boétie,[4] son collègue qui mourut à trente-trois ans, mais
laissa un nom dans les lettres françaises pour son vigoureux et démocratique
Discours de la servitude volontaire, ou *Contr'un*.
Le seigneur de Montaigne, épicurien lettré (1571-80).   Huit ans après cette
mort,

l'an du Christ 1571, âgé de trente-huit ans, la veille des calendes [5] de Mars, anniversaire
de sa naissance, Michel de Montaigne, las depuis longtemps déjà de sa servitude du parle-

---

[8] Fate.   [9] funeral offerings; **obsèques**
f. now means **funérailles** *f.*, funeral.
[10] my   tears; *harmonious   repetition.*

[11] *According to the custom of the Ancients.*
[12] **vivant et mort,** dead as well as alive;
comme au temps où il était vivant.

[1] [ekɛm].   [2] [gɥijɛn]: *Guyenne is a
province, the capital of which is Bordeaux.*

[3] Supreme Court.   [4] [bɔesi].   [5] first
day.

ment et des charges publiques, en pleines forces encore, se retira dans le sein des doctes vierges [6] où, en repos et sécurité, il passera les jours qui lui restent à vivre. Puisse le destin lui permettre de parfaire cette habitation,[7] ces douces retraites de ses ancêtres, qu'il a consacrées à sa liberté, à sa tranquillité, à ses loisirs!

Telle est la traduction d'une inscription latine que Montaigne mit dans la bibliothèque de la grosse tour de son château natal, où il allait passer, en épicurien lettré, les vingt-deux années qui lui restaient à vivre. Une autre inscription latine, surmontant cinq rayons de livres légués par La Boétie, indiquait que la mort de ce parfait ami n'avait pas été étrangère à cette retraite:

Privé de l'ami le plus doux, le plus cher et le plus intime, et tel que notre siècle n'en a vu de meilleur, de plus docte, de plus agréable et de plus parfait, Michel de Montaigne, voulant consacrer le souvenir de ce mutuel amour par un témoignage unique de sa reconnaissance, et ne pouvant le faire de manière qui l'exprimât mieux, a voué à cette mémoire ce studieux appareil [8] dont il fait ses délices.

Les *Essais*.   Ce studieux appareil se composait d'un millier de volumes anciens et modernes, anciens surtout, et latins en majorité. Montaigne se mit à les lire et relire dans le texte, un peu au hasard, en dilettante qu'il était. Il fit des listes de citations, les traduisit, puis petit à petit écrivit, ou dicta, à son secrétaire, les réflexions que ces lectures lui inspiraient. Il y mêla, sans grand ordre, les souvenirs de sa vie et de celle de ses contemporains, ses observations inspirées par « le grand livre de la Nature » et aussi par l'examen loyal de sa vie intérieure, de son « moi »:

moi, je replie [9] ma vue au-dedans, je la plante, je l'amuse là. Chacun regarde devant soi, moi je regarde dedans moi; je n'ai affaire qu'à moi,[10] je me considère sans cesse, je me contrôle,[11] je me goûte. (Livre II, chapitre 17)

Ce « moi », il l'exprima avec charme et mesure; il n'en fit pas un défi à l'humanité, comme plus tard les romantiques.

Les *Essais* furent publiés en trois fois: d'abord les deux premiers livres, à Bordeaux, en 1580, corrigés et augmentés en 1582 et 1587; puis en 1588, à Paris, le troisième livre avec 536 additions aux deux premiers; enfin en 1595, trois ans après la mort de Montaigne, par Mlle de Gournay, sa « fille d'alliance » spirituelle, sa disciple.

Voyageur, maire et mort (1580-92).   Montaigne s'était marié en 1565 avec Françoise de La Chassaigne, fille d'un de ses collègues au Parlement de Bordeaux. Il avait trente-trois ans, elle vingt et un. Ils ne s'aimèrent guère. Il eut d'elle six filles dont cinq ne vécurent que de quelques mois à moins de deux ans. Sa retraite, dans son château en Périgord, fut coupée par un voyage de dix-sept mois en Allemagne, en Suisse et en Italie (1580-81), et de longs séjours à Bordeaux où pendant quatre ans (1581-85) il exerça les fonctions de maire. Plusieurs fois il se rendit à Paris pour faire sa cour au roi Henri III, bien qu'il entretînt des rapports plus amicaux avec le roi de Navarre qu'il reçut deux fois en son château, et qui devint le meilleur des rois de France, Henri IV (1589).

« Je veux que la mort me trouve plantant mes choux », avait-il écrit (I, 19). Elle le trouva dans son lit, au premier étage de sa tour, entendant la messe et souffrant atrocement de la gravelle [12] et d'un mal de gorge.[13]

Les mille volumes de la précieuse « librairie » ont été dispersés; le château a été détruit par un incendie (1885) et reconstruit dans un style plus riant, mais la

---

[6] the bosom of the learned virgins; *the nine Muses.*   [7] *The château of Montaigne, which had been enlarged already by our author's father.*   [8] array; *namely this collection of books.*   [9] I direct.

[10] I have to do with myself only.   [11] I check up on myself.   [12] gravel, stones in the bladder or kidneys.   [13] *Montaigne had* **une esquinancie,** quinsy, severe tonsillitis.

vieille tour ronde qu'habita Montaigne est restée intacte. Elle est à peu près vide aujourd'hui, sauf la chapelle du rez-de-chaussée.

L'œuvre de Montaigne, comme celle de Rabelais, reflète, mais d'une manière plus fine, le lumineux idéal de la Renaissance: amour de la vie tempéré par un jugement sain et un scepticisme souriant, enthousiasme pour la pensée gréco-latine qui crée **l'humanisme**, l'étude de l'homme sur le plan spirituel. Montaigne y ajoute l'analyse psychologique, le sens de l'art et le style harmonieux.

AU LECTEUR

C'est ici un livre de bonne foi, lecteur. Il t'avertit, dès l'entrée, que je ne m'y suis proposé aucune fin, que domestique [1] et privée. Je n'y ai eu nulle considération de ton service, ni de ma gloire. Mes forces ne sont pas capables d'un tel dessein. Je l'ai voué à la commodité [2] particulière de mes parents et amis: à ce que,[3] m'ayant perdu, (ce qu'ils ont à faire bientôt), 5
ils y puissent retrouver aucuns [4] traits de mes conditions et humeurs, et que par ce moyen ils nourrissent plus entière et plus vive la connaissance qu'ils ont eue de moi. Si c'eût été pour rechercher la faveur du monde, je me fusse mieux paré et me présenterais en une marche [5] étudiée. Je veux qu'on m'y voie en ma façon simple, naturelle et ordinaire, sans con- 10
tention [6] et artifice: car c'est moi que je peins. Mes défauts s'y liront au vif,[7] et [8] ma forme naïve, autant que la révérence publique [9] me l'a permis. Que si j'eusse été entre [10] ces nations qu'on dit vivre encore sous la douce liberté des premières lois de nature,[11] je t'assure que je m'y fusse très volontiers peint tout entier et tout nu. Ainsi, lecteur, je suis moi-même 15
la matière de mon livre: ce n'est pas raison [12] que tu emploies ton loisir en un sujet si frivole et si vain. Adieu donc.

De Montaigne, ce premier de mars, mil cinq cent quatre-vingts

ENFANCE ET ÉDUCATION DE MONTAIGNE

Si j'avais des enfants mâles,[13] je leur souhaiterais volontiers ma fortune. Le bon père que Dieu me donna ... m'envoya dès le berceau nourrir [14] à un pauvre village des siens,[15] et m'y tint autant que je fus en nourrice,[16] 20
et encore au-delà, me dressant à [17] la plus basse et commune façon de vivre ... Ne prenez jamais, et donnez encore moins à vos femmes, la charge d'élever vos enfants; laissez-les former à la fortune [18] sous des lois populaires et naturelles, laissez à la coutume de les dresser à la frugalité et à l'austérité pour qu'ils aient plutôt à descendre de l'âpreté [19] qu'à 25

---

[1] except a personal one.   [2] pleasure.
[3] **afin que,** in order that.   [4] **quelques,** some.   [5] attitude, gait.   [6] effort, affectation.   [7] exactly as they are.
[8] also.   [9] respect for the public.
[10] Had I been among.   [11] *Montaigne believed in the "noble savage." With the help of an interpreter, he had conversed with three Indians from Brazil, in Rouen (1562).*   [12] it is not reasonable.

[13] *Montaigne had six daughters, five of whom lived only from a few days to less than two years.*   [14] to be brought up; *obs. for* **élever.**   [15] of his. *This village was Papessus* [papsy], *two miles away from the castle.*   [16] as long as I was still in the care of a nurse.   [17] training me for.   [18] allow them to be formed by fortune.   [19] come down from a hard life.

monter vers elle. Son humeur visait encore à une autre fin: de me rallier [20] avec le peuple et cette condition d'hommes qui a besoin de notre aide; et estimait que je fusse tenu [21] de regarder plutôt vers celui qui me tend les bras que vers celui qui me tourne le dos. Et fut cette raison pourquo 5 aussi il me donna à tenir sur les fonts baptismaux à [22] des personnes de la plus basse fortune, pour m'attacher à eux.

Son dessein n'a pas du tout mal succédé: [23] je m'adonne [24] volontiers aux petits, soit pour ce qu'il y a plus de gloire, soit par naturelle compassion, qui peut infiniment [25] en moi . . .

Les Essais, Livre III, chapitre 13

10   Mon père parlait peu et bien . . . La contenance [26] il l'avait d'une gravité douce, humble et très modeste. Singulier soin [27] de l'honnêteté et décence de sa personne et de ses habits, soit à pied, soit à cheval. Extraordinaire loyauté en ses paroles . . . Pour un homme de petite taille, plein de vigueur et d'une stature droite et bien proportionnée. D'un visage agréable, tirant 15 sur le brun.[28] Adroit et supérieur en tous nobles exercices. J'ai vu encore des cannes remplies de plomb, desquelles [29] on dit qu'il exerçait ses bras pour se préparer à lancer la barre [30] ou la pierre, ou à l'escrime,[31] et des souliers aux semelles plombées [32] pour s'entraîner à [33] courir et à sauter. Du saut avec élan [34] il a laissé en mémoire des petits miracles. Je l'ai vu, 20 par-delà [35] soixante ans, se moquer de nos exercices d'agilité, se jeter avec sa robe fourrée sur un cheval, faire le tour de la table sur son pouce,[36] ne monter guère [37] en sa chambre sans s'élancer trois ou quatre degrés [38] à la fois . . . Il se maria en l'an 1528, — qui était son trente-troisième —, retournant des guerres d'Italie.[39]

Livre II, chapitre 2

25   Quand j'étais encore en nourrice,[40] et avant que je pusse parler, mon père me donna en charge à un Allemand . . . ignorant de notre langue et très bien versé en la latine. Celui-ci . . . m'avait continuellement entre les bras. Il eut aussi avec lui deux autres précepteurs, moindres en savoir, pour me suivre et le soulager.[41] Ils ne m'entretenaient [42] d'autre langue 30 que latine. Quant au reste de sa maison, c'était une règle inviolable que ni lui-même, ni ma mère, ni valet, ni chambrière,[43] ne parlaient en ma compagnie qu'autant [44] de mots de latin que chacun avait appris pour jargonner [45] avec moi . . . Nous nous latinisâmes tant qu'il en regorgea jusques à [46] nos villages tout autour où il y a encore plusieurs appellations latines

---

[20] to rally; *to bring me around to the point of view of the people.*   [21] and felt that I should be obliged.   [22] to be held at the baptismal font by.   [23] *obs. for* **réussi,** succeeded.   [24] I associate.   [25] which is infinitely powerful.   [26] Countenance.   [27] Remarkable care.   [28] tending to be dark, of somewhat dark complexion.   [29] with which.   [30] **barre de fer, le javelot.**   [31] or for fencing.   [32] with leaded soles.   [33] to train for.   [34] In the running broad jump.   [35] beyond, when he was over.   [36] make the circuit of the table on his thumb. *Remember that Montaigne lived not far from Gascony, supposedly the province of boasters.*   [37] scarcely ever go up.   [38] steps.   [39] *1494 to 1559; wars between France on the one side, and Spain and Germany on the other, for the possession of Italy.*   [40] in the care of a nurse.   [41] help him.   [42] talked to me.   [43] chambermaid.   [44] only as many, anything except.   [45] to talk gibberish.   [46] We became Latinized so much that Latin overflowed to.

d'artisans et d'outils. Quant à moi, j'avais plus de six ans avant que j'entendisse [47] non plus de français ou de périgourdin [48] que d'arabe. Et sans système, sans livre, sans grammaire ou précepte, sans fouet et sans larmes, j'avais appris du latin tout aussi pur que mon maître d'école le savait: car je ne le pouvais avoir mêlé [49] ni altéré [50] ...　　　　　　　　　　　5

Quant au grec, duquel je n'ai quasi du tout point d'intelligence,[51] mon père eut l'idée de me le faire apprendre par système, mais d'une façon nouvelle, par forme de jeu et d'exercice. Nous nous renvoyions nos déclinaisons [52] comme des pelotes,[53] à la manière de ceux qui, par certains jeux comme de dames [54] ou d'échecs,[55] apprennent l'arithmétique et la　10 géométrie. Car, entre autres choses, il avait été conseillé de me faire goûter la science et le devoir par une volonté non forcée et de mon propre désir, et d'élever mon âme en toute douceur et liberté, sans rigueur et contrainte. Je dis jusques à telle superstition [56] que, parce qu'aucuns tiennent [57] que cela trouble la cervelle tendre des enfants de les éveiller　15 le matin en sursaut [58] et de les arracher du sommeil (auquel ils sont plongés beaucoup plus que nous ne sommes) tout à coup et par violence, il me faisait éveiller par le son de quelque instrument ...

Mon père m'envoya, environ mes six ans, au collège de Guyenne, très florissant pour lors,[59] et le meilleur de France. Et là, il n'est possible de　20 rien ajouter au soin qu'il eut, et [60] à me choisir des précepteurs de chambre suffisants,[61] et à toutes les autres circonstances de ma nourriture,[62] en laquelle il réserva plusieurs façons particulières contre l'usage des collèges.[63] Mais tant y a que [64] c'était toujours collège. Mon latin s'abâtardit incontinent,[65] duquel depuis, par désaccoutumance, j'ai perdu tout usage.　25 Et ne me servit cette mienne nouvelle institution [66] que de me faire enjamber d'arrivée aux premières classes: [67] car, à treize ans que je sortis du collège, j'avais achevé mon cours (qu'ils appellent),[68] et à la vérité sans aucun fruit que je pusse à présent mettre en compte.[69]

Le premier goût que j'eus aux livres, il me vint du plaisir des fables de　30 la *Métamorphose* [70] d'Ovide. Car, environ l'âge de sept ou huit ans, je me dérobais de [71] tout autre plaisir pour les lire: d'autant que [72] cette langue était la mienne maternelle ...　　Car des *Lancelots du Lac*, des *Amadis*, des *Huons de Bordeaux*,[73] et tel fatras [74] de livres à quoi l'enfance s'amuse, je n'en connaissais pas seulement le nom ...　　Là, il me vint singulièrement à　35

[47] before I understood.　　[48] the dialect of Périgord (*the province of SW France where Montaigne was born and brought up*).　　[49] adulterated.　　[50] changed. [51] of which I have scarcely any knowledge at all.　　[52] declensions.　　[53] balls. [54] checkers.　　[55] chess.　　[56] (he carried this) to such extremes.　　[57] because some people hold.　　[58] brutally; *lit.* 'with a start.'　　[59] at that time. [60] both.　　[61] competent private tutors. [62] my mental nourishment, my education.　　[63] *For example he would not permit corporal punishment to be inflicted on* *his son.*　　[64] But for all that.　　[65] became corrupted forthwith.　　[66] that new education of mine.　　[67] to make me skip, from the beginning, to the advanced classes.　　[68] as they call it; *namely, secondary school.*　　[69] reckon as an asset. [70] *More accurately* des **Métamorphoses**; *mythological poems by Ovid* (*43* B.C.–*17* A.D.).　　[71] I robbed myself of. [72] all the more so because.　　[73] *Three popular novels about gallant knights; in spite of what Montaigne said, they are far from being trashy. For* *Lancelot, see* *p. 3.*　　[74] trash.

propos d'avoir affaire à un homme d'entendement de précepteur,[75] qui sut adroitement conniver à [76] cette mienne débauche et autres pareilles. Car, par là, j'enfilai tout d'un train [77] Virgile en l'*Énéide*, et puis Térence, et puis Plaute,[78] et des comédies latines, leurré [79] toujours par la douceur [80]
5 du sujet . . .

Mettrai-je en compte cette faculté de mon enfance: une assurance de visage,[81] et souplesse de voix et de geste, à m'appliquer aux rôles que j'entreprenais? Car avant ma douzième année j'ai soutenu [82] les premiers personnages dans les tragédies latines de Buchanan,[83] de Guérente [84] et
10 de Muret,[85] qui se représentèrent en notre collège de Guyenne avec dignité. En cela André de Gouvéa,[86] notre principal, comme en toutes autres parties de sa charge, fut sans comparaison le plus grand principal de France: et m'en tenait-on maître ouvrier.[87] C'est un exercice que je ne juge pas mauvais pour les jeunes enfants de maison,[88] et ai vu nos Princes s'y adonner
15 depuis en personne, à l'exemple de quelques anciens, honnêtement [89] et louablement . . .

Car j'ai toujours accusé de manque de jugement ceux qui condamnent ces ébats,[90] et d'injustice ceux qui refusent l'entrée de nos bonnes villes aux comédiens de mérite, et privent le peuple de ces plaisirs publics . . .
20 Pour revenir à mon sujet, il n'y a tel que d'allécher [91] l'appétit et l'affection, autrement on ne fait que des ânes chargés de livres. On leur donne à garder, à coups de fouets, leur pochette [92] pleine de science, laquelle, pour bien faire,[93] il ne faut pas seulement loger chez soi,[94] il la faut épouser.[95]

Livre I, chapitre 26

MONTAIGNE CHEZ LUI

Chez moi, je me détourne [1] un peu plus souvent (qu'en voyage) à ma
25 librairie,[2] d'où tout d'une main [3] je commande à mon ménage.[4] Je suis sur l'entrée et vois sous moi mon jardin, ma basse-cour,[5] ma cour, et dans la plupart des membres [6] de ma maison. Là, je feuillette à cette heure un livre, à cette heure un autre, sans ordre et sans dessein, à pièces décousues;[7] tantôt je rêve, tantôt j'enregistre et dicte, en me promenant, mes songes
30 que voici.[8]

[75] an understanding man as a tutor. [76] connive at; *obs. for* **fermer les yeux sur.** [77] I ran through in quick succession; **enfiler,** *lit.* 'to thread' (*a needle*). [78] *Terence and Plautus were two Roman writers of comedies in the second century B.C.* [79] enticed. [80] the attractiveness, interest. [81] a firm countenance. [82] acted. [83] *George Buchanan (1506–82), Scotch historian and poet, for some time one of Montaigne's teachers at the Collège de Guyenne.* [84] *A dialectician.* [85] *A* humanist *who lived many years in Italy.* [86] *A Portuguese; he was the head (principal) of the Collège de Guyenne from 1534 to 1547.* [87] I was considered a master workman in dramatics, an excellent actor. [88] of good families. [89] with distinction. [90] pastimes. [91] there is nothing like tempting. [92] small pocket, pouch. [93] if it is to serve any purpose. [94] in ourselves. [95] we must espouse it, assimilate it.

[1] **je me tourne,** I turn. [2] *obs. for* **bibliothèque,** library. [3] **facilement,** easily. [4] my household. [5] my chicken yard. [6] into most of the parts. [7] unsystematically. [8] my musings that are recorded here.

Elle [9] est au troisième étage d'une tour. Le premier, c'est ma chapelle, le second une chambre et sa suite,[10] où je me couche souvent, pour être seul. Au-dessus, elle a une grande garde-robe.[11] C'était au temps passé le lieu le plus inutile de ma maison. Je passe là et la plupart des jours de ma vie, et la plupart des heures du jour. Je n'y suis jamais la nuit. A sa suite est 5 un cabinet assez poli,[12] capable à [13] recevoir du feu pour l'hiver, très plaisamment percé.[14] Et, si je ne craignais non plus le soin que la dépense,[15] — le soin qui me chasse de toute besogne —, je pourrais facilement coudre [16] à chaque côté une galerie de cent pas [17] de long sur douze de large, à plein pied,[18] ayant trouvé tous les murs montés pour autre usage,[19] à la hauteur 10 qu'il me faut. Tout lieu retiré requiert un promenoir. Mes pensées dorment si je les assois.[20] Mon esprit ne va, si les jambes ne l'agitent. Ceux qui étudient sans livre, en sont tous là.[21]

La figure en [22] est ronde et n'a de plat que ce qu'il faut à ma table [23] et mon siège, et vient m'offrant en se courbant,[24] d'une vue,[25] tous mes livres, 15 rangés à cinq degrés [26] tout à l'environ. Elle a trois vues [27] de riche et libre prospect,[28] et seize pas de vide,[29] en diamètre. En hiver, j'y suis moins continuellement; car ma maison est juchée sur un tertre,[30] comme dit son nom,[31] et n'a point de pièce plus éventée [32] que celle-ci, qui me plaît d'être un peu pénible [33] et à l'écart, tant pour le fruit de l'exercice que pour reculer 20 de moi la presse.[34] C'est là mon siège.[35] J'essaie à m'en rendre la domination pure,[36] et à soustraire [37] ce seul coin à la communauté, et conjugale,[38] et filiale,[39] et civile.[40] Partout ailleurs je n'ai qu'une autorité verbale; en essence,[41] confuse. Misérable, à mon gré,[42] qui n'a chez soi où [43] être à soi, où se faire particulièrement la cour,[44] où se cacher!... 25

Je vis du jour à la journée,[45] et parlant en révérence, ne vis que pour moi; mes desseins se terminent là. J'étudiais jeune, pour l'ostentation; depuis, un peu, pour m'assagir;[46] à cette heure, pour m'ébattre; jamais pour être plus savant. Une humeur vaine et dépensière [47] que j'avais après les livres, non pour en pourvoir seulement mon besoin, mais de trois pas 30

---

[9] **Elle** *refers to the library.* [10] its adjunct; *a smaller room used as a big closet.* [11] dressing room; *today* **la garde-robe** *means* wardrobe, clothes. [12] *a rather attractive little room.* [13] **capable de.** [14] with windows placed nicely for daylight. [15] if I did not fear the trouble any more than I do the cost. [16] add; *lit.* 'sew.' [17] paces; *a pace is about 2.5 feet, or 75 centimeters.* [18] **de plain-pied,** on the same level. [19] purpose; *i.e. for defense. The castle had been enlarged and fortified by Montaigne's father.* [20] if I seat them. [21] are all in the same plight (boat). [22] The shape of my library. [23] there is no flat wall except what space is necessary to put my table. [24] as it curves. [25] at one glance. [26] **rangés sur cinq rayons,** arranged on five shelves. [27] windows. [28] **perspectives,** vistas. [29] of vacant space. [30] perched on a little hill. [31] **Montaigne, montagne.** *It is far from being a mountain; it is only a hillock* (**un tertre**). [32] drafty. [33] I like it for being a little difficult of access. [34] for keeping crowds away from me. [35] my seat, headquarters. [36] inviolate. [37] preserve. [38] *His wife lived in the castle proper and ran the household.* [39] *Montaigne refers to his only living daughter, Léonor, who was 15 in 1586, when he wrote this essay. His mother also lived in the castle, all by herself, as she did not get along with her daughter-in-law.* [40] social. [41] theoretical. [42] in my opinion. [43] has no place where. [44] to pay court to himself, take care of himself, enjoy himself. [45] **au jour le jour, un jour à la fois,** from day to day. [46] to become wiser. [47] An idle and extravagant inclination.

au-delà, pour m'en tapisser [48] et parer, je l'ai abandonnée il y a longtemps.

Les livres ont beaucoup de qualités agréables à ceux qui les savent choisir;
mais aucun bien sans peine; c'est un plaisir qui n'est pas net [49] et pur, non
5 plus que les autres; il a ses incommodités, et bien pesantes; l'âme s'y
exerce, mais le corps, duquel je n'ai non plus oublié le soin, demeure pendant
ce temps sans action, s'atterre et s'attriste.[50] Je ne sache excès plus dom-
mageable pour moi, ni plus à éviter en ce déclin d'âge.[51]

Livre III, chapitre 3

OUVRAGES RECOMMANDÉS
Textes

Œuvres complètes, présentées par le Dr. A. Armaingaud. 12 vol. Conard.
Essais. Classiques Garnier et Bibliothèque de la Pléiade.
Essais (extraits). Classiques Larousse, Hachette.
Journal de voyage en Italie par la Suisse et l'Allemagne, présenté par Charles
Dédéyan. Les Belles Lettres.

Critique

Fortunat Strowski. *Montaigne, sa vie publique et privée*. Éditions de la
Nouvelle Revue Critique, Paris.
Pierre Villey. *Les Essais de Montaigne*. Malfère.
Pierre Moreau. *Montaigne, l'homme et l'œuvre*. Hatier.
P. Barrière. *Montaigne, gentilhomme français*. Delmas.
M. Weiler. *Pour connaître la pensée de Montaigne*. Bordas.
A. Nicolaï. *Les Belles Amies de Montaigne*.   Saint-Étienne, Dumas.

---

[48] to make them a tapestry (a show) for
myself and my house.   [49] unmixed.
[50] becomes downcast and sad.   [51] *Mon-*
taigne was 53 at that time. He died 6 years
later.

LE DIX-SEPTIÈME SIÈCLE

Le Grand Siècle
L'Age d'or de la littérature française
Le Triomphe du classicisme

LE DIX–SEPTIÈME SIÈCLE
Contour littéraire

Après une période de guerres et de bouleversements nationaux, vient ordinairement une période de reconstruction où des principes nouveaux apparaissent. Ce fut le cas du dix-septième siècle qui s'est ouvert sur la paix donnée à la France par Henri IV.

Au point de vue littéraire, il fallait mettre bon ordre à la langue fran- 5 çaise, peu respectée par ce roi gascon et ses amis, enrichie aussi avec trop d'enthousiasme par Ronsard et la Pléiade, qui avaient emprunté tant de mots et de formes au grec et au latin. Malherbe fit une guerre impitoyable mais heureuse au nouveau jargon. C'est dans l'esprit de Malherbe que travaillèrent et l'hôtel de Rambouillet, dès 1610 le rendez-vous d'écrivains 10 et de gens du monde, et l'Académie française fondée en 1635 par le cardinal de Richelieu «pour enregistrer l'usage en matière de langue et d'orthographe.»

Au point de vue de la pensée, il se fit une révolution qui est l'aurore de notre monde démocratique moderne. Allant plus loin que certains 15 humanistes et rebelles du Moyen Age et surtout de la Renaissance, Descartes, se dressant en face de la scolastique et de son principe d'autorité, exposa sa «méthode» qui consistait à tout soumettre au jugement de la raison. C'est la source de la plupart des caractéristiques que nous trouvons dans l'œuvre des grands classiques, et que nous donnons dans la liste 20 qui suit:

Caractéristiques du classicisme
Le Fond

1. Basé sur la raison, l'intelligence, la pensée, la tête.
2. Général, universel.
3. «Contemporain de tous les âges.» (Sainte-Beuve)
4. Impersonnel, objectif. «Le moi est haïssable.» (Pascal)   25
5. Respect des règles, discipline.
6. Retenue, sobriété, mesure, équilibre.
7. Moral, orthodoxe.
8. Crédibilité.
9. Logique, raison. «Aimez donc la raison.» (Boileau)   30
10. Intelligence, idées, surtout abstractions; exactitude psychologique.
11. Volonté, héroïsme, devoir.
12. Clarté.

13. Chrétien; mais, au dix-huitième siècle, déiste, ou sceptique, ou athée.
14. Culte de l'antiquité païenne; imitation des littératures du Midi, la grecque et la latine.
15. Conservateur, nationaliste, royaliste, aristocratique.
16. Social; aime les plaisirs de la ville et de la cour, des salons, de la société et de la conversation.

La Forme

17. Clarté, simplicité, concision.
18. Vocabulaire noble.
19. Versification régulière; alexandrin surtout.
20. Division des genres.
21. Pour le théâtre: règle des trois unités (lieu, temps, action).

Il est intéressant de prendre chaque grand auteur du dix-septième siècle et de se demander combien des caractéristiques précédentes s'appliquent à lui; évidemment il faut, pour Pascal et Racine surtout, faire la part des passions,[1] et cela dérange un peu l'ordre de notre liste. La conclusion est que chaque grand auteur a une originalité bien définie, mais qu'elle rentre quand même, sans qu'on soit obligé de la forcer, dans le cadre classique que nous avons essayé de dessiner.

Une question se pose; est-ce que le dix-septième siècle est vraiment l'âge d'or de la littérature française? Le plus grand nombre des critiques l'affirment; une minorité grandissante tient pour le dix-huitième, surtout pour la valeur démocratique de sa littérature. Ce qu'un esprit moderne, libéral, reproche surtout aux grands écrivains du dix-septième siècle, c'est leur conformisme politique et religieux. Descartes n'a pas osé appliquer sa méthode à la religion; aucun de nos grands écrivains d'alors n'a vraiment critiqué l'idée de la monarchie de droit divin et la dictature d'un Louis XIV. Il y avait grand péril à le faire, et cela ne s'est fait qu'au dix-huitième siècle, sous la monarchie affaiblie, mais encore absolue, de Louis XV et de Louis XVI.

OUVRAGES RECOMMANDÉS
Textes

Épistoliers du XVIIᵉ siècle. Classiques Larousse.
Lettres choisies du XVIIᵉ siècle. Classiques Hachette.
Mathurin Régnier, Théophile de Viau, Saint-Amant. Classiques Larousse.
Mathurin Régnier. *Satires.* Classiques Larousse.
Honoré d'Urfé. *L'Astrée.*
Paul Scarron. *Le Roman comique.*
Fénelon. *Aventures de Télémaque.* Classiques Larousse, Hachette.
——. *Lettre à l'Académie.* Classiques Larousse.
Charles R. Bagley. *An Introduction to French Literature of the Seventeenth Century.* Appleton-Century-Crofts.
Henri Peyre and Elliott M. Grant. *Seventeenth Century French Prose and Poetry.* Heath.
Joseph Seronde and Henri Peyre. *Nine Classic French Plays.* Heath.

[1] take the passions into consideration.

Critique

Félix Gaiffe. *L'Envers du Grand Siècle.* 366 p. A. Michel, 1924.

V.–L. Saulnier. *La Littérature française du siècle classique.* 136 p. Presses universitaires. ;

Georges Mongrédien. *La Vie littéraire au XVIIe siècle.* 442 p. Tallandier.

Henri Peyre. *Qu'est-ce que le classicisme?* 320 p. Genève: Droz.

A. Adam. *La Littérature française au XVIIe siècle.* 5 vol. Domat-Montchrestien.

A. Bailly. *L'École classique française.* 214 p. Armand Colin.

R. Bray. *La Formation de la doctrine classique.* 390 p. Nizet.

FRANÇOIS DE MALHERBE
(1555–1628)
« *Le Tyran des mots et des syllabes* »

Après des études universitaires à Paris, Heidelberg et Bâle, ce bouillant Normand de Caen devint, à Aix-en-Provence, aide de camp et secrétaire du gouverneur de Provence (1576). Il se distingua dans de rudes batailles aux ennemis du roi, Protestants et Ligueurs; [1] il se distingua plus encore par sa fougue de versificateur et de grammairien.

Le radieux élan que la Renaissance avait donné aux lettres françaises fut considérablement ralenti par les impitoyables guerres de religion qui pendant trente ans (1563–93) dressèrent [2] les catholiques contre les protestants. L'idéal d'érudition joyeuse, de lyrisme, de liberté et de tolérance qui avait été celui de Rabelais, de la Pléiade et de Montaigne, dut passer devant le tribunal d'inquisition de Malherbe; il fut naturellement condamné à mort au nom de la discipline et de la raison.

Ce fut d'abord une querelle de vocabulaire et de syntaxe. Malherbe, ce grand inquisiteur, reprochait à la langue, — celle de la Pléiade surtout —, de s'être encombrée d'une quantité de mots grecs, latins, italiens et espagnols, de vieux mots français aussi, et de mots provinciaux; cela ne la rendait intelligible qu'à une minorité de lettrés. Or, toute langue, même poétique, doit être accessible au peuple, surtout à celui de la capitale, et même aux « crocheteurs du Port-aufoin » [3] de Paris. Il fallait donc éliminer tous les mots et toutes les formes syntactiques non consacrées par l'usage, « dégasconniser »,[4] en particulier, cette langue française assassinée par les braves mais grossiers compagnons d'armes de Henri de Navarre, ce Gascon devenu roi de France en 1589. Malherbe, reconnu comme arbitre du goût littéraire, fut aidé dans cette tâche par ses nombreux disciples qui, dès 1635, firent partie de l'Académie française fondée par Richelieu, et surtout par les salons littéraires, foyers de « bel usage », dont le plus brillant fut celui de la marquise de Rambouillet (p. 76).

[1] *Members of* **la Ligue** (*the League*), *or* **la Sainte Ligue,** *a party founded by fanatical Catholics (1575) to fight the Protestants, overthrow the effeminate Henry III, and put a member of the Guise family on the French throne. Spain lent them military aid. King Henry of Navarre, who* became Henry IV of France (1589), defeated the last **Ligueurs** at Fontaine-Française, 20 mi. NE of Dijon (1595).
[2] *pitted.*   [3] *porters of the Hay Port.*
[4] *weed out the Gascon (patois) elements in.*

Malherbe, qui se disait poète, critiquait la poésie spontanée, trop facile, de Ronsard et de son école.   La perfection ne peut venir que de la difficulté vaincue, proclamait-il.   Au lieu des rimes faibles, des coupes [5] amenées au hasard, au lieu de toutes les licences poétiques, il exigea des rimes riches, une pause au milieu du vers, appelée césure; il interdit l'hiatus,[6] l'enjambement,[7] etc.   Boileau, qui lui succédera comme « législateur du Parnasse », fait ainsi son éloge:

> Enfin Malherbe vint, et, le premier en France,
> Fit sentir dans les vers une juste cadence,
> D'un mot mis en sa place enseigna le pouvoir,
> Et réduisit la muse aux règles du devoir.
> Par ce sage écrivain la langue réparée [8]
> N'offrit plus rien de rude à l'oreille épurée; [9]
> Les stances avec grâce apprirent à tomber,
> Et le vers sur le vers n'osa plus enjamber.[10]
> Tout reconnut ses lois; et ce guide fidèle
> Aux auteurs de ce temps sert encor de modèle.
> Marchez donc sur ses pas; aimez sa pureté,
> Et de son tour heureux [11] imitez la clarté.

Art poétique, I, 131–142

Est-ce à dire [12] que la pureté et la clarté de style étaient absentes de la littérature de la Renaissance?   Qui osera l'affirmer après avoir relu les extraits que nous en avons présentés?   Mais c'est là le meilleur, et il est juste de dire que Rabelais, par peur de la persécution religieuse et aussi par luxuriance naturelle, a plus d'un passage obscur, et Montaigne, par nonchalance, a des prolixités. Malherbe était particulièrement dur pour Ronsard dont il avait biffé [13] plus de la moitié des vers dans l'exemplaire qu'il possédait:

— Approuvez-vous ce que vous n'avez pas biffé? lui demanda son disciple Racan.[14]

— Pas plus que le reste! répondit l'inflexible censeur.

Il condamna des mots maintenant bien français, comme « patrie, pudeur, police, économie, idéal, printanier, bouffon, charlatan, etc. »; c'est lui qu'on condamne sévèrement aujourd'hui pour n'avoir été qu'un regratteur [15] de mots, un versificateur sans inspiration, dont l'influence pendant deux cents ans, — jusqu'à l'avènement du romantisme avec les *Premières Méditations* de Lamartine (1820) —, dessécha la poésie française.   Seul La Fontaine ne fut pas gâté par les décrets de Malherbe.

La réforme de Malherbe porta non seulement sur la manière mais sur la matière poétique, sur les sujets.   Elle condamna le « moi » de Montaigne.   Que le poète oublie son insignifiante personnalité, qu'il ne mette pas son cœur à nu, qu'il ne larmoie pas, [16] mais qu'au contraire il s'élève du particulier au général, aux idées éternelles!   Il sera grand s'il fait appel à l'intelligence et au jugement plutôt qu'aux émotions et à l'instinct.   La pensée universalisée, la volonté, voilà les bases de l'art classique soumis à l'ordre et à la raison, tous deux créateurs de pureté, de clarté et d'art où règne la mesure!

---

[5] metrical divisions.   [6] [iatyːs], *break between two vowels in consecutive words.*   [7] run-on line.   [8] **renouvelée**, renovated.   [9] now refined.   [10] to run over.   [11] his felicitous style.   [12] Does this mean.   [13] crossed out.   [14] *Honorat de Bueil (1589–1670), marquis de Racan, pastoral poet of* Les Bergeries.   [15] corrector.   [16] let him not snivel.

Malherbe a relativement peu écrit: 123 poèmes, environ 4000 vers. Nous donnons ici un de ceux qui nous paraissent de la poésie et non de la versification; ils ne sont pas nombreux, car il a manqué de la plus grande qualité littéraire, l'inspiration.

Poète de second ordre, Malherbe est cependant un sommet littéraire à cause de quelques poèmes parfaits, et surtout parce qu'il se dresse à la ligne de partage des eaux [17] entre la Renaissance pittoresque, exubérante, et le classicisme ferme et pur mais par trop dépouillé. [18]

CONSOLATION A M. DU PÉRIER
SUR LA MORT DE SA FILLE

Ce du Périer, — ou des Périers —, avocat au Parlement d'Aix-en-Provence, était un des meilleurs amis de Malherbe. Il perdit sa fille alors que notre « poète » faisait un séjour à Caen, chez ses parents, qui élevaient sa fille Jourdaine âgée de sept ans. Il y avait la peste en Normandie, et Jourdaine en fut une des victimes. Voici en quels termes simples et déchirants — qui valent mieux que la plupart de ses poèmes — le pauvre père apprit la nouvelle à sa femme restée à Aix:

« J'ai bien de la peine à vous écrire, mon cher cœur, et je m'assure [1] que vous n'en aurez pas moins à lire cette lettre. Imaginez-vous, mon âme, la plus triste et la plus pitoyable nouvelle que je saurais vous mander,[2] vous l'apprendrez par cette lettre. Ma chère fille et la vôtre, notre belle Jourdaine, n'est plus au monde.[3] Je fonds en larmes en vous écrivant ces paroles, mais il faut que je les écrive, et il faut, mon cœur, que vous ayez l'amertume [4] de les lire ... Je possédais cette fille avec une perpétuelle inquiétude, et m'était avis,[5] si j'étais une heure sans la voir, qu'il y avait un siècle que je ne l'avais vue. Je suis, mon cœur, hors de cette appréhension, mais j'en suis sorti d'une façon cruelle et digne de regrets ... Je m'étais proposé de vous consoler, mais comment le ferais-je, désolé [6] comme je suis ? »

Malherbe était donc dans l'état d'esprit le plus propre à exprimer des consolations à son ami des Périers, frappé comme lui, lorsqu'il rentra à Aix en 1599. On s'étonne cependant de lire les deux vers révoltants, — lignes 39-40 de la page 75. L'explication de cette insensibilité n'est-elle pas que, sitôt qu'il aborde la poésie, cet homme par ailleurs assez sympathique, à cause de sa forte personnalité, n'est plus qu'un rhéteur artificiel ?

> Ta douleur, du Périer, sera donc éternelle,[7]
>   Et les tristes discours [8]
> Que te met en l'esprit l'amitié [9] paternelle
>   L'augmenteront toujours ?
>
> 5 Le malheur de ta fille au tombeau descendue
>   Par un commun trépas,[10]
> Est-ce quelque dédale [11] où ta raison perdue
>   Ne se retrouve pas ? [12]

---

[17] the divide.   [18] barren.

[1] *obs. for* je suis sûr.   [2] let you know about.   [3] **n'est plus de ce monde.** [4] the bitter experience.   [5] it seemed to me.   [6] heartbroken.   [7] And so, du Périer, you will mourn forever ...? [8] **réflexions, pensées** (*17th-century meaning*).   [9] **l'affection, l'amour.**   [10] **Par** un trépas commun à tous; le trépas, death.   [11] labyrinth (*from Daedalus, who built the mythological labyrinth in Crete as a prison for the Minotaur, a monster half bull and half man, living on human flesh*).   [12] Cannot find its way?

Je sais de quels appas [13] son enfance était pleine,
10   Et n'ai pas entrepris,
Injurieux [14] ami, de soulager [15] ta peine
   Avecque son mépris.[16]

Mais elle était du monde, où les plus belles choses
   Ont le pire destin;
15 Et, rose, elle a vécu ce que vivent les roses,[17]
   L'espace d'un matin.

Puis quand ainsi serait,[18] que selon ta prière,
   Elle aurait obtenu
D'avoir en cheveux blancs terminé sa carrière,
20   Qu'en fût-il advenu? [19]

Penses-tu que plus vieille en la maison céleste
   Elle eût eu plus d'accueil? [20]
Ou qu'elle eût moins senti la poussière funeste [21]
   Et les vers du cercueil? [22] . . .

25 C'est bien,[23] je le confesse, une juste coutume,
   Que le cœur affligé,
Par le canal des yeux vidant son amertume,
   Cherche d'être allégé.[24]

Même, quand il advient [25] que la tombe sépare
30   Ce que nature a joint,
Celui qui ne s'émeut a l'âme d'un barbare,
   Ou n'en a du tout point.[26]

Mais d'être inconsolable, et dedans sa mémoire
   Enfermer son ennui,[27]
35 N'est-ce pas se haïr [28] pour acquérir la gloire
   De bien aimer autrui? . . .

De moi, déjà deux fois [29] d'une pareille foudre [30]
   Je me suis vu perclus,[31]

[13] charms; *the singular is* **appât** *and means* bait, inducement. [14] *obs. for* **injuste**; *today* **injurieux** *means* insulting. [15] to alleviate. [16] **En te disant de la mépriser.** By telling you to scorn it (*your grief*). *The whole translation should probably be:* And I have not tried, as an importunate friend would, to alleviate your grief by telling you to forget all about it. [17] *The traditional comparison of women and roses, all the more readily referred to because the dead girl's name was Rosette.* [18] **quand il en serait ainsi.** [19] What would have happened then?

[20] a better welcome? [21] the dust of death (*her body returning unto dust*). [22] the worms of the coffin? [23] It is indeed. [24] **Cherche à être allégé,** Endeavors to find relief. [25] when it so happens. [26] **Ou n'en a point du tout.** [27] his grief; *stronger than today's meaning:* boredom, trouble. [28] hating oneself. [29] As for me, twice already. *When Jourdaine died, Malherbe had already lost a child, Henri, aged 2.* [30] by a similar blow (*lit.* 'thunderbolt'). [31] stricken; *lit.* 'crippled.'

Et deux fois la raison m'a si bien fait résoudre [32]
40   Qu'il ne m'en souvient plus.[33]

Non qu'il ne me soit grief [34] que la terre possède
    Ce qui me fut si cher;
Mais en un accident [25] qui n'a point de remède,
    Il n'en faut point chercher.

45 La mort a des rigueurs à nulle autre pareilles; [36]
    On a beau la prier,
La cruelle qu'elle est se bouche les oreilles,
    Et nous laisse crier.

Le pauvre en sa cabane, où le chaume [37] le couvre,
50   Est sujet à ses lois;
Et la garde qui veille aux barrières du Louvre [38]
    N'en défend point nos rois.

De murmurer contre elle, et perdre patience,
    Il est mal à propos; [39]
55 Vouloir ce que Dieu veut, est la seule science
    Qui nous met en repos.

1599

OUVRAGES RECOMMANDÉS
Textes

Poésies. Introduction et notes par Martinon et Allem. Classiques Garnier.
Poésies choisies. Classiques Larousse.

Critique

Georges Allais. *Malherbe et la poésie française à la fin du XVIe siècle.*
    Thorin, 1891.
René Fromilhague. *La Vie de Malherbe. Malherbe, technique et création
    poétique.* 2 vol. Armand Colin, 1954.

---

[32] fait **résoudre à me résigner,** persuaded me to submit to my fate.   [33] *Just as Montaigne did not remember exactly how many children (all daughters) he had lost. Child mortality was so high in those days that our prolific ancestors had become somewhat hardened to it.*   [34] [grjɛf], *obs. meaning of* **pénible,** hard.   *Today* **le grief** *means* grievance.   *Usually pronounced* [grief] *but here should be pronounced as one syllable.*   [35] **un événement,** happening.   [36] **pareilles à nulle** (pires que toute) **autre rigueur.**   [37] thatch.   [38] *Palace in the center of Paris, where the kings of France lived from the 14th to the 17th century. It is now a museum.*   [39] Is out of place, Is not the thing to do.

Le Cadre du classicisme

SALONS LITTÉRAIRES
LA PRÉCIOSITÉ
L'ACADÉMIE FRANÇAISE

Quel prestige, pour l'œuvre de perfectionnement littéraire de Malherbe, lorsqu'une grande dame, la marquise de Rambouillet (1588-1665), la prit à son compte pour la lancer dans l'aristocratie! Elle y ajouta l'épuration des mœurs et du goût. Dans son hôtel de Rambouillet, à deux pas du Louvre, la blonde et jolie marquise, née Catherine de Vivonne, y reçut tous les mardis des hommes et des femmes de la noblesse, qui se piquaient de [1] belles manières et de littérature. Ces invités amenèrent des écrivains et savants qu'ils protégeaient: Malherbe, Racan, Ménage.[2] Dans la « Chambre bleue » d'Arthénice, — anagramme de Catherine —, on discutait poésie, grammaire, toilette, étiquette; on organisait des représentations dramatiques et mythologiques, avec musique et danses; on improvisait des rondeaux et madrigaux.[3] Corneille y lut *Polyeucte*. Le but était de donner des modèles de « bel air » tout en s'amusant.

Le boute-en-train [4] des réunions était VINCENT VOITURE (1598-1648) qui devint célèbre à cause d'un sonnet qui donna le ton à la préciosité amoureuse. Le sonnet était adressé à une certaine Uranie,[5] ainsi nommée selon la mode mythologique du temps.

SONNET A URANIE

Il faut finir mes jours en l'amour d'Uranie:
L'absence ni le temps ne m'en sauraient guérir,
Et je ne vois plus rien qui me pût secourir,
Ni qui sût rappeler [6] ma liberté bannie.

5 Dès [7] longtemps je connais sa rigueur infinie;
Mais pensant aux beautés pour qui [8] je dois périr,
Je bénis mon martyre, et content de mourir,
Je n'ose murmurer [9] contre sa tyrannie.

Quelquefois ma raison par de faibles discours [10]
10 M'incite à la révolte et me promet secours;
Mais lorsqu'à mon besoin [11] je me veux servir d'elle,[12]

Après beaucoup de peine et d'efforts impuissants,
Elle dit qu'Uranie est seule aimable et belle,
Et m'y rengage [13] plus que ne font tous mes sens.

Voiture

[1] had pretensions to. [2] *Gilles Ménage (1613-92), philologist; tutor of Mesdames de Sévigné and de La Fayette; author of Ménagiana, literary anecdotes.* [3] madrigals; short, witty poems. [4] life. [5] Urania, *the Muse of astronomy, also a name of Venus, as representing spiritual* love. [6] which could restore, bring back. [7] **Depuis.** [8] **lesquelles** *would be used today, because the pronoun refers to things.* [9] complain, murmur. [10] argumentation. [11] **au moment où j'en ai besoin.** [12] *Refers to* **raison.** [13] **Et me rengage** (impels me again) **à elle.**

En 1649, un an après la mort de Voiture, éclata la « querelle des sonnets ». Les beaux esprits comparèrent, au précédent, un sonnet qu'en 1638 Isaac Benserade [14] avait écrit dans la même veine galante. C'était sa dédicace à une dame des *Paraphrases sur les neuf leçons de Job.*

JOB

Job, de mille tourments atteint,
Vous rendra sa douleur connue,
Et raisonnablement il craint
Que vous n'en soyez pas émue.

5 Vous verrez sa misère nue; [15]
Il s'est lui-même ici dépeint.
Accoutumez-vous à la vue
D'un homme qui souffre et se plaint.

Bien qu'il eût d'extrêmes souffrances,
10 On voit aller des patiences
Plus loin que la sienne n'alla.

Il souffrit des maux incroyables;
Il s'en plaignit, il en parla;
J'en connais de plus misérables.[16]

Benserade

Lequel était le meilleur? « Meilleur » est un mot bien général sur lequel on ne s'entendit guère. On se partagea en deux camps, les *Uranistes* et les *Jobelins.* Choisissez le vôtre! Corneille, que ses tragédies avaient porté à la première place dans les lettres, exprima son avis avec un charme sur lequel se fit l'unanimité.

SUR LES SONNETS DE JOB ET D'URANIE

Deux sonnets partagent [17] la ville,
Deux sonnets partagent la cour,
Et semblent vouloir à leur tour
Rallumer la guerre civile.[18]

5 Le plus sot et le plus habile
En mettent leur avis au jour,[19]
Et ce qu'on a pour eux d'amour
A plus d'un échauffe la bile.[20]

[14] [bĕsrad], *Parisian (1613–91) who composed poetry for ballets and parades at the court of Louis XIV.* [15] stark. [16] *more wretched ills, namely those suffered by the author, who was in love with "une belle insensible."* [17] divide. [18] **La Fronde,** *rebellion of the Paris courts of justice against Regent Anne of Austria and her Prime Minister Mazarin (1648–49). It was continued by a revolt of the princes, which lasted until 1653.* [19] Air their opinions of them. [20] And the love that you have for them arouses the anger of many a man.

> Chacun en parle hautement [21]
> 10 Suivant son petit jugement,
> Et s'il y faut mêler le nôtre,[22]
>
> L'un est sans doute mieux rêvé,[23]
> Mieux conduit [24] et mieux achevé,[25]
> Mais je voudrais avoir fait l'autre.[26]

Pierre Corneille

Les troubles [27] de la Fronde, l'absence, la maladie, la vieillesse jetèrent leur ombre sur les joyeuses réunions de l'Hôtel. La marquise céda la place, non à l'aînée de ses filles, la vive Julie d'Angennes, qui s'était mariée, mais à la seconde, Angélique. Celle-ci eut moins de grâce et de mesure que sa mère. Au lieu de s'amuser avec esprit, on s'amusa avec lourdeur; le pédantisme et la préciosité firent leur apparition.

LE SALON DE MADELEINE DE SCUDÉRY

Après la retraite de la marquise de Rambouillet, vers 1650, les plus bourgeois et professionnels de lettres parmi les habitués se réunirent le samedi chez Mlle de Scudéry. Elle n'était pas belle, mais elle était bonne et instruite. Elle s'était mise à écrire, dans le goût de la galanterie pastorale d'HONORÉ D'URFÉ [28] (L'Astrée,[29] 1607–27), d'interminables romans d'histoire turque, perse (Le Grand Cyrus, 1649–53) et romaine (Clélie, 1654–61) et d'amours contrariées [30] mais fidèles, où une psychologie, sûre pour l'époque, est rendue insupportable par un excès de subtilité. Un amour tendre et constant malgré les obstacles, tel fut le thème de bien des réunions chez Mlle de Scudéry. On en fit une Utopie, un pays allégorique, le Tendre, dont on dessina même une carte détaillée, la Carte de Tendre.

Molière eut beau jeu de [31] se moquer des « précieuses ridicules » (p. 105). Heureusement les ravages de la préciosité se limitèrent aux auteurs médiocres. Ils ne firent qu'effleurer [32] Corneille et Mme de Sévigné. Ils laissèrent intacts les grands classiques, qui profitèrent de son « anatomie du cœur humain », comme on désignait alors la psychologie.

D'autres salons littéraires furent tenus par des bourgeoises comme Mme Scarron,[33] et de grandes dames comme Mme de Sablé,[34] où La Rochefoucauld essaya ses Maximes (p. 93), et Mme de La Sablière,[35] où se rencontraient Molière, La Fontaine, Boileau et leurs amis.

L'ACADÉMIE FRANÇAISE

Vers 1629, neuf célibataires et ecclésiastiques, tous gens de lettres, décidèrent de tenir une fois par semaine, chez le mieux logé d'entre eux, VALENTIN CONRART,[36] une réunion uniquement d'hommes, où le temps serait employé à des

---

[21] peremptorily.   [22] le mien, mine. Authors, especially in prefaces, still refer to themselves as "we."   [23] better thought out.   [24] Developed with better logic. [25] brought to a conclusion.   [26] The Job sonnet.   [27] disturbances.   [28] Author of the heroic pastoral L'Astrée (1568–1625).   [29] About the love of the shepherd Celadon for the shepherdess Astraea.

[30] thwarted.   [31] It was very easy for Molière to.   [32] touched lightly.   [33] She married Louis XIV (1684) and was a pioneer of education for women (1635–1719). Paul Scarron, her first husband, was a wit and the author of a parody of the Aeneid.   [34] A marquise (1599–1678). [35] (1636–93).   [36] (1603–75).

discussions moins frivoles que dans les salons mixtes. On discuta surtout de la langue et des livres. Richelieu imposa sa protection à la compagnie, qui prit le nom d'Académie française. Le roi lui donna, en janvier 1635, des lettres patentes [37] qui spécifiaient que la principale fonction de la nouvelle compagnie était de travailler à « donner des règles certaines à notre langue et à la rendre pure, éloquente et capable de traiter les arts et les sciences ».

Le nombre des académiciens fut porté à quarante. Les plus célèbres furent les poètes VOITURE, RACAN, SAINT–AMANT; [38] l'épistolier [39] GUEZ DE BALZAC,[40] le grammairien VAUGELAS.[41]

Les grands écrivains du dix-septième siècle élus à l'Académie furent, dans l'ordre chronologique, Corneille (1647), Bossuet (1671), Racine (1673), La Fontaine (1684), La Bruyère (1693). Molière n'en fut pas, parce qu'il était acteur et par conséquent n'avait pas, selon les préjugés, les « bonnes mœurs » exigées pour être reçu. Les statuts [42] de l'Académie annonçaient la publication d'un dictionnaire et d'une grammaire. Le dictionnaire fut publié en 1694; il a eu depuis huit éditions, la dernière date de 1932. La grammaire fut publiée en 1932 seulement.

Pendant quarante ans l'Académie française alla d'une maison d'académicien à l'autre; enfin Louis XIV lui donna un asile au Louvre. En 1806 Napoléon l'installa au palais de l'Institut, fondé par Mazarin, où elle est encore. Elle est restée plutôt conservatrice, et on l'appelle, avec une ironie d'où le respect n'est pas absent, « la vieille dame du quai de Conti », où se trouve son palais.

RENÉ DESCARTES
(1596–1650)
Un Apôtre de la raison et de la liberté.
Un Pionnier des sciences et des mathématiques.

L'effort assez nonchalant et égoïste que fit Montaigne pour se libérer, par le doute, de la tyrannie scolastique et théologique, et pour se connaître soi-même, fut continué avec vigueur, et pour des fins universelles, par un savant d'esprit logique et moderne qui représente, non seulement le classicisme, mais le génie français tout entier.

Né en Touraine, étudiant en droit à l'université de Poitiers, soldat en Allemagne, voyageur en Hollande, au Danemark, en Suisse et en Italie, René Descartes se plut à Paris dans la fréquentation d'écrivains et de savants. Jugeant que « le grand livre du monde », qui lui avait fait connaître les conditions et mœurs de nombreux peuples, devait faire place à des œuvres écrites présentant ses multiples observations avec une méthode rigoureuse, il s'installa dans la république de Hollande (1629) où la liberté était plus grande que dans la France de Richelieu.

Aucun sujet ne le laissa indifférent. Son fort était les mathématiques. Il inventa la géométrie analytique. Par ses expériences il contribua au progrès de la mécanique (élévation des eaux de Hollande), de l'astronomie (perfectionne-

[37] letters patent, *official document conferring a right or privilege.* [38] *Marc-Antoine de Saint-Amant (1594–1661), colorful poet of* Le Fromage; Le Melon; A la solitude. [39] letter writer. [40] *Guez* [gɛ] *de Balzac* (1594–1654). *He did much to make the French language a literary medium.* [41] *Author of* Remarques sur la langue française (1595–1650). [42] statutes, constitution.

ment du télescope, mouvement de la terre, théorie des tourbillons ¹), de la navigation (longitude), de la physique (réfraction, vitesse de la lumière,. pression atmosphérique, lois de la chute des corps, oscillations du pendule), de l'anatomie et de la zoologie (dissections, vivisection, embryologie, circulation du sang), de la musique, de la philosophie, etc. Enfin (1637), il publia en français, — au lieu du latin qui était alors la langue des érudits —, pour être compris des gens de bon sens et aussi des femmes, « l'histoire de son esprit ». C'était le *Discours de la Méthode*, préface à trois gros essais scientifiques: *Géométrie, Dioptrique,*² *Météores*. Ce livre souleva des objections, car on n'était pas habitué à cette claire et forte méthode basée sur la raison au lieu de l'autorité, mais il fit de Descartes une des lumières de l'Europe.

En 1641 il publia ses *Méditations* (sur l'existence de Dieu qu'il reconnaît), en 1644 ses *Principes de la philosophie* (c'est-à-dire de la physique), et en 1649 le *Traité des passions de l'âme*. Ce rationaliste, en vrai classique, ne condamnait les passions que si elles étaient excessives.

Il retourna trois fois en France où on lui fit fête. En 1649 la reine Christine de Suède le fit venir à sa cour de Stockholm; il ne résista pas à l'hiver et mourut d'une pneumonie (février 1650).

DISCOURS DE LA MÉTHODE
pour bien conduire sa raison
et chercher la vérité dans les sciences

PREMIÈRE PARTIE
Considérations touchant les sciences

Le bon sens ¹ est la chose du monde la mieux partagée,² car chacun pense en être si bien pourvu, que ceux mêmes ³ qui sont les plus difficiles à contenter en toute autre chose n'ont point coutume d'en désirer plus qu'ils n'en ont. En quoi ⁴ il n'est pas vraisemblable ⁵ que tous se trompent; mais plutôt cela
5 témoigne que la puissance de bien juger et distinguer le vrai d'avec le faux, qui est proprement ce qu'on nomme le bon sens ou la raison, est naturellement égale en tous les hommes, et ainsi que la diversité de nos opinions ne vient pas de ce que les uns ⁶ sont plus raisonnables que les autres, mais seulement de ce que nous conduisons nos pensées par diverses voies, et ne
10 considérons pas les mêmes choses. Car ce n'est pas assez d'avoir l'esprit bon,⁷ mais le principal est de l'appliquer bien. Les plus grandes âmes ⁸ sont capables des plus grands vices aussi bien que des plus grandes vertus; et ceux qui ne marchent que fort lentement peuvent avancer beaucoup davantage, s'ils suivent toujours le droit chemin, que ne font ceux qui
15 courent et qui s'en éloignent ⁹ . . .

¹ vortex, *rapid rotatory movement of cosmic matter, accounting for the phenomena of bodies in space.* ² Dioptrics, *the* branch of geometrical optics which deals with the formation of images by lenses.

¹ Common sense. ² **la plus également et universellement distribuée.** ³ that even those. ⁴ And in this. ⁵ likely. ⁶ from the fact that some. ⁷ a sound mind. ⁸ *For Descartes, the rationalist,* âme *does not mean soul, but* intelligence, mind. ⁹ *Like the hare in Aesop's fable* Le Lièvre et la tortue (*turtle*).

Je sais combien nous sommes sujets à nous méprendre en ce qui nous touche,[10] et combien aussi les jugements de nos amis nous doivent être suspects lorsqu'ils sont en notre faveur. Mais je serai bien aise de faire voir en ce discours quels sont les chemins que j'ai suivis, et d'y représenter ma vie comme en un tableau, afin que chacun en puisse juger, et qu'apprenant du bruit commun [11] les opinions qu'on en aura, ce soit un nouveau moyen de m'instruire que j'ajouterai à ceux dont j'ai coutume de me servir.

Ainsi mon dessein n'est pas d'enseigner ici la méthode que chacun doit suivre pour bien conduire sa raison, mais seulement de faire voir en quelle sorte j'ai tâché de conduire la mienne . . .

J'ai été nourri aux lettres [12] dès mon enfance, et, pour ce qu'on [13] me persuadait que par leur moyen on pouvait acquérir une connaissance claire et assurée de tout ce qui est utile à la vie, j'avais un extrême désir de les apprendre. Mais sitôt que j'eus achevé tout ce cours d'études [14] au bout duquel on a coutume d'être reçu au rang des doctes, je changeai entièrement d'opinion. Car je me trouvais embarrassé de tant de doutes et d'erreurs, qu'il me semblait n'avoir fait autre profit, en tâchant de m'instruire, sinon que j'avais découvert [15] de plus en plus mon ignorance. Et néanmoins j'étais en l'une des plus célèbres écoles de l'Europe,[16] où je pensais qu'il devait y avoir de savants hommes, s'il y en avait en aucun endroit de la terre. J'y avais appris tout ce que les autres y apprenaient; et même, ne m'étant pas contenté des sciences [17] qu'on nous enseignait, j'avais parcouru tous les livres traitant de celles qu'on estime [18] les plus curieuses [19] et les plus rares qui avaient pu tomber entre mes mains. Avec cela je savais les jugements que les autres faisaient de moi; et je ne voyais point qu'on m'estimât inférieur à mes condisciples, bien qu'il y en eût déjà entre eux quelques-uns qu'on destinait à remplir les places de nos maîtres. Et enfin notre siècle me semblait aussi fleurissant [20] et aussi fertile en bons esprits qu'ait été aucun des précédents. Ce qui me faisait prendre la liberté de juger par moi de tous les autres, et de penser qu'il n'y avait aucune doctrine dans le monde qui fût telle qu'on m'avait auparavant fait espérer.[21]

Je ne laissais pas toutefois d'estimer [22] les exercices auxquels on s'occupe dans les écoles. Je savais que les langues que l'on y apprend sont nécessaires pour l'intelligence [23] des livres anciens; que la gentillesse des fables [24] réveille l'esprit; que les actions mémorables des histoires le relèvent,[25] et qu'étant

[10] to be mistaken in what relates to ourselves.   [11] de l'opinion publique. [12] Nourrir *has here the figurative meaning of* educate; aux = dans les; lettres *here means bookish knowledge as opposed to first-hand knowledge derived from practice, traveling, observation, reflection.*   [13] parce qu'on.   [14] that program of studies. [15] il me semblait n'avoir fait aucun autre profit . . . que de découvrir, *it seemed to me that I had made no further advance . . . than to discover.*   [16] *The Jesuit college of La Flèche, between Angers and Le Mans, now a military acad-*emy.   [17] subjects (*literary as well as scientific*).   [18] dealing with those that are considered.   [19] *For example the occult sciences (magic, astrology, alchemy, etc.).*   [20] *Today* florissant *is used instead of* fleurissant *when the meaning is figurative.*   [21] which was such as I had previously been given to believe (to expect).   [22] I did not fail, however, to hold in esteem.   [23] understanding. [24] the charm of fictional literature (*such as mythology, Aesop's fables, Ovid's* Metamorphoses, *etc.*).   [25] elevate it.

lues avec discrétion,[26] elles aident à former le jugement; que la lecture de tous les bons livres est comme une conversation avec les plus honnêtes gens [27] des siècles passés, qui en ont été les auteurs, et même une conversation étudiée,[28] en laquelle ils ne nous découvrent que les meilleures de leurs 5 pensées...

C'est pourquoi, sitôt que l'âge me permit de sortir de la sujétion de mes précepteurs, je quittai entièrement l'étude des lettres; [29] et me résolvant de ne chercher plus d'autre science que celle qui se pourrait trouver en moi-même [30] ou bien dans le grand livre du monde, j'employai le reste de 10 ma jeunesse à voyager,[31] à voir des cours [32] et des armées,[33] à fréquenter des gens de diverses humeurs et conditions,[34] à recueillir diverses expériences, à m'éprouver moi-même dans les rencontres que la fortune me proposait,[35] et partout à faire telle réflexion sur les choses qui se présentaient que j'en pusse tirer quelque profit...

15   Mais après que j'eus employé quelques années à étudier ainsi dans le livre du monde et à tâcher d'acquérir quelque expérience, je pris un jour la résolution d'étudier aussi en moi-même et d'employer toutes les forces de mon esprit à choisir les chemins que je devais suivre; ce qui me réussit beaucoup mieux, ce me semble, que si je ne me fusse jamais éloigné ni de 20 mon pays [36] ni de mes livres.

DEUXIÈME PARTIE
Principales règles de la méthode

J'étais alors en Allemagne où l'occasion des guerres [37] qui n'y sont pas encore finies [38] m'avait appelé; et comme je retournais du couronnement de l'empereur [39] vers l'armée, le commencement de l'hiver m'arrêta en un quartier [40] où, ne trouvant aucune conversation [41] qui me divertît,[42] et 25 n'ayant d'ailleurs, par bonheur, aucuns soins ni passions qui me troublassent, je demeurais tout le jour enfermé seul dans un poêle,[43] où j'avais tout le loisir de m'entretenir de mes pensées.

Descartes décide de soumettre ses connaissances, ses observations et pensées au jugement de sa raison, selon les quatre « préceptes » suivants:

Le premier était de ne recevoir jamais aucune chose pour vraie que [44] je ne la connusse évidemment [45] être telle; c'est-à-dire d'éviter soigneuse-

[26] discernment, acuteness of judgment. [27] the most educated people. [28] studied, refined, learned. [29] my literary studies. [30] *In this, Descartes imitated Socrates and Montaigne.* [31] *In Holland, Germany, Denmark, Switzerland, Italy.* [32] *The courts of Denmark, Germany, Venice, etc.* [33] *The armies of Maurice of Nassau and the Duke of Bavaria.* [34] dispositions and ranks. [35] **dans les circonstances où la fortune me plaçait.** [36] **than if I had never left either my country...** [37] *The Thirty Years' War which started with the Prague "defenestration" in 1618; three Catholic officials were thrown out of a window, in the Royal Palace, by Lutheran Czechs.* [38] *This* Discourse on Method *was published in 1637; the Thirty Years' War ended in 1648.* [39] *Ferdinand II, who was elected emperor of Germany in 1619 and crowned at Frankfort on the Main.* [40] cantonment. *It was at Neuburg, Bavaria.* [41] **fréquentation,** company. [42] **qui pût me distraire, m'intéresser.** [43] *Unusual for* une chambre chauffée par un poêle, a stove-heated room. *The German word is* Stube, *which also means* stove, *in dialect.* [44] **jusqu'à ce que.** [45] **de par** (through) **son caractère d'évidence.**

ment la précipitation et la prévention,[46] et de ne comprendre [47] rien de plus en mes jugements que ce qui se présenterait si clairement et si distinctement à mon esprit, que je n'eusse aucune occasion de le mettre en doute.

Le second, de diviser chacune des difficultés que j'examinerais en autant de parcelles qu'il se pourrait [48] et qu'il serait requis pour les mieux résoudre.[49] 5

Le troisième, de conduire par ordre [50] mes pensées, en commençant par les objets les plus simples et les plus aisés à connaître, pour monter peu à peu comme par degrés jusques à la connaissance des plus composés, et supposant même de l'ordre entre ceux [51] qui ne se précèdent point naturellement les uns les autres. 10

Et le dernier, de faire partout des dénombrements si entiers [52] et des revues si générales, que je fusse assuré de ne rien omettre ...

QUATRIÈME PARTIE
Preuves de l'existence de Dieu et de l'âme humaine,
ou fondements de la métaphysique

JE PENSE, DONC JE SUIS

C'est le principe initial et fondamental de la philosophie de Descartes.

... A cause que nos sens nous trompent quelquefois, je voulus supposer qu'il n'y avait aucune chose qui fût telle qu'ils nous la font imaginer; et parce qu'il y a des hommes qui se méprennent en raisonnant, même touchant 15 les plus simples matières de géométrie, et y font des paralogismes,[53] jugeant que j'étais sujet à faillir [54] autant qu'aucun autre, je rejetai comme fausses toutes les raisons que j'avais prises auparavant pour démonstrations; et enfin, considérant que toutes les mêmes pensées que nous avons étant éveillés nous peuvent aussi venir quand nous dormons sans qu'il y en ait 20 aucune pour lors [55] qui soit vraie, je me résolus de feindre [56] que toutes les choses qui m'étaient entrées en esprit n'étaient non plus vraies que les illusions de mes songes. Mais aussitôt après je pris garde [57] que, pendant que je voulais ainsi penser que tout était faux, il fallait nécessairement que moi qui le pensais fusse quelque chose; et, remarquant que cette vérité: 25 *je pense, donc je suis,*[58] était si ferme et si assurée que toutes les plus extravagantes [59] suppositions des sceptiques n'étaient pas capables de l'ébranler, je jugeai que je pouvais la recevoir sans scrupule pour le premier principe de la philosophie que je cherchais.

---

[46] haste and prejudice. [47] comprise.
[48] in as many portions (parts) as possible.
[49] and as might be required to solve them better. [50] one after the other. [51] and even assigning a certain order to those objects. [52] enumerations so complete.

[53] *A paralogism is a reasoning contrary to logical rules.* [54] to err. [55] at that time. [56] **de supposer.** [57] I noticed. [58] I think, therefore I exist; *Lat.* cogito, ergo sum. [59] absurd.

OUVRAGES RECOMMANDÉS
Textes

Œuvres et Lettres. 1420 p. Gallimard.
Discours de la méthode. Classiques Larousse, Hachette, Hatier.
Méditations métaphysiques. Classiques Larousse.
Œuvres scientifiques. Classiques Larousse.

Discographie

Descartes, textes; enregistrés par Jean Deschamps. 1 disque microsillon.
Collection Visages de l'Homme. Hachette.

Critique

Charles Adam. *Descartes, sa vie et son œuvre.* Hatier, 1939.
A. Baillet. *Vie de Monsieur Descartes.* 306 p. Plon.
Paul Valéry. *Les Pages immortelles de Descartes.* 232 p. Corrêa.
Jean-Paul Sartre. *Descartes.* 212 p. Genève: Édition des Trois Collines.
Jean Boorsch. *État présent des études sur Descartes.* 196 p. Les Belles
   Lettres, 1937.

PIERRE CORNEILLE
(1606–1684)
La Tragédie de l'amour et du devoir

Jeunesse studieuse (1606–30). Dans une haute maison qui est aujourd'hui un modeste musée, rue de la Pie, à Rouen, à une centaine de mètres de la place du Vieux-Marché où Jeanne d'Arc fut brûlée, Pierre Corneille naquit le sixième jour du sixième mois de la sixième année du dix-septième siècle (6 juin 1606). Fils d'avocat, — comme Rabelais —, il fut un brillant élève du collège des Jésuites de Rouen, et, à dix-huit ans, fut reçu avocat. On n'est pas sûr qu'il ait plaidé, car il avait un défaut de prononciation et ne savait pas intéresser ses auditeurs, ainsi qu'il l'a aimablement avoué:

> Et l'on peut rarement m'écouter sans ennui
> Que quand je me produis [1] par la bouche d'autrui.

Il préféra être magistrat. De 1629 à 1650 il exerça fort consciencieusement les doubles fonctions d'avocat du roi [2] pour les eaux et forêts, et d'avocat à la « table de marbre » du palais de Rouen, pour l'Amirauté: [3] les juges siégeaient derrière une table faite d'une grande plaque de marbre provenant d'une tombe romaine. Les devoirs de Corneille étaient de demander aux juges des peines contre les maraudeurs, contrebandiers, pêcheurs sans permis, etc.

Les coups d'essai [4] (1630–36). Il écrivit des poésies légères, puis des comédies, *Mélite* (1629), *La Veuve, La Galerie du Palais, La Place Royale, L'Illusion comique, Le Menteur,* et une tragédie, *Médée.* Ces pièces romanesques eurent du succès Richelieu employa quelque temps Corneille dans la troupe des « cinq auteurs », la « brigade », qui sous sa direction écrivaient des pièces pour son théâtre du *Palais-Cardinal.*[5] Notre individualiste de Normand se lassa vite de cette servitude.

---

[1] when I speak.   [2] King's lawyer, prosecutor.   [3] the Admiralty.   [4] first attempts, practice strokes.   [5] *Now Palais-Royal, in the center of Paris. Richelieu built it and gave it to Louis XIII in 1636.*

Les coups de maître [6] (1636–51). Brusquement Corneille, qui jusque-là avait brillé dans le romanesque, fit la découverte de son génie pour l'héroïque et même le sublime. Cette révélation lui vint peut-être de la douleur qu'il eut de voir Catherine Hue, la jeune fille qu'il aimait et qui avait été son inspiratrice pour *Mélite*, se marier avec un rival. Du drame espagnol de Guillén de Castro, *Las Mocedades del Cid* (*Les Exploits de jeunesse du Cid*), il fit une fleur immortelle d'amour soumis au devoir (pp. 86–91). En Chimène, Corneille idéalisa Catherine; en Rodrigue il s'est vu brave, vainqueur, au-dessus des faiblesses de l'amour. Il modifia *Le Cid* espagnol en le simplifiant selon les principes nouveaux du bon goût et de l'héroïsme moral aussi bien que physique. Les brutalités, il les passa sous silence ou les relégua dans les coulisses; [7] le soufflet [8] ne se donna plus en plein Conseil du roi, et ne fut plus suivi d'un dégainement [9] général; don Diègue ne serra plus la main de ses trois fils à les briser et ne leur mordit plus le doigt pour savoir qui résisterait le mieux à la douleur; il ne se présenta plus devant le roi, après la mort de don Gomès, avec la joue qui avait été souffletée auparavant, barbouillée, c'est-à-dire, pour lui, lavée du sang de l'insulteur; la tête de don Sanche, le champion de Chimène, n'apparut plus au bout d'une pique,[10] — don Sanche ne perdit même pas la vie. Les événements de trois jours, Corneille, en dépit de toute crédibilité, les condensa en vingt-quatre heures pour se conformer à la règle des trois unités, et, de la violence espagnole, il fit, par son éloquence et son habileté à présenter des situations exceptionnelles confrontées par l'héroïsme, un sublime inégalable auquel son nom est resté, « cornélien ».

Des jaloux, dont le cardinal de Richelieu, attaquèrent *Le Cid*; la jeune Académie française, dont Richelieu était le Protecteur, rédigea les *Sentiments de l'Académie sur le Cid* (p. 79). Corneille, tenant compte, cependant, de quelques-unes de ces critiques qui étaient justifiées, répondit par d'autres chefs-d'œuvre dont les héros furent tirés de l'histoire romaine: *Horace* (1640), — qu'admiraient les totalitaires de la 2e Grande Guerre: l'individu, la famille sont sacrifiés à l'État —, *Cinna* (1640),
— Au *Cid* persécuté *Cinna* doit sa naissance —,
Polyeucte (1642) et *La Mort de Pompée* (1643).

Les coups à faux [11] (1652–84). Corneille écrivit encore plus d'une douzaine de tragédies où la belle flamme de la grande période ne reparut que dans *Nicomède* (1651) et *Sertorius* (1662); le public préféra les tragédies plus tendres de Racine; « le grand Corneille » se consola en mettant en vers l'*Imitation de Jésus-Christ*.

Il s'était marié en 1639, et avait eu six enfants. En 1662, avec son inséparable frère, Thomas, il quitta Rouen pour s'installer définitivement à Paris où l'appelaient les séances de l'Académie française, — dont il était membre depuis 1647 —, et la représentation de ses pièces. Sa vieillesse se passa dans une moins grande pauvreté qu'on s'est plu à le dire. Il mourut en 1684 et fut enterré dans l'église Saint-Roch, près des Tuileries.

Le génie cornélien. Le théâtre de Corneille est « une école de grandeur d'âme »; ses héros, des surhommes [12] presque, se trouvent dans des situations exceptionnelles, « hors de l'ordre commun », et ont à choisir entre leur devoir — dévouement filial, patrie, religion — et leur passion amoureuse. La volonté et l'héroïsme poussent l'amour au second plan. A la pitié et à la terreur, les deux ressorts de la tragédie antique, Corneille a ajouté l'admiration, et lui a donné la première place. L'admiration du spectateur va aux « âmes peu communes » qui, placées dans des situations exceptionnelles, atteignent au sublime qu'aident aussi à créer les vers, parfois un peu lourds, mais souvent forts et d'une éloquence rare.

[6] master strokes.   [7] wings.   [8] slap.   [9] drawing of swords.   [10] pike, spear.
[11] ineffective.   [12] supermen.

LE CID

Tragi-comédie en cinq actes et en vers, représentée pour la première fois à Paris, théâtre du Marais, vers la fin de décembre 1636 ou au commencement de janvier 1637. L'action se passe à Séville, au onzième siècle, sous le règne de Fernand — ou Ferdinand — Ier, roi de Castille et de Léon.

ACTE I

Le mariage de deux amoureux, Rodrigue, fils de don Diègue, et Chimène, fille de don Gomès, comte de Gormas [gɔrmɑs], va bientôt se décider; hélas, les deux pères convoitent la charge de gouverneur de l'Infant, fils du roi et prince de Castille! Les voici qui sortent du Conseil où le roi a donné la préférence au plus vieux, don Diègue. Don Gomès est jaloux et violent; il fait des reproches à son heureux rival; il va même jusqu'à lui donner un soufflet.

SCÈNE V

Don Diègue remet sa vengeance entre les mains de son fils

Don Diègue, Don Rodrigue

DON DIÈGUE

Rodrigue, as-tu du cœur?[1]

DON RODRIGUE

Tout autre que mon père
L'éprouverait sur l'heure.[2]

DON DIÈGUE

Agréable colère!
Digne ressentiment à ma douleur bien doux![3]
Je reconnais mon sang à ce noble courroux;
5 Ma jeunesse revit en cette ardeur si prompte.
Viens, mon fils, viens, mon sang, viens réparer[4] ma honte;
Viens me venger.

DON RODRIGUE

De quoi?

DON DIÈGUE

D'un affront si cruel
Qu'à l'honneur de tous deux il porte un coup mortel:
D'un soufflet. L'insolent en eût perdu la vie;
10 Mais mon âge a trompé ma généreuse envie;[5]
Et ce fer que mon bras ne peut plus soutenir,[6]
Je le remets au tien pour venger et punir.

---

[1] courage. [2] would get proof of it this very moment. [3] **bien doux à ma douleur.** [4] obtain redress for. [5] my *noble desire; here* **généreux** *has its etymological meaning*, of good race. [6] **brandir,** wield.

Va contre un arrogant éprouver ton courage:
Ce n'est que dans le sang qu'on lave un tel outrage.
Meurs ou tue. Au surplus,[7] pour ne te point flatter,[8]
Je te donne à combattre un homme à redouter;
5 Je l'ai vu, tout couvert de sang et de poussière,
Porter partout l'effroi dans une armée entière.
J'ai vu, par sa valeur, cent escadrons rompus;
Et, pour t'en dire encor quelque chose de plus,
Plus que brave soldat, plus que grand capitaine,
10 C'est ...

DON RODRIGUE

De grâce,[9] achevez.

DON DIÈGUE

Le père de Chimène.

DON RODRIGUE

Le ...

DON DIÈGUE

Ne réplique point, je connais ton amour;
Mais qui peut vivre infâme est indigne du jour.[10]
Plus l'offenseur est cher, et plus grande est l'offense.
Enfin,[11] tu sais l'affront, et tu tiens la vengeance:[12]
15 Je ne te dis plus rien. Venge-moi, venge-toi;
Montre-toi digne fils d'un père tel que moi:
Accablé des malheurs où le destin me range,[13]
Je vais les déplorer.[14] Va, cours, vole, et nous venge.[15]

Ces « malheurs » placent Rodrigue dans un dilemme qu'il déplore dans des « stances » où les répétitions abondent, et dont voici la moitié:

SCÈNE VI

Les Stances de Rodrigue

DON RODRIGUE

Percé jusques au fond du cœur
20 D'une atteinte imprévue [16] aussi bien que mortelle,
Misérable vengeur d'une juste querelle,
Et malheureux objet d'une injuste rigueur,
Je demeure immobile, et mon âme abattue
Cède au coup qui me tue.

[7] Furthermore. [8] in order to give you a real test. [9] I beseech you. [10] he who can live disgraced is not worthy of being alive. [11] Well, to conclude. [12] the instrument of revenge (*my sword*). [13] to which destiny subjects me. [14] to mourn. [15] **venge-nous.** [16] By an unexpected blow.

Si près de voir mon feu [17] récompensé,
O Dieu, l'étrange peine!
En cet affront, mon père est l'offensé,
Et l'offenseur le père de Chimène!

5   Que je sens de rudes combats!
Contre mon propre honneur mon amour s'intéresse: [18]
Il faut venger un père et perdre une maîtresse.[19]
L'un m'anime le cœur, l'autre retient mon bras.
Réduit au triste choix ou de trahir ma flamme,[20]
10   Ou de vivre en infâme,
Des deux côtés mon mal est infini.
O Dieu! l'étrange peine!
Faut-il laisser un affront impuni?
Faut-il punir le père de Chimène?...

15   Oui, mon esprit s'était déçu.
Je dois tout à mon père avant qu'à ma maîtresse:
Que [21] je meure au combat, ou meure de tristesse,
Je rendrai mon sang pur comme je l'ai reçu.
Je m'accuse déjà de trop de négligence;
20   Courons à la vengeance;
Et tout honteux d'avoir tant balancé,
Ne soyons plus en peine,[22]
Puisqu'aujourd'hui mon père est l'offensé,
Si [23] l'offenseur est père de Chimène.

ACTE II

Malgré l'ordre qu'il en a reçu du roi, le fier don Gomès se refuse à faire des excuses à don Diègue; le jeune don Rodrigue, obéissant à son père, défie l'insulteur.

SCÈNE II

Le Défi

Le Comte, Don Rodrigue

DON RODRIGUE

25 A moi,[24] Comte, deux mots.[25]

LE COMTE

Parle.

DON RODRIGUE

Ote-moi d'un doute:

[17] my love.   [18] takes part.   [19] fiancée,
sweetheart.   [20] love.   [21] Whether.
[22] Let us stop worrying.   [23] Even if.

[24] **Viens à moi,** Here!   [25] grant me a
few words.

Connais-tu bien don Diègue?

LE COMTE

Oui.

DON RODRIGUE

Parlons bas; écoute.
Sais-tu que ce vieillard fut la même vertu,[26]
La vaillance et l'honneur de son temps? le sais-tu?

LE COMTE

Peut-être.

DON RODRIGUE

Cette ardeur que dans les yeux je porte,
5 Sais-tu que c'est son sang? le sais-tu?

LE COMTE

Que m'importe?

DON RODRIGUE

A quatre pas d'ici je te le fais savoir.[27]

LE COMTE

Jeune présomptueux!

DON RODRIGUE

Parle sans t'émouvoir.[28]
Je suis jeune, il est vrai; mais aux âmes bien nées [29]
La valeur n'attend point le nombre des années.

LE COMTE

10 Te mesurer à moi![30] qui t'a rendu si vain,
Toi qu'on n'a jamais vu les armes à la main?

DON RODRIGUE

Mes pareils à deux fois ne se font point connaître,[31]
Et pour leurs coups d'essai veulent des coups de maître.[32]

LE COMTE

Sais-tu bien qui je suis?

DON RODRIGUE

Oui: tout autre que moi
15 Au seul bruit de ton nom [33] pourrait trembler d'effroi.

[26] manliness itself.   [27] Four steps away from here (*outside of the palace*) I'll make you realize that.   [28] without getting excited.   [29] in lofty souls, in brave hearts.   [30] Measure swords with me!   [31] People of my class need no second test to prove themselves.   [32] And their first (practice) strokes are master strokes.   [33] At the mere mention of your name. *One of the 17th-century meanings of* **bruit** *was* reputation, renown.

Les palmes [34] dont je vois ta tête si couverte
Semblent porter écrit le destin de ma perte.[35]
J'attaque en téméraire un bras toujours vainqueur:
Mais j'aurai trop de force ayant assez de cœur.[36]
5 A qui venge son père, il n'est rien impossible.[37]
Ton bras est invaincu, mais non pas invincible.

LE COMTE

Ce grand cœur qui paraît aux discours que tu tiens,[38]
Par [39] tes yeux, chaque jour, se découvrait aux miens; [40]
Et, croyant voir en toi l'honneur de la Castille,
10 Mon âme avec plaisir te destinait ma fille.
Je sais ta passion, et suis ravi de voir
Que tous ses mouvements [41] cèdent à ton devoir;
Qu'ils n'ont point affaibli cette ardeur magnanime:
Que ta haute vertu répond à mon estime:
15 Et que, voulant pour gendre un cavalier [42] parfait,
Je ne me trompais point au choix que j'avais fait.
Mais je sens que pour toi ma pitié s'intéresse.
J'admire ton courage et je plains ta jeunesse.
Ne cherche point à faire un coup d'essai fatal,
20 Dispense [43] ma valeur d'un combat inégal;
Trop peu d'honneur pour moi suivrait cette victoire:
A vaincre sans péril,[44] on triomphe sans gloire;
On te croirait toujours abattu sans effort,
Et j'aurais seulement le regret de ta mort.

DON RODRIGUE

25 D'une indigne pitié ton audace est suivie!
Qui [45] m'ose ôter l'honneur craint de m'ôter la vie!

LE COMTE

Retire-toi d'ici.

DON RODRIGUE

Marchons sans discourir.

LE COMTE

Es-tu si las de vivre?

DON RODRIGUE

As-tu peur de mourir?

---

[34] palms (*symbols of glory*).   [35] Seem to
spell my doom.   [36] *Le fait que j'ai assez
de courage pour t'affronter me donnera assez
de force.*   [37] **rien d'impossible.**   [38] in
your words.   [39] Through.   [40] *To my*
eyes.   [41] its every impulse.   [42] **chevalier,** knight.   [43] Spare.   [44] When you
win after incurring no danger.   [45] The
man who.

LE COMTE

Viens, tu fais ton devoir, et le fils dégénère
Qui survit un moment à l'honneur de son père.

*Le coup d'essai du jeune Rodrigue est bien un coup de maître: le comte est tué.
C'est au tour de Chimène de ne plus écouter que son devoir filial. Elle demande au
roi de punir Rodrigue, que pourtant elle aime encore.*

ACTE III

*Don Diègue annonce qu'une puissante flotte maure remonte le Guadalquivir [46]
dans le but d'attaquer Séville qui se trouve à une cinquantaine de milles en amont.
Il a réuni cinq cents chevaliers qu'il place sous le commandement de Rodrigue.*

ACTE IV

*Second coup de maître du jeune homme: sa troupe, grossie de nombreux volontaires,
remporte la victoire sur les Maures. Qu'importe! Chimène s'obstine à demander
le châtiment de celui qui a tué son père. Le roi permet à Chimène de choisir un
champion qui se battra en duel avec Rodrigue. Elle choisit don Sanche, un de ses
soupirants.*

ACTE V

*Le duel a lieu. Chimène voit revenir don Sanche l'épée à la main; elle croit qu'il
a tué Rodrigue et l'accable de reproches. Il y a erreur. Rodrigue a triomphé, mais
il a laissé la vie sauve à don Sanche; il lui a cependant ordonné d'aller remettre son
épée à Chimène. La tragédie se termine donc en tragi-comédie. Il serait indécent que
l'hymen se fît si tôt après la mort du père; il faudra un an à la fiancée pour « essuyer
ses larmes ». Le roi dit à Rodrigue, pour lui faire prendre patience:*

Rodrigue, cependant,[47] il faut prendre les armes.
Après avoir vaincu les Maures sur nos bords,
5 Renversé leurs desseins, repoussé leurs efforts,
Va jusqu'en leur pays [48] leur reporter la guerre,
Commander mon armée et ravager leur terre.
A ce seul nom de Cid [49] ils trembleront d'effroi;
Ils t'ont nommé seigneur et te voudront pour roi.
10 Mais parmi tes hauts faits sois-lui [50] toujours fidèle:
Reviens-en, s'il se peut, encor plus digne d'elle:
Et par tes grands exploits fais-toi si bien priser,[51]
Qu'il lui soit glorieux alors de t'épouser.

[46] *River in Spain flowing through Cordova
and Seville and emptying into the Atlantic.*
[47] in the meantime. [48] *Morocco. The
Moors were not driven out of Spain until*
*three centuries later, after the conquest of
Granada (1492).* [49] *The Arabic word*
sayyid *means Lord.* [50] *Refers to Chimène.* [51] so highly prized.

OUVRAGES RECOMMANDÉS
Textes

Théâtre complet, présenté par O. Lièvre et R. Caillois. La Pléiade, 2 vol.
Gallimard.
Classiques Garnier, Larousse (10 vol.), Hachette (5 vol.), Hatier.
Heath edition : *Le Cid* (Warren).

Discographie

Le Cid, Horace, Polyeucte, extraits. 3 disques microsillon, par des sociétaires
de la Comédie-Française. Period.
Le Cid. Enregistrement intégral, microsillon, par Gérard Philipe, Jean
Deschamps, Jean Vilar, etc. Collection Vie du Théâtre. Hachette.

Critique

Louis Herland. *Corneille par lui-même*. Éd. du Seuil, 1954.
Jean Schlumberger. *Plaisir à Corneille*. 276 p. Gallimard.
L. Lemonnier. *Corneille*. 360 p. Tallandier.

FRANÇOIS DE LA ROCHEFOUCAULD
(1613–1680)
Un Duc pessimiste

Le prince ambitieux et rebelle à Richelieu et à Mazarin (1613–52). Ce n'était
pas assez pour François de la Rochefoucauld, prince de Marcillac, d'être né dans
une des plus nobles familles de France. Il aurait voulu jouer un rôle de première
importance dans les affaires de l'État, remplacer même Richelieu et Mazarin.
C'est seulement la gloire littéraire qu'il trouva quand, vers la quarantaine, il
consentit à se livrer à la vie de l'esprit pour laquelle la tradition voulait que
tout noble authentique n'eût que condescendance ou mépris.
   Il se croyait né pour l'action; il le prouva en s'intéressant plus à l'équitation
et au maniement des armes qu'aux études, dans le morose château de Verteuil
(25 milles au nord d'Angoulême) où il fut amené après sa naissance à Paris. Il
était si vigoureux et sensé [1] que son père le maria quand il n'avait que quatorze
ans et demi. A seize ans il commandait un régiment dans les Alpes, contre les
Espagnols, et dès lors (1629), pendant plus de vingt ans, il fut mêlé, aux côtés
de son ami le prince de Condé, aux événements principaux de l'histoire de France.
Il prit parti pour la jolie reine Anne d'Autriche que Richelieu persécutait parce
qu'elle l'avait repoussé comme amant. Devenue régente à la mort de Louis XIII
(1643), Anne favorisa le cardinal de Mazarin que Marcillac détestait. Cette
hostilité à Mazarin, partagée par la plupart des grands seigneurs, fut la cause
de la guerre civile qu'on appelle la Fronde (1648–53). Inspiré par Mme de Longueville, sœur de Condé, Marcillac se battit bravement contre les troupes royales,
dans le Sud-Ouest où il était gouverneur du Poitou, et où son château de
Verteuil fut rasé par ordre de Mazarin. A Paris, au combat de la porte Saint-
Antoine (1652), il reçut en pleine figure une décharge de mousquet [2] qui le laissa
à demi aveugle.
   Le duc moraliste (1652–80). Il alla retrouver sa fidèle femme dans sa province.
Pour chasser l'ennui, il se mit à étudier les auteurs latins et à écrire ses *Mémoires*.
La mort de son père l'avait fait duc de la Rochefoucauld. En 1656 il s'installa

---

[1] sensible.   [2] musket.

à Paris, à l'hôtel de Liancourt, détruit plus tard par le percement de la rue des Beaux-Arts. Il se plut davantage dans la société des gens d'esprit qu'à la cour du Louvre où Louis XIV n'était guère aimable pour les anciens rebelles. A l'hôtel de Liancourt, Corneille vint lire sa tragédie de *Pulchérie*[3] (1672), Molière *Les Femmes savantes* (1672) et La Fontaine quelques fables. De tous les salons, c'était celui de la vieille amie de son père, Mme de Sablé, qu'il préférait. Le grand amusement était de composer des maximes; il y brilla. En 1665, il consentit à publier ses *Réflexions* ou *Sentences et Maximes morales* où, dans un style concis et plein de relief, il montrait combien la nature humaine est laide, — égoïste et vaniteuse —, sous son masque d'hypocrisie.

Malgré les bons repas que lui servait la précieuse et dévote Mme de Sablé, malgré la gaieté de Mme de Sévigné, et surtout la tendresse de Mme de La Fayette, il passa une vieillesse plutôt chagrine, assombrie par la goutte, ses dettes, et la mort de deux fils tués au passage du Rhin (1672).

MAXIMES
édition de 1678

Publiées en 1665, les *Maximes* ont été une création continue jusqu'à la cinquième édition donnée par leur auteur deux ans avant sa mort. Elles ont été augmentées, complétées, rendues plus frappantes de concision, ou adoucies par des *presque, souvent, d'ordinaire*, etc. que l'on attribue à l'indulgence qui grandit avec la vieillesse, et aussi à la tendresse de Mme de La Fayette. Pour faciliter l'étude de ces maximes présentées sans ordre par La Rochefoucauld, nous avons essayé de les grouper par sujets principaux; chacune porte son numéro d'ordre dans l'édition des *Grands Écrivains de la France*, par D. L. Gilbert (Hachette, 1868).

LES VERTUS ET LES VICES
Nos vertus ne sont le plus souvent que des vices déguisés.
(Maxime-épigraphe de la 4e édition)

Les vertus se perdent dans l'intérêt, comme les fleuves se perdent dans la mer. (171)

Les vices entrent dans la composition des vertus comme les poisons entrent dans la composition des remèdes. La prudence les assemble et les tempère,[4] et elle s'en sert utilement contre les maux de la vie. (182) 5

La vertu n'irait pas si loin si la vanité ne lui tenait compagnie. (200)

La philosophie triomphe aisément des maux passés et des maux à venir, mais les maux présents triomphent d'elle. (22)

L'amour de la justice n'est, en la plupart des hommes, que la crainte de souffrir de l'injustice. (78) 10

Ce qui nous fait aimer les nouvelles connaissances n'est pas tant la lassitude que nous avons des vieilles, ou le plaisir de changer,[5] que le dégoût de n'être pas assez admirés de ceux qui nous connaissent trop, et l'espérance de l'être davantage de ceux qui ne nous connaissent pas tant. (178)

Notre repentir n'est pas tant un regret du mal que nous avons fait, 15 qu'une crainte de celui qui nous en peut arriver. (180)

---

[3] [pylkeri], Pulcheria (*399-453*), *Byzantine empress*.   [4] mixes them in adequate proportions.   [5] **de les changer.**

Ce qui nous empêche souvent de nous abandonner à un seul vice est que nous en avons plusieurs. (195)

L'hypocrisie est un hommage que le vice rend à la vertu. (218)

La parfaite valeur est de faire sans témoins ce qu'on serait capable de
5 faire devant tout le monde. (216)

L'humilité n'est souvent qu'une feinte [6] soumission dont on se sert pour soumettre les autres; c'est un artifice de l'orgueil qui s'abaisse pour s'élever; et, bien qu'il se transforme en mille manières, il n'est jamais mieux déguisé et plus capable de tromper que lorsqu'il se cache sous la figure de l'humilité.
10 (254)

Ce qu'on nomme libéralité n'est le plus souvent que la vanité de donner, que nous aimons mieux que ce que nous donnons. (263)

On ne donne rien si libéralement que ses conseils. (110)

La pitié est souvent un sentiment [7] de nos propres maux dans les maux
15 d'autrui. C'est une habile prévoyance des malheurs où nous pouvons tomber. Nous donnons du secours aux autres pour les engager à nous en donner en de semblables occasions, et ces services que nous leur rendons sont, à proprement parler, des biens que nous nous faisons à nous-mêmes par avance. (264)

20 Nous avons tous assez de force pour supporter les maux d'autrui. (19)

LES QUALITÉS ET LES DÉFAUTS: SINCÉRITÉ, RECONNAISSANCE

Si nous n'avions point de défauts, nous ne prendrions pas tant de plaisir à en remarquer dans les autres. (31)

La sincérité est une ouverture de cœur. On la trouve en fort peu de gens; et celle que l'on voit d'ordinaire n'est qu'une fine [8] dissimulation pour attirer
25 la confiance des autres. (62)

Quelque défiance que nous ayons de la sincérité de ceux qui nous parlent, nous croyons toujours qu'ils nous disent plus vrai qu'aux autres. (366)

Nous aurions souvent honte de nos plus belles actions si le monde voyait les motifs qui les produisent. (409)

30 Nous n'avouons de petits défauts que pour persuader que nous n'en avons pas de grands. (327)

Nous gagnerions plus de nous laisser voir tels que nous sommes, que d'essayer de paraître ce que nous ne sommes pas. (457)

Le trop grand empressement qu'on a de s'acquitter d'une obligation est
35 une espèce d'ingratitude. (226)

La reconnaissance de la plupart des hommes n'est qu'une secrète envie de recevoir de plus grands bienfaits. (298)

On ne trouve guère d'ingrats tant qu'on est en état de faire du bien. (306)

40 Ce n'est pas assez d'avoir de grandes qualités, il en faut avoir l'économie.[9] (159)

---

[6] feigned, assumed. [7] perception. [8] subtle. [9] **il faut en avoir le bon usage,** people ought to know how to make good use of them.

L'AMITIÉ, L'AMOUR, LES FEMMES

Il est plus honteux de se défier de ses amis que d'en être trompé. (84)

Le plus grand effort de l'amitié n'est pas de montrer nos défauts à un ami, c'est de lui faire voir les siens. (410)

Quand nos amis nous ont trompés, on ne doit que de l'indifférence aux marques de leur amitié; mais on doit toujours de la sensibilité à leurs malheurs. (434)

Si on juge l'amour par la plupart de ses effets, il ressemble plus à la haine qu'à l'amitié. (72)

On peut trouver des femmes qui n'ont jamais eu de galanterie,[10] mais il est rare d'en trouver qui n'en aient jamais eu qu'une. (73)

Il y a peu d'honnêtes femmes qui ne soient lasses de leur métier.[11] (367)

L'enfer des femmes, c'est la vieillesse. (235)

L'amour, aussi bien que le feu, ne peut subsister sans un mouvement continuel, et il cesse de vivre dès qu'il cesse d'espérer ou de craindre. (75)

Il en est du [12] véritable amour comme de l'apparition des esprits: tout le monde en parle, mais peu de gens en ont vu. (76)

Il y a de bons mariages, mais il n'y en a point de délicieux.[13] (113)

Il est impossible d'aimer une seconde fois ce qu'on a véritablement cessé d'aimer. (286)

On pardonne tant que l'on aime. (330)

Ce qui fait que les amants et les maîtresses ne s'ennuient point d'être ensemble, c'est qu'ils parlent toujours d'eux-mêmes. (312)

Il y a dans la jalousie plus d'amour-propre [14] que d'amour. (324)

La jalousie naît toujours avec l'amour, mais elle ne meurt pas toujours avec lui. (361)

OUVRAGES RECOMMANDÉS
Textes

Œuvres complètes, présentées par L. Martin-Chauffier.   La Pléiade, Gallimard.
Maximes.   Classiques Larousse.

Critique

Émile Magne. *Le Vrai Visage de La Rochefoucauld*. Ollendorff, 1923.
R. Grandsaignes d'Hauterive. *Le Pessimisme de La Rochefoucauld*. 222 p.
   Armand Colin.

---

[10] love affair.   [11] weary of their role (*of being honest and chaste*).   [12] It is the same with.   [13] *Although La Rochefoucauld had a good wife, he left her most of the* time at Verteuil castle, to bring up eight children.   He paid more attention to Mesdames de Chevreuse, Longueville, La Fayette, etc. than to her.   [14] pride, vanity.

JEAN DE LA FONTAINE
(1621–1695)
Poète spontané et malicieux [1]

Le provincial « bon garçon » (1621–54). Charles de La Fontaine, maître des eaux et forêts [2] au duché de Château-Thierry,[3] et sa femme, une Poitevine,[4] possédaient, rue des Cordeliers [5] (rue Jean de La Fontaine depuis la Révolution de 1789), contre les remparts aujourd'hui rasés, une grande et confortable maison du seizième siècle où leurs deux fils naquirent, Jean en 1621, et Claude [6] deux ans après. On suppose que Jean fréquenta le collège de Château-Thierry jusqu'à douze ou treize ans. Sa mère mourut alors. Il fut mis au collège de Reims jusqu'à quinze ans, puis dans un collège de Paris jusqu'à vingt ans. C'était, selon son condisciple [7] Maucroix, un « bon garçon, fort sage et fort modeste », mais un élève médiocre qui aux vers latins préférait la lecture des longs romans comme l'*Astrée*.[8]

Au bout de dix-huit mois au séminaire oratorien [9] de Juilly (à 30 milles à l'ouest de Château-Thierry), il s'aperçut que, vraiment, il n'avait pas la vocation ecclésiastique. Réussirait-il mieux en faisant son droit à Paris? Il fut reçu avocat, bien qu'il eût donné beaucoup plus de son temps aux plaisirs, en compagnie de Maucroix, Furetière,[10] Pellisson,[11] Tallemant des Réaux,[12] qu'à Justinien [13] et Quintilien.[14] Il ne plaida sans doute pas plus que Corneille (p. 84). Il avait vingt-six ans. Pressé par son père il épousa Marie Héricart qui avait quatorze ans et demi . . . , et trente mille livres de dot qu'il ne fallait pas risquer de laisser prendre par un autre. Sans doute Jean profita-t-il avec trop d'ardeur de cette riche communauté de biens car, au bout de quelques années, il devait vendre quelques fermes et perdait beaucoup d'argent dans des procès avec sa demi-sœur au sujet de l'héritage de sa mère. La charge de maître des eaux et forêts, que lui céda son père en 1652, ne lui procurant pas assez de revenus, il espéra que la littérature le tirerait d'affaire. Il commença par une traduction en vers de *L'Eunuque* de Térence [15] (1654) et reprit contact avec la bohème littéraire de Paris.

Parisien et « chose légère » (1654–95). Depuis sept ans qu'elle était mariée, la petite Marie de La Fontaine, pourtant assez intelligente et jolie, avait éprouvé la cruelle vérité des vers que Jean devait écrire plus tard (*Contes*, V, vii):

> Chez les amants tout plaît, tout est parfait;
> Chez les époux tout ennuie et tout lasse.

[1] sly.   [2] chief forester, verderer. [3] *Town on the Marne River, 50 mi. E of Paris, scene of battles in which the Americans took part in 1918 and 1944.* [4] woman from Poitou (*province in western France*). [5] Franciscans. *They were called* **Cordeliers** *because they wore a rope* (**une corde**) *with three knots for a belt.* [6] *Claude, Jean de La Fontaine's brother, became a priest.* [7] his classmate. [8] *A pastoral romance by Honoré d'Urfé (first half of the 17th century), p. 78.* [9] of the Oratory Congregation (*a society of priests who, without taking vows, live in communities*). [10] *Antoine Furetière (1619–88), Parisian writer who was expelled from the French Academy in 1685 for publishing an excellent dictionary of the French language nine years before the one that the Academy was supposed to compile was ready. He was also the author of a picturesque, realistic novel* Le Roman bourgeois. [11] *Paul Pellisson (1624–93), historian of the French Academy and of Louis XIV.* [12] *Author of witty anecdotes*, Historiettes, *about important people of the 17th century (1619–92).* [13] *Justinian I, Byzantine emperor (527–65), at whose command the body of Roman law called the Justinian Code was compiled and annotated.* [14] Quintilian (*about 40–100*), *Roman rhetorician, author of* De Institutione Oratoria. [15] *Roman dramatist (2nd century B.C.).*

La naissance de Charles, en 1653, n'avait pas réussi à ramener l'inconstant à sa famille. Marie le suivit quelque temps à Paris, puis, « ennuyée de vivre avec son inconstant époux, elle se retira à Château-Thierry » où elle devint une des muses de l'académie littéraire, une manière de précieuse. De son côté, Jean était devenu le favori des Muses, et, qui mieux est, de Fouquet.[16] Il lui dédia *Adonis*, poème idyllique, et pour lui il écrivit l'harmonieuse et spirituelle comédie en vers, *Clymène*, ainsi que *Le Songe de Vaux* et nombre de vers galants en paiement de chaque quartier de sa pension annuelle de mille livres. La disgrâce de Fouquet lui inspira la courageuse *Élégie aux Nymphes de Vaux* (1661).

Après un exil de trois mois à Limoges (1663) à cause de sa fidélité à Fouquet, il retrouva, à Paris, ses amis, Molière, Racine, Chapelle,[17] Boileau. Il publia des *Nouvelles* en vers, tirées de Boccace [18] et de l'Arioste [19] (1664), puis, en plusieurs séries (1665, 1666, 1671, 1674), des *Contes* en vers, imités de Rabelais et des vieux conteurs français et italiens. Leur charme licencieux fit rire toute la France, — à laquelle Louis XIV n'avait pas encore ordonné d'être prude —, et lui attira les bonnes grâces de la très jeune et frivole châtelaine de Château-Thierry, la duchesse de Bouillon, nièce de Mazarin.

La duchesse d'Orléans, veuve de Gaston d'Orléans, donna à La Fontaine la charge de gentilhomme servant [20] en son palais du Luxembourg. Il devait faire les commissions de Madame et, à table, lui présenter gracieusement les plats, occupation peu absorbante qui lui permit de se replonger dans la *Mythologia Æsopica* du compilateur Nevelet. C'était un recueil contenant près de trois cents fables d'Ésope,[21] celles de Babrius,[22] de Phèdre,[23] d'Avienus,[24] d'Abstemius [25] et d'un anonyme. De cette matière brute, qu'il compléta par la lecture des fabulistes orientaux (Pilpay [26]) et des conteurs du Moyen Age et de la Renaissance (les auteurs anonymes du *Roman de Renart*, ainsi que Marot, Rabelais, Régnier, etc.), il tira ces joyaux que sont les *Fables*. Elles furent publiées en 1668, 1678 et 1694, et divisées en douze livres.

Il occupa aussi ses loisirs à de trop brèves inspections des forêts de Château-Thierry dont il était responsable, à des visites à Mesdames de Sévigné et de La Fayette, ainsi qu'à leur ami le duc de La Rochefoucauld, et surtout à de bonnes parties dans des auberges et des promenades autour de Paris, à Versailles en particulier, en compagnie de ses meilleurs amis à qui il avait donné des noms poétiques: Ariste (Boileau), Acante (Racine, son cousin éloigné), Gélaste (le gai poète Chapelle, plutôt que Molière); lui-même avait pris le nom de Polyphile (*Psyché*, 1669). En 1672, à la mort de la duchesse d'Orléans, il accepta de vivre dans l'aimable hôtel de Mme de La Sablière qui, sans être pédante, s'intéressait à la littérature et aux sciences. Il y passa vingt heureuses années, « papillon du Parnasse » voltigeant à loisir des *Contes* au poème didactique (*Le Quinquina*), à l'opéra (*Daphné*) et à la comédie (*Ragotin, Le Florentin, La Coupe enchantée*), mais s'attardant de préférence à la fable.

---

[16] *Nicolas Fouquet (1615–80), superintendent of finances under Louis XIV; patron of the arts. He died in prison, where he had spent 19 years for embezzlement of public funds.* [17] *Witty Bohemian poet (1626–86); author, with Bachaumont, of* Voyage en Provence et en Languedoc. [18] *Boccaccio (1313–75), perhaps the greatest writer of Italian prose; author of the* Decameron. [19] *Ludovico Ariosto (1474–1533), born in Reggio, Italy; wrote a great romantic epic, Or-* lando Furioso (*Mad Roland*). [20] *gentleman in waiting.* [21] *Aesop, Greek fabulist (6th century B.C.), represented as a deformed slave at the court of Croesus, king of Lydia (Asia Minor).* [22] *Greek poet (3rd century A.D.) who put Aesop's fables into elegant verse.* [23] *Phaedrus, Roman fabulist (1st century A.D.).* [24] *Roman poet (4th century A.D.).* [25] *Italian poet who wrote fables in Latin (16th century).* [26] *or Bidpai, Hindu fabulist (4th century B.C.).*

En vieillissant il s'assagit, et le roi Louis XIV permit à l'Académie française de le recevoir (1684). En 1693, à la mort de Mme de La Sablière, il s'établit rue Plâtrière,[27] chez M. et Mme d'Hervart, couple jeune, riche et gai. C'est là qu'il mourut en 1695.

Nous ne suivrons pas jusqu'au bout les critiques (Rousseau, Lamartine, etc.) qui font de lui un hypocrite et froid calculateur qui, pour échapper à ses devoirs de père de famille et de fonctionnaire, et se faire une existence douillette,[28] s'est composé un sympathique extérieur de distraction [29] et de bonhomie.[30] Si c'était vrai, comment ses œuvres pourraient-elles ne pas révéler, çà et là malgré leur savant camouflage, cette nature sèche et vile dont elles procéderaient? Certes la morale des fables est d'un observateur qui regarde la vie avec plus d'esprit pratique que de passion et même de sentimentalité, mais il faut avouer que jamais marécage [31] ne montra d'« onde [32] pure », et c'est bien une onde pure et ample que l'œuvre poétique de La Fontaine, œuvre limpide, spontanée, naturelle, miroitant [33] au soleil d'un humour qui n'exclut ni la pitié, ni le bon sens.

LE LOUP ET LE CHIEN

Un loup n'avait que les os et la peau,
    Tant les chiens faisaient bonne garde:
Ce loup rencontre un dogue [1] aussi puissant que beau,
Gras, poli,[2] qui s'était fourvoyé [3] par mégarde.[4]

5   L'attaquer, le mettre en quartiers,[5]
    Sire loup [6] l'eût fait volontiers;
    Mais il fallait livrer bataille,
    Et le mâtin [7] était de taille
    A se défendre hardiment.

10   Le loup donc l'aborde humblement,
Entre en propos,[8] et lui fait compliment
    Sur son embonpoint [9] qu'il admire.
    « Il ne tiendra qu'à vous, beau sire,[10]
D'être aussi gras que moi, lui repartit le chien.

15   Quittez les bois, vous ferez bien:
    Vos pareils [11] y sont misérables,
    Cancres,[12] hères [13] et pauvres diables,
Dont la condition est de mourir de faim.
    Car, quoi? rien d'assuré; point de franche lippée; [14]

20   Tout à la pointe de l'épée.
Suivez-moi, vous aurez un bien meilleur destin. »
    Le loup reprit: « Que me faudra-t-il faire?

---

* Near les Halles; called rue Jean-Jacques Rousseau today.   [28] cozy.   [29] absent-mindedness.   [30] good nature.   [31] swamp.   [32] water.   [33] sparkling.

[1] [dɔg], mastiff.   [2] sleek.   [3] who had lost his way.   [4] through carelessness, inadvertently.   [5] tear him to pieces. [6] Sir Wolf.   [7] mastiff.   [8] en conversation.   [9] Sur sa santé qui est « en bon point », On his healthy appearance, excellent health. *Nowadays* embonpoint *means* plumpness.   [10] It's up to you alone, my fair sir.   [11] People like you, Your brethren.   [12] Shiftless creatures, (*as slow as the crab, Latin* cancer). *Nowadays* un cancre *is a dumbbell, a stupid pupil.*   [13] underdogs. *Nowadays the word is always preceded by* pauvre: un pauvre hère, a poor luckless creature.   [14] no free banquet.

— Presque rien, dit le chien : donner la chasse aux gens
    Portants bâtons et mendiants ; [15]
25 Flatter ceux du logis,[16] à son maître complaire :
    Moyennant quoi [17] votre salaire
Sera force reliefs [18] de toutes les façons,
    Os de poulets, os de pigeons ;
    Sans parler de mainte caresse. »
30   Le loup déjà se forge une félicité [19]
    Qui le fait pleurer de tendresse.[20]
Chemin faisant,[21] il vit le cou du chien pelé.[22]
« Qu'est-ce là ? lui dit-il. — Rien. — Quoi ? rien ? — Peu de chose.
    — Mais encor ? [23] — Le collier dont je suis attaché
35 De ce que vous voyez est peut-être la cause.
    — Attaché ? dit le loup : vous ne courez donc pas
    Où vous voulez ? — Pas toujours ; mais qu'importe ?
    — Il importe si bien, que de tous vos repas
    Je ne veux en aucune sorte,
40 Et ne voudrais pas même à ce prix un trésor. »
Cela dit, maître loup s'enfuit, et court encore.

Fables, I, 5.

LE HÉRON

Un jour sur ses longs pieds allait je ne sais où
Le héron au long bec emmanché d'un long cou.[1]
    Il côtoyait une rivière.
L'onde était transparente ainsi qu'aux plus beaux jours ;
5 Ma commère la carpe [2] y faisait mille tours
    Avec le brochet son compère.[3]
Le héron en eût fait aisément son profit :
Tous approchaient du bord, l'oiseau n'avait qu'à prendre.
    Mais il crut mieux faire d'attendre
10   Qu'il eût un peu plus d'appétit.
Il vivait de régime, et mangeait à ses heures.[4]
Après quelques moments, l'appétit vint ; l'oiseau,
    S'approchant du bord, vit sur l'eau
Des tanches [5] qui sortaient du fond de ces demeures.
15 Le mets ne lui plut pas : il s'attendait à mieux,
    Et montrait un goût dédaigneux,
    Comme le rat [6] du bon Horace.[7]

[15] **Portants** *and* **mendiants** *are two present participles agreeing with* **gens**, *m.pl. It was only in 1680 that the French Academy decreed that present participles should be invariable.*   [16] house.   [17] In return for which.   [18] many scraps of food.   [19] conjures up visions of bliss.   [20] **d'attendrissement sur lui-même,** for self-pity and joy.   [21] As they were going along.   [22] hairless.   [23] **Précisez,** Be more specific.

[1] fitted with a handlelike neck.   [2] Gossip Carp.   [3] With Pike, her crony.   [4] **Il ne mangeait que certaines choses, et à heures fixes.**   [5] tenches.   [6] *The city rat who was fussy about the food* served to him by the country rat. (Horace, Satires, II, 6.)   [7] *Quintus Horatius Flaccus (65–8 B.C.) Roman lyric and satirical poet.*

« Moi, des tanches? dit-il, moi, héron, que je fasse
Une si pauvre chère?   Et pour qui me prend-on? »
20 La tanche rebutée,[8] il trouva du goujon.[9]
« Du goujon! c'est bien là le dîner d'un héron!
J'ouvrirais pour si peu le bec!   Aux dieux ne plaise! »[10]
Il l'ouvrit pour bien moins: tout alla de façon
    Qu'il ne vit plus aucun poisson.
25 La faim le prit; il fut tout heureux et tout aise
    De rencontrer un limaçon.[11]

    Ne soyons pas si difficiles:[12]
Les plus accommodants, ce sont les plus habiles;
On hasarde de perdre en voulant trop gagner.
30   Gardez-vous de rien dédaigner,
Surtout quand vous avez à peu près votre compte.[13]
Bien des gens y sont pris.   Ce n'est pas aux hérons
Que je parle; écoutez, humains, un autre conte:
Vous verrez que chez vous j'ai puisé ces leçons.

                VII, 4.

LA FILLE

    Certaine fille, un peu trop fière,
    Prétendait[1] trouver un mari
Jeune, bien fait, et beau, d'agréable manière,
Point froid et point jaloux: notez ces deux points-ci.
5   Cette fille voulait aussi
    Qu'il eût du bien,[2] de la naissance,[3]
De l'esprit,[4] enfin[5] tout.   Mais qui peut tout avoir?
Le destin se montra soigneux de la pourvoir:[6]
    Il vint des partis[7] d'importance,
10 La belle les trouva trop chétifs de moitié:[8]
  — Quoi, moi! quoi, ces gens-là! l'on radote,[9] je pense!
A moi les proposer! hélas! ils font pitié:[10]
    Voyez un peu la belle espèce![11]
L'un n'avait en l'esprit nulle délicatesse,
15 L'autre avait le nez fait de cette façon-là:
    C'était ceci, c'était cela;
    C'était tout, car les précieuses[12]
Font dessus[13] tout les dédaigneuses.[14]

---

[8] **refusée, dédaignée.**   [9] gudgeon, *fish of the minnow family, sort of killifish.*   [10] Heaven forbid!   [11] **un escargot, a** snail.   [12] fussy.   [13] due.

[1] Meant to.   [2] wealth.   [3] an aristocratic family.   [4] Brains.   [5] in short.   [6] to provide her with a good husband.   [7] eligible men.   [8] too puny by half.   [9] you are talking nonsense.   [10] it is pitiful to see them.   [11] Just look at that fine kind of people!   [12] affected women.

Molière satirized them in Les Précieuses ridicules *(1659).*   [13] **dessus,** *as a preposition, is now replaced by* **sur.**   [14] **faire le dédaigneux (la dédaigneuse),** to put on a disdainful look, turn up one's nose.

Après les bons partis, les médiocres gens
20   Vinrent se mettre sur les rangs.[15]
Elle de se moquer.[16] — Ah ! vraiment, je suis bonne
De leur ouvrir ma porte ! Ils pensent que je suis
      Fort en peine de ma personne: [17]
      Grâce à Dieu, je passe les nuits
25   Sans chagrin, quoiqu'en solitude.
La belle se sut gré de [18] tous ces sentiments.
L'âge la fit déchoir: [19] adieu tous les amants.
Un an se passe et deux avec inquiétude:
Le chagrin vient ensuite: elle sent chaque jour
30 Déloger quelques Ris, quelques Jeux,[20] puis l'Amour:
      Puis ses traits choquer et déplaire:
Puis cent sortes de fards.[21] Ses soins ne purent faire
Qu'elle échappât au Temps, cet insigne larron.[22]
      Les ruines d'une maison
35 Se peuvent réparer: que [23] n'est cet avantage
      Pour les ruines du visage !
Sa préciosité changea lors [24] de langage.
Son miroir lui disait: prenez vite un mari;
Je ne sais quel désir le lui disait aussi;
40 Le désir peut loger chez une précieuse.
Celle-ci fit un choix qu'on n'aurait jamais cru,
Se trouvant à la fin tout aise et tout heureuse
De rencontrer un malotru.[25]

VII, 5.

LE COCHE [1] ET LA MOUCHE

Dans un chemin montant, sablonneux, malaisé,
Et de tous les côtés au soleil exposé,
      Six forts chevaux tiraient un coche.
Femmes, moine, vieillards, tout [2] était descendu;
5 L'attelage [3] suait, soufflait, était rendu.[4]
Une mouche survient, et des chevaux s'approche,
Prétend [5] les animer par son bourdonnement,
Pique l'un, pique l'autre, et pense à tout moment
      Qu'elle fait aller la machine,
10 S'assied sur le timon,[6] sur le nez du cocher.

---

[15] Came forward as suitors.   [16] **Elle se mit à se moquer, Elle se moqua d'eux.** [17] that I don't know what to do with myself.   [18] was grateful to herself for, persevered in.   [19] made her beauty fade; *lit.* 'made her fall from her beauty.' [20] **quelques Ris déloger,** some Mirth leave her. **Les Jeux et les Ris,** *a poetical phrase for "Sport and Mirth."*   [21] **le fard,** make-up (*for the face*).   [22] notorious robber (*of charms*).   [23] why. [24] **alors,** then.   [25] a poor unattractive man; *nowadays:* boor, lout, bumpkin.

[1] stagecoach.   [2] **tout le monde.**   [3] The team (*of horses*).   [4] **épuisé,** exhausted.   [5] Intends, Means.   [6] pole, tongue (*of a wagon*).

Aussitôt que le char chemine,[7]
Et qu'elle voit les gens marcher,
Elle s'en attribue uniquement la gloire,
Va, vient, fait l'empressée:[8] il semble que ce soit
15 Un sergent de bataille[9] allant en chaque endroit
Faire avancer ses gens et hâter la victoire.
La mouche, en ce commun besoin,
Se plaint qu'elle agit seule, et qu'elle a tout le soin;[10]
Qu'aucun n'aide aux chevaux[11] à se tirer d'affaire.
20 Le moine disait son bréviaire:[12]
Il prenait bien son temps![13] une femme chantait:
C'était bien de chansons qu'alors il s'agissait![14]
Dame mouche s'en va chanter à leurs oreilles,
Et fait cent sottises pareilles.
25 Après bien du travail, le coche arrive au haut:
« Respirons maintenant! dit la mouche aussitôt:
J'ai tant fait que nos gens sont enfin dans la plaine.[15]
Çà,[16] messieurs les chevaux, payez-moi de ma peine. »

Ainsi certaines gens, faisant les empressés,
30 S'introduisent dans les affaires:[17]
Ils font partout les nécessaires,[18]
Et, partout importuns, devraient être chassés.[19]

VII, 9.

LA FONTAINE PARTISAN DES ANCIENS

Charles Perrault (1628–1703), qui écrira plus tard ses immortels *Contes de ma mère l'Oye*,[1] venait de lire à l'Académie française *Le Siècle de Louis le Grand* (1687), long poème où il établissait la supériorité intellectuelle du siècle de Louis XIV sur le siècle d'Auguste, et même celle de Corneille, Molière et les autres grands écrivains contemporains, y compris La Fontaine, sur Homère, Platon et Aristote. Le début de ce poème est fameux:

La belle antiquité fut toujours vénérable,
Mais je ne crus jamais qu'elle fût adorable.
Je vois les anciens sans plier les genoux;
Ils sont grands, il est vrai, mais hommes comme nous;
5 Et l'on peut comparer, sans crainte d'être injuste,
Le siècle de LOUIS au beau siècle d'Auguste.

As soon as the carriage starts on its way.   [8] plays the busybody.   [9] *In the 17th century, a general responsible for drawing up the troops in battle array.*   [10] **le souci,** the trouble.   [11] *More commonly* **n'aide les chevaux.**   [12] **lisait son bréviaire,** was reading his breviary.   [13] **C'était bien le moment!** This was a fine time (to be reading his prayer book)!   [14] This was a fine time indeed to be singing songs!   [15] **en terrain plat.**   [16] Look here.   [17] **dans les affaires** (business) **des autres.**   [18] They act everywhere as if they were indispensable.   [19] *Remember the sentence* **C'est la mouche du coche,** He (She) is a busybody.

[1] *Old spelling of* **oie** *f.,* goose.

Le modeste La Fontaine, dans une épître en vers à Huet, évêque de Soissons, refuse pour lui-même le tribut d'admiration des Modernes; il explique ce qu'il doit aux Anciens, tout en définissant sa propre originalité.

« La France excelle aux arts, ils y fleurissent tous;
Notre prince [2] avec art [3] nous conduit aux alarmes,[4]
Et sans art nous louerions le succès de ses armes!
Dieu n'aimerait-il plus [5] à former des talents?
5 Les Romains et les Grecs sont-ils seuls excellents? »
Ces discours sont fort beaux, mais fort souvent frivoles: [6]
Je ne vois point l'effet répondre à ces paroles; [7]
Et, faute d'admirer les Grecs et les Romains,
On s'égare en voulant tenir [8] d'autres chemins.
10 Quelques imitateurs, sot bétail,[9] je l'avoue,
Suivent en vrais moutons le pasteur [10] de Mantoue: [11]
J'en use d'autre sorte; [12] et, me laissant guider,
Souvent à marcher seul j'ose me hasarder.
On me verra toujours pratiquer cet usage;
15 Mon imitation n'est pas un esclavage; [13]
Je ne prends que l'idée, et les tours,[14] et les lois,
Que nos maîtres suivaient eux-mêmes autrefois.
Si d'ailleurs [15] quelque endroit plein chez eux d'excellence
Peut entrer dans mes vers sans nulle violence,
20 Je l'y transporte, et veux qu'il n'ait rien d'affecté,
Tâchant de rendre mien cet air d'antiquité.
Je vois avec douleur ces routes méprisées:
Art et guides, tout est dans les Champs Élysées.[16]
J'ai beau les évoquer, j'ai beau vanter leurs traits,
25 On me laisse tout seul admirer leurs attraits.
Térence est dans mes mains; je m'instruis dans Horace;
Homère et son rival [17] sont mes dieux du Parnasse.[18]
Je le dis aux rochers; [19] on veut d'autres discours:
Ne pas louer son siècle est parler à des sourds.[20]
30 Je le loue, et je sais qu'il n'est pas sans mérite;
Mais près de ces grands noms notre gloire est petite.

1687.

Pour la suite de cette Querelle des Anciens et des Modernes, voyez p. 141.

[2] Our king, *Louis XIV, who had waged war successfully against Holland, Spain, Austria, the Elector of Prussia-Brandenburg, etc.* [3] skill. [4] to war. [5] *Conditional of possibility:* **Est-il possible que Dieu n'aime plus ...?** [6] pointless. [7] any results (facts) backing these words (statements). [8] **suivre,** follow. [9] a stupid crowd; *lit.* 'cattle.' [10] shepherd, guide, master. [11] *Vergil, who was born in Andes, near Mantua, Italy.* [12] I do differently. [13] slavery. *La Fontaine's imitation is "creative imitation."* [14] turns of phrase. [15] **par ailleurs,** on the other hand. [16] everything is in the Elysian Fields (*not dead, because in this abode the souls of great men are exempt from death, but, just the same, unavailable to the modern writers*). [17] *Vergil, who wrote the* Aeneid, *an epic poem in twelve books, about Aeneas who, after the fall of Troy, visited Dido's Carthage, settled in Latium and became the ancestral hero of the Roman people.* [18] my poetical gods. [19] à des cœurs de pierre. [20] You get no response if, in your writings, you do not praise your contemporaries.

OUVRAGES RECOMMANDÉS
Textes
Œuvres complètes. 2 vol. Gallimard.
Fables, Poèmes, Contes et Nouvelles, Théâtre. 5 vol. Classiques Garnier.
Fables choisies. 2 vol. Classiques Larousse.
Fables choisies. 1 vol. Classiques Hachette, Hatier.

Discographie
40 Fables. 2 disques microsillon, par des sociétaires de la Comédie-Française.
   Period.
La Fontaine, textes. 1 disque microsillon. Collection Visages de l'Homme.
   Hachette.

Critique
Hippolyte Taine. *La Fontaine et ses fables.* 346 p. Hachette, 1853.
P. Clarac. *La Fontaine, l'homme et l'œuvre.* 204 p. Hatier.
A. Bailly. *La Fontaine.* 400 p. Fayard.

JEAN–BAPTISTE POQUELIN,
dit MOLIÈRE
(1622–1673)
Le Maître du rire en France

Avant Molière, la comédie, en France, n'avait produit qu'un seul chef-d'œuvre, *La Farce de Maître Pathelin.* C'est l'honneur de Molière d'avoir tiré du vieux fonds français de la farce, une comédie universellement humaine, et si vraie, si profonde, que le rire qu'elle provoque est, comme dans la vie, bien près des larmes.

Gamin de Paris (1622–45). C'est près des Halles, dans le quartier le plus commerçant de Paris, que naquit Jean-Baptiste Poquelin, d'un père, tapissier aisé, un peu usurier, qui habitait ce qui est aujourd'hui le numéro 96 de la rue Saint-Honoré, et qui devint, en 1631, valet de chambre du roi Louis XIII. Une des grandes joies du petit garçon était d'aller, avec son grand-père maternel, voir les farces qui se jouaient aux théâtres voisins, l'Hôtel de Bourgogne et le Marais, ainsi qu'en plein air, sur le Pont-Neuf et, de l'autre côté de la Seine, à la foire Saint-Germain.

Il avait dix ans quand sa mère mourut. Il fréquenta l'école paroissiale puis, dès quatorze ans, fut externe au collège de Clermont (aujourd'hui lycée Louis-le-Grand, en face de la Sorbonne) dirigé par les Jésuites. Il en sortit à dix-huit ans; puis, en moins de deux ans, il obtint à Orléans sa licence en droit.

De retour à Paris il n'alla qu'une fois au Palais.[1] Il préférait fréquenter des acteurs comme son voisin Joseph Béjart, qui avait deux sœurs actrices, et dont l'une, Madeleine, devint et resta longtemps sa meilleure amie. Devenu majeur, il reçut la succession de sa mère. Cet argent, augmenté de celui des Béjart, servit à constituer la troupe pompeusement nommée « l'Illustre-Théâtre », et à louer, pour la représentation de tragédies et tragi-comédies, la salle du jeu de paume des Métayers, sur la rive gauche de la Seine, près de l'actuel palais de l'Institut de France. Poquelin choisit pour lui-même un nom de théâtre; on ne sait pour

---

[1] Palace of Justice, *on the Ile de la Cité, in the very center of Paris.*

quelle raison il s'arrêta à celui de Molière. Les représentations commencèrent le 1er janvier 1644. Pendant deux ans on joua devant une salle peu garnie. Peu de recettes; Molière ne pouvait même pas payer les chandelles qui servaient à éclairer le vraiment peu illustre théâtre. Par deux fois il fut emprisonné au Grand Châtelet pour dettes. La preuve était faite: c'était trop d'un troisième théâtre à Paris, et on ne pouvait songer à faire concurrence à l'Hôtel de Bourgogne et au Marais. On dut mettre en gage les beaux costumes de scène. Découragé, Molière songea-t-il à quitter le théâtre? Il l'aimait trop pour cela; il préféra quitter Paris (fin 1645). « Qui m'aime me suive! » Les Béjart l'aimaient et le suivirent.

Comédien ambulant [2] (1645–58). Ils se rendirent en Guyenne, se joignirent à la troupe que protégeait le despotique gouverneur, le duc d'Épernon, et que dirigeait l'acteur Dufresne. Quand le duc n'avait pas besoin de sa troupe pour amuser ses invités, on pérégrinait un peu partout dans le Midi. On jouait dans les villes et châteaux, pour les fêtes, quand il n'y avait ni épidémies, ni mauvaises récoltes, ni troubles politiques. Il n'était pas toujours facile de vaincre l'hostilité des populations, mais on arrivait maintenant à payer les chandelles. Surtout, notre ancien gamin de Paris devenait un homme riche d'expérience, un « contemplateur » qui accumulait silencieusement les observations sur les mœurs, les intrigues et les passions humaines. Timidement ces observations prirent corps, d'abord dans des farces comme *Gorgibus dans le sac* (première version des *Fourberies de Scapin*), *Le Fagoteux* (*Le Médecin malgré lui*), puis dans des comédies littéraires comme *L'Étourdi*, *Le Dépit amoureux*. Enfin elles eurent leur floraison magnifique et immortelle dans les chefs-d'œuvre qu'il composa dès sa rentrée à Paris (1658).

Les luttes de Molière à Paris (1658–69). Pourquoi Molière est-il rentré à Paris après ces treize années passées en province? Il y avait relativement bien réussi, quoiqu'il fût plus riche de renommée locale que d'écus. On admirait le jeu naturel de ses acteurs, la beauté de ses actrices: la Duparc et la de Brie. La protection du duc d'Épernon, ensuite celle du prince de Conti, gouverneur du Languedoc, lui avaient facilité la tâche; il avait l'espoir, venant à Paris, d'avoir la protection d'un autre grand personnage. Il obtint vite celle de Monsieur, frère unique du roi. Il joua dans la Salle des Gardes, au Louvre, devant Louis XIV et la cour, *Nicomède*, tragédie de Corneille. Mais le véritable succès lui vint de sa farce, *Le Docteur amoureux*, qu'il présenta pour finir la soirée (24 octobre 1658). Satisfait, le roi lui permit de donner des représentations publiques dans l'élégante salle du Petit-Bourbon qui s'élevait sur l'emplacement actuel de la colonnade du Louvre. Molière comprit vite que, pour la tragédie, il ne pouvait rivaliser avec les « grands comédiens » de l'Hôtel de Bourgogne et même avec ceux du Marais, mais que pour la comédie il avait incontestablement la première place.

La gloire et aussi la fortune lui vinrent de ces comédies qu'il écrivit rapidement, parmi les multiples soucis que lui causaient ses fonctions de directeur et les attaques des jaloux: *Les Précieuses ridicules* (1659), *Sganarelle* (1660). On allait démolir le Petit-Bourbon pour élever la colonnade du Louvre. Molière reçut du roi le privilège de jouer dans la salle de théâtre du Palais-Royal construit par Richelieu; il y donna *L'École des maris* (juin 1661). En août, pour les brillantes fêtes du château de Vaux, près de Melun, qui se terminèrent par l'arrestation du trop fastueux surintendant [3] des finances Fouquet, Molière présenta *Les Fâcheux*.

En 1662 il épousa la fille de sa vieille camarade Madeleine Béjart, la coquette Armande Béjart qui avait vingt-deux ans de moins que lui; elle lui causa des chagrins dont il se moqua d'abord dans *L'École des femmes* (1662), mais qui furent pour quelque chose dans sa mort prématurée, onze ans plus tard. A la meute [4] de ses critiques il répondit par *La Critique de l'École des femmes* et *L'Impromptu*

---

[2] itinerant.   [3] ostentatious superintendent.   [4] mob, pack (in pursuit).

de Versailles où il parodia le jeu artificiel des « grands comédiens » de l'Hôtel de Bourgogne, et mit en lumière le jeu simple et naturel de sa troupe. Louis XIV prit parti pour lui et l'employa de plus en plus pour ses fêtes, celles de l'*Ile enchantée*, par exemple, qui durèrent une semaine au palais de Versailles alors en construction (7–13 mai 1664): *La Princesse d'Élide* avec intermèdes [5] et ballet, *Tartuffe* en trois actes et en vers. « Il ne faudra pas jouer cette comédie à Paris », lui ordonnet-on; c'est que cette comédie touche à un sujet dangereux, l'hypocrisie religieuse, et il y a bien des faux dévots à la cour et à la ville, que cette pièce gênerait fort si elle était rendue publique. C'est pour les mêmes raisons que *Don Juan* est interdit à la quinzième représentation (1665).

Le roi consola Molière en lui permettant d'appeler sa troupe « Troupe du Roi ». C'est un écho de son mince bonheur domestique que Molière fit alors entendre dans *Le Misanthrope*, l'honnête homme trop grave et franc aux yeux de la coquette qu'il aime. Les grimaces du *Médecin malgré lui* qui accompagnait *Le Misanthrope* en firent oublier les soupirs et les gronderies (1666). L'année 1667 vit se rallumer contre Molière la querelle de *Tartuffe*, et 1668 produisit *Amphitryon*, *L'Avare*, et *George Dandin*.

Le court triomphe (1669–73). Enfin le roi autorisa la représentation publique de *Tartuffe* (1669), allongé de deux actes, et qui tenait tant au cœur de Molière. La verve de notre auteur en devint plus joyeuse dans la satire des provinciaux (*Monsieur de Pourceaugnac*, *La Comtesse d'Escarbagnas*), dans les divertissements pour le roi (*Les Amants magnifiques*, *Psyché*), dans *Le Bourgeois gentilhomme* (1670), *Les Fourberies de Scapin* (1671), *Les Femmes savantes* (1672).

Il était bien malade cependant. La tuberculose, qu'il tenait probablement de sa mère, faisait des progrès rapides dans un organisme surmené. Sa dernière pièce fut une comédie contre les médecins qui le plus souvent tuent le malade plutôt que la maladie, *Le Malade imaginaire* (1673). A la fin de la troisième représentation, sur la scène du Palais-Royal, il rendit du sang et s'évanouit. Reconduit chez lui, tout près, — aujourd'hui 40 rue de Richelieu —, il mourut bientôt, assisté d'un voisin et de deux sœurs de charité.

Puisqu'il était comédien, Molière était excommunié et ne pouvait être enterré en terre sainte, c'est-à-dire dans un cimetière catholique, par un prêtre. Il fallut qu'Armande, sa femme, allât implorer le roi

> Avant qu'un peu de terre, obtenu par prière,
> Pour jamais sous la tombe eût enfermé Molière,

ainsi que le dit Boileau (*Satire VII*). Le plus grand acteur et auteur comique français, que l'ostracisme contre les comédiens avait aussi tenu éloigné de l'Académie française, fut porté sans pompe au cimetière Saint-Joseph, dans la soirée du 21 février 1673. Il repose aujourd'hui près de son ami le fabuliste La Fontaine, au cimetière du Père-Lachaise. La postérité l'a bien vengé, et sa gloire, depuis, n'a fait que grandir. L'Académie française a fait placer dans la salle de ses séances un buste de Molière avec cette inscription: « Rien ne manque à sa gloire, il manquait à la nôtre. »

Universalité de Molière. « Molière est du siècle où il a vécu par la peinture de certains travers [6] particuliers et dans l'emploi des costumes, mais il est plutôt encore de tous les temps: il est l'homme de la nature humaine », a dit Sainte-Beuve. Habillons les personnages de Molière à la mode d'aujourd'hui; enlevons de leur langage quelques archaïsmes; modernisons quelques accessoires comme la chaise à porteurs, ou les chandelles; adaptons la société de l'ancien régime, ses privilèges, ses préjugés et ses injustices à nos concepts politiques et sociaux, il

---

[5] interludes.   [6] failings, weaknesses.

restera fort peu à changer pour que les pièces de Molière soient aussi modernes que si elles étaient signées d'un grand auteur comique contemporain. Par le même procédé il serait assez facile de les adapter à n'importe quelle époque de n'importe quel pays. C'est que, sous la surface de son temps, Molière atteint la nature humaine pour en éclairer les travers éternels, les défauts et les vices, pour aider les hommes à s'en corriger autant qu'il est possible. Ses portraits de précieux et de pédants, d'étourdis et de vaniteux, de flatteurs, d'avares, d'hypocrites, d'athées, etc., ont un éclat de vérité et de fraîcheur que les siècles ne peuvent ternir.

L'AVARE
1668

Harpagon est veuf. Sa richesse n'a d'égale que son avarice. Il annonce à son fils Cléante et à sa fille Élise qu'il est décidé à épouser Mariane,[1] jeune fille pauvre dont la docilité et les goûts modestes feront une épouse économique. Harpagon a aussi résolu de marier Élise à son ami, le vieil Anselme, car celui-ci n'exige pas de dot. « Sans dot! Le moyen de résister à une raison comme celle-là! » Mais Élise aime Valère, intendant de son père et gentilhomme napolitain qui l'a sauvée alors qu'elle se noyait. Cléante aime la belle et douce Mariane.

Ayant besoin d'argent, Cléante est mis en rapport avec un usurier qui n'est autre que son père. Voici une situation aussi pénible que celle qui fait du père et du fils des rivaux en amour. Une querelle, où ce n'est pas le spectateur qui souffre le moins, s'engage: « Je te donne ma malédiction! » crie l'avare. « Je n'ai que faire de vos dons! » ricane son fils.

Harpagon doit donner un dîner pour la signature de son contrat de mariage. Il convoque ses domestiques pour leur recommander la plus stricte économie au sujet du banquet:

L'AVARE RECOMMANDE L'ÉCONOMIE
A SES DOMESTIQUES

HARPAGON. Allons, venez çà[2] tous, que je vous distribue mes ordres pour tantôt[3] et règle à chacun son emploi. Approchez, dame[4] Claude. Commençons par vous. (*Elle tient un balai.*) Bon, vous voilà les armes à la main. Je vous commets au soin de nettoyer partout:[5] et surtout prenez garde de ne point frotter les meubles trop fort, de peur de les user. Outre 5 cela, je vous constitue,[6] pendant le souper, au gouvernement des bouteilles; et s'il s'en écarte quelqu'une[7] et qu'il se casse quelque chose, je m'en prendrai à vous, et le rabattrai sur vos gages.

MAÎTRE JACQUES. Châtiment politique.[8]

HARPAGON. Allez. Vous, Brindavoine,[9] et vous, la Merluche,[10] je 10 vous établis dans la charge de rincer les verres, et de donner à boire, mais seulement lorsque l'on aura soif, et non pas selon la coutume de certains impertinents de laquais[11] qui viennent provoquer[12] les gens, et les faire aviser de boire lorsqu'on n'y songe pas. Attendez qu'on vous en demande plus d'une fois, et vous ressouvenez de porter toujours beaucoup d'eau. 15

---

[1] **Marianne** *in modern French.* [2] **ici.**
[3] this afternoon. [4] Mistress. [5] I assign to you the job of cleaning up everywhere. [6] I appoint you. [7] **s'il en manque une,** if one is missing. [8] A shrewd punishment (*because it saves* money for the miser. It is in line with his "*policy*" of saving money); **politique** *is obs. for* **adroit et fin.** [9] Oatsblade; **un brin d'avoine,** a blade of oats. [10] Dried Codfish (*a man*). [11] unsatisfactory valets. [12] challenge, encourage.

MAÎTRE JACQUES.   Oui: le vin pur monte à la tête.

LA MERLUCHE.   Quitterons-nous nos siquenilles,[13] Monsieur?

HARPAGON.   Oui, quand vous verrez venir les personnes; et gardez bien de gâter vos habits.

5   BRINDAVOINE.   Vous savez bien, Monsieur, qu'un des devants de mon pourpoint est couvert d'une grande tache de l'huile de la lampe.

LA MERLUCHE.   Et moi, Monsieur, que j'ai mon haut-de-chausses tout troué par derrière,[14] et qu'on me voit, révérence parler [15] . . .

HARPAGON.   Paix.   Rangez cela adroitement du côté de la muraille, et
10 présentez toujours le devant au monde.   (*Harpagon met son chapeau au devant* [16] *de son pourpoint, pour montrer à Brindavoine comment il doit faire pour cacher la tache d'huile.*)   Et vous, tenez toujours votre chapeau ainsi, lorsque vous servirez.   Pour vous, ma fille, vous aurez l'œil sur ce que l'on desservira, et prendrez garde qu'il ne s'en fasse aucun dégât.[17]   Cela sied
15 bien aux filles.[18]   Mais cependant préparez-vous à bien recevoir ma maîtresse,[19] qui vous doit venir visiter et vous mener avec elle à la foire.[20]   Entendez-vous ce que je vous dis?

ÉLISE.   Oui, mon père.

HARPAGON.   Et vous, mon fils le Damoiseau,[21] à qui j'ai la bonté de
20 pardonner l'histoire de tantôt,[22] ne vous allez pas aviser non plus de lui faire mauvais visage.

CLÉANTE.   Moi, mon père, mauvais visage?   Et par quelle raison?

HARPAGON.   Mon Dieu! nous savons le train [23] des enfants dont les pères se remarient, et de quel œil ils ont coutume de regarder ce qu'on
25 appelle belle-mère.   Mais, si vous souhaitez que je perde le souvenir de votre dernière fredaine,[24] je vous recommande surtout de régaler d'un bon visage cette personne-là, et de lui faire enfin tout le meilleur accueil qu'il vous sera possible.

CLÉANTE.   A vous dire le vrai, mon père, je ne puis pas vous promettre
30 d'être bien aise qu'elle devienne ma belle-mère; je mentirais, si je vous le disais: mais pour ce qui est de la bien recevoir, et de lui faire bon visage, je vous promets de vous obéir ponctuellement sur ce chapitre.

HARPAGON.   Prenez-y garde au moins.[25]

CLÉANTE.   Vous verrez que vous n'aurez pas sujet de vous en plaindre.

35 HARPAGON.   Vous ferez sagement.   Valère, aide-moi à ceci.[26]   Ho çà,[27] maître Jacques, approchez-vous, je vous ai gardé pour le dernier.

MAÎTRE JACQUES.   Est-ce à votre cocher, Monsieur, ou bien à votre cuisinier, que vous voulez parler? car je suis l'un et l'autre.

HARPAGON.   C'est à tous les deux.

40 MAÎTRE JACQUES.   Mais à qui des deux le premier?

---

[13] *Corruption of* **souquenilles** *f.*, smocks, canvas clothes worn by the servants over their uniforms to protect them.   [14] I have quite a few holes in the seat of my breeches.   [15] **sauf votre respect, avec votre permission.**   [16] **sur le devant.** [17] that nothing be wasted.   [18] That's a suitable job for girls.   [19] **fiancée.** [20] *The Saint-Germain Fair, which was* held every year from February 3rd to Palm Sunday, or the Saint-Laurent Fair, from June 28 to September 30.   [21] my foppish son.   [22] what happened this afternoon. [23] **les manières,** the ways.   [24] prank. [25] Be sure that you do so; **au moins** *is emphatic here.*   [26] in this (*in giving her a good time*).   [27] **Holà,** Now.

HARPAGON. Au cuisinier.

MAÎTRE JACQUES. Attendez donc, s'il vous plaît. (*Il ôte sa casaque de cocher,*[28] *et paraît vêtu en cuisinier.*)

HARPAGON. Quelle diantre de cérémonie est-ce là ?[29]

MAÎTRE JACQUES. Vous n'avez qu'à parler. 5

HARPAGON. Je me suis engagé, maître Jacques, à donner ce soir à souper.

MAÎTRE JACQUES. Grande merveille![30]

HARPAGON. Dis-moi un peu, nous feras-tu bonne chère ?[31]

MAÎTRE JACQUES. Oui, si vous me donnez bien de l'argent.

HARPAGON. Que diable, toujours de l'argent ! Il semble qu'ils n'aient 10 autre chose à dire: « De l'argent, de l'argent, de l'argent. » Ah! ils n'ont que ce mot à la bouche: « De l'argent. » Toujours parler d'argent. Voilà leur épée de chevet,[32] de l'argent.

VALÈRE. Je n'ai jamais vu de réponse plus impertinente que celle-là. Voilà une belle merveille que[33] de faire bonne chère avec bien de l'argent: 15 c'est une chose la plus aisée du monde, et il n'y a si pauvre esprit qui n'en fît bien autant;[34] mais pour agir en habile homme, il faut parler de faire bonne chère avec peu d'argent.

MAÎTRE JACQUES. Bonne chère avec peu d'argent !

VALÈRE. Oui. 20

MAÎTRE JACQUES. Par ma foi, Monsieur l'intendant,[35] vous nous obligerez de nous faire voir ce secret, et de prendre mon office de cuisinier: aussi bien vous mêlez-vous[36] céans[37] d'être le factoton.[38]

HARPAGON. Taisez-vous. Qu'est-ce qu'il nous faudra ?

MAÎTRE JACQUES. Voilà monsieur votre intendant, qui vous fera bonne 25 chère pour peu d'argent.

HARPAGON. Haye![39] je veux que tu me répondes.

MAÎTRE JACQUES. Combien serez-vous de gens à table?

HARPAGON. Nous serons huit ou dix; mais il ne faut prendre[40] que huit: quand il y a à manger pour huit, il y en a bien pour dix. 30

VALÈRE. Cela s'entend.

MAÎTRE JACQUES. Hé bien! il faudra quatre grands potages,[41] et cinq assiettes.[42] Potages ... Entrées ...

HARPAGON. Que diable! voilà pour traiter toute une ville entière.

MAÎTRE JACQUES. Rôt ...[43] 35

HARPAGON, *en lui mettant la main sur la bouche.* Ah! traître, tu manges tout mon bien.

MAÎTRE JACQUES. Entremets ...[44]

HARPAGON. Encore?

[28] **sa tunique (veste) de cocher,** his coachman's coat. [29] What the dickens does all this fuss mean? [30] How unusual! [31] **nous feras-tu un bon dîner?** *Today* faire bonne chère *means* to have a good meal. [32] That's their mainstay, their chief idea; **une épée de chevet,** *lit.* 'a sword hanging at the head (le chevet) of the bed.' [33] What an unusual thing. [34] there is no simpleton who could not do as much. [35] Mr. Superintendent. [36] **car vous vous mêlez,** because you are taking upon yourself. [37] in this house. [38] factotum, Jack-of-all-trades; *the modern spelling is* **factotum** [faktɔtɔm]. [39] [ɛj], *obs. for* **assez!** [40] **considérer.** [41] boiled main dishes (*not* kinds of soup, *which is the meaning nowadays*). [42] **entrées,** small dishes. [43] **Rôti,** Roast. [44] Side dishes.

VALÈRE.   Est-ce que vous avez envie de faire crever tout le monde? et Monsieur [45] a-t-il invité des gens pour les assassiner à force de mangeaille? Allez-vous-en lire un peu les préceptes de la santé, et demander aux médecins s'il y a rien de plus préjudiciable à l'homme que de manger avec excès.

5   HARPAGON.   Il a raison.

VALÈRE.   Apprenez, maître Jacques, vous et vos pareils, que c'est un coupe-gorge qu'une table remplie de trop de viandes; [46] que pour bien se montrer ami de ceux que l'on invite, il faut que la frugalité règne dans les repas qu'on donne; et que, suivant le dire d'un ancien,[47] *il faut manger pour*
10   *vivre, et non pas vivre pour manger.*

HARPAGON.   Ah! que cela est bien dit!   Approche, que je t'embrasse pour ce mot.[48]   Voilà la plus belle sentence [49] que j'aie entendue de ma vie. *Il faut vivre pour manger, et non pas manger pour vi...*   Non, ce n'est pas cela.   Comment est-ce que tu dis?

15   VALÈRE.   *Qu'il faut manger pour vivre, et non pas vivre pour manger.*

HARPAGON.   Oui.   Entends-tu?   Qui est le grand homme qui a dit cela?

VALÈRE.   Je ne me souviens pas maintenant de son nom.

HARPAGON.   Souviens-toi de m'écrire ces mots: je les veux faire graver en lettres d'or sur la cheminée de ma salle.[50]

20   VALÈRE.   Je n'y manquerai pas.   Et pour votre souper vous n'avez qu'à me laisser faire: je réglerai tout cela comme il faut.

HARPAGON.   Fais donc.[51]

MAÎTRE JACQUES.   Tant mieux: j'en aurai moins de peine.

HARPAGON.   Il faudra de ces choses dont on ne mange guère, et qui
25   rassasient d'abord:[52] quelque bon haricot [53] bien gras, avec quelque pâté en pot bien garni de marrons.[54]

VALÈRE.   Reposez-vous sur moi.

HARPAGON.   Maintenant, maître Jacques, il faut nettoyer mon carrosse.

MAÎTRE JACQUES.   Attendez.   Ceci s'adresse au cocher.   (*Il remet sa*
30   *casaque.*)   Vous dites . . .

HARPAGON.   Qu'il faut nettoyer mon carrosse, et tenir mes chevaux tout prêts pour conduire à la foire . . .

MAÎTRE JACQUES.   Vos chevaux, Monsieur?   Ma foi, ils ne sont point du tout en état de marcher.   Je ne vous dirai point qu'ils sont sur la litière,[55]
35   les pauvres bêtes n'en ont point, et ce serait fort mal parler; [56] mais vous leur faites observer des jeûnes si austères, que ce ne sont plus rien que des idées [57] ou des fantômes, des façons de chevaux.[58]

HARPAGON.   Les voilà bien malades: ils ne font rien.

MAÎTRE JACQUES.   Et pour ne faire rien, Monsieur, est-ce qu'il ne faut
40   rien manger?   Il leur vaudrait bien mieux, les pauvres animaux, de travailler

---

[45] **Notre maître.**   [46] that a table overloaded with an excess of viands (food) is murderous (*lit.* 'is a cut-throat place'). *The meaning of* **viande** *is now restricted to meat.*   [47] according to the saying of an ancient writer (*Socrates, according to Plutarch*).   [48] **cette phrase,** this sentence.   [49] motto.   [50] on the mantel of my dining room.   [51] Please do.   [52] and which fill one up at once.   [53] **haricot de mouton, mouton aux haricots,** lamb stew.   [54] potted meat-pie well stuffed with chestnuts.   [55] that they are so weak that they are lying on their litter (bedding).   [56] it would be speaking quite inaccurately.   [57] anything but shadows (*lit.* 'ideas').   [58] with horses' shapes; **façons,** *obs. for* **apparences.**

beaucoup, de manger de même. Cela me fend le cœur, de les voir ainsi exténués; car enfin j'ai une tendresse [59] pour mes chevaux qu'il me semble que c'est moi-même quand je les vois pâtir; [60] je m'ôte tous les jours pour eux les choses de la bouche; et c'est être, Monsieur, d'un naturel trop dur, que de n'avoir nulle pitié de son prochain.   5

HARPAGON. Le travail ne sera pas grand, d'aller jusqu'à la foire.

MAÎTRE JACQUES. Non, Monsieur, je n'ai point le courage de les mener, et je ferais conscience [61] de leur donner des coups de fouet, en l'état où ils sont. Comment voudriez-vous qu'ils traînassent un carrosse, qu'ils [62] ne peuvent pas se traîner eux-mêmes?   10

VALÈRE. Monsieur, j'obligerai le voisin Picard [63] à se charger de les conduire: aussi bien nous fera-t-il ici besoin pour apprêter le souper.[64]

MAÎTRE JACQUES. Soit: j'aime mieux encore qu'ils meurent sous la main d'un autre que sous la mienne.

VALÈRE. Maître Jacques fait bien le raisonnable.[65]   15

MAÎTRE JACQUES. Monsieur l'intendant fait bien le nécessaire.[66]

HARPAGON. Paix!

MAÎTRE JACQUES. Monsieur, je ne saurais souffrir les flatteurs; et je vois que ce qu'il en fait,[67] que ses contrôles perpétuels sur le pain et le vin, le bois, le sel, et la chandelle, ne sont rien que pour vous gratter [68] et vous 20 faire sa cour. J'enrage de cela, et je suis fâché tous les jours d'entendre ce qu'on dit de vous; car enfin je me sens pour vous de la tendresse, en dépit que j'en aie; [69] et, après mes chevaux, vous êtes la personne que j'aime le plus.

HARPAGON. Pourrais-je savoir de vous, maître Jacques, ce que l'on dit de moi?   25

MAÎTRE JACQUES. Oui, Monsieur, si j'étais assuré que cela ne vous fâchât point.

HARPAGON. Non, en aucune façon.

MAÎTRE JACQUES. Pardonnez-moi: je sais fort bien que je vous mettrais en colère.   30

HARPAGON. Point du tout: au contraire, c'est me faire plaisir, et je suis bien aise d'apprendre comme on parle de moi.

MAÎTRE JACQUES. Monsieur, puisque vous le voulez, je vous dirai franchement qu'on se moque partout de vous; qu'on nous jette de tous côtés cent brocards [70] à votre sujet; et que l'on n'est point plus ravi que de 35 vous tenir au cul et aux chausses,[71] et de faire sans cesse des contes de votre lésine.[72] L'un dit que vous faites imprimer des almanachs particuliers, où vous faites doubler les quatre-temps [73] et les vigiles, afin de profiter des

---

[59] j'ai une telle tendresse.   [60] suffer.
[61] je me ferais scrupule, it would be against my principles.   [62] alors qu'ils.
[63] *Servants were usually named after their native provinces.*   [64] furthermore he will be needed here to get supper ready.
[65] Mr. James certainly is acting like a considerate man.   [66] certainly is acting like a very indispensable man.   [67] that what he does about all this.   [68] to flatter you.
[69] quelque dépit (colère) que j'en aie,

malgré moi.   [70] gibes, taunts.   [71] that they are never more delighted than when they pull you to pieces; tenir au cul et aux chausses (stockings), *obs. for* déchirer *(comme les chiens qui mordent quelqu'un au derrière et aux chausses).*
[72] tell stories all the time about your stinginess.   [73] in which you have the Ember days *(days for fasting and prayer in each of the four seasons of the year)* doubled.

jeûnes où vous obligez votre monde.[74]   L'autre, que vous avez toujours une querelle toute prête à faire à vos valets dans le temps des étrennes,[75] ou de leur sortie d'avec vous,[76] pour vous trouver une raison de ne leur donner rien.   Celui-là conte qu'une fois vous fîtes assigner [77] le chat d'un de vos 5 voisins, pour vous avoir mangé un reste d'un gigot de mouton.   Celui-ci, que l'on vous surprit une nuit, en venant dérober vous-même l'avoine de vos chevaux; et que votre cocher, qui était celui d'avant moi, vous donna dans l'obscurité je ne sais combien de coups de bâton, dont vous ne voulûtes rien dire.   Enfin, voulez-vous que je vous dise?   On ne saurait aller nulle 10 part où l'on ne vous entende accommoder de toutes pièces; [78] vous êtes la fable et la risée [79] de tout le monde; et jamais on ne parle de vous, que sous les noms d'avare, de ladre, de vilain et de fesse-mathieu.[80]

HARPAGON, *en le battant*.   Vous êtes un sot, un maraud, un coquin, et un impudent.[81]

15 MAÎTRE JACQUES.   Hé bien! ne l'avais-je pas deviné?   Vous ne m'avez pas voulu croire; je vous l'avais bien dit que je vous fâcherais de vous dire la vérité.

HARPAGON.   Apprenez à parler!

Acte III, scène I

Valère se moque de maître Jacques qui devient insolent et reçoit des coups de bâton. Bientôt Harpagon s'aperçoit qu'on lui a dérobé son trésor enfoui dans le jardin; belle occasion pour maître Jacques de se venger de Valère en l'accusant de ce vol! Après de nombreux et comiques malentendus qui rapprochent les amants et couvrent l'avare de ridicule, tout s'arrange par l'arrivée d'Anselme. Ce vieil aristocrate napolitain retrouve en Valère et Mariane les enfants qu'il croyait morts dans un naufrage, seize ans auparavant. Voici un dénouement bien romanesque! Cléante déclare qu'il sait où se trouve la cassette volée; il la rendra à son père s'il consent à son mariage avec Mariane. Harpagon consent à tout dès qu'il apprend qu'Anselme donnera de l'argent aux quatre jeunes gens et fera tous les frais de ces deux mariages. Tout heureux, Harpagon s'en va « voir sa chère cassette ».

OUVRAGES RECOMMANDÉS
Textes

Œuvres complètes, éd. Maurice Rat.   2 vol.   Gallimard.

Théâtre, éd. Marcel Thiébaut.   Hachette.

Théâtre choisi, éd. M. Rat.   Garnier.

Théâtre choisi.   Classiques Larousse (15 vol.), Hachette (8 vol.), Hatier (9 vol.).

Heath editions: *Le Bourgeois gentilhomme* (1. Wilson.   2. Warren).   *Le Médecin malgré lui* (Wilson and Ledésert).   *L'Avare* (Wilson).   *Le Misanthrope* (Wilson).   *Les Femmes savantes* (1. Fortier.   2. Wilson and Ledésert).

Discographie

Le Bourgeois gentilhomme, par la Comédie-Française.   3 disques microsillon. Pathé.

[74] household.   [75] at the time of the New Year's gifts.   [76] or when they leave you, when their contracts expire.   [77] you sued, served a writ on.   [78] without hearing you thoroughly criticized.   [79] you are the byword (talk) and laughingstock.   [80] of miser, tightwad, stingy boor (*miserly as a* **vilain,** peasant), and skinflint.   [81] a fool, a rascal, a scoundrel, and an impudent fellow.

*Les Précieuses ridicules, Le Misanthrope, Le Médecin malgré lui, L'Avare,
Les Femmes savantes.* 6 disques microsillon; extraits par des sociétaires
de la Comédie-Française. Period.

L'École des femmes, par la troupe Louis Jouvet. 3 disques microsillon.
Pathé.

Don Juan. Enregistrement intégral, 2 disques microsillon, par Jean
Deschamps, Gérard Philipe, etc. Collection Vie du Théâtre. Hachette.

Critique

Daniel Mornet. *Molière, l'homme et l'œuvre.* 200 p. Hatier.

Raoul Duhamel. *Le Rire et les larmes de Molière.* 264 p. Hachette, 1933.

René Bray. *Molière homme de théâtre.* 397 p. Mercure de France, 1954.

François Denoeu. *Molière et ses amis.* Mordacq, Aire-sur-la-Lys, 1950.

BLAISE PASCAL

(1623–1662)

Le Saint de la littérature et de la science françaises

Le jeune savant (1623–54). Blaise Pascal est né à Clermont-Ferrand, près de
la cathédrale, rue des Gras, d'un père fort savant qui était président à la Cour des
Aides,[1] et d'une tendre mère qui mourut quand il avait trois ans. Il vécut à Paris
dès l'âge de huit ans, auprès de ce père qui lui servit de précepteur, et de ses
deux sœurs. L'aînée, la raisonnable Gilberte, deviendra Mme Florin Périer et
écrira la biographie de son illustre frère. La cadette sera la charmante et précoce
poétesse Jacqueline que Richelieu complimenta pour ses qualités d'actrice, et dont
plus tard, à Rouen, Corneille loua les vers.

Gilberte affirme que Blaise, enfant prodige, découvrit à douze ans les trente-
deux premières propositions de la géométrie d'Euclide, et ceci sans aide ni de
livre ni de professeur. A seize ans il écrivit un *Traité des sections coniques* qui
rendit même jaloux le grand Descartes. A dix-huit ans, pour simplifier les
calculs de son père qui avait été chargé d'importantes fonctions financières à
Rouen, il inventa une machine arithmétique.[2] Après l'Italien Torricelli, il s'occupa
de l'ascension des liquides dans de longs tubes de verre, et vérifia la pesanteur[3]
de l'air par des expériences à la tour Saint-Jacques, à Paris, qu'il fit répéter par
son beau-frère Périer au sommet du puy de Dôme, près de Clermont-Ferrand.
S'il ne faisait pas l'ascension des montagnes, s'il voyageait aussi peu que possible,
c'est que, depuis l'âge de dix-huit ans, il avait de violents maux de tête et le bas
du corps paralysé au point qu'il ne pouvait marcher qu'avec des béquilles.[4]

L'écrivain janséniste et l'apologiste chrétien (1654–62). En 1646, à Rouen,
Pascal et sa famille avaient été convertis au jansénisme par deux rebouteux[5]
distingués qui avaient soigné le père, dont la cuisse avait été démise par une chute
sur la glace. Le jansénisme était la doctrine de Jansénius, évêque hollandais
(1585–1638) qui, se basant sur saint Augustin, soutenait que le salut de l'homme
dépend, non de sa conduite personnelle, mais de la grâce divine et de la prédestina-
tion. Jacqueline entra comme religieuse à l'abbaye janséniste de Port-Royal-des-
Champs[6] (1654). Elle fit quitter à Blaise les milieux mondains où, pour oublier

---

[1] Excise Court.   [2] adding machine.   [3] weight.   [4] crutches.   [5] bonesetters.
[6] *15 mi. SW of Paris.*

un peu ses souffrances physiques, il rencontrait depuis deux ans le duc de Roannez et sa sœur, ainsi que la marquise de Sablé, ancienne précieuse, l'acteur Mondory, et même des libertins comme le chevalier de Méré. Après une crise mystique où pendant deux heures d'une nuit de novembre 1654 il vit et sentit la présence de Dieu comme un feu qui lui inspira de sublimes pensées, il fit de fréquents séjours à Port-Royal. Son directeur de conscience y fut Lemaistre de Saci, neveu du grand théologien Arnauld.[7] Bientôt il se fit le défenseur d'Arnauld contre la Sorbonne, dans *Les Provinciales*.

Les cinq années qui lui restaient à vivre, il les passa en grand malade dont le mysticisme ne se satisfaisait pas des douleurs naturelles de la maladie, mais exigeait encore la torture infligée par une ceinture de fer garnie de pointes et portée à même la peau. C'est dans ces circonstances qu'il griffonna,[8] sur de nombreux bouts de papier, les *Pensées* dont il voulait faire une grande *Apologie du christianisme*. Il mourut en 1662, à Paris, chez sa sœur Gilberte Périer, probablement d'entérite tuberculeuse. Il fut enterré dans l'église Saint-Étienne-du-Mont où son tombeau se trouve encore.

Par sa vie éminemment vertueuse et charitable, par son courage à supporter les pires souffrances, par sa recherche incessante de la vérité aussi bien scientifique que religieuse et philosophique, et son ardeur quelque peu fanatique à la propager, — quel saint n'a eu ses faiblesses? —, Blaise Pascal mérite bien qu'on l'appelle le saint de la littérature et de la science françaises.

Pascal est, comme on dit aujourd'hui, un écrivain engagé, militant. Son style est direct, brusque; on y sent l'impatience du malade dont les jours sont comptés et qui, très vite, par des arguments décisifs, veut convertir son lecteur à la foi.

PENSÉES

A la mort de Pascal (1662) ses héritiers trouvèrent, parmi ses papiers, des paquets de petites notes parfois illisibles qu'il avait écrites quand ses souffrances physiques lui donnaient un peu de répit. Son neveu, Étienne Périer, les fit coller sur des registres, puis recopier; enfin il les donna aux Jansénistes de Port-Royal qui les publièrent en 1670. Elles sont une esquisse d'apologie [1] du christianisme: l'homme est un tissu de contradictions; sa raison est trompée par son imagination et son égoïsme; tout ce qu'il fait est gâté par l'injustice et l'arbitraire; mais, dans sa misère, qui est due au péché originel, l'homme montre de la grandeur car son âme est capable de s'élever jusqu'à la conception de Dieu. Toutes les philosophies sont insuffisantes; seule la religion chrétienne satisfait à la fois l'intelligence et le cœur; par Jésus, intermédiaire entre Dieu et les hommes, nous trouvons, loin du doute, un refuge contre toutes nos misères terrestres.

Différence entre l'esprit de géométrie [2] *et l'esprit de finesse.*[3] — En l'un,[4] les principes sont palpables [5] mais éloignés de l'usage commun ... Mais dans l'esprit de finesse, les principes sont dans l'usage commun et devant les yeux de tout le monde ...; il n'est question que d'avoir bonne vue, 5 mais il faut l'avoir bonne: car les principes sont si déliés [6] et en si grand nombre qu'il est presque impossible qu'il n'en échappe.[7] Or l'omission d'un principe mène à l'erreur; ainsi, il faut avoir la vue bien nette pour voir tous les principes, et ensuite l'esprit juste [8] pour ne pas raisonner

---

[7] *Antoine Arnauld, « le Grand Arnauld »* (*1612–94*).   [8] scribbled.

[1] vindication.   [2] the scientific (mathematical) mind.   [3] the intuitive mind. [4] **Dans le premier.**   [5] easily perceptible   intellectually.   [6] subtle.   [7] **qu'un ou plusieurs n'échappent à la vue.**   [8] sound judgment.

faussement sur des principes connus. (Section I, 1, édition Brunschvicg, 1897)

La vraie éloquence se moque de l'éloquence, la vraie morale se moque de la morale; c'est-à-dire que la morale du jugement [9] se moque de la morale de l'esprit [10] . . .

Se moquer de la philosophie, c'est vraiment philosopher. (I, 4)

Les rivières sont des chemins qui marchent. (I, 17)

Ceux qui font les antithèses en forçant les mots sont comme ceux qui font de fausses fenêtres [11] pour la symétrie: leur règle n'est pas de parler juste, mais de faire des figures [12] justes. (I, 27)

Quand on voit le style naturel, on est tout étonné et ravi, car on s'attendait de voir un auteur, et on trouve un homme. (I, 29)

Il est bien plus beau de savoir quelque chose de tout que de savoir tout d'une chose. (I, 37)

Voulez-vous qu'on croie du bien de vous? n'en dites pas. (I, 44)

Diseur de bons mots, mauvais caractère.[13] (I, 46)

L'HOMME ENTRE L'INFINIMENT GRAND ET L'INFINIMENT PETIT

Que l'homme contemple donc la nature entière dans sa haute et pleine majesté, qu'il éloigne [14] sa vue des objets bas qui l'environnent. Qu'il regarde [15] cette éclatante lumière, mise comme une lampe éternelle pour éclairer [16] l'univers, que la terre lui paraisse comme un point au prix du vaste tour [17] que cet astre décrit [18] et qu'il s'étonne de ce que [19] ce vaste tour lui-même n'est qu'une pointe très délicate [20] à l'égard de [21] celui que les astres qui roulent dans le firmament embrassent.

Mais si [22] notre vue s'arrête là, que l'imagination passe outre; elle se lassera plutôt de concevoir, que la nature de fournir.[23] Tout ce monde visible n'est qu'un trait imperceptible dans l'ample sein de la nature. Nulle idée [24] n'en approche. Nous avons beau enfler nos conceptions, au-delà des espaces imaginables, nous n'enfantons que des atomes, au prix de la réalité des choses. C'est une sphère infinie dont le centre est partout, la circonférence nulle part.[25] Enfin c'est le plus grand caractère sensible de la toute-puissance [26] de Dieu, que notre imagination se perde dans cette pensée.

Que l'homme, étant revenu à soi,[27] considère ce qu'il est au prix de ce

[9] *Synonymous with intuition and reality according to Pascal.* [10] abstract and artificial reasoning. [11] blind windows. [12] figures of speech. [13] A wisecracker is not good-natured. [14] let him raise (*lit.* 'remove'). [15] consider. [16] enlighten. [17] compared with the vast orbit. [18] that this celestial body (the sun) describes. *This clause proves that Pascal still believed in the Ptolemaic system more than a hundred years after Copernicus had demonstrated that the fixed body in the center of the universe was the sun, and not the earth.*

[19] let him remember with awe that. [20] a mere point. [21] in comparison with. [22] Although. [23] it will tire of conceiving rather than nature will tire of supplying (food for thought). [24] No conception. [25] nowhere. *This striking comparison is traced back to Hermes Trismegistus, an Egyptian god, the reputed author of 42 encyclopedic works on Egypt.* [26] the most tangible sign of the omnipotence. [27] making himself again the subject of his investigation.

qui est; qu'il se regarde comme égaré dans ce canton détourné [28] de la nature; et que de ce petit cachot où il se trouve logé, j'entends l'univers, il apprenne à estimer [29] la terre, les royaumes, les villes et soi-même son juste prix.[30] Qu'est-ce qu'un homme dans l'infini? [31]

5   Mais pour lui présenter un autre prodige aussi étonnant, qu'il recherche dans ce qu'il connaît les choses les plus délicates.[32] Qu'un ciron [33] lui offre dans la petitesse de son corps des parties incomparablement plus petites, des jambes avec des jointures, des veines dans ces jambes, du sang dans ces veines, des humeurs [34] dans ce sang, des gouttes dans ces humeurs, des

10   vapeurs dans ces gouttes; que, divisant encore ces dernières choses, il épuise [35] ses forces en ces conceptions, et que le dernier [36] objet où il peut arriver soit maintenant celui de notre discours; il pensera peut-être que c'est là l'extrême petitesse de la nature. Je veux lui faire voir là-dedans un abîme nouveau. Je lui veux peindre non seulement l'univers visible,

15   mais l'immensité qu'on peut concevoir de la nature, dans l'enceinte de ce raccourci d'atome.[37] Qu'il y voie une infinité d'univers, dont chacun a son firmament, ses planètes, sa terre, en la même proportion que le monde visible; dans cette terre, des animaux, et enfin des cirons, dans lesquels il retrouvera ce que les premiers ont donné; [38] et trouvant encore dans les

20   autres la même chose sans fin et sans repos, qu'il se perde dans ces merveilles, aussi étonnantes dans leur petitesse que les autres par leur étendue; car qui n'admirera [39] que notre corps, qui tantôt n'était pas perceptible dans l'univers, imperceptible lui-même dans le sein du tout, soit à présent un colosse, un monde, ou plutôt un tout, à l'égard du néant où l'on ne peut arriver?

25   Qui se considérera de la sorte s'effraiera de soi-même, et, se considérant soutenu dans la masse que la nature lui a donnée, entre ces deux abîmes de l'infini et du néant, il tremblera dans la vue [40] de ces merveilles; et je crois que sa curiosité se changeant en admiration, il sera plus disposé à les contempler en silence qu'à les rechercher [41] avec présomption.

30   Car enfin, qu'est-ce que l'homme dans la nature? Un néant à l'égard de l'infini, un tout à l'égard du néant, un milieu [42] entre rien et tout. Infiniment éloigné [43] de comprendre les extrêmes, la fin des choses et leur principe sont pour lui invinciblement cachés dans un secret impénétrable, également incapable de voir le néant d'où il est tiré, et l'infini où il est englouti.

35   Nous voguons [44] sur un milieu [45] vaste,[46] toujours incertains et flottants,[47] poussés d'un bout vers l'autre. Quelque terme [48] où nous pensions [49] nous attacher et nous affermir, il branle et nous quitte et, si nous le suivons, il échappe à nos prises,[50] nous glisse [51] et fuit d'une fuite éternelle. Rien

---

[28] as one lost in this out-of-the-way corner. [29] to appraise. [30] **à son juste prix.** [31] *Pascal is stealing some of Montaigne's thunder (Montaigne: Essais, I, 25).* [32] let him look for the minutest things in what he knows. [33] a mite. [34] humors (*liquid substances*). [35] let him exhaust. [36] the last, the tiniest. [37] within the compass of this epitome of an atom (*dwarfed atom*). [38] in which he will make the same discoveries as in the first ones.

[39] for who will not marvel. [40] **à la vue.** [41] rather than to investigate. [42] an intermediate thing, a middle creation. [43] *Refers to man; note the loose grammatical construction.* [44] We are sailing. [45] an intervening space. [46] empty. [47] floating, irresolute. [48] Whatever the goal. [49] to which we thought we could. [50] **notre prise,** our grasp. [51] **nous glisse des mains,** slips from our hands.

ne s'arrête pour nous.   C'est l'état qui nous est naturel, et toutefois, le plus contraire à notre inclination; nous brûlons de désir [52] de trouver une assiette ferme, et une dernière base constante [53] pour y édifier une tour qui s'élève à l'infini; [54] mais tout notre fondement [55] craque, et la terre s'ouvre jusqu'aux abîmes.[56] (II, 72)   5

PENSÉES DIVERSES

D'où vient qu'un boiteux ne nous irrite pas, et un esprit boiteux [57] nous irrite?   A cause qu'un boiteux reconnaît que nous allons droit, et qu'un esprit boiteux dit que c'est nous qui boitons; sans cela nous en aurions pitié, et non colère.   (II, 80)

Imagination. — C'est cette partie décevante dans l'homme, cette maîtresse   10 d'erreur et de fausseté, et d'autant plus fourbe qu'elle ne l'est pas toujours; car elle serait règle infaillible de vérité, si elle l'[58]était infaillible du mensonge.   Mais, étant le plus souvent fausse, elle ne donne aucune marque de sa qualité, marquant du même caractère le vrai et le faux.

Je ne parle pas des fous, je parle des plus sages; et c'est parmi eux que   15 l'imagination a le grand don de persuader les hommes.   La raison a beau crier, elle ne peut mettre le prix aux choses [59] . . .

Ne diriez-vous pas que ce magistrat, dont la vieillesse vénérable impose le respect à tout un peuple, se gouverne par une raison pure et sublime, et qu'il juge des choses par leur nature, sans s'arrêter à ces vaines circons-   20 tances [60] qui ne blessent [61] que l'imagination des faibles?   Voyez-le entrer dans un sermon [62] où il apporte un zèle tout dévot, renforçant la solidité de la raison par l'ardeur de la charité.[63]   Le voilà prêt à l'ouïr avec un respect exemplaire.   Que le prédicateur vienne à paraître: si la nature lui a donné une voix enrouée et un tour de visage bizarre, que son barbier   25 l'ait mal rasé, si le hasard l'a encore barbouillé de surcroît,[64] quelques grandes vérités qu'il annonce, je parie la perte de la gravité de notre sénateur.[65]

Le plus grand philosophe du monde, sur une planche plus large qu'il ne faut, s'il y a au-dessous un précipice, quoique sa raison le convainque   30 de sa sûreté, son imagination prévaudra.   Plusieurs n'en [66] sauraient soutenir la pensée sans pâlir et suer . . .

Qui ne sait que la vue de chats, de rats, l'écrasement d'un charbon,[67] etc., emportent la raison hors des gonds.[68]   Le ton de voix impose [69] aux plus sages, et change un discours et un poème de force.[70]   35

L'affection ou la haine change la justice de face.   Et combien un avocat

[52] **du désir.**   [53] the deepest solid basis.   [54] which will rise to infinity. *This tower is the symbol of man's meditations on God. Compare this passage with the first stanza of Lamartine's* Le Lac, *p. 268.*   [55] *Use the word in the plural now, or say* **toutes nos fondations.**   [56] in an abyss.   [57] a lame mind.   [58] **l'** *refers to* **règle.**   [59] It is all in vain for reason to raise its voice; the value of things cannot be appraised by its standards.   [60] details.

[61] impress.   [62] **dans une église où l'on fait ou va faire un sermon.**   [63] *With the meaning of the Latin* caritas: love (of God).   [64] has smeared him in addition.   [65] old magistrate, solon.   [66] *The fact that they are standing over a precipice.*   [67] the crushing of a piece of charcoal (underfoot).   [68] unhinge our reason.   [69] **en impose,** impresses.   [70] **change . . . de force:** alters (affects) the forcibleness of . . .

bien payé par avance trouve-t-il plus juste la cause qu'il plaide! combien son geste hardi le fait-il paraître [71] meilleur aux juges, dupés par cette apparence!...

5 Nos magistrats ont bien connu ce mystère.[72] Leurs robes rouges, leurs hermines,[73] dont ils s'emmaillotent en chats fourrés,[74] les palais où ils jugent, les fleurs de lis,[75] tout cet appareil auguste [76] était fort nécessaire; et si les médecins n'avaient des soutanes [77] et des mules,[78] et que les docteurs [79] n'eussent des bonnets carrés [80] et des robes trop amples de quatre parties,[81] jamais ils n'auraient dupé le monde qui ne peut résister à cette montre si 10 authentique.[82] S'ils avaient la véritable justice et si les médecins avaient le vrai art de guérir, ils n'auraient que faire de [83] bonnets carrés; la majesté de ces sciences serait assez vénérable d'elle-même. Mais n'ayant que des sciences imaginaires, il faut qu'ils prennent ces vains instruments qui frappent l'imagination à laquelle ils ont affaire, et par là, en effet, ils s'at-15 tirent le respect. (II, 82)

Peu de chose nous console, parce que peu de chose nous afflige. (II, 136)

J'ai découvert que tout le malheur des hommes vient d'une seule chose, qui est de ne savoir pas demeurer au repos dans une chambre. (II, 139)

La vanité est si ancrée dans le cœur de l'homme, qu'un soldat, un goujat,[84] 20 un cuisinier, un crocheteur [85] se vante et veut avoir ses admirateurs; et les philosophes mêmes en veulent; et ceux qui écrivent contre [86] veulent avoir la gloire d'avoir bien écrit; et ceux qui le lisent [87] veulent avoir la gloire de l'avoir lu; et moi qui écris ceci, ai peut-être cette envie; et peut-être que ceux qui le liront... (II, 150)

25 Le nez de Cléopâtre: [88] s'il eût été plus court, toute la face de la terre aurait changé. (II, 162)

Le silence éternel de ces espaces infinis m'effraie. (III, 206)

Je trouve bon qu'on n'approfondisse pas l'opinion de Copernic: [89] mais ceci! Il importe à toute la vie de savoir si l'âme est mortelle ou immortelle. 30 (III, 218)

Pesons le gain et la perte, en prenant croix que Dieu est.[90] Estimons [91]

[71] his daring demeanor makes him appear. [72] *This secret influence of paraphernalia and bold demeanor.* [73] *Ermine fur is used to line and face the ceremonial gowns of judges, professors, etc.* [74] in which they wrap themselves, thus looking like thick-furred cats. *The comparison is imitated from Rabelais, p. 45, l. 30.* [75] [lis]. *They were the emblem of the French kings.* **Fleurs-de-lis** *covered the walls of the courtrooms and the seats of the judges.* [76] all this pomp. [77] cassocks. *The word is now restricted to the garment worn by the clergy.* [78] mules, slippers without quarters (*sides from heel to vamp*). [79] the doctors of theology. [80] mortarboards (*square caps*). *Nowadays these caps are round in France.* [81] by four-fifths. [82] so authoritative a display; **à cet étalage** *is the modern phrase.* [83] they would have no use for. [84] camp follower, soldier's servant; *from the Provençal* **goujo,** *boy. Today* **goujat** *means boor, churl.* [85] a porter. *Today* **crocheteur** *means thief, picklock.* [86] **contre la vanité.** [87] who read about it (*about the subject of vanity*). [88] *Cleopatra had a son by Caesar, and three children by Mark Antony. She had herself bitten by a deadly snake at the age of 31.* [89] Copernicus; *see p. 115, n. 18.* [90] heads being for the existence of God. **Croix ou pile,** heads or tails. *Today the French say* **pile ou face,** *because the cross on coins has been generally replaced by the profile of Marianne, the personification of the Republic.* [91] Let us evaluate.

ces deux cas: si vous gagnez, vous gagnez tout; si vous perdez, vous ne perdez rien. Gagez donc qu'il est, sans hésiter. (III, 233)

Il n'y a que trois sortes de personnes: les uns qui servent Dieu, l'ayant trouvé; les autres qui s'emploient à le chercher, ne l'ayant pas trouvé; les autres qui vivent sans le chercher ni l'avoir trouvé. Les premiers sont ⒌ raisonnables et heureux, les derniers sont fous et malheureux, ceux du milieu sont malheureux et raisonnables. (IV, 257)

Le cœur a ses raisons que la raison ne connaît point. (IV, 277)

C'est le cœur qui sent Dieu, et non la raison. Voilà ce que c'est que la foi, Dieu sensible [92] au cœur, non à la raison. (IV, 278)   10

— Pourquoi me tuez-vous? — Eh quoi, ne demeurez-vous pas de l'autre côté de l'eau? Mon ami, si vous demeuriez de ce côté, je serais un assassin et cela serait injuste de vous tuer de la sorte; mais puisque vous demeurez de l'autre côté, je suis un brave, et cela est juste. (V, 293)

Plaisante [93] justice qu'une rivière borne! [94] Vérité au-deçà des [95] Pyrénées, 15 erreur au-delà. (V, 293)

Mien, tien. — « Ce chien [96] est à moi, disaient ces pauvres enfants; c'est là ma place au soleil. » Voilà le commencement et l'image de l'usurpation de toute la terre. (V, 295)

Justice, force. — Il est juste que ce qui est juste soit suivi; [97] il est 20 nécessaire que ce qui est le plus fort soit suivi. La justice sans la force est impuissante; [98] la force sans la justice est tyrannique. La justice sans force est contredite [99] parce qu'il y a toujours des méchants; la force sans la justice est accusée. Il faut donc mettre ensemble la justice et la force, et pour cela faire que ce qui est juste soit fort, ou que ce qui est fort soit 25 juste. (V, 298)

L'homme n'est qu'un roseau, le plus faible de la nature; mais c'est un roseau pensant. Il ne faut pas que l'univers entier s'arme pour l'écraser: une vapeur, une goutte d'eau suffit pour le tuer. Mais quand [1] l'univers l'écraserait, l'homme serait encore plus noble que ce qui le tue, parce qu'il 30 sait qu'il meurt; et l'avantage que l'univers a sur lui, l'univers n'en sait rien.

Toute notre dignité consiste [2] donc en la pensée. C'est de là qu'il faut nous relever,[3] non de l'espace et de la durée, que nous ne saurions remplir. Travaillons donc à bien penser: voilà le principe de la morale. (VI, 347) 35

L'éloquence continue ennuie. (VI, 355)

L'homme n'est ni ange ni bête,[4] et le malheur veut [5] que qui veut faire l'ange fait la bête.[6] (VI, 358)

---

[92] perceptible. [93] Ridiculous. [94] marks the boundary of. [95] **en deçà des,** this side of the. [96] *If* **chien** *were replaced by* **coin** (corner) *the sentence would make more sense. Compare with Rousseau's ideas, p. 212.* [97] followed, observed, heeded. [98] powerless. [99] contradicted, opposed. [1] **Quand bien même,** Even though.

[2] resides. [3] We must derive our elevation from that; *that is to say, it is only by thought that we can hope to rise to the fulfillment of our better nature.* [4] animal, brute. [5] and unfortunately it is true. [6] acts like a brute (*also* like a fool); *play on words.*

La grandeur de l'homme est grande en ce qu'il se connaît misérable.   Un arbre ne se connaît pas misérable.   (VI, 397)

S'il se vante, je l'abaisse; s'il s'abaisse, je le vante; et le contredis toujours, jusqu'à ce qu'il comprenne qu'il est un monstre incompréhensible.
5 (VI, 420)

Quelle chimère est-ce donc que l'homme? Quelle nouveauté, quel monstre, quel chaos, quel sujet de contradiction, quel prodige! Juge de toutes choses, imbécile [7] ver de terre; dépositaire du vrai, cloaque [8] d'incertitude et d'erreur; gloire et rebut de l'univers.   (VII, 434)

10 Le moi est haïssable.[9]   (VII, 434)

Console-toi, tu ne me chercherais pas si tu ne m'avais trouvé.[10]   (VII, 553, *Le Mystère de Jésus*)

OUVRAGES RECOMMANDÉS
Textes

Œuvres, éd. Jacques Chevalier.   Gallimard.
Pensées, éd. L. Lafuma.   Delmas.
Pensées, éd. Robert Garric.   Hachette.
Pensées, éd. Brunschvicg et des Granges.   Classiques Garnier.
Pensées (extraits).   Classiques Larousse, Hachette.
Les Provinciales (extraits).   Classiques Larousse, Hachette.

Discographie

Textes, enregistrés par Pierre Vaneck.   Collection Visages de l'Homme.
   Hachette.

Critique

A. Béguin. *Pascal par lui-même.* 192 p. Le Seuil.
J. Mesnard. *Pascal, l'homme et l'œuvre.* 192 p. Hatier.
François Mauriac. *Les Pages immortelles de Pascal.* 192 p. Corrèa.
L. Lafuma. *Recherches pascaliennes.* 162 p. Delmas.

MADAME DE SÉVIGNÉ
(1626–1696)
La Reine du style épistolaire

Née à Paris, Marie de Rabutin-Chantal perdit ses parents de bonne heure. Elle fut élevée, à Paris et en Bourgogne, par ses grands-parents, puis à l'abbaye de Livry,[1] par son oncle, un excellent homme qui en était l'abbé.   Il lui fit donner une remarquable éducation par des précepteurs qui ont laissé un nom dans la littérature, Ménage, un habitué de l'hôtel de Rambouillet, et Chapelain, un des fondateurs de l'Académie française.

D'une « beauté à attirer tous les cœurs », « ange sur la terre », Mlle de Chantal épousa, à dix-huit ans, le jeune marquis breton Henri de Sévigné.   Il s'affirma

[7] feeble. [8] sewer, cesspool. [9] The ego is hateful; *don't speak or write in the first person, using* **je, moi,** *etc.* [10] *Thus spoke Jesus to the man who yearned for the Christian faith.*

[1] *8 mi. NE of Paris. Livry Abbey is now an automobile-body factory!*

brutal et débauché et fut tué en duel (1651). La charmante veuve se consola auprès de ses enfants, Françoise-Marguerite et Charles, qu'elle mena souvent à la cour. Quelle douleur pour la tendre mère quand sa fille, mariée au comte de Grignan, lieutenant-gouverneur de Provence, se mit en route pour Aix-en-Provence,[2] la capitale! C'étaient trois cent cinquante milles à faire en carrosse et en bateau sur le Rhône, au moins dix-sept jours d'un pénible voyage.

C'est à cette absence, dont Mme de Sévigné ne se consola jamais, que nous devons les lettres où s'est fixé le meilleur de sa vie quotidienne à Paris, Livry et aux Rochers, son château en Bretagne: chronique de la cour et de la ville, aspects de la campagne, impressions de voyages, de théâtre et de lectures, réflexions sur la vie, la mort, la religion, les guerres. Tout cela est vivifié par un esprit cultivé, doué d'une pittoresque invention verbale, une imagination admirable pour recréer scènes, aspects et impressions. Donnant de l'âme à l'ensemble, est une tendresse maternelle émouvante jusque dans ses excès.

La marquise fit trois voyages en Provence. Au cours du dernier elle y mourut, probablement de fièvre typhoïde, au château de Grignan.[3] Elle fut enterrée dans l'église où son corps repose encore.

LA GAZETTE DE LA COUR

Louis XIV exigeait que les nobles vinssent souvent lui faire leur cour à Paris (Palais-Royal), à Saint-Germain, Marly, Fontainebleau, et surtout à Versailles. Mme de Sévigné n'y manquait pas, d'autant plus qu'elle représentait aussi le lieutenant-général de Grignan et sa femme, pour qui elle avait des faveurs à demander.

A Paris, mercredi 29e juillet 1676

Voici, ma bonne, un changement de scène qui vous paraîtra aussi agréable qu'à tout le monde. Je fus samedi à Versailles avec les Villars:[1] voici comme cela va.[2] Vous connaissez la toilette de la Reine,[3] la messe, le dîner;[4] mais il n'est plus besoin de se faire étouffer,[5] pendant que Leurs   5 Majestés sont à table; car, à trois heures, le Roi, la Reine, Monsieur,[6] Madame,[7] Mademoiselle,[8] tout ce qu'il y a de princes et princesses, Mme de Montespan,[9] toute sa suite, tous les courtisans, toutes les dames, enfin ce qui s'appelle la cour de France, se trouve dans ce bel appartement du Roi que vous connaissez. Tout est meublé divinement, tout est magnifique.   10 On ne sait ce que c'est que d'y avoir chaud; on passe d'un lieu à l'autre sans faire la presse [10] en nul lieu.[11] Un jeu de reversi [12] donne la forme,[13]

---

[2] *17 mi. N of Marseille; pop. 40,000.*   [3] *30 mi. N of Avignon.*

[1] *The parents of the Duke of Villars (1653–1734) who became marshal of France.*
[2] **comment les choses se passent.**
[3] *The Queen, Maria-Theresa, was dressed in the course of an elaborate ceremonial attended by the ladies of the court.*   [4] lunch. *The afternoon meal was called* **la collation;** **le souper** *was taken in the evening, and* **le médianoche** *at midnight.*   [5] *of allowing oneself to be suffocated (on account of the crowd watching the king and queen at dinner).*   [6] *Philippe d'Orléans (1640–1701), younger and only brother of Louis* XIV.   [7] *Monsieur's wife, the Princess Palatine Charlotte-Elizabeth. Monsieur's first wife, Henriette d'Angleterre, died in 1670.*   [8] *The daughter of Monsieur and Henriette d'Angleterre.*   [9] *The mistress of Louis XIV, who had eight children by her.*   [10] **sans qu'il y ait foule,** without being crowded.   [11] **en aucun lieu.** [12] *Card game played by four persons.* [13] *gives the assembly a common soul;* **forme** *with the 17th-century meaning of* soul, spirit.

et fixe tout. C'est le Roi (Mme de Montespan tient la carte),[14] Monsieur,
la Reine et Mme de Soubise; [15] Dangeau [16] et compagnie; Langlée [17] et
compagnie. Mille louis [18] sont répandus sur le tapis,[19] il n'y a point d'autres
jetons. Je voyais jouer Dangeau; et j'admirais combien nous sommes sots
5 auprès de lui.[20] Il ne songe qu'à son affaire,[21] et gagne où les autres perdent;
il ne néglige rien, il profite de tout, il n'est point distrait: [22] en un mot, sa
bonne conduite défie la fortune; aussi les deux cent mille francs en dix
jours, les cent mille écus en un mois, tout cela se met sur le livre de sa
recette. Il dit que je prenais part à son jeu,[23] de sorte que je fus assise très
10 agréablement et très commodément. Je saluai le Roi, comme vous me
l'avez appris; [24] il me rendit mon salut, comme si j'avais été jeune et belle.
La Reine me parla aussi longtemps de ma maladie [25] que si c'eût été une
couche.[26] Elle me parla aussi de vous. Monsieur le Duc [27] me fit mille
de ces caresses à quoi il ne pense pas. Le maréchal de Lorges [28] m'attaqua
15 sous le nom [29] du chevalier de Grignan,[30] enfin *tutti quanti;* [31] vous savez ce
que c'est que de recevoir un mot de tout ce qu'on trouve en chemin.
Mme de Montespan me parla de Bourbon,[32] et me pria de lui conter Vichy,[33]
et comme je m'en étais trouvée; [34] elle dit que Bourbon, au lieu de lui
guérir un genou,[35] lui a fait mal aux deux. Je lui trouvai le dos bien plat,
20 comme disait la maréchale de la Meilleraye; [36] mais sérieusement, c'est
une chose surprenante que sa beauté, et sa taille [37] qui n'est pas de la moitié [38]
si grosse qu'elle était, sans que son teint, ni ses yeux, ni ses lèvres, en soient
moins bien. Elle était toute habillée de point [39] de France; coiffée de
mille boucles; les deux des tempes lui tombaient fort bas sur les deux
25 joues; des rubans noirs sur la tête, des perles de la maréchale de l'Hospital,[40]

---

[14] holds the cards. *The King was not sup-posed to do any manual work!* [15] *Anne de Rohan, princesse de Soubise, one of the many mistresses of the King.* [16] *Governor of Touraine. He is the original for the character of the typical courtier Pamphile, in La Bruyère's chapter* Des Grands. [17] *Memorialist who made a fortune at cards and presented princely gifts to Mme de Montespan.* [18] *un louis d'or, gold coin worth 20 francs (4 dollars, until 1918).* [19] **le tapis** (cloth) **vert de la table de jeu.** [20] stupid compared to him. [21] **son jeu.** [22] *Not* absent-minded *here, but* inattentive. [23] He said (to those around) that I was one of his partners. *Supply* **on fit de la place pour moi,** they made room for me. [24] *Just as a modern girl would teach her father and mother the latest dance steps. Mme de Grignan had been a debutante at the court of the Palais-Royal in 1663, when the dashing young Louis XIV had already introduced many changes in the court etiquette under Anne of Austria, to which Mme de Sévigné was more accustomed.* [25] *Mme de Sévigné had been taken ill at les Rochers, her Brittany castle,* the preceding January. It was rheumatic fever, with swelling of the whole body, the hands in particular.* [26] childbirth. [27] *The Duke of Enghien, son of the Great Condé.* [28] *Marshal of France, nephew of Marshal Turenne.* [29] **au nom,** in the name. [30] *Youngest brother of Count de Grignan; he was serving under de Lorges.* [31] *Italian:* all of them. [32] *Bourbon-l'Archambault, a watering place in central France, 40 mi. NW of Vichy. Mme de Montespan was to return there to die (1707), after being exiled from the court.* [33] *Town, 70 mi. NE of Lyons, famous for its alkaline thermal springs, where Mme de Sévigné went for treatment of arthritis.* [34] and how the waters there had agreed with me. [35] *The Bourbon waters were supposed to cure rheumatism.* [36] *Her husband, Marshal de la Meilleraye, a cousin of Cardinal de Richelieu, died in 1664 after winning many victories.* [37] *her waistline.* [38] *de moitié.* [39] *lace.* [40] *A former seamstress, fat, and famous for her pearls which were bigger than those of the Queen.*

embellies de boucles et de pendeloques [41] de diamants de la dernière [42]
beauté, trois ou quatre poinçons,[43] une boîte,[44] point de coiffe, en un mot,
une triomphante beauté à faire admirer à tous les ambassadeurs. Elle a
su qu'on se plaignait qu'elle empêchait toute la France de voir le roi; [45]
elle l'a redonné comme vous voyez; et vous ne sauriez croire la joie que tout 5
le monde en a, ni de quelle beauté cela rend la Cour. Cette agréable confusion, sans confusion, de tout ce qu'il y a de plus choisi, dure depuis trois
heures jusqu'à six. S'il vient des courriers,[46] le roi se retire un moment
pour lire ses lettres, puis revient. Il y a toujours quelque musique qu'il
écoute, et qui fait un très bon effet. Il cause avec les dames qui ont ac- 10
coutumé [47] d'avoir cet honneur.[48] Enfin on quitte le jeu à six heures . . .
On monte donc à six heures en calèche: [49] le roi, madame de Montespan,
monsieur et madame de Thiange,[50] et la bonne d'Heudicourt [51] sur le
strapontin [52] . . . Vous savez comme ces calèches sont faites; on ne se
regarde point, on est tourné du même côté. La reine était dans une autre 15
avec les princesses,[53] et ensuite tout le monde attroupé [54] selon sa fantaisie.
On va sur le canal [55] dans des gondoles, on trouve de la musique, on revient
à dix heures, on trouve la comédie; minuit sonne, on fait *médianoche*: [56]
voilà comme se passe le samedi.

De vous dire [57] combien de fois on me parla de vous, combien on me fit 20
de questions, sans attendre la réponse, combien j'en épargnai,[58] combien on
s'en souciait peu, combien je m'en souciais encore moins, vous reconnaîtrez
au naturel l'*iniqua corte*.[59] Cependant elle ne fut jamais si agréable, et l'on
souhaite fort que cela continue. Madame de Nevers est fort jolie, fort
modeste, fort naïve; sa beauté fait souvenir de vous; M. de Nevers [60] 25
est toujours le même; sa femme l'aime de passion. Mademoiselle de
Thiange est plus belle, et beaucoup moins charmante. M. du Maine [61]
est incomparable; son esprit étonne, et les choses qu'il dit ne peuvent
s'imaginer.

---

[41] **boucles d'oreilles à pendeloques,** earrings with pendants. [42] of the greatest. [43] **épingles à cheveux,** hairpins; *today* **un poinçon** *is a* punch (tool). [44] *Nothing connected with the hair and ornaments for the head is called* **boîte;** *undoubtedly* **boîte** *here has to do with some ornament for the head and cannot be* **boîte à prise,** snuffbox, *as some editors have suggested.* [45] *Louis XIV had become infatuated with* Mme *de Montespan in 1668.* [46] couriers, messengers; **le courrier** *generally means* mail *today.* [47] **qui ont coutume.** [48] Mme *de Sévigné was not therefore one of the intimate companions of Louis XIV, although she had danced the minuet with him once.* [49] barouche, *light four-wheeled carriage with a folding hood. In the province of Quebec, today, the* **calèche** *has*
two wheels. [50] Mme *de Montespan's older sister, a pretty woman too.* [51] *Bonne de Pons, marquise d'Heudicourt.* [52] folding seat. [53] *The Princess Palatine, sister-in-law of Louis XIV; the Princess of Condé; the Princess of Conti.* [54] **groupé.** [55] *the Grand Canal, in the Versailles park.* [56] midnight meal. [57] **Quand je vous aurai dit,** After I have told you. [58] **combien j'en évitai,** how many questions I avoided. [59] Italian for **l'inique cour,** the wicked court (*from Tasso's* Jerusalem Delivered). [60] *The Duke of Nevers, nephew of Mazarin, who dabbled in poetry and was one of the literary enemies of Racine. He married the daughter of* Mme *de Thiange in 1670.* [61] *The favorite son of Louis XIV and* Mme *de Montespan. He was then six years old.*

AMOUR MATERNEL

Chaque lettre de Mme de Sévigné à sa fille comprend des phrases d'affection maternelle qui, bien qu'originales et charmantes, fatiguent à force d'être répétées. On ne peut qu'admirer la vibrante simplicité de celle qui suit.

A Paris, ce mercredi 1er avril 1671

Et moi, ma pauvre bonne,[1] que pensez-vous que je fasse? Vous aimer, penser à vous, m'attendrir à tout moment plus que je ne voudrais, m'oc-cuper de vos affaires, m'inquiéter de ce que vous pensez; sentir vos ennuis 5 et vos peines, les vouloir souffrir pour vous, s'il était possible; écumer votre cœur,[2] comme j'écumais[3] votre chambre des fâcheux dont je la voyais remplie;[4] en un mot, ma bonne, comprendre vivement ce que c'est d'aimer quelqu'un plus que soi-même: voilà comme je suis. C'est une chose qu'on dit souvent en l'air;[5] on abuse de cette expression. Moi je la répète, et 10 sans la profaner jamais; je la sens tout entière en moi, et cela est vrai ...

(Vos lettres) je les aime jusqu'à la folie; je les lis et les relis; elles me réjouissent le cœur; elles me font pleurer; elles sont écrites à ma fantaisie.[6] Une seule chose ne va pas bien: il n'y a pas de raison à toutes les louanges que vous me donnez ... Adieu, ma très aimable bonne, comptez bien sur 15 ma tendresse, qui ne finira jamais.

LE SENTIMENT DE LA NATURE

Au contraire de la plupart de ses contemporains, sauf La Fontaine, Mme de Sévigné sait voir, décrire et sentir les calmes paysages; elle ne peut cependant les débarrasser de souvenirs mythologiques: nymphes, faunes, etc. Les hautes montagnes, les rivières impétueuses, devront attendre Rousseau et sa descendance romantique pour être célébrées. Voici quelques coins du parc des Rochers.

Le parc des Rochers

15e décembre 1675

Ah! ma bonne, que je viens bien de me promener dans *l'humeur de ma fille!*[1] il n'est point question en ce pays de *celle de ma mère.*[2] Je viens de ces bois; vraiment ces allées sont d'une beauté à quoi je ne m'accoutume 20 point.[3] Il y en a six que vous ne connaissez point du tout,[4] mais celles que vous connaissez sont fort embellies par la beauté du plant.[5] Le mail[6] est encore plus beau que tout le reste, et c'est *l'humeur de ma fille.* Il fait présentement doux et sec; j'y suis demeurée au-delà de l'entre chien et loup.[7]

---

[1] my good little daughter.   [2] to take the scum (the worries) off your heart (chest).   [3] I skimmed, rid.   [4] *When*

[1] *The name of the main walk in the park of les Rochers. Mme de Sévigné and her daughter had given names to some walks in the parks of les Rochers and Livry.* [2] **l'humeur de ma mère** *was one of the walks at Livry.*   [3] **d'une beauté qui me**

Mme de Grignan lived in her mother's house, in Paris.   [5] without meaning it. [6] **à mon goût,** to my taste.

semble toujours nouvelle.   [4] *Mme de Grignan had not been at les Rochers since 1663, when her mother moved again to Paris.*   [5] of the saplings that I planted. [6] [maːj], mall, main walk.   [7] until after dusk.

26e juin 1680

Je serais fort heureuse dans ces bois, si j'avais une feuille qui chantât. Ah! la jolie chose qu'[8]une feuille qui chante! et la triste demeure qu'[9]un bois où les feuilles ne disent mot, et où les hiboux prennent la parole! [10] Je suis une ingrate, ce n'est que les soirs, et j'y entends mille oiseaux tous 5 les matins.

Le printemps aux Rochers

19e avril 1690

Je reviens encore à vous, ma bonne, pour vous dire que si vous avez envie de savoir, en détail, ce que c'est qu'un printemps, il faut venir à moi. Je n'en connaissais moi-même que la superficie; [11] j'en examine 10 cette année jusqu'aux [12] premiers petits commencements. Que pensez-vous donc que ce soit que la couleur des arbres depuis huit jours? répondez. Vous allez dire: « Du vert. » Point du tout, c'est du rouge. Ce sont de petits boutons,[13] tout prêts à partir,[14] qui font un vrai rouge; et puis ils poussent tous une petite feuille, et comme c'est inégalement, cela fait un 15 mélange trop joli de vert et de rouge. Nous couvons tout cela des yeux; [15] nous parions de grosses sommes, — mais c'est à ne jamais payer —, que ce bout d'allée sera tout vert dans deux heures; on dit que non: on parie. Les charmes [16] ont leur manière, les hêtres [17] une autre. Enfin, je sais sur cela tout ce que l'on peut savoir . . .   20

26e avril 1690

Il fait un temps merveilleux, Dieu merci. J'ai si bien fait, que le printemps est achevé: [18] tout est vert. Je n'ai pas eu de peine à faire pousser tous ces boutons, à faire changer le rouge en vert. Quand j'ai eu fini tous ces charmes, il a fallu aller aux hêtres, puis aux chênes; c'est 25 ce qui m'a donné le plus de peine, et j'ai besoin encore de huit jours pour n'avoir plus rien à me reprocher. Je commence à jouir de toutes mes fatigues, et je crois, tout de bon,[19] que non seulement je n'ai pas nui à toutes ces beautés, mais qu'en cas de besoin je saurais fort bien faire un printemps, tant je me suis appliquée à regarder, à observer, à épiloguer [20] 30 celui-ci, ce que je n'avais jamais fait avec tant d'exactitude. Je dois cette capacité [21] à mon grand loisir, et, en vérité, ma chère bonne, c'est la plus jolie occupation du monde. C'est dommage, qu'en me mettant si fort dans cette belle jeunesse, il ne m'en soit demeuré quelque chose . . .

OUVRAGES RECOMMANDÉS
Textes

Lettres, éd. Gérard-Gailly. 4 vol. Gallimard.
Lettres, éd. Mme Saint-René Taillandier. Hachette.
Lettres choisies. Classiques Larousse, Hachette, Hatier.

Critique

Mme Saint-René Taillandier. *Madame de Sévigné*. 300 p. Grasset.
Auguste Bailly. *Madame de Sévigné*. Fayard, 1955.

[8] what a pretty thing. [9] what a dismal place. [10] **se font entendre.** [11] only the full surface (development) of it. [12] even down to the. [13] buds. [14] to open. [15] We look fondly at all that; **couver,** *lit* 'to sit on' (*eggs*), 'to hatch.' [16] hornbeams (*sort of elm*). [17] beeches. [18] *17th-century meaning of* **achever,** to achieve. [19] seriously. [20] **épiloguer sur,** to criticize. [21] ability.

JACQUES-BÉNIGNE BOSSUET
(1627-1704)
Le plus grand Prédicateur français

Né à Dijon, docteur en théologie de la Sorbonne, Bossuet prêcha à Metz et à Paris de si vigoureux sermons contre les protestants et les juifs qu'il fut nommé évêque et, en 1670, précepteur du Dauphin, fils unique de Louis XIV et de Marie-Thérèse. Par des sermons (*sur la Providence, la Mort, le Mauvais Riche, l'Ambition*), par ses oraisons funèbres de grands personnages (Anne d'Autriche, Henriette de France, Henriette d'Angleterre, Marie-Thérèse), il rappela aux puissants de la terre la vanité de leurs biens matériels.

Il reçut l'évêché de Meaux [1] (1681) où il résida la plupart du temps jusqu'à sa mort. Il fut le champion du **gallicanisme,** doctrine affirmant, non l'indépendance, mais certaines libertés de l'Église française vis-à-vis de l'autorité du pape: pouvoir du roi à nommer les évêques, à toucher les revenus des évêchés vacants, etc.; en somme, supériorité du roi sur le pape au sujet des choses temporelles de l'Église. Son dogmatisme s'alarma de l'excès d'amour mystique, voluptueux même, pour Dieu, que contenait le **quiétisme,** doctrine du Jésuite espagnol Molinos,[2] pratiquée, recommandée par Mme Guyon [3] et même par l'archevêque Fénelon,[4] et selon laquelle l'état idéal est celui de l'âme qui, dans la contemplation de Dieu, est arrivée à un tel degré de calme, de quiétude, de « foi savoureuse », qu'elle ne désire ni le salut ni ne craint l'enfer. Il fit condamner par le pape le tendre Fénelon qui se soumit mais ne se résigna pas (1699).

Où Bossuet est entièrement admirable, c'est dans les questions où l'orthodoxie catholique n'est pas primordiale, celles des peines de la vie, des misères du peuple; là son cœur s'est montré sincèrement humain, et ces élans d'humanité nous empêchent de l'accuser de fanatisme.

ORAISON FUNÈBRE D'HENRIETTE D'ANGLETERRE
1670

Cette Henriette d'Angleterre, cousine et belle-sœur de Louis XIV, était la fille d'Henriette de France, elle-même fille d'Henri IV et de Marie de Médicis, et femme de Charles Ier, le roi d'Angleterre qui fut décapité en 1649. Elle avait épousé le duc Philippe d'Orléans, frère cadet du roi, que selon la tradition on appelait Monsieur; elle était donc Madame. Intelligente et gracieuse, elle était fort aimée à la cour de Versailles, fort aimée aussi de son frère le roi d'Angleterre Charles II dont elle fit un allié de la France contre la Hollande. Elle avait vingt-six ans quand elle mourut presque subitement au palais de Saint-Cloud. On crut longtemps qu'elle avait été empoisonnée par un compagnon de débauche de Monsieur, ou par un agent des Hollandais. On suppose aujourd'hui qu'elle mourut d'une appendicite aiguë, ou d'une perforation de l'estomac produite par un ulcère. Bossuet, qui était son directeur de conscience, l'assista dans ses derniers moments. Sa douleur personnelle se sent dans l'oraison funèbre qu'il prononça à la basilique

---

[1] *Cathedral town, 22 mi. NE of Paris; pop. 14,000*   [2] *[mɔlinos], 1640-96.* [3] *(1648-1717).* [4] *François de Salignac de La Mothe-Fénelon (1651-1715). In contrast to Bossuet, Fénelon believed in emotions rather than in reason. He had* *progressive ideas about* L'Éducation des filles *and the duties of kings. He also wrote* Les Aventures de Télémaque, *a graceful, educational narrative about Ulysses' son.*

de Saint-Denis où l'on enterrait les membres de la famille royale. Il y développa le thème de la vanité des grandeurs humaines.

La grandeur et la gloire! Pouvons-nous encore entendre ces noms dans ce triomphe de la mort? Non, Messieurs, je ne puis plus soutenir [5] ces grandes paroles, par lesquelles l'arrogance humaine tâche de s'étourdir elle-même [6] pour ne pas apercevoir son néant. Il est temps de faire voir que tout ce qui est mortel, quoi qu'on ajoute par le dehors pour le faire 5 paraître grand, est par son fond [7] incapable d'élévation . . .

Ainsi je n'ai rien fait pour Madame, quand je vous ai représenté tant de belles qualités qui la rendaient admirable au monde,[8] et capable des plus hauts desseins où une princesse puisse s'élever. Jusqu'à ce que je commence à vous raconter ce qui l'unit à Dieu, une si illustre princesse ne paraîtra 10 dans ce discours que comme un exemple le plus grand qu'on se puisse proposer, et le plus capable de persuader aux ambitieux qu'ils n'ont aucun moyen de se distinguer, ni par leur naissance, ni par leur grandeur, ni par leur esprit; puisque la mort, qui égale tout,[9] les domine de tous côtés avec tant d'empire, et que d'une main si prompte et si souveraine elle renverse 15 les têtes les plus respectées.

Considérez, Messieurs, ces grandes puissances que nous regardons de si bas. Pendant que nous tremblons sous leur main, Dieu les frappe pour nous avertir. Leur élévation en est la cause; et il les épargne si peu qu'il ne craint pas de les sacrifier à l'instruction du reste des hommes. Chrétiens, 20 ne murmurez pas si Madame a été choisie pour nous donner une telle instruction. Il n'y a rien ici de rude pour elle, puisque, comme vous le verrez dans la suite, Dieu la sauve par le même coup qui nous instruit. Nous devrions être assez convaincus de notre néant; mais s'il faut des coups de surprise à nos cœurs enchantés de [10] l'amour du monde, celui-ci 25 est assez grand et assez terrible.

O nuit désastreuse! ô nuit effroyable, où retentit tout à coup, comme un éclat de tonnerre, cette étonnante [11] nouvelle: Madame se meurt! Madame est morte! [12] Qui de nous ne se sentit frappé à ce coup, comme si quelque tragique accident avait désolé sa famille? Au premier bruit d'un mal si 30 étrange, on accourut à Saint-Cloud [13] de toutes parts; on trouve tout consterné, excepté le cœur de cette princesse. Partout on entend des cris; partout on voit la douleur et le désespoir, et l'image de la mort. Le roi, la reine,[14] Monsieur,[15] toute la cour, tout le peuple, tout est abattu, tout est désespéré; et il me semble que je vois l'accomplissement de cette parole 35 du Prophète: « Le roi pleurera, le prince sera désolé, et les mains tomberont au peuple de douleur et d'étonnement. » [16]

Mais et les princes et les peuples [17] gémissaient en vain. En vain Mon-

[5] bear. [6] to blind itself; **étourdir,** *lit.* 'to stun,' 'daze.' [7] its nature. [8] **aux yeux du monde.** [9] **égalise tout,** makes everything equal. [10] bewitched by. [11] astounding. [12] *At this point, Bossuet's oratory was so moving that the audience broke into sobs, and he himself had to stop for a while.* [13] *4 mi.* W of Paris. The palace was destroyed in 1870 during the siege of Paris by the Germans. [14] *Maria-Theresa.* [15] *Louis XIV's younger and only brother, a roué.* [16] and the people will be grieved and astounded. **Les mains (bras) m'en tombent:** I am dumfounded. [17] the people of all classes.

sieur, en vain le roi même tenait Madame serrée par de si étroits embrassements.   Alors ils pouvaient dire l'un et l'autre avec saint Ambroise:[18]
Stringebam brachia, sed jam amiseram quam tenebam; « Je serrais les bras,
mais j'avais déjà perdu ce que je tenais. »   La princesse leur échappait
5 parmi des embrassements si tendres, et la mort plus puissante nous l'enlevait entre ces royales mains.   Quoi donc! elle devait périr sitôt!   Dans
la plupart des hommes les changements se font peu à peu, et la mort les
prépare ordinairement à son dernier coup.   Madame cependant a passé
du matin au soir, ainsi que l'herbe des champs.   Le matin elle fleurissait;
10 avec quelles grâces, vous le savez: le soir nous la vîmes séchée; et ces
fortes expressions, par lesquelles l'Écriture sainte exagère l'inconstance des
choses humaines, devaient être pour cette princesse si précises et si littérales.[19]
Hélas! nous composions son histoire de tout ce qu'on peut imaginer de
plus glorieux.   Le passé et le présent nous garantissaient l'avenir, et on
15 pouvait tout attendre de tant d'excellentes qualités... Il n'y avait que
la durée de sa vie, dont nous ne croyions pas devoir être en peine.[20]   Car
qui eût pu seulement penser que les années eussent dû manquer à une
jeunesse qui semblait si vive?[21]   Toutefois c'est par cet endroit[22] que tout
se dissipe en un moment.   Au lieu de l'histoire d'une belle vie, nous sommes
20 réduits à faire l'histoire d'une admirable mais triste mort.   A la vérité,
Messieurs, rien n'a jamais égalé la fermeté de son âme, ni ce courage paisible
qui, sans faire effort pour s'élever, s'est trouvé par sa naturelle situation
au-dessus des accidents les plus redoutables.   Oui, Madame fut douce envers la mort, comme elle l'était envers tout le monde.   Son grand cœur
25 ni ne s'aigrit, ni ne s'emporta contre elle.   Elle ne la brave non plus avec
fierté, contente[23] de l'envisager[24] sans émotion et de la recevoir sans
trouble.[25]   Triste consolation, puisque, malgré ce grand courage, nous
l'avons perdue!   C'est la grande vanité des choses humaines.   Après que,
par le dernier[26] effet de notre courage, nous avons, pour ainsi dire, surmonté
30 la mort, elle éteint en nous jusqu'à[27] ce courage par lequel nous semblions
la défier.   La voilà, malgré ce grand cœur, cette princesse si admirée et si
chérie; la voilà telle que la mort nous l'a faite: encore[28] ce reste tel quel[29]
va-t-il disparaître, cette ombre de gloire[30] va s'évanouir; et nous l'allons
voir dépouillée même de cette triste décoration.[31]   Elle va descendre à ces
35 sombres lieux, à ces demeures souterraines, pour y dormir dans la poussière
avec les grands de la terre.[32] ...
   Mais en priant pour son âme, chrétiens, songeons à nous-mêmes.   Qu'at-

---

[18] *Saint Ambrose (340?–397), born at Trèves (Trier); bishop of Milan, one of the fathers of the church.*   [19] *She died ten hours after drinking a glass of iced chicory, a popular cooling drink at that time.*   [20] about which we did not think that we should be anxious.   [21] **vivante,** full of life.   [22] through this side.   [23] **se contentant.**   [24] **de la re-garder en face.**   [25] uneasiness.   [26] the supreme.   [27] even.   [28] and yet.   [29] **le peu qui lui reste en ce moment.**   [30] this shadow of glory (*the magnificence of those present, of the service, draperies, lights in bronze urns, etc.*).   [31] this funeral pomp.   [32] *The kings and queens of France and their children had been buried in the crypt of Saint-Denis abbey since the time of Saint Louis (13th century).   Their tombs were desecrated during the Revolution; only the coffins of Louis XVI, Marie-Antoinette, Louis XVIII, and a few less important personages remain now.*

tendons-nous pour nous convertir? Quelle dureté est semblable à la nôtre, si un accident si étrange [33] qui devrait nous pénétrer jusqu'au fond de l'âme, ne fait que nous étourdir pour quelques moments?... Faut-il un autre spectacle pour nous détromper et des sens [34] et du présent et du monde? La Providence divine pouvait-elle nous mettre en vue,[35] ni de plus près, ni plus fortement, la vanité des choses humaines?... Commencez aujourd'hui à mépriser les faveurs du monde; et toutes les fois que vous serez dans ces lieux augustes, dans ces superbes palais à qui Madame donnait un éclat que vos yeux recherchent encore; toutes les fois que, regardant cette grande place qu'elle remplissait [36] si bien, vous sentirez qu'elle y manque,[37] songez que cette gloire que vous admiriez faisait son péril en cette vie, et que dans l'autre elle est devenue le sujet d'un examen rigoureux, où rien n'a été capable de la rassurer que cette sincère résignation qu'elle a eue aux ordres de Dieu et les saintes humiliations de la pénitence.

OUVRAGES RECOMMANDÉS
Textes
Oraisons funèbres. Panégyriques; présentés par l'abbé B. Velat. La Pléiade, Gallimard.
Oraisons funèbres et Sermons. Classiques Larousse, Hatier.
Oraisons funèbres. Classiques Hachette.
Sermons choisis. Classiques Hachette.

Discographie
Textes, enregistrés par Jean Deschamps. Collection Visages de l'Homme. Hachette.

Critique
J. Calvet. *Bossuet, l'homme et l'œuvre.* 176 p. Hatier, 1941.

MADAME DE LA FAYETTE
(1634-1693)
Une Comtesse mélancolique et psychologue

Marie-Madeleine Pioche de La Vergne, née et élevée à Paris, près du palais du Luxembourg, reçut une solide instruction complétée au contact des beaux esprits du salon de sa mère et de l'hôtel de Rambouillet. Elle était la cousine de Mme de Sévigné, qui était plus vieille qu'elle de sept ans. Celle-ci fut une grande sœur enjouée [1] pour Marie qui était de nature mélancolique. Elle épousa le comte François de La Fayette, un veuf de dix-huit ans son aîné; elle en avait vingt et un. Elle fit un séjour de trois ans en Auvergne où elle s'ennuya. Y laissant son mari, paternel mais peu intelligent, qui aimait à s'occuper de ses nombreuses fermes et de ses procès,[2] tandis qu'elle n'était jamais plus heureuse que parmi les écrivains et les savants, elle retourna définitivement à Paris où ses deux fils étaient nés.

[33] extraordinary. [34] to make us give up our errors about our senses. [35] show us. [36] the exalted rank that she occupied. [37] she is missed there.

[1] playful. [2] lawsuits.

Sa santé n'était pas brillante. Faut-il attribuer un peu à sa sympathie de malade pour un autre malade, la tendre amitié qui, dès 1663, la lia au duc de La Rochefoucauld, goutteux et à demi aveugle (p. 93)? La marquise de Sévigné fut le boute-en-train [3] de cette liaison fort calme; elle taquinait [4] la comtesse sur sa « divine raison ». Grande est l'influence spirituelle que les deux représentants de la haute noblesse exercèrent l'un sur l'autre. Mme de La Fayette adoucit dans les *Maximes* ce qu'elles avaient de trop féroce, le duc allégea l'esprit de sa réaliste amie, l'aidant à découvrir, sous la surface de la vie, les mobiles profonds, subtils qui l'agitent. « Monsieur de La Rochefoucauld m'a donné de l'esprit, mais j'ai réformé son cœur », disait la comtesse. De cette collaboration d'esprit sortit *La Princesse de Clèves*, publiée sous l'anonymat (1678), car le préjugé nobiliaire [5] attachait quelque honte à la publication d'œuvres littéraires. Ce roman s'opposait à la tradition romanesque des romans artificiels et compliqués à dix mille pages de son amie Madeleine de Scudéry; il était concis, simple et naturel; il était le premier roman psychologique français.

La comtesse de La Fayette mourut à Paris (1693). Le marquis de La Fayette, connu de tous les Américains, ne fut que de très loin son parent. Il descendait de la branche cadette, qui est maintenant éteinte. Son château de Chavaniac est aussi en Auvergne, mais dans la partie sud,[6] tandis que ceux de la branche aînée, à laquelle appartenait l'honnête mari de notre romancière, — Nades, Espinasse —, se trouvent à la limite nord.

LA PRINCESSE DE CLÈVES
1678

A la cour de Henri II, roi de France de 1547 à 1559, le prince de Clèves tombe amoureux de la belle Mlle de Chartres, et l'épouse. Elle témoigne de la reconnaissance et de l'estime à son tendre et encore jeune mari, mais celui qu'elle aime d'amour c'est le duc de Nemours, « un chef-d'œuvre de la nature ». Cornélienne avant Corneille, elle ne veut pas que son amour soit plus fort que son devoir; elle sacrifie à sa raison et à sa vertu; elle va jusqu'à faire à son mari l'aveu de sa passion. Elle lui demande, en conséquence, de la protéger contre elle-même. Bien qu'elle lui brise le cœur, il accueille cette confession avec bonté.

Après la mort de Henri II, tué accidentellement dans un tournoi, la cour, y compris Clèves et Nemours, se transporte au château de Chambord, tandis que la princesse se rend à son château de Coulommiers [7] (120 milles au nord-est). Nemours quitte soudain la cour, et Clèves, soupçonnant que c'est pour aller à Coulommiers, le fait suivre par un gentilhomme qui lui est dévoué.

LA DÉCEPTION [8] DE L'AMOUREUX

Le gentilhomme, qui était très capable d'une telle commission,[9] s'en acquitta avec toute l'exactitude imaginable. Il suivit M. de Nemours jusqu'à un village à une demi-lieue de Coulommiers, où ce prince s'arrêta, et le gentilhomme devina aisément que c'était pour y attendre la nuit. Il
5 ne crut pas à propos de l'y attendre aussi; il passa le village et alla dans la forêt, à l'endroit par où il jugeait que M. de Nemours pouvait passer. Il

---

[3] life, animator.   [4] teased.   [5] aristocratic-class prejudice.   [6] *12 mi. SE of Brioude. The château is now a charming hotel owned by an American society.*   [7] *Pop. 7,000; 30 mi. E of Paris; known for its cheese.*   [8] disappointment.   [9] errand, mission.

ne se trompa point dans tout ce qu'il avait pensé: sitôt que la nuit fut venue, il entendit marcher, et, quoiqu'il fît obscur, il reconnut aisément M. de Nemours; il le vit faire le tour du jardin, comme pour écouter s'il n'y entendrait personne, et pour choisir le lieu par où il pourrait passer le plus aisément. Les palissades[10] étaient fort hautes, et il y en avait encore 5 derrière pour empêcher qu'on ne pût entrer; en sorte qu'il était assez difficile de se faire passage.[11] M. de Nemours en vint à bout néanmoins.[12] Sitôt qu'il fut dans ce jardin, il n'eut pas de peine à démêler[13] où était Mme de Clèves: il vit beaucoup de lumières dans le cabinet;[14] toutes les fenêtres en étaient ouvertes; et, en se glissant le long des palissades, il s'en approcha avec 10 un trouble[15] et une émotion qu'il est aisé de se représenter. Il se rangea derrière[16] une des fenêtres qui servaient de porte, pour voir ce que faisait Mme de Clèves. Il vit qu'elle était seule; mais il la vit d'une si admirable beauté, qu'à peine fut-il maître du transport[17] que lui donna cette vue. Il faisait chaud, et elle n'avait rien sur sa tête et sur sa gorge que ses cheveux 15 confusément rattachés. Elle était sur un lit de repos,[18] avec une table devant elle, où elle avait plusieurs corbeilles pleines de rubans; elle en choisit quelques-uns, et M. de Nemours remarqua que c'était les mêmes couleurs qu'il avait portées au tournoi.

Il vit qu'elle en faisait des nœuds[19] à une canne des Indes[20] fort extra- 20 ordinaire qu'il avait portée quelque temps, et qu'il avait donnée à sa sœur, à qui Mme de Clèves l'avait prise sans faire semblant de la reconnaître pour avoir été à M. de Nemours. Après qu'elle eut achevé son ouvrage avec une grâce et une douceur que répandaient sur son visage les sentiments qu'elle avait dans le cœur, elle prit un flambeau[21] et s'en alla proche 25 d'un grand tableau du siège de Metz,[22] où était le portrait de M. de Nemours, elle s'assit et se mit à regarder ce portrait avec une attention et une rêverie que la passion seule peut donner.

On ne peut exprimer ce que sentit M. de Nemours dans ce moment. Voir, au milieu de la nuit, dans le plus beau lieu du monde, une personne 30 qu'il adorait; la voir sans qu'elle sût qu'il la voyait, et la voir tout occupée de choses qui avaient du rapport à lui et à la passion qu'elle lui cachait, c'est ce qui n'a jamais été goûté ni imaginé par nul autre amant.

Ce prince était aussi tellement hors de lui-même,[23] qu'il demeurait immobile à regarder Mme de Clèves, sans songer que les moments lui étaient 35 précieux. Quand il fut un peu remis,[24] il pensa qu'il devait attendre à lui parler qu'elle allât dans le jardin; il crut qu'il le pourrait faire avec plus de sûreté, parce qu'elle serait plus éloignée de ses femmes;[25] mais, voyant

---

[10] palisade, fence of pales or stakes. [11] **de se frayer un passage,** to make one's way through it. [12] nevertheless succeeded in doing so. [13] **apercevoir, découvrir.** [14] room in the summer house. *Mme de La Fayette had a small summer house in the garden of her Paris home, near the Luxembourg. She often entertained La Rochefoucauld and Mme de Sévigné there.* [15] agitation. [16] He stood beside. [17] **du transport d'amour, de l'ivresse,** of the rapture. [18] couch. [19] bows. [20] logwood cane (*from the West Indies*). [21] candlestick. [22] *Charles V, king of Spain and emperor of Germany, could not recapture the city of Metz, in Lorraine, which had been seized by the French in 1552.* [23] **absorbé par un objet extérieur,** entranced; *nowadays* **être hors de soi** *means to be beside oneself with rage.* [24] composed. [25] maids.

qu'elle demeurait dans le cabinet, il prit la résolution d'y entrer. Quand il voulut l'exécuter, quel trouble [26] n'eut-il point! Quelle crainte de lui déplaire! Quelle peur de faire changer ce visage où il y avait tant de douceur, et de le voir devenir plein de sévérité et de colère!

5   Il trouva qu'il y avait eu de la folie, non pas à venir voir Mme de Clèves sans être vu, mais à penser de s'en faire voir; [27] il vit tout ce qu'il n'avait point encore envisagé. Il lui parut de l'extravagance [28] dans sa hardiesse de venir surprendre, au milieu de la nuit, une personne à qui il n'avait encore jamais parlé de son amour. Il pensa qu'il ne devait pas prétendre [29]
10   qu'elle le voulût écouter, et qu'elle aurait une juste colère du péril où il l'exposait par les accidents qui pouvaient arriver. Tout son courage l'abandonna, et il fut prêt plusieurs fois à [30] prendre la résolution de s'en retourner sans se faire voir. Poussé néanmoins par le désir de lui parler, et rassuré par les espérances que lui donnait tout ce qu'il avait vu, il avança quelques
15   pas, mais avec tant de trouble qu'une écharpe [31] qu'il avait s'embarrassa [32] dans la fenêtre, en sorte qu'il fit du bruit. Mme de Clèves tourna la tête, et, soit qu'elle eût l'esprit rempli de ce prince, ou qu'il fût dans un lieu où la lumière donnait assez pour qu'elle le pût distinguer, elle crut le reconnaître; et, sans balancer [33] ni se retourner du côté où il était, elle entra dans le lieu
20   où étaient ses femmes. Elle y entra avec tant de trouble qu'elle fut contrainte,[34] pour le cacher, de dire qu'elle se trouvait mal,[35] et elle le dit aussi pour occuper tous ses gens et pour donner le temps à M. de Nemours de se retirer. Quand elle eut fait quelque réflexion, elle pensa qu'elle s'était trompée, et que c'était un effet de son imagination d'avoir cru voir M. de
25   Nemours. Elle savait qu'il était à Chambord; elle ne trouvait nulle apparence qu'il eût entrepris une chose si hasardeuse: [36] elle eut envie plusieurs fois de rentrer dans le cabinet, et d'aller voir dans le jardin s'il y avait quelqu'un. Peut-être souhaitait-elle autant qu'elle le craignait d'y trouver M. de Nemours; mais enfin la raison et la prudence l'emportèrent
30   sur [37] tous ses autres sentiments, et elle trouva qu'il valait mieux rester dans le doute où elle était que de prendre le hasard [38] de s'en éclaircir.[39] Elle fut longtemps à se résoudre à sortir d'un lieu dont elle pensait que ce prince était peut-être si proche, et il était quasi [40] jour quand elle revint au château.

35   M. de Nemours était demeuré dans le jardin tant qu'il avait vu de la lumière; il n'avait pas l'espérance de revoir Mme de Clèves, quoiqu'il fût persuadé qu'elle l'avait reconnu, et qu'elle n'était sortie que pour l'éviter; mais, voyant qu'on fermait les portes, il jugea bien qu'il n'avait plus rien à espérer. Il vint reprendre son chemin tout proche du lieu où attendait le
40   gentilhomme de M. de Clèves. Ce gentilhomme le suivit jusqu'au même village d'où il était parti le soir. M. de Nemours y résolut de passer le jour, afin de retourner la nuit à Coulommiers, pour voir si Mme de Clèves

---

[26] confusion, uneasiness.   [27] **de se faire voir à elle;** *in good modern French usage,* **en** *should not refer to a person.*   [28] **qu'il y avait de l'extravagance** (unreasonableness).   [29] expect.   [30] **plusieurs fois prêt (sur le point) de.**   [31] sash.   [32] was caught.   [33] hesitating.   [34] obliged.   [35] that she was not feeling well.   [36] hazardous, risky.   [37] prevailed over.   [38] chance.   [39] **d'en avoir le cœur net,** of finding out about it.   [40] [kazi], nearly.

aurait encore la cruauté de le fuir ou celle de ne se pas exposer [41] à être vue. Quoiqu'il eût une joie sensible [42] de l'avoir trouvée si remplie de son idée,[43] il était néanmoins très affligé de lui avoir vu un mouvement si naturel de le fuir.

La passion n'a jamais été si tendre et si violente qu'elle l'était alors en ce prince. Il s'en alla sous des saules,[44] le long d'un petit ruisseau qui coulait derrière la maison où il était caché. Il s'éloigna le plus qu'il lui fut possible, pour n'être ni vu ni entendu de personne; il s'abandonna aux transports [45] de son amour, et son cœur en fut tellement pressé [46] qu'il fut contraint de laisser couler quelques larmes; mais ces larmes n'étaient pas de celles que la douleur seule fait répandre; elles étaient mêlées de douceur et de ce charme [47] qui ne se trouve que dans l'amour.

Il se mit à repasser [48] toutes les actions de Mme de Clèves depuis qu'il en était amoureux: quelle rigueur honnête et modeste elle avait toujours eue pour lui, quoiqu'elle l'aimât! « Car enfin, elle m'aime, disait-il, elle m'aime, je n'en saurais douter: les plus grands engagements [49] et les plus grandes faveurs ne sont pas des marques si assurées que celles que j'en ai eues; cependant je suis traité avec la même rigueur que si j'étais haï . . . »

Ces mêmes pensées occupèrent tout le jour M. de Nemours. Il attendit la nuit avec impatience; et quand elle fut venue, il reprit le chemin de Coulommiers. Le gentilhomme de M. de Clèves, qui s'était déguisé afin d'être moins remarqué, le suivit jusqu'au lieu où il l'avait suivi le soir d'auparavant,[50] et le vit entrer dans le même jardin. Ce prince connut bientôt que Mme de Clèves n'avait pas voulu hasarder [51] qu'il essayât encore de la voir: toutes les portes étaient fermées. Il tourna de tous les côtés pour découvrir s'il ne verrait point de lumières; mais ce fut inutilement.

Mme de Clèves, s'étant doutée que M. de Nemours pourrait revenir, était demeurée dans sa chambre; elle avait appréhendé [52] de n'avoir pas toujours la force de le fuir, et elle n'avait pas voulu se mettre au hasard de [53] lui parler d'une manière si peu conforme à la conduite qu'elle avait eue jusqu'alors.

Quoique M. de Nemours n'eût aucune espérance de la voir, il ne put se résoudre à sortir sitôt [54] d'un lieu où elle était si souvent. Il passa la nuit entière dans le jardin, et trouva quelque consolation à voir du moins les mêmes objets qu'elle voyait tous les jours. Le soleil était levé avant qu'il pensât à se retirer; mais enfin la crainte d'être découvert l'obligea à s'en aller.

Il lui fut impossible de s'éloigner sans voir Mme de Clèves; et il alla chez Mme de Mercœur,[55] qui était alors dans cette maison qu'elle avait proche de Coulommiers. Elle fut extrêmement surprise de l'arrivée de son frère. Il inventa une cause de son voyage assez vraisemblable [56] pour la tromper, et enfin il conduisit si habilement son dessein, qu'il l'obligea à lui proposer d'elle-même d'aller chez Mme de Clèves. Cette proposition fut exécutée

[41] **de ne pas s'exposer.**   [42] considerable.   soir.   [51] run the risk.   [52] feared.
[43] image.   [44] willows.   [45] emotions.   [53] **s'exposer à.**   [54] **aussitôt,** at once.
[46] **oppressé.**   [47] fascination.   [48] to recall.   [55] *His sister.*   [56] credible.
[49] pledges.   [50] **le soir avant, la veille au**

dès le même jour, et M. de Nemours dit à sa sœur qu'il la quitterait à
Coulommiers pour s'en retourner en diligence [57] trouver le roi.[58]   Il fit ce
dessein de la quitter à Coulommiers, dans la pensée de l'en laisser partir la
première; et il crut avoir trouvé un moyen infaillible de parler à Mme de
5 Clèves.

Comme ils arrivèrent, elle se promenait dans une grande allée [59] qui borde
le parterre.[60]   La vue de M. de Nemours ne lui causa pas un médiocre
trouble, et ne lui laissa plus douter que ce ne fût lui qu'elle avait vu la
nuit précédente.   Cette certitude lui donna quelque mouvement de colère,
10 par [61] la hardiesse et l'imprudence qu'elle trouvait dans ce qu'il avait
entrepris.   Ce prince remarqua une impression de froideur sur son visage
qui lui donna une sensible douleur.   La conversation fut de choses indifférentes, et néanmoins il trouva l'art [62] d'y faire paraître tant d'esprit,
tant de complaisance [63] et tant d'admiration pour Mme de Clèves, qu'il
15 dissipa malgré elle une partie de la froideur qu'elle avait eue d'abord.

Lorsqu'il se sentit rassuré de sa première crainte, il témoigna une extrême
curiosité d'aller voir le pavillon [64] de la forêt; il en parla comme du plus
agréable lieu du monde, et en fit même une description si particulière,[65]
que Mme de Mercœur lui dit qu'il fallait qu'il y eût été plusieurs fois pour
20 en connaître si bien toutes les beautés.

— Je ne crois pourtant pas, reprit Mme de Clèves, que M. de Nemours y
ait [66] jamais entré; c'est un lieu qui n'est achevé que depuis peu.

— Il n'y a pas longtemps aussi que j'y ai été, reprit M. de Nemours en
la regardant, et je ne sais si je ne dois point être bien aise que vous ayez
25 oublié de m'y avoir vu.

Mme de Mercœur, qui regardait la beauté des jardins, n'avait point
d'attention [67] à ce que disait son frère.   Mme de Clèves rougit, et, baissant
les yeux sans regarder M. de Nemours, — Je ne me souviens point, lui
dit-elle, de vous y avoir vu; et, si vous y avez été, c'est sans que je l'aie su.

30 — Il est vrai, madame, répliqua M. de Nemours, que j'y ai été sans vos
ordres, et j'y ai passé les plus doux et les plus cruels moments de ma vie.

Mme de Clèves entendait trop bien ce que disait ce prince; mais elle n'y
répondit point: elle songea à empêcher Mme de Mercœur d'aller dans ce
cabinet, parce que le portrait de M. de Nemours y était, et qu'elle ne vou-
35 lait pas qu'elle l'y vît.   Elle fit si bien que le temps se passa insensiblement,[68]
et Mme de Mercœur parla de s'en retourner; mais quand Mme de Clèves
vit que M. de Nemours et sa sœur ne s'en allaient pas ensemble, elle jugea
bien à quoi elle allait être exposée: elle se trouva dans le même embarras
où elle s'était trouvée à Paris, et elle prit aussi le même parti.[69]   La crainte
40 que cette visite ne fût encore une confirmation des soupçons qu'avait son
mari ne contribua pas peu à la déterminer; et, pour éviter que M. de
Nemours ne demeurât seul avec elle, elle dit à Mme de Mercœur qu'elle

---

[57] **en toute diligence,** with all speed.
[58] *Francis II, who succeeded his father
Henry II in 1559; he was married to
Mary Stuart, Queen of Scots, the year before.   He was 14; she was 16.*   [59] wide
path.   [60] flower beds, parterre.   [61] because of.   [62] skill.   [63] kindness.   [64] summer house.   [65] **détaillée,** detailed.
[66] **soit.**   [67] **ne faisait pas attention.**
[68] **sans qu'on s'en aperçût,** imperceptibly.
[69] she also made the same decision.

l'allait conduire jusqu'au bord de la forêt, et elle ordonna que son carrosse [70] la suivît. La douleur qu'eut ce prince de trouver toujours cette même continuation des rigueurs [71] en Mme de Clèves fut si violente qu'il en pâlit dans le même moment. Mme de Mercœur lui demanda s'il se trouvait mal; mais il regarda Mme de Clèves, sans que personne s'en aperçût, et il lui fit 5 juger, par ses regards, qu'il n'avait d'autre mal que son désespoir. Cependant il fallut qu'il les laissât partir sans oser les suivre; et, après ce qu'il avait dit, il ne pouvait plus retourner avec sa sœur. Ainsi il revint à Paris et en partit le lendemain.

Quatrième partie

OUVRAGES RECOMMANDÉS
Textes

La Princesse de Clèves, présentée par Magne et Guégan. Payot.
La Princesse de Clèves (extraits). Classiques Larousse.
Romans et nouvelles, présentés par Émile Magne. Garnier.

Critique

Émile Magne. Le Cœur et l'esprit de Mme de La Fayette. 400 p. Émile-Paul, 1927.

NICOLAS BOILEAU-DESPRÉAUX
(1636-1711)
Le Père Fouettard [1] de la littérature française

Enfance et jeunesse moroses (1636–60). Comment peut-on être gai lorsqu'ayant perdu sa mère à l'âge de dix-huit mois on est élevé avec dix sœurs et quatre frères par une servante grondeuse, et qu'on ne se porte pas très bien? On habite pourtant un confortable logis dans le quartier du Palais de Justice, à Paris, où le père, bourgeois fort à son aise, est greffier.[2] On va quelquefois à la campagne: à Montmartre, où l'on possède une vigne; à Crosne,[3] où il y a des prés qui vous donnent votre nom, Despréaux, pour vous distinguer de vos frères. On aime bien le collège (d'Harcourt, aujourd'hui lycée Saint-Louis; puis celui de Beauvais, détruit vers 1890) où l'on brille en vers latins et français, mais l'hérédité des Boileau vous pousse vers le sérieux, la brusquerie, la contradiction.

A sa sortie du collège, Nicolas suivit des cours de théologie à la Sorbonne; il s'en fatigua vite et passa à l'étude du droit. Reçu avocat à vingt ans, il ne semble pas qu'il ait beaucoup plaidé; il aimait trop rimer. La mort de son père (1657) le pourvut d'une petite fortune qu'il administra sagement et lui permit de se consacrer uniquement à la littérature.

Les Satires (1660–68). Avec un instinct sûr et fortifié de solides études classiques, animé de l'esprit agressif d'Horace et de Juvénal, ce jeune poète partit en

---

[70] carriage. [71] severity.

[1] Father Birchrod who accompanies Father Christmas and leaves birch rods for bad children. [2] Clerk of the Court. [3] [kron], 8 mi. S of Paris, near Corbeil; known for its **crosnes** (Chinese artichokes).

guerre contre les littérateurs à succès de son temps; il voyait dans leur réussite un défi à la raison et à la vérité.   C'étaient le lourd Chapelain, l'emphatique Georges de Scudéry et sa précieuse de sœur (p. 78), les burlesques Scarron et Cyrano de Bergerac,[4] le vulgaire Saint-Amant, l'artificiel et sot abbé Cotin, etc. Par contraste, il faisait l'éloge des anciens et de quelques modernes: Malherbe et son disciple Racan, Corneille, Racine, La Fontaine.   C'est la matière des satires littéraires.   Boileau est un jeune, le chef d'un groupe de jeunes (dont Racine) et de demi-jeunes (Chapelle, La Fontaine, Molière, Furetière) qui, des cabarets du *Mouton blanc*, de la *Pomme de pin* et de la *Croix de Lorraine* où ils se font une bruyante publicité, ou de chez les comédiennes comme la Champmeslé, amie de Racine, portent de rudes coups aux idoles des salons précieux.   Contre ces salons et la littérature qu'on y admire, Boileau écrit le *Dialogue sur les héros de romans*.   Des nobles, La Rochefoucauld, Mesdames de Sévigné et de La Fayette, Mme de Montespan, etc., s'intéressent à ces bourgeois qui ont du talent, du génie même.   Le duc de Vivonne présente Boileau au roi qui, en 1672, lui donnera une pension annuelle de deux mille livres ($400) et, en 1677, le nommera, avec Racine, son historiographe.

Le législateur du Parnasse (1669–84).   Pendant cette période il travailla simultanément, — et avec plus de sérénité car il avait triomphé de ses ennemis —, à trois ouvrages: *L'Art poétique* (publié en 1674) où il construisit son idéal poétique (p. 139), neuf *Épîtres* sur des sujets divers, et *Le Lutrin*, poème héroï-comique sur une très petite chose, à savoir si un certain lutrin [5] de la Sainte-Chapelle serait placé à un endroit plutôt qu'à un autre du chœur.   C'était inventer un burlesque nouveau, élever les petites choses plutôt qu'abaisser les grandes comme l'avaient fait ces misérables Scarron et Cyrano de Bergerac, faire parler un perruquier et une perruquière comme Didon et Énée, plutôt que de faire parler Didon et Énée comme des crocheteurs [6] et des harengères.[7]

Le lion devenu vieux et malade (1685–1711).   Élu à l'Académie française qui lui avait d'abord préféré La Fontaine, vieux avant l'âge, il se retira dans une jolie maison de campagne à Auteuil.[8]   Il se plaisait à donner de bons dîners à ses nombreux amis, à jouer aux quilles,[9] à soigner ses pêchers et ses abricotiers, et surtout à composer et avec de grands gestes réciter des vers sous l'œil un peu amusé du jardinier Antoine (*Épître*, XI, *Le Travail: à mon jardinier*).   Il restait intellectuellement fort actif, mettait en vers, avec Racine, l'histoire des campagnes de Louis XIV, — le manuscrit inachevé fut détruit en 1726, dans un incendie —, prenait la défense des anciens contre Perrault (p. 141), ajoutait trois satires (dont une contre les femmes), et trois épîtres à sa collection.

A ses funérailles (1711) assistèrent un grand nombre de personnes, ce qui fit dire à quelqu'un: « Il avait bien des amis.   On assure pourtant qu'il disait du mal de tout le monde. »   L'explication est qu'il disait la vérité à tout le monde, même au roi, et dans un but désintéressé.   Ses restes, comme ceux de Descartes, se trouvent dans l'église Saint-Germain-des-Prés, à Paris.

Père Fouettard de la littérature française, ce vieux garçon fut, avec Racine, ridiculisé par les romantiques, mais le vingtième siècle, plus exigeant sur la vérité, l'analyse, la conscience professionnelle, l'a remis en honneur.

---

[4] *Playwright and progressive philosopher (1619–55). He was also a famous duelist, and the subject of a romantic and witty play by Edmond Rostand (1898).*   [5] lec-tern, reading desk.   [6] porters.   [7] fishwives.   [8] *Today 26–38 rue Boileau, in the SW section of Paris.*   [9] bowling.

LES EMBARRAS DE PARIS[1]

Le Pittoresque de la grande ville

Dans cette satire, Boileau reste fidèle à son principe d'imitation des anciens, — Horace, Juvénal, Martial —, mais il sait aussi être moderne et original. Il accumule trop d'incidents dans sa promenade à travers Paris, — il a voulu ainsi, comme tout classique, la généraliser —, l'émotion poétique est absente, mais il sait voir et rendre avec réalisme et esprit le pittoresque du centre de Paris et ses embarras, qui depuis n'ont fait que croître et embellir.

Qui frappe l'air, bon Dieu,[2] de ces lugubres cris?
Est-ce donc pour veiller[3] qu'on se couche à Paris?
Et quel fâcheux démon,[4] durant les nuits entières,
Rassemble ici les chats de toutes les gouttières?[5]
5 J'ai beau sauter du lit, plein de trouble et d'effroi,
Je pense qu'avec eux tout l'enfer est chez moi:
L'un miaule en grondant[6] comme un tigre en furie;
L'autre roule[7] sa voix comme un enfant qui crie.[8]
Ce n'est pas tout encor: les souris et les rats
10 Semblent pour m'éveiller s'entendre[9] avec les chats,
Plus importuns pour moi, durant la nuit obscure,
Que jamais, en plein jour, ne fut l'abbé de Pure.[10]

Tout conspire à la fois à troubler mon repos,
Et je me plains ici du moindre de mes maux:
15 Car à peine les coqs, commençant leur ramage,[11]
Auront de cris aigus frappé le voisinage,
Qu'un affreux serrurier,[12] laborieux Vulcain,
Qu'éveillera bientôt l'ardente soif du gain,
Avec un fer maudit,[13] qu'à grand bruit il apprête,[14]
20 De cent coups de marteau me va fendre la tête.[15]
J'entends déjà partout les charrettes courir,
Les maçons travailler, les boutiques s'ouvrir:
Tandis que dans les airs mille cloches émues,[16]
D'un funèbre concert font retentir les nues.[17]
25 Et, se mêlant au bruit de la grêle[18] et des vents,
Pour honorer les morts font mourir les vivants.

Encor[19] je bénirais la bonté souveraine,[20]
Si le ciel à ces maux avait borné ma peine.
Mais si seul en mon lit je peste[21] avec raison,
30 C'est encor pis vingt fois en quittant la maison:

[1] The Troubles of Life in Paris; **un embarras de voitures,** a traffic jam. [2] good Lord; *profane today.* [3] to keep awake. [4] troublesome devil. [5] roof gutters, rain pipes. [6] mews and growls. [7] raises and lowers; *lit.* 'rolls.' [8] yells. [9] to conspire. [10] *One of the many third-rate writers of the times, whom Boileau ridiculed.* [11] crowing; *lit.* 'warbling.' [12] locksmith. [13] accursed piece of iron. [14] **il façonne,** he shapes. [15] is going to split my ears (*lit.* 'head'). [16] **mues,** set in motion. [17] make the clouds re-echo. [18] hail. [19] Yet. [20] sovereign (divine) kindness. [21] I curse.

En quelque endroit que j'aille,[22] il faut fendre la presse
D'un peuple d'importuns qui fourmillent sans cesse: [23]
L'un me heurte d'un ais [24] dont [25] je suis tout froissé.[26]
Je vois d'un autre coup mon chapeau renversé.
35 Là, d'un enterrement la funèbre ordonnance [27]
D'un pas lugubre et lent vers l'église s'avance: [28]
Et plus loin des laquais, l'un l'autre s'agaçant,[29]
Font aboyer les chiens et jurer les passants.
Des paveurs [30] en ce lieu me bouchent le passage.[31]
40 Là je trouve une croix [32] de funeste présage,
Et des couvreurs [33] grimpés [34] au [35] toit d'une maison
En font pleuvoir l'ardoise et la tuile à foison.[36]
Là sur une charrette une poutre branlante [37]
Vient menaçant de loin la foule qu'elle augmente: [38]
45 Six chevaux attelés à ce fardeau pesant [39]
Ont peine à l'émouvoir [40] sur le pavé glissant;
D'un carrosse en tournant il accroche [41] une roue,
Et du choc le renverse en un grand tas de boue:
Quand un autre à l'instant, s'efforçant de passer,
50 Dans le même embarras se vient embarrasser.
Vingt carrosses bientôt arrivant à la file
Y sont en moins de rien [42] suivis de plus de mille:
Et pour surcroît de maux [43] un sort malencontreux [44]
Conduit en cet endroit un grand troupeau de bœufs:
55 Chacun prétend [45] passer; l'un mugit,[46] l'autre jure:
Des mulets en sonnant [47] augmentent le murmure.[48]
Aussitôt cent chevaux dans la foule appelés,[49]
De l'embarras qui croît ferment les défilés,[50]
Et partout, des passants enchaînant les brigades,[51]
60 Au milieu de la paix font voir les barricades.[52]
On n'entend que des cris poussés confusément:

[22] Wherever I go.   [23] I have to elbow
my way through (*lit.* 'I have to cleave')
a crowd of importunate (troublesome),
ever milling people; **fourmiller,** to be as
numerous as **fourmis** (ants), to swarm.
[24] bumps into me (rams me) with a long
board; **un ais,** *obs. for* **une planche.**
[25] **par lequel.**   [26] **meurtri,** bruised.
[27] array.   [28] *Two very expressive lines, a
good example of* **harmonie imitative.**
[29] teasing each other.   [30] pavers, work-
men paving the streets.   [31] block my way.
[32] *A wooden cross dangling from the scaf-
folding, to warn passers-by that it is danger-
ous to come near.* [33] roofers (*tilers or
slaters*).   [34] way up; *lit.* 'climbed.'
[35] **sur le.**   [36] Shower from it slates and
tiles in plenty.   [37] unsteady beam.   [38] *Because the beam impedes traffic and is an*
object of interest to the idlers.   [39] har-
nessed (hitched) to this weighty burden.
[40] **à la faire avancer.**   [41] it catches on.
[42] in less than no time.   [43] as a crown-
ing misfortune.   [44] untoward fate.
[45] is bent on.   [46] bellows.   [47] **avec
leurs sonnettes (ou sonnailles,** bells).
[48] *obs. for* **le vacarme,** the din.   [49] *Probably some body of mounted police called in
to restore order.*   [50] **les sorties,** the exits.
*Remember that the streets were generally
narrow.*   [51] encircling (*lit.* 'chaining
up,' 'imprisoning') the groups of passers-by.   [52] **font penser aux barricades
de la guerre civile** (*namely* **la Fronde**).
*These last four lines are not too clear. It
is possible, although not so satisfactory, to
take* **passants** *rather than* **chevaux** *for the
subject of* **font voir.**

Dieu pour s'y faire ouïr [53] tonnerait vainement.
Moi donc, qui dois souvent en certain lieu me rendre,
Le jour déjà baissant,[54] et qui suis las d'attendre,
65 Ne sachant plus tantôt [55] à quel saint me vouer,[56]
Je me mets au hasard de [57] me faire rouer.[58]
Je saute vingt ruisseaux,[59] j'esquive,[60] je me pousse; [61]
Guenaud [62] sur son cheval en passant m'éclabousse: [63]
Et n'osant plus paraître en l'état où je suis,
70 Sans songer où je vais, je me sauve où je puis.

Satires, VI, 1660

L'ART POÉTIQUE
1674

Quels meilleurs conseils donner à un jeune écrivain, même d'aujourd'hui, que ceux de Boileau dans *L'Art poétique:* raison, vérité, nature, respect de soi-même et de l'art, habileté technique et inspiration, probité intellectuelle et morale; ne sont-ce pas là des fondations solides sur lesquelles l'écrivain peut bâtir avec confiance sa maison poétique, celle de sa propre originalité? Oui, originalité, car Boileau n'est pas dogmatique au point de ne pas recommander l'inspiration personnelle, preuve de la vocation; un peu plus timidement il recommande l'imagination et la passion. On fera des réserves sur l'imitation mythologique et classique, l'étroite technique des genres, on critiquera l'incompréhension de Boileau dans ses tableaux d'histoire littéraire (omis ici pour cette raison), et son jugement sur Molière, mais on ne pourra qu'admirer avec quelle sincérité, quelle clarté, quel bonheur d'expression il a donné une forme, et définitive, à ces idées sur l'art littéraire héritées d'Aristote (*Poétique*) et surtout d'Horace (*Épître aux Pisons*), idées qui flottaient, plutôt vagues, au-dessus des pléiades, des salons et des académies. Boileau est bien le père, — ridiculisé, mais reconnu —, de la constitution classique de la France littéraire.

Conseils d'ordre général

L'inspiration

C'est en vain qu'au Parnasse [1] un téméraire auteur
Pense de l'art des vers atteindre la hauteur:
S'il ne sent point du ciel l'influence secrète,[2]
Si son astre en naissant [3] ne l'a formé poète,

---

[53] to make Himself heard.   [54] Daylight already failing.   [55] **bientôt**, soon.   [56] which way to turn (*lit.* 'to which saint I ought to recommend myself').   [57] **Je me hasarde à.**   [58] **de me faire écraser** (of being crushed) **par les roues.**   [59] gutters. *They ran in the middle of the streets;* *nowadays the gutter on each side of the street is generally called* **la rigole, le caniveau.**   [60] **je m'esquive**, I escape.   [61] I elbow (make) my way forward.   [62] *The most famous physician in Paris, in the middle of the 17th century.*   [63] splatters me.

[1] on Mount Parnassus, *a mountain in Greece, the legendary abode of Apollo and the Muses; here* **au Parnasse** *means* in the realm of poetry.   [2] **l'influence secrète du ciel, l'inspiration.**   [3] If his star, when he was born.

5 Dans son génie [4] étroit il est toujours captif;
Pour lui Phébus [5] est sourd, et Pégase [6] est rétif.

O vous donc qui, brûlant d'une ardeur périlleuse,
Courez du bel esprit la carrière épineuse,[7]
N'allez pas sur des vers sans fruit [8] vous consumer,
10 Ni prendre pour génie un amour de rimer . . .

Le bon sens, la raison

Quelque sujet qu'on traite, ou plaisant [9] ou
sublime,
Que toujours le bon sens s'accorde avec la rime:
L'un l'autre vainement ils semblent se haïr; [10]
La rime est une esclave, et ne doit qu'obéir . . .
15 Aimez donc la raison: que toujours vos écrits
Empruntent d'elle seule et leur lustre et leur
prix . . .

La mesure

Un auteur quelquefois trop plein de son objet
Jamais sans l'épuiser n'abandonne un sujet . . .
Fuyez de ces auteurs l'abondance stérile,
20 Et ne vous chargez point d'un détail inutile . . .
Qui ne sait se borner ne sut jamais écrire . . .

La variété

Voulez-vous du public mériter les amours?
Sans cesse en écrivant variez vos discours . . .
Heureux qui, dans ses vers, sait d'une voix légère [11]
25 Passer du grave au doux, du plaisant au sévère! . . .

La dignité, le badinage

Quoi que vous écriviez, évitez la bassesse [12] . . .
Imitons de Marot [13] l'élégant badinage,
Et laissons le burlesque aux plaisants [14] du Pont-
Neuf [15] . . .

La cadence, la césure,
l'harmonie

Ayez pour la cadence une oreille sévère:
30 Que toujours dans vos vers le sens coupant [16] les
mots,
Suspende l'hémistiche,[17] en marque le repos.[18]
Gardez [19] qu'une voyelle à courir trop hâtée [20]
Ne soit d'une voyelle en son chemin heurtée.[21]
Il est un heureux choix de mots harmonieux.
35 Fuyez des mauvais sons le concours [22] odieux . . .

---

[4] *Not* genius, *but* nature, natural disposition. [5] Apollo, *god of lyric poetry.*
[6] Pegasus, *the winged horse symbolizing
poetic inspiration.* [7] Are following the
thorny career of belles-lettres (poetry).
[8] fruitlessly, in vain; **sans fruit** *refers to*
consumer, *not to* **vers.** [9] comical (*17th-
century meaning*). [10] It is useless for
them to appear to hate each other.
[11] easy. [12] vulgarity. [13] *See p. 46.*
[14] buffoons. [15] *The Pont-Neuf, across
the western end of the Ile de la Cité, in*
*Paris, was the rendez-vous of quacks,
mountebanks, and burlesque actors.*
[16] bringing to a stop. [17] hemistich
(*half of a poetic line*). [18] emphasize the
pause of it. *This pause, coming invari-
ably in the middle of a line, created mo-
notony; fortunately the Romantics took
liberties with it.* [19] **Prenez garde,** Take
care. [20] **pressée,** hurried. [21] run
into (*thus causing a hiatus*). [22] **assemblage,** concourse, gathering.

La clarté de la pensée
et du style

Il est certains esprits dont les sombres [23] pensées
Sont d'un nuage épais toujours embarrassées;
Le jour [24] de la raison ne le saurait percer.
Avant donc que [25] d'écrire apprenez à penser.
40 Selon que notre idée est plus ou moins obscure,
L'expression la suit, ou moins nette, ou plus pure.
Ce que l'on conçoit bien s'énonce clairement,
Et les mots pour le dire arrivent aisément ...

La correction de la langue

Sans la langue,[26] en un mot, l'auteur le plus divin,[27]
45 Est toujours, quoi qu'il fasse, un méchant [28]
   écrivain ...

Le travail

Hâtez-vous lentement; [29] et, sans perdre courage,
Vingt fois sur le métier [30] remettez votre ouvrage:
Polissez-le sans cesse et le repolissez;
Ajoutez quelquefois, et souvent effacez.

L'unité, la logique

50   C'est peu qu'en un ouvrage où les fautes four-
     millent,
Des traits d'esprit [31] semés de temps en temps
     pétillent.
Il faut que chaque chose y soit mise en son lieu;
Que le début, la fin répondent au milieu; [32]
Que d'un art délicat [33] les pièces assorties
55 N'y forment qu'un seul tout de diverses parties,[34]
Que jamais du sujet le discours s'écartant [35]
N'aille chercher trop loin quelque mot éclatant.[36]

La critique sévère
mais honnête

Craignez-vous pour vos vers la censure publique?
Soyez-vous à vous-même un sévère critique.
60 L'ignorance toujours est prête à s'admirer.
Faites-vous des amis prompts à vous censurer ...
Tel [37] vous semble applaudir, qui vous raille et
     vous joue.[38]
Aimez qu'on vous conseille, et non pas qu'on vous
     loue ...

Chant I

BOILEAU CHAMPION DES ANCIENS,
CONTRE LES MODERNES

Nous avons vu (p. 103) la défense à la fois ferme et charmante que La Fontaine fit des anciens aussitôt que l'académicien Charles Perrault eut jeté contre eux cette bombe, *Le Siècle de Louis le Grand* (1687). Perrault reprit l'offensive avec les *Parallèles des anciens et des modernes* (1688-97), cinq dialogues spirituels, mais

[23] **obscures.**   [24] The light.   [25] **que** *would be left out today.*   [26] a correct style. [27] inspired by the gods.   [28] poor. [29] *Lat.* Festina lente.   [30] **sur le métier à tisser,** on the weaving loom; *fig.* on the stocks, on your desk (*to improve the literary work*).   [31] Touches of high in-telligence; *today*, witticisms.   [32] fit in with the middle.   [33] exacting.   [34] *This* **composition artistique** *is what students, in France, are especially trained to master.* [35] the development digressing.   [36] brilliant (but out of place).   [37] Someone. [38] mocks and betrays you.

pleins d'inexactitudes, entre un président au Parlement, un chevalier et un abbé. Ces dialogues tendaient à prouver que les modernes sont supérieurs aux anciens parce qu'ils ont hérité de toutes les inventions et découvertes faites depuis eux (imprimerie, télescope, microscope, etc.); non seulement la technique, mais le raisonnement, la psychologie, l'éloquence, la morale (à cause du christianisme) ont fait des progrès. La plus vigoureuse contre-offensive fut menée en 1694 par Boileau dans ses sept *Réflexions critiques sur quelques passages du rhéteur Longin*, Athénien du troisième siècle après Jésus-Christ. Il critiqua surtout les inexactitudes de détail de Perrault, qui ne savait pas « la langue d'Homère », mais il éleva le débat par quelques belles pages sur le mérite des anciens, mérite consacré par l'admiration, non pas d'une seule génération, mais de nombreux siècles.

CONSTANTE ADMIRATION POUR LES ANCIENS

Il n'y a ... que l'approbation de la postérité qui puisse établir le vrai mérite des ouvrages. Quelque éclat [1] qu'ait fait un écrivain durant sa vie, quelques éloges qu'il ait reçus, on ne peut pas pour [2] cela infailliblement conclure que ses ouvrages soient excellents. De faux brillants,[3] la nouveauté
5 du style, un tour d'esprit qui était à la mode, peuvent les avoir fait valoir; [4] et il arrivera peut-être que dans le siècle suivant on ouvrira les yeux, et que l'on méprisera ce que l'on a admiré ...

Mais lorsque des écrivains ont été admirés durant un fort grand nombre de siècles, et n'ont été méprisés que par quelques gens de goût bizarre (car
10 il se trouve toujours des goûts dépravés), alors non seulement il y a de la témérité, mais il y a de la folie à vouloir douter du mérite de ces écrivains. Que si [5] vous ne voyez point les beautés de leurs écrits, il ne faut pas conclure qu'elles n'y sont point, mais que vous êtes aveugle, et que vous n'avez point de goût. Le gros [6] des hommes, à la longue, ne se trompe point sur
15 les ouvrages d'esprit ... Corneille est celui de tous nos poètes qui a fait le plus d'éclat en notre temps; et on ne croyait pas qu'il pût jamais y avoir en France un poète digne de lui être égalé. Il n'y en a point en effet qui ait eu plus d'élévation de génie, ni qui ait plus composé. Tout son mérite pourtant, à l'heure qu'il est, ayant été mis par le temps comme dans un
20 creuset,[7] se réduit à huit ou neuf pièces de théâtre qu'on admire, et qui sont, s'il faut ainsi parler, comme le midi [8] de sa poésie, dont l'orient et l'occident n'ont rien valu.[9] Encore, dans ce petit nombre de bonnes pièces, outre les fautes de langue qui y sont assez fréquentes, on commence à s'apercevoir de beaucoup d'endroits de déclamation qu'on n'y voyait point
25 autrefois.[10] Ainsi, non seulement on ne trouve point mauvais qu'on lui compare aujourd'hui M. Racine, mais il se trouve même quantité de gens qui le lui préfèrent. La postérité jugera qui vaut le mieux des deux; car je suis persuadé que les écrits de l'un et de l'autre passeront aux siècles suivants. Mais jusque-là ni l'un ni l'autre ne doit être mis en parallèle

---

[1] **Quelque sensation, effet.**   [2] from.   *early plays like* Mélite, La Veuve, *and*
[3] fake ornaments.   [4] may have set   *late plays like* Sertorius *are far from*
them off to advantage.   [5] And if.   *worthless.*   [10] *True.   As the years*
[6] The bulk.   [7] crucible, melting pot.   *rolled by, the 17th century showed more*
[8] **le zénith,** the peak.   [9] *This judgment*   *and more preference for naturalness and*
has been revised by posterity.   Corneille's   *simplicity.*

avec Euripide et avec Sophocle, puisque leurs ouvrages n'ont point encore le sceau [11] qu'ont les ouvrages d'Euripide et de Sophocle, je veux dire l'approbation de plusieurs siècles.[12]

L'antiquité d'un écrivain n'est pas un titre certain de son mérite, mais l'antique et constante admiration qu'on a toujours eue pour ses ouvrages 5 est une preuve sûre et infaillible qu'on doit les admirer.

Réflexion VII

LA RÉCONCILIATION DE BOILEAU ET DE PERRAULT
1700

Cette réconciliation de Boileau et de Perrault fut l'œuvre de leur ami commun le grand Arnauld, Antoine, qui avec l'aide de Pascal avait défendu les jansénistes contre les jésuites. A cette occasion Boileau envoya à Perrault une lettre où la mesure et le bon goût du jugement littéraire règlent encore pour nous aujourd'hui cette querelle de la tradition et du progrès qui reprend, semble-t-il, à chaque génération.

Monsieur,

Puisque le public a été instruit de notre démêlé, il est bon de lui apprendre aussi notre réconciliation . . . Maintenant que nous voilà bien remis [13] . . ., oserais-je, comme votre ami, vous demander ce qui a pu, depuis si longtemps, 10 vous irriter, et vous porter à écrire contre tous les plus célèbres écrivains de l'antiquité?

Est-ce le peu de cas [14] qu'il vous a paru que l'on faisait parmi nous des [15] bons auteurs modernes? Mais où avez-vous vu qu'on les méprisât? Dans quel siècle a-t-on plus volontiers applaudi aux bons livres naissants,[16] 15 que dans le nôtre? Quels éloges n'y a-t-on point donnés aux ouvrages de M. Descartes, de M. Arnauld,[17] de M. Nicole? [18] . . . Quels honneurs n'y a-t-on point, pour ainsi dire, rendus à M. de Corneille et à M. Racine? et qui est-ce qui n'a point admiré les comédies de Molière? . .

Quel est donc le motif qui vous a fait tant crier contre les anciens? 20 Est-ce la peur qu'on ne se gâtât [19] en les imitant? Mais pouvez-vous nier que ce ne soit au contraire à cette imitation-là même que nos plus grands poètes sont redevables du succès de leurs écrits? . . .

Vous avez vraisemblablement rencontré, il y a longtemps, dans le monde, quelques-uns de ces faux savants, tels que le président de vos dialogues,[20] 25 qui ne s'étudient [21] qu'à enrichir leur mémoire, et qui, n'ayant d'ailleurs ni esprit, ni jugement, ni goût, n'estiment les anciens que parce qu'ils sont anciens, ne pensent pas que la raison puisse parler une autre langue que la grecque ou la latine, et condamnent d'abord [22] tout ouvrage en langue vulgaire,[23] sur ce fondement seul qu'il est en langue vulgaire. Ces ridicules 30

[11] the stamp.   [12] *There is some exaggeration in this statement.*   [13] **remis de notre querelle, calmés,** composed.   [14] the little value.   [15] that was set among us on the.   [16] newly published.   [17] *See p. 114, n. 7.*   [18] *Pierre Nicole (1625?-95), Jansenist the-* ologian, co-author, *with Antoine Arnauld,* of Logique de Port-Royal.   [19] that one deteriorated, spoiled his natural talent.   [20] *See p. 142.*   [21] **s'appliquent.**   [22] right off.   [23] in the vernacular.

admirateurs de l'antiquité vous ont révolté contre tout ce que l'antiquité
a de plus merveilleux... Ce n'est point à l'approbation des faux ni des
vrais savants que les écrivains de l'antiquité doivent leur gloire, mais à
la constante et unanime admiration de ce qu'il y a eu dans tous les siècles
5 d'hommes sensés et délicats...

Nous ne sommes pas..., vous et moi, si éloignés d'opinion [24] que vous
pensez. En effet, qu'est-ce que vous avez voulu établir par tant de poèmes,
de dialogues et de dissertations sur les anciens et les modernes?... Votre
dessein est de montrer que pour la connaissance surtout des beaux-arts,
10 et pour le mérite des belles-lettres, notre siècle... est non seulement com-
parable, mais supérieur à tous les plus fameux siècles de l'antiquité, et
même au siècle d'Auguste. Vous allez donc être bien étonné quand je vous
dirai que je suis sur cela entièrement de votre avis; et que même, si mes
infirmités [25] et mes emplois [26] m'en laissaient le loisir, je m'offrirais volontiers
15 de prouver comme vous cette proposition, la plume à la main. A la vérité
j'emploierais beaucoup d'autres raisons que les vôtres, car chacun a sa
manière de raisonner; et je prendrais des précautions et des mesures que
vous n'avez point prises...

Quand je viendrais au siècle d'Auguste, je commencerais par avouer
20 sincèrement que nous n'avons point de poètes héroïques ni d'orateurs que
nous puissions comparer aux Virgile et aux Cicéron; je conviendrais que
nos plus habiles historiens sont petits devant [27] les Tite-Live [28] et les
Salluste [29]... Mais en même temps je ferais voir que pour la tragédie
nous sommes beaucoup supérieurs aux Latins... Je soutiendrais hardiment
25 qu'à prendre le siècle d'Auguste dans sa plus grande étendue, c'est-à-dire
depuis Cicéron jusqu'à Corneille Tacite,[30] on ne saurait pas trouver parmi
les Latins un seul philosophe qu'on puisse mettre, pour la physique, en
parallèle avec Descartes, ni même avec Gassendi.[31]...

OUVRAGES RECOMMANDÉS
Textes

Œuvres complètes. 4 vol. Classiques Garnier.
L'Art poétique. Classiques Larousse.
L'Art poétique, Satires. 1 vol. Classiques Hatier.
Satires et Épîtres. Classiques Larousse.
Le Lutrin. Classiques Larousse.
Œuvres poétiques. Classiques Hachette.

Critique

R. Bray. *Boileau, l'homme et l'œuvre.* 176 p. Hatier.

[24] so far apart in our opinions. [25] *Boileau was never in excellent health; he had bladder trouble and asthma, and he was hard of hearing.* [26] *Boileau was Louis XIV's historiographer and poet laureate.* [27] *in comparison with.* [28] *Livy (59 B.C.– A.D. 17), Titus Livius, Roman historian.* [29] *Sallust (86–34 B.C.). Roman historian, protégé of Caesar, governor of Numidia (old name of Algeria).* [30] *Cornelius Tacitus (55–117). Roman consul and historian. Cicero was born about a century and a half, and Emperor Augustus one century, before Tacitus. Boileau therefore includes two centuries in the Augustan Age, the century before and the century after Christ.* [31] *Pierre Gassendi* [gasẽdi], *(1592–1655), French philosopher who sought to reconcile the philosophy of Epicurus with Christian theology and science.*

JEAN RACINE
(1639–1699)
Le Maître harmonieux de la tragédie de passion

Sous le signe de la tendresse (1639–59). Triste et tendre fut la jeunesse de Jean Racine qui naquit au flanc de la colline où s'étage [1] la petite ville champenoise de La Ferté-Milon, à 50 milles au nord-est de Paris. Il avait un an à la mort de sa mère, trois à celle de son père. Il fut élevé par ses grands-parents paternels. Il avait dix ans quand mourut son grand-père qui était contrôleur du grenier à sel [2] de La Ferté-Milon. Sa grand-mère alla rejoindre sa fille Agnès à l'abbaye de Port-Royal et Jean fut mis au collège janséniste de la ville de Beauvais (1651). Il y resta quatre ans, puis il obtint une bourse pour les Petites Écoles que Saint-Cyran [3] avait fondées à Port-Royal. Les élèves n'étaient pas nombreux, les classes étaient petites; cela permettait un enseignement individuel basé sur une érudition humanisée et raisonnée, basé aussi sur le développement des forces morales par la bonté et la croyance à la grâce divine. Les jésuites insistaient sur la discipline et l'enseignement du latin; à Port-Royal c'est le grec qui était en honneur, et Racine s'y distingua. Ses professeurs furent Nicole, Lancelot,[4] M. Lemaistre [5] qui se disait son « papa », et le bon médecin M. Hamon qui faisait des visites monté sur un âne. Sa fine sensibilité se plut au paysage jugé alors mélancolique, et, en sept odes, il en célébra « les plaines et les coteaux », « les arbres et les eaux », les prairies, les vignes et les blonds épis.

Quand il eut près de dix-neuf ans, les « solitaires » envoyèrent leur élève chéri et brillant faire sa philosophie à Paris, au collège d'Harcourt.

Sous le signe de la passion et de l'ironie (1659–77). Paris fit flamboyer le feu qui sommeillait dans le cœur d'Éliacin,[6] le bon petit jeune homme qu'attend une brillante destinée. Paris, ce fut d'abord la maison de son riche oncle Vitart que fréquentaient La Fontaine et d'autres libertins amis des vers. A l'occasion du mariage de Louis XIV avec Marie-Thérèse, Racine publia une ode, *La Nymphe de la Seine*, 1660, qui lui valut une pension. Inquiètes pour son âme, sa grand-mère et sa tante l'envoyèrent en Languedoc, à Uzès,[7] chez un autre oncle, vicaire général, pour qu'il s'y préparât, par la théologie, à recevoir les ordres.[8] Il se prépara plutôt, par la lecture des dramaturges grecs, à traiter « quelque sujet de théâtre ». Revenu à Paris un peu plus d'un an après (1663), il se lia avec Boileau et fit la connaissance de Molière qui joua ses deux premières tragédies, *La Thébaïde* et *Alexandre*. Il retira bientôt cette dernière pièce à la troupe de Molière pour la confier à une autre troupe. Il devint l'amant de l'actrice Mlle Duparc que Molière aimait aussi, et ce fut la fin de l'amitié des deux génies dramatiques.

En versant des larmes, sa tante Agnès lui écrivit de ne plus fréquenter les comédiens, ces « gens dont le nom est abominable à toutes les personnes qui ont tant soit peu de piété ». Nicole, son ancien professeur, attaquant l'auteur comique

---

[1] rises in tiers.   [2] supervisor of the Salt Bureau. *Before the French Revolution, there was a state monopoly on salt, and a very heavy salt tax was called* **la gabelle**.   [3] *Jean Duvergier de Hauranne, abbot of Saint-Cyran, in central France; spiritual director at Port-Royal-des-Champs.*   [4] *Claude Lancelot (1615–95), teacher of classical and modern languages at Port-Royal.*   [5] *Antoine Lemaistre (1608–56), brother of Lemaistre de Saci*

(p. 114).   [6] *Prince Joash who escaped from the slaughter of the children in the house of David decreed by Queen Athaliah* (**Athalie**), *and was hidden in the house of the Lord under the name of Eliacin. He became king of Judah six years later.*   [7] *Town 12 mi. N of Nimes. Racine's apartment still exists in the tower of a park near the bishop's palace.*   [8] Holy Orders.

Desmarets de Saint-Sorlin, piquait aussi Racine au vif par cette phrase brutale: « Un faiseur de romans, et un poète de théâtre, est un empoisonneur public, non des corps, mais des âmes des fidèles ». Avec plus d'esprit que de cœur, Racine répondit publiquement à ses protecteurs de Port-Royal par deux lettres qu'il déclara plus tard être « l'endroit le plus honteux » de sa vie. Le jeune ambitieux était lancé vers le démon du théâtre; impétueusement il faisait ce que Pascal a appelé « l'usage délicieux et criminel du monde ». C'est, pendant quinze ans, les joyeuses parties avec Boileau, La Fontaine, Chapelle, etc., dans les cafés; avec les « grandes comédiennes », la Duparc et la Champmeslé, chez elles; c'est surtout la production de ces chefs-d'œuvre qui s'appellent *Andromaque* (1667), *Les Plaideurs* (comédie, en collaboration avec Boileau, 1668), *Britannicus* (1669), *Bérénice* (1670), *Bajazet* (1672), *Mithridate* (1673), *Iphigénie en Aulide* (1674), enfin, la plus passionnée, la plus troublante de ses tragédies, *Phèdre* (1677), dont l'échec immérité remit Racine sur le chemin du repentir et de Port-Royal.

Le calme après la tempête (1677–99). Malgré les encouragements de Boileau, Racine, dégoûté des cabales [9] et craignant pour le salut de son âme, décida d'abandonner le théâtre, de vivre comme un père de famille exemplaire. Il se maria avec une pieuse mais ignorante héritière qui lui donna sept enfants. Il était de l'Académie française depuis 1673. Nommé, avec Boileau, historiographe du roi, il accompagna Louis XIV dans ses campagnes de Flandre, d'Alsace et du Luxembourg. Il était le bienvenu à la cour et parfois faisait la lecture au roi. La reine non officielle, — Mme de Maintenon —, lui demanda de composer, pour les jeunes filles de l'école de Saint-Cyr [10] qu'elle avait fondée, « quelque espèce de poème moral ou historique dont l'amour fût entièrement banni . . .; il n'importait pas que cet ouvrage fût contre les règles, pourvu qu'il contribuât aux vues qu'elle avait de divertir les demoiselles en les instruisant » (*Souvenirs de Mme de Caylus*, nièce de Mme de Maintenon). Racine écrivit donc ses deux dernières tragédies, *Esther* (1689) et *Athalie* (1691), inspirées de la Bible. Il mourut à Paris, dans sa grande maison des Marais Saint-Germain (rue Visconti aujourd'hui), à l'âge de soixante ans. Selon son désir, il fut enterré à Port-Royal-des-Champs, dans la tombe du bon médecin janséniste M. Hamon. Quand les bâtiments de l'abbaye furent détruits par ordre du roi (1711), ses restes furent transportés dans l'église Saint-Étienne-du-Mont, à Paris, qui les abrite encore aujourd'hui.

Racine est, avec Corneille, le plus grand poète dramatique français, non seulement du dix-septième siècle, mais de tous les siècles. Moins sublime que Corneille, mais plus artiste, meilleur psychologue et maniant une langue plus simple, sûre et harmonieuse, il a peint les hommes, les pauvres hommes, tels qu'ils sont, avec toutes leurs faiblesses, leurs fureurs, leur égoïsme et leurs contradictions, les hommes qui, malgré les conseils de raison qui leur sont donnés, malgré la politesse du grand siècle dont le poète les orne, sont les victimes de leurs passions, de l'amour surtout, que la jalousie mène à la folie, au crime ou au suicide.

ANDROMAQUE

1667

Après la prise de Troie, les guerriers grecs sont rentrés chez eux. Pyrrhus a ramené en Épire, — aujourd'hui Albanie —, deux prisonniers de marque, Andromaque, veuve d'Hector, et son tout jeune fils Astyanax. Pyrrhus aime sa belle captive; il voudrait l'épouser de préférence à la fière Hermione, sa fiancée, fille de Ménélas et de la belle Hélène. Craignant qu'aveuglé par son amour le roi d'Épire ne trahisse

[9] intrigues. [10] *The school, 2 mi. W of the château of Versailles, became the French West Point in 1808.*

leur cause, les chefs grecs lui envoient Oreste, fils d'Agamemnon, avec mission de leur ramener Astyanax qu'ils mettront ensuite à mort. Oreste aime passionnément Hermione. Jusqu'ici, fidèle au souvenir d'Hector, Andromaque a repoussé les avances de Pyrrhus.

L'ULTIMATUM DE PYRRHUS A ANDROMAQUE

PYRRHUS

Me cherchiez-vous, madame?
Un espoir si charmant me serait-il permis?

ANDROMAQUE

Je passais jusqu'aux lieux où l'on garde mon fils,
Puisqu'une fois le jour vous souffrez que je voie
5 Le seul bien qui me reste et d'Hector et de Troie,
J'allais, seigneur, pleurer un moment avec lui:
Je ne l'ai point encore embrassé d'aujourd'hui.[1]

PYRRHUS

Ah! madame, les Grecs, si j'en crois leurs alarmes,
Vous donneront bientôt d'autres sujets de larmes.

ANDROMAQUE

10 Et quelle est cette peur dont leur cœur est frappé,
Seigneur? Quelque Troyen vous est-il échappé?[2]

PYRRHUS

Leur haine pour Hector n'est pas encore éteinte;
Ils redoutent son fils.

ANDROMAQUE

Digne objet de leur crainte!
Un enfant malheureux, qui ne sait pas encor
15 Que Pyrrhus est son maître et qu'il est fils d'Hector!

PYRRHUS

Tel qu'il est, tous les Grecs demandent qu'il périsse.
Le fils d'Agamemnon[3] vient hâter son supplice.

ANDROMAQUE

Et vous prononcerez un arrêt si cruel!
Est-ce mon intérêt[4] qui le rend criminel?
20 Hélas! on ne craint pas qu'il venge un jour son père;
On craint qu'il n'essuyât[5] les larmes de sa mère.
Il m'aurait tenu lieu d'un père et d'un époux;[6]
Mais il me faut tout perdre et toujours par vos coups.

---

[1] **aujourd'hui** *is the normal form today, but the* **d'** *rules out a hiatus, the coming together of the two vowels* **é** *and* **a.**   [2] *There is irony in the Trojan woman's word.*

[3] *Orestes.*   [4] **l'intérêt que je lui porte.**
[5] **qu'il n'essuie,** that he may wipe away (dry).   [6] To me he would have been at the same time a father and a husband.

PYRRHUS

Madame, mes refus ont prévenu [7] vos larmes.
Tous les Grecs m'ont déjà menacé de leurs armes;
Mais, dussent-ils [8] encore, en repassant les eaux,[9]
Demander votre fils avec mille vaisseaux;
5 Coûtât-il tout le sang qu'Hélène a fait répandre;
Dussé-je après dix ans [10] voir mon palais en cendre;
Je ne balance point, je vole à son secours.
Je défendrai sa vie aux dépens de mes jours.
Mais, parmi ces périls où je cours pour vous plaire,
10 Me refuserez-vous un regard moins sévère?
Haï de tous les Grecs, pressé de tous côtés,
Me faudra-t-il combattre encor [11] vos cruautés?
Je vous offre mon bras. Puis-je espérer encore
Que vous accepterez un cœur qui vous adore?...

Andromaque reste insensible; Pyrrhus s'impatiente:

15 Je n'épargnerai rien dans ma juste colère;
Le fils me répondra des mépris [12] de la mère;
La Grèce le demande; et je ne prétends pas [13]
Mettre toujours ma gloire [14] à sauver des ingrats.

ANDROMAQUE

Hélas! il mourra donc! il n'a pour sa défense
20 Que les pleurs de sa mère, et que son innocence.
Et peut-être après tout, en l'état où je suis,
Sa mort avancera la fin de mes ennuis: [15]
Je prolongeais pour lui ma vie et ma misère;
Mais enfin sur ses pas j'irai revoir son père.
25 Ainsi, tous trois, seigneur, par vos soins [16] réunis,
Nous vous...

PYRRHUS

Allez, madame, allez voir votre fils,[17]
Peut-être, en le voyant, votre amour plus timide [18]
Ne prendra pas toujours sa colère pour guide.
Pour savoir nos destins [19] j'irai vous retrouver:
30 Madame, en l'embrassant, songez à le sauver.

Acte I, scène IV

Céphise, confidente d'Andromaque, essaie de lui faire comprendre qu'en restant
inflexible elle fait courir à son fils les plus grands dangers. Pour que Pyrrhus s'attache
à Astyanax et refuse de le livrer à ses ennemis, Andromaque consent à l'épouser, mais

---

[7] **ont précédé.**   [8] Even if they should.
[9] making another voyage, crossing the
sea once more. *The first time was when*
they sailed to Troy.   [10] *The time it took*
the Greeks to capture Troy.   [11] besides.
[12] for the marks of contempt.   [13] I
don't intend to.   [14] **mon ambition.**
[15] **maux,** grief.   [16] good offices.   [17] *Pro-*
nounce [fi] *for the rhyme with* **réunis.**
[18] **votre amour humanisé.**   [19] So as to
know what you have decided about your
future and mine.

*elle décide de se tuer aussitôt après. Furieuse de voir Pyrrhus lui préférer Andromaque,
Hermione ordonne à son cousin Oreste, qui l'aime, de tuer le roi pendant la cérémonie
du mariage; c'est ce qui arrive. Voici Oreste qui vient, auprès d'Hermione, chercher
sa récompense.*

HERMIONE DÉSAVOUE ORESTE

ORESTE

Madame, c'en est fait, et vous êtes servie:
Pyrrhus rend à l'autel son infidèle vie.

HERMIONE

Il est mort?

ORESTE

    Il expire, et nos Grecs irrités
Ont lavé dans son sang ses infidélités.
5 Je vous l'avais promis; et, quoique mon courage [20]
Se fît de ce complot une funeste image,
J'ai couru vers le temple, où nos Grecs dispersés
Se sont jusqu'à l'autel dans la foule glissés.
Pyrrhus m'a reconnu, mais, sans changer de face,[21]
10 Il semblait que ma vue excitât son audace,
Que tous les Grecs, bravés en leur ambassadeur,
Dussent de son hymen relever la splendeur.
Enfin, avec transport [22] prenant son diadème,
Sur le front d'Andromaque il l'a posé lui-même:
15 « Je vous donne, a-t-il dit, ma couronne et ma foi,
« Andromaque, régnez sur l'Épire et sur moi.
« Je voue à votre fils une amitié de père;
« J'en atteste les dieux, je le jure à sa mère:
« Pour tous mes ennemis je déclare les siens,[23]
20 « Et je le reconnais pour le roi des Troyens. »
A ces mots, qui du peuple attiraient les suffrages,[24]
Nos Grecs n'ont répondu que par un cri de rage;
L'infidèle [25] s'est vu partout envelopper,
Et je n'ai pu trouver de place pour frapper:
25 Chacun se disputait la gloire de l'abattre.
Je l'ai vu dans leurs mains quelque temps se débattre,
Tout sanglant à leurs coups vouloir se dérober;
Mais enfin à l'autel il est allé tomber.
Du peuple épouvanté j'ai traversé la presse
30 Pour venir de ces lieux enlever ma princesse,
Et regagner le port, où bientôt mes amis
Viendront couverts du sang que je vous ai promis.

---

[20] mon cœur. [21] sans changer de visage,
d'expression. [22] avec un transport de
joie, with rapture. [23] Je déclare que
tous ses ennemis sont les miens.
[24] which were hailed by the people.
[25] The traitor (*to the Greek cause*).

HERMIONE

Qu'ont . . .-ils . . . fait ? [26]

ORESTE

        Pardonnez à leur impatience:
Ils ont, je le vois bien, trahi votre vengeance; [27]
Vous vouliez que ma main portât les premiers coups,
Qu'il sentît en mourant qu'il expirait pour [28] vous.
5 Mais c'est moi dont l'ardeur leur a servi d'exemple:
Je les ai pour vous seule entraînés dans le temple,
Madame; et vous pouvez justement vous flatter
D'une mort que leurs bras n'ont fait qu'exécuter,
Vous seule avez poussé les coups . . .

HERMIONE

                  Tais-toi, perfide,
10 Et n'impute qu'à toi ton lâche parricide.[29]
Va faire chez tes Grecs admirer ta fureur,
Va; je la désavoue, et tu me fais horreur.
Barbare, qu'as-tu fait? avec quelle furie
As-tu tranché le cours d'une si belle vie?
15 Avez-vous pu, cruels, l'immoler aujourd'hui
Sans que tout votre sang se soulevât pour lui?
Mais parle: de son sort qui t'a rendu l'arbitre?
Pourquoi l'assassiner? qu'a-t-il fait? à quel titre? [30]
Qui te l'a dit?

ORESTE

        Oh! dieux! quoi! ne m'avez-vous pas,
20 Vous-même, ici, tantôt, ordonné son trépas?

HERMIONE

Ah! fallait-il en croire une amante insensée? [31]
Ne devais-tu pas lire au fond de ma pensée?
Et ne voyais-tu pas, dans mes emportements,[32]
Que mon cœur démentait ma bouche à tous moments? . . .
25 Adieu. Tu peux partir. Je demeure en Épire;
Je renonce à la Grèce, à Sparte, à son empire,
A toute ma famille; et c'est assez pour moi,
Traître, qu'elle ait produit un monstre comme toi.

                      Acte V, scène III

[26] *In his excitement, Orestes does not notice that Hermione also is awe-stricken, and that she speaks in a halting, wailing voice.* [27] *Ils n'ont pas permis à votre vengeance de s'exercer comme vous le vouliez.* [28] **par,** through. [29] *your cowardly murder. The word* **parricide** *is now restricted to the* act of murdering a parent, and to the man who murders his father or mother. [30] by what right (did you murder him)? [31] out of her senses. [32] **par mes mouvements passionnés,** in my mental agitation, in my distraction.

LA FOLIE D'ORESTE

ORESTE, *seul*

Que vois-je? est-ce Hermione? Et que viens-je d'entendre?
Pour qui coule le sang que je viens de répandre?
Je suis, si je l'en crois, un traître, un assassin.
Est-ce Pyrrhus qui meurt? et suis-je Oreste enfin?
5 Quoi? j'étouffe en mon cœur la raison qui m'éclaire,
J'assassine à regret un roi que je révère;
Je viole en un jour les droits des souverains,
Ceux des ambassadeurs, et tous ceux des humains,
Ceux même des autels où ma fureur l'assiège: [33]
10 Je deviens parricide, assassin, sacrilège.
Pour qui? Pour une ingrate, à qui je le promets,[34]
Qui même, s'il ne meurt, ne me verra jamais,
Dont j'épouse la rage. Et quand je l'ai servie,
Elle me redemande et son sang et sa vie!
15 Elle l'aime! et je suis un monstre furieux!
Je la vois pour jamais s'éloigner de mes yeux!
Et l'ingrate, en fuyant, me laisse pour salaire
Tous les noms odieux que j'ai pris pour lui plaire!

Acte V, scène IV

Oreste, Pylade,[35] soldats d'Oreste

PYLADE

Il faut partir, seigneur. Sortons de ce palais,
20 Ou bien résolvons-nous de n'en sortir jamais.[36]
Nos Grecs pour un moment en défendent la porte.
Tout le peuple assemblé nous poursuit à main forte.[37]
Aux ordres d'Andromaque ici tout est soumis;
Ils la traitent en reine, et nous comme ennemis.
25 Andromaque elle-même, à Pyrrhus si rebelle,
Lui rend tous les devoirs d'une veuve fidèle,
Commande qu'on le venge, et peut-être sur nous
Veut venger Troie encore et son premier époux.
Allons. N'attendons pas que l'on nous environne:
30 Nos Grecs nous rejoindront; et tandis qu'Hermione
Tient encore le peuple autour d'elle arrêté,
Voilà votre chemin, sortons en sûreté.

ORESTE

Non, non, c'est Hermione, amis, que je veux suivre.
A son dernier arrêt je ne puis plus survivre.
35 Partez: j'ai fait le crime, et je vais l'expier.

[33] attacks him. [34] *to whom I promised to be the murderer of a friend* (**parricide**), *a plain murderer* (**assassin**), *a sacrilegious individual* (**sacrilège**). [35] *Pylades is Orestes' bosom friend.* [36] **mettons-nous bien dans la tête que nous n'en sortirons jamais.** [37] **à main armée,** with weapons in their hands.

PYLADE

Hermione, seigneur? Il la faut oublier.
Quoi? toujours l'instrument et l'objet de sa rage,
Cherchez-vous chez les morts quelque nouvel outrage?
Et parce qu'elle meurt faut-il que vous mouriez?

ORESTE

5 Elle meurt? Dieux! qu'entends-je?

PYLADE

　　　　　　　　Hé quoi? vous l'ignoriez?
En rentrant dans ces lieux, nous l'avons rencontrée
Qui courait vers le temple, inquiète, égarée.
Elle a trouvé Pyrrhus porté sur des soldats
Que son sang excitait à venger son trépas.
10 Sans doute à cet objet [38] sa rage s'est émue.[39]
Mais du haut de la porte enfin nous l'avons vue,
Un poignard à la main, sur Pyrrhus se courber,
Lever les yeux au ciel, se frapper et tomber.

ORESTE

Grâce aux dieux, mon malheur passe mon espérance.[40]
15 Oui, je te loue, ô ciel, de ta persévérance.
Appliqué sans relâche au soin de me punir,
Au comble des douleurs tu m'as fait parvenir.
Ta haine a pris plaisir à former ma misère;
J'étais né pour servir d'exemple à ta colère,
20 Pour être du malheur un modèle accompli.
Hé bien! je meurs content, et mon sort est rempli.
Où sont ces deux amants? Pour couronner ma joie,
Dans leur sang, dans le mien, il faut que je me noie;
L'un et l'autre en mourant je les veux regarder.
25 Réunissons trois cœurs qui n'ont pu s'accorder.
Mais quelle épaisse nuit tout à coup m'environne? [41]
De quel côté sortir? D'où vient que je frissonne?
Quelle horreur me saisit? Grâce au ciel, j'entrevoi [42] . . .
Dieux! quels ruisseaux de sang coulent autour de moi!

PYLADE

30 Ah! seigneur.

ORESTE

　　　Quoi? Pyrrhus, je te rencontre encore?
Trouverai-je partout un rival que j'abhorre?
Percé de tant de coups, comment t'es-tu sauvé?

[38] sight.　[39] softened down.　[40] **dépasse mon espérance,** is greater than I expected.　[41] *Orestes is losing his mind.*　[42] **j'entrevois** (*the* **s** *is dropped for the rhyme with* **moi**), I catch a glimpse of.

Tiens, tiens, voilà le coup que je t'ai réservé.
Mais que vois-je? A mes yeux Hermione l'embrasse? [43]
Elle vient l'arracher au coup qui le menace.
Dieux! quels affreux regards elle jette sur moi!
5 Quels démons,[44] quels serpents traîne-t-elle après soi?
Hé bien! filles d'enfer, vos mains sont-elles prêtes?
Pour qui sont ces serpents qui sifflent sur vos têtes? [45]
A qui destinez-vous l'appareil [46] qui vous suit?
Venez-vous m'enlever dans l'éternelle nuit?
10 Venez, à vos fureurs Oreste s'abandonne.
Mais non, retirez-vous, laissez faire Hermione:
L'ingrate mieux que vous saura me déchirer;
Et je lui porte enfin mon cœur à dévorer.

PYLADE

Il perd le sentiment.[47] Amis, le temps nous presse;
15 Ménageons les moments [48] que ce transport [49] nous laisse.
Sauvons-le. Nos efforts deviendraient impuissants
S'il reprenait ici sa rage avec ses sens.

Acte V, scène V

Fin d'*Andromaque*

Que les cœurs sensibles se rassurent! Dans la légende grecque, tout est bien qui finit bien. Hermione ne se tue pas; elle épouse d'abord Pyrrhus (que l'on appelle aussi Neoptolème, et qui avait épousé Andromaque), puis Oreste, qui l'enlève à Pyrrhus. D'après Homère et Virgile, le fils d'Andromaque, Astyanax, était mort après avoir été précipité par les Grecs du haut des remparts de Troie. Andromaque épousa Pyrrhus, eut de lui trois fils, fut répudiée et donnée en mariage à Hélénus, frère d'Hector.

OUVRAGES RECOMMANDÉS
Textes

Œuvres. 2 vol. Gallimard.
Théâtre complet, éd. M. Rat. Classiques Garnier.
Théâtre, éd. Thierry Maulnier. 2 vol. Hachette.
Théâtre. Classiques Larousse (10 vol.), Hatier (10 vol.), Hachette (8 vol.).
Heath editions: *Andromaque* (1. Roach and Ledésert. 2. Wells). *Esther* (Spiers). *Athalie* (Eggert).

Discographie

Andromaque, Phèdre, 2 microsillons, extraits par des sociétaires de la Comédie-Française. Period.

Critique

François Mauriac. *La Vie de Jean Racine.* 260 p. Plon.
Pierre Moreau. *Racine, l'homme et l'œuvre.* Hatier.
Thierry Maulnier. *Racine.* 270 p. Gallimard.
Jean Giraudoux. *Racine.* 68 p. Grasset.
Jean Pommier. *Aspects de Racine.* Nizet, 1954.

---

[43] takes him in her arms. [44] *These demons are the three Furies, p. 236, n. 35.* [45] *Much quoted example of onomatopoeia* (*adaptation of sound to sense*). [46] the retinue. [47] his mind. [48] **Profitons des moments.** [49] **cette crise de folie.**

JEAN DE LA BRUYÈRE
(1645–1696)
Un Observateur exact de l'homme

L'homme indépendant qui aime « méditer, parler, lire et être tranquille » (1645–84). Jean de La Bruyère est le grand écrivain français du dix-septième siècle sur la jeunesse de qui nous avons le moins de renseignements. Il naquit en 1645 dans une famille de petite bourgeoisie parisienne. Son père, qui ne semble pas avoir été bien riche, était contrôleur général des rentes sur l'Hôtel de Ville. Peut-être Jean fit-il ses études classiques chez les prêtres oratoriens. Il étudia le droit civil, se fit sans doute inscrire comme avocat au parlement de Paris, mais on ignore s'il plaida jamais. Bientôt il acheta une charge de « conseiller au roi, trésorier général de France au bureau des finances de la généralité de Caen ». Cette charge lui donnait le titre d'écuyer, le plus bas des titres de noblesse, et ne lui imposait pas la résidence. Il continua d'habiter avec ses frères et sœurs, en philosophe observateur qui aimait « travailler », c'est-à-dire, selon lui, « méditer, parler, lire et être tranquille » (*Du mérite personnel*, 2) et « distiller dans l'esprit et le cœur des survenants [1] l'élixir de ses méditations » (Bonaventure d'Argonne).

Le serviteur de la maison des Condé (1684–90). C'est Bossuet, croit-on, qui recommanda La Bruyère pour être un des précepteurs du petit-fils du prince de Condé (1684). Pendant deux ans il enseigna surtout la mythologie, l'histoire et le blason [2] à un élève inattentif qui préférait évidemment la chasse et le bal, et que l'on maria d'ailleurs bientôt, à dix-sept ans, avec une fille de Louis XIV et de Mme de Montespan. L'élève conserva le consciencieux précepteur comme secrétaire, bibliothécaire et aussi comme précepteur de la petite mariée, qui n'était pas meilleure élève que son mari. Habitant au château de Chantilly, suivant les Condé dans leurs hôtels de Versailles et de Paris, — en face du Luxembourg —, aux châteaux de Fontainebleau et de Chambord, La Bruyère était ainsi aux premières loges pour observer le théâtre qu'étaient la cour et la ville. Ses observations et réflexions peu indulgentes il les a mises, en un style sûr et varié, noble et épigrammatique, dans *Les Caractères de Théophraste* [3] *traduits du grec avec les Caractères ou les mœurs de ce siècle* (1688), qui eurent un grand succès, et qu'il enrichit au cours d'éditions successives.

Dans la Querelle des Anciens et des Modernes qui battait son plein,[4] il prit violemment parti pour les Anciens. Il s'attira ainsi l'appui de Bossuet, Racine, Boileau, Fénelon qui le firent élire à l'Académie française malgré l'opposition de Perrault, Thomas Corneille et son neveu Fontenelle.

Il terminait des *Dialogues sur le quiétisme* [5] quand il mourut à Versailles d'une attaque d'apoplexie. Il avait cinquante et un ans.

Ce timide qui a si bien parlé de l'amitié ne semble pas avoir eu de grands amis. Fort gauche, même lorsqu'il jouait de la guitare et qu'il dansait, il ne s'est pas mêlé au monde, mais il l'a regardé d'un œil singulièrement perçant. Il l'a peint sans indulgence, sans amertume aussi, parce qu'il avait le sens du relatif et une bonté naturelle qui, lorsqu'elle a osé s'exprimer, comme dans les passages sur les misères et qualités du peuple, a trouvé des accents d'une éloquence vigoureuse et rare.

---

[1] callers.   [2] heraldry.   [3] Theophrastus (c. *372–287 B.C.), Greek philosopher, a*   *disciple of Aristotle.*   [4] was at its height.   [5] *See p. 126.*

LES CARACTÈRES

I. DES OUVRAGES DE L'ESPRIT [1]

1. Tout est dit, et l'on vient trop tard depuis plus de sept mille ans qu'il y a des hommes,[2] et qui pensent. Sur ce qui concerne les mœurs,[3] le plus beau et le meilleur est enlevé;[4] l'on ne fait que glaner après les anciens et les habiles d'entre les modernes.

3. C'est un métier que de faire un livre, comme de faire une pendule: 5 il faut plus que de l'esprit[5] pour être auteur. Un magistrat allait par son mérite à la première dignité, il était homme délié[6] et pratique[7] dans les affaires; il a fait imprimer un ouvrage moral[8] qui est rare par le ridicule.

9. L'on n'a guère vu jusqu'à présent un chef-d'œuvre d'esprit qui soit l'ouvrage de plusieurs: Homère a fait l'*Iliade*, Virgile l'*Énéide*, Tite-Live 10 ses *Décades*, et l'Orateur romain[9] ses *Oraisons*.[10]

13. Amas d'épithètes, mauvaises louanges: ce sont les faits qui louent, et la manière de les raconter.

15. On se nourrit des anciens et des habiles modernes; on les presse, on en tire le plus que l'on peut, on en renfle ses ouvrages; et quand enfin l'on 15 est auteur et que l'on croit marcher tout seul, on s'élève contre eux, on les maltraite, semblable à ces enfants, drus[11] et forts d'un bon lait qu'ils ont sucé, qui battent leur nourrice.[12]

31. Quand une lecture vous élève l'esprit, et qu'elle vous inspire des sentiments nobles et courageux, ne cherchez pas une autre règle pour 20 juger de l'ouvrage; il est bon, et fait de main d'ouvrier.[13]

38. Il n'a manqué à TÉRENCE que d'être moins froid: quelle pureté, quelle exactitude,[14] quelle politesse, quelle élégance, quels caractères! Il n'a manqué à MOLIÈRE que d'éviter le jargon[15] et le barbarisme,[16] et d'écrire purement: quel feu, quelle naïveté, quelle source de la bonne plai- 25 santerie, quelle imitation des mœurs, quelles images, et quel fléau du ridicule![17] Mais quel homme on aurait pu faire de ces deux comiques!

42. Ronsard et les auteurs ses contemporains ont plus nui au style qu'ils ne lui ont servi: ils l'ont retardé dans le chemin de la perfection.[18]

---

[1] Of Intellectual Production. [2] *Anthropologists now say that men (or rather anthropoids) first appeared two million years ago.* [3] moral life, character, sentiments, etc., *rather than the modern meaning of* mœurs, manners and morals, customs of people. [4] has been taken away. [5] intelligence. [6] sharp. [7] efficient. [8] sur les mœurs, on moral life. [9] *Cicero.* [10] Discours. [11] lively. *The modern meaning, referring to persons, is* sturdy. [12] *This is a criticism of Perrault, Fontenelle, and the other opponents of the ancients in the famous* Querelle des Anciens et des Modernes, *p. 102.* [13] de maître, d'artiste. [14] perfection of style. [15] unnatural, unintelligible language (*like the one of affected people, of ignorant peasants, pedantic doctors, etc.*). [16] incorrect, popular language. *Boileau, too, criticized Molière for portraying the "low" classes; today we admire Molière for it.* [17] quel fléau (scourge) il est pour les ridicules (ridiculous ways) des hommes! [18] *This criticism is unfair. Ronsard's style is often natural and fluid, although cluttered at times with Greek and Latin neologisms.*

43. Rabelais... est incompréhensible: son livre est une énigme, quoi qu'on veuille dire,[19] inexplicable; c'est une chimère, c'est le visage d'une belle femme avec des pieds et une queue de serpent, ou de quelque autre bête plus difforme; c'est un monstrueux assemblage d'une morale fine et
5 ingénieuse, et d'une sale corruption. Où il est mauvais, il passe bien loin au-delà du pire, c'est le charme de la canaille; où il est bon, il va jusqu'à l'exquis et à l'excellent; il peut être le mets des plus délicats.

50. D'où vient que l'on rit si librement au théâtre, et que l'on a honte d'y pleurer?... Il y a souvent moins lieu de craindre de pleurer au théâtre
10 que de s'y morfondre.[20]

54. Corneille ne peut être égalé dans les endroits où il excelle... Ce qu'il y a eu en lui de plus éminent, c'est l'esprit, qu'il avait sublime... Corneille nous assujettit à ses caractères et à ses idées,[21] Racine se conforme aux nôtres; celui-là peint les hommes comme ils devraient être, celui-ci
15 les peint tels qu'ils sont. Il y a plus dans le premier de ce que l'on admire, et de ce que l'on doit même imiter; il y a plus dans le second de ce que l'on reconnaît dans les autres, ou de ce que l'on éprouve dans soi-même. L'un élève, étonne,[22] maîtrise, instruit; l'autre plaît, remue, touche, pénètre. Ce qu'il y a de plus beau, de plus noble et de plus impérieux dans la raison,
20 est manié par le premier; et par l'autre, ce qu'il y a de plus flatteur[23] et de plus délicat dans la passion. Ce sont dans celui-là des maximes, des règles, des préceptes; et dans celui-ci du goût et des sentiments. L'on est plus occupé[24] aux pièces de Corneille; l'on est plus ébranlé et plus attendri à celles de Racine. Corneille est plus moral,[25] Racine plus naturel.

II. DU MÉRITE PERSONNEL

25 5. Les hommes sont trop occupés d'eux-mêmes, pour avoir le loisir de pénétrer ou de discerner[26] les autres; de là vient qu'avec un grand mérite et une plus grande modestie l'on peut être longtemps ignoré.

17. La modestie est au mérite ce que les ombres sont aux figures dans un tableau: elle lui donne de la force et du relief.

III. DES FEMMES

30 5. Se mettre du rouge ou se farder est, je l'avoue, un moindre crime que parler contre sa pensée.

10. Un beau visage est le plus beau de tous les spectacles; et l'harmonie la plus douce est le son de la voix de celle que l'on aime.

16. Les femmes s'attachent aux hommes par les faveurs qu'elles leur
35 accordent; les hommes guérissent par ces mêmes faveurs.

53. Les femmes sont extrêmes: elles sont meilleures ou pires que les hommes.

55. Les hommes sont cause que les femmes ne s'aiment point.

---

[19] say what you will. [20] than to be bored to death there. [21] obs. for **créations**. [22] *With the strong meaning that this verb* had *in the 17th century*, awes. [23] caressing. [24] **absorbé**. [25] idealistic, noble. [26] **distinguer**, single out.

61. Combien de filles à qui une grande beauté n'a jamais servi qu'à leur faire espérer une grande fortune![27]

67. Il arrive quelquefois qu'une femme cache à un homme toute la passion qu'elle sent pour lui, pendant que de son côté il feint, pour elle, toute celle qu'il ne sent pas.

80. Ne pourrait-on point découvrir l'art de se faire aimer de sa femme?

81. Une femme insensible est celle qui n'a pas encore vu celui qu'elle doit aimer.

IV. DU CŒUR

11. L'on n'aime bien qu'une seule fois: c'est la première; les amours qui suivent sont moins involontaires.

63. Il faut rire avant que d'être heureux, de peur de mourir sans avoir ri.

V. DE LA SOCIÉTÉ ET DE LA CONVERSATION

1. Un caractère bien fade est celui de n'en avoir aucun.

15. Il y a des gens qui parlent un moment avant que d'avoir pensé.

16. Le plaisir le plus délicat est celui de faire celui d'autrui.

49. J'approche d'une petite ville, et je suis sur une hauteur d'où je la découvre. Elle est située à mi-côte, une rivière baigne ses murs et coule ensuite dans une belle prairie; elle a une forêt épaisse qui la couvre des vents froids et de l'aquilon.[28] Je la vois dans un jour [29] si favorable, que je compte ses tours et ses clochers; elle me paraît peinte sur le penchant de la colline. Je me récrie,[30] et je dis: « Quel plaisir de vivre sous un si beau ciel et dans ce séjour si délicieux! » Je descends dans la ville, où je n'ai pas couché deux nuits que je ressemble à ceux qui l'habitent; j'en veux sortir.

57. La moquerie est souvent indigence d'esprit.

76. C'est la profonde ignorance qui inspire le ton dogmatique.

OUVRAGES RECOMMANDÉS
Textes

Œuvres complètes, éd. Julien Benda. Gallimard.
Les Caractères, éd. Henri Queffelec. Hachette.
Les Caractères (extraits). Classiques Larousse, Hachette, Hatier.

Critique

Gustave Michaut. *La Bruyère.* 256 p. Boivin, 1936.
Pierre Richard. *La Bruyère et ses Caractères.* Cercle du Livre, 1955.

[27] **destinée.** [28] from the north wind. [29] light. [30] **je pousse un cri (des cris) d'admiration.**

LE DIX-HUITIÈME SIÈCLE

La Floraison des idées démocratiques

LE DIX-HUITIÈME SIÈCLE
Contour littéraire

Les grands écrivains du dix-septième siècle, nous l'avons noté à regret, n'ont que fort timidement critiqué l'absolutisme en matière de politique et de religion; c'est la gloire du dix-huitième siècle d'avoir non seulement mis en doute cet absolu et créé un courant de plus en plus puissant d'idées démocratiques, mais d'avoir institué la démocratie en Amérique et en France. 5

Le dix-huitième siècle a remplacé l'idée de salut, selon laquelle l'homme devait souffrir sur la terre pour gagner le ciel, par l'idée de bonheur, d'optimisme, de progrès. «La vie terrestre est une fin en soi», a-t-il proclamé; il faut se faire ici-bas un petit bonheur, un bonheur relatif, sans 10 s'inquiéter de l'absolu de l'autre monde. C'est une rupture hardie avec le passé; c'est une crise de la conscience chrétienne d'où la littérature ne sortira qu'avec le romantisme religieux de Chateaubriand et de Lamartine, et surtout avec les poètes maudits, Rimbaud, Verlaine, puis avec les grands catholiques du vingtième siècle, Péguy, Claudel et Mauriac. 15

La pensée politique et philosophique éclipse au dix-huitième siècle la pensée et la forme proprement littéraires. PIERRE BAYLE (1647–1706) (*Dictionnaire philosophique*) ouvre la marche. FONTENELLE suit. Le comte de BUFFON (1707–88) donne un gigantesque tableau de l'univers dans une *Histoire naturelle* qui appartient à la littérature à cause de sa 20 prose noble, majestueuse. « Le style est l'homme même ... Bien écrire, c'est tout à la fois bien penser, bien sentir et bien rendre; c'est avoir en même temps de l'esprit, de l'âme et du goût », a-t-il écrit dans le *Discours sur le style* prononcé à l'Académie française (1753). De vraie poésie sortant du plus profond du cœur nous n'en avons qu'un seul exemple, 25 avec CHÉNIER. L'art tragique de Corneille et de Racine tombe assez bas, sauf dans *Zaïre* de VOLTAIRE. La comédie de Molière n'a pas d'indignes successeurs; *Turcaret* de LESAGE, les délicates pièces de MARIVAUX et celles de BEAUMARCHAIS ne craignent pas la comparaison avec ce qu'il y a de meilleur chez Molière. 30

Le roman marque une belle avance sur le dix-septième siècle qui n'a que *La Princesse de Clèves*, de Mme de La Fayette, à nous offrir. Voici *Gil Blas*, de Lesage; *Manon Lescaut*, de l'abbé PRÉVOST; *Le Paysan parvenu*, de Marivaux; *Candide, L'Ingénu, Zadig*, de Voltaire; *Paul et Virginie*, de BERNARDIN DE SAINT–PIERRE (1737–1814); *La Nouvelle* 35 *Héloïse* de ROUSSEAU, qui est à la base du romantisme; en effet, c'est au dix-huitième que se forme cette nouvelle façon de voir et surtout de sentir qui sera la marque distinctive du siècle suivant.

Admirable est le style de cette époque. La langue se dépouille des tours encore un peu archaïques et raides; elle perd de sa solennité; elle devient souple, raffinée; nul écrivain, même aujourd'hui, n'écrit mieux que Montesquieu et surtout Voltaire. «L'âge d'or de la littérature, le grand
5 siècle, mais c'est le dix-huitième siècle!» proclament quelques bons critiques. Nous n'irons pas jusque-là, car le dix-septième siècle abonde trop magnifiquement en sommets.

OUVRAGES RECOMMANDÉS
Textes

Otis E. Fellows and Norman L. Torrey. *The Age of Enlightenment.* Appleton-Century-Crofts, 1942.
Encyclopédie (extraits). Classiques Larousse.
Épistoliers du XVIIIe siècle. Classiques Larousse.
Pierre Bayle. *Choix d'œuvres,* éd. M. Raymond. Plon.
Buffon. *Pages choisies.* Classiques Larousse.
Bernardin de Saint-Pierre. *Paul et Virginie.* Classiques Larousse.

Critique

J. Bertaut. *La Vie littéraire au XVIIIe siècle.* Tallandier.
Daniel Mornet. *La Pensée française au XVIIIe siècle.* 220 p. Armand Colin.
V.-L. Saulnier. *La Littérature française du siècle philosophique.* 136 p. Presses universitaires.
Pierre Trahard. *Les Maîtres de la sensibilité française au XVIIIe siècle.* 4 vol. Hatier.
Gilbert Chinard. *L'Amérique et le rêve exotique dans la littérature française aux XVIIe et XVIIIe siècles.* 454 p. Genève: Droz.
André Le Breton. *Le Roman au XVIIIe siècle.* 396 p. Boivin, 1925.

BERNARD LE BOVIER DE FONTENELLE
(1657–1757)

En étudiant Fontenelle nous refaisons connaissance avec Corneille, frère de la mère de notre auteur qui naquit et fit ses études à Rouen. Il fut reçu avocat, mais préféra se lancer dans la carrière des lettres. C'est le charmant oncle Thomas Corneille, un des directeurs de la revue mensuelle *Le Mercure galant,* plutôt que l'assez morose oncle Pierre, — le grand Corneille —, qui l'emmena à Paris et le présenta dans les salons de Mlle de Scudéry et de Mme de La Sablière. Bernard était un jeune homme fort intelligent, galant et enjoué.[1] Il écrivit d'abord des vers légers et des opéras dont la musique de Lulli, premier musicien du roi, assura le succès. Il fut moins heureux avec une tragédie que l'on se rappelle seulement parce qu'au cours de ses représentations les spectateurs, pour la première fois, employèrent le sifflet [2] pour marquer leur désapprobation.

Il décida alors de chercher le succès par la philosophie et les sciences. Il affirma, avant Charles Perrault (p. 102), que les modernes valent bien les anciens. Dans ses *Dialogues des morts* (1683) Socrate dit que l'antiquité n'était pas aussi ad-

---

[1] playful.   [2] whistle.

mirable qu'on l'imagine, et témoigne beaucoup d'estime pour Montaigne. Des discrets paradoxes de Fontenelle s'exhalait une brise de scepticisme qui, au dix-huitième siècle, devint un ouragan.[3] Il donna ensuite un chef-d'œuvre de vulgarisation scientifique, *Entretiens sur la pluralité des mondes* (1686). Ce « livre de philosophie » est un compte rendu,[4] à un ami, d'un séjour que Fontenelle fit, près de Rouen, au château d'une marquise intelligente et jolie. Il lui expliqua le système du monde d'une façon que les astronomes modernes approuvent encore dans l'ensemble, façon « ni trop sèche pour les gens du monde, ni trop badine [5] pour les savants ».

Moins ornées de poésie et de badinage, plus agressives, furent l'*Origine des fables* et l'*Histoire des oracles* (1686). Son autre œuvre marquante fut la *Digression sur les anciens et les modernes;* il y mit en lumière l'idée de progrès: « Nous sommes supérieurs aux anciens, car, étant montés sur leurs épaules, nous voyons plus loin qu'eux.»

Élu à l'Académie des sciences, il en fut longtemps le plus consciencieux et le plus fin des secrétaires perpétuels. Un de ses rôles était d'écrire les *Éloges des académiciens;* ses éloges de Leibniz [6] et de Newton, correspondants étrangers, sont parmi les meilleurs. Resté célibataire, il habita chez son oncle Thomas, puis chez d'autres parents et protecteurs. Il aimait beaucoup aller dans les salons qu'il animait de sa fine gaieté, de sa courtoisie et de son érudition qui était sûre et non pédante. C'est surtout chez Mesdames de Lambert, de Tencin et Geoffrin (p. 182) qu'il était le plus fêté.[7] Cet homme, qui se plaignit toute sa vie de la fragilité de sa santé, était un prudent gourmet et un sage qui vécut jusqu'à l'âge de cent ans.

DE QUELLE FAÇON COMMENCÈRENT LES LEÇONS D'ASTRONOMIE A LA JOLIE MARQUISE

Nous allâmes donc un soir, après souper, nous promener dans le parc; il faisait un frais délicieux,[1] qui nous récompensait d'[2] une journée fort chaude que nous avions essuyée.[3] La lune était levée il y avait peut-être une heure, et ses rayons, qui ne venaient à nous qu'entre les branches des arbres, faisaient un agréable mélange d'un blanc fort vif avec tout ce vert 5 qui paraissait noir. Il n'y avait pas un nuage qui dérobât [4] ou qui obscurcît la moindre étoile; elles étaient toutes d'un or pur et éclatant, et qui était encore relevé [5] par le fond [6] bleu où elles sont attachées. Ce spectacle me fit rêver, et peut-être, sans la marquise, eussé-je rêvé assez longtemps; mais la présence d'une si aimable dame ne me permit pas de m'abandonner à la 10 lune et aux étoiles.

— Ne trouvez-vous pas, lui dis-je, que le jour même n'est pas si beau qu'une belle nuit?

— Oui, me répondit-elle, la beauté du jour est comme une beauté blonde qui a plus de brillant; mais la beauté de la nuit est une beauté brune qui est 15 plus touchante.

[3] hurricane. [4] report. [5] light. [6] *German philosopher and mathematician, born at Leipzig. He invented differential and integral calculus, and the doctrines of pre-* *established harmony and of monads (spiritual beings, or atoms, reflecting the whole universe within themselves).* [7] lionized.

[1] **une fraîcheur délicieuse,** a delightful coolness. [2] which repaid us for. [3] gone through. [4] **dérobât à la vue,** hid from view. [5] heightened, brought into relief. [6] background.

— Vous êtes bien généreuse, repris-je, de donner cet avantage aux brunes, vous qui ne l'êtes pas. Il est pourtant vrai que le jour est ce qu'il y a de plus beau dans la nature, et que les héroïnes de roman, qui sont ce qu'il y a de plus beau dans l'imagination, sont presque toujours blondes.

5 — Ce n'est rien que la beauté,[7] répliqua-t-elle, si elle ne touche. Avouez que le jour ne vous eût jamais jeté dans une rêverie aussi douce que celle où je vous ai vu près de tomber tout à l'heure à la vue de cette belle nuit.

— J'en conviens,[8] répondis-je; mais, en récompense,[9] une blonde comme vous me ferait encore mieux rêver que la plus belle nuit du monde avec 10 toute sa beauté brune.

— Quand [10] cela serait vrai, répliqua-t-elle, je ne m'en contenterais pas. Je voudrais que le jour, puisque les blondes doivent être dans ses intérêts,[11] fît aussi le même effet. Pourquoi les amants, qui sont bons juges de ce qui touche, ne s'adressent-ils jamais qu'à la nuit, dans toutes les chansons 15 et dans toutes les élégies que je connais?

— Il faut bien que la nuit ait leurs remerciements, lui dis-je.

— Mais, reprit-elle, elle a aussi toutes leurs plaintes. Le jour ne s'attire point leurs confidences. D'où cela vient-il?

— C'est apparemment, répondis-je, qu'il n'inspire point je ne sais quoi 20 de triste et de passionné. Il semble, pendant la nuit, que tout soit en repos. On s'imagine que les étoiles marchent avec plus de silence que le soleil; les objets que le ciel présente sont plus doux; la vue s'y arrête plus aisément; enfin, on rêve mieux, parce qu'on se flatte d'être alors dans toute la nature la seule personne occupée à rêver. Peut-être aussi que le spectacle du jour 25 est trop uniforme; ce n'est qu'un soleil et une voûte [12] bleue; mais il se peut que la vue de toutes ces étoiles, semées confusément et disposées au hasard en mille figures différentes, favorise la rêverie et un certain désordre de pensées où l'on ne tombe point sans plaisir.

— J'ai toujours senti ce que vous me dites, reprit-elle; j'aime les étoiles 30 et je me plaindrais volontiers du soleil, qui nous les efface.

— Ah! m'écriai-je, je ne puis lui pardonner de me faire perdre de vue tous ces mondes.

— Qu'appelez-vous tous ces mondes? me dit-elle en me regardant et en se tournant vers moi.

35 — Je vous demande pardon, répondis-je; vous m'avez mis sur ma folie,[13] et aussitôt mon imagination s'est échappée.

— Quelle est donc cette folie? reprit-elle.

— Hélas! répliquai-je, je suis bien fâché qu'il faille vous l'avouer. Je me suis mis dans la tête que chaque étoile pourrait bien être un monde. 40 Je ne jurerais pourtant pas que cela fût vrai; mais je le tiens pour vrai, parce qu'il me fait plaisir à croire. C'est une idée qui me plaît, et qui s'est placée dans mon esprit d'une manière riante. Selon moi, il n'y a pas jusqu'aux vérités à qui l'agrément ne soit nécessaire.[14]

— Eh bien! reprit-elle, puisque votre folie est si agréable, donnez-la-

---

[7] **La beauté n'est rien.**   [8] I agree with that.   [9] *obs. for* **en revanche,** on the other hand.   [10] Even though.   [11] **doivent être de son parti,** must side with it.   [12] vault, canopy.   [13] my mania, hobby.   [14] In my opinion, even truth must be presented in an attractive way.

moi; je croirai sur les étoiles tout ce que vous voudrez, pourvu que j'y trouve du plaisir.

— Ah! madame, répondis-je bien vite, ce n'est pas un plaisir comme celui que vous auriez à une comédie de Molière; c'en est un qui est je ne sais où dans la raison, et qui ne fait rire que l'esprit.   5

— Quoi donc? reprit-elle, croyez-vous qu'on soit incapable des plaisirs qui ne sont que dans la raison? Je veux tout à l'heure [15] vous faire voir le contraire. Apprenez-moi vos étoiles.

— Non, répliquai-je, il ne me sera point reproché que dans un bois, à dix heures du soir, j'aie parlé de philosophie [16] à la plus aimable personne 10 que je connaisse. Cherchez ailleurs vos philosophes.

J'eus beau me défendre [17] encore quelque temps sur ce ton-là, il fallut céder. Je lui fis du moins promettre, pour mon honneur, qu'elle me garderait le secret; et, quand je fus hors d'état de m'en pouvoir dédire [18] et que je voulus parler, je vis que je ne savais par où commencer mon discours; 15 car, avec une personne comme elle, qui ne savait rien en matière de physique, il fallait prendre les choses de bien loin [19] pour lui prouver que la terre pouvait être une planète, les planètes autant de terres, et toutes les étoiles autant de soleils qui éclairaient des mondes. J'en revenais toujours à lui dire [20] qu'il aurait mieux valu s'entretenir de bagatelles,[21] comme toutes 20 personnes raisonnables auraient fait à notre place. A la fin cependant, pour lui donner une idée générale de la philosophie, voici par où je commençai.

— Toute la philosophie, lui dis-je, n'est fondée que sur deux choses: sur ce [22] qu'on a l'esprit curieux et les yeux mauvais; car, si vous aviez les yeux 25 meilleurs que vous ne les avez, vous verriez bien si les étoiles sont des soleils qui éclairent autant de mondes, ou si elles n'en sont pas; et si, d'un autre côté, vous étiez moins curieuse, vous ne vous soucieriez pas de le savoir, ce qui reviendrait au même. Mais on veut savoir plus qu'on ne voit, c'est là la difficulté. Encore, si ce qu'on voit on le voyait bien, ce serait toujours 30 autant de connu; mais on le voit tout autrement qu'il n'est. Ainsi, les vrais philosophes passent leur vie à ne point croire ce qu'ils voient, et à tâcher de deviner ce qu'ils ne voient point; et cette condition n'est pas, ce me semble, trop à envier.

Sur cela, je me figure toujours que la nature est un grand spectacle, qui 35 ressemble à celui de l'Opéra. Du lieu où vous êtes à l'Opéra, vous ne voyez pas le théâtre [23] tout à fait comme il est: on a disposé les décorations [24] et les machines [25] pour faire de loin un effet agréable, et on cache à votre vue ces roues et ces contrepoids [26] qui font tous les mouvements. Aussi ne vous embarrassez-vous guère de deviner comment tout cela joue.[27] Il 40 n'y a peut-être que quelque machiniste [28] caché dans le parterre,[29] qui

[15] **tout de suite,** immediately.   [16] science. *Formerly the word "philosophy" had a more extensive meaning than it has today.*   [17] It was in vain that I protested.   [18] when I was in no position to go back on my word.   [19] it was necessary to go back a long way, to explain things from the beginning.   [20] I always came back to the same conclusion.   [21] to talk about trifles.   [22] on the fact.   [23] **la scène,** the stage.   [24] **les décors,** scenery.   [25] the equipment (*to produce stage effects*).   [26] counterweights.   [27] **marche,** works.   [28] stagehand.   [29] the parterre (*behind the orchestra seats, under the galleries*).

s'inquiète d'un vol [30] qui lui aura paru extraordinaire, et qui veut absolument démêler [31] comment ce vol a été exécuté. Vous voyez bien que ce machiniste-là est assez fait comme les philosophes. Mais ce qui, à l'égard des philosophes, augmente la difficulté, c'est que, dans les machines que la
5 nature présente à nos yeux, les cordes sont parfaitement bien cachées, et elles le sont si bien, qu'on a été longtemps à deviner ce qui causait les mouvements de l'univers. Car, représentez-vous tous les sages à l'Opéra, ces Pythagores, ces Platons, ces Aristotes, et tous ces gens dont le nom fait aujourd'hui tant de bruit à nos oreilles.[32] Supposons qu'ils voyaient le vol
10 de Phaéton [33] que les vents enlèvent, qu'ils ne pouvaient découvrir les cordes, et qu'ils ne savaient point comment le derrière du théâtre était disposé. L'un d'eux disait: « C'est une vertu secrète qui enlève Phaéton. » L'autre: « Phaéton est composé de certains nombres qui le font monter. »[34] L'autre: « Phaéton a une certaine amitié [35] pour le haut du théâtre; il
15 n'est pas à son aise quand il n'y est pas. » L'autre: « Phaéton n'est pas fait pour voler; mais il aime mieux voler que de laisser le haut du théâtre vide »; et cent autres rêveries [36] que je m'étonne qui n'aient perdu de réputation [37] toute l'antiquité. A la fin, Descartes et quelques autres modernes [38] sont venus, qui ont dit: « Phaéton monte parce qu'il est tiré par des cordes,
20 et qu'un poids plus pesant que lui descend. » Ainsi, on ne croit plus qu'un corps se remue,[39] s'il n'est tiré ou plutôt poussé par un autre corps, on ne croit plus qu'il monte ou qu'il descende, si ce n'est par l'effet d'un contrepoids ou d'un ressort; [40] et qui verrait la nature telle qu'elle est ne verrait que le derrière du théâtre de l'Opéra.

Entretiens sur la pluralité des mondes, Premier soir, 1686

LA DENT D'OR

Fontenelle nous dissuade de croire et de crier aux miracles avant d'avoir longuement consulté notre raison.

25 Assurons-nous bien du fait, avant que de nous inquiéter de la cause. Il est vrai que cette méthode est bien lente pour la plupart des gens qui courent naturellement à la cause, et passent par-dessus la vérité du fait; mais enfin nous éviterons le ridicule d'avoir trouvé la cause de ce qui n'est point.

Ce malheur arriva si plaisamment sur la fin du siècle passé à quelques
30 savants d'Allemagne, que je ne puis m'empêcher d'en parler ici.

[30] who wonders about some flight (sailing) (*of an actor or an object across the stage*). [31] to figure out; *lit.* 'disentangle.' [32] who are praised so much around us today. *Formerly* **le bruit** *meant* fame. [33] Phaëthon, *a son of Apollo, whose chariot he tried to drive. He came too near the earth, and had not Jupiter struck him with a thunderbolt, he would have set the world on fire! Fontenelle refers to Quinault's opera* Phaéton, *music by Lulli, which was very popular at that* time. [34] *Superstitious people have always attributed mysterious properties to certain numbers. Fontenelle himself wrote a* Mémoire sur les propriétés du nombre. [35] inclination. [36] **sottises.** [37] **qu'elles n'aient ruiné la réputation de.** [38] *For example, the English monk Roger Bacon (13th century), the Pole Copernicus (1473–1543), the Italian Galileo (1564–1642), the German Kepler (1571–1630), the Frenchmen François Viète and Blaise Pascal.* [39] moves. [40] spring.

« En 1593, le bruit courut [1] que, les dents étant tombées à un enfant de Silésie âgé de sept ans,[2] il lui en était venu une d'or à la place d'une de ses grosses dents. Horstius, professeur en médecine dans [3] l'université de Helmstad [4] écrivit, en 1595, l'histoire de cette dent, et prétendit qu'elle était en partie naturelle, en partie miraculeuse, et qu'elle avait été envoyée de Dieu 5 à cet enfant pour consoler les chrétiens affligés par les Turcs.[5] Figurez-vous quelle consolation, et quel rapport de [6] cette dent aux chrétiens ni [7] aux Turcs! En la même année, afin que cette dent d'or ne manquât pas d'historiens, Rullandus en écrit l'histoire. Deux ans après, Ingolsteterus, autre savant, écrit contre le sentiment [8] que Rullandus avait de la dent d'or, et 10 Rullandus fait aussitôt une belle et docte réplique. Un autre grand homme, nommé Libavius, ramasse tout ce qui avait été dit de la dent, et y ajoute son sentiment particulier. Il ne manquait autre chose à tant de beaux ouvrages, sinon qu'il fût vrai que la dent était d'or. Quand un orfèvre [9] l'eut examinée, il se trouva que [10] c'était une feuille d'or appliquée à la dent, 15 avec beaucoup d'adresse; mais on commença par faire des livres, et puis on consulta l'orfèvre. »

Rien n'est plus naturel que d'en faire autant sur toutes sortes de matières. Je ne suis pas si convaincu de notre ignorance par les choses qui sont, et dont la raison nous est inconnue, que par celles qui ne sont point, et dont 20 nous trouvons la raison. Cela veut dire que, non seulement nous n'avons pas les principes qui mènent au vrai, mais que nous en avons d'autres qui s'accommodent très bien avec le faux.

Histoire des oracles, IV, 1686

OUVRAGES RECOMMANDÉS
Textes

Œuvres complètes, éd. A. Belin. 3 vol. 1818.
De l'Origine des fables, présenté par J. M. Carré. Presses universitaires.
Œuvres choisies. Classiques Larousse.

Critique

Louis Maigron. *Fontenelle*. 432 p. Plon, 1906.

ALAIN-RENÉ LESAGE
(1668–1747)
Le Premier Écrivain français à vivre de sa plume

A neuf ans, Lesage, né et élevé dans la petite ville bretonne de Sarzeau [1] où l'on montre encore sa maison, perdait sa mère, et, à quatorze, son père, un magistrat.

[1] it was rumored.   [2] a seven-year-old Silesian child having lost his teeth. *Silesia, a much disputed territory, lay between Prussia, Poland, and Bohemia.* [3] professeur de médecine à. [4] *In the state of Brunswick, Germany.* [5] accablés, overwhelmed. *The Turks had extended their empire over Austria and Hungary in the 16th century.* [6] connection between. [7] et. [8] l'opinion. [9] goldsmith. [10] it turned out that.

[1] *8 mi. S of Vannes, Brittany. Its climate is so mild that frosts are unknown there.*

Ses tuteurs,[2] deux oncles rapaces, le mirent au collège de Vannes. A vingt-deux ans il allait à Paris faire son droit. Il fut avocat, se maria, et l'on croit que pendant deux ans il fut employé en province au recouvrement [3] des impôts.

Revenu à Paris, vers 1697, pour y vivre de sa plume, il fut d'abord le pensionné d'un abbé qui était fils de Hugues de Lionne, le grand ministre des Affaires Étrangères de Louis XIV. L'abbé était, comme son père, un admirateur de la littérature espagnole. Il encouragea Lesage à traduire des comédies de Lope de Vega,[4] de Francisco de Rojas,[5] etc. Selon l'habitude du temps, ces traductions furent très libres; sa réussite dans ce genre fut un pittoresque roman satirique, *Le Diable boiteux*, inspiré de Guevara.[6]

Petit à petit cet auteur appliqué avait pris conscience de sa propre originalité. Révolté par l'influence grandissante des financiers, rappelant ses souvenirs d'employé des traitants,[7] il fit d'un de ceux-ci une peinture sévère dans une comédie que vous devriez lire, *Turcaret* (1709). Pour gagner sa vie, il fournit de farces, vaudevilles et pièces légères le Théâtre de la Foire qui remplaçait celui des Italiens supprimé pour avoir critiqué Mme de Maintenon, femme de Louis XIV. L'argent qu'il gagnait lui permettait de se consacrer à un roman dont il publia les six premiers livres en 1715, année de la mort de Louis XIV. C'était l'immortel *Gil Blas* [8] dont il donna trois autres livres en 1724, et enfin les trois derniers en 1735.

En 1743, sourd et bien pauvre, mais toujours gai, il quitta Paris avec sa femme pour se retirer à Boulogne-sur-Mer [9] chez son second fils qui était chanoine. C'est là qu'il mourut quatre ans plus tard.

La vie de Lesage est un exemple de courageuse obstination à rester indépendant en ne devant qu'à sa plume ses moyens d'existence. Ce qui fait la valeur de ses œuvres c'est le mouvement du récit et du style, une observation détaillée et pittoresque, un réalisme satirique d'où se dégage une bonne petite philosophie pratique qu'anime pourtant une étincelle d'idéalisme.

HISTOIRE DE GIL BLAS DE SANTILLANE [10]

Lesage mit vingt ans à écrire ce roman de mœurs, de près de mille pages, en douze livres. On l'a accusé d'avoir plagié des romans picaresques [11] espagnols: *Lazarillo de Tormes*, par un anonyme, *Guzman d'Alfarache*, par Aleman, *Marcos de Obregon*, par Espinel, etc. Il s'en est inspiré, mais comme Molière et La Fontaine s'inspiraient de leurs prédécesseurs, en affinant et enrichissant la matière, en lui donnant une forme artistique. L'Espagne de *Gil Blas*, — que Lesage n'a jamais vue —, c'est plutôt la France du vieux Louis XIV et du jeune Louis XV, avec ses aventuriers, ses comédiens ignorants et vains, ses petits-maîtres,[12] ses intendants [13] et ministres issus de rien et malhonnêtes, — comme Gourville,[14] le cardinal Dubois,[15] etc. —; c'est surtout l'humanité moyenne, l'homme de la rue avec tous ses défauts mais aussi son bon sens et sa malléable vigueur qui s'affirment toujours, même sous les coups les plus durs.

---

[2] guardians.   [3] collection.   [4] *Spanish dramatist and poet (1562-1635)*.   [5] *Spanish dramatist (1607-60)*.   [6] *Luis Vélez de Guevara, Spanish dramatist and novelist (1579-1644)*.   [7] tax farmers.   [8] [blas].   [9] *Most important fishing center in France; on the English Channel; pop. 55,000.*

[10] [sātijan].   [11] picaresque (*about picaros or rogues*).   [12] fops.   [13] superintendents, governors.   [14] *The former head steward of La Rochefoucauld and Condé.*   [15] *Tutor and advisor of the Regent of France; prime minister in 1722; bribed by England.*

Gil Blas, fils de pauvres bourgeois de Santillane établis à Oviedo, — près de la côte nord de l'Espagne —, est un garçon bien fait,[16] intelligent, optimiste, mais vaniteux et de caractère faible. Il fait d'assez mauvaises études sous la direction d'un oncle chanoine qui, lorsqu'il a dix-sept ans, lui donne une mule, quelques ducats,[17] et le dirige sur l'université de Salamanque.[18] Le naïf garçon a d'innombrables aventures où il ne brille pas par le courage. Sous la menace d'une escopette[19] il donne une généreuse aumône[20] à un ancien soldat. Arrivé à une hôtellerie il vend d'abord sa mule pour presque rien, puis demande à souper et reçoit d'un flatteur une leçon de modestie. Il est pris par des voleurs qui l'emmènent dans leur caverne. Par sa gaieté il gagne leur confiance et s'enfuit en libérant une jolie prisonnière qui ne manque pas de le récompenser. Des aventuriers le dépouillent de son argent. A Valladolid, sur le conseil de Fabrice, un ami d'enfance, il se fait valet. Il sert successivement un chanoine goutteux, un médecin, le docteur Sangrado,[21] qui soigne ou plutôt tue ses malades par la saignée[22] et l'eau chaude. A Madrid, c'est dans un milieu de petits-maîtres et de comédiens, — milieu des sept péchés mortels —, qu'il exerce sa profession. « Un reste d'honneur et de religion » le lui fait quitter. Il entre au service d'un vieux soldat, don Vincent, qui a une jolie fille de vingt-six ans, Aurore.

GIL BLAS AMOUREUX

Il y avait déjà plus d'un mois que j'étais chez don Vincent lorsque je crus m'apercevoir que sa fille me distinguait de tous les valets du logis. Toutes les fois que ses yeux venaient à s'arrêter sur moi, il me semblait y remarquer une sorte de complaisance que je ne voyais point dans les regards qu'elle laissait tomber sur les autres. Si je n'eusse pas fréquenté des petits- 5 maîtres et des comédiens, je ne me serais jamais avisé de m'imaginer[1] qu'Aurore pensât à moi; mais je m'étais un peu gâté parmi ces messieurs ...

Je crus Aurore fortement éprise de[2] mon mérite, et je ne me regardai plus que comme un de ces heureux domestiques à qui l'amour rend la servi- tude si douce. Pour paraître en quelque façon moins indigne du bien que 10 ma bonne fortune me voulait procurer, je commençai d'avoir plus de soin de ma personne que je n'en avais eu jusqu'alors. Je m'attachai à chercher ce qui pouvait me donner quelque agrément. Je dépensai en linge, en pom- mades et en essences[3] tout ce que j'avais d'argent. La première chose que je faisais le matin, c'était de me parer[4] et de me parfumer, pour n'être 15 point en négligé[5] s'il fallait me présenter devant ma maîtresse. Avec cette attention que j'apportais à m'ajuster,[6] et les autres mouvements[7] que je me donnais pour plaire, je me flattais que mon bonheur n'était pas fort éloigné.

Parmi les femmes d'Aurore, il y en avait une qu'on appelait Ortiz. 20 C'était une vieille personne qui demeurait depuis plus de vingt années chez don Vincent. Elle avait élevé sa fille, et conservait encore la qualité de duègne,[8] mais elle n'en remplissait plus l'emploi pénible. Au contraire,

---

[16] handsome. [17] *A ducat was a gold coin of varying value, approximately $2.25.* [18] *Salamanca, 120 mi. NW of Madrid.* [19] blunderbuss. [20] alms. [21] **Bled.** [22] bleeding.

[1] I would never have ventured to im- agine. [2] in love with. [3] in creams and perfumes. [4] to adorn myself. [5] in informal dress. [6] to dress. [7] cares. [8] duenna, Spanish chaperon.

au lieu d'éclairer [9] comme autrefois les actions d'Aurore, elle ne s'occupait alors qu'à les cacher. Enfin elle possédait toute la confiance de sa maîtresse. Un soir, la dame Ortiz, ayant trouvé l'occasion de me parler sans qu'on pût nous entendre, me dit tout bas que, si j'étais sage et discret, je n'avais qu'à

5 me rendre à minuit dans le jardin, qu'on m'apprendrait là des choses que je ne serais pas fâché de savoir. Je répondis à la duègne, en lui serrant la main, que je ne manquerais pas d'y aller; et nous nous séparâmes vite, de peur d'être surpris.

Je ne doutai plus que je n'eusse fait une tendre impression sur la fille

10 de don Vincent, et j'en ressentis une joie que je n'eus pas peu de peine à contenir. Que le temps me dura [10] depuis ce moment jusqu'au souper, quoiqu'on soupât de fort bonne heure, et depuis le souper jusqu'au coucher de mon maître! Il me semblait que tout se faisait ce soir-là dans la maison avec une lenteur extraordinaire. Pour surcroît d'ennui,[11] lorsque don Vin-

15 cent fut retiré dans son appartement, au lieu de songer à se reposer, il se mit à rebattre [12] ses campagnes de Portugal, dont il m'avait déjà souvent étourdi [13] . . . Que je souffris à l'écouter jusqu'au bout! Il acheva pourtant de parler, et se coucha. Je passai aussitôt dans une petite chambre où était mon lit, et d'où l'on descendait dans le jardin par un escalier dérobé.[14]

20 Je me frottai tout le corps de pommade, je pris une chemise blanche après l'avoir bien parfumée; et, quand je n'eus rien oublié de tout ce qui me parut pouvoir contribuer à flatter l'entêtement [15] de ma maîtresse, j'allai au rendez-vous.

Je n'y trouvai point Ortiz. Je jugeai qu'ennuyée de m'attendre elle avait

25 regagné son appartement, et que l'heure du berger [16] était passée. Je m'en pris à don Vincent; [17] mais, comme je maudissais ses campagnes, j'entendis sonner dix heures . . . L'heure enfin que j'attendais depuis si longtemps, minuit, sonna. Quelques instants après, Ortiz, aussi ponctuelle mais moins impatiente que moi, parut.

30 — Seigneur [18] Gil Blas, me dit-elle en m'abordant; combien y a-t-il que vous êtes ici?

— Deux heures, lui répondis-je.

— Ah! vraiment, reprit-elle en faisant un éclat de rire [19] à mes dépens, vous êtes bien exact. C'est un plaisir de vous donner des rendez-vous la

35 nuit. Il est vrai, continua-t-elle d'un air sérieux, que vous ne sauriez trop payer le bonheur que j'ai à vous annoncer. Ma maîtresse veut avoir un entretien particulier [20] avec vous, et elle m'a ordonné de vous introduire dans son appartement, où elle vous attend. Je ne vous en dirai pas davantage. Le reste est un secret que vous ne devez apprendre que de sa propre

40 bouche. Suivez-moi, je vais vous conduire.

A ces mots, la duègne me prit la main, et, par une petite porte dont elle avait la clé, elle me mena mystérieusement dans la chambre de sa maîtresse.

---

[9] de mettre en lumière.   [10] How heavily time hung on my hands.   [11] To increase my vexation.   [12] to tell over and over again (like a blacksmith who strikes and strikes — qui bat et rebat — a piece of iron).   [13] rebattu les oreilles, dinned into my ears.   [14] secret staircase.

[15] le caprice, l'engouement, infatuation.   [16] the auspicious hour for love (when the shepherdess welcomes the shepherd).   [17] I blamed don Vincent for it.   [18] Mr.   [19] en poussant (en partant d') un éclat de rire, bursting out laughing.   [20] private talk.

Je trouvai Aurore en déshabillé; [21] cela me fit plaisir. Je la saluai fort respectueusement et de la meilleure grâce qu'il me fut possible. Elle me reçut d'un air riant, me fit asseoir auprès d'elle malgré moi, et, ce qui acheva de me ravir,[22] elle dit à son ambassadrice de passer dans une autre chambre et de nous laisser seuls. Après cela, m'adressant la parole: 5

— Gil Blas, me dit-elle, vous avez dû vous apercevoir que je vous regarde favorablement, et vous distingue de tous les autres domestiques de mon père; et quand mes regards ne vous auraient point fait juger que j'ai quelque bonne volonté pour vous, la démarche que je fais [23] cette nuit ne vous permettrait pas d'en douter. 10

Je ne lui donnai pas le temps de m'en dire davantage. Je crus qu'en [24] homme poli je devais épargner à sa pudeur la peine de s'expliquer plus formellement. Je me levai avec transport,[25] et, me jetant aux pieds d'Aurore, comme un héros de théâtre qui se met à genoux devant sa princesse, je m'écriai d'un ton de déclamateur: 15

— Ah! madame, l'ai-je bien entendu! est-ce à moi que ce discours s'adresse? serait-il possible que Gil Blas, jusqu'ici le jouet de la fortune et le rebut [26] de la nature entière, eût le bonheur de vous avoir inspiré des sentiments [27] . . .

— Ne parlez pas si haut, interrompit en riant ma maîtresse; vous allez 20 réveiller mes femmes, qui dorment dans la chambre prochaine.[28] Levez-vous, reprenez votre place, et m'écoutez [29] jusqu'au bout sans me couper la parole.[30] Oui, Gil Blas, poursuivit-elle en reprenant son sérieux, je vous veux du bien;[31] et, pour vous prouver que je vous estime, je vais vous faire une confidence d'un secret d'où dépend le repos de ma vie. J'aime 25 un jeune cavalier, beau, bien fait et d'une naissance illustre. Il se nomme don Luis Pacheco. Je le vois quelquefois à la promenade et aux spectacles; mais je ne lui ai jamais parlé. J'ignore même de quel caractère il est, et s'il n'a point de mauvaises qualités.[32] C'est de quoi pourtant je voudrais bien être instruite. J'aurais besoin d'un homme qui s'enquît [33] soigneuse- 30 ment de ses mœurs, et m'en rendît un compte fidèle. Je fais choix de vous préférablement à tous nos autres domestiques. Je crois que je ne risque rien à vous charger de cette commission. J'espère que vous vous en acquitterez avec tant d'adresse et de discrétion, que je ne me repentirai point de vous avoir mis dans ma confidence. 35

Ma maîtresse cessa de parler en cet endroit pour entendre ce que je lui répondrais là-dessus. J'avais d'abord été déconcerté d'avoir pris si désagréablement le change;[34] mais je me remis promptement l'esprit;[35] et, surmontant la honte que cause toujours la témérité quand elle est malheureuse,[36] je témoignai à la dame tant de zèle pour ses intérêts, je me dévouai avec 40 tant d'ardeur à son service, que, si je ne lui ôtai pas la pensée que je m'étais follement flatté de lui avoir plu, du moins je lui fis connaître que je savais

[21] in a negligee. [22] a thing which crowned my delight. [23] the step that I am taking. [24] as a. [25] **dans un transport d'amour.** [26] the outcast; *lit.* 'refuse.' [27] **inspiré de l'amour.** [28] **voisine.** *Nowadays* **prochain** *refers only to* *time.* [29] **écoutez-moi.** [30] without interrupting me. [31] I wish you well. [32] **de défauts.** [33] who would inquire. [34] **pris la mauvaise piste,** taken the wrong scent (*like a hunting dog*). [35] **je repris mon assurance.** [36] unlucky.

bien réparer une sottise.[37]   Je ne demandai que deux jours pour lui rendre bon compte de don Luis.   Après quoi la dame Ortiz, que sa maîtresse rappela, me remena [38] dans le jardin, et me dit d'un air railleur [39] en me quittant:

— Bonsoir, Gil Blas; je ne vous recommande point de vous trouver de bonne heure au premier rendez-vous, je connais trop votre ponctualité là-dessus pour en être en peine.[40]

Je retournai dans ma chambre, non sans quelque dépit [41] de voir mon attente trompée.   Je fus néanmoins assez raisonnable pour m'en consoler. Je fis réflexion qu'il me convenait mieux [42] d'être le confident de ma maîtresse que son amant.   Je songeai même que cela pourrait me mener à quelque chose; que les courtiers d'amour [43] étaient ordinairement bien payés de leurs peines; et je me couchai dans la résolution de faire ce qu'Aurore exigeait de moi.

Livre IV, chapitres 1 et 2

Aurore épouse don Luis après la mort de don Vincent. Gil Blas devient le compagnon de don Alphonse, fils adoptif avec qui il se fait voleur de grand chemin.[44] Les deux jeunes hommes se repentent bientôt de leur mauvaise conduite. Don Alphonse retrouve son vrai père, un riche gentilhomme qui place Gil Blas chez l'archevêque de Grenade. Celui-ci est fier des homélies [45] qu'il compose; il les fait recopier par Gil Blas. Il a une apoplexie, guérit, mais son talent littéraire est mort; c'est ce que lui dit Gil Blas que d'innombrables mésaventures n'ont pas encore rendu plus diplomate. Le voilà une fois de plus sur le pavé.[46]

La leçon a été bonne cependant. Revenu à Madrid, il gagne la confiance du duc de Lerme, premier ministre du roi d'Espagne. Le voici secrétaire, confident, distributeur de faveurs qu'il se fait largement payer. Plus il s'enrichit, plus sa soif d'argent et de pouvoir grandit. Il devient avare, refuse d'aider ses parents et son oncle plus pauvres que jamais. Il est sur le point d'épouser la fille d'un riche orfèvre [47] lorsque le roi le fait emprisonner à la tour de Ségovie [48] pour avoir aidé son fils à faire une escapade amoureuse. Libéré, mais disgracié,[49] il va demander pardon à ses parents de son ingratitude. Il se retire dans un château, Liria, qui lui est donné par don Alphonse qu'au temps de sa puissance il a fait nommer gouverneur de Valence.[50] Il se marie; sa femme meurt. Il retourne à la cour et devient le confident du nouveau premier ministre, le comte-duc d'Olivarès. Cette fois il ne trafique pas de son influence. Lorsque son protecteur est disgracié, Gil Blas revient définitivement dans son petit domaine près de Valence. C'est un vieillard maintenant, mais cela ne l'empêche pas de se remarier et d'avoir deux enfants dont il croit « pieusement être le père ».

OUVRAGES RECOMMANDÉS
Textes

Histoire de Gil Blas. 4 vol. Lemerre; 1 vol. Garnier.

Théâtre. Lemerre.

Guzman d'Alfarache. Garnier.

Gil Blas, abridged and edited by Joseph F. Jackson. Heath.

Gil Blas (extraits). Classiques Larousse (1 vol.), Hatier (2 vol.).

Turcaret (extraits). Classiques Larousse, Hatier.

Critique

Eugène Lintilhac. *Lesage.* 208 p. Hachette, 1893.

[37] to make up for a foolish thing.   [38] **me ramena,** took me back.   [39] mocking. [40] to worry about it.   [41] vexation.   [42] it suited me better.   [43] go-betweens; **un courtier,** a broker.   [44] highwayman.

[45] homilies, familiar sermons.   [46] on the streets, out of a job.   [47] jeweler. [48] Segovia, *60 mi. NW of Madrid.*   [49] out of favor.   [50] Valencia, *on the Mediterranean coast; 185 mi. SE of Madrid.*

SAINT-SIMON

(1675–1755)

Un Mémorialiste peu indulgent

Né à Versailles, Louis de Rouvroy, duc de Saint-Simon, vécut à la cour, dès
l'âge de seize ans, quand il n'était pas aux armées comme mousquetaire, puis
colonel de cavalerie.   Petit, peu robuste, il quitta l'armée à vingt-sept ans et se
mêla aux intrigues de la cour.   Il eût préféré que Louis XIV ressemblât davantage
à son père, Louis XIII, le chaste chasseur, qui du père de Saint-Simon, fauconnier[1]
de petite noblesse, avait fait un duc et pair.   A la mort de Louis XIV (1715) il
fut un des favoris du Régent et ambassadeur en Espagne (1721–22).   La mort
du Régent (1723) brisa sa carrière.   A Paris et à son château de La Ferté-Vidame
(30 milles au nord-ouest de Chartres), il écrivit ses *Mémoires*.   Ils présentent,
avec esprit et pénétration, sans aucune indulgence, mille incidents des cours de
Louis XIV et de Louis XV.   Son style, qui n'est pas toujours correct, frappe
par sa vie et sa couleur.

PORTRAIT DE LOUIS XIV

Non seulement il était sensible à la présence continuelle de ce qu'il y
avait de distingué, mais il l'était aussi aux étages[1] inférieurs.   Il regardait
à droite et à gauche à son lever, à son coucher, à ses repas, en passant dans
les appartements, dans ses jardins de Versailles, où seulement les courtisans
avaient la liberté de le suivre; il voyait et remarquait tout le monde, aucun   5
ne lui échappait, jusqu'à ceux qui n'espéraient même pas être vus.   Il distinguait très bien en lui-même les absences de ceux qui étaient toujours à
la cour, celles des passagers qui y venaient plus ou moins souvent; les
causes générales ou particulières de ces absences, il les combinait, et ne
perdait pas la plus légère occasion d'agir à leur égard en conséquence.   10
C'était un démérite aux uns, et à tout ce qu'il y avait de distingué, de ne
faire pas de la cour son séjour ordinaire, aux autres d'y venir rarement, et
une disgrâce sûre pour qui n'y venait jamais, ou comme jamais.   Quand
il s'agissait de quelque chose pour eux: « Je ne le connais point », répondait-
il fièrement.   Sur ceux qui se présentaient rarement: « C'est un homme   15
que je ne vois jamais »; et ces arrêts-là[2] étaient irrévocables.   C'était un
autre crime de n'aller point à Fontainebleau, qu'il regardait comme Versailles, et pour certaines gens de ne demander pas pour Marly,[3] les uns toujours, les autres souvent, quoique sans dessein de les y mener, les uns
toujours ni les autres souvent; mais si on était sur le pied d'[4] y aller toujours,   20
il fallait une excuse valable pour s'en dispenser; hommes et femmes de
même.   Surtout il ne pouvait souffrir les gens qui se plaisaient à Paris.   Il
supportait assez aisément ceux qui aimaient leur campagne,[5] encore y fallait-
il être mesuré ou avoir pris ses précautions avant d'y aller passer un temps
un peu long . . .   25

---

[1] falconer.

[1] levels.   [2] those decisions.   [3] **de ne
pas demander la permission d'aller à
Marly** (*another one of Louis XIV's châ-*
*teaux, 8 mi. W of Paris.   It was destroyed
during the French Revolution*).   [4] *in a*
position to.   [5] country home.

Jamais personne ne donna de meilleure grâce et n'augmenta tant par là
le prix de ses bienfaits . . .

Jamais homme si naturellement poli, ni d'une politesse si fort mesurée,
si fort par degrés, ni qui distinguât mieux l'âge, le mérite, le rang, et dans
5 ses réponses quand elles passaient ⁶ le « Je verrai, » et dans ses manières.
Ces étages divers se marquaient exactement dans sa manière de saluer et
de recevoir les révérences, lorsqu'on partait ou qu'on arrivait. Il était
admirable à recevoir différemment les saluts à la tête des lignes à l'armée
et aux revues.⁷ Mais surtout pour les femmes rien n'était pareil. Jamais
10 il n'a passé devant la moindre coiffe ⁸ sans soulever son chapeau, je dis aux
femmes de chambre, et qu'il connaissait pour telles, comme cela arrivait
souvent à Marly. Aux dames, il ôtait son chapeau tout à fait, mais de
plus ou moins loin; aux gens titrés, à demi, et le tenait en l'air ou à son
oreille quelques instants plus ou moins marqués. Aux seigneurs, mais qui
15 l'étaient,⁹ il se contentait de mettre la main au chapeau. Il l'ôtait comme
aux dames pour les princes du sang. S'il abordait des dames, il ne se couvrait qu'après les avoir quittées. Tout cela n'était que dehors, car dans la
maison il n'était jamais couvert. Ses révérences, plus ou moins marquées,
mais toujours légères, avaient une grâce et une majesté incomparables,
20 jusqu'à sa manière de se soulever à demi à son souper pour chaque dame
assise ¹⁰ qui arrivait, non pour aucune autre, ni pour les princes du sang . . .

Il traitait bien ses valets, surtout les intérieurs.¹¹ C'était parmi eux qu'il
se sentait le plus à son aise, et qu'il se communiquait le plus familièrement,
surtout aux principaux.¹² Leur amitié et leur aversion ont souvent eu de
25 grands effets. Ils étaient sans cesse à portée de ¹³ rendre de bons et de
mauvais offices; aussi faisaient-ils souvenir de ces puissants affranchis ¹⁴
des empereurs romains, à qui le sénat et les grands de l'empire faisaient leur
cour, et ployaient sous eux avec bassesse . . .

Il aima en tout la splendeur, la magnificence, la profusion. Ce goût,
30 il le tourna en maxime par politique, et l'inspira en tout à sa cour. C'était
lui plaire que de s'y jeter en tables,¹⁵ en habits, en équipages,¹⁶ en bâtiments,
en jeu. C'étaient des occasions pour qu'il parlât aux gens. Le fond était
qu'il tendait et parvint par là à épuiser tout le monde en mettant le luxe
en honneur, et pour certaines parties en nécessité, et réduisit ainsi peu à
35 peu tout le monde à dépendre entièrement de ses bienfaits pour subsister.
Il y trouvait encore la satisfaction de son orgueil par une cour superbe en
tout et par une plus grande confusion qui anéantissait de plus en plus les
distinctions naturelles.

Mémoires, 1715, vol. 12, ch. 4, édition Chéruel

---

⁶ **dépassaient.** ⁷ parades. ⁸ a woman
of the lowest rank; *lit.* 'the smallest coif
or bonnet.'   ⁹ **qui étaient de vrais seigneurs, de la noblesse féodale.** *Saint-
Simon claimed to be one of these and was
bitter against* the **gens titrés** *whom he*
treated as upstarts.   ¹⁰ **qui avait droit à
un siège.**   ¹¹ those working inside the
palace; *not* **les inférieurs,** *as some editions
have.*   ¹² chief ones.   ¹³ **à même de,**
in a position to. ¹⁴ freedmen. ¹⁵ ban-
quets. ¹⁶ carriages.

OUVRAGES RECOMMANDÉS
Textes
Mémoires, éd. Gonzague Truc. 4 vol. Gallimard.
Mémoires, éd. J. de La Varende. 2 vol. Hachette.
Mémoires (extraits). Classiques Larousse, Hatier.
Critique
F.–R. Bastide. *Saint-Simon par lui-même.* 192 p. Éd. du Seuil, 1953.
Mme Saint-René Taillandier. *En compagnie de Saint-Simon.* 2 vol.
La Palatine, 1953.

MARIVAUX
(1688–1763)
Le Psychologue de l'amour en bouton [1]

Bien que né à Paris, Pierre Carlet de Chamblain de Marivaux passa son enfance à Riom,[2] où son père fut nommé directeur de la Monnaie,[3] puis à Limoges. On ne sait avec précision où il fit ses études classiques et de droit. En 1712 il était l'ami de Fontenelle auprès de qui il brillait dans le salon un peu précieux de la marquise de Lambert, à Paris. Il s'amusait à écrire pour le théâtre. Il donna une féerie,[4] *Arlequin poli*[5] *par l'amour* (1720) qui plut par son atmosphère éthérée et gracieuse. Il trouvait au Théâtre-Italien des interprètes de choix, comme Zanetta Benozzi qui jouait avec un art discret et spontané les rôles des Silvia, timides amoureuses. Il continua dans la même veine délicate avec *La Double Inconstance, La Surprise de l'amour*, pour donner, en 1730, son chef-d'œuvre, *Le Jeu de l'amour et du hasard*, bijou de délicatesse et d'esprit. De la trentaine de comédies qu'il fit jouer, il faut encore citer *Le Legs*[6] (1736), *Les Fausses Confidences* (1737), *Les Sincères* (1739) et *L'Épreuve* (1740).

En 1728 il commença un roman, *La Vie de Marianne*, qu'il mit seize ans à écrire, et qu'une comédienne, Mme Riccoboni, belle-fille du directeur des Italiens, dut achever. La même désaffection le prit pour un autre roman, également réaliste, sentimental et encombré de digressions, dont il n'écrivit que les deux tiers, *Le Paysan parvenu* (1735). La main de Marivaux est beaucoup plus lourde dans ses romans que dans ses pièces, mais sa psychologie et son don d'observation y sont aussi sûrs.

Il s'était marié en 1721 avec une « aimable et vertueuse » femme qui mourut bientôt en lui laissant une fille qui, plus tard, se fit religieuse. Il fut le protégé de Mme de Tencin qui le fit élire à l'Académie française contre Voltaire. Vers la fin de sa vie il accepta l'hospitalité d'une vieille admiratrice, Mlle de Saint-Jean, qui occupait un agréable appartement donnant sur le jardin du Palais-Royal. C'est là qu'il mourut en 1763.

La postérité a d'abord été injuste pour Marivaux. Elle n'a voulu retenir de lui que ses défauts, ses détails trop menus sur les nuances de l'amour en bouton, naissant, raffiné, exprimés en une langue un peu affectée: ce qu'elle a appelé « le marivaudage ».[7] « C'est un homme qui passe sa vie à peser des œufs de mouche

---

[1] love in the bud.   [2] [rjɔ̃], *town in central France, 10 mi. N of Clermont-Ferrand; pop. 11,000.*   [3] Mint.   [4] fairy play.   [5] **déniaisé**, made smart, sophisticated.   [6] [lɛ], Legacy.   [7] witty and affected conversation about flirting; mild flirting.

dans des balances de toile d'araignée », a dit de lui Voltaire, selon les paroles rapportées par Lesbros de la Versane dans *L'Esprit de Marivaux* (1769). Aujourd'hui nous trouvons qu'il y a infiniment mieux dans Marivaux: de la délicatesse morale, des scrupules de cœur finement analysés, une élégance de forme et une discrétion de couleurs qui ont la haute qualité et la poésie de son contemporain Watteau.[8]

LE JEU DE L'AMOUR ET DU HASARD
1730

La jeune marquise Silvia n'est pas pressée de se marier; c'est qu'elle pense que beaucoup d'hommes ne sont pas sincères: aimables devant le monde, ils sont désagréables, glacés à la maison. Son père, le trop bon M. Orgon, lui annonce l'arrivée de Dorante, fils d'un de ses amis de province, qui a l'intention de demander la main de Silvia. « Si je pouvais le voir, l'examiner un peu sans qu'il me connût! » dit celle-ci; et elle obtient de ce tendre père la permission de changer d'habit et de rôle avec Lisette, son intelligente femme de chambre. Ce qu'elle ne sait pas, c'est que M. Orgon a reçu de son ami une lettre lui apprenant que Dorante arrivera « sous la figure de son valet, qui, de son côté, fera le personnage de son maître », ô télépathie! L'amour commence le jeu, le hasard [9] le continuera.

Voici donc Dorante, déguisé en valet du nom de Bourguignon, qui annonce l'arrivée de son maître. Bien qu'à la manière des domestiques il doive tutoyer Silvia et ne pas faire de cérémonies avec elle, il ne peut que suivre sa nature, c'est-à-dire être galant, spirituel et délicat, d'autant plus que, devant la grâce de Silvia, il tombe immédiatement amoureux d'elle. Il ne tarde pas à soupçonner qu'elle n'est pas une servante ordinaire: « Quelle espèce de suivante [10] es-tu donc, avec ton air de princesse? » lui dit-il.

Arlequin, valet de province, et soi-disant [11] maître, fait une entrée fort cavalière.[12] Il plaît à Lisette par sa comique vulgarité de langage et de manières, mais il indispose [13] évidemment Silvia. « Aucun de ces deux hommes n'est à sa place », pense-t-elle. Le jeu ne lui semble plus tellement amusant. Elle devient nerveuse, irritable. Elle se sent prête à pleurer des taquineries de son frère Mario qui est au courant [14] de tout, et des humiliations que lui fait subir Arlequin à qui son maître doit ordonner de changer d'attitude, d'être rêveur et sentimental plutôt que trop libre. Mais cette nouvelle conduite est encore plus pénible à Silvia; par contre elle prend avec feu la défense de Dorante-valet, que Lisette-marquise accuse de ne pas parler assez en faveur de son maître. Elle va avoir une sérieuse crise de nerfs quand Dorante-valet, qui ne semble pas s'amuser beaucoup plus qu'elle, lui avoue qu'il est le vrai Dorante. La joie rend à Silvia sa coquetterie, et elle décide de pousser plus loin encore ce « jeu de l'amour et du hasard ». Elle veut être assurée de n'être aimée que pour elle-même: quel trésor le souvenir de cette irrésistible tendresse sera pour plus tard! Elle demande à son frère Mario de faire semblant de l'aimer. Un valet a-t-il le droit d'être le rival d'un seigneur? Non. Dorante-valet, humble mais jaloux, s'éloigne donc en soupirant. C'est pour revenir aussitôt, plus tendre que jamais.

[8] *Antoine Watteau* [vato], *born at Valenciennes; refined painter of* L'Embarquement pour Cythère, L'Enseigne de Gersaint, Amusement dans un parc, *etc.*

[9] chance.   [10] lady's maid.   [11] so-called.   [12] free and easy.   [13] antagonizes.   [14] aware.

ACTE III

SCÈNE VIII

Dorante, Silvia

DORANTE, *à part.* Qu'elle est digne d'être aimée! Pourquoi faut-il que Mario m'ait prévenu?[1]

SILVIA. Où étiez-vous donc, Monsieur? Depuis que j'ai quitté Mario, je n'ai pu vous retrouver pour vous rendre compte de ce que j'ai dit à monsieur Orgon.

DORANTE. Je ne me suis pourtant pas éloigné. Mais de quoi s'agit-il?

SILVIA, *à part.* Quelle froideur! (*Haut.*) J'ai eu beau décrier[2] votre valet et prendre sa conscience à témoin de son peu de mérite, j'ai eu beau lui représenter[3] qu'on pouvait du moins reculer le mariage, il ne m'a pas seulement[4] écoutée. Je vous avertis même qu'on parle d'envoyer chez le notaire,[5] et qu'il est temps de vous déclarer.

DORANTE. C'est mon intention. Je vais partir *incognito*, et je laisserai un billet qui instruira monsieur Orgon de tout.

SILVIA, *à part.* Partir! ce n'est pas là mon compte.[6]

DORANTE. N'approuvez-vous pas mon idée?

SILVIA. Mais . . . pas trop.

DORANTE. Je ne vois pourtant rien de mieux dans la situation où je suis, à moins que de[7] parler moi-même; et je ne saurais m'y résoudre. J'ai d'ailleurs d'autres raisons qui veulent que je me retire; je n'ai plus que faire ici.[8]

SILVIA. Comme je ne sais pas vos raisons, je ne puis ni les approuver ni les combattre, et ce n'est pas à moi à vous les demander.

DORANTE. Il vous est aisé de les soupçonner, Lisette.

SILVIA. Mais je pense, par exemple, que vous avez du goût pour[9] la fille de monsieur Orgon.

DORANTE. Ne voyez-vous que cela?

SILVIA. Il y a bien encore certaines choses que je pourrais supposer; mais je ne suis pas folle, et je n'ai pas la vanité de m'y arrêter.

DORANTE. Ni le courage d'en parler, car vous n'auriez rien d'obligeant à me dire. Adieu, Lisette.

SILVIA. Prenez garde: je crois que vous ne m'entendez pas,[10] je suis obligée de vous le dire.

DORANTE. A merveille, et l'explication ne me serait pas favorable. Gardez-moi le secret jusqu'à mon départ.

SILVIA. Quoi! Sérieusement, vous partez?

DORANTE. Vous avez bien peur que je ne change d'avis.

SILVIA. Que vous êtes aimable d'être si bien au fait![11]

DORANTE. Cela est bien naïf.[12] Adieu. (*Il s'en va.*)

---

[1] should Mario have forestalled me. [2] decry, speak disparagingly of. [3] **lui faire remarquer,** call his attention to the fact. [4] even. [5] **d'aller chercher le notaire pour le mariage.** [6] that's not what I'm after. [7] **à moins de.** [8] I have no longer anything to do here. [9] **vous avez un faible pour.** [10] you don't understand what I have just said. [11] to be so well informed! [12] **spontané, naturel.**

SILVIA, *à part*. S'il part, je ne l'aime plus, je ne l'épouserai jamais. (*Elle le regarde s'en aller.*) Il s'arrête pourtant; il rêve,[13] il regarde si je tourne la tête. Je ne saurais le rappeler, moi... Il serait pourtant singulier qu'il partît, après tout ce que j'ai fait!... Ah! voilà qui est fini:[14] il s'en va;
5 je n'ai pas tant de pouvoir sur lui que je le croyais. Mon frère est un maladroit, il s'y est mal pris:[15] les gens indifférents gâtent tout. Ne suis-je pas bien avancée?[16] Quel dénouement!... Dorante reparaît pourtant; il me semble qu'il revient; je me dédis donc,[17] je l'aime encore... Feignons de sortir, afin qu'il m'arrête: il faut bien que notre réconciliation lui
10 coûte quelque chose.

DORANTE, *l'arrêtant*. Restez, je vous prie; j'ai encore quelque chose à vous dire.

SILVIA. A moi, Monsieur?

DORANTE. J'ai de la peine à partir sans vous avoir convaincue que je
15 n'ai pas tort de le faire.

SILVIA. Eh! Monsieur, de quelle conséquence[18] est-il de vous justifier auprès de moi? Ce n'est pas la peine: je ne suis qu'une suivante,[19] et vous me le faites bien sentir.

DORANTE. Moi, Lisette? Est-ce à vous à[20] vous plaindre, vous qui me
20 voyez prendre mon parti sans me rien dire?

SILVIA. Hum! Si je voulais, je vous répondrais bien là-dessus.

DORANTE. Répondez donc: je ne demande pas mieux que de me tromper. Mais que dis-je? Mario vous aime.

SILVIA. Cela est vrai.

25 DORANTE. Vous êtes sensible à son amour, je l'ai vu par l'extrême envie que vous aviez tantôt[21] que je m'en allasse: ainsi vous ne sauriez m'aimer.

SILVIA. Je suis sensible à son amour! Qui est-ce qui vous l'a dit? Je ne saurais vous aimer! Qu'en savez-vous? Vous décidez bien vite.

DORANTE. Eh bien, Lisette, par tout ce que vous avez de plus cher au
30 monde, instruisez-moi de ce qui en est,[22] je vous en conjure.

SILVIA. Instruire[23] un homme qui part!

DORANTE. Je ne partirai point.

SILVIA. Laissez-moi. Tenez, si vous m'aimez, ne m'interrogez point: vous ne craignez que mon indifférence, et vous êtes trop heureux que je me
35 taise. Que vous importent mes sentiments?

DORANTE. Ce qu'ils m'importent, Lisette? Peux-tu douter encore que je ne[24] t'adore?

SILVIA. Non, et vous me le répétez si souvent que je vous crois; mais pourquoi m'en persuadez-vous? Que voulez-vous que je fasse de cette
40 pensée-là, Monsieur? Je vais vous parler à cœur ouvert. Vous m'aimez; mais votre amour n'est pas une chose bien sérieuse pour vous. Que de ressources n'avez-vous pas pour vous en défaire? La distance qu'il y a de vous à moi, mille objets que vous allez trouver sur votre chemin, l'envie

---

[13] **il réfléchit,** he ponders.   [14] now it's all over.   [15] he didn't go about it right.   [16] A lot of good that has done me!   [17] I therefore go back on my word.   [18] importance.   [19] I am only a lady's maid.   [20] **de.**   [21] a little while ago.   [22] inform me how matters stand.   [23] Inform (*of my sentiments*).   [24] **ne** *is an expletive here.*

qu'on aura de vous rendre sensible,[25] les amusements d'un homme de votre condition, tout va vous ôter cet amour dont vous m'entretenez impitoyablement. Vous en rirez peut-être au sortir d'ici, et vous aurez raison. Mais moi, Monsieur, si je m'en ressouviens, comme j'en ai peur, s'il m'a frappée, quel secours aurai-je contre l'impression qu'il m'aura faite? Qui 5 est-ce qui me dédommagera de votre perte? Qui voulez-vous que mon cœur mette à votre place? Savez-vous bien que, si je vous aimais, tout ce qu'il y a de plus grand dans le monde ne me toucherait plus? Jugez donc de l'état où je resterais; ayez la générosité de me cacher votre amour. Moi qui vous parle, je me ferais un scrupule de vous dire que je vous aime 10 dans les dispositions où vous êtes:[26] l'aveu de mes sentiments pourrait exposer[27] votre raison; et vous voyez bien aussi que je vous les cache.[28]

DORANTE. Ah! ma chère Lisette, que viens-je d'entendre! Tes paroles ont un feu qui me pénètre; je t'adore, je te respecte. Il n'est ni rang, ni naissance, ni fortune, qui ne disparaisse devant une âme comme la tienne; 15 j'aurais honte que mon orgueil tînt encore contre toi, et mon cœur et ma main t'appartiennent.

SILVIA. En vérité, ne mériteriez-vous pas que je les prisse? Ne faut-il pas être bien généreuse pour vous dissimuler le plaisir qu'ils me font? et croyez-vous que cela puisse durer? 20

DORANTE. Vous m'aimez donc?

SILVIA. Non, non; mais, si vous me le demandez encore, tant pis pour vous.

DORANTE. Vos menaces ne me font point de peur.

SILVIA. Et Mario, vous n'y songez donc plus?[29]

DORANTE. Non, Lisette; Mario ne m'alarme plus: vous ne l'aimez 25 point; vous ne pouvez plus me tromper: vous avez le cœur vrai; vous êtes sensible à ma tendresse,[30] je ne saurais en douter au transport qui m'a pris;[31] j'en suis sûr, et vous ne sauriez plus m'ôter cette certitude-là.

SILVIA. Oh! je n'y tâcherai point;[32] gardez-la, nous verrons ce que vous en ferez. 30

DORANTE. Ne consentez-vous pas d'être à moi?

SILVIA. Quoi! vous m'épouserez malgré ce que vous êtes, malgré la colère d'un père, malgré votre fortune?

DORANTE. Mon père me pardonnera dès qu'il vous aura vue; ma fortune nous suffit à tous deux, et le mérite vaut bien la naissance.[33] Ne disputons[34] 35 point, car je ne changerai jamais.

SILVIA. Il ne changera jamais! Savez-vous bien que vous me charmez, Dorante?

DORANTE. Ne gênez[35] donc plus votre tendresse et laissez-la répondre . . .

SILVIA. Enfin, j'en suis venue à bout: vous . . . vous ne changerez 40 jamais?

DORANTE. Non, ma chère Lisette.

SILVIA. Que d'amour!

[25] to make you fall in love.   [26] in your state (frame) of mind.   [27] endanger.   [28] that I conceal them from you.   [29] vous ne songez donc plus à lui?   [30] you respond to my love.   [31] by the rapture which has come over me.   [32] je ne tâcherai pas de le faire.   [33] is worth as much as birth.   [34] discutons.   [35] contraignez, constrain, restrain.

SCÈNE IX

M. Orgon, Silvia, Dorante, Lisette, Arlequin, Mario

SILVIA. Ah! mon père, vous avez voulu que je fusse à Dorante: venez voir votre fille vous obéir avec plus de joie qu'on n'en eut jamais.

DORANTE. Qu'entends-je! vous, son père, Monsieur?

SILVIA. Oui, Dorante. La même idée de nous connaître nous est venue à
5 tous deux; après cela, je n'ai plus rien à vous dire. Vous m'aimez, je n'en saurais douter; mais, à votre tour, jugez de mes sentiments pour vous; jugez du cas que j'ai fait de votre cœur [36] par la délicatesse avec laquelle j'ai tâché de l'acquérir.

M. ORGON. Connaissez-vous cette lettre-là? Voilà par où j'ai appris
10 votre déguisement, qu'elle n'a pourtant su que par vous.

DORANTE. Je ne saurais vous exprimer mon bonheur, Madame; mais ce qui m'enchante le plus, ce sont les preuves que je vous ai données de ma tendresse.

MARIO. Dorante me pardonne-t-il la colère où j'ai mis Bourguignon?
15 DORANTE. Il ne vous la pardonne pas, il vous en remercie.

ARLEQUIN, *à Lisette.* De la joie, Madame! Vous avez perdu votre rang; mais vous n'êtes point à plaindre, puisqu'Arlequin vous reste.

LISETTE. Belle consolation! il n'y a que toi qui gagnes à cela.

ARLEQUIN. Je n'y perds pas. Avant notre reconnaissance,[37] votre dot
20 valait mieux que vous; à présent, vous valez mieux que votre dot. Allons, saute, marquis! [38]

FIN

OUVRAGES RECOMMANDÉS
Textes

Œuvres, éd. Marcel Arland. 2 vol. La Pléiade, Gallimard.
Théâtre, éd. Robert Kemp. Hachette.
Le Jeu de l'amour et du hasard, éd. Alcée Fortier. Heath.
Les Fausses Confidences. Classiques Larousse, Hachette, Hatier.
Arlequin poli par l'amour, L'Épreuve. 1 vol. Classiques Larousse.
La Double Inconstance. Classiques Larousse.

Discographie

Le Jeu de l'amour et du hasard. 1 disque microsillon; extraits par des sociétaires de la Comédie-Française. Period.
Les Fausses Confidences, interprétées par Madeleine Renaud et J.-L. Barrault. 2 disques microsillon. Decca.

Critique

Marcel Arland. *Marivaux.* 272 p. Gallimard.
C. Roy. *Lire Marivaux.* 160 p. Éd. du Seuil.
Paul Gazagne. *Marivaux.* Éd. du Seuil, 1954.

[36] judge how highly I have valued your love.   [37] Before we found out who we were.   [38] Let's be gay! *A reference to* Regnard's comedy Le Joueur. *Jean-François Regnard (1655-1709) was a witty writer of comedies.*

MONTESQUIEU
(1689–1755)
Un des Inspirateurs de la Constitution américaine

Brillant élève et magistrat (1689–1726). Au vieux château de La Brède (9 milles au sud de Bordeaux), naquit Charles-Louis de Secondat qui devint baron de Montesquieu. Son père était un ancien capitaine de cavalerie. Sa mère mourut lorsqu'il avait sept ans. A onze ans, son père l'envoya faire ses études chez les Oratoriens de Juilly, dont La Fontaine avait été l'élève; elles furent brillantes. Revenu à Bordeaux en 1705, il y étudia le droit pendant trois ans et fut reçu avocat. De 1709 à 1713 il apprit les affaires juridiques, à Paris, sous un avocat important; il y apprit aussi le bel esprit dans le salon de Mme de Lambert, où Fontenelle se prit d'amitié pour lui.

Après la mort de son père, il devint conseiller au Parlement de Bordeaux (1714), — comme Montaigne en 1557 —, et, fort libéral, ce catholique se maria avec une protestante. En 1716 il hérita de son oncle la charge de président de ce même Parlement. Bientôt il entra à l'Académie de Bordeaux, société savante devant laquelle il lut des mémoires, non seulement d'histoire et d'économie politique, mais de médecine, d'histoire naturelle et de physique. En 1721 il publia un livre..., d'érudition, déclarez-vous; mais non, ce fut un livre spirituel, *Lettres persanes* (p. 182).

Voilà notre spirituel et savant président fêté à Paris, non seulement dans le salon de Mme de Lambert, mais à Chantilly, chez l'ancien élève de La Bruyère, le duc de Bourbon, qui sera bientôt premier ministre (1723–26). Il prit goût à la littérature, et politique (*Dialogue de Sylla et d'Eucrate*), et même galante (*Le Temple de Gnide, roman*); par contraste il se dégoûta de sa charge de président, qu'il vendit en 1726.

Voyageur (1726–31). Après son élection à l'Académie française (1727), ce grand esprit dont la frivolité apparente cachait la plus admirable solidité, décida de compléter à l'école des voyages son éducation déjà excellente. Il quitta Paris avec l'ambassadeur d'Angleterre en Autriche, séjourna à Vienne, — où il fut présenté à l'empereur Charles VI —, en Hongrie, en Italie, « le paradis des moines », en Suisse, en Allemagne, pays que ce raffiné trouva trop grossiers, et aux Pays-Bas. « Je m'instruis des secrets du commerce, des intérêts des princes, de la forme de leur gouvernement; je ne néglige pas même les superstitions européennes; je m'applique à la médecine, à la physique, à l'astronomie; j'étudie les arts », écrit Rhedi dans les *Lettres persanes* (21e lettre); c'est la même curiosité encyclopédique que montrait Montesquieu. A La Haye,[1] Lord Chesterfield, — qui écrira ces *Letters to his Son*, élégantes et en même temps cyniques —, le prit sur son yacht, pour l'Angleterre, où pendant deux ans il lui donna la plus aimable hospitalité. On le vit à la cour de George II, au Parlement, à la Société Royale, dont il fut reçu membre, etc.

L'érudit seigneur de La Brède (1731–55). Revenu en France, il s'installa à La Brède pour diriger l'exploitation de ses vignes, mais aussi pour faire fructifier, par la méditation et l'étude dans sa vaste bibliothèque, la foule de ses nouvelles idées issues de ses voyages. Il publia les *Considérations sur les causes de la grandeur des Romains et de leur décadence* (1734), et travailla, au point d'y perdre presque la vue, à un ouvrage qui est un des plus importants du dix-huitième siècle, *L'Esprit des Lois* (1748) (p. 184).

---

[1] The Hague, *seat of the Dutch government and of the Permanent Court of International Justice.*

Il était resté spirituel et sociable. Il aimait à faire des séjours à Paris. Mme de Tencin, à la mort de Mme de Lambert (1733), avait pris la succession du salon le plus intellectuel de Paris. En 1749, Mme Geoffrin remplaça Mme de Tencin; c'était une bourgeoise tyrannique; le grand seigneur libéral préféra le salon de la charmante Mme du Deffand qui avait trouvé que *l'Esprit des Lois* était « de l'esprit sur les lois ».

Il mourut à Paris en 1755. Il laissait un fils et deux filles, et surtout de nombreux manuscrits, dont *Mes Pensées.*

LETTRES PERSANES

1721

Elles parurent à Amsterdam sans nom d'auteur, mais, devant leur succès, Montesquieu ne garda pas longtemps l'anonymat. Ces lettres font la critique, fine, hardie et judicieuse, de la vie et des institutions françaises vues par deux Persans. Moins exacte est la couleur exotique destinée à piquer la curiosité d'un public amateur d'histoires un peu risquées. C'est que Montesquieu n'avait pas de renseignements de première main sur l'Orient que des livres commençaient à faire connaître: *Voyages de Tavernier en Perse et aux Indes* (1676–79), *Journal de voyage du chevalier Chardin en Perse et aux Indes occidentales* (1711), etc. On se rappelait aussi l'ambassade siamoise à Versailles en 1684 et la persane en 1715; la turque y était en 1721, l'année des *Lettres persanes.*

Par ses vertus et son franc-parler, le grand seigneur persan, Usbek, s'est fait de dangereux ennemis à la cour d'Ispahan.[1] Il leur échappe en quittant le pays, sous prétexte d'aller étudier les sciences en Occident. Rica, un jeune homme, l'accompagne. Par Tauris (Tabriz), Erivan (Yerevan), Erzeroum (Erzurum), ils arrivent à Smyrne où ils s'embarquent pour Livourne (Leghorn), et Marseille; enfin ils s'installent à Paris, « siège de l'empire de l'Europe ». Usbek est un raisonneur. Rica, plus jeune, « à l'esprit vif et à la gaieté naturelle », s'intéresse davantage aux détails extérieurs. Les Parisiens font de même à son égard.

LA CURIOSITÉ DES PARISIENS

Rica à son oncle Ibben, à Smyrne

Les habitants de Paris sont d'une curiosité qui va jusques à l'extravagance.[2] Lorsque j'arrivai, je fus regardé comme si j'avais été envoyé du Ciel: vieillards, hommes, femmes, enfants, tous voulaient me voir. Si je sortais, tout le monde se mettait aux fenêtres; si j'étais aux Tuileries,[3] je voyais
5 aussitôt un cercle se former autour de moi; les femmes mêmes faisaient un arc-en-ciel nuancé de mille couleurs, qui m'entourait. Si j'étais aux spectacles, je trouvais d'abord cent lorgnettes dressées contre ma figure: enfin jamais homme n'a tant été vu que moi. Je souriais quelquefois d'entendre des gens qui n'étaient presque jamais sortis de leur chambre, qui disaient
10 entre eux: « Il faut avouer qu'il a l'air bien persan. » Chose admirable! je trouvais de mes portraits partout; je me voyais multiplié dans toutes

---

[1] Isfahan, *capital of Persia from the 16th century into the 18th; 210 mi. S of Teheran, the modern capital.* [2] **une curiosité qui va jusqu'à l'extravagance,** curiosity which exceeds all bounds. [3] *Palace and park between the Louvre and the place de la Concorde. The palace was burned in 1871.*

les boutiques, sur toutes les cheminées,[4] tant on craignait de ne m'avoir pas
assez vu.

Tant d'honneurs ne laissent pas d'être à charge: je ne me croyais pas un
homme si curieux et si rare; et quoique j'aie bonne opinion de moi, je ne
me serais jamais imaginé que je dusse troubler le repos d'une grande ville 5
où je n'étais point connu. Cela me fit résoudre à quitter l'habit persan, et
à en endosser un à l'européenne, pour voir s'il resterait encore dans ma
physionomie quelque chose d'admirable. Cet essai[5] me fit connaître ce
que je valais réellement. Libre de tous les ornements étrangers, je me vis
apprécié au plus juste. J'eus sujet de me plaindre de mon tailleur, qui 10
m'avait fait perdre en un instant l'attention et l'estime publiques: car
j'entrai tout à coup dans un néant affreux. Je demeurais quelquefois une
heure dans une compagnie sans qu'on m'eût regardé, et qu'on m'eût mis
en occasion[6] d'ouvrir la bouche. Mais si quelqu'un, par hasard, apprenait
à la compagnie que j'étais Persan, j'entendais aussitôt autour de moi un 15
bourdonnement: « Ah! Ah! monsieur est Persan? C'est une chose bien
extraordinaire! Comment peut-on être Persan? »

A Paris, le 6 de la lune de Chalval,[7] 1712.

Lettre 30

BONHEUR DES FEMMES DU SÉRAIL [8]

*Pour faire prendre patience à ses femmes laissées au sérail d'Ispahan, et surtout à
Roxane, sa favorite, Usbek leur écrit que leur sort est bien heureux comparé à celui des
femmes de Paris et d'Europe.*

Que vous êtes heureuse, Roxane, d'être dans le doux pays de Perse, et
non pas dans ces climats empoisonnés où l'on ne connaît ni la pudeur, ni 20
la vertu! Que vous êtes heureuse! Vous vivez dans mon sérail comme
dans le séjour de l'innocence ...

Les femmes de ce pays-ci ont perdu toute retenue; elles se présentent
devant les hommes à visage découvert ...; elles les cherchent de leurs
regards; elles les voient dans les mosquées, les promenades, chez elles 25
même; l'usage de se faire servir par des eunuques leur est inconnu. Au
lieu de cette noble simplicité, et de cette aimable pudeur qui règne parmi
vous, on voit une impudence brutale, à laquelle il est impossible de s'ac-
coutumer ...

Quand vous relevez l'éclat de votre teint[9] par les plus belles couleurs, 30
quand vous vous parfumez tout le corps des essences les plus précieuses,
quand vous vous parez de[10] vos plus beaux habits, quand vous cherchez à
vous distinguer de vos compagnes par les grâces de la danse et par la douceur
de votre chant, que vous combattez gracieusement avec elles de charmes,

---

[4] mantels. [5] experiment. [6] **donné
une occasion,** given an opportunity.
[7] *October 6. The Persians divided the year
into 12 moons, whose names and sequence
were: 1. Maharram (more correctly Muhar-
ram); 2. Saphar (Safar), 3. first Rebiab;
4. second Rebiab; 5. first Gemmadi;*
*6. second Gemmadi; 7. Rhegeb (Rejab);
8. Chahban; 9. Ramazan (Ramadan,
Mohammedan Lent); 10. Chalval (Sha-
wal); 11. Zilcade (Zilkhaid); 12. Zil-
hage (Zil Haj).* [8] seraglio, harem.
[9] complexion. [10] you adorn yourselves
with.

de douceur et d'enjouement,[11] je ne puis pas m'imaginer que vous ayez d'autre objet que celui de me plaire.

Mais que puis-je penser des femmes d'Europe? L'art de composer leur teint, les ornements dont elles se parent, les soins qu'elles prennent de leur 5 personne, le désir continuel de plaire qui les occupe, sont autant de taches faites à leur vertu, et d'outrages à leurs époux.

Lettre 26, 1712

Bien des aspects de la vie française font l'objet des lettres de nos Persans à leurs correspondants. C'est, dans l'ordre où ils sont traités: le théâtre, les aveugles, le vin, le café, la vieillesse de Louis XIV, la coquetterie des vieilles, les artifices des beaux esprits, le jeu, la casuistique, les Juifs, le manque de tranquillité de l'état ecclésiastique, les compilateurs, l'ignorance des juges, la métaphysique, un « décisionnaire »,[12] l'Académie française, l'arrogance d'un grand seigneur, le droit au suicide, le meilleur gouvernement, — celui « qui conduit les hommes de la manière qui convient le mieux à leur penchant » —, les chartreux [13] taciturnes, la justice, les invalides,[14] l'excès des visites, le favoritisme, l'amour de la gloire, le point d'honneur, la mort de Louis XIV, le droit public, la vulgarité des fermiers généraux et des valets parvenus, les caprices de la mode, les gouvernements d'Europe, les droits du peuple anglais en face de la monarchie.

Quarante lettres traitent ensuite des sujets suivants: l'influence des femmes sur le gouvernement, les journaux, l'Université de Paris, le dépeuplement de la terre, les nouvellistes,[15] l'histoire et l'origine des républiques, la bibliothèque Saint-Victor,[16] le système de Law,[17] les amulettes,[18] les médecins, etc.

L'ESPRIT DES LOIS
1748

C'est un gros livre de droit, de philosophie, d'histoire et de sociologie. Montesquieu y a mis tout le savoir d'une vie non seulement d'études, de raisonnements et de théories, mais de travail pratique, de sociabilité, d'humour et de voyages. Où il est surtout original, c'est quand il montre la barbarie de l'esclavage et l'influence du climat sur les lois. Il fait remarquer, par exemple, que, dans les pays froids, les peuples sont plus faits pour un gouvernement démocratique et la religion protestante, et qu'au contraire, le despotisme et la religion catholique sont des produits du Midi.

Il est l'avocat de la tolérance, de l'humanisation de la justice, de l'assistance sociale, du libéralisme. Ce qu'il voudrait voir en France, c'est une monarchie modérée par la puissance de la noblesse, constitutionnelle, sur le modèle de celle de l'Angleterre. Il a eu en ceci bien des disciples, dont Voltaire et Mme de Staël.

---

[11] playfulness.   [12] a man who lays down the law about everything, a Sir Oracle. [13] Carthusian monks.   [14] disabled soldiers.   [15] newsmongers.   [16] *The most famous French library in the 17th century; it was located in the Saint-Victor Abbey which was torn down in 1811. The Halle aux Vins now occupies its site on the left bank of the Seine.*   [17] *John Law (1671–1729), Scotsman who established a bank in Paris and projected a speculative scheme for the colonization of Louisiana. The stocks went very high but the "Scheme" eventually failed.*   [18] amulets, *ornaments worn as charms against evils.*

LES BONNES LOIS FORMENT UNE HARMONIE GÉNÉRALE

Les lois, dans la signification la plus étendue, sont les rapports nécessaires qui dérivent de la nature des choses.

Livre I, chapitre 1

La loi, en général, est la raison humaine, en tant qu'elle gouverne tous les peuples de la terre; et les lois politiques et civiles de chaque nation ne doivent être que les cas particuliers où s'applique cette raison humaine. 5

Elles doivent être tellement propres [1] au peuple pour lequel elles sont faites, que c'est un très grand hasard [2] si celles d'une nation peuvent convenir à une autre.

Il faut qu'elles se rapportent à la nature et au principe du gouvernement qui est établi ou qu'on veut établir, soit qu'elles le forment, comme font 10 les lois politiques, soit qu'elles le maintiennent, comme font les lois civiles.

Elles doivent être relatives au physique [3] du pays; au climat, glacé, brûlant ou tempéré; à la qualité du terrain,[4] à sa situation, à sa grandeur; au genre de vie des peuples, laboureurs,[5] chasseurs ou pasteurs. Elles doivent se rapporter au degré de liberté que la constitution peut souffrir; [6] 15 à la religion des habitants, à leurs inclinations, à leurs richesses, à leur nombre, à leur commerce, à leurs mœurs, à leurs manières. Enfin, elles ont des rapports entre elles; elles en ont avec leur origine, avec l'objet du législateur, avec l'ordre des choses sur lesquelles elles sont établies. C'est dans toutes ces vues qu'il faut les considérer. 20

C'est ce que j'entreprends de faire dans cet ouvrage. J'examinerai tous ces rapports: ils forment tous ensemble ce que l'on appelle l'ESPRIT DES LOIS.

Livre I, chapitre 3

LES TROIS ESPÈCES DE GOUVERNEMENTS

Il y a trois espèces de gouvernements: le républicain, le monarchique et le despotique ... 25

Livre II, chapitre 1

Il ne faut pas beaucoup de probité pour qu'un gouvernement monarchique, ou un gouvernement despotique, se maintienne ou se soutienne. La force des lois dans l'un, le bras du prince [7] toujours levé [8] dans l'autre, règlent ou contiennent [9] tout. Mais dans un état populaire il faut un ressort de plus, qui est la vertu. 30

Ce que je dis est confirmé par le corps entier de l'histoire, et est très conforme à la nature des choses ...

Lorsque cette vertu cesse, l'ambition entre dans les cœurs qui peuvent la recevoir, et l'avarice entre dans tous. Les désirs changent d'objets: ce qu'on aimait, on ne l'aime plus; on était libre avec les lois, on veut être 35 libre contre elles; chaque citoyen est comme un esclave échappé de la

---

[1] particular, fitted.　[2] by a mere chance.　the physical nature can bear.　[7] **du**
[3] to the physical conditions.　[4] of the　**despote, du dictateur.**　[8] always poised
soil.　[5] farmers; *lit.* 'plowmen.'　[6] that　(to strike).　[9] restrain.

maison de son maître; ce qui était maxime, on l'appelle rigueur; ce qui
était règle, on l'appelle gêne;[10] ce qui était attention, on l'appelle crainte.
C'est la frugalité qui y est l'avarice, et non pas le désir d'avoir.[11] Autrefois
le bien des particuliers faisait le trésor public; mais pour lors[12] le trésor
5 public devient le patrimoine des particuliers. La république est une dépouille;[13] et sa force n'est plus que le pouvoir de quelques citoyens et la
licence[14] de tous.

Livre III, chapitre 3

Le gouvernement monarchique suppose . . . des prééminences,[15] des
rangs,[16] et même une noblesse d'origine.[17] La nature de l'honneur est de
10 demander des préférences et des distinctions; il est donc, par la chose
même,[18] placé dans ce gouvernement.

L'ambition est pernicieuse dans une république: elle a de bons effets
dans la monarchie; elle donne la vie à ce gouvernement; et on y a cet
avantage qu'elle n'y est pas dangereuse, parce qu'elle y peut être sans
15 cesse réprimée[19] . . .

L'honneur fait mouvoir[20] toutes les parties du corps politique; il les lie
par son action même, et il se trouve[21] que chacun va au bien commun,
croyant aller à ses intérêts particuliers . . .

Livre III, chapitre 7

Comme il faut de la *vertu* dans une république, et dans une monarchie
20 de l'*honneur*, il faut de la *crainte* dans un gouvernement despotique: pour
la vertu, elle n'y est point nécessaire, et l'honneur y serait dangereux.

Le pouvoir immense du prince y passe tout entier à ceux à qui il le confie.
Des gens capables de s'estimer beaucoup eux-mêmes seraient en état d'y
faire des révolutions. Il faut donc que la crainte y abatte tous les courages[22]
25 et y éteigne jusqu'au moindre sentiment d'ambition.

Un gouvernement modéré peut, tant qu'il veut, et sans péril, relâcher
ses ressorts:[23] il se maintient par ses lois et par sa force même. Mais lorsque
dans le gouvernement despotique le prince cesse un moment de lever le
bras, quand il ne peut pas anéantir à l'instant ceux qui ont les premières
30 places, tout est perdu: car le ressort du gouvernement, qui est la crainte,
n'y étant plus, le peuple n'a plus de protecteur.

Livre III, chapitre 9

OUVRAGES RECOMMANDÉS
Textes

Œuvres complètes, présentées par R. Caillois. 2 vol. La Pléiade, Gallimard.
Lettres persanes, éd. Yves Gandon. Hachette.
Pages choisies. Classiques Larousse, Hachette.

Critique

P. Barrière. *Un Grand Provincial, Montesquieu.* 508 p. Delmas.
Jean Starobinski. *Montesquieu par lui-même.* 192 p. Éd. du Seuil.
J. Dedieu. *Montesquieu, l'homme et l'œuvre.* 204 p. Hatier.

[10] an inconvenience, obstacle. [11] Fru-
gality, and not the desire to possess, is
now called greed. [12] now. [13] booty.
[14] lack of discipline. [15] superior positions. [16] a hierarchy; *lit.* 'ranks.' [17] an
original aristocracy. [18] by this very fact.
[19] repressed (*by the monarch*). [20] sets in
motion. [21] it so happens. [22] that fear
should kill boldness; *lit.* 'overwhelm all
hearts.' [23] relax its power (its author-
ity; *lit.* 'springs').

VOLTAIRE

(1694–1778)

L'Écrivain qui domine le dix-huitième siècle

La jeunesse libertine (1694–1726). François-Marie Arouet, fils d'un notaire, naquit à Paris. A l'âge de sept ans il perdit sa mère; il avait hérité d'elle la vivacité, l'esprit, et le goût des plaisirs. Après de brillantes études chez les Jésuites du collège Louis-le-Grand, et quelques aventures à La Haye avec Pimpette, une jolie coquette, il fréquenta les épicuriens et les sceptiques qui formaient, dans l'ancien monastère des Templiers, — le Temple —, la cour du Grand-Prieur de Vendôme. Il leur plut par ses vers satiriques, scandaleux parfois, contre le chef du gouvernement de la Régence (1715–23), le roué Philippe d'Orléans. Celui-ci le fit exiler chez l'ancien conseiller d'État, Caumartin, à Saint-Ange, près de Fontainebleau, puis chez le duc de Sully, à Sully-sur-Loire. Après récidive,[1] il le fit enfermer à la Bastille (1717).

Libéré au bout de onze mois, grisé par le succès d'une tragédie, *Œdipe* (1718), et d'un poème épique, *La Ligue* (1723), première forme de *La Henriade* (1728), pensionné, fêté dans les salons, il se crut noble parce qu'il avait de l'esprit, et que, par anagramme, il avait changé son nom d'AROVET L.I. (le jeune, *Junior*) en celui de Voltaire. Il avait compté sans les privilèges de l'aristocratie, et, après une querelle retentissante avec le chevalier de Rohan-Chabot (p. 189), il fut exilé en Angleterre (1726).

Exils et retraites (1726–58). Il y resta trois ans et en rapporta la matière de ses *Lettres philosophiques* qu'il publia en 1734 (p. 189), après l'*Histoire de Charles XII*, et *Zaïre*, sa meilleure tragédie.

Ces *Lettres philosophiques* contenaient des idées bien hardies; le Parlement de Paris les condamna à être déchirées et brûlées par le bourreau. Peu désireux de retourner à la Bastille, Voltaire accepta l'hospitalité de la marquise du Châtelet, au château de Cirey-sur-Blaise, à vingt-cinq milles à l'ouest de Domremy, le village natal de Jeanne d'Arc. Ce voisinage lui donna l'idée d'un poème héroï-comique et risqué, *La Pucelle*, qu'il n'osa publier qu'en 1762, à Genève. Heureusement pour sa gloire il y écrivit aussi des œuvres plus honorables; ses tragédies de *Mahomet*, et de *Mérope*, des poèmes comme *Le Mondain*, des mémoires scientifiques. Il y commença ses deux grands ouvrages d'histoire, *Le Siècle de Louis XIV* (1751), et l'*Essai sur les mœurs* (1756).

Grâce à l'intervention du ministre d'Argenson et de Mme de Pompadour, maîtresse de Louis XV, le roi lui pardonna ses incartades[2] passées. Il fut nommé historiographe royal (1745) et membre de l'Académie française. Son séjour à Paris, et à la cour de Sceaux[3] que tenait brillamment la duchesse du Maine,[4] lui rendit toute sa verve, dont il mit le meilleur dans *Zadig*, conte oriental, critique des abus sociaux (1748).

Mme du Châtelet mourut de suites de couches (1749). Alors Voltaire accepta l'invitation réitérée du roi de Prusse, Frédéric II, d'aller vivre auprès de lui au palais de Sans-Souci à Potsdam.[5] Il y resta trois ans (1750–53). Il se fatigua vite de corriger les mauvais vers français de celui qu'il avait appelé « le Salomon du Nord », de « laver son linge sale », comme il disait, et d'être « l'orange que l'on jette quand on en a avalé le jus » (p. 191). Il se disputa avec le géomètre et naturaliste français, Maupertuis, président de l'Académie de Berlin, que le roi

---

[1] After a repetition (of the offense).   [2] indiscreet acts, pranks.   [3] *About 3 mi. S of Paris.*   [4] *Wife of the duc du Maine,* *the favorite son of Louis XIV and Mme de Montespan.*   [5] *City near Berlin.*

soutenait. Il eut des démêlés avec des spéculateurs, car il était spéculateur lui-même, et il s'enfuit. Arrêté et emprisonné seize jours dans une auberge de Francfort-sur-le-Main, où sa nièce et maîtresse, Mme Denis, était venue le rejoindre, il séjourna un an à Colmar, Alsace. En 1754 il loua, pour les hivers, une maison à Lausanne, et, pour les étés, acheta sur une hauteur, « à une portée de canon » de Genève, une autre jolie maison qu'il nomma *Les Délices*.

Genève, sauf ses riches bourgeois comme les Tronchin, accueillit froidement l'incorrigible fauteur de désordres [6] et lui témoigna de l'hostilité lorsqu'en 1756, dans un article de l'*Encyclopédie*, son ami d'Alembert,[7] à qui il en avait glissé l'idée, avait conseillé l'établissement d'un théâtre au siège de la république si gravement chrétienne. Alors cet écrivain, enrichi [8] non seulement par ses droits d'auteur [9] mais aussi par des spéculations sur les grains, les fournitures aux armées, des prêts à gros intérêts à de hauts personnages, acheta deux autres domaines à cheval sur [10] la frontière franco-suisse, Tournay et Ferney; ainsi le vieux renard aurait-il quatre terriers [11] où se réfugier quand les chiens des gouvernements qu'il inquiétait le pourchasseraient. Il préféra bientôt Ferney, où, dès 1758, il faisait bâtir « un assez beau château », petit mais élégant, et où il s'installait définitivement (1760).

Le patriarche de Ferney (1758–78). Pendant vingt ans il fut « le patriarche de Ferney », prenant fort au sérieux son rôle de seigneur de village, enrichissant le pays par des fabriques de montres, de dentelles et de bas de soie, des tanneries, mais surtout écrivant *Candide* (1759), le *Traité sur la Tolérance* (1763), le *Dictionnaire philosophique* (1764), *L'Ingénu* (1767); défendant l'*Encyclopédie* supprimée en 1752, suspendue en 1758; défendant les victimes d'erreurs judiciaires, un protestant, Calas,[12] un autre protestant, Sirven,[13] mis à mort sous prétexte qu'il avait tué sa fille pour l'empêcher d'embrasser le catholicisme, le chevalier de La Barre,[14] Lally-Tollendal,[15] et surtout écrivant et faisant imprimer, sous cent trente-sept pseudonymes, et vendre secrètement par des colporteurs [16] qui risquaient les galères, d'innombrables libelles,[17] semences de la Révolution française. Il pouvait écrire avec raison:

> J'ai fait un peu de bien; c'est mon meilleur ouvrage.

En 1778 il fit un voyage à Paris pour assister à la représentation de sa dernière tragédie, *Irène*. Il fut fêté comme un dieu. Benjamin Franklin, dont il bénit le petit-fils avec la formule maçonnique « God and Liberty », était parmi ses admirateurs. « Mes amis, vous me ferez mourir de plaisir », répétait-il; c'est ce qui arriva.

L'archevêque de Paris refusa la sépulture [18] religieuse à ce rebelle de toute une vie. L'abbé Mignot, son neveu, mit dans un carrosse le corps qu'il tint en position assise avec des cordes, pour qu'on ne vît pas aussi bien qu'il était mort, et l'emmena, de nuit, dans son abbaye de Scellières, en Champagne, où il le fit enterrer. Voltaire eut sa revanche; en juillet 1791 Paris faisait à sa dépouille un accueil triomphal et l'enterrait au Panthéon où elle est encore, près de celle de Jean-Jacques Rousseau, avec qui il eut en commun la passion de la justice et de la liberté.

---

[6] troublemaker, agitator.   [7] *French philosopher and mathematician (1717–83). With Diderot he edited the great* Encyclopédie.   [8] *When he died, in 1778, Voltaire's yearly income amounted to 160,000 francs (quite a sum at that time).*   [9] royalties.   [10] astride of.   [11] holes, burrows.   [12] [kalɑs].   [13] [sirvɛn].   [14] *He was accused of mutilating a crucifix at Abbeville,* *his native town, in the north of France, and was beheaded at the age of 19. Later he was proved innocent (1747–66).*   [15] [tɔledal], *Governor General of the French settlements in India. Of Irish origin, he was accused of betraying France to the English, and was beheaded in Paris. He was later found innocent (1702–66).*   [16] peddlers.   [17] lampoons.   [18] burial.

LETTRES PHILOSOPHIQUES
ou
LETTRES ANGLAISES
1734

Bâtonné[1] sur les marches de l'Opéra par six valets du chevalier de Rohan-Chabot qu'il avait spirituellement critiqué, Voltaire ne put obtenir réparation par les armes. Est-ce qu'un grand seigneur se bat en duel avec un bourgeois, voyons?[2] Il le fait mettre à la Bastille, plutôt. Telle était la justice avant la Révolution. Après quinze jours d'emprisonnement, Voltaire fut déporté en Angleterre. Falkener, riche commerçant anglais, mit à sa disposition sa maison de campagne de Wandsworth, dans le Surrey. Lord Bolingbroke l'introduisit dans le milieu libre penseur qui comptait parmi ses membres Newton, Locke, Shaftesbury, Collins et Tyndall. Il fréquenta Swift, Johnson, Young, Congreve et Gay.

Le séjour de trois ans (1726–29) que Voltaire fit au pays de la liberté lui fournit la matière de ses vingt-quatre *Lettres anglaises*, plus souvent désignées aujourd'hui sous le nom de *Lettres philosophiques*. Ce ne sont plus des lettres adressées à divers correspondants, mais plutôt de courts essais écrits dans le ton direct, familier, spirituel de lettres. Il les publia en 1734. Les sujets en sont: les quakers, la religion anglicane, les presbytériens, le commerce, la vaccination contre la petite vérole,[3] les écrivains et savants: Shakespeare, Bacon, Locke, Newton, Descartes, Pascal, Pope, le gouvernement, le Parlement. Elles montrent la constitution politique anglaise équilibrant les pouvoirs du roi, des lords et des communes, créant la liberté. Oui, la libre Angleterre est riche; les nobles n'y dédaignent pas le commerce; elle distribue les charges équitablement; elle est à la tête du progrès, et surtout elle montre de la considération aux savants et aux gens de lettres, tandis qu'en France..., c'est le despotisme et l'injustice!

LA LIBERTÉ POLITIQUE

Le fruit des guerres civiles de Rome a été l'esclavage, et celui des troubles[4] d'Angleterre, la liberté. La nation anglaise est la seule de la terre qui soit parvenue à[5] régler le pouvoir des rois en leur résistant, et qui d'efforts en efforts ait enfin établi ce gouvernement sage où le prince, tout-puissant pour faire du bien, a les mains liées pour faire du mal; où les seigneurs sont 5 grands sans insolence et sans vassaux, et où le peuple partage le gouvernement sans confusion.

La Chambre des Pairs et celle des Communes sont les arbitres de la nation, le roi est le surarbitre.[6] Cette balance manquait aux Romains: les grands[7] et le peuple[8] étaient toujours en division[9] à Rome, sans qu'il 10 y eût un pouvoir mitoyen[10] qui pût les accorder. Le sénat de Rome, qui avait l'injuste et punissable orgueil de ne vouloir rien partager avec les plébéiens, ne connaissait d'autre secret, pour les éloigner du gouvernement, que de les occuper toujours dans les guerres étrangères. Il regardait le peuple comme une bête féroce qu'il fallait lâcher sur leurs voisins, de peur 15 qu'elle ne dévorât ses maîtres; ainsi le plus grand défaut du gouvernement

---

[1] Caned. [2] I'm asking you! [3] small-
pox. [4] riots, disorders. [5] succeeded
in. [6] the chief arbiter. [7] the Patri-
cians. [8] the Plebeians. [9] at variance.
[10] intermediate.

des Romains en fit des conquérants; c'est parce qu'ils étaient malheureux chez eux qu'ils devinrent les maîtres du monde, jusqu'à ce qu'enfin leurs divisions les rendirent esclaves.

Le gouvernement d'Angleterre n'est point fait pour un si grand éclat, ni
5 pour une fin si funeste; son but n'est point la brillante folie de faire des conquêtes, mais d'empêcher que ses voisins n'en fassent; ce peuple n'est pas seulement jaloux de [11] sa liberté, il l'est encore de celle des autres. Les Anglais étaient acharnés contre Louis XIV, uniquement parce qu'ils lui croyaient de l'ambition.[12]

10 Il en a coûté [13] sans doute pour établir la liberté en Angleterre; c'est dans des mers de sang qu'on a noyé l'idole du pouvoir despotique; mais les Anglais ne croient point avoir acheté trop cher leurs lois. Les autres nations n'ont pas eu moins de troubles, n'ont pas versé moins de sang qu'eux; mais ce sang qu'elles ont répandu pour la cause de leur liberté n'a fait que
15 cimenter leur servitude.[14]

Lettre VIII

LA RÉPARTITION DES IMPOTS

Un homme, parce qu'il est noble ou prêtre, n'est point exempt de payer certaines taxes; tous les impôts sont réglés [15] par la Chambre des Communes qui, n'étant que la seconde par son rang, est la première par son crédit.[16]

Les seigneurs et les évêques peuvent bien rejeter le bill des Communes,
20 lorsqu'il s'agit de lever de l'argent, mais il ne leur est pas permis d'y rien changer; il faut ou qu'ils le reçoivent ou qu'ils le rejettent sans restriction. Quand le bill est confirmé par les lords et approuvé par le roi, alors tout le monde paie; chacun donne, non selon sa qualité [17] (ce qui serait absurde), mais selon son revenu; il n'y a point de taille [18] ni de capitation [19] arbitraire,
25 mais une taxe réelle sur les terres: elles ont été évaluées toutes sous le fameux roi Guillaume III,[20] et mises au-dessous de leur prix.

La taxe subsiste toujours la même, quoique les revenus des terres aient augmenté; ainsi personne n'est foulé,[21] et personne ne se plaint. Le paysan n'a point les pieds meurtris par des sabots, il mange du pain blanc, il
30 est bien vêtu, il ne craint point d'augmenter le nombre de ses bestiaux ni de couvrir son toit de tuiles, de peur que l'on ne hausse ses impôts l'année d'après. On y voit beaucoup de paysans qui ont environ cinq ou six cents livres sterling de revenu, et qui ne dédaignent pas de continuer à cultiver la terre qui les a enrichis, et dans laquelle ils vivent libres.

Lettre IX

---

[11] jealous (careful) of.   [12] *Up to our time, Great Britain has practiced a policy of balance of power in Europe.*   [13] It cost a great deal.   [14] only enslaved them the more.   [15] assessed.   [16] influence.   [17] title.   [18] direct tax; *here* subsidy.   [19] head tax.   [20] *William III of Orange, king of England from 1689 to 1702.*   [21] tyrannized over; *lit.* 'trampled on.'

LETTRES DE VOLTAIRE

LE COURTISAN DÉSENCHANTÉ

A Madame Denis [1]

A Berlin, 18 décembre 1752

Je vous envoie, ma chère enfant, les deux contrats du duc de Wurtemberg; [2] c'est une petite fortune assurée pour votre vie. J'y joins mon testament. Ce n'est pas que je croie à votre ancienne prédiction que le roi de Prusse me *ferait mourir de chagrin.* Je ne me sens pas d'humeur à mourir 5 d'une si sotte mort; mais la nature me fait beaucoup plus de mal que lui, et il faut toujours avoir son paquet prêt [3] et le pied à l'étrier,[4] pour voyager dans cet autre monde où, quelque chose qui arrive,[5] les rois n'auront pas grand crédit.

Comme je n'ai pas dans ce monde-ci cent cinquante mille moustaches [6] 10 à mon service, je ne prétends point du tout faire la guerre. Je ne songe qu'à déserter honnêtement, à prendre soin de ma santé, à vous revoir, à oublier ce rêve [7] de trois années.

Je vois bien qu'*on a pressé l'orange;* [8] il faut penser à sauver l'écorce. Je vais me faire, pour mon instruction, un petit dictionnaire à l'usage des rois.[9] 15

Mon ami signifie *mon esclave.*

Mon cher ami veut dire *vous m'êtes plus qu'indifférent.*

Entendez par *je vous rendrai heureux: je vous souffrirai tant que j'aurai besoin de vous.*

Soupez avec moi ce soir signifie *je me moquerai de vous ce soir.* 20

Le dictionnaire peut être long; c'est un article à mettre dans l'Encyclopédie.[10]

Sérieusement cela me serre le cœur. Tout ce que j'ai vu est-il possible? Se plaire à mettre mal ensemble ceux [11] qui vivent ensemble avec lui! [12] Dire à un homme les choses les plus tendres, et écrire contre lui des bro- 25 chures! [13] et quelles brochures! Arracher un homme à sa patrie [14] par les promesses les plus sacrées, et le maltraiter avec la malice la plus noire! que de contrastes! Et c'est là l'homme qui m'écrivait tant de choses philosophiques, et que j'ai cru philosophe! [15] et je l'ai appelé le *Salomon du Nord!* 30

Vous vous souvenez de cette belle lettre [16] qui ne vous a jamais rassurée.

---

[1] *Voltaire's niece. She was the daughter of Voltaire's sister, and had been a widow since 1744. Voltaire had adopted her.* [2] *Voltaire, a keen businessman, had loaned 300,000 livres (francs) to the Duke of Wurtemberg, against real estate which the Duke owned in France.* [3] **faire son paquet,** to pack up, prepare to die. [4] in the stirrup. [5] whatever happens. [6] soldiers. [7] dream, nightmare. [8] they squeezed out the juice of the orange. *Speaking of Voltaire, Frederick the Great was supposed to have said to La Mettrie, a* French doctor and philosopher at his court: "*J'aurai besoin de lui encore un an, tout au plus: on presse l'orange et on jette l'écorce* (rind)." [9] for the use of those who associate with kings. [10] *The Encyclopedia had been in course of publication since 1751.* [11] sowing discord between those. [12] *Frederick.* [13] pamphlets. [14] To tear a man away from his country. *Voltaire exaggerates.* [15] a wise man. [16] *From Frederick to Voltaire, August 23, 1750.*

Vous êtes philosophe, disait-il; *je le suis de même.* Ma foi, Sire, nous ne le sommes ni l'un ni l'autre.

Ma chère enfant, je ne me croirai tel que quand je serai avec mes pénates [17] et avec vous. L'embarras [18] est de sortir d'ici. Vous savez ce que je vous ai mandé [19] dans ma lettre du 1er novembre. Je ne peux demander de congé qu'en considération de ma santé. Il n'y a pas moyen de dire: « Je vais à Plombières [20] au mois de décembre. »

Il y a ici une espèce de ministre du saint Évangile, nommé Pérard, né comme moi en France; il demandait permission d'aller à Paris pour ses affaires; le roi lui fit répondre qu'il connaissait mieux ses affaires que lui-même, et qu'il n'avait nul besoin d'aller à Paris.

Ma chère enfant, quand je considère un peu en détail tout ce qui se passe ici, je finis par conclure que cela n'est pas vrai, que cela est impossible, qu'on se trompe, que la chose est arrivée à Syracuse,[21] il y a quelque trois mille ans. Ce qui est bien vrai, c'est que je vous aime de tout mon cœur, et que vous faites ma consolation.

LE DÉFENSEUR DES LETTRES ET DE LA SOCIÉTÉ
A Monsieur J.-J. Rousseau, à Paris

Dans le *Discours sur les sciences et les arts* (1750) et le *Discours sur l'inégalité* (1754), Rousseau s'était appliqué à démontrer que le progrès des sciences et des arts avait contribué à corrompre les mœurs, à créer l'inégalité et l'injustice, — l'homme primitif, le sauvage étant bon naturellement. Voici la spirituelle réponse de Voltaire au second discours.

30 août 1755

J'ai reçu, monsieur, votre nouveau livre contre le genre humain; je vous en remercie. Vous plairez aux hommes, à qui vous dites leurs vérités,[1] mais vous ne les corrigerez pas. On ne peut peindre avec des couleurs plus fortes les horreurs de la société humaine, dont notre ignorance et notre faiblesse se promettent tant de consolations. On n'a jamais employé tant d'esprit à vouloir nous rendre bêtes; il prend envie de marcher à quatre pattes,[2] quand on lit votre ouvrage. Cependant, comme il y a plus de soixante ans que j'en ai perdu l'habitude, je sens malheureusement qu'il m'est impossible de la reprendre, et je laisse cette allure naturelle à ceux qui en sont plus dignes que vous et moi. Je ne peux non plus m'embarquer pour aller trouver les sauvages du Canada; premièrement, parce que les maladies dont je suis accablé me retiennent auprès du plus grand médecin [3] de l'Europe, et que je ne trouverais pas les mêmes secours chez les Missouris; secondement, parce que la guerre est portée dans ces pays-là,[4] et que les exemples de nos nations ont rendu les sauvages presque aussi méchants

[17] household gods.   [18] difficulty.   [19] I informed you of.   [20] *A spa in the Vosges mountains where Voltaire had been for the treatment of enteritis (inflammation of the intestines).*   [21] *In Syracuse, Sicily, under Dionysius, the tyrant.*

[1] to whom you tell a few home truths.
[2] one is inclined to walk on all fours.
[3] *The Genevese doctor Tronchin.*   [4] *The French and Indian War (1754–60), partly coincident with the Seven Years' War (1756–63).*

que nous. Je me borne à être un sauvage paisible dans la solitude que j'ai choisie [5] auprès de votre patrie,[6] où vous devriez être . . .

Je conviens avec vous que les belles-lettres et les sciences ont causé quelquefois beaucoup de mal . . . Dès que vos amis [7] eurent commencé le *Dictionnaire encyclopédique*, ceux qui osèrent être leurs rivaux les traitèrent [5] de *déistes*,[8] d'*athées*, et même de *jansénistes* . . .

De toutes les amertumes répandues sur la vie humaine, ce sont là les moins funestes . . . Avouez que Pétrarque et Boccace [9] ne firent pas naître les troubles de l'Italie; [10] avouez que le badinage de Marot n'a pas produit la Saint-Barthélemy,[11] et que la tragédie du *Cid* ne causa pas les troubles [10] de la Fronde.[12] Les grands crimes n'ont guère été commis que par de célèbres ignorants. Ce qui fait et fera toujours de ce monde une vallée de larmes, c'est l'insatiable cupidité et l'indomptable orgueil des hommes . . . Les lettres nourrissent l'âme, la rectifient, la consolent; elles vous servent, monsieur, dans le temps que vous écrivez contre elles . . .; il faut les aimer [15] malgré l'abus qu'on en fait, comme il faut aimer la société dont tant d'hommes méchants corrompent les douceurs; comme il faut aimer sa patrie, quelques injustices qu'on y essuie; [13] comme il faut aimer et servir l'Être suprême, malgré les superstitions et le fanatisme qui déshonorent si souvent son culte. [20]

M. Chappuis m'apprend que votre santé est bien mauvaise; il faudrait la venir rétablir dans l'air natal, jouir de la liberté, boire avec moi du lait de nos vaches, et brouter [14] nos herbes.

Je suis très philosophiquement et avec la plus tendre estime, etc.

VOLTAIRE CHATELAIN
1758–78

A M. de Cideville [1]

A Ferney, 25 novembre 1758;
mais écrivez toujours aux Délices.[2]

. . . Je bâtis une . . . maison commode et rustique où j'entre, il est vrai, [25] par deux tours entre lesquelles il ne tient qu'à moi d'avoir un pont-levis,[3] car j'ai des mâchicoulis [4] et des meurtrières [5] . . .

[5] *Les Délices, a château and an estate which Voltaire had just bought near Geneva.* [6] *Geneva, where Rousseau was born in 1712.* [7] *In 1755 Rousseau had not yet broken off with Diderot, Grimm, and the other Encyclopedists; he did so in 1758.* [8] *Deists believe in God, not as a revealed certainty, but as a hypothesis required by reason. Voltaire and Rousseau were deists.* [9] *Petrarch and Boccaccio were, with Dante, the greatest Italian writers of the 14th century.* [10] *The wars between the Guelphs and the Ghibellines, in the 13th and 14th centuries.* [11] *Massacre of Protestants in Paris (1572).* [12] *See p. 77, n. 18.* [13] whatever injustices we endure there. [14] browse on, graze.

[1] *One of Voltaire's college friends, a councilor in the Rouen Parliament, and a poet.* [2] *Voltaire's country home near Geneva.* [3] drawbridge. [4] machicolations (*parapets with openings for missiles*). [5] loopholes.

Le fait est que j'ai acheté, à une lieue [6] des Délices, une terre qui donne beaucoup de foin, de blé, de paille et d'avoine... J'ai des chênes droits comme des pins, qui touchent le ciel et qui rendraient grand service à notre marine, si nous en avions une... Je sème avec le semoir; [7] je fais des expériences de physique sur notre mère commune; [8] mais j'ai bien de la peine à réduire madame Denis au rôle de Cérès,[9] de Pomone [10] et de Flore.[11] Elle aimerait mieux, je crois, être Thalie [12] à Paris; et moi, non; je suis idolâtre de [13] la campagne, même en hiver. Allez à Paris; allez, vous qui ne pouvez encore vous défaire de vos passions...

L'*ami des hommes*, ce M. de Mirabeau,[14] qui parle, qui parle, qui parle, qui décide, qui tranche,[15] qui aime tant le gouvernement féodal, qui fait tant d'écarts,[16] qui se blouse [17] si souvent, ce prétendu *ami* du genre humain, n'est mon fait [18] que quand il dit: « Aimez l'agriculture. » Je rends grâce à Dieu, et non à ce Mirabeau, qui m'a donné cette dernière passion.

A M. le comte d'Argental [19]

Aux Délices, 19 décembre 1758

Mon cher ange, vous étendez les deux bouts de vos ailes sur tous mes intérêts... Je suis un peu Lazare [20] dans mon tombeau des Alpes... Je deviens plus que jamais pomme tapée.[21] Ne comptez jamais de ma part sur un visage,[22] mais sur le cœur le plus tendre, toujours vif, toujours neuf, toujours plein de vous...

Vous souvenez-vous que, quand je me fis Suisse,[23] le président de Brosses [24] vous parla de me loger dans un château qu'il a entre la France et Genève? Son château était une masure [25] faite pour des hiboux; un comté, mais à faire rire; [26] un jardin, mais où il n'y avait que des colimaçons [27] et des taupes; [28] des vignes sans raisin, des campagnes sans blé, et des étables sans vaches. Il y a de tout actuellement, parce que j'ai acheté son pauvre comté par bail emphytéotique,[29] ce qui, joint à Ferney, compose une grande étendue de pays qu'on peut rendre aisément fertile et agréable. Ces deux terres touchent presque à mes Délices. Je me suis fait un assez joli royaume dans une république...

[6] *More exactly* **deux lieues,** two leagues.
[7] seeder. *Newly invented. Voltaire was all for progress.* [8] Mother Earth.
[9] *Goddess of harvests.* [10] Pomona, *goddess of the fruit of trees.* [11] Flora, *goddess of flowers.* [12] Thalia, *the Muse of Comedy. Mme Denis, Voltaire's niece, liked to act in plays at Tournay and Ferney.* [13] excessively fond of. [14] *Victor Riqueti, marquis de Mirabeau, French economist, nicknamed "the friend of men," wrote* Philosophie rurale. *His son Honoré was to become the greatest orator of the French Revolution.* [15] who gives himself the airs of an oracle. [16] digressions. [17] blunders; **blouser,** to pocket (*at billiards*). [18] is my man, suits me. [19] *A councilor in the Paris Parliament, Voltaire's* "guardian angel". [20] I resemble Lazarus a little (*I am as gaunt as Lazarus when he rose from the dead*). *In 1770 Voltaire wrote to Mme Necker: "Mes yeux sont enfoncés de trois pouces, mes joues sont du vieux parchemin mal collé sur des os qui ne tiennent à rien."* [21] a dried apple. [22] handsome face. [23] when I became a Swiss, when I settled in Switzerland (*in 1754, at Les Délices, near Geneva*). [24] *President of the Dijon Parliament, historian and linguist (1709-77). He wrote the witty* Lettres sur l'Italie *and became Voltaire's enemy.* [25] hovel. [26] a county (an earldom) yes, to be laughed at. [27] snails. [28] moles. [29] long lease (*up to ninety-nine years*).

Ne pensez-vous pas que, vu le temps qui court,[30] il vaut mieux avoir de beaux blés, des vignes, des bois, des taureaux, et des vaches, et lire les *Géorgiques?* [31]

Prenez du lait, madame; [32] engraissez, dormez, et que tous les anges [33] se portent bien! 5

CANDIDE
1759

Ce court roman est une spirituelle satire de l'optimisme qui croit obstinément, à l'exemple de Leibniz [1] et de son commentateur Wolf, que tout est pour le mieux dans le meilleur des mondes possibles, c'est-à-dire le nôtre, créé par Dieu, — immuablement bon —, et que le mal disparaîtra. Selon sa célèbre méthode d'ironie, c'est en la réduisant à l'absurde, *ad absurdum,* que Voltaire va mettre en pièces cette philosophie béate.[2] Les malheurs les plus cruels ne cesseront de tomber sur le doux jeune homme Candide et son maître en optimisme le docteur Pangloss,[3] mais ils garderont leur sourire.

LE PREMIER MALHEUR DE CANDIDE

Il y avait en Westphalie,[4] dans le château de M. le Baron de Thunder-ten-tronckh, un jeune garçon à qui la nature avait donné les mœurs les plus douces.[5] Sa physionomie annonçait son âme. Il avait le jugement assez droit,[6] avec l'esprit le plus simple; [7] c'est, je crois, pour cette raison qu'on le nommait *Candide.* Les anciens domestiques de la maison soup- 10 çonnaient qu'il était fils de la sœur de M. le Baron, et d'un bon et honnête gentilhomme du voisinage, que cette demoiselle ne voulut jamais épouser parce qu'il n'avait pu prouver que soixante et onze quartiers,[8] et que le reste de son arbre généalogique avait été perdu par l'injure du temps.

Monsieur le Baron était un des plus puissants seigneurs de Westphalie, 15 car son château avait une porte et des fenêtres. Sa grande salle,[9] même, était ornée d'une tapisserie. Tous les chiens de ses basses-cours [10] compo-saient une meute dans le besoin; [11] ses palefreniers [12] étaient ses piqueurs; [13] le vicaire [14] du village était son grand aumônier.[15] Ils l'appelaient tous Monseigneur, et ils riaient quand il faisait des contes.[16] 20

Madame la Baronne, qui pesait environ trois cent cinquante livres, s'attirait [17] par là une très grande considération, et faisait les honneurs de la maison avec une dignité qui la rendait encore plus respectable. Sa fille Cunégonde, âgée de dix-sept ans, était haute en couleur,[18] fraîche, grasse,

[30] as things are at present. *This was 1758, the Seven Years' War had started in 1756.* [31] the Georgics, by Vergil.

[32] *M*me *d'Argental.* [33] *The members of the family of d'Argental.*

[1] *See p. 163, n. 6.* [2] blissful. [3] *Meaning, in Greek,* whose tongue can explain all. [4] Westphalia, *German province, which includes part of the Ruhr Basin.* [5] the most gentle character and morals. [6] sound enough. [7] and was extremely simple-minded (naïve). [8] **quartiers de** **noblesse,** degrees (quarterings) of nobility. [9] his main hall. [10] barnyards. [11] pack of hounds, when necessary. [12] grooms. [13] [pikœr], huntsmen. [14] curate. [15] Grand Almoner (*dispenser of alms*), chaplain. [16] he told broad stories. [17] attracted. [18] rosy-cheeked,

appétissante. Le fils du Baron paraissait en tout digne de son père. Le précepteur [19] Pangloss était l'oracle de la maison, et le petit Candide écoutait ses leçons avec toute la bonne foi de son âge et de son caractère.

Pangloss enseignait la Métaphisico-théologo-cosmolo-nigologie.[20]   Il
5 prouvait admirablement qu'il n'y a point d'effet sans cause, et que dans ce meilleur des mondes possibles, le château de Monseigneur le Baron était le plus beau des châteaux, et Madame la meilleure des baronnes possibles.

« Il est démontré, disait-il, que les choses ne peuvent être autrement: car tout étant fait pour une fin, tout est nécessairement pour la meilleure
10 fin.   Remarquez bien que les nez ont été faits pour porter des lunettes, aussi avons-nous des lunettes.   Les jambes sont visiblement instituées pour être chaussées,[21] et nous avons des chausses.[22]   Les pierres ont été formées pour être taillées,[23] et pour en faire des châteaux; aussi Monseigneur a un très beau château; le plus grand baron de la province doit être le mieux
15 logé: et les cochons étant faits pour être mangés, nous mangeons du porc toute l'année: par conséquent, ceux qui ont avancé[24] que tout est bien ont dit une sottise:[25] il fallait dire que tout est au mieux.

Candide écoutait attentivement, et croyait innocemment, car il trouvait mademoiselle Cunégonde extrêmement belle, quoiqu'il ne prît jamais la
20 hardiesse[26] de le lui dire.   Il concluait qu'après le bonheur d'être né Baron de Thunder-ten-tronckh, le second degré de bonheur était d'être mademoiselle Cunégonde, le troisième de la voir tous les jours, et le quatrième d'entendre Maître Pangloss, le plus grand philosophe de la province, et par conséquent de toute la terre.

25 Un jour Cunégonde . . . rencontra Candide en revenant au château, et rougit.[27]   Candide rougit aussi; elle lui dit bonjour d'une voix entrecoupée,[28] et Candide lui parla sans savoir ce qu'il disait.   Le lendemain après le dîner, comme on sortait de table, Cunégonde et Candide se trouvèrent derrière un paravent;[29]   Cunégonde laissa tomber son mouchoir, Candide le ra-
30 massa; elle lui prit innocemment la main, le jeune homme baisa innocemment la main de la jeune demoiselle avec une vivacité, une sensibilité, une grâce toute particulière;[30]   leurs bouches se rencontrèrent, leurs yeux s'enflammèrent, leurs genoux tremblèrent . . . M. le Baron de Thunder-ten-tronckh passa auprès du paravent, et voyant cette cause et cet effet chassa
35 Candide du château à grands coups de pied dans le derrière.[31]   Cunégonde s'évanouit;[32] elle fut souffletée par Madame la Baronne dès qu'elle fut revenue à elle-même;[33] et tout fut consterné[34] dans le plus beau et le plus agréable des châteaux possibles.

Errant[1] *dans une ville, Candide est enrôlé de force dans l'armée bulgare.*[2] *Il y reçoit des coups de bâton et profite d'une bataille pour déserter et passer en Hollande.*

[19] tutor.   [20] tommyrot; *in* **nigo,** *under-*
stand **nigaud,** silly, goofy.   [21] breeched.
[22] breeches; *obs. for* **culotte** *f.*   [23] cut.
[24] asserted.   [25] have talked nonsense.
[26] although he was never bold enough.
[27] blushed.   [28] in a halting voice.

[29] folding   screen.   [30] remarkable.
[31] with big kicks in the pants.   [32] fainted.
[33] slapped in the face . . . as soon as she came to (*modern usage:* **revenue à elle**).
[34] all was in consternation.

[1] Wandering.   [2] Bulgarian.

Il y retrouve Pangloss défiguré, malade, mais toujours optimiste. Quelles horribles nouvelles il apprend! Les Bulgares ont mis le beau château du baron à feu et à sang, et éventré [3] Cunégonde. Le maître, à peu près guéri, et l'élève, consolé, se rendent à Lisbonne. Ils y sont victimes d'un naufrage, d'un tremblement de terre [4] et de l'Inquisition.[5] Pangloss est pendu, Candide fouetté, et il s'enfuit à Buenos-Aires avec Cunégonde qu'il a retrouvée et dont il a tué les deux amants, un Juif, et le Grand Inquisiteur. La nouvelle de ce double meurtre arrive en Amérique. Candide laisse sa Cunégonde au gouverneur espagnol qui fait d'elle sa maîtresse, et passe avec son valet, Cacambo, chez les Jésuites du Paraguay, dont il transperce le colonel de son épée. Ce Jésuite n'est autre que le frère de Cunégonde. Candide s'enfuit au pays des Oreillons, anthropophages [6] qui aiment surtout manger des Jésuites. Ensuite il visite l'Eldorado, véritable paradis où il fait provision d'or et de diamants que la malhonnêteté des hommes et des femmes de la Guyane,[7] de Paris, de Portsmouth et de Venise font rapidement diminuer. Qu'importe? Il n'a qu'un désir, retrouver Cunégonde. Cacambo lui apprend qu'elle est laveuse de vaisselle [8] chez un prince de Turquie. Qu'à cela ne tienne! [9] On prend le bateau jusqu'à Constantinople et, en route, on rachète le galérien [10] Pangloss qui a été mal pendu par l'Inquisition et qui, malgré tous ses malheurs, a conservé son inébranlable [11] optimisme. C'est aussi le cas de Candide qui retrouve Cunégonde, vieille, laide et d'humeur désagréable. Il l'épouse cependant, et s'installe avec elle, son frère le colonel guéri de sa blessure, et tous ses amis, dans une métairie.[12] A-t-il enfin trouvé le secret du bonheur, et quel est ce secret? Les réponses à ces questions se trouvent dans le passage suivant sur lequel le roman se termine.

IL FAUT SE TAIRE ET CULTIVER SON JARDIN

Il y avait dans le voisinage un derviche [13] très fameux, qui passait pour le meilleur philosophe de la Turquie; ils allèrent le consulter. Pangloss porta la parole [14] et lui dit:

— Maître, nous venons vous prier de nous dire pourquoi un aussi étrange animal que l'homme a été formé. [5]

— De quoi te mêles-tu? [15] lui dit le derviche, est-ce là ton affaire? [16]

— Mais, mon révérend père, dit Candide, il y a horriblement de mal [17] sur la terre.

— Qu'importe, dit le derviche, qu' [18] il y ait du mal ou du bien? quand Sa Hautesse [19] envoie un vaisseau en Égypte, s'embarrasse-t-elle si les [10] souris [20] qui sont dans le vaisseau sont à leur aise ou non?

— Que faut-il donc faire? dit Pangloss.

— Te taire, dit le derviche.

— Je me flattais, dit Pangloss, de raisonner [21] un peu avec vous des effets

[3] disemboweled. [4] earthquake. *This "disaster" of Lisbon actually happened in 1756, three years before the publication of Candide.* [5] *Notorious system of Catholic courts instituted for punishing heresy.* [6] cannibals. [7] Guiana, *tropical region in NE South America.* [8] dishwasher. [9] Never mind that! [10] galley slave. [11] unshakable. [12] sharecropper's farm.

[13] dervish, Mohammedan mendicant friar, fakir. [14] was the spokesman. [15] What are you butting in for? [16] is it your business? [17] there is a horrible amount of evil. [18] **qu'**, whether. [19] His Highness. *Title given in French to the Sultan of Turkey.* [20] does he worry whether the mice. [21] to discuss.

et des causes, du meilleur des mondes possibles, de l'origine du mal, de la nature de l'âme et de l'harmonie préétablie.[22]

Le derviche, à ces mots, leur ferma la porte au nez.

Pendant cette conversation, la nouvelle s'était répandue qu'on venait
5 d'étrangler à Constantinople deux vizirs du banc [23] et le mufti,[24] et qu'on avait empalé [25] plusieurs de leurs amis. Cette catastrophe faisait partout un grand bruit [26] pendant quelques heures. Pangloss, Candide et Martin,[27] en retournant à la petite métairie, rencontrèrent un bon vieillard qui prenait le frais à sa porte, sous un berceau [28] d'orangers. Pangloss, qui était aussi
10 curieux que raisonneur,[29] lui demanda comment se nommait le mufti qu'on venait d'étrangler.

— Je n'en sais rien, répondit le bonhomme, et je n'ai jamais su le nom d'aucun mufti ni d'aucun vizir. J'ignore absolument [30] l'aventure dont vous me parlez: je présume qu'en général ceux qui se mêlent des [31] affaires
15 publiques périssent quelquefois misérablement, et qu'ils le méritent; mais je ne m'informe jamais de ce qu'on fait à Constantinople; je me contente d'y envoyer vendre les fruits [32] du jardin que je cultive.

Ayant dit ces mots, il fit entrer les étrangers dans sa maison; ses deux filles et ses deux fils leur présentèrent plusieurs sortes de sorbets [33] qu'ils
20 faisaient eux-mêmes, du kaïmak [34] piqué d'écorces de cédrat confit,[35] des oranges, des citrons,[36] des limons,[37] des ananas,[38] des pistaches,[39] du café de Moka,[40] qui n'était point mêlé [41] avec le mauvais café de Batavia [42] et des îles.[43] Après quoi les deux fils de ce bon musulman parfumèrent les barbes de Candide, de Pangloss et de Martin.

25   — Vous devez avoir, dit Candide au Turc, une vaste et magnifique terre.[44]

— Je n'ai que vingt arpents,[45] répondit le Turc; je les cultive avec mes enfants: le travail éloigne de nous trois grands maux: l'ennui, le vice et le besoin.

Candide, en retournant dans sa métairie, fit de profondes réflexions sur le discours du Turc. Il dit à Pangloss et à Martin:

30   — Ce bon vieillard me paraît s'être fait un sort [46] bien préférable à celui des six rois avec qui nous avons eu l'honneur de souper.[47]

— Les grandeurs,[48] dit Pangloss, sont fort dangereuses, selon le rapport [49] de tous les philosophes... Vous savez comment périrent... César,[50] Pompée,[51] Néron,[52] ... Richard II d'Angleterre,[53] Édouard II,[54] Henri VI,[55]

[22] pre-established harmony. *A theory by the German philosopher Leibniz, in which he explains that there exists between the laws of the body and those of the soul relations pre-established by God.*   [23] viziers of the bench, *some of the Sultan's counselors.*   [24] *The Grand Mufti of Constantinople, the head of the Mohammedan religion.*   [25] impaled.   [26] stir.   [27] *Manichean philosopher whom Candide had brought from Guiana. A Manichean believes in the inherent evil of matter.*   [28] in a bower.   [29] argumentative.   [30] I am absolutely ignorant of.   [31] meddle with.   [32] the produce.   [33] sherbet.   [34] caymac, *Turkish sherbet.*   [35] with candied citron peels stuck in it.   [36] lemons.   [37] limes.   [38] pineapples.   [39] pistachios.   [40] Mocha coffee (*from Arabia*).   [41] mixed.   [42] *Batavia (now called Jakarta) is the capital of the Republic of Indonesia; it is on the NW coast of Java.*   [43] *the West Indies.*   [44] estate.   [45] acres.   [46] a lot.   [47] *Candide and Martin had had supper at Venice with six dethroned kings.*   [48] Exalted positions.   [49] according to the testimony.   [50] *Caesar was stabbed to death in the Senate (44 B.C.).*   [51] *Pompey was killed in Egypt (48 B.C.).*   [52] *The Roman emperor Nero committed suicide (68 A.D.).*   [53] *Richard II was forced to give up the crown (1399).*   [54] *Edward II of England was murdered (1327).*   [55] *Henry VI of England became insane and died in the Tower of London (1471).*

Richard III,[56] Marie Stuart,[57] Charles Ier,[58] les trois Henri de France,[59] l'empereur Henri IV ?[60] Vous savez . . .

— Je sais aussi, dit Candide, qu'il faut cultiver notre jardin.

— Vous avez raison, dit Pangloss; car quand l'homme fut mis dans le jardin d'Éden, il y fut mis *ut operaretur eum*, pour qu'il travaillât: ce qui 5 prouve que l'homme n'est pas né pour le repos.

— Travaillons sans raisonner,[61] dit Martin; c'est le seul moyen de rendre la vie supportable.

Toute la petite société entra dans ce louable dessein;[62] chacun se mit à exercer ses talents: la petite terre rapporta[63] beaucoup. Cunégonde était, 10 en vérité, bien laide,[64] mais elle devint une excellente pâtissière;[65] Paquette[66] broda; la vieille[67] eut soin du linge. Il n'y eut pas jusqu'à frère Giroflée qui ne[68] rendît service; il fut un très bon menuisier,[69] et même devint honnête homme,[70] et Pangloss disait quelquefois à Candide:

— Tous les événements sont enchaînés[71] dans le meilleur des mondes 15 possibles; car enfin,[72] si vous n'aviez pas été chassé d'un beau château à grands coups de pied dans le derrière, pour l'amour de Mlle Cunégonde, si vous n'aviez pas été mis à l'inquisition,[73] si vous n'aviez pas couru[74] l'Amérique à pied, si vous n'aviez pas donné un bon coup d'épée au baron,[75] si vous n'aviez pas perdu tous vos moutons du bon pays d'Eldorado,[76] vous 20 ne mangeriez pas ici des cédrats confits[77] et des pistaches.

— Cela est bien dit, répondit Candide; mais il faut cultiver notre jardin.

Fin de *Candide*

Beaucoup de lecteurs croient que cette dernière phrase résume la philosophie de Voltaire dans *Candide*. Se retirer du monde, ne s'occuper que de ses propres affaires. Comme cet idéal est différent de celui de Voltaire, individu social par excellence, homme des villes, mondain, s'intéressant au « jardin » des autres, à tout ce qui est humain, intelligent et juste ! Bon pour ce gros naïf de Candide de cultiver son jardin au propre et au figuré ! C'est fort sage, mais ce n'est pas suffisant pour Voltaire. Voyons son sourire sarcastique après cette remarque de Candide, entendons même un « Ah, ah, ah ! » encore plus sarcastique.

---

[56] *Richard III of England was killed in battle (1485).* [57] *Mary, Queen of Scots, was beheaded by order of her cousin, Queen Elizabeth (1587).* [58] *Charles I was beheaded at Whitehall (1649).* [59] *Henry II was killed in a tilting tournament (1559). Henry III was stabbed to death in 1589, and so was Henry IV in 1610.* [60] *Henry IV of Germany was forced to abdicate. He died excommunicated and his body remained unburied for five years.* [61] without arguing. [62] entered into this praiseworthy plan. [63] yielded. [64] homely. [65] pastry cook. [66] *A very pretty brunette who had been the chambermaid of* Cunégonde's mother. [67] *She had brought Candide and Cunégonde together in Lisbon.* [68] Even Friar Giroflée (Gillyflower). *He was Paquette's lover.* [69] joiner, carpenter. [70] a man of honor, a gentleman. [71] linked up. [72] for. [73] whipped by the Inquisitors. [74] wandered about. [75] run your sword vigorously into the Baron (*Cunégonde's Jesuit brother*). *He had recovered and had been brought back from the galley by Candide, at the same time as Pangloss.* [76] *A hundred red sheep that carried Candide's treasures from Eldorado.* [77] *See p. 198, note 35.*

LA RELIGION DE VOLTAIRE

Dans ce passage extrait de l'article *Dieu, Dieux*, du *Dictionnaire philosophique*, le déiste Voltaire critique l'athéisme professé par son ami le baron d'Holbach,[1] dans le *Système de la Nature* (1770). Sa religion ne fut pas l'athéisme de d'Holbach et d'autres encyclopédistes comme Diderot et d'Alembert, mais le déisme (ou théisme) de ses amis les philosophes anglais.

DE LA NÉCESSITÉ DE CROIRE EN UN ÊTRE SUPRÊME

Le grand objet, le grand intérêt, ce me semble, n'est pas d'argumenter en métaphysique, mais de peser s'il faut, pour le bien commun de nous autres animaux misérables et pensants, admettre un Dieu rémunérateur et vengeur, qui nous serve à la fois de frein[2] et de consolation, ou rejeter
5 cette idée en nous abandonnant à nos calamités sans espérances, et à nos crimes sans remords . . .

Depuis Job jusqu'à nous, un très grand nombre d'hommes a maudit son existence; nous avons donc un besoin perpétuel de consolation et d'espoir. Votre philosophie nous en prive. La fable de Pandore[3] valait mieux, elle
10 nous laissait l'espérance, et vous nous la ravissez . . .

Je ne vous propose pas de croire des choses extravagantes pour vous tirer d'embarras; je ne vous dis pas: « Allez à La Mecque[4] baiser la pierre noire[5] pour vous instruire; tenez une queue de vache[6] à la main; affublez-vous d'un scapulaire;[7] soyez imbécile et fanatique pour acquérir la faveur de
15 l'Être des êtres. » Je vous dis: « Continuez à cultiver la vertu, à être bienfaisant, à regarder toute superstition avec horreur ou avec pitié; mais adorez avec moi le dessein qui se manifeste dans toute la nature, et par conséquent l'auteur de ce dessein, la cause primordiale et finale de tout . . . » Nous nageons tous dans une mer dont nous n'avons jamais vu le rivage.
20 Malheur à ceux qui se battent en nageant! Abordera qui pourra; mais celui qui me crie: « Vous nagez en vain, il n'y a point de port, » me décourage et m'ôte toutes mes forces.

De quoi s'agit-il dans notre dispute? de consoler notre malheureuse existence. Qui la console? vous ou moi?
25 Vous avouez vous-même, dans quelques endroits de votre ouvrage, que la croyance d'un Dieu a retenu quelques hommes sur le bord du crime: cet aveu[8] me suffit. Quand[9] cette opinion n'aurait prévenu que dix assassinats, dix calomnies, dix jugements iniques sur la terre, je tiens que la terre entière doit l'embrasser.[10]

---

[1] [dɔlbak], *German-born atheistic writer (1723–89) who spent most of his life in France and wrote in French his* Système de la Nature. [2] *as a check.* [3] Pandora, *the first woman, created by the Greek god Hephaestus (Vulcan). Out of curiosity, she opened a box containing all the blessings and ills of life; all these escaped, except Hope.* [4] Mecca, *holy city of Arabia, where Mohammed was born about 569 A.D.*

[5] *The stone which the angel Gabriel had brought to Ishmael and Hagar who were lost in the desert, so that they could rest their heads on it. It was white then, but the sins of men have made it black.* [6] a cow's tail; *disrespectful for "holy-water sprinkler."* [7] scapular, *small image of cloth worn around the neck by some Roman Catholics.* [8] this admission. [9] Even though. [10] must adopt it.

La religion, dites-vous, a produit des milliasses [11] de forfaits; dites la superstition qui règne sur notre triste globe; elle est la plus cruelle ennemie de l'adoration pure qu'on doit à l'Être suprême. Détestons ce monstre qui a toujours déchiré le sein de sa mère; ceux qui le combattent sont les bienfaiteurs du genre humain; c'est un serpent qui entoure la religion de 5 ses replis; il faut lui écraser la tête sans blesser celle [12] qu'il infecte et qu'il dévore . . .

Vous affirmez qu'il n'y a qu'un pas de l'adoration à la superstition. Il y a l'infini pour les esprits bien faits: [13] et ils sont aujourd'hui en grand nombre; ils sont à la tête des nations,[14] ils influent sur les mœurs publiques; 10 et d'année en année, le fanatisme qui couvrait la terre se voit enlever ses détestables usurpations . . .

Où est le mal de charger un citoyen, qu'on appellera *vieillard* ou *prêtre*, de rendre des actions de grâces à la Divinité au nom des autres citoyens, pourvu que . . . dans une paroisse ce prêtre ne soit pas un fripon volant 15 dans la poche des pénitents qu'il confesse . . .

Un sot prêtre excite le mépris; un mauvais prêtre inspire l'horreur; un bon prêtre, doux, pieux, sans superstition, charitable, tolérant, est un homme qu'on doit chérir et respecter . . .

Le plus bel hommage, à mon gré, qu'on puisse rendre à Dieu, c'est de 20 prendre sa défense sans colère; comme le plus indigne portrait qu'on puisse faire de lui est de le peindre vindicatif et furieux. Il est la vérité même: la vérité est sans passions. C'est être disciple de Dieu que de l'annoncer d'un cœur doux, et d'un esprit inaltérable.[15]

Dictionnaire philosophique, article *Dieu*

OUVRAGES RECOMMANDÉS
Textes

Romans et contes, éd. H. Bénac. Garnier.
Lettres choisies, éd. R. Naves. Garnier.
Théâtre. 6 vol. Garnier.
Contes
Lettres choisies
Zaïre } Classiques Larousse, Hatier, Hachette.
Histoire de Charles XII
Le Siècle de Louis XIV
Œuvres critiques et poétiques } Classiques Larousse.
Œuvres philosophiques

Discographie

Candide. 2 disques microsillon de 12 pouces. Hachette.

Critique

John Charpentier. *Voltaire.* 320 p. Tallandier, 1938.
J. Donvez. *De quoi vivait Voltaire.* 176 p. Éd. des Deux-Rives.
R. Naves. *Voltaire, l'homme et l'œuvre.* 176 p. Hatier.
R. Pomeau. *Voltaire par lui-même.* Écrivains de toujours, 1954.

[11] *obs. for* **trillions.** [12] without injuring the one (*religion*). [13] *Namely the* **philosophes.** [14] *Men like Frederick II of* *Prussia.* [15] To say that God has a kind heart and an even disposition, is to show oneself a disciple of God.

L'ABBÉ PRÉVOST

(1697–1763)

Un Romancier de passion

L'abbé Antoine-François Prévost d'Exiles, né à Hesdin,[1] en Artois,[2] fit de bonnes études classiques et religieuses et prit sa part, à Paris, des plaisirs de la Régence.[3] « La malheureuse fin d'un engagement trop tendre », — probablement une aventure dans le genre de celle de des Grieux avec Manon, mais moins romanesque —, le ramena à la religion. Il se fit bénédictin à l'abbaye de Saint-Wandrille,[4] près de Rouen. Ordonné prêtre, il s'occupa de travaux historiques et publia quatre petits volumes, *Mémoires d'un homme de qualité qui s'est retiré du monde*. Le quatrième volume était l'*Histoire du chevalier des Grieux et de Manon Lescaut* (1731). D'esprit aventureux, il passa en Hollande et en Angleterre où, pour gagner sa vie, il fonda un journal, *Le Pour et Contre*, dont il continua la publication à son retour en France. Il le remplaça, en 1746, par l'*Histoire générale des voyages*. Il devint directeur du *Journal étranger* (1755) qui, en faisant connaître les productions intellectuelles des nations d'Europe, avait l'ambition de créer le « siècle glorieux de l'Europe entière ».

Le prince de Condé chargea Prévost, qui était devenu son aumônier,[5] d'écrire l'histoire de sa famille. L'abbé s'installa dans un village près du château de Chantilly où il devait consulter les archives. Il mourut d'apoplexie au cours d'une promenade dans la forêt.

Avec *Manon Lescaut*, Prévost a fait faire au roman français un pas en avant. Il a extériorisé, galvanisé la chaste passion de *La Princesse de Clèves*, gardé le dynamisme de *Gil Blas* en lui donnant plus de vraisemblance, romantisé le prosaïque *Paysan parvenu* de Marivaux, et fait de Manon une Marianne [6] moins sentimentale et raisonneuse. Il ne restera plus aux romantiques qu'à mettre de la couleur, et aux réalistes qu'à ajouter l'art de leur style et la vigueur de leur observation, pour créer, après *Manon Lescaut*, le roman parfait dont *Madame Bovary* (p. 355) est un bel exemple.

MANON LESCAUT

1731

En 1717 le chevalier des Grieux termine de brillantes études au collège d'Amiens. Au cours d'une promenade avec son sage ami Tiberge, il assiste, dans la cour d'une hôtellerie, à l'arrivée du coche[1] d'Arras. Il distingue, parmi les voyageurs, une petite jeune fille qui l'enflamme « jusqu'au transport ». Bien que timide, il l'aborde. Comme il est beau garçon, et qu'il a des manières distinguées, elle, plébéienne qui a déjà l'expérience du monde, le met à l'aise, et lui raconte que ses parents l'ont envoyée à Amiens avec un vieux domestique, pour la faire entrer au couvent; c'est évidemment malgré elle. Il n'en faut pas plus pour que le chevalier fasse des plans fort adroits pour éviter le couvent à cette beauté. De bonne heure, le lendemain, pendant que le

---

[1] [edɛ̃], pop. 2,800; near the battlefield of Agincourt.　[2] Province in the North of France; capital Arras.　[3] the Regency, profligate government of Duke Philippe d'Orléans, during the minority of Louis XV (1715–23).　[4] [vãdrij].　[5] chaplain.　[6] Heroine of La Vie de Marianne, by Marivaux

[1] stagecoach.

vieux domestique dort encore, une rapide chaise de poste [2] *emporte vers Paris nos deux tourtereaux.* [3]

C'est d'abord l'ivresse [4] *dans un appartement de la rue Vivienne. Au bout de quelques semaines ce devrait être la fin de leurs écus,* [5] *mais non. La coquette Manon, qui met sa beauté à la fenêtre, éblouit* [6] *un fermier général,* [7] *et se vend à lui, car elle a la passion de l'argent et des plaisirs qu'il procure. A peine le naïf des Grieux a-t-il découvert le pot aux roses* [8] *qu'il est enlevé par les valets de son père, et ramené à la maison paternelle, à Péronne, en Picardie. Ce père, romain* [9] *mais bon, lui révèle qu'il a reçu du fermier général une lettre lui apprenant le lieu de sa cachette, et que Manon a consenti à cette « noire trahison ».*

Des Grieux ne pense qu'à s'enfuir pour aller punir le mouchard.[10] *Il faut que son père le fasse garder dans une chambre au haut d'une tour pendant six mois. Enfin le calme revient à cette âme en tempête, et le chevalier, rêvant de devenir évêque, va rejoindre l'ami Tiberge au séminaire de Saint-Sulpice, à Paris.*

Au bout d'un an, l'amoureux n'est plus que le brillant abbé qui soutient en public, à la Sorbonne, une thèse de théologie. Manon est présente, et, après cet « exercice », arrive au parloir de Saint-Sulpice pour complimenter le lauréat. « Elle était dans sa dix-huitième année. Ses charmes surpassaient tout ce que l'on peut décrire. » Adieu l'évêché! En deux ans Manon a tiré de son riche amant bien des bijoux, et soixante mille francs. Cette fortune permet aux amoureux de louer un confortable appartement au village de Chaillot, — aujourd'hui englobé [11] *dans la partie ouest de Paris.*

Hélas, Manon aime la toilette, l'Opéra, le jeu! [12] *La caisse* [13] *contenant son argent est volée à la faveur d'un incendie dans la maison. « Rester pauvre, c'est perdre Manon », pense des Grieux, et il accepte du frère de Manon, soldat débauché, la proposition de faire partie d'une bande de tricheurs aux cartes.* [14] *Il répare sa fortune, mais c'est pour se la voir dérober par deux domestiques. A son tour Manon se procure des bijoux et de l'argent en flattant un vieillard amoureux d'elle, M. de G... M... (Guillot de Morfontaine, d'après le livret de l'opéra de Massenet). Elle s'enfuit ensuite avec des Grieux qu'elle a fait passer pour son frère. Le vieillard fait rechercher et arrêter les escrocs.* [15] *Voici Manon à l'Hôpital Général, — la Salpêtrière d'aujourd'hui —, et le chevalier à la prison de Saint-Lazare, dont le directeur est trop bon pour lui. Des Grieux le récompense en lui tuant un domestique, et, sous la menace d'un pistolet fourni par Lescaut, en lui faisant ouvrir la porte de sortie.*

Des Grieux gagne les bonnes grâces de T..., fils d'un des administrateurs de l'Hôpital, voit Manon dans sa cellule, et la fait échapper. Les deux amants vivent cachés à Chaillot. Le hasard fait que le fils du vieux G... M... tombe amoureux de Manon, lui donne un hôtel particulier [16] *et lui fait d'autres magnifiques présents. Des Grieux paie des soldats pour qu'ils séquestrent le jeune amoureux. Malheureusement, le vieux G... M..., informé par un valet, fait arrêter notre joli couple. Le père de des Grieux n'a pas de peine à faire libérer son fils, mais Manon est condamnée à faire partie d'un convoi de filles destiné à la Nouvelle-Orléans. Des Grieux renonce au projet d'enlever Manon par la force. Par sa gentillesse, et surtout son argent, il obtient des gardes, puis du capitaine du bateau, de faire route avec Manon.*

On s'embarque au Havre-de-Grâce pour la Nouvelle-Orléans que le commandant général de la Louisiane, Lemoine de Bienville, a fondée en 1718, et nommée en l'honneur du duc d'Orléans, alors Régent de France. Nous sommes en 1719; deux ans ont passé depuis que le chevalier a rencontré la femme fatale.[17]

---

[2] post chaise (*carriage for traveling post*).   [9] Roman, strict.   [10] informer.   [11] included.   [12] gambling.   [13] money box.   [3] young lovers; *lit.* 'turtledoves.'   [4] rapture.   [5] crowns, money.   [6] dazzles.   [14] cardsharps.   [15] crooks.   [16] mansion.   [7] farmer-general, tax collector.   [8] secret.   [17] vamp, siren.

MANON ET DES GRIEUX A LA NOUVELLE-ORLÉANS

Après une navigation de deux mois, nous abordâmes [1] enfin au rivage [2] désiré. Le pays ne nous offrit rien d'agréable à première vue. C'étaient des campagnes stériles [3] et inhabitées, où l'on voyait à peine quelques roseaux [4] et quelques arbres dépouillés [5] par le vent. Nulle trace d'hommes
5 ni d'animaux. Cependant le capitaine ayant fait tirer quelques pièces de notre artillerie, nous ne fûmes pas longtemps sans apercevoir une troupe de citoyens du nouvel Orléans [6] qui s'approchèrent de nous avec de vives marques de joie. Nous n'avions pas découvert la ville. Elle est cachée, de ce côté-là, par une petite colline.[7]
10 Nous fûmes reçus comme des gens descendus du ciel. Ces pauvres habitants s'empressèrent pour nous faire mille questions sur l'état de la France et sur les différentes provinces où ils étaient nés. Ils nous embrassaient comme leurs frères et comme de chers compagnons qui venaient partager leur misère et leur solitude. Nous prîmes le chemin de la ville avec eux;
15 mais nous fûmes surpris de découvrir, en avançant, que ce qu'on nous avait vanté jusqu'alors comme une bonne ville,[8] n'était qu'un assemblage de quelques pauvres cabanes.[9] Elles étaient habitées par cinq ou six cents personnes. La maison du gouverneur nous parut un peu distinguée par sa hauteur et sa situation.[10] Elle est défendue par quelques ouvrages de
20 terre [11] autour desquels règne [12] un large fossé.

Nous fûmes d'abord présentés à lui.[13] Il s'entretint longtemps en secret avec le capitaine; et, revenant ensuite à nous, il considéra [14] l'une après l'autre toutes les filles qui étaient arrivées par le vaisseau. Elles étaient au nombre de trente; car nous en avions trouvé au Havre une autre bande
25 qui s'était jointe à la nôtre. Le gouverneur, les ayant longtemps examinées, fit appeler divers jeunes gens de la ville qui languissaient dans l'attente d'une épouse. Il donna les plus jolies aux principaux [15] et le reste fut tiré au sort.[16] Il n'avait point encore parlé à Manon; mais, lorsqu'il eut ordonné aux autres de se retirer, il nous fit demeurer elle et moi.
30 — J'apprends du capitaine, nous dit-il, que vous êtes mariés, et qu'il vous a reconnus sur la route pour deux personnes d'esprit [17] et de mérite. Je n'entre point dans les raisons qui ont causé votre malheur; mais s'il est vrai que vous ayez autant de savoir-vivre [18] que votre figure [19] me le

[1] we arrived.   [2] shore. *Seagoing vessels could not sail up the Mississippi River before 1722, when the mud bar at its mouth was cut open.*   [3] *This was true of sandy Biloxi but not of New Orleans, which was surrounded by a cypress forest and fields of rice, peas, corn, etc.*   [4] reeds.   [5] stripped.   [6] **La Nouvelle-Orléans** *is now the name used by the French to designate New Orleans.*   [7] *Inaccurate. New Orleans is plainly visible from all sides, and especially from the Mississippi River.*   [8] *The people extolling the merits of New Orleans were only repeating propaganda circulated by John Law to lure colonists there (see p. 184, n. 17).*   [9] huts.   [10] *In 1719 there were only three dwellings and a storehouse at New Orleans, according to Commandant General Bienville. In 1721 the population was 427.*   [11] earthworks.   [12] **s'étend,** runs.   [13] *In 1719 the head of the colony was Jean-Baptiste Lemoine de Bienville, a native of Montreal; his title was "Commandant général." He did not become governor until 1732.*   [14] scrutinized.   [15] to the more important ones.   [16] they drew lots for the rest (*historically correct statement*).   [17] of intelligence.   [18] good breeding, refinement.   [19] face.

promet, je n'épargnerai rien pour adoucir votre sort, et vous contribuerez vous-mêmes à me faire trouver quelque agrément dans ce lieu sauvage et désert.

Je lui répondis de la manière que je crus la plus propre à confirmer l'idée qu'il avait de nous. Il donna quelques ordres pour nous faire préparer un 5 logement dans la ville, et il nous retint à souper avec lui. Je lui trouvai beaucoup de politesse [20] pour un chef de malheureux bannis.[21] Il ne nous fit point de question en public sur le fond [22] de nos aventures. La conversation fut générale; et, malgré notre tristesse, nous nous efforçâmes, Manon et moi, de contribuer à la rendre agréable. 10

Le soir, il nous fit conduire au logement qu'on nous avait préparé. Nous trouvâmes une misérable cabane, composée de planches et de boue,[23] qui consistait en deux ou trois chambres de plain-pied [24] avec un grenier [25] au-dessus. Il y avait fait mettre cinq ou six chaises et quelques commodités nécessaires à la vie.[26] Manon parut effrayée à la vue d'une si triste de- 15 meure.[27] C'était pour moi qu'elle s'affligeait [28] beaucoup plus que pour elle-même. Elle s'assit lorsque nous fûmes seuls, et elle se mit à pleurer amèrement. J'entrepris d'abord [29] de la consoler. Mais lorsqu'elle m'eut fait entendre que c'était moi seul qu'elle plaignait, et qu'elle ne considérait dans nos malheurs communs que ce que j'avais à souffrir, j'affectai de mon- 20 trer assez de courage et même assez de joie pour lui en inspirer . . .

Nous cultivâmes soigneusement l'amitié du gouverneur. Il eut la bonté, quelques semaines après notre arrivée, de me donner un petit emploi qui vint à vaquer [30] dans le fort. Quoiqu'il ne fût pas bien distingué, je l'acceptai comme une faveur du ciel. Il me mettait en état de vivre sans être à charge 25 à [31] personne. Je pris un valet pour moi et une servante pour Manon. Notre petite fortune s'arrangea.[32] J'étais réglé [33] dans ma conduite, Manon ne l'était pas moins. Nous ne laissions point échapper l'occasion de rendre service et de faire du bien à nos voisins. Cette disposition officieuse [34] et la douceur de nos manières nous attirèrent la confiance et l'affection de 30 toute la colonie. Nous fûmes en peu de temps si considérés [35] que nous passions pour les premières personnes de la ville après le gouverneur.

L'innocence de nos occupations et la tranquillité où nous étions continuellement servirent à nous rappeler insensiblement à des idées de religion. 35 Manon n'avait jamais été une fille impie.[36] Je n'étais pas non plus de ces libertins outrés [37] qui font gloire d'ajouter l'irréligion à la dépravation des mœurs. L'amour, la jeunesse, avaient causé tous nos désordres.[38] L'expérience commençait à nous tenir lieu d'âge,[39] elle fit sur nous le même effet que les années. Nos conversations, qui étaient toujours réfléchies,[40] nous 40

[20] de distinction, d'élégance. [21] *Here* deported people *rather than* exiles. *A few thousand convicts and undesirable women were sent to Louisiana from 1717 to 1720, when deportation was stopped.* [22] matter. [23] de boue séchée, of adobe. [24] on a level. [25] attic. [26] et quelques provisions (de bouche). [27] such a dismal dwelling. [28] that she was con-cerned. [29] immédiatement. [30] à être libre, to be vacant. [31] dependent upon. [32] Notre humble sort devint satisfaisant. [33] regular, orderly. [34] obligeante, obliging. [35] respected. [36] impious, ungodly. [37] out-and-out libertines. [38] mistakes. [39] to fill the place of more years of age. [40] serious, deliberate.

mirent insensiblement dans le goût d'un amour vertueux.[41]   Je fus le premier qui proposai ce changement à Manon.   Je connaissais les principes de son cœur.   Elle était droite [42] et naturelle dans tous ses sentiments; qualité qui dispose [43] toujours à la vertu.   Je lui fis comprendre qu'il manquait
5 une chose à notre bonheur.

— C'est, lui dis-je, de le faire approuver du ciel.   Nous avons l'âme trop belle et le cœur trop bien fait l'un et l'autre pour vivre volontairement dans l'oubli du devoir.   Passe d'y avoir vécu [44] en France, où il nous était également impossible de cesser de nous aimer et de nous satisfaire [45] par une voie
10 légitime: mais en Amérique, où nous ne dépendons que de nous-mêmes, où nous n'avons plus à ménager [46] les lois arbitraires du rang et de la bienséance,[47] où l'on nous croit même mariés, qui empêche que nous ne le soyons [48] bientôt effectivement, et que nous n'ennoblissions notre amour par des serments que la religion autorise?   Pour moi, ajoutai-je, je ne vous
15 offre rien de nouveau en vous offrant mon cœur et ma main; mais je suis prêt à vous en renouveler le don au pied d'un autel.

Il me parut que ce discours la pénétrait de joie.

— Croiriez-vous, me répondit-elle, que j'y ai pensé mille fois depuis que nous sommes en Amérique?   La crainte de vous déplaire m'a fait renfermer
20 ce désir dans mon cœur.   Je n'ai point la présomption d'aspirer à la qualité de votre épouse.[49]

— Ah! Manon, répliquai-je, tu serais bientôt celle d'un roi si le ciel m'avait fait naître avec une couronne.   Ne balançons plus.   Nous n'avons nul obstacle à redouter.   J'en veux parler dès aujourd'hui [50] au gouverneur,
25 et lui avouer que nous l'avons trompé jusqu'à ce jour.   Laissons craindre aux amants vulgaires,[51] ajoutai-je, les chaînes indissolubles du mariage.   Ils ne les craindraient pas s'ils étaient sûrs, comme nous, de porter toujours celles de l'amour.

Je laissai Manon au comble de la joie [52] après cette résolution.

Des Grieux va donc avouer au gouverneur qu'il n'est pas légitimement marié avec Manon; il lui demande ensuite de consentir à son mariage.   Hélas, le gouverneur, sachant que son neveu Synnelet est amoureux de Manon, n'a plus de scrupules maintenant, et décide de la lui donner.   Ce despotisme correspond bien à ce que l'on sait du gouverneur Lemoine de Bienville.   Évidemment des Grieux se révolte.   Un duel a lieu, à l'issue duquel Synnelet est tué et des Grieux a le bras transpercé.   Il ne reste plus aux amants qu'à fuir et essayer de gagner les colonies anglaises au-delà des Alleghanies.   Manon meurt de peur et d'épuisement [53] dans le désert.   Des Grieux rentre en France.

L'*Histoire du chevalier des Grieux et de Manon Lescaut* eut du succès, car au romanesque se mêlait une sensibilité faite de passion et de vérité.   En outre le récit était alerte, le style facile et sobre, bien que parfois négligé, et la leçon de morale épicée [54] pour plaire à un public qui venait de vivre les plaisirs de la Régence,

[41] gradually gave us a desire for virtuous love (**le désir de régulariser notre situation,** to get officially married).   [42] honest.   [43] inclines.   [44] **Passe encore d'y avoir vécu,** It may have been all right for us to have lived that way.   [45] to gratify ourselves.   [46] to respect.   [47] propriety, decorum.   [48] **qu'est-ce qui empêche que nous ne le soyons,** what prevents us from being so.   [49] **d'aspirer à être votre épouse.**   [50] not later than today.   [51] ordinary lovers.   [52] overjoyed.   [53] exhaustion.   [54] spicy.

plaisirs que ne défendait pas, bien au contraire, Louis XV, jeune roi en comparaison de qui des Grieux fait figure de saint.

L'histoire de Manon eut du succès aussi parmi les musiciens. Elle a inspiré deux opéras, l'un, *Manon*, par le Français Jules Massenet (1884), l'autre, *Manon Lescaut*, par l'Italien Giacomo Puccini (1893).

OUVRAGES RECOMMANDÉS
Textes
Manon Lescaut. Classiques Garnier.
Manon Lescaut (extraits). Classiques Larousse.
Mémoires et aventures d'un homme de qualité. Champion.
Critique
V. Schrœder. *L'Abbé Prévost, sa vie, ses romans*. 366 p. Hachette, 1898.

JEAN-JACQUES ROUSSEAU
(1712–1778)
L'Ame sensible et révoltée du dix-huitième siècle

Sa triste vie, Rousseau l'a racontée avec romantisme dans *Les Confessions*, complétées par *Les Rêveries d'un promeneur solitaire*, que la mort interrompit.

L'orphelin romanesque [1] de Genève (1712–28). Romantique, « fatal », Rousseau le fut déjà à sa naissance, à Genève : « Je coûtai la vie à ma mère, et ma naissance fut le premier de mes malheurs. » Il fut l'objet de la tendresse de sa tante et de sa « mie [2] Jacqueline », sa nourrice. Son père, l'horloger Isaac Rousseau, « homme de plaisir », lui donna, de la vie, « des notions bizarres et romanesques » en lisant avec lui, avant qu'il eût sept ans, toute une bibliothèque de romans laissés par la mère; ils étaient à personnages sentimentaux et aventures extravagantes.[3] Il avait dix ans quand Isaac, devant s'exiler à Nyon [4] à la suite d'un coup d'épée à la joue qu'il avait porté à un capitaine français, le mit en pension chez le bon pasteur Lambercier et sa sœur, au village de Bossey.[5] Il y vécut dans une idyllique sérénité jusqu'à la dixième année. Son oncle Bernard le plaça chez un greffier [6] de Genève comme clerc, puis chez un graveur, qui le battit. Il atteignit sa seizième année « inquiet, mécontent de tout et de moi . . ., pleurant sans sujet de larmes, soupirant sans savoir de quoi. »

Le jeune chemineau [7] et le « Petit » de « Maman » (1728–40). Un dimanche soir, revenant de jouer dans la campagne avec deux camarades, il vit se lever un des ponts-levis [8] qui seuls permettaient d'entrer dans Genève. Il était en retard. Cette mésaventure lui était arrivée deux fois déjà, et par deux fois son patron, le brutal graveur, l'avait corrigé d'importance.[9] Jean-Jacques ne voulut pas lui donner ce sauvage plaisir une troisième fois; il tourna le dos à Genève. Le curé de Confignon [10] lui donna l'hospitalité et l'adressa, en vue de sa conversion au catholicisme, à une jeune et jolie dévote d'Annecy, Mme de Warens [11] qui était

---

[1] romantic, quixotic. [2] **son amie.** *This name is frequently applied to a nurse or maid in eastern France and Switzerland.* [3] nonsensical. [4] *13 mi. N of Geneva.* [5] *3 mi. SE of Geneva.* [6] clerk of the court. [7] tramp. [8] drawbridges. [9] had given him a good paddling. [10] *3 mi. SW of Geneva.* [11] [varã].

séparée de son mari. Elle l'envoya à l'hospice des catéchumènes [12] de Turin. Au bout de quatre mois, il reçut le baptême et fut mis à la rue. Laquais chez une comtesse, il déroba un ruban, accusa du vol Marion, la jeune cuisinière, et la laissa chasser sans dire la vérité. Il fit une autre place de laquais, puis, retraversant les Alpes à pied, il alla retrouver Mme de Warens à Annecy.

N'était-il pas grand temps que ce garçon de dix-sept ans se décidât à choisir une profession? Peut-être avait-il la vocation religieuse? Non, conclurent ses maîtres après un séjour de quatre mois qu'il fit au séminaire d'Annecy. N'aurait-il pas plutôt le goût de la musique? Il avait surtout le *wanderlust*, la bougeotte. Il suivit à Lyon le maître de chapelle de la cathédrale d'Annecy, et l'abandonna dans la rue, en pleine crise d'épilepsie. Il accompagna jusqu'à Fribourg, en Suisse, la femme de chambre de Mme de Warens. Pour se procurer de l'argent, bien qu'il fût un débutant en musique, il organisa un concert à Lausanne et, bien entendu, se couvrit de ridicule. Il n'en persévéra pas moins à donner des leçons de musique à Neuchâtel. Après avoir servi d'interprète et de secrétaire à un aventurier levantin [13] quêtant pour le rétablissement du Saint-Sépulcre,[14] il fut envoyé à Paris, par l'ambassadeur de France à Soleure,[15] servir un colonel . . ., hélas avare. C'était une bonne excuse pour retourner pédestrement à Chambéry où Mme de Warens venait de s'installer (1732).

« Maman » accueillit « Petit » avec tendresse, lui trouva un emploi dans les bureaux du cadastre [16] et des leçons de musique à donner à d'aimables demoiselles. Il tomba malade en 1736, s'installa dans une maisonnette du vallon des Charmettes, près de Chambéry, avec Mme de Warens, puis se rendit à Montpellier pour consulter des docteurs sur le « polype au cœur » qu'il croyait avoir. Il n'y trouva pas la guérison, car son mal était plutôt nerveux. Ce qu'il trouva, en rentrant à Chambéry, ce fut un remplaçant dans le cœur de « Maman ». Il se consola aux Charmettes, dans l'étude. Deux ans après il se replongea dans « le torrent du monde » (1740).

Le Parisien lauréat d'académie (1740–56). Il fit un déplorable précepteur à Lyon. A Paris, il se vit refuser, par l'Académie des Sciences, le système de notation musicale, à l'aide de chiffres, qu'il avait inventé. Il se querella à Venise avec l'ambassadeur de France dont il était le secrétaire, et, en 1744, rentra à Paris. Il y vécut bientôt avec Thérèse Levasseur, jeune lingère [17] d'hôtel qu'il n'épousera que vingt-quatre ans après. Elle lui donnera cinq enfants qu'il fera porter par la sage-femme [18] aux Enfants-Trouvés.[19] Il s'assura la subsistance en entrant comme secrétaire chez Mme Dupin, femme d'un fermier général, et son beau-fils [20] Dupin de Francueil.[21] Il fit la connaissance de Voltaire, de Buffon, du baron d'Holbach,[22] se lia [23] avec les encyclopédistes d'Alembert,[24] Grimm,[25] et surtout Diderot. C'est en allant voir celui-ci, emprisonné au château de Vincennes,[26] qu'il eut en chemin la crise extatique qui le jeta dans la carrière littéraire avec le *Discours sur les sciences et les arts* (1750). Quatre ans plus tard il donna le *Discours sur l'origine et les*

---

[12] catechumens (*persons receiving rudimentary instruction in the doctrines of Christianity*). [13] Levantine, of the Levant (*Near East*). [14] Holy Sepulcher, *Christ's tomb in Jerusalem*. [15] *20 mi. N of Bern*. [16] land-survey department. [17] seamstress. [18] midwife. [19] Foundling Hospital. [20] stepson. [21] *The wife of Dupin de Francueil became the grandmother of George Sand*. [22] *See note 1, page 200*. [23] made friends. [24] *See*

note 7, page 188. [25] *Frédéric Melchior Grimm (1723–1807), German-born literary critic who spent most of his life in France and wrote beautifully in French. Author of* Correspondance littéraire, philosophique et critique, *addressed to foreign courts*. [26] *City with a castle dating back to the 14th century; 3 mi. E of Paris; pop. 50,000. Diderot was imprisoned in an upstairs room of the main tower.*

fondements de l'inégalité parmi les hommes, qui, au contraire du premier discours, n'obtint pas le prix de l'Académie de Dijon.

Cet homme, qui méprisait les richesses et le luxe, vivait pourtant auprès des Dupin dans le monde brillant de la haute finance. Il décida de ne pas prolonger cette contradiction entre sa vie et ses idées. Il s'habilla comme un paysan, se fit copiste de musique, et, au cours d'un voyage à Genève, revint à la religion protestante, plus austère.

L'ours de l'Ermitage et de Montmorency (1756–62). En 1756 il s'installa avec Thérèse et sa mère à l'Ermitage, petite loge que Mᵐᵉ d'Épinay, femme d'un fermier ʒénéral, avait mise à la disposition de son « ours », à la lisière de la forêt de Montmorency.[27] Il y composa la plus grande partie d'un roman épistolaire, *Julie ou la Nouvelle Héloïse,* qu'il publia en 1761, après la *Lettre à d'Alembert sur les spectacles.* Il s'était brouillé avec Mᵐᵉ d'Épinay et ses amis athées, Grimm, Diderot, d'Holbach, et vivait chez le maréchal duc de Luxembourg, châtelain de Montmorency. La maison de Mont-Louis, qu'il occupa, est devenue, en 1952, un musée Jean-Jacques Rousseau.

En 1762 il fit imprimer *Le Contrat social,* en Hollande. C'est un livre républicain; il affirme que chaque homme est lié à la communauté par un contrat et que, par conséquent, il doit se soumettre à la volonté générale, à la souveraineté du peuple. Ce traité fut interdit en France, alors pays du despotisme. La même année, Rousseau fit publier, à Paris, *Émile ou De l'Éducation* (p. 215). C'était une œuvre moins révolutionnaire; elle fut cependant condamnée par le Parlement à être brûlée.

L'exilé de Suisse et d'Angleterre (1762–67). Menacé d'emprisonnement, Rousseau se réfugia en Suisse. Il passa trois ans à Motiers-Travers, dans la principauté de Neuchâtel, dont Frédéric II, roi de Prusse, était le souverain. Il y commença ses *Confessions* (1765), premier grand exemple de nudisme d'âme (p. 218). Certaine nuit de septembre 1765, la population, excitée par son pasteur, Montmollin, fit pleuvoir des pierres dans sa maison. Avec Thérèse il s'enfuit dans la minuscule île de Saint-Pierre, sur le lac de Bienne, où il se plut à herboriser, à fonder une colonie de lapins, et surtout à rêver, étendu dans un canot qui dérivait[28] lentement. Il suivit ensuite, en Angleterre, David Hume.[29] Il vécut à Chiswick, près de Londres, puis à Wooton, dans le Derbyshire. Le tempérament soupçonneux de Rousseau s'était aigri[30] et tourna à la manie de la persécution.

Le promeneur solitaire (1767–78). Il crut que Hume l'avait attiré en Angleterre pour l'emprisonner, et rentra précipitamment en France (1767). Il ne trouva le repos nulle part, ni à Fleury-sous-Meudon, chez le marquis de Mirabeau, ni au château de Trye-en-Vexin, entre Paris et Rouen, où le Prince de Conti l'installa en maître, ni dans le Dauphiné où enfin il épousa Thérèse.

En 1770 le premier ministre, Choiseul,[31] lui permit de rentrer à Paris. Il se fixa au quatrième étage d'une maison près des Halles, rue Plâtrière, aujourd'hui rue Jean-Jacques Rousseau, copiant de la musique, jouant de l'épinette,[32] écoutant le chant de ses canaris, composant d'étranges *Dialogues* (*Rousseau juge de Jean-Jacques*), — dédoublement de sa personnalité, justification de sa conduite en réponse aux calomnies de ses anciens amis —, et les délicieuses *Rêveries d'un promeneur solitaire.* Il aimait aussi à herboriser dans la campagne avec Bernardin de Saint-Pierre, son pareil en misanthropie.

En mai 1778 il accepta l'hospitalité du marquis de Girardin, à Ermenonville.[33]

---

[27] *7 mi. N of Paris.*   [28] drifted.   [29] *Scottish historian and empirical philosopher (1711–76).*   [30] had become bitter.
[31] *Duke, excellent Premier and Secretary of State (1719–85); he acquired Corsica for France.*   [32] spinet, small harpsichord.   [33] *20 mi. NE of Paris.*

Il y mourut six semaines après, dans des circonstances assez étranges. Apoplexie, suicide, crime, accident? Nous n'en savons rien. Ce que nous savons, c'est que l'œuvre de Rousseau est une des bases de la démocratie, de l'éducation progressive, de la vie simple, en contact avec la nature, et qu'elle a rafraîchi la littérature française par ses qualités de pittoresque et d'émotion sincère.

COMMENT ROUSSEAU DEVINT AUTEUR: ILLUMINATION SUR LE CHEMIN DE VINCENNES

Le fougueux Diderot (p. 219) venait d'être emprisonné au château de Vincennes pour les traits personnels, — contre Mme de Pompadour, maîtresse de Louis XV —, de sa *Lettre sur les aveugles, à l'usage de ceux qui voient* (1749). C'est en allant le voir que le tendre ami Rousseau fut, par une crise extatique, jeté dans la carrière littéraire. Il raconte cette crise, et ses conséquences, dans la lettre suivante à M. de Malesherbes, son protecteur, directeur de la Librairie, c'est-à-dire censeur en chef.

Après avoir passé quarante ans de ma vie aussi mécontent de moi-même et des autres, je cherchais inutilement à rompre les liens qui me tenaient attaché à cette société que j'estimais si peu, et qui m'enchaînaient aux occupations le moins de mon goût, par des besoins que j'estimais[1] ceux de la
5 nature et qui n'étaient que ceux de l'opinion. Tout à coup un heureux hasard vint m'éclairer sur ce que j'avais à faire pour moi-même, et à penser de mes semblables, sur lesquels mon cœur était sans cesse en contradiction avec mon esprit, et que je me sentais encore porté à aimer, avec tant de raisons de les haïr. Je voudrais, Monsieur, vous peindre ce moment, qui a
10 fait dans ma vie une si singulière époque, et qui me sera toujours présent, quand[2] je vivrais éternellement.

J'allais voir Diderot alors prisonnier à Vincennes; j'avais dans ma poche un *Mercure de France*[3] que je me mis à feuilleter le long du chemin. Je tombe sur la question de l'Académie de Dijon[4] qui a donné lieu à mon
15 premier écrit. Si jamais quelque chose a ressemblé à une inspiration subite, c'est le mouvement qui se fit en moi à cette lecture: tout à coup je me sens l'esprit ébloui de mille lumières; des foules d'idées vives s'y présentèrent à la fois avec une force et une confusion qui me jeta dans un trouble[5] inexprimable; je sens ma tête prise par un étourdissement semblable à l'ivresse.
20 Une violente palpitation m'oppresse, soulève ma poitrine; ne pouvant plus respirer en marchant, je me laisse tomber sous un des arbres de l'avenue, et j'y passe une demi-heure dans une telle agitation qu'en me relevant j'aperçus tout le devant de ma veste mouillé de mes larmes, sans avoir senti que j'en répandais. Oh, Monsieur, si j'avais jamais pu écrire le quart de
25 ce que j'ai vu et senti sous cet arbre, avec quelle clarté j'aurais fait voir toutes les contradictions du système social, avec quelle force j'aurais exposé tous les abus de nos institutions, avec quelle simplicité j'aurais démontré que l'homme est bon naturellement, et que c'est par ces institutions seules

---

[1] I considered.   [2] even though.   [3] Periodical founded in 1672, still in existence as a bimonthly.   [4] Capital of Burgundy, 196 mi. SE of Paris. The question for the essay contest sponsored by the Dijon Academy (a learned society) was: "Si le progrès des sciences et des arts a contribué à corrompre ou épurer les mœurs."   [5] agitation.

que les hommes deviennent méchants.   Tout ce que j'ai pu retenir de ces
foules de grandes vérités qui, dans un quart d'heure, m'illuminèrent sous
cet arbre, a été bien follement épars [6] dans les trois principaux de mes écrits,
savoir [7] ce premier discours, celui sur l'inégalité, et le traité de l'éducation,[8]
lesquels trois ouvrages sont inséparables et forment ensemble un même   5
tout.   Tout le reste a été perdu, et il n'y eut d'écrit sur le lieu même que la
prosopopée de Fabricius.[9]   Voilà comment, lorsque j'y pensais le moins,
je devins auteur presque malgré moi.   Il est aisé de concevoir comment
l'attrait d'un premier succès et les critiques des barbouilleurs [10] me jetèrent
tout de bon dans la carrière.[11]   Avais-je quelque vrai talent pour écrire?   10
je ne sais.   Une vive persuasion [12] m'a toujours tenu lieu d'éloquence, et
j'ai toujours écrit lâchement [13] et mal quand je n'ai pas été fortement
persuadé.

Seconde Lettre à Monsieur de Malesherbes, Montmorency, 12 janvier 1762

LA PROSOPOPÉE DE FABRICIUS

C'est parce que Rousseau est « fortement persuadé » d'être dans le vrai qu'il
atteint à cette éloquence sobre et forte dont l'émotion gagne le lecteur.

O Fabricius,[1] qu'eût pensé votre grande âme, si, pour votre malheur,
rappelé à la vie, vous eussiez vu la face pompeuse de cette Rome sauvée   15
par votre bras,[2] et que votre nom respectable avait plus illustrée que toutes
ses conquêtes?   « Dieux! eussiez-vous dit, que sont devenus ces toits de
chaume [3] et ces foyers rustiques qu'habitaient jadis la modération et la
vertu?[4]   Quelle splendeur funeste [5] a succédé à la simplicité romaine? quel
est ce langage étranger?[6] quelles sont ces mœurs efféminées? que signifient 20
ces statues, ces tableaux, ces édifices?   Insensés, qu'avez-vous fait?   Vous,
les maîtres des nations, vous vous êtes rendus les esclaves des hommes
frivoles que vous avez vaincus![7]   Ce sont des rhéteurs [8] qui vous gouver-
nent!   C'est pour enrichir des architectes, des peintres, des statuaires et
des histrions,[9] que vous avez arrosé de votre sang la Grèce et l'Asie!   Les 25
dépouilles de Carthage sont la proie d'un joueur de flûte![10]   Romains,
hâtez-vous de renverser ces amphithéâtres; brisez ces marbres, brûlez ces
tableaux, chassez ces esclaves qui vous subjuguent, et dont les funestes
arts vous corrompent.   Que d'autres mains s'illustrent par de vains talents;
le seul talent digne de Rome est celui de conquérir le monde, et d'y faire 30
régner la vertu.   Quand Cinéas [11] prit notre sénat pour une assemblée de

[6] scattered very rashly.   [7] namely.   [10] scribblers; *lit.* 'daubers.'   [11] the lit-
[8] *Émile ou De l'Éducation (1762).*   erary career.   [12] conviction, enthusiasm.
[9] apostrophe to Fabricius. *See p. 211, n. 1.*   [13] with laxity, without terseness.

[1] *Roman general and consul, a model of*   [7] *After vanquishing the Greeks, the Romans*
incorruptibility, and famous for the sim-   *adopted their more refined civilization.*
plicity of his life (3rd century B.C.).   [8] rhetors, teachers of rhetoric.   [9] actors
[2] *By the victories of Fabricius over the*   *(derog.),* clowns.   [10] *Nero.*   [11] *Minister*
Bruttians, Lucanians, and Samnites.   *of Pyrrhus, king of Epirus, who sent him*
[3] thatched roofs.   [4] *Notice the use of the*   *to Rome to negotiate peace after the defeat*
abstract for the concrete; moderate and   *of the Romans at Heraclea, near the Gulf*
virtuous men.   [5] fatal.   [6] *Greek, which*   *of Taranto, southern Italy (280 B.C.).*
had become widely known in Rome.

rois il ne fut ébloui ni par une pompe vaine, ni par une élégance recherchée;[12]
il n'y entendit point cette éloquence frivole, l'étude et le charme des hommes
futiles. Que vit donc Cinéas de si majestueux? O citoyens! il vit un
spectacle que ne donneront jamais vos richesses ni tous vos arts, le plus
5 beau spectacle qui ait jamais paru sous le ciel: l'assemblée de deux cents
hommes vertueux, dignes de commander à Rome, et de gouverner la terre.

Discours sur les sciences et les arts, 1ère partie, 1750

LA PROPRIÉTÉ, PRODUIT DE LA VIE EN SOCIÉTÉ,
EST LA SOURCE DE L'INÉGALITÉ PARMI LES HOMMES

Le succès n'avait jamais souri à Rousseau. Son *Discours sur les sciences et les arts*
reçut le prix au concours ouvert par l'Académie de Dijon et alla « par-dessus les
nues », selon Diderot. Ce n'était pas la richesse, cette médaille d'or qu'il reçut,
c'était la gloire pourtant; elle ne lui monta pas à la tête, mais elle le fit entrer en
effervescence littéraire. Il réfuta les contradictions soulevées par sa doctrine,
celles mêmes du roi de Lorraine, Stanislas Leczinski, beau-père de Louis XV. Il
redoubla ses attaques contre la civilisation raffinée et artificielle de son temps,
l'ordre social injuste, et ce fut, en 1754, le *Discours sur l'origine et les fondements de
l'inégalité parmi les hommes*, question elle aussi mise au concours par l'Académie
de Dijon. La réponse de Rousseau ne fut pas primée cette fois, mais elle inspira
profondément toute la philosophie et la politique des révolutionnaires de 1789
et après. La source des maux de l'homme, c'est son abandon de la vie naturelle,
isolée dans la campagne, pour la vie en société dans les villes; la propriété, puis
les progrès de l'agriculture et de la métallurgie, ont créé les riches et les pauvres,
donc l'inégalité.

Le premier qui ayant enclos un terrain s'avisa de dire: *Ceci est à moi*,[1]
et trouva des gens assez simples[2] pour le croire, fut le vrai fondateur de la
société civile. Que de crimes, de guerres, de meurtres, que de misères et
10 d'horreurs n'eût point épargnés au genre humain celui qui, arrachant les
pieux[3] ou comblant le fossé, eût crié à ses semblables: « Gardez-vous
d'écouter cet imposteur; vous êtes perdus si vous oubliez que les fruits sont
à tous, et que la terre n'est à personne! » Mais il y a grande apparence
qu'alors les choses en étaient déjà venues au point de ne pouvoir plus
15 durer comme elles étaient: car cette idée de propriété, dépendant de beaucoup d'idées antérieures qui n'ont pu naître que successivement, ne se forma
pas tout d'un coup dans l'esprit humain: il fallut faire bien des progrès,
acquérir bien de l'industrie[4] et des lumières, les transmettre et les augmenter d'âge en âge, avant que d'arriver[5] à ce dernier terme de l'état de
20 nature ...
Tant que les hommes se contentèrent de leurs cabanes rustiques, tant
qu'ils se bornèrent à coudre leurs habits de peau avec des épines ou des

---

[12] affected.

[1] « *Mien, tien.* — « *Ce chien (ou Ce coin)
est à moi, disaient ces pauvres enfants;
c'est là ma place au soleil.* » *Voilà le
commencement et l'image de l'usurpation*   *de toute la terre.* »   Pascal, Pensées, V,
295.   *See p. 119.*   [2] simple-minded,
foolish.   [3] pulling out the stakes.
[4] skill.   [5] *obs. for* **avant d'arriver.**

arêtes,[6] à se parer de plumes et de coquillages, à se peindre le corps de diverses couleurs, à perfectionner ou embellir leurs arcs et leurs flèches, à tailler avec des pierres tranchantes quelques canots de pêcheurs ou quelques grossiers instruments de musique; en un mot tant qu'ils ne s'appliquèrent qu'à des ouvrages qu'un seul pouvait faire, et qu'à des arts[7] qui   5
n'avaient point besoin du concours[8] de plusieurs mains, ils vécurent libres, sains, bons et heureux, autant qu'ils pouvaient l'être par leur nature, et continuèrent à jouir entre eux des douceurs d'un commerce[9] indépendant: mais dès l'instant qu'un homme eut besoin du secours d'un autre, dès qu'on s'aperçut qu'il était utile à un seul d'avoir des provisions pour deux, l'égalité   10
disparut, la propriété s'introduisit, le travail devint nécessaire, et les vastes forêts se changèrent en des campagnes riantes qu'il fallut arroser de la sueur[10] des hommes et dans lesquelles on vit bientôt l'esclavage et la misère germer et croître avec les moissons.

La métallurgie et l'agriculture furent les deux arts dont l'invention pro-   15
duisit cette grande révolution. Pour le poète, c'est l'or et l'argent; mais pour le philosophe, ce sont le fer et le blé qui ont civilisé les hommes et perdu le genre humain.

Discours sur l'origine de l'inégalité, 2ème partie, 1755

LE THÉÂTRE DE MOLIÈRE, ÉCOLE DE VICES
ET DE MAUVAISES MŒURS

Dans son article *Genève*, publié dans le septième volume de l'*Encyclopédie*, d'Alembert, encouragé par Voltaire, avait conseillé aux Genevois d'établir dans leur ville un « théâtre de comédie ». Rousseau, citoyen de Genève et ennemi des raffinements de la civilisation, répond à d'Alembert. Il essaie de démontrer que le théâtre, en général, et celui de Molière, en particulier, bien qu'il soit le meilleur de tous, sont immoraux. Mieux vaut que Genève se contente de ses cercles où l'on cause en buvant et en fumant, et fasse des fêtes populaires en plein air. Rousseau est injuste dans sa critique; il ne réussit pas à nous convaincre.

On convient,[1] et on le sentira chaque jour davantage, que Molière est le plus parfait auteur comique dont les ouvrages nous soient connus; mais   20
qui peut disconvenir[2] aussi que le théâtre de ce même Molière, des talents duquel je suis plus l'admirateur que personne, ne soit[3] une école de vices et de mauvaises mœurs, plus dangereuse que les livres mêmes où l'on fait profession[4] de les enseigner? Son plus grand soin est de tourner la bonté et la simplicité en ridicule et de mettre la ruse et le mensonge du parti[5]   25
pour lequel on prend intérêt;[6] ses honnêtes gens ne sont que des gens qui parlent, ses vicieux sont des gens qui agissent et que les plus brillants succès favorisent le plus souvent; enfin l'honneur des applaudissements, rarement pour le plus estimable, est presque toujours pour le plus adroit.

[6] with thorns or fish bones.   [7] professions.   [8] cooperation, help.   [9] social relations.   [10] which had to be moistened with the sweat.

[1] People admit.   [2] who can deny. [3] is.   [4] where the purpose is.   [5] on the side.   [6] *This statement is not true. Molière's " plus grand soin" is to "peindre d'après nature"* (Critique de l'École des Femmes, *scene 7*), *and, in so doing, to amuse and instruct.*

Examinez le comique de cet auteur: partout vous trouverez que les vices de caractère en sont l'instrument et les défauts naturels le sujet; que la malice [7] de l'un punit la simplicité de l'autre et que les sots sont les victimes des méchants: ce qui,[8] pour n'être que trop vrai dans le monde, n'en
5 vaut pas mieux à mettre au théâtre avec un air d'approbation, comme pour exciter les âmes perfides à punir sous le nom de sottise la candeur des honnêtes gens.[9]

Dat veniam corvis, vexat censura columbas.[10]

Voilà l'esprit général de Molière et de ses imitateurs. Ce sont des gens
10 qui, tout au plus, raillent quelquefois les vices, sans jamais faire aimer la vertu; de ces gens, disait un ancien,[11] qui savent bien moucher [12] la lampe, mais qui n'y mettent jamais d'huile.

Voyez comment, pour multiplier ses plaisanteries, cet homme trouble tout l'ordre de la société; avec quel scandale il renverse tous les rapports
15 les plus sacrés sur lesquels elle est fondée; comment il tourne en dérision les respectables droits des pères sur leurs enfants, des maris sur leurs femmes, des maîtres sur leurs serviteurs![13] Il fait rire, il est vrai, et n'en devient que plus coupable, en forçant par un charme [14] invincible les sages mêmes de [15] se prêter à des railleries qui devraient attirer leur indignation. J'en-
20 tends dire qu'il attaque les vices; mais je voudrais bien que l'on comparât ceux qu'il attaque avec ceux qu'il favorise. Quel est le plus blâmable d'un bourgeois [16] sans esprit et vain qui fait sottement le gentilhomme, ou du gentilhomme fripon qui le dupe? Dans la pièce dont je parle, ce dernier n'est-il pas l'honnête homme? [17] n'a-t-il pas pour lui l'intérêt? et le public
25 n'applaudit-il pas à tous les tours qu'il fait à l'autre? Quel est le plus criminel d'un paysan [18] assez fou pour épouser une demoiselle,[19] ou d'une femme qui cherche à déshonorer son époux? Que penser d'une pièce où le parterre [20] applaudit à l'infidélité, au mensonge, à l'impudence de celle-ci, et rit de la bêtise du manant [21] puni? C'est un grand vice d'être avare et
30 de prêter à usure;[22] mais n'en est-ce pas un plus grand encore à un fils de voler son père, de lui manquer de respect, de lui faire mille insultants reproches, et, quand ce père irrité lui donne sa malédiction, de répondre d'un air goguenard,[23] qu'il n'a que faire de ses dons? Si la plaisanterie est excellente, en est-elle moins punissable? et la pièce où l'on fait aimer le fils
35 insolent [24] qui l'a faite, en est-elle moins une école de mauvaises mœurs? . . .

---

[7] slyness.   [8] a thing which.   [9] *Rousseau is bitter. He had just broken off with Mme d'Épinay, Grimm, and Diderot, who had slandered him, according to his own biased story in* Les Confessions.   [10] Censorship is indulgent to the crows, and harries the doves (*Juvenal*, Satire II, *line 63*).   [11] *Plutarch, in his* Political Precepts.   [12] trim.   [13] *Very often the clever servants help the young masters in their rebellion against their parents.*   [14] spell.   [15] *To-day* à *would be used:* forcer quelqu'un à faire quelque chose.   [16] *Monsieur Jour-*dain, in Le Bourgeois gentilhomme.   [17] *Not true; he (Dorante) and his lady (Dorimène) are the villains of the play.*   [18] *Rousseau refers to* Georges Dandin.   [19] *Noun taken in its old meaning of* femme ou fille de noble extraction.   [20] *lit.* 'the audience downstairs'; *here, the* audience *in general.*   [21] of the rustic.   [22] to lend upon usury (*at exorbitant interest*). *Rousseau now refers to* L'Avare.   [23] mocking.   [24] *The audience likes the son, but not when he shows disrespect to his unworthy father.*

Passons tout d'un coup [25] à celle qu'on reconnaît unanimement pour son chef-d'œuvre: je veux dire *Le Misanthrope*... Vous ne sauriez nier deux choses: l'une, qu'Alceste, dans cette pièce, est un homme droit, sincère, estimable, un véritable homme de bien; [26] l'autre, que l'auteur lui donne un personnage [27] ridicule. C'en est assez, ce me semble, pour rendre Molière 5 inexcusable.

Lettre à d'Alembert sur les spectacles, 1758

ÉMILE
Le jeune homme selon le cœur de Rousseau

Émile ne sera point comme tout le monde, et Dieu le préserve de l'être jamais! mais en ce qu'il sera différent des autres, il ne sera ni fâcheux,[1] ni ridicule: la différence sera sensible sans être incommode. Émile sera, si l'on veut, un aimable étranger. D'abord on lui pardonnera ses singularités 10 en disant: *Il se formera.* Dans la suite on sera tout accoutumé à ses manières; et voyant qu'il n'en change pas, on les lui pardonnera encore en disant: *Il est fait ainsi.*

Il ne sera point fêté comme un homme aimable, mais on l'aimera sans savoir pourquoi; personne ne vantera son esprit, mais on le prendra volon- 15 tiers pour juge entre les gens d'esprit:[2] le sien sera net et borné, il aura le sens droit et le jugement sain. Ne courant jamais après les idées neuves, il ne saurait se piquer d'esprit.[3] Je lui ai fait sentir que toutes les idées salutaires et vraiment utiles aux hommes ont été les premières connues, qu'elles sont de tout temps les seuls vrais liens de la société, et qu'il ne reste 20 aux esprits transcendants [4] qu'à se distinguer par des idées pernicieuses et funestes au genre humain. Cette manière de se faire admirer ne le touche guère: il sait où il doit trouver le bonheur de sa vie, et en quoi il peut contribuer au bonheur d'autrui. La sphère de ses connaissances ne s'étend pas plus loin que ce qui est profitable. Sa route est étroite et bien marquée; 25 n'étant point tenté d'en sortir, il reste confondu avec ceux qui la suivent; il ne veut ni s'égarer ni briller. Émile est un homme de bon sens, et ne veut pas être autre chose: on aura beau vouloir l'injurier par ce titre, il s'en tiendra toujours honoré.

Quoique le désir de plaire ne le laisse plus absolument indifférent sur [5] 30 l'opinion d'autrui, il ne prendra de cette opinion que ce qui se rapporte immédiatement à sa personne, sans se soucier des appréciations arbitraires qui n'ont de loi que la mode ou les préjugés. Il aura l'orgueil de vouloir bien faire tout ce qu'il fait, même de le vouloir faire mieux qu'un autre: à la course il voudra être le plus léger; à la lutte, le plus fort; au travail, le 35 plus habile; aux jeux d'adresse, le plus adroit; mais il cherchera peu les avantages qui ne sont pas clairs [6] par eux-mêmes, et qui ont besoin d'être constatés par le jugement d'autrui, comme d'avoir plus d'esprit qu'un

---

[25] *obs. for* immediately. [26] *Not completely, because he lacks moderation.* [27] role, part.

[1] troublesome. [2] intelligent people. [3] he cannot pretend to be witty. [4] transcending, superior. [5] **à.** [6] evident.

autre, de parler mieux, d'être plus savant, etc.; encore moins ceux qui ne tiennent point du tout à la personne, comme d'être d'une plus grande naissance, d'être estimé plus riche, plus en crédit, plus considéré, d'en imposer par un plus grand faste.[7]

5 Aimant les hommes parce qu'ils sont ses semblables, il aimera surtout ceux qui lui ressemblent le plus, parce qu'il se sentira bon; et, jugeant de cette ressemblance par la conformité des goûts dans les choses morales, en tout ce qui tient au bon caractère, il sera fort aise d'être approuvé. Il ne se dira pas précisément: Je me réjouis parce qu'on m'approuve; mais, je 10 me réjouis parce qu'on approuve ce que j'ai fait de bien; je me réjouis de ce que les gens qui m'honorent se font honneur: tant qu'ils jugeront aussi sainement, il sera beau d'obtenir leur estime.

Émile (1762) Livre IV

SOPHIE
La jeune fille selon le cœur de Rousseau

Sophie a peu l'usage du monde;[8] mais elle est obligeante, attentive, et met de la grâce à tout ce qu'elle fait. Un heureux naturel la sert mieux 15 que beaucoup d'art. Elle a une certaine politesse à elle qui ne tient point aux formules, qui n'est point asservie aux modes, qui ne change point avec elles, qui ne fait rien par usage, mais qui vient d'un vrai désir de plaire, et qui plaît. Elle ne sait point les compliments triviaux,[9] et n'en invente point de plus recherchés;[10] elle ne dit pas qu'elle est très obligée, qu'on lui 20 fait beaucoup d'honneur, qu'on ne prenne pas la peine, etc. Elle s'avise encore moins de tourner des phrases. Pour une attention, pour une politesse établie, elle répond par une révérence, ou par un simple *Je vous remercie;* mais ce mot dit de sa bouche en vaut bien un autre. Pour un vrai service elle laisse parler son cœur, et ce n'est pas un compliment qu'il trouve. 25 Elle n'a jamais souffert que l'usage français l'asservît au joug des simagrées,[11] comme d'étendre sa main, en passant d'une chambre à l'autre, sur un bras sexagénaire qu'elle aurait grande envie de soutenir. Quand un galant musqué [12] lui offre cet impertinent [13] service, elle laisse l'officieux bras sur l'escalier, et s'élance en deux sauts dans la chambre en disant qu'elle n'est 30 pas boiteuse.[14] En effet, quoiqu'elle ne soit pas grande, elle n'a jamais voulu de talons hauts; elle a les pieds assez petits pour s'en passer.

Non seulement elle se tient dans le silence et dans le respect avec les femmes, mais même avec les hommes mariés, ou beaucoup plus âgés qu'elle; elle n'acceptera jamais de place au-dessus d'eux que par obéissance, et 35 reprendra la sienne au-dessous sitôt qu'elle le pourra; car elle sait que les droits de l'âge vont avant ceux du sexe, comme ayant pour eux le préjugé de la sagesse,[15] qui doit être honorée avant tout.

Avec les jeunes gens de son âge, c'est autre chose; elle a besoin d'un ton

---

[7] luxury. [8] little knowledge of the ways of society. [9] **banals, communs,** commonplace. [10] elaborate. [11] subject her to the yoke of affected ways. [12] perfumed beau. [13] **qui ne convient pas,** irrelevant. [14] a cripple; *lit.* 'limping.' [15] *Older people are supposed to be wise.*

différent pour leur en imposer, et elle sait le prendre sans quitter l'air modeste qui lui convient. S'ils sont modestes et réservés eux-mêmes, elle gardera volontiers avec eux l'aimable familiarité de la jeunesse; leurs entretiens pleins d'innocence seront badins,[16] mais décents: s'ils deviennent sérieux, elle veut qu'ils soient utiles; s'ils dégénèrent en fadeurs,[17] elle les 5 fera bientôt cesser, car elle méprise surtout le petit jargon de la galanterie, comme très offensant pour son sexe. Elle sait bien que l'homme qu'elle cherche n'a pas ce jargon-là, et jamais elle ne souffre volontiers d'un autre ce qui ne convient pas à celui dont elle a le caractère empreint au fond du cœur. La haute opinion qu'elle a des droits de son sexe, la fierté d'âme que 10 lui donne la pureté de ses sentiments, cette énergie de la vertu qu'elle sent en elle-même et qui la rend respectable à ses propres yeux, lui font écouter avec indignation les propos doucereux [18] dont on prétend l'amuser. Elle ne les reçoit point avec une colère apparente, mais avec un ironique applaudissement qui déconcerte, ou d'un ton froid auquel on ne s'attend point. 15 Qu'un beau Phébus [19] lui débite ses gentillesses, la loue avec esprit sur le sien, sur sa beauté, sur ses grâces, sur le prix du bonheur de lui plaire, elle est fille à l'interrompre en lui disant poliment: « Monsieur, j'ai grand peur de savoir ces choses-là mieux que vous; si nous n'avons rien de plus curieux à nous dire, je crois que nous pouvons finir ici l'entretien. » Accompagner 20 ces mots d'une grande révérence, et puis se trouver à vingt pas de lui n'est pour elle que l'affaire d'un instant. Demandez à vos agréables [20] s'il est aisé d'étaler longtemps son caquet [21] avec un esprit aussi rebours [22] que celui-là.

Ce n'est pas pourtant qu'elle n'aime fort à être louée, pourvu que ce soit 25 tout de bon,[23] et qu'elle puisse croire qu'on pense en effet le bien qu'on lui dit d'elle. Pour paraître touché de son mérite il faut commencer par en montrer. Un hommage fondé sur l'estime peut flatter son cœur altier,[24] mais tout galant persiflage est toujours rebuté; Sophie n'est pas faite pour exercer les petits talents d'un baladin [25] . . .   30

Élève de la nature ainsi qu'Émile, elle est faite pour lui plus qu'aucune autre; elle sera la femme de l'homme. Elle est son égale par la naissance et par le mérite, son inférieure par la fortune. Elle n'enchante pas au premier coup d'œil, mais elle plaît chaque jour davantage. Son plus grand charme n'agit que par degrés; il ne se déploie que dans l'intimité du commerce; [26] 35 et son mari le sentira plus que personne au monde. Son éducation n'est ni brillante ni négligée; elle a du goût sans étude, des talents sans art, du jugement sans connaissances. Son esprit ne sait pas, mais il est cultivé pour apprendre; c'est une terre bien préparée qui n'attend que le grain pour rapporter. Elle n'a jamais lu de livre que Barrême [27] et Télémaque,[28] 40 qui lui tomba par hasard dans les mains; mais une fille capable de se passionner pour Télémaque a-t-elle un cœur sans sentiment et un esprit sans

---

[16] playful.   [17] insipidities.   [18] smooth.
[19] Phoebus, Apollo, beau.   [20] **grelu-
chons, sigisbées,** ladies' men.   [21] cackle,
gossip.   [22] **revêche,** blunt, intractable.
[23] in earnest.   [24] proud.   [25] playboy,
buffoon.   [26] relationship.   [27] *French*
mathematician (1640–1703), author of
Livre des comptes faits, *inventor of the*
barème *(reckoner, tables for ready calcula-*
tion).   [28] *Graceful, pedagogical narrative*
by Fénelon (1699) about the son of Ulys-
ses, Telemachus.

délicatesse? O l'aimable ignorance! Heureux celui qu'on destine à l'instruire! elle ne sera point le professeur de son mari, mais son disciple; loin
de vouloir l'assujettir à ses goûts, elle prendra les siens. Elle vaudra mieux
pour lui que si elle était savante; il aura du plaisir de tout lui enseigner. Il
5 est temps enfin qu'ils se voient; travaillons à les rapprocher.

Émile, Livre V

LE DÉBUT DES *CONFESSIONS*

Rousseau écrivit ses *Confessions* de 1765 à 1770. Il y raconta sa vie jusqu'en
1765 où il quitta l'île de Saint-Pierre, en Suisse. Inutile d'insister sur ce que cette
déclaration a de choquant, mais rappelons-nous que Rousseau était alors un
homme persécuté.

Je forme une entreprise [1] qui n'eut jamais d'exemple,[2] et qui n'aura point
d'imitateur.[3] Je veux montrer à mes semblables [4] un homme dans toute
la vérité de la nature; et cet homme, ce sera moi.

Moi seul. Je sens mon cœur, et je connais les hommes. Je ne suis fait
10 comme aucun de ceux que j'ai vus; j'ose croire n'être fait comme aucun de
ceux qui existent. Si je ne vaux pas mieux, au moins je suis autre. Si la
nature a bien ou mal fait de briser le moule [5] dans lequel elle m'a jeté, c'est
ce dont on ne peut juger qu'après m'avoir lu.

Que la trompette du jugement dernier sonne quand elle voudra, je
15 viendrai, ce livre à la main, me présenter devant le souverain Juge. Je
dirai hautement: « Voilà ce que j'ai fait, ce que j'ai pensé, ce que je fus.
J'ai dit le bien et le mal avec la même franchise. Je n'ai rien tu [6] de mauvais,
rien ajouté de bon; et, s'il m'est arrivé d'employer quelque ornement indifférent, ce n'a jamais été que pour remplir un vide [7] occasionné par mon
20 défaut de mémoire. J'ai pu supposer vrai ce que je savais avoir pu l'être,
jamais ce que je savais être faux. Je me suis montré tel que je fus; méprisable [8] et vil quand je l'ai été, bon, généreux, sublime, quand je l'ai été;
j'ai dévoilé mon intérieur [9] tel que tu l'as vu toi-même, Être éternel. Rassemble autour de moi l'innombrable foule de mes semblables; qu'ils [10]
25 écoutent mes confessions, qu'ils gémissent de mes indignités,[11] qu'ils
rougissent de [12] mes misères. Que chacun d'eux découvre à son tour son
cœur au pied de ton trône avec la même sincérité; et puis qu'un seul te dise,
s'il l'ose: « *Je fus meilleur que cet homme-là.* »

[1] undertaking.   [2] *Saint Augustine's*
Confessions (*5th century*) *and the Italian*
scientist Cardan's De vita propria *also*
contain bold passages.   [3] *In* Si le grain
ne meurt *and his* Journal, *André Gide*
"*confessed*" *more thoroughly than Rous-*
seau. [4] fellowmen. [5] mold. [6] kept secret.
[7] gap.   [8] despicable.   [9] I have revealed my inner soul.   [10] let them.
[11] bewail my unworthiness.   [12] blush at.

OUVRAGES RECOMMANDÉS
Textes

Œuvres. Garnier.

Les Confessions, présentées par Ad. Van Bever. 3 vol. Garnier.

Correspondance générale de J.-J. Rousseau, présentée par T. Dufour. 20 vol. Armand Colin.

Confessions (extraits)
Dialogues, Rêveries, Correspondance
Discours, Lettre sur les spectacles
Du Contrat social ⎱ Classiques Larousse.
Émile (2 vol.)
La Nouvelle Héloïse (2 vol.)

Pages choisies. Classiques Hachette.

Lettre à d'Alembert. Classiques Hatier.

Vie et Œuvres de J.-J. Rousseau, éd. Schinz. Heath.

Critique

D. Mornet. *Rousseau, l'homme et l'œuvre.* 192 p. Hatier.

Jean Guéhenno. *Jean-Jacques.* 2 vol. Grasset.

John Charpentier. *Jean-Jacques Rousseau ou Le Démocrate par dépit.* 336 p. Perrin.

DENIS DIDEROT
(1713–1784)
Un Touche-à-tout de génie

Après lui avoir fait faire d'excellentes études chez les jésuites du collège d'Harcourt, à Paris, le père Diderot, coutelier aisé [1] de Langres,[2] aurait bien voulu que son fils Denis devînt procureur,[3] mais le jeune homme éveillé, dont la tête était sur les épaules « comme un coq d'église au haut d'un clocher »,[4] montra beaucoup plus de goût pour les mathématiques, l'anglais, l'italien et la vie de bohème à Paris. Les critiques pourtant bien innocentes qu'il fit de Mme de Pompadour lui valurent la célébrité en même temps qu'un emprisonnement de trois mois au château de Vincennes. C'est en allant le voir que son larmoyant [5] ami, Jean-Jacques Rousseau, eut en chemin la crise extatique qui le jeta pour de bon dans la carrière littéraire (1749).

Libéré, Diderot se donna corps et âme à la grande œuvre qui lui prit vingt ans de sa vie, les vingt-cinq gros volumes de l'*Encyclopédie* (1751–72). Elle fit passer dans la conscience publique, au nom de la raison, l'amour d'un gouvernement constitutionnel comme en Angleterre, le goût de la liberté individuelle, commerciale et industrielle, la haine des inégalités sociales et de l'intolérance, bref le désir d'une amélioration générale que la Révolution apporta. Entre-temps il développait la féconde théorie d'un genre dramatique nouveau, le « genre sérieux », avec deux moins admirables exemples, *Le Fils naturel* [6] (1757), et *Le Père de famille* (1758) (p. 220), dont les héros étaient déjà romantiques par leur sentimentalisme déclamatoire et la conscience d'être maudits.[7] Dans les *Salons* qu'il écrivit de

---

[1] well-off cutler. [2] *Picturesque town, 150 mi. SE of Paris; pop. 5,700.* [3] attorney. [4] steeple. [5] tearful. [6] illegitimate. [7] cursed.

1759 à 1781 pour la *Correspondance littéraire* que Grimm envoyait à diverses cours allemandes, il fut aussi un pionnier du pittoresque, de la lumière et de la couleur. C'est de 1765 environ que date cet étrange roman satirique contre les riches, la morale, et les adversaires de l'*Encyclopédie*, *Le Neveu de Rameau* dont le héros est un musicien bohème et cynique qui a un don de mime et de clown (p. 223).

Quel honneur pour Diderot, l'écrivain pauvre, quand la Grande Catherine, la « Sémiramis [8] du Nord », l'invita à se rendre à sa cour de Saint-Pétersbourg ! Il y resta un an (1773-74) et revint à Paris, charmé de son séjour.

Jusqu'à sa mort, ce touche-à-tout de génie ne cessa d'écrire: *Supplément au Voyage de Bougainville,*[9] *Le Paradoxe sur le Comédien, Jacques le Fataliste* (roman réaliste, critique du fatalisme par Jacques qui fait le récit de ses amours), *La Religieuse* (roman d'une jeune fille mise au couvent malgré elle), *Est-il bon, est-il méchant?* (1781, sa meilleure pièce, où il se peint sous les traits de M. Hardouin qui rend service à ses amis en les déshonorant); et surtout il continua sa *Correspondance*, si pleine de verve et de savoir aimable, avec sa maîtresse Sophie Volland qu'il connut en 1755, et qui mourut cinq jours avant lui (1784).

Diderot laissa une fille, Mme de Vandeul,[10] qui garda ses papiers. Transmis à ses descendants, ils furent retrouvés en 1948 au château des Ifs, près de Fécamp (Seine-Inférieure); parmi eux se trouvait une copie manuscrite du *Rêve de d'Alembert*, vision de la science future, entretien philosophique entre d'Alembert, Mlle de Lespinasse [11] et le docteur de Bordeu [12] sur l'origine des êtres, suivi d'un entretien entre Diderot et d'Alembert, que l'on croyait avoir été détruit par son auteur à cause de passages indécents.

Nature passionnée, Diderot contraste agréablement avec son époque froide et raisonneuse; il se rattache à Jean-Jacques Rousseau et, comme lui, mais d'un pas d'écolier frivole, marche vers le romantisme.

LA THÉORIE DU « GENRE SÉRIEUX »

Après son drame, *Le Fils naturel* (1757), Diderot écrivit les *Entretiens sur le « Fils naturel »*. Il y dégagea les caractéristiques du « genre sérieux », intermédiaire entre ces extrêmes, la tragédie et la comédie, dont les Anglais George Lillo et Edward Moore avaient donné les modèles, le premier dans *The London Merchant* (1731), le second dans *The Gamester* (1753). Le meilleur « drame » selon la formule nouvelle n'a pas été écrit par Diderot, mais par un ancien maçon, Michel-Jean Sedaine; c'est *Le Philosophe sans le savoir* (1765). Dans le passage suivant, Diderot suppose qu'il parle théâtre avec Dorval, le personnage principal de son *Fils naturel:*

DORVAL.   On distingue dans tout objet moral un milieu et deux extrêmes. Il semble donc que toute action dramatique étant un objet moral, il devrait

---

[8] Semiramis, *founder and legendary queen of Babylon; she had beauty and wisdom.*
[9] *Born in Paris, wounded at the battle of Ticonderoga, Bougainville (1729-1811) circumnavigated the world from 1766 to 1769. He wrote* Voyage autour du monde. *His name has been given to Bougainville Island, in the Solomons, mandated to Australia, and to "bougainvillea," a South* American ornamental plant.   [10] *Pronounced* [vădœːj].   [11] *Julie de Lespinasse (1732-76) had a salon frequented by the Encyclopedists. She was the friend of d'Alembert.*   [12] *Théophile de Bordeu (1722-76), French doctor who collaborated on the* Encyclopédie *articles on thermal waters.*

y avoir un genre moyen[1] et deux genres extrêmes. Nous avons ceux-ci: c'est la comédie et la tragédie; mais l'homme n'est pas toujours dans la douleur ou dans la joie. Il y a donc un point qui sépare[2] la distance du genre comique au genre tragique.

Térence a composé une pièce[3] dont voici le sujet. Un jeune homme se ₅ marie. A peine est-il marié que des affaires l'appellent au loin. Il est absent. Il revient. Il croit apercevoir dans sa femme des preuves certaines d'infidélité. Il en est au désespoir. Il veut la renvoyer à ses parents. Qu'on juge de l'état du père, de la mère et de la fille. Il y a cependant un Dave,[4] personnage plaisant par lui-même. Qu'en fait le poète? Il l'éloigne ₁₀ de la scène pendant les quatre premiers actes et il ne le rappelle que pour égayer un peu son dénouement.

Je demande dans quel genre est cette pièce? Dans le genre comique? Il n'y a pas le mot pour rire. Dans le genre tragique? La terreur, la commisération et les autres grandes passions n'y sont point excitées. Cepen- ₁₅ dant, il y a de l'intérêt; et il y en aura, sans ridicule qui fasse rire, sans danger qui fasse frémir, dans toute composition dramatique où le sujet sera important, où le poète prendra le ton que nous avons dans les affaires sérieuses et où l'action s'avance par la perplexité et par les embarras.[5] Or il semble que ces actions étant les plus communes de la vie, le genre qui les ₂₀ aura pour objet doit être le plus utile et le plus étendu. J'appellerai ce genre le *genre sérieux*.

Ce genre établi, il n'y aura point de condition[6] dans la société, point d'action importante dans la vie qu'on ne puisse rapporter[7] à quelque partie du système dramatique. ₂₅

Voulez-vous donner à ce système toute l'étendue possible; y comprendre la vérité et les chimères, le monde imaginaire et le monde réel? ajoutez le burlesque au-dessous du genre comique et le merveilleux au-dessus du genre tragique.

MOI. Je vous entends. Le burlesque... Le genre comique... Le ₃₀ genre sérieux... Le genre tragique... Le merveilleux...

DORVAL. ...ce ne sont plus, à proprement parler, les caractères qu'il faut mettre sur la scène, mais les conditions. Jusqu'à présent, dans la comédie, le caractère a été l'objet principal, et la condition n'a été que l'accessoire; il faut que la condition devienne aujourd'hui l'objet principal, ₃₅ et que le caractère ne soit que l'accessoire...

MOI. Ainsi, vous voudriez qu'on jouât l'homme de lettres, le philosophe, le commerçant, le juge, l'avocat, le politique,[8] le citoyen, le magistrat, le financier, le grand seigneur, l'intendant.[9]

DORVAL. Ajoutez à cela toutes les relations: le père de famille, l'époux, ₄₀ la sœur, les frères.

Dorval et Moi, Troisième entretien

---

[1] half-way. [2] in the middle of. *This is a badly expressed idea.* [3] *This play by Terence is* Hecyra. [4] a certain Davus (*a slave*). [5] difficulties. [6] po-sition. [7] which can't be related. [8] the politician. [9] the royal administrator of a province.

C'est ce que Molière et Lesage avaient fait; c'est la comédie de mœurs; ils y instruisaient tout en amusant. Diderot voulait instruire par des considérations philosophiques et morales, par des sermons; cette intention s'exprimera avec plus d'art, un siècle plus tard, dans les pièces à thèse[10] d'Augier[11] et de Dumas fils.[12]

L'ENTHOUSIASME

Ce passage montre Diderot précurseur du romantisme.

Le lendemain, je me rendis au pied de la colline. L'endroit était solitaire et sauvage. On avait en perspective quelques hameaux répandus dans la plaine; au-delà, une chaîne de montagnes inégales et déchirées qui terminaient en partie l'horizon. On était à l'ombre des chênes, et l'on entendait
5 le bruit sourd d'une eau souterraine qui coulait aux environs. C'était la saison où la terre est couverte des biens[1] qu'elle accorde au travail et à la sueur des hommes. Dorval était arrivé le premier. J'approchai de lui[2] sans qu'il m'aperçût. Il s'était abandonné au spectacle de la nature. Il avait la poitrine élevée.[3] Il respirait avec force. Ses yeux attentifs se por-
10 taient sur tous les objets. Je suivais sur son visage les impressions diverses qu'il en éprouvait; et je commençais à partager son transport, lorsque je m'écriai, presque sans le vouloir: « Il est sous le charme. »

Il m'entendit et me répondit d'une voix altérée:[4] « Il est vrai. C'est ici qu'on voit la nature. Voici le séjour sacré de l'enthousiasme. Un homme
15 a-t-il reçu du génie? il quitte la ville et ses habitants. Il aime, selon l'attrait de son cœur, à mêler ses pleurs au cristal d'une fontaine; à porter des fleurs sur un tombeau; à fouler d'un pied léger l'herbe tendre de la prairie; à traverser à pas lents des campagnes fertiles; à contempler les travaux des hommes; à fuir au fond des forêts. Il aime leur horreur secrète. Il erre.
20 Il cherche un antre[5] qui l'inspire. Qui est-ce qui mêle sa voix au torrent qui tombe de la montagne? Qui est-ce qui sent le sublime d'un lieu désert? Qui est-ce qui s'écoute dans le silence de la solitude? C'est lui.[6] Notre poète habite sur les bords d'un lac. Il promène sa vue sur les eaux, et son génie s'étend. C'est là qu'il est saisi de cet esprit, tantôt tranquille et
25 tantôt violent, qui soulève son âme ou qui l'apaise à son gré . . . O Nature, tout ce qui est bien est renfermé dans ton sein! Tu es la source féconde de toutes vérités! Il n'y a dans ce monde que la vertu et la vérité qui soient dignes de m'occuper . . . L'enthousiasme naît d'un objet de la nature. Si l'esprit l'a vu sous des aspects frappants et divers, il en est
30 occupé, agité, tourmenté. L'imagination s'échauffe; la passion s'émeut.[7] On est successivement étonné, attendri, indigné, courroucé.[8] Sans l'enthousiasme, ou l'idée véritable ne se présente point, ou si, par hasard, on la rencontre, on ne peut la poursuivre[9] . . . Le poète sent le moment de l'enthousiasme; c'est après qu'il a médité. Il s'annonce en lui par un frémis-
35 sement qui part de sa poitrine, et qui passe, d'une manière délicieuse et

---

[10] plays with moral purposes.   [11] See p. 243.   [12] See p. 243.

[1] récoltes f., crops.   [2] je m'approchai de lui.   [3] thrown out, expanded.   [4] in a faltering voice.   [5] cave, retreat.   [6] he, the man of genius, the Romantic poet.   [7] is moved, rises.   [8] incensed.   [9] follow it up.

rapide, jusqu'aux extrémités de son corps. Bientôt ce n'est plus un frémissement; c'est une chaleur forte et permanente qui l'embrase,[10] qui le fait haleter, qui le consume, qui le tue, mais qui donne l'âme, la vie à tout ce qu'il touche. Si cette chaleur s'accroissait encore, les spectres se multiplieraient devant lui. Sa passion s'élèverait presque au degré de la fureur. 5 Il ne connaîtrait de soulagement qu'à verser au dehors un torrent d'idées qui se pressent, se heurtent et se chassent. »

Dorval et Moi, Second entretien

LE NEVEU DE RAMEAU

Au café de la Régence, qui existe encore en face de la Comédie-Française, Diderot a de vives discussions avec un musicien bohème, machiavélique, neveu du grand compositeur Rameau (1683-1764). En voici une qui annonce le cynisme d'une partie de la littérature moderne.

LUI. . . . buvons un coup.

Il en boit deux, trois, sans savoir ce qu'il faisait. Il allait se noyer comme il s'était épuisé,[1] sans s'en apercevoir, si je n'avais déplacé la bouteille qu'il 10 cherchait de distraction.[2] Alors je lui dis:

MOI. Comment se fait-il qu'avec un tact[3] aussi fin, une si grande sensibilité pour les beautés de l'art musical, vous soyez aussi aveugle sur les belles choses en morale, aussi insensible aux charmes de la vertu?

LUI. C'est apparemment qu'il y a pour les unes[4] un sens que je n'ai pas, 15 une fibre qui ne m'a point été donnée, une fibre lâche qu'on a beau pincer et qui ne vibre pas; ou peut-être c'est que j'ai toujours vécu avec de bons musiciens et de méchantes gens, d'où il arrive que mon oreille est devenue très fine et que mon cœur est devenu sourd. Et puis c'est qu'il y avait quelque chose de race. Le sang de mon père et le sang de mon oncle est le 20 même sang; mon sang est le même que celui de mon père; la molécule[5] paternelle était dure et obtuse,[6] et cette maudite molécule première s'est assimilé tout le reste.

MOI. Aimez-vous votre enfant?

LUI. Si je l'aime, le petit sauvage! j'en suis fou. 25

MOI. Est-ce que vous ne vous occuperez pas sérieusement d'arrêter en lui l'effet de la maudite molécule paternelle?

LUI. J'y travaillerais, je crois, bien inutilement. S'il est destiné à devenir un homme de bien, je n'y nuirai pas;[7] mais si la molécule voulait qu'il fût un vaurien comme son père, les peines que j'aurais prises pour en 30 faire un homme honnête lui seraient très nuisibles. L'éducation croisant[8] sans cesse la pente de la molécule, il serait tiré comme par deux forces contraires et marcherait tout de guingois[9] dans le chemin de la vie, comme j'en vois une infinité, également gauches dans le bien et dans le mal. C'est ce que nous appelons des espèces,[10] de toutes les épithètes la plus redoutable, 35

[10] which fires (inflames) him.

[1] *Through talking.*   [2] **par distraction,** absent-mindedly.   [3] touch.   [4] **ces belles choses.**   [5] molecule (*smallest physical unit*).   [6] obtuse, blunt, not sensitive.   [7] I shall do nothing against it.   [8] crossing, thwarting.   [9] [gɛ̃gwa], awry, crookedly.   [10] **des idiots, des anormaux,** morons.

parce qu'elle marque la médiocrité et le dernier degré du mépris. Un grand
vaurien est un grand vaurien, mais n'est point une espèce. Avant que la
molécule paternelle n'eût repris le dessus et ne l'eût amené à la parfaite
abjection où j'en suis, il lui faudrait un temps infini; il perdrait ses plus
5 belles années; je n'y fais rien à présent, je le laisse venir. Je l'examine, il
est déjà gourmand, patelin,[11] filou,[12] paresseux, menteur; je crains bien qu'il
ne chasse de race.[13]

MOI. Et vous en ferez un musicien afin qu'il ne manque rien à la ressemblance?

10 LUI. Un musicien! un musicien! quelquefois je le regarde en grinçant
les dents [14] et je dis: « Si tu devais jamais savoir une note, je crois que je
te tordrais le cou. »

MOI. Et pourquoi cela, s'il vous plaît?

LUI. Cela ne mène à rien.

15 MOI. Cela mène à tout.

LUI. Oui, quand on excelle; mais qu'est-ce qui peut se promettre de son
enfant qu'il excellera? Il y a dix mille à parier contre un qu'il ne serait
qu'un misérable râcleur de cordes [15] comme moi. Savez-vous qu'il serait
peut-être plus aisé de trouver un enfant propre à gouverner un royaume, à
20 faire un grand roi qu'un grand violon! [16]

MOI. Il me semble que les talents agréables, même médiocres, chez un
peuple sans mœurs, perdu de [17] débauche et de luxe, avancent rapidement
un homme dans le chemin de la fortune. Moi qui vous parle, j'ai entendu
la conversation qui suit entre une espèce de protecteur et une espèce de
25 protégé. Celui-ci avait été adressé au premier comme à un homme obligeant qui pourrait le servir: « Monsieur, que savez-vous?

— Je sais passablement les mathématiques.

— Eh bien, montrez [18] les mathématiques; après vous être crotté dix à
douze ans sur le pavé [19] de Paris, vous aurez trois à quatre cents livres de
30 rente.[20]

— J'ai étudié les lois et je suis versé dans le droit.

— Si Puffendorf [21] et Grotius [22] revenaient au monde, ils mourraient de
faim contre une borne.

— Je sais très bien l'histoire et la géographie.

35 — S'il y avait des parents qui eussent à cœur la bonne éducation de leurs
enfants, votre fortune serait faite; mais il n'y en a point.

— Je suis assez bon musicien.

— Eh! que ne disiez-vous cela d'abord? Et pour vous faire voir le
parti qu'on peut tirer de ce dernier talent, j'ai une fille: venez tous les jours,
40 depuis sept heures et demie du soir jusqu'à neuf, vous lui donnerez leçon,
et je vous donnerai vingt-cinq louis par an; vous déjeunerez, dînerez,
goûterez, souperez avec nous; le reste de votre journée vous appartiendra,
vous en disposerez à votre profit. »

---

[11] smooth (*like Lawyer Pathelin, p. 32*).
[12] a crook.   [13] he is a chip of the old
block.   [14] **grinçant des dents,** gnashing
my teeth.   [15] scraper on the violin,
fiddler. [16] violinist. [17] sunk in. [18] en-
seignez, teach.   [19] tramping (*lit.* 'getting covered with mud on') the streets.
[20] francs as income.   [21] *German jurist*
(*1632–94*).   [22] *Dutch jurist (1583–1645)*.

LUI. Et cet homme, qu'est-il devenu?

MOI. S'il eût été sage, il eût fait fortune, la seule chose qu'il paraît que vous ayez en vue.

LUI. Sans doute, de l'or, de l'or; l'or est tout, et le reste, sans or, n'est rien. Aussi, au lieu de lui farcir la tête de [23] belles maximes, qu'il faudrait qu'il oubliât sous peine de n'être qu'un gueux,[24] lorsque je possède un louis, ce qui ne m'arrive pas souvent, je me plante devant lui, je tire le louis de ma poche, je le lui montre avec admiration, j'élève les yeux au ciel, je baise le louis devant lui, et pour lui faire entendre mieux encore l'importance de la pièce sacrée, je lui bégaie de la voix, je lui désigne du doigt, tout ce qu'on en peut acquérir: un beau fourreau,[25] un beau toquet,[26] un bon biscuit; ensuite je mets le louis dans ma poche, je me promène avec fierté, je relève la basque de ma veste,[27] je frappe de la main sur mon gousset;[28] et c'est ainsi que je lui fais concevoir que c'est du louis qui est là que naît l'assurance qu'il me voit.

MOI. On ne peut rien de mieux; mais s'il arrivait que profondément pénétré de la valeur du louis, un jour . . .?

LUI. Je vous entends. Il faut fermer les yeux là-dessus, il n'y a point de principe de morale qui n'ait son inconvénient. Au pis aller, c'est un mauvais quart d'heure et tout est fini.

MOI. Même d'après des vues si courageuses et si sages je persiste à croire qu'il serait bon d'en faire un musicien. Je ne connais pas de moyen d'approcher plus rapidement des grands, de servir leurs vices et de mettre à profit les siens.

LUI. Il est vrai; mais j'ai des projets d'un succès plus prompt et plus sûr. Ah! si c'était aussi bien une fille! mais comme on ne fait pas ce qu'on veut, il faut prendre ce qui vient, en tirer le meilleur parti, et pour cela ne pas donner bêtement, comme la plupart des pères qui ne feraient rien de pis quand ils auraient médité le malheur de leurs enfants, l'éducation de Lacédémone [29] à un enfant destiné à vivre à Paris. Si elle est mauvaise, c'est la faute des mœurs de ma nation et non la mienne. En répondra qui pourra; je veux que mon fils soit heureux, ou, ce qui revient au même, honoré, riche et puissant. Je connais un peu les voies les plus faciles d'arriver à ce but et je les lui enseignerai de bonne heure. Si vous me blâmez, vous autres sages, la multitude et le succès m'absoudront. Il aura de l'or, c'est moi qui vous le dis. S'il en a beaucoup, rien ne lui manquera, pas même votre estime et votre respect.

MOI. Vous pourriez vous tromper.

LUI. Ou il s'en passera, comme bien d'autres.

Le Neveu de Rameau, pp. 473–476, Œuvres romanesques, Garnier

---

[23] stuff his head with.   [24] beggar. [25] hobble dress (*for small children as well as women*); *lit.* 'sheath.' [26] toque, brimless (dinky) hat. [27] coattail. [28] vest (money) pocket. [29] the education of Lacedaemon (*ancient Sparta*), *a rigorous education.*

PHILOSOPHER [1] D'ABORD, ET VIVRE ENSUITE

Réponse au dilemme que M. Grimm a fait à l'abbé Raynal, chez
Mlle de Vermenoux [2] et qu'il m'a répété chez Mlle de Vandeul, ma fille

Cette lettre de Diderot à Grimm ne fut jamais envoyée parce qu'elle est pleine
de reproches à l'ancien ami dont l'âme « s'est amenuisée » [3] aux cours de Russie, de
Prusse, de Versailles, « dans les antichambres des grands », et qui est devenu
« antiphilosophe ». Pour la réponse au dilemme de Grimm, Diderot se substitue
à l'abbé Raynal (1713–96) qui, s'il a perdu de son ressort,[4] est resté fidèle à l'esprit
démocratique qu'il a montré dans son grand ouvrage *Histoire philosophique et
politique des établissements et du commerce des Européens dans les deux Indes.*
En 1753 Grimm avait succédé à l'abbé Raynal qui faisait une correspondance
littéraire pour des princes étrangers. Grimm parle:

« Ou vous croyez, lui disait-il, que ceux que vous attaquez ne pourront
se venger de vous, et c'est une lâcheté de les attaquer; ou vous croyez
qu'ils pourront et voudront se venger; et c'est une folie que de s'exposer
à leur ressentiment. »

5   Et que répondait à cela l'abbé Raynal? Rien! Il fallait donc que ce
jour-là le pauvre abbé fût un imbécile.

Premièrement il n'est pas vrai que ce soit une lâcheté que d'attaquer
celui qui ne peut se venger; il suffit qu'il mérite d'être attaqué.

Ce n'est point une folie que d'attaquer celui qui se vengera. Dans la
10 cause de la vertu, de l'innocence, de la vérité, le mépris de la vengeance est
un acte de générosité. Tous ceux qui s'exposent à la colère du méchant ne
sont pas des fous.

Le dilemme de M. Grimm ferme la bouche à l'homme éclairé, à l'homme
de bien, au philosophe sur les lois, les mœurs, les abus de l'autorité, la
15 religion, le gouvernement, les vices, les erreurs, les préjugés, seuls objets
dignes d'occuper un bon esprit.

Celui qui se nomme au frontispice de son ouvrage est un imprudent,
mais n'est pas un fou; et l'auteur anonyme n'est pas un lâche.

Comment sommes-nous sortis de la barbarie? C'est qu'heureusement
20 il s'est trouvé des hommes qui ont plus aimé la vérité qu'ils n'ont redouté
la persécution. Certes ces hommes-là n'étaient pas des lâches. Les ap-
pellerons-nous des fous?

Il est impossible qu'une page hardie ne blesse et n'irrite quelque particulier [5] ou quelque corps puissant et vindicatif. Où est la folie, où est la
25 lâcheté à négliger également et leur pouvoir et leur impuissance? Que
l'ennemi de la philosophie soit un dangereux ou un insignifiant personnage,
elle ne cessera de la poursuivre que quand il aura cessé d'être vicieux ou
méchant. C'est ainsi qu'ont pensé les philosophes des écoles les plus
opposées, sous Tibère, sous Caligula, sous Néron; et ces philosophes
30 n'étaient pas des fous.

Vous ne savez plus, mon ami, comment les hommes de génie, les hommes
courageux, les hommes vertueux, les contempteurs [6] de ces grandes idoles

---

[1] Philosophize, Argue in favor of democracy.   [2] *The marquise de Vermenoux
was Diderot's neighbor at Sèvres, 3 mi.*
SW of Paris. She died in 1783.   [3] became small.   [4] bounce.   [5] private individual.   [6] contemners, despisers.

devant lesquelles tant de lâches se font honneur de se prosterner; [7] vous
avez oublié comment ils écrivaient leurs ouvrages. Sans être de la classe,
je le sais, moi, et je vais vous le dire. Le projet d'offenser ou de plaire fut
loin de leur pensée; ils ne coururent point après la louange; ils ne redou-
tèrent point la persécution; ils voulaient être utiles; ils voulaient dire la 5
vérité; ils voulaient la dire fortement. Ils s'adressaient aux scélérats [8]
couronnés qui faisaient gémir tant d'innocents, aux imposteurs sacrés qui
faisaient éclore tant d'imbéciles ou de furieux; et le bonheur ou le malheur
qu'ils pouvaient attirer sur eux, la gloire ou le blâme qui pouvaient leur en
revenir, étaient des choses qui, dans le moment du moins, ne les touchaient 10
nullement et qui ne les auraient pas touchés davantage dans le moment de
l'orage, s'ils avaient réuni le courage de l'âme à la force de l'esprit.

Si quelqu'un d'entre ces hommes rares se sent perdre la fortune, la liberté,
l'honneur, la vie, sans murmurer, l'appellerai-je fou? S'il regrette sa
patrie, ses amis, ses concitoyens, l'appellerai-je lâche? Lorsque l'indigna- 15
tion d'un honnête et brave antagoniste du mensonge et de la tyrannie s'est
soulagée, si cet homme pressent que la hardiesse de son discours pourrait
ajouter une victime à la multitude de celles que l'intolérance et le fanatisme
se sont immolées, cette terreur l'arrêtera-t-elle? doit-elle l'arrêter? Non,
mon ami, non. Le peuple dit: « Vivre d'abord; ensuite philosopher ». 20
Mais celui qui a pris le manteau de Socrate, et qui aime la vérité et la vertu
plus que la vie, dira, lui: « Philosopher d'abord, et vivre ensuite » . . .

ce 25 mars 1781

Textes inédits [9] de Diderot, publiés par Herbert Dieckmann,
Inventaire du fonds [10] *Vandeul*, Librairie Droz, Genève, 1951, pages 238–241

OUVRAGES RECOMMANDÉS
Textes

Œuvres complètes, présentées par Assézat et Tourneur. Garnier, 1875–77.
Œuvres, présentées par André Billy. La Pléiade, Gallimard.
Œuvres romanesques, éd. Henri Bénac. Classiques Garnier.
Le Rêve de d'Alembert. Didier.
Œuvres choisies. Classiques Larousse, Hachette.

Discographie

Le Neveu de Rameau, sélection présentée par Jacques Roger, enregistrée par
Jean Debucourt et Denis d'Inès. Collection Les Grands Textes.
Hachette.

Critique

D. Mornet. *Diderot, l'homme et l'œuvre*. 208 p. Hatier.
Jean Pommier. *Diderot avant Vincennes*. 120 p. Hatier.
Herbert Dieckmann. *Inventaire du fonds Vandeul et textes inédits de Diderot*.
285 p. Genève: Droz, 1951.
Charles Guyot. *Diderot par lui-même*. 192 p. Éd. du Seuil.
André Billy. *Vie de Diderot*. 406 p. Flammarion, 1932.
Georges May. *Quatre visages de Diderot*. 209 p. Boivin, 1951.
Arthur McCandless Wilson. *Denis Diderot, The Testing Years (1713–59)*.
Oxford University Press, 1956.

[7] prostrate themselves.   [8] scoundrels.   [9] never published before.   [10] collection.

BEAUMARCHAIS
(1732-1799)
Un Auteur comique qui annonce la Révolution

Comme celui de Rousseau, le père de Pierre-Augustin Caron, né à Paris, était horloger. Lui-même exerça quelque temps cette profession. Comme il était excellent musicien, il fut nommé, au palais de Versailles, maître de harpe de Mesdames de France, les huit filles de Louis XV. En 1761 il était assez riche pour acheter un titre de noblesse. Il ajouta à son nom celui d'une terre que possédait sa femme, Beaumarchais. Comme Voltaire, il fit fortune dans des spéculations pas toujours honnêtes. Il fournit des approvisionnements aux insurgés américains pendant la guerre de l'Indépendance. Il perdit sa fortune à la Révolution française et s'exila en Suisse, en Angleterre, en Hollande, en Allemagne. Revenu en France, il mourut d'apoplexie.

Il est l'auteur de deux spirituelles comédies, *Le Barbier de Séville* (1775) et *Le Mariage de Figaro* (1784). Leur héros est l'intelligent et peu scrupuleux homme du peuple, Figaro, qui raille les abus de l'ancien régime. Il a aidé son maître, le comte espagnol Almaviva, à épouser Rosine, la pupille [1] d'un vieux docteur. Quelques années plus tard il est fiancé à Suzanne, femme de chambre de la comtesse. Le comte est lui aussi amoureux de Suzanne. Plein d'amertume, Figaro, attendant de surprendre son rival à un rendez-vous sous les marronniers [2] du parc, monologue contre les nobles et leurs privilèges. « Dans *Le Mariage de Figaro* la Révolution est déjà en action », a dit Napoléon.

LE MONOLOGUE DE FIGARO

FIGARO, *seul, se promenant dans l'obscurité, dit du ton*
le plus sombre:

O femme! femme! femme! créature faible et décevante!... nul animal créé ne peut manquer à son instinct; le tien est-il donc de tromper? Après m'avoir obstinément refusé quand je l'en pressais devant sa maîtresse,[3] à l'instant qu'elle me donne sa parole,[4] au milieu même de la cérémonie [5]...

5 Il riait en lisant,[6] le perfide! et moi, comme un benêt![7]... Non, Monsieur le comte, vous ne l'aurez pas... vous ne l'aurez pas... Parce que vous êtes un grand seigneur, vous vous croyez un grand génie!... Noblesse, fortune, un rang, des places: tout cela rend si fier! Qu'avez-vous fait pour tant de biens? Vous vous êtes donné la peine de naître, et rien de

10 plus; du reste, homme assez ordinaire! tandis que moi, morbleu! perdu dans la foule obscure il m'a fallu déployer plus de science [8] et de calculs pour subsister seulement, qu'on n'en a mis depuis cent ans à gouverner toutes les Espagnes; [9] et vous voulez jouter![10]... On vient... c'est

---

[1] ward.   [2] horse-chestnut   trees.   (*IV*, *1*).   [5] *interrupted marriage cere-*
[3] *With the consent of the Countess, Figaro* *mony.*   [6] *Urged by the Countess, Suzanne*
had at first urged Suzanne to agree to meet *had slipped a note to the Count, confirming*
the Count in the park, at night, so that the *her acceptance of the rendezvous* (*IV*, *9*).
Countess could have a case against her [7] boob, goof.   [8] knowledge.   [9] **toutes**
husband (*II*, *2*).   [4] *Figaro had asked* **les provinces d'Espagne.**   [10] to joust,
Suzanne to give him her word of honor pit (measure) yourself against me.
that she would not go to the rendezvous

elle!... Ce n'est personne. La nuit est noire en diable [11] et me voilà faisant le sot métier de mari, quoique je ne le sois qu'à moitié! [12] (*Il s'assied sur un banc.*) Est-il rien de plus bizarre que ma destinée! Fils de je ne sais pas qui,[13] volé par des bandits, élevé dans leurs mœurs, je m'en dégoûte et veux courir [14] une carrière honnête; et partout je suis repoussé! J'apprends la chimie, la pharmacie, la chirurgie, et tout le crédit d'un grand seigneur peut à peine me mettre à la main une lancette vétérinaire! [15] — Las d'attrister [16] des bêtes malades, et pour faire un métier contraire, je me jette à corps perdu [17] dans le théâtre; me fussé-je mis [18] une pierre au cou! Je broche [19] une comédie dans [20] les mœurs du sérail.[21] Auteur espagnol, je crois pouvoir y fronder [22] Mahomet, sans scrupule: à l'instant, un envoyé... de je ne sais où se plaint que j'offense dans mes vers la Sublime Porte,[23] la Perse, une partie de la presqu'île de l'Inde, toute l'Égypte, les royaumes de Barca,[24] de Tripoli, de Tunis, d'Alger et de Maroc: [25] et voilà ma comédie flambée,[26] pour plaire aux princes mahométans, dont pas un, je crois, ne sait lire, et qui nous meurtrissent l'omoplate [27] en nous disant: *Chiens de Chrétiens!* — Ne pouvant avilir [28] l'esprit, on se venge en le maltraitant. — Mes joues creusaient; [29] mon terme était échu; [30] je voyais de loin arriver l'affreux recors,[31] la plume fichée [32] dans sa perruque: en frémissant je m'évertue.[33] Il s'élève une question sur la nature des richesses, et, comme il n'est pas nécessaire de tenir [34] les choses pour en raisonner, n'ayant pas un sou, j'écris sur la valeur de l'argent et sur son produit net; [35] sitôt [36] je vois, du fond d'un fiacre, baisser pour moi le pont d'un château-fort,[37] à l'entrée duquel je laissai l'espérance et la liberté. (*Il se lève.*) Que je voudrais bien tenir un de ces puissants de quatre jours,[38] si légers sur [39] le mal qu'ils ordonnent, quand une bonne disgrâce a cuvé son orgueil! [40] Je lui dirais... que les sottises imprimées n'ont d'importance qu'aux lieux où l'on en gêne le cours; [41] que sans la liberté de blâmer il n'est point d'éloge flatteur, et qu'il n'y a que les petits hommes qui redoutent les petits écrits. (*Il se rassied.*) Las de nourrir un obscur pensionnaire,[42] on me met un jour

[11] as the devil. [12] *The double marriage ceremony had been interrupted by Bazile, the slanderous music teacher.* [13] **de je ne sais qui.** [14] **embrasser,** take up, follow. [15] **de vétérinaire.** [16] of distressing, tormenting. [17] headlong. [18] **que ne me suis-je mis,** would that I had tied. [19] **Je bâcle,** I dash off, scribble off. [20] **en prenant une comédie dans.** [21] *Oriental subjects were popular since the publication of travel narratives by Bernier, Chardin, and Tavernier in the 17th century, Galland's translation of* Les Mille et une nuits (*The Arabian Nights*) (*1708*), *Montesquieu's* Lettres persanes, *Voltaire's* Zadig, *etc.* [22] have a fling at, satirize. [23] Turkish government. [24] **la Cyrénaïque,** *Cyrenaica, NE Libya.* [25] *All these countries were then under Turkish rule.* [26] gone up in smoke, done for. [27] bruise our shoulder blades (*by slapping us on the back*). [28] debase. [29] **se creusaient,** were becoming hollow. [30] my rent was due. [31] **assistant de l'huissier,** bailiff's man. [32] planted. [33] **frémissant** (trembling) **d'ardeur et de crainte, je m'évertue** (strive) **à écrire.** [34] **posséder.** [35] net income. [36] **aussitôt.** [37] the drawbridge (**pont-levis**) of a fortified castle, of a prison (*like the Bastille, where Voltaire was imprisoned, or Vincennes castle where Diderot had the same fate). Beaumarchais himself was imprisoned in the For-l'Évêque, near the Louvre (1773) and in Saint-Lazare (1785).* [38] overnight tyrants, *men (Cabinet members) temporarily in power.* [39] flippant about. [40] **dissipé,** dispelled (*lit.* 'slept off the effects of') his pride. [41] **la circulation.** [42] boarder, inmate.

dans la rue; et, comme il faut dîner quoiqu'on ne soit plus en prison, je
taille encore ma plume [43] et demande à chacun de quoi il est question: [44]
on me dit que pendant ma retraite économique il s'est établi dans Madrid
un système de liberté sur la vente des productions, qui s'étend même à
5 celles de la presse, et que, pourvu que je ne parle en mes écrits ni de l'autorité, ni du culte, ni de la politique, ni de la morale, ni des gens en place,[45]
ni des corps en crédit,[46] ni de l'Opéra, ni des autres spectacles, ni de personne
qui tienne à [47] quelque chose, je puis tout imprimer librement, sous l'ins-
pection de deux ou trois censeurs. Pour profiter de cette douce liberté,
10 j'annonce un écrit périodique, et, croyant n'aller sur les brisées [48] d'aucun
autre, je le nomme *Journal inutile*. Pou-ou! [49] je vois s'élever contre moi
mille pauvres diables à la feuille; [50] on me supprime, et me voilà derechef [51]
sans emploi. — Le désespoir m'allait saisir; [52] on pense à moi pour une
place, mais par malheur j'y étais propre: [53] il fallait un calculateur, ce fut
15 un danseur qui l'obtint. Il ne me restait plus qu'à voler; je me fais banquier de pharaon: [54] alors, bonnes gens! je soupe en ville, et les personnes
dites *comme il faut* [55] m'ouvrent poliment leur maison en retenant pour elles
les trois quarts du profit. J'aurais bien pu me remonter; [56] je commençais
même à comprendre que pour gagner du bien le savoir-faire vaut mieux
20 que le savoir. Mais, comme chacun pillait autour de moi en exigeant que
je fusse honnête, il fallut bien périr encore. Pour le coup [57] je quittais le
monde, et vingt brasses [58] d'eau m'en allaient séparer, lorsqu'un Dieu bienfaisant m'appelle à mon premier état.[59] Je reprends ma trousse [60] et mon
cuir anglais; [61] puis, laissant la fumée [62] aux sots qui s'en nourrissent, et la
25 honte au milieu du chemin, comme trop lourde à un piéton, je vais rasant
de ville en ville, et je vis enfin sans souci. Un grand seigneur [63] passe à
Séville; il me reconnaît, je le marie,[64] et, pour prix [65] d'avoir eu par mes
soins son épouse, il veut intercepter la mienne! Intrigue, orage à ce sujet.
Prêt à tomber dans un abîme, au moment d'épouser ma mère,[66] mes parents
30 m'arrivent à la file.[67] (*Il se lève en s'échauffant.*) [68] On se débat: c'est
vous, c'est lui, c'est moi, c'est toi; non, ce n'est pas nous: eh mais! qui
donc? (*Il retombe assis.*) O bizarre suite d'événements! Comment cela
m'est-il arrivé? Pourquoi ces choses, et non pas d'autres? Qui les a fixées
sur ma tête? Forcé de parcourir la route où je suis entré sans le savoir,
35 comme j'en sortirai sans le vouloir, je l'ai jonchée [69] d'autant de fleurs que

---

[43] I sharpen again my quill (**ma plume d'oie**). [44] what is the present topic of interest. [45] **gens haut placés**, people in power. [46] **influents**, influential. [47] connected with. [48] that I was following in the footsteps (competing). [49] **Peuh!** Whew! [50] at so much a page, penny-a-liners, hacks, **folliculaires**, *called also* **feuillistes** *in the 18th century.* [51] **de nouveau**, again. [52] **allait me saisir, s'emparer de moi.** [53] I was suited (qualified) for it. [54] I turn faro banker (*a sort of croupier*). *Faro is an old card game, so called because there was a picture of a pharaoh (Egyptian king) on the back of the cards.* [55] the so-called decent (select) people. [56] **me relever,** get on my feet again, recoup myself. [57] This time. [58] fathoms. [59] avocation, trade, *namely barbering.* [60] kit. [61] **cuir à rasoir**, strop. [62] **la gloriole**, vainglory, earthly vanity. [63] *Count Almaviva, in* Le Barbier de Séville. [64] I make his marriage possible. [65] **récompense**, reward. [66] *Marceline, a cleaning woman, who will soon marry Dr. Bartholo, Figaro's father.* [67] one after the other. [68] getting more and more excited. [69] I have strewn it.

ma gaieté me l'a permis; encore [70] je dis ma gaieté, sans savoir si elle est à moi plus que le reste, ni même quel est ce *moi* dont je m'occupe: un assemblage informe de parties inconnues, puis un chétif [71] être imbécile, un petit animal folâtre,[72] un jeune homme ardent au plaisir, ayant tous les goûts pour jouir, faisant tous les métiers pour vivre; maître ici, valet là, selon   5
qu'il plaît à la fortune; ambitieux par vanité, laborieux par nécessité, mais paresseux ... avec délices! [73] orateur selon le danger, poète par délassement,[74] musicien par occasion,[75] amoureux par folles bouffées,[76] j'ai tout vu, tout fait, tout usé. Puis l'illusion s'est détruite, et, trop désabusé [77] ...
Désabusé! ... Suzon, Suzon, Suzon! que tu me donnes de tourments! 10
— J'entends marcher ... On vient. Voici l'instant de la crise.

(*Il se retire près de la première coulisse* [78] *à sa droite.*)

Le Mariage de Figaro, Acte V, scène 3

Le stratagème réussit. Almaviva demande pardon à sa femme et consent au mariage de Figaro et de Suzanne.

OUVRAGES RECOMMANDÉS
Textes

Œuvres complètes. Garnier.
Théâtre complet. Lettres. Présentés par M. Allem. La Pléiade, Gallimard.
Théâtre, éd. Gérard Bauër. 1 vol. Hachette.
Le Barbier de Séville. Classiques Larousse, Hachette, Hatier.
Le Mariage de Figaro. Classiques Larousse, Hachette, Hatier.
Le Barbier de Séville, éd. Spiers. Heath.

Critique

A. Bailly. *Beaumarchais.* 320 p. Fayard.
P. Richard. *Vie privée de Beaumarchais.* 288 p. Hachette.

ANDRÉ CHÉNIER
(1762-1794)
Le Seul Grand Poète français du dix-huitième siècle

C'est à Constantinople que naquit André Chénier. Son père, qui était commerçant, y remplit quelque temps les fonctions de consul de France; sa mère était grecque et avait le goût des lettres. André avait deux ans lorsqu'elle s'installa à Paris avec ses quatre garçons et sa fille. Elle y resta pendant le séjour de dix-sept ans que fit le père au Maroc, comme consul général.

André fit de brillantes études classiques au collège de Navarre à Paris, puis passa six mois en qualité de cadet-gentilhomme dans un régiment d'infanterie de Strasbourg. Souffrant de coliques néphrétiques, il quitta le service. En 1787 il était secrétaire à l'ambassade de France à Londres. Il y resta un peu plus de deux ans, déplorant que l'aristocratie anglaise, au contraire de la française, fût si arrogante envers le « chevalier de Saint-André », comme il se faisait appeler.

[70] yet.   [71] puny, feeble.   [72] playful.   **l'occasion,** occasionally.   [76] spurts, out-
[73] blissfully lazy.   [74] relaxation.   [75] **à**   bursts.   [77] disillusioned.   [78] wing.

De retour à Paris, au printemps de 1790, Chénier qui, jusqu'ici, avait surtout écrit des idylles et des élégies dans le goût antique, se découvrit des dons pour la polémique et la satire.   Il soutint le parti des *Monarchiens*, — le *Centre*, à l'Assemblée Constituante —, qui, disciples de Montesquieu, voulaient pour la France une monarchie constitutionnelle sur le modèle de l'Angleterre.   C'était le parti de La Fayette, commandant de la garde nationale, de Madame de Staël et de son père le ministre Necker.   Sous la Législative et surtout sous la Convention, ce parti devint celui de l'opposition et ses membres furent persécutés.   Chénier, qui avait l'âme de Platon, respectait l'ordre et la justice, et intervint pour les faire respecter. Il aida même Malesherbes à préparer la défense de Louis XVI devant la Convention.   Dans *Le Journal de Paris*, et *Le Mercure de France*, il fit paraître des articles violents contre les excès révolutionnaires des Jacobins maîtres du pouvoir: Robespierre, Marat, Collot-d'Herbois.   Donc, qu'on ne s'étonne pas s'il fut arrêté à Passy en mars 1794, emprisonné à Saint-Lazare et guillotiné place du Trône, aujourd'hui place de la Nation, le 25 juillet 1794.   Deux jours de plus et il était sauvé par la chute et l'exécution de Robespierre !

Le public ne savait pas qu'il perdait en Chénier un grand poète.   Il n'avait publié que deux pièces de vers: *Ode sur le serment du Jeu de Paume*, et l'*Hymne aux Suisses de Chateauvieux*, en plus de ses articles politiques.   La première édition de ses œuvres ne parut qu'en 1819; elle fut intitulée *Œuvres choisies*.   Malgré son imitation des anciens et les traits du dix-huitième siècle qu'il fit siens, — rationalisme et déisme, goût de la philosophie et des sciences —, les romantiques s'enthousiasmèrent pour lui à cause de ses *Élégies*, le bouillonnement de ses émotions, qui va parfois jusqu'à l'invective (*Iambes*), le pittoresque, l'harmonie et la forme souple de ses meilleurs vers.

L'INVENTION

Voici le manifeste poétique de Chénier.   Salut à Virgile, et aussi aux poètes grecs qui parlaient

> Un langage sonore, aux douceurs souveraines,
> Le plus beau qui soit né sur des lèvres humaines . . .

Ils ont été des inventeurs !   Qu'est-ce qu'inventer ?

> . . . inventer n'est pas, en un brusque abandon,
> Blesser la vérité, le bon sens, la raison;
> 5 Ce n'est pas entasser, sans dessein et sans forme,
> Des membres ennemis [1] en un colosse énorme;
> Ce n'est pas, élevant des poissons dans les airs,
> A l'aile des vautours ouvrir le sein des mers . . .
> Délires insensés! fantômes monstrueux !
> 10 Et d'un cerveau malsain [2] rêves tumultueux !
> Ces transports déréglés,[3] vagabonde manie,
> Sont l'accès de la fièvre et non pas du génie . . .

> Ainsi donc, dans les arts, l'inventeur est celui
> Qui peint ce que chacun put sentir comme lui; . . .

---

[1] dissimilar, ill-matched.   [2] diseased mind.   [3] That disorderly exaltation.

15 C'est le fécond pinceau [4] qui, sûr dans ses regards,
   Retrouve un seul visage en vingt belles épars,
   Les fait renaître ensemble, et par un art suprême
   Des traits de vingt beautés forme la beauté même . . .

   Les coutumes d'alors, les sciences, les mœurs [5]
20 Respirent dans les vers des antiques auteurs.
   Leur siècle est en dépôt dans leurs nobles volumes.
   Tout a changé pour nous, mœurs, sciences, coutumes.
   Pourquoi donc nous faut-il, par un pénible soin, . . .
   Dire et dire cent fois ce que nous avons lu ? . . .
25 Torricelli,[6] Newton, Kepler [7] et Galilée [8] . . .
   A tout nouveau Virgile ont ouvert des trésors.
   Tous les arts sont unis: les sciences humaines
   N'ont pu de leur empire étendre les domaines,
   Sans agrandir aussi la carrière des vers . . .
30 Pensez-vous, si Virgile ou l'Aveugle divin [9]
   Renaissaient aujourd'hui, que leur savante main
   Négligeât de saisir ces fécondes richesses,
   De notre Pinde [10] auguste éclatantes largesses ? [11] . . .
   Eh bien! l'âme est partout; la pensée a des ailes.
35 Volons, volons chez eux [12] retrouver leurs modèles;
   Voyageons dans leur âge, où, libre, sans détour,[13]
   Chaque homme ose être un homme et penser au grand jour . . .
   Changeons en notre miel leurs plus antiques fleurs;
   Pour peindre notre idée empruntons leurs couleurs;
40 Allumons nos flambeaux à leurs feux poétiques;
   Sur des pensers [14] nouveaux faisons des vers antiques . . .[15]

LA JEUNE CAPTIVE

Dans ce poème, dont la grâce mélancolique est parfois gâtée par les clichés de la poésie pseudo-classique du temps, Chénier a plié « aux douces lois des vers » les plaintes et les vœux qu'a exhalés la « bouche aimable et naïve » d'une de ses compagnes de captivité à Saint-Lazare. Cette muse s'appelait Aimée de Coigny; elle avait vingt-cinq ans. La chute de Robespierre, deux jours après l'exécution de Chénier, la délivra. Elle écrivit un roman de passion, *Alvare*, et laissa de curieux *Mémoires*. Elle mourut en 1820.

[4] painter; *lit.* 'paintbrush.' [5] morals. *Pronounce* [mœr] *to rhyme with* **auteurs**; [mœrs] *is the more common pronunciation.* [6] *Italian physicist (1608–47) who invented the barometer.* [7] *German astronomer (1571–1630).* [8] *Galileo (1564–1642), Italian physicist and astronomer.* [9] *Homer.* [10] **le Pinde,** *Pindus, mountain range in northern Greece, consecrated to Apollo and the Muses. It means "civilization" here.* [11] splendid presents. [12] to them: *to the works, countries, and times of Homer, Vergil, and the other great writers.* [13] subterfuge, hypocrisy. [14] *Poetical for* **pensées** *f.* [15] *Oft-quoted line; admirable as far as the* **pensers nouveaux** *are concerned, but is the ancient classical form the best for us? Should not every generation try to invent new poetical forms to express new ideas, as the romanticists, symbolists, surrealists, etc., have done since Chénier's time?*

« L'épi naissant [1] mûrit, de la faux [2] respecté;
Sans crainte du pressoir, le pampre [3] tout l'été
    Boit les doux présents de l'aurore; [4]
Et moi, comme lui belle, et jeune comme lui,
5 Quoi que l'heure présente ait de trouble et d'ennui,
    Je ne veux pas mourir encore.

« Qu'un stoïque [5] aux yeux secs vole embrasser la mort,
Moi je pleure et j'espère; au noir souffle du nord [6]
    Je plie et relève ma tête.
10 S'il est des jours amers, il en est de si doux!
Hélas! quel miel jamais n'a laissé de dégoûts? [7]
    Quelle mer n'a point de tempête?

« L'illusion féconde habite dans mon sein:
D'une prison sur moi les murs pèsent en vain,
15   J'ai les ailes de l'espérance.
Échappée aux réseaux [8] de l'oiseleur [9] cruel,
Plus vive, plus heureuse, aux campagnes [10] du ciel
    Philomèle [11] chante et s'élance.

« Est-ce à moi de mourir? Tranquille je m'endors,
20 Et tranquille je veille,[12] et ma veille aux remords
    Ni mon sommeil ne sont en proie.[13]
Ma bienvenue au jour [14] me rit dans tous les yeux;
Sur des fronts abattus mon aspect [15] dans ces lieux
    Ranime presque de la joie.

25 « Mon beau voyage encore est si loin de sa fin!
Je pars, et des ormeaux [16] qui bordent le chemin
    J'ai passé les premiers à peine.
Au banquet de la vie à peine commencé,
Un instant seulement mes lèvres ont pressé
30   La coupe en mes mains encor pleine.

« Je ne suis qu'au printemps, je veux voir la moisson;
Et, comme le soleil, de saison en saison
    Je veux achever mon année.
Brillante sur ma tige et l'honneur du jardin,
35 Je n'ai vu luire encor que les feux du matin,
    Je veux achever ma journée.

---

[1] The budding ear of wheat. [2] scythe. [3] vine branch. [4] *Periphrasis for* la rosée, the dew. [5] Let a stoic (*a person of great austerity*). [6] of the north wind. [7] aftertaste. [8] net, trap. [9] bird catcher. [10] in the wide open spaces. [11] Philomela, *Greek princess who was changed into a nightingale.* [12] And tranquil I am when awake. [13] et ni ma veille (wakefulness) ni mon sommeil ne sont en proie (a prey) au remords. [14] My welcome to life. The fact that I am welcome to live. [15] my presence. [16] *Poetical for* ormes, elms.

« O mort ! tu peux attendre: éloigne, éloigne-toi;
Va consoler les cœurs que la honte, l'effroi,
    Le pâle désespoir dévore.
40 Pour moi Palès [17] encore a des asiles verts,
Les Amours des baisers, les Muses des concerts;
    Je ne veux pas mourir encore ! »

IAMBES [1]

Ces derniers vers de Chénier sont aussi les plus beaux qu'il ait écrits, malgré les trop fréquentes inversions. Ils sont beaux par la vigueur de la pensée, des sentiments, et de la forme poétique. Il les fit parvenir à sa famille en les cachant dans un paquet de linge.

Comme un dernier rayon, comme un dernier zéphyre [2]
    Anime la fin d'un beau jour,
Au pied de l'échafaud [3] j'essaie encor ma lyre.
    Peut-être est-ce bientôt mon tour.
5 Peut-être avant que l'heure, en cercle promenée,[4]
    Ait posé sur l'émail [5] brillant,
Dans les soixante pas où sa route est bornée,[6]
    Son pied sonore et vigilant,[7]
Le sommeil du tombeau pressera ma paupière.
10   Avant que de ses deux moitiés
Ce vers que je commence ait atteint la dernière,
    Peut-être en ces murs effrayés
Le messager de mort,[8] noir recruteur des ombres,[9]
    Escorté d'infâmes soldats,
15 Ébranlant de mon nom ces longs corridors sombres
    Où seul dans la foule à grands pas
J'erre, aiguisant ces dards [10] persécuteurs du crime,
    Du juste trop faibles soutiens,[11]
Sur mes lèvres soudain va suspendre la rime;
20   Et chargeant mes bras de liens,
Me traîner, amassant en foule à mon passage
    Mes tristes compagnons reclus,[12]
Qui me connaissaient tous avant l'affreux message,
    Mais qui ne me connaissent plus [13] . . .

[17] Palēs, *goddess of shepherds and flocks; here*, Nature.

[1] Iambic, *satirical poem written in alternate twelve- and eight-syllable lines.* [2] zephyr, light balmy breeze; **zéphyr** *is a better spelling in French.* [3] scaffold, guillotine. [4] **promenée en cercle**, moving in a circle. [5] on the enamel (*enameled face of the clock*). [6] limiting its course. [7] *Farfetched but impressive* *periphrasis.* [8] *The jailer calling the names of those to be guillotined.* [9] recruiter of the shades (of the dead). [10] sharpening these darts (*satirical lines*). [11] Too feeble supporters of the righteous man. [12] companions of captivity, fellow prisoners. [13] *This bitter statement is hard to believe.*

25 Vienne, vienne la mort![14] — Que la mort me délivre!
　　Ainsi donc, mon cœur abattu
Cède au poids de ses maux? Non, non, puissé-je vivre![15]
　　Ma vie importe à la vertu;
Car l'honnête homme enfin,[16] victime de l'outrage,
30　　Dans les cachots, près du cercueil,
Relève plus altiers[17] son front et son langage,
　　Brillants d'un généreux orgueil . . .
　　Mourir sans vider mon carquois![18]
Sans percer, sans fouler,[19] sans pétrir dans leur fange[20]
35　　Ces bourreaux barbouilleurs de lois![21]
Ces vers cadavéreux de la France asservie,
　　Égorgée![22] O mon cher trésor,
O ma plume! fiel, bile,[23] horreur, Dieux de ma vie!
　　Par[24] vous seuls je respire encor:
40 Comme la poix[25] brûlante agitée en ses[26] veines
　　Ressuscite un flambeau mourant,
Je souffre; mais je vis. Par vous loin de mes peines,
　　D'espérance un vaste torrent[27]
Me transporte.[28] Sans vous, comme un poison livide,
45　　L'invisible dent du chagrin,
Mes amis opprimés, du menteur homicide
　　Les succès, le sceptre d'airain,[29]
Des bons, proscrits par lui, la mort ou la ruine,[30]
　　L'opprobre de subir sa loi,[31]
50 Tout eût tari[32] ma vie, ou contre ma poitrine
　　Dirigé mon poignard. Mais quoi!
Nul ne resterait donc pour attendrir l'histoire[33]
　　Sur tant de justes massacrés?
Pour consoler leurs fils, leurs veuves, leur mémoire,
55　　Pour que des brigands abhorrés
Frémissent aux portraits noirs de leur ressemblance,[34]
　　Pour descendre jusqu'aux enfers
Nouer le triple fouet,[35] le fouet de la vengeance,
　　Déjà levé sur ces pervers?

[14] How I wish that death would come! [15] I wish I could live! [16] after all. [17] Raises more proudly. [18] my quiver (*case for holding arrows*). [19] trampling. [20] rolling (*lit.* 'kneading') in their filth. [21] Those tormentors bungling up laws (making, scribbling bad laws); **barbouiller,** to smear, scribble; **un barbouilleur,** a dauber. [22] cadaveric worms (*in the dead body*) of enslaved, slaughtered France! [23] gall, rancor; **le fiel, la bile** *are synonymous and mean* gall. [24] Through. [25] pitch. [26] **ses** *refers to* **flambeau.** [27] A vast torrent of hope. [28] Elates me. [29] the brazen (merciless) scepter (*of the Terror government headed by Robespierre and Marat*). [30] The death or ruin of the good people banished by it (*by that government*). [31] The disgrace of being ruled by it (subjected to its rule). [32] dried up. [33] to move history to pity. [34] at the dark pictures of themselves ("*dark*" *because those historical pictures will be very much like their heinous models*). [35] To knot the triple lash; "*triple*" *because in Greek mythology there were three avenging deities: Alecto, Megaera, and Tisiphone. They were called the Erinyes (in French* **Érinnyes**), *Eumenides or Furies.*

60 Pour cracher sur leurs noms, pour chanter leur supplice?
      Allons, étouffe tes clameurs;
Souffre, ô cœur gros de haine, affamé de justice.
      Toi, Vertu, pleure, si je meurs.

OUVRAGES RECOMMANDÉS
Textes

Œuvres complètes, présentées par G. Walter. La Pléiade, Gallimard.
Poésies choisies. Classiques Larousse, Hachette.

Critique

E. Herbillon. *André Chénier*. 288 p. Tallandier.

LE DIX-NEUVIÈME SIÈCLE

Romantisme
Art pour art
Réalisme
Parnasse
Naturalisme
Symbolisme

LE DIX–NEUVIÈME SIÈCLE
Contour littéraire

Le dix-septième siècle est, dans l'ensemble, le siècle du classicisme respectueux des règles établies; le dix-huitième siècle est celui de la pensée philosophique et religieuse qui se libère; le dix-neuvième siècle est plus complexe, plus difficile à caractériser. Il est préromantique jusqu'en 1820 (*Les Méditations poétiques*, de Lamartine), romantique jusqu'à peu après 5 1830. Deux grands courants se forment alors, qui tantôt se mêlent et tantôt s'opposent. C'est « l'art pour l'art », qui devient le Parnasse, puis le symbolisme; et c'est le réalisme dont les eaux se font troubles avec le naturalisme. La pensée scientifique et philosophique s'y exprime aussi; — voici le positivisme d'AUGUSTE COMTE (1798–1857, *Cours de philo-* 10 *sophie positive*), l'expérimentalisme de CLAUDE BERNARD —, de même que la pensée politique (ALEXIS DE TOCQUEVILLE, 1805–59, *La Démocratie en Amérique*), religieuse (ERNEST RENAN, 1823–92, *La Vie de Jésus*), et critique (HIPPOLYTE TAINE).

Le romantisme, qui marque les trente premières années du dix-neuvième 15 siècle, est peut-être, en définitive, le trait le plus accusé du siècle tout entier. Des écrivains qui l'ont maudit, comme Flaubert, en sont tout imprégnés; il a donné sa musique à Baudelaire et à Verlaine, sa couleur à Leconte de Lisle, sa rêverie au symbolisme; il nous a enseigné à voir et aimer la nature, les montagnes et la mer surtout, et qui peut dire qu'il n'est pas magnifique- 20 ment dans la littérature d'aujourd'hui? Il ne peut qu'y être, car il est la libre expression de la nature humaine. Voici ses caractéristiques les plus marquées; on pourra les opposer à celles du classicisme, données page 69.

Caractéristiques du romantisme
Le Fond

1. Le cœur, la sensibilité, l'imagination.
2. Particulier, individuel, caractéristique d'une seule période, d'un seul lieu, d'un seul homme; original.
3. Personnel, subjectif; le « moi » est admirable; le monde extérieur est vu, déformé, transfiguré par rapport à ce « moi ».
4. Exaltation du moi, effusion, confession (sauf Vigny); reviviscence des souvenirs.
5. Liberté allant jusqu'à l'anarchie.
6. Lyrisme, enthousiasme, exubérance, véhémence, exagération, extrêmes.

7. Contradictions, paradoxes, sensationnalisme.
8. Sensibilité, sensations.
9. Sensibilité maladive ou « rhumatisme littéraire », comme dit Sainte-Beuve.

> « Je traite mon pauvre cœur comme un enfant malade et je fais tous ses caprices.[1] » (Gœthe, *Werther*)

10. Exhibitionnisme du cœur en écharpe;[2] éloge de la douleur.
11. Satisfaction de soi-même, pitié pour soi-même.
12. Découragement, inaction, mélancolie, mal du siècle.
13. Peu de psychologie; les personnages romantiques sont tout d'un bloc,[3] sans nuances.
14. Goût du changement, évasion,[4] voyages à l'étranger.
15. Mystère, vague, rêveries, méditations.
16. Attrait de l'exceptionnel, de l'étrange, de l'infini, de l'infernal, du surnaturel et de la mort.
17. Attrait de la folie; folie simulée (*Lorenzaccio* de Musset).
18. Chrétien, mais pas toujours orthodoxe (*Antony*, de Dumas, est même athée), mystique.
19. Culte du Moyen Age et des temps modernes.
20. Inspiration tirée des littératures du Nord (anglaise et allemande).
21. Cosmopolite.
22. Idées de progrès social, politique et moral; humanitarisme, socialisme.
23. Féminisme, exaltation de l'amour.
24. Antisocial. Le romantique est un « promeneur solitaire » qui aime la nature, le pittoresque, la couleur locale, l'exotisme. « La solitude est sainte. » (Vigny, *Stello*)
25. Le romantique est un « beau ténébreux »; c'est un homme fatal, maudit, qui a la haine du bourgeois.
26. Il aime les humbles, le familier, même le laid, pourvu qu'il soit pittoresque, original.

La Forme

1. Unité d'action seulement.
2. Mélange des genres, de la comédie et de la tragédie, du sublime et du grotesque, comme dans Shakespeare.
3. Drame, mélodrame.
4. Contrastes, antithèses, oppositions, ombre et lumière.
5. Prolixité, accumulations, énumérations, digressions.
6. Grandiloquence.
7. Abus des adjectifs, des exclamations.
8. Emploi du mot propre, qu'il soit noble ou bas.
9. Versification plus souple par le déplacement de la césure, l'emploi de l'enjambement, de vers de différentes mesures.
10. Rimes riches (sauf Musset).

---

[1] I gratify its every fancy.   [2] in a sling.   [3] all of a piece.   [4] *Beau Brummell wrapt in Byronic gloom.*

Les grands écrivains sont si nombreux au dix-neuvième siècle que nous ne pouvons leur rendre justice à tous. Faisons amende honorable auprès des [5] sacrifiés.

BENJAMIN CONSTANT (1767–1830), ami de Mme de Staël, publia, en 1816, *Adolphe*, court roman d'analyse qui peint les amours en tempête d'un jeune homme pour Ellénore qui a dix ans de plus que lui.

JULES MICHELET (1798–1874) fut un historien libéral et romantique: *Histoire de France*, dont les pages les plus émouvantes sont consacrées à Jeanne d'Arc; *Histoire de la Révolution*.

ALEXANDRE DUMAS père (1802–70) a une valeur littéraire plus grande dans ses drames romantiques (*Henri III et sa cour, Antony*) que dans ses romans historiques universellement connus (*Les Trois Mousquetaires, Le Comte de Monte-Cristo*).

GEORGE SAND (1804–76) écrivit des romans de passion (*Indiana*), mais on se la rappelle surtout pour ses romans rustiques, idéalisés (*La Mare au diable*,[6] *La Petite Fadette, François le Champi*). Elle fut l'amie de Musset et du compositeur franco-polonais Chopin.

GÉRARD DE NERVAL (1808–55), né Labrunie, est, par la date, le premier des « poètes maudits ». Il a trouvé des accents étranges et subtils, souvent charmants, qui inspirent encore les poètes d'aujourd'hui (*Poésies; Voyage en Orient*, 1851; un conte, *Sylvie*, 1853; *Les Filles du feu; Promenades et souvenirs*, 1854). Devenu fou, il s'est pendu dans une impasse au centre de Paris.

ÉMILE AUGIER (1820–1889) dénonça aussi bien le matérialisme de son temps que le romantisme de la génération précédente. Dans *Le Gendre de Monsieur Poirier* il montra la vie de famille menacée par l'ambition d'un parvenu. Il écrivit des comédies de mœurs.

Les frères DE GONCOURT, EDMOND (1822–96) et JULES (1830–70) illustrèrent le naturalisme par des « tranches de vie » présentées dans un style impressionniste appelé « l'écriture artiste » (*Renée Mauperin, Germinie Lacerteux*). Edmond fonda une société de dix écrivains, l'Académie Goncourt, qui décerne tous les ans le prix littéraire le plus envié en France, le prix Goncourt.

ALEXANDRE DUMAS fils (1824–95) donna des *pièces à thèse*, pièces qui traitent des problèmes moraux ou sociaux dans un but de perfectionnement de l'individu, de la famille et de la société (*La Dame aux camélias, La Princesse Georges*).

HENRY BECQUE (1837–99) introduisit au théâtre la vérité brutale et le pessimisme, ce qu'on a appelé la « comédie rosse [7] » (*Les Corbeaux*, créanciers rapaces qui disputent à une veuve d'industriel l'héritage de ses enfants; *La Parisienne*, où c'est l'amant qui est jaloux, non le mari).

Le poète SULLY PRUDHOMME (1839–1907) s'inspira de la science et de la philosophie; il chanta avec délicatesse le sacrifice, la vie intérieure (*Les Vaines Tendresses*). Il reçut le premier prix Nobel de littérature (1901).

LAUTRÉAMONT (Isidore Ducasse, 1846–70), fils d'un employé au consulat français de Montevideo (Uruguay), se rendit à Paris pour préparer

[5] Let us make amends to the.　　　[6] *The Devil's Pool.*　　　[7] cynical.

l'École Polytechnique.   Au lieu de cela, il écrivit *Les Chants de Maldoror*, qu'il publia à ses frais [8] sous le nom de comte de Lautréamont.   Poitrinaire,[9] il mourut bientôt.   Le succès de cette œuvre, souvent blasphématoire, ne vint qu'avec les surréalistes qui en firent leur bible (p. 506).   Les chants
5 sont en prose, mais leur lyrisme, leur style rythmé, en font de la poésie. Maldoror est un Satan, un vampire qui n'est pas insensible à la puissante poésie de l'océan: « Je te salue, vieil océan ! »

Le romancier JORIS-KARL HUYSMANS (1848–1907), né à Paris, d'une famille hollandaise, s'éloigna de son maître en naturalisme, Zola, et
10 se convertit au catholicisme (*A Rebours*,[10] *Là-Bas, La Cathédrale*).

L'officier de marine (Julien Viaud) PIERRE LOTI (1850–1923) s'est ému au spectacle de la mer et des gens simples: des Bretons (*Pêcheur d'Islande, Mon Frère Yves*), un Basque (*Ramuntcho*), des opprimés, noirs du Sénégal (*Le Roman d'un spahi*), des femmes de la vieille Turquie (*Azyadé, Les Dé-
15 senchantées*), des Japonaises (*Madame Chrysanthème*), des Tahitiennes (*Le Mariage de Loti*).   Tous ces romans sont écrits dans une prose poétique et précise.

PAUL BOURGET (1852–1935), fasciste de l'esprit, se spécialisa dans le roman psychologique.   *Le Disciple* montre la responsabilité d'un philosophe
20 qui met la raison au-dessus de Dieu, et dont l'élève favori cause lâchement la mort de la jeune fille qui l'aime.

OUVRAGES RECOMMANDÉS
Textes

Benjamin Constant. *Adolphe.* Classiques Larousse.

Auguste Comte. *Cours de philosophie positive.* Classiques Larousse.

George Sand. *La Mare au diable.* Classiques Larousse et Hachette.

——. *La Petite Fadette.* 2 vol. Classiques Larousse.

Alexis de Tocqueville. *La Démocratie en Amérique.* Librairie de Médicis.

Gérard de Nerval. *Pages choisies.* Classiques Larousse.

Ernest Renan. *Souvenirs d'enfance et de jeunesse.* Classiques Larousse.

——. *L'Avenir de la science.* Classiques Larousse.

——. *Pages choisies.* Classiques Hachette.

Alexandre Dumas fils. *La Dame aux camélias.* Collection Pourpre.

Henry Becque. *Les Corbeaux.* Librairie Stock.

Lautréamont. *Les Chants de Maldoror.* Corti.

Pierre Loti. *Pêcheur d'Islande. Le Mariage de Loti.* Classiques Larousse.

——. *Pages choisies.* Classiques Hachette.

——. *Ramuntcho.* Collection Pourpre.

Paul Bourget. *Le Disciple.* Classiques Larousse.

Discographie

George Sand. *La Mare au diable*, extraits lus par Jean Martinelli. 1 micro-sillon. Hachette-Ducretet-Thomson.

Baudelaire et Rimbaud, « Les Poètes maudits », poésies lues par J.-L. Barrault. 1 microsillon. Les Éditions Françaises.

Poètes maudits d'hier: Nerval, Rimbaud, Milosz, Couté, Lautréamont. Présentés par Pierre Brasseur. 1 microsillon de 10 pouces. Pathé.

---

[8] expense.   [9] Having tuberculosis.   [10] *Against the Grain.*

Critique

Albert Thibaudet. *Histoire de la littérature française de 1789 à nos jours.*
   Gallimard, 1938.

V.-L. Saulnier. *La Littérature française du siècle romantique.* Presses
universitaires de France, 1945.

Pierre Martino. *Parnasse et Symbolisme.* Armand Colin, 1925.

René Dumesnil. *L'Époque réaliste et naturaliste.* Tallandier.

MADAME DE STAËL
(1766–1817)
Un Esprit moderne

La Parisienne (1766–1803). Bien que née à Paris, Mme de Staël,[1] — Germaine
Necker —, montra, dans sa corpulente personne comme dans ses compactes œuvres,
plus de traits nordiques que français. Son père, fils d'un Prussien installé à Genève,
fut un excellent directeur général des finances sous Louis XVI. Toute jeune, elle
voyait défiler, entre autres personnages, de grands écrivains dans le salon de sa
mère: c'étaient Diderot, Grimm, Buffon, Bernardin de Saint-Pierre. Assise sur
un petit tabouret, l'enfant, dont la mère voulait faire un prodige, discutait gravement avec eux. A vingt ans elle épousa le baron de Staël-Holstein, ambassadeur
de Suède à Paris, homme correct et froid qu'elle n'aima pas.

Dans ses salons de l'ambassade de Suède, rue du Bac, cette intellectuelle-
tourbillon réunit une cour d'hommes politiques et de littérateurs à tendances
libérales. En 1788 elle publia des *Lettres sur les écrits et le caractère de Jean-Jacques
Rousseau*, l'écrivain qu'elle admirait le plus après Montesquieu.

Pendant la Révolution elle suivit la fortune de son père, partisan d'une monarchie
constitutionnelle, homme populaire jusqu'en 1790 où il se retira dans son château
de Coppet sur le lac de Genève. Les modérés étant devenus la majorité à la Convention après l'exécution de Robespierre, Mme de Staël rouvrit son salon de l'ambassade de Suède (1795). Plus que jamais disciple de Rousseau, elle affirma, dans
un traité de morale, *De l'influence des passions sur le bonheur des individus* (1796),
que l'enthousiasme et la passion n'éloignent pas de la vertu.

Elle essaya de charmer le général Bonaparte, mais elle n'y mit aucun tact.
Elle l'irrita, en 1800, par l'idéologie romantique de son étude critique *De la Littérature* (p. 246), et, en 1802, par son roman *Delphine;* celui-ci défend la femme
contre l'égoïsme de l'homme et la tyrannie de la société et de l'opinion; il défend
aussi l'individu contre l'État, et le protestantisme contre le catholicisme. Le
Premier Consul donna à la non-conformiste l'ordre de s'éloigner à quarante lieues
au moins de Paris.

L'Européenne (1803–17). Elle se rendit en Allemagne avec ses deux fils et
l'écrivain libéral Benjamin Constant; — elle avait divorcé d'avec son mari en 1798.
Elle fut accueillie à bras ouverts aux cours de Weimar et de Berlin; n'était-elle
pas l'ennemie du grand ennemi de l'Allemagne? Un voyage en Italie lui fournit
le décor de son second et dernier roman, *Corinne* (1807), dont le thème est, comme
dans *Delphine*, l'impossibilité pour une femme supérieure de rencontrer l'homme
« dont elle s'est fait une image idéale ». C'était le cas de Mme de Staël, et ces romans
sont déjà personnels et romantiques.

---

[1] Staël [stɑl].

Dans un second voyage en Allemagne (1807), elle acheva de se documenter pour *De l'Allemagne*, l'ouvrage qui lui valut un ordre d'exil complet (1810) (p. 248). Elle trouva enfin le mari idéal en John Rocca, un Suisse, son cadet de vingt ans, qui, sous-lieutenant de hussards, avait été grièvement blessé dans la guerre d'Espagne. Puis elle s'en alla conspirer à Vienne, à Moscou, en Suède, en Angleterre et en Italie contre « le tyran » qui l'avait appelée une « méchante intrigante ». Quand Napoléon tomba et que la France fut envahie, plus généreuse que Chateaubriand, elle le défendit, par un retour tardif de patriotisme. Sous la Restauration elle rouvrit son salon à Paris et retrouva son influence d'avant la Révolution. Elle mourut en 1817, quelques mois après une attaque de paralysie qu'elle eut en arrivant à un bal chez le duc Decazes, ministre de la police générale.

Les œuvres de Mme de Staël n'ont plus qu'un attrait relatif pour le lecteur d'aujourd'hui qui demande une érudition et une méthode plus sûres dans l'œuvre critique et philosophique, et plus de sens dramatique et psychologique, aidé d'un style plus brillant, dans le roman. Rendons-leur cette justice qu'on y trouve de jolies fleurs: accent personnel, spontanéité, critique sociale de la littérature, défense de la femme, pitié sociale, libéralisme, cosmopolitisme, bien assez pour faire donner à leur auteur le nom d'*esprit moderne*.

DE LA LITTÉRATURE

considérée dans ses rapports avec les institutions sociales

1800

C'était la première fois qu'un critique examinait les rapports de la littérature et de la société, replaçait les écrivains et les œuvres dans leur milieu, et voyait dans la littérature d'un peuple l'expression la plus frappante de sa civilisation. Ces idées sont aujourd'hui plus vivantes que jamais, et c'est à cet « esprit moderne », Mme de Staël, que nous les devons. Il y a cependant une idée centrale, dans *De la Littérature*, que nous n'acceptons pas aussi facilement; c'est la théorie que les « modernes » du temps de Louis XIV lançaient à la tête des « anciens », celle de la « perfectibilité », selon laquelle une littérature est supérieure à une autre par le fait même qu'elle lui a succédé; donc la littérature latine est supérieure à la grecque, — ce qui est fort contestable —, donc la nouvelle littérature, — le romantisme —, est supérieure au classicisme du siècle de Louis XIV, — ce qui est loin d'être accepté par tous les lettrés. Ce qui est plus original pour l'époque, c'est la distinction que Mme de Staël faisait entre les littératures du Nord et celles du Midi, c'est son explication, par le climat, de leurs différences; en ce dernier point elle continuait Montesquieu, et elle annonçait Taine.[1]

LES LITTÉRATURES DU NORD ET DU MIDI

Il existe, ce me semble, deux littératures tout à fait distinctes, celle qui vient du Midi et celle qui descend du Nord; celle dont Homère est la première source, celle dont Ossian [2] est l'origine. Les Grecs, les Latins, les Italiens, les Espagnols et les Français du siècle de Louis XIV appartiennent

---

[1] *See p. 361.* [2] *Legendary Gaelic warrior and bard of the 3rd century A.D., under whose name the Scotsman James Macpherson (1736–96) published epic poems* which paved the way for romanticism: Fingal, Temora. Ossian is the son of Fingal, himself the son of a giant, and king of Morven, in the NW of Scotland.

au genre de littérature que j'appellerai la littérature du Midi. Les ouvrages anglais, les ouvrages allemands, et quelques écrits des Danois et des Suédois, doivent être classés dans la littérature du Nord, dans celle qui a commencé par les bardes écossais,[3] les fables islandaises [4] et les poésies scandinaves . . .

La poésie mélancolique est la poésie la plus d'accord avec la philosophie. [5] La tristesse [5] fait pénétrer bien plus avant dans le caractère et la destinée de l'homme que toute autre disposition de l'âme. Les poètes anglais qui ont succédé aux bardes écossais ont ajouté à leurs [6] tableaux les réflexions et les idées que ces tableaux même devaient faire naître; mais ils ont conservé l'imagination du Nord, celle qui se plaît sur les bords de la mer, au 10 bruit des vents, dans les bruyères [7] sauvages; celle enfin qui porte vers l'avenir, vers un autre monde, l'âme fatiguée de sa destinée. L'imagination des hommes du Nord s'élance au-delà de cette terre dont ils habitent les confins; elle s'élance à travers les nuages qui bordent leur horizon, et semblent représenter l'obscur passage de la vie à l'éternité. 15

L'on ne peut décider d'une manière générale entre les deux genres de poésie dont Homère et Ossian sont comme les premiers modèles. Toutes mes impressions, toutes mes idées me portent de préférence vers la littérature du Nord,[8] mais ce dont il s'agit maintenant, c'est d'examiner ses caractères distinctifs. 20

Le climat est certainement l'une des raisons principales des différences qui existent entre les images qui plaisent dans le Nord et celles qu'on aime à se rappeler dans le Midi. Les rêveries des poètes peuvent enfanter des objets extraordinaires; mais les impressions d'habitude se retrouvent nécessairement dans tout ce que l'on compose. Éviter le souvenir de ces impressions, ce serait perdre le plus grand des avantages, celui de peindre ce 25 qu'on a soi-même éprouvé. Les poètes du Midi mêlent sans cesse l'image de la fraîcheur, des bois touffus, des ruisseaux limpides à tous les sentiments de la vie. Ils ne se retracent [9] pas même les jouissances du cœur sans y mêler l'idée de l'ombre bienfaisante qui doit les préserver des brûlantes 30 ardeurs du soleil.[10] Cette nature si vive qui les environne excite en eux plus de mouvements que de pensées.[11] C'est à tort, ce me semble, qu'on [12] a dit que les passions étaient plus violentes dans le Midi que dans le Nord. On y voit plus d'intérêts divers, mais moins d'intensité dans une même pensée; or c'est la fixité qui produit les miracles de la passion et de la vo- 35 lonté.

Les peuples du Nord sont moins occupés des plaisirs que de la douleur, et leur imagination n'en est que plus féconde. Le spectacle de la nature agit fortement sur eux; elle agit comme elle se montre dans leurs climats, toujours sombre et nébuleuse. Sans doute les diverses circonstances de la vie 40 peuvent varier cette disposition à la mélancolie; mais elle porte seule l'empreinte de l'esprit national. Il ne faut chercher dans un peuple, comme

[3] *Like the legends about Fingal and Ossian.* [4] *The Icelandic* Eddas, Younger Edda *and* Elder Edda. [5] *Sadness is a Romantic trait.* [6] *Refers to* **bardes.** [7] heaths, moorlands, waste lands overgrown with shrubs. [8] *Mme* *de Staël had nothing Latin in her.* [9] remember. [10] *For example Theocritus, Vergil, Horace.* [11] *And yet Plato and Aristotle were far more intellectual than emotional.* [12] *Montesquieu,* Esprit des Lois, *XIV, 2.*

dans un homme, que son trait caractéristique: tous les autres sont l'effet de mille hasards différents; celui-là seul constitue son être.[13]

La poésie du Nord convient beaucoup plus que celle du Midi à l'esprit d'un peuple libre ... Une certaine fierté d'âme, un détachement de la vie, que font naître et l'âpreté[14] du sol et la tristesse du ciel, devaient rendre la servitude insupportable ...

Ce que l'homme a fait de plus grand, il le doit au sentiment douloureux de l'incomplet de sa destinée. Les esprits médiocres sont, en général, assez satisfaits de la vie commune; ils arrondissent,[15] pour ainsi dire, leur existence, et suppléent à ce qui peut leur manquer encore par les illusions de la vanité; mais le sublime de l'esprit, des sentiments et des actions doit son essor[16] au besoin d'échapper aux bornes qui circonscrivent l'imagination. L'héroïsme de la morale, l'enthousiasme de l'éloquence, l'ambition de la gloire donnent des jouissances surnaturelles qui ne sont nécessaires qu'aux âmes à la fois exaltées[17] et mélancoliques, fatiguées de tout ce qui se mesure, de tout ce qui est passager, d'un terme enfin, à quelque distance qu'on le place. C'est cette disposition de l'âme, source de toutes les passions généreuses, comme de toutes les idées philosophiques, qu'inspire particulièrement la poésie du Nord.

De la Littérature, I, 11

DE L'ALLEMAGNE

En 1810, après deux voyages en Allemagne, Mme de Staël fit imprimer à Paris son grand ouvrage philosophique et littéraire, *De l'Allemagne*. Elle y donnait les raisons de sa préférence pour le romantisme des races du Nord, opposé au classicisme du Midi, grec, romain et français: la littérature du Nord est nationale et non transplantée, inspirée et non imitée, — donc susceptible d'être perfectionnée —, populaire et non aristocratique. « Votre ouvrage n'est point français », lui écrivit le ministre de la police de Napoléon en lui signifiant l'ordre de quitter la France. L'ouvrage fut mis au pilon[1] et ne parut qu'en 1813, à Londres.

DE LA POÉSIE CLASSIQUE ET DE LA POÉSIE ROMANTIQUE

Le nom de *romantique* a été introduit nouvellement en Allemagne, pour désigner la poésie dont les chants des troubadours ont été l'origine, celle qui est née de la chevalerie et du christianisme. Si l'on n'admet pas que le paganisme et le christianisme, le Nord et le Midi, l'antiquité et le moyen âge, la chevalerie et les institutions grecques et romaines, se sont partagé l'empire de la littérature, l'on ne parviendra jamais à juger sous un point de vue philosophique le goût antique et le goût moderne.

On prend quelquefois le mot classique comme synonyme de perfection.[2] Je m'en sers ici dans une autre acception, en considérant la poésie classique

---

[13] *This remark will become Taine's theory of* **la faculté maîtresse** (*p. 361*).   [14] poverty.   [15] they round off.   [16] full scope; *lit.* 'soaring.'   [17] fiery.

[1] pulped, reduced to pulp.   [2] **Classique** *comes from the Latin* classicus (of the first class).

comme celle des anciens, et la poésie romantique comme celle qui tient [3]
de quelque manière aux traditions chevaleresques.   Cette division se rapporte également aux deux ères du monde: celle qui a précédé l'établissement
du christianisme, et celle qui l'a suivi.

La nation française, la plus cultivée des nations latines, penche vers la   5
poésie classique, imitée des Grecs et des Romains.   La nation anglaise, la
plus illustre des nations germaniques, aime la poésie romantique et chevaleresque, et se glorifie des chefs-d'œuvre qu'elle possède en ce genre . . .

La poésie païenne doit être simple et saillante comme les objets extérieurs;
la poésie chrétienne a besoin des mille couleurs de l'arc-en-ciel pour ne pas   10
se perdre dans les nuages.   La poésie des anciens est plus pure comme art,
celle des modernes fait verser plus de larmes.   Mais la question pour nous
n'est pas entre la poésie classique et la poésie romantique, mais entre l'imitation de l'une et l'inspiration de l'autre.   La littérature des anciens est chez
les modernes une littérature transplantée;   la littérature romantique ou   15
chevaleresque est chez nous indigène, et c'est notre religion et nos institutions qui l'ont fait éclore.[4]   Les écrivains imitateurs des anciens se sont
soumis aux règles du goût les plus sévères;   car, ne pouvant consulter ni
leur propre nature, ni leurs propres souvenirs, il a fallu qu'ils se conformas-
sent aux lois d'après lesquelles les chefs-d'œuvre des anciens peuvent être   20
adaptés à notre goût, bien que toutes les circonstances politiques et religieuses qui ont donné le jour à ces chefs-d'œuvre soient changées.   Mais
ces poésies d'après l'antique, quelque parfaites qu'elles soient, sont rarement
populaires, parce qu'elles ne tiennent, dans le temps actuel,[5] à rien de
national.   25

La poésie française, étant la plus classique de toutes les poésies modernes,
est la seule qui ne soit pas répandue parmi le peuple.   Les stances du Tasse [6]
sont chantées par les gondoliers de Venise;   les Espagnols et les Portugais
de toutes les classes savent par cœur les vers de Calderon [7] et de Camoëns; [8]
Shakespeare est autant admiré par le peuple en Angleterre que par la classe   30
supérieure.   Des poèmes de Gœthe et de Bürger [9] sont mis en musique, et
vous les entendez répéter des bords du Rhin jusqu'à la Baltique.   Nos
poètes français sont admirés par tout ce qu'il y a d'esprits cultivés chez
nous et dans le reste de l'Europe;   mais ils sont tout à fait inconnus aux
gens du peuple et aux bourgeois même des villes, parce que les arts en France   35
ne sont pas, comme ailleurs, natifs du pays même où leurs beautés se dé-
veloppent.

Quelques critiques français ont prétendu que la littérature des peuples
germaniques était encore dans l'enfance de l'art.   Cette opinion est tout
à fait fausse;   les hommes les plus instruits dans la connaissance des langues   40

[3] which is due.   [4] blossom; *lit.* 'hatch.'
[5] present.   [6] Tasso, *Italian poet of the
16th century, author of the epic poem* Jerusalem Delivered (*delivered by Godfrey de
Bouillon and his Crusaders, in 1099*).
[7] *Pedro Calderón de la Barca, Spanish
dramatist of the 17th century.   His best
play is* La vida es sueño, (*Life is a
Dream*).   [8] *Luis de Camoëns, Portuguese poet of the 16th century, author of*
The Lusiads, *an epic poem on the exploits
of Vasco da Gama.*   [9] *Geoffrey Bürger,
German poet of the 18th century, famous
for his ballads, the best known of which
is* Lenore.

et des ouvrages des anciens n'ignorent certainement pas les inconvénients et les avantages du genre qu'ils adoptent, ou de celui qu'ils rejettent; mais leur caractère, leurs habitudes et leurs raisonnements les ont conduits à préférer la littérature fondée sur les souvenirs de la chevalerie, sur le mer-
5 veilleux du moyen âge, à celle dont la mythologie des Grecs est la base. La littérature romantique est la seule qui soit susceptible encore d'être per-fectionnée, parce qu'ayant ses racines dans notre propre sol, elle est la seule qui puisse croître et se vivifier de nouveau; elle exprime notre religion; elle rappelle notre histoire; son origine est ancienne, mais non antique.
10 La poésie classique doit passer par les souvenirs du paganisme pour arriver jusqu'à nous; la poésie des Germains est l'ère chrétienne des beaux-arts; elle se sert de nos impressions personnelles pour nous émouvoir; le génie qui l'inspire s'adresse immédiatement à notre cœur, et semble évoquer notre vie elle-même comme un fantôme, le plus puissant et le plus terrible de tous.

De l'Allemagne, II, 11

OUVRAGES RECOMMANDÉS
Textes
Œuvres. 4 vol. Classiques Garnier.
De la Littérature. De l'Allemagne. 1 vol. Classiques Larousse.
Critique
Joseph Turquan. *Mme de Staël.* Émile-Paul, 1920.

FRANÇOIS–RENÉ DE CHATEAUBRIAND
(1768–1848)
L'Enchanteur

1768–1800. « **Depuis ma première jeunesse jusqu'en 1800, j'ai été soldat et voyageur.** » C'est à Saint-Malo,[1] au cours d'une tempête, que la vie qu'il « bâilla » fut « infligée » à Chateaubriand. Il était le dernier des dix enfants d'un vieux et sévère gentilhomme breton, ancien marin, et d'une mère lettrée, dévote et rêveuse. Il fit d'excellentes études classiques aux collèges voisins de Dol, Rennes et Dinan, revenant pour de longues vacances au mystérieux château de Combourg où il nourrissait sa mélancolie bretonne en compagnie de sa non moins mélancolique sœur, Lucile.

Il avait dix-huit ans quand son frère aîné, qui réussissait à la cour de Versailles, obtint pour lui un brevet de sous-lieutenant d'infanterie. Admirateur du « sublime athlète » Jean-Jacques Rousseau, comment l'officier, — devenu capitaine de cavalerie —, poète à ses heures, n'aurait-il pas vu d'un bon œil les débuts de la

---

[1] *Seaport on the northern coast of Brittany, on an island connected with the mainland by a causeway; home of Jacques Cartier, the discoverer of the St. Lawrence River (1536). Saint-Malo was stubbornly de-fended for eleven days by the Nazi " mad man of Saint-Malo," and captured by the Americans, August 17, 1944. The large house in which Chateaubriand was born is situated in the business section of the town and is now a hotel,* l'Hôtel de France et Chateaubriand.

Révolution? Il condamna la théâtrale émigration des princes, après l'abolition des privilèges (nuit du 4 août 1789).

Encouragé par Malesherbes, l'ancien protecteur de Rousseau, il s'embarqua pour l'Amérique dans l'espoir, dit-il plus tard, de découvrir le passage du Nord-Ouest. En réalité il voulait faire un beau voyage . . . et faire fortune. Il débarqua à Baltimore (9 juillet 1791), ne fut pas reçu par Washington à Philadelphie, comme il l'affirma, remonta le Hudson, gagna les chutes du Niagara, descendit l'Ohio et le Mississippi, jusqu'au pays des Natchez, et revint s'embarquer à New-York le 10 décembre 1791, par Jackson, Nashville, Knoxville et Philadelphie. Il est bien difficile de croire qu'il ait pu accomplir un tel voyage en cinq mois, à cheval, en canot et en voiture.

C'est la nouvelle de l'arrestation de Louis XVI à Varennes (Meuse) qui le fit rentrer en France. Par devoir aristocratique plutôt que par convictions royalistes, il rejoignit en Belgique l'armée des émigrés qu'il quitta pour Jersey, et Londres, après blessure reçue au siège de Thionville.[2] Pour gagner sa vie il fut, de 1794 à 1797, professeur de français dans une école de Beccles (Suffolk); ses élèves l'appelaient Monsieur Shatterbrain. Son admiration pour Rousseau n'avait pas changé; il était alors un « petit philosophe en jaquette. »[3] En 1797 il publia l'*Essai sur les révolutions*, dont l'esprit de scepticisme et d'anarchie hâta la mort de sa mère restée en France. Cette conséquence tragique de la publication de son premier livre lui rendit la foi: « J'ai pleuré et j'ai cru », dit-il. Pour prouver son repentir il se mit à un ouvrage orthodoxe, *Le Génie du christianisme* (1802), dont il publia à part deux épisodes, *Atala* (1801) et *René* (1805). *René* est le chaînon entre *Werther* et *Childe Harold's Pilgrimage*.

1800-14. « Sous le Consulat et l'Empire ma vie a été littéraire. » Ravi à la lecture d'*Atala*, Bonaparte fit rayer le nom de Chateaubriand de la liste des émigrés, et le nomma secrétaire d'ambassade à Rome, puis chargé d'affaires dans le Valais (Suisse). Il démissionna à la nouvelle qu'un Bourbon, le duc d'Enghien, accusé de conspiration contre Bonaparte, avait été enlevé par des dragons hors du territoire français, dans le pays de Bade,[4] et fusillé dans les fossés de Vincennes [5] (1804).

Dans ses loisirs il conçut l'idée des *Martyrs* (1809), épopée en prose devant servir de preuve concrète au *Génie du christianisme*. Pour se documenter il fit (en 1806-07) un voyage en Orient qu'il raconta avec puissance et couleur dans l'*Itinéraire de Paris à Jérusalem*. De retour en France il fit de l'opposition à Napoléon dans *Le Mercure de France*, revue fondée en 1672.

1814-48. « Depuis la Restauration ma vie a été politique. » Au lendemain de l'abdication de l'empereur (avril 1814) il publia un vigoureux pamphlet en faveur des Bourbons, *De Buonaparte et des Bourbons*. C'est une nomination de pair de France qui le récompensa. Il devint un des chefs des ultra-royalistes. Sa devise était « le Roi, la Charte et les honnêtes gens »; il expliqua ses idées dans *La Monarchie selon la Charte* (1816). Les honneurs pleuvaient sur lui: ambassadeur à Berlin, puis à Londres, représentant de la France au Congrès de Vérone (1822) où ce réactionnaire belliciste soutint l'idée de l'intervention française en Espagne, pour « la Sainte Alliance des rois contre leurs peuples », enfin ministre des Affaires Étrangères. Très personnel, il se querella avec le premier ministre, Villèle, et Louis XVIII le révoqua trois mois avant de mourir (1824).

---

[2] *French town, 18 mi. south of the city of Luxembourg, on the Moselle River.* [3] *in a short coat.* [4] *Baden, state in SW Germany.* [5] *See p. 208, n. 26. The Vincennes moat continued to be a no-* *torious place for official shootings (the Dutch dancer and German spy Mata-Hari in 1917, and de Gaullists, Jews, and Communists during the Nazi occupation of France, 1940-44).*

Comme le nouveau roi, Charles X, ne se décidait pas à le prendre comme premier ministre, il fit de l'opposition dans la presse libérale. Le résultat fut qu'en 1828 il obtint l'ambassade de Rome. A la révolution de juillet 1830 il resta légitimiste [6] et se retira de la politique active, soignant sa gloire de « sachem » romantique, affirmant ses « inclinations républicaines », son hostilité à la monarchie bourgeoise de Louis-Philippe, et polissant ses *Mémoires d'Outre-Tombe*. Il mourut en 1848 et fut enterré sur le rocher du Grand-Bé, à Saint-Malo, d'accord avec la formule romantique, « solitaire comme le génie ». On peut s'y rendre à pied à marée basse.

Chateaubriand a contribué à fixer le « climat » romantique avec *René*, à lui donner un style avec *Atala*. Si ses théories politiques et religieuses sont aujourd'hui à peu près comparables au bois mort, s'il a été par trop égoïste, il reste grand par son style harmonieux, enchanteur. Ce style est une synthèse de l'éloquence de Rousseau, de la couleur de Bernardin de Saint-Pierre et de la pureté racinienne.

LE GÉNIE DU CHRISTIANISME
ou LES BEAUTÉS POÉTIQUES ET MORALES DE LA RELIGION CHRÉTIENNE
1802

Après le coup d'état du 18 brumaire (novembre 1799), Bonaparte, devenu Premier Consul, mit dans son programme la réconciliation de la Révolution avec le catholicisme auquel les « philosophes » avaient fait une rude guerre, et dont la Convention avait supprimé le culte. En 1801 il signa, avec le pape, le Concordat par lequel il s'engageait à assurer le libre exercice de la religion catholique. Le public, soumis à la propagande gouvernementale, était prêt à faire un accueil enthousiaste à un livre qui serait l'apologie de la religion traditionnelle de la France. Chateaubriand lui donna, en 1802, *Le Génie du christianisme*, qui est plutôt un génie du catholicisme. Par crainte d'une édition clandestine, il en avait détaché l'épisode d'*Atala*, qu'il avait publié à part, en 1801. Les lecteurs y trouvèrent, mêlés à des souvenirs homériques, une fraîcheur de sentiments, un éclat de couleurs et de traits exotiques, une harmonie de style qui les changeaient agréablement du « philosophisme ». Ils en aimèrent aussi l'idée centrale selon laquelle l'influence du catholicisme est si grande qu'elle se fait sentir même dans l'âme des sauvages.

ATALA
ou Les amours de deux sauvages dans le désert
1801

Sur les bords pittoresques du Meschacebe ou Mississippi arrive, en 1725, le Français René. Il reçoit le titre de guerrier natchez. Au cours d'une chasse, Chactas, le patriarche aveugle, lui raconte une malheureuse aventure de jeunesse:

J'avais dix-sept ans quand je pris part à la guerre des Natchez, alliés aux Espagnols contre les Muscogulges des Florides; nous fûmes vaincus. Je m'enfuis à Saint-Augustin où le vieil Espagnol Lopez me traita comme son fils pendant trente lunes. Ne pouvant plus résister à l'envie de retourner au désert, je partis; mais je fus pris par un parti de Muscogulges regagnant leur capitale, Apalachicola, où je devais être

---

[6] *A supporter of the direct descendants of Charles X, as opposed to an* orléaniste *who supported the descendants of* Louis-Philippe (duke of Orléans when he became king of the French in 1830).

brûlé, me dirent-ils. En route, Atala, la fille du sachem, s'éprend de moi, coupe mes liens et nous nous enfuyons. Nous sommes rattrapés. Une autre tentative réussit mieux; nous errons dans la jungle et les savanes. Atala est triste et rêveuse; je comprends qu'un secret la mine; elle m'avoue qu'elle est la fille de Lopez et d'une Indienne chrétienne. Une nuit, au cours d'un orage, un vieux missionnaire, aux mains mutilées par les Indiens, le père Aubry, nous trouve dans la forêt et nous conduit à sa grotte. Le lendemain je visite la Mission indienne, colonie catholique, avec son fondateur, le père Aubry. Au retour nous trouvons Atala malade dans la grotte, et elle nous révèle son secret:

LE SECRET D'ATALA

« Ma triste destinée a commencé presque avant que j'eusse vu la lumière. Ma mère m'avait conçue dans le malheur, je fatiguais son sein,[1] et elle me mit au monde avec de grands déchirements d'entrailles: on désespéra de ma vie. Pour sauver mes jours, ma mère fit un vœu; elle promit à la Reine des Anges[2] que je lui consacrerais ma virginité, si j'échappais à la mort. 5 Vœu fatal qui me précipite au tombeau !

« J'entrais dans ma seizième année lorsque je perdis ma mère. Quelques heures avant de mourir, elle m'appela au bord de sa couche. ‹ Ma fille, me dit-elle en présence d'un missionnaire qui consolait ses derniers instants; ma fille, tu sais le vœu que j'ai fait pour toi. Voudrais-tu démentir[3] ta mère ? 10 O mon Atala ! je te laisse dans un monde qui n'est pas digne de posséder une chrétienne, au milieu d'idolâtres[4] qui persécutent le Dieu de ton père et le mien, le Dieu qui, après t'avoir donné le jour, te l'a conservé par un miracle. Eh ! ma chère enfant, en acceptant le voile des vierges,[5] tu ne fais que renoncer aux soucis de la cabane[6] et aux funestes passions qui ont 15 troublé le sein de ta mère ! Viens donc, ma bien-aimée, viens; jure sur cette image de la Mère du Sauveur, entre les mains de ce saint prêtre et de ta mère expirante, que tu ne me trahiras point à la face du ciel. Songe que je me suis engagée pour toi, afin de te sauver la vie, et que si tu ne tiens ma promesse, tu plongeras l'âme de ta mère dans des tourments éternels. › 20

« O ma mère ! pourquoi parlâtes-vous ainsi ! O Religion qui fais à la fois mes maux[7] et ma félicité, qui me perds et qui me consoles ! Et toi, cher et triste objet d'une passion qui me consume jusque dans les bras de la mort, tu vois maintenant, ô Chactas, ce qui a fait la rigueur de notre destinée ! . . . Fondant en pleurs et me précipitant dans le sein maternel, je promis tout 25 ce qu'on me voulut faire promettre. Le missionnaire prononça sur moi les paroles redoutables, et me donna le scapulaire qui me lie pour jamais. Ma mère me menaça de sa malédiction, si jamais je rompais mes vœux, et après m'avoir recommandé un secret inviolable envers les païens, persécuteurs de ma religion, elle expira, en me tenant embrassée. 30

« Je ne connus pas d'abord le danger de mes serments. Pleine d'ardeur, et chrétienne véritable, fière du sang espagnol qui coule dans mes veines, je n'aperçus autour de moi que des hommes indignes de recevoir ma main;

---

[1] I hurt (*lit.* 'tired') her womb; **le sein** *also means* bosom, breast. [2] **la Vierge Marie.** [3] contradict, go against the will of. [4] worshipers of idols, pagans. [5] *Not necessarily the veil of the nuns; the vow was one of chastity only.* [6] the cabin, home, family. [7] unhappiness; *lit.* 'ills.'

je m'applaudis de n'avoir d'autre époux que le Dieu de ma mère. Je te vis, jeune et beau prisonnier, je m'attendris sur ton sort, je t'osai parler au bûcher [8] de la forêt; alors je sentis tout le poids de mes vœux. »

Comme Atala achevait de prononcer ces paroles, serrant les poings et
5 regardant le missionnaire d'un air menaçant, je m'écriai: « La voilà donc cette religion que vous m'avez tant vantée! Périsse le serment qui m'enlève Atala! Périsse le Dieu qui contrarie la nature! Homme, prêtre, qu'es-tu venu faire dans ces forêts? »

« Te sauver, dit le vieillard d'une voix terrible, dompter tes passions, et
10 t'empêcher, blasphémateur, d'attirer sur toi la colère céleste! Il te sied bien,[9] jeune homme, à peine entré dans la vie, de te plaindre de tes douleurs! Où sont les marques de tes souffrances? [10] Où sont les injustices que tu as supportées? Où sont tes vertus, qui seules pourraient te donner quelques droits à la plainte? Quel service as-tu rendu? Quel bien as-tu fait? Eh!
15 malheureux, tu ne m'offres que des passions, et tu oses accuser le ciel! Quand tu auras, comme le père Aubry, passé trente années exilé sur les montagnes, tu seras moins prompt à juger des desseins de la Providence; tu comprendras alors que tu ne sais rien, que tu n'es rien, et qu'il n'y a point de châtiment si rigoureux, point de maux si terribles, que la chair corrompue
20 ne mérite de souffrir. »

Les éclairs qui sortaient des yeux du vieillard, sa barbe qui frappait sa poitrine, ses paroles foudroyantes [11] le rendaient semblable à un Dieu. Accablé de sa majesté, je tombai à ses genoux, et lui demandai pardon de mes emportements. « Mon fils, me répondit-il avec un accent si doux que
25 le remords entra dans mon âme, mon fils, ce n'est pas pour moi-même que je vous ai réprimandé. Hélas! vous avez raison, mon cher enfant: je suis venu faire bien peu de chose dans ces forêts, et Dieu n'a pas de serviteur plus indigne que moi. Mais, mon fils, le ciel, le ciel, voilà ce qu'il ne faut jamais accuser! Pardonnez-moi si je vous ai offensé, mais écoutons votre
30 sœur. Il y a peut-être du remède; ne nous lassons point d'espérer. Chactas, c'est une religion bien divine que celle-là, qui a fait une vertu de l'espérance! »

« Mon jeune ami, reprit Atala, tu as été témoin de mes combats, et cependant tu n'en as vu que la moindre partie; je te cachais le reste. Non,
35 l'esclave noir qui arrose de ses sueurs les sables ardents de la Floride, est moins misérable que n'a été Atala. Te sollicitant à la fuite, et pourtant certaine de mourir si tu t'éloignais de moi; craignant de fuir avec toi dans les déserts, et cependant haletant [12] après l'ombrage des bois . . . Ah! s'il n'avait fallu que quitter parents, amis, patrie; si même (chose affreuse)
40 il n'y eût eu que la perte de mon âme! Mais ton ombre,[13] ô ma mère, ton ombre était toujours là, me reprochant ses tourments! J'entendais tes plaintes, je voyais les flammes de l'enfer te consumer. Mes nuits étaient arides et pleines de fantômes, mes jours étaient désolés; la rosée du soir séchait en tombant sur ma peau brûlante; j'entr'ouvrais mes lèvres aux
45 brises, et les brises, loin de m'apporter la fraîcheur, s'embrasaient du feu

---

[8] at the pyre.   [9] It behooves (becomes) you indeed.   [10] *Father Aubry's hands had been mutilated by the Indians.*   [11] **frappant comme la foudre** (thunderbolt), withering.   [12] yearning; *lit.* 'panting.'   [13] your shade, ghost, memory.

de mon souffle. Quel tourment de te voir sans cesse auprès de moi, loin de tous les hommes, dans de profondes solitudes, et de sentir entre toi et moi une barrière invincible! Passer ma vie à tes pieds, te servir comme ton esclave, apprêter ton repas et ta couche dans quelque coin ignoré de l'univers, eût été pour moi le bonheur suprême; ce bonheur, j'y touchais 5 et je ne pouvais en jouir. Quel dessein n'ai-je point rêvé! Quel songe n'est point sorti de ce cœur si triste! Quelquefois en attachant mes yeux sur toi, j'allais jusqu'à former des désirs aussi insensés que coupables: [14] tantôt j'aurais voulu être avec toi la seule créature vivante sur la terre; tantôt, sentant une divinité qui m'arrêtait dans mes horribles transports, 10 j'aurais désiré que cette divinité se fût anéantie,[15] pourvu que, serrée dans tes bras, j'eusse roulé d'abîme en abîme avec les débris de Dieu et du monde! A présent même . . . le dirai-je? à présent que l'éternité va m'engloutir, que je vais paraître devant le Juge inexorable, au moment où, pour obéir à ma mère, je vois avec joie ma virginité dévorer ma vie, eh bien! 15 par une affreuse contradiction, j'emporte le regret de n'avoir pas été à toi! »

« Ma fille, interrompit le missionnaire, votre douleur vous égare [16] . . . Mais aussi, ma chère enfant, votre imagination impétueuse vous a trop alarmée sur vos vœux. La religion n'exige point de sacrifice plus qu'humain. Ses sentiments vrais, ses vertus tempérées sont bien au-dessus des senti- 20 ments exaltés [17] et des vertus forcées d'un prétendu héroïsme. Si vous aviez succombé, eh bien! pauvre brebis égarée,[18] le bon Pasteur vous aurait cherchée pour vous ramener au troupeau. Les trésors du repentir vous étaient ouverts: il faut des torrents de sang pour effacer nos fautes aux yeux des hommes, une seule larme suffit à Dieu. Rassurez-vous donc, ma chère 25 fille, votre situation exige du calme; adressons-nous à Dieu, qui guérit toutes les plaies de ses serviteurs. Si c'est sa volonté, comme je l'espère, que vous échappiez à cette maladie, j'écrirai à l'évêque de Québec: il a les pouvoirs nécessaires pour vous relever [19] de vos vœux, qui ne sont que des vœux simples, et vous achèverez vos jours près de moi avec Chactas votre 30 époux. »

A ces paroles du vieillard, Atala fut saisie d'une longue convulsion, dont elle ne sortit que pour donner des marques d'une douleur effrayante. « Quoi! dit-elle en joignant les deux mains avec passion, il y avait du remède! Je pouvais être relevée de mes vœux! » « Oui, ma fille, répondit 35 le père, et vous le pouvez encore. » « Il est trop tard, il est trop tard! s'écriat-elle. Faut-il mourir, au moment où j'apprends que j'aurais pu être heureuse! Que n'ai-je connu [20] plus tôt ce saint vieillard! Aujourd'hui, de quel bonheur je jouirais avec toi, avec Chactas chrétien . . . consolée, rassurée par ce prêtre auguste . . . dans ce désert . . . pour toujours . . . oh! c'eût 40 été trop de félicité! » « Calme-toi, lui dis-je, en saisissant une des mains de l'infortunée; calme-toi, ce bonheur, nous allons le goûter. » [21] « Jamais! jamais! dit Atala. » « Comment, repartis-je? » « Tu ne sais pas tout, s'écria la vierge: c'est hier . . . pendant l'orage . . . J'allais violer mes vœux; j'allais plonger ma mère dans les flammes de l'abîme; déjà sa malédiction 45

[14] sinful.   [15] might have been annihilated.   [16] makes you talk wildly, is distracting to you.   [17] excited, impas- sioned.   [18] stray sheep; la brebis, ewe, female sheep.   [19] to release you.   [20] Why didn't I know.   [21] to enjoy it.

était sur moi, déjà je mentais au Dieu qui m'a sauvé la vie ... Quand tu baisais mes lèvres tremblantes, tu ne savais pas, tu ne savais pas que tu n'embrassais que la mort ! » « O ciel ! s'écria le missionnaire, chère enfant, qu'avez-vous fait ? » « Un crime, mon père, dit Atala les yeux égarés; [22]
5 mais je ne perdais que moi, et je sauvais ma mère. » « Achève donc, m'écriai-je plein d'épouvante. » « Eh bien ! dit-elle, j'avais prévu ma faiblesse; en quittant les cabanes, j'ai emporté avec moi ... » « Quoi ! repris-je avec horreur. » « Un poison ! dit le père. » « Il est dans mon sein, s'écria Atala. »

Le flambeau échappe de la main du Solitaire, je tombe mourant près
10 de la fille de Lopez, le vieillard nous saisit l'un et l'autre dans ses bras, et tous trois, dans l'ombre, nous mêlons un moment nos sanglots sur cette couche funèbre.

« Réveillons-nous, réveillons-nous, dit bientôt le courageux ermite en allumant une lampe. Nous perdons des moments précieux: intrépides
15 chrétiens, bravons les assauts de l'adversité; la corde au cou, la cendre [23] sur la tête, jetons-nous aux pieds du Très-Haut, pour implorer sa clémence, ou pour nous soumettre à ses décrets. Peut-être est-il temps encore. Ma fille, vous eussiez dû m'avertir [24] hier au soir. »

« Hélas ! mon père, dit Atala, je vous ai cherché la nuit dernière; mais le
20 ciel, en punition de mes fautes, vous a éloigné de moi. Tout secours eût d'ailleurs été inutile, car les Indiens même, si habiles dans ce qui regarde les poisons, ne connaissent point de remède à celui que j'ai pris. O Chactas, juge de mon étonnement, quand j'ai vu que le coup n'était pas aussi subit que je m'y attendais ! Mon amour a redoublé mes forces, mon âme n'a
25 pu si vite se séparer de toi ... Chef de la prière, aie pitié de moi; soutiens-moi. Crois-tu que ma mère soit contente, et que Dieu me pardonne ce que j'ai fait ? »

« Ma fille, répondit le bon religieux, en versant des larmes et les essuyant avec ses doigts tremblants et mutilés; ma fille, tous vos malheurs viennent
30 de votre ignorance; c'est votre éducation sauvage et le manque d'instruction nécessaire qui vous ont perdue; vous ne saviez pas qu'une chrétienne ne peut disposer de sa vie. Consolez-vous donc, ma chère brebis; Dieu vous pardonnera, à cause de la simplicité de votre cœur. Votre mère et l'imprudent missionnaire qui la dirigeait, ont été plus coupables que vous; ils
35 ont passé [25] leurs pouvoirs en vous arrachant un vœu indiscret; mais que la paix du Seigneur soit avec eux. Vous offrez tous trois un terrible exemple des dangers de l'enthousiasme, et du défaut de lumières en matière de religion. Rassurez-vous, mon enfant; celui qui sonde les reins et les cœurs,[26] vous jugera sur vos intentions, qui étaient pures, et non sur votre action
40 qui est condamnable ... »

Atala mourut. Nous l'enterrâmes sous l'arche d'un pont naturel, et je revins chez les Natchez.

Épilogue: *En 1791, près des chutes du Niagara, Chateaubriand rencontra une troupe d'Indiens nomades; c'étaient les descendants des Natchez qui avaient échappé*

[22] wild.   [23] **des cendres,** ashes (*symbol of humility*).   [24] you should have informed me.   [25] **outrepassé,** exceeded.   [26] probes the loins (*lit.* 'kidneys') and the hearts. "*I the Lord search the heart, I try the reins, even to give every man according to his ways*" ... (*Jeremiah 17:10*)

au massacre de leur tribu par les Français, en 1731. Une Indienne lui dit être la petite-fille de René et de sa femme indienne, Céluta, car René et Céluta eurent une fille, Amélie. « Le père Aubry, continua-t-elle, fut brûlé par les Cherokees. Chactas retrouva sa tombe près de celle d'Atala et emporta les ossements de ses amis dans des peaux d'ours; devenu aveugle, il mourut de vieillesse. Peu après, René périt dans le massacre des Natchez; voici leurs cendres sacrées. »

OUVRAGES RECOMMANDÉS
Textes

Œuvres choisies, éd. Florissone et Tapié. Hatier.
Atala, éd. L. O. Kuhns. Heath.
Mémoires d'outre-tombe. Classiques Larousse, Hachette, Hatier.
Atala. René. Les Natchez. 1 vol. Classiques Larousse.
Atala. Classiques Hatier.
Les Martyrs. Classiques Larousse, Hatier.
Le Génie du christianisme. Classiques Larousse.
Pages choisies. Classiques Hachette.

Critique

J. Bertaut. *La Vie privée de Chateaubriand.* 250 p. Hachette.
A. Maurois. *Chateaubriand.* 464 p. Grasset.

STENDHAL, né Henri Beyle
(1783–1842)
Un Romancier analyste et libéral

Aîné des grands romantiques, Stendhal garde du dix-huitième siècle le goût des idées philosophiques et de la conversation spirituelle, mais son don d'analyse leur donne une dure précision de ligne et une profondeur dans laquelle une énergie agressive se tempère de sentiment romantique.

Au service de la Révolution et de l'Empire (1783–1814). Henri Beyle naquit au centre de Grenoble, dans une sombre maison de l'étroite et noire rue nommée aujourd'hui Jean-Jacques Rousseau parce que l'auteur de l'*Émile* y habita quelque temps. Il eut le malheur de perdre sa mère, fort affectueuse et gaie, à l'âge de sept ans, et d'être élevé par un père et une tante despotiques, malgré leurs noms: Chérubin et Séraphie. Le père était avocat. Henri avait l'âme énergique et rebelle. Par esprit de contradiction, il devint anticlérical et républicain puisque les deux tyrans domestiques, renforcés du précepteur, l'abbé Raillanne, étaient bigots et royalistes. Il avait un esprit logique, et à l'École Centrale de Grenoble il montra du goût pour les mathématiques et la philosophie matérialiste du dix-huitième siècle.

A dix-sept ans il se rendit à Paris pour préparer l'École Polytechnique, mais, se livrant aux plaisirs plus qu'à l'étude, il échoua au concours d'entrée. C'était le moment où Bonaparte, revenu d'Égypte et s'étant fait nommer Premier Consul, reprenait le commandement de l'armée d'Italie. Beyle s'engagea dans les dragons et arriva à Milan. Au bout de quatre mois (septembre 1800) la protection de son cousin Pierre Daru, haut fonctionnaire au ministère de la Guerre, lui fit obtenir un brevet de sous-lieutenant. Mais la discipline militaire pesait à cet individualiste qui, d'ailleurs, n'était pas bien brave. Il préférait l'*arte di godere*, l'art de jouir de la vie à Milan, et démissionna (début de 1802).

Jusqu'en 1805, avec une petite pension de son père, il jouit de la vie parisienne, applaudissant le tragédien Talma et la « divine » actrice mademoiselle Mars, apprenant l'anglais avec un franciscain irlandais. Son ambition était de devenir un grand poète et de « faire des comédies comme Molière ». Il fit surtout des dettes, et, pour gagner sa vie, dut pendant un an tenir les comptes dans une grande épicerie de Marseille.

Ce fut une bonne préparation pour l'intendance [1] dans laquelle le peu héroïque sous-lieutenant entra (1806). Son service l'emmena en Allemagne et en Autriche. Il assista de loin, prudemment, aux batailles d'Essling et de Wagram, et rentra à Paris en 1811 comme auditeur au Conseil d'État. En 1812 il suivit la Grande Armée à Moscou, mais comme il n'était pas combattant il ne souffrit pas trop pendant la retraite. Après l'abdication de Napoléon il eut un moment de faiblesse, — il fut opportuniste —, et offrit ses services au gouvernement de Louis XVIII, qui les refusa.

Le mondain [2] de Milan et de Paris (1814-30). Adieu le gros traitement! Comme les serviteurs de l'Empire, il ne reçoit plus qu'une petite pension, et il s'en va vivre à Milan où la vie est facile malgré la police autrichienne, Milan où l'on fait de la musique et de l'art qu'il aime. Il écrit les *Vies de Haydn, Mozart* et *Métastase*,[3] et l'*Histoire de la peinture en Italie*, sous les noms de Louis Bombet et M.B.A.A., et *Rome, Naples et Florence*, sous celui de Stendhal. Ces livres, où le plagiat alterne avec des notations fort originales, n'eurent aucun succès. Lui-même reçut de la police autrichienne l'ordre de quitter Milan à cause de sa sympathie pour les *carbonari* [4] (1821).

Revenu à Paris il promena de salon en salon son dandysme un peu lourd et ses brillants paradoxes. En 1822 il publia une étude psychologique, *De l'Amour*, qui contient l'ingénieuse théorie de la *cristallisation*, selon laquelle on attribue sans cesse de nouvelles qualités à la femme aimée, de même que toute branche déposée dans une mine de sel se couvre petit à petit de brillants cristaux.

Il était assez tiède pour le romantisme vaporeux et plaintif de Lamartine et la variété emphatique et royaliste de Hugo. Pour lui, être romantique c'était être moderne, exprimer les grandes idées de son siècle, plaire à ses contemporains comme Racine avait plu aux siens, donc admirer Racine mais non pas l'imiter, car les mœurs ont changé; c'était s'inspirer plutôt de Shakespeare, dont le mérite a été de faire avec énergie des drames nationaux, mais remplacer sa rhétorique par l'expression naturelle, simple, donc employer au théâtre la prose au lieu du vers. C'est ce que soutient Stendhal dans une mince brochure, *Racine et Shakespeare*, publiée en 1823 et complétée deux ans après. Ce manifeste prépara le succès, en 1829, du drame historique en prose de Dumas père, *Henri III et sa cour*, et associa le romantisme avec la jeunesse et le libéralisme.

On parla beaucoup moins des autres ouvrages que Stendhal donna ensuite, la *Vie de Rossini, Armance* (roman), *Promenades dans Rome*. Il restait pauvre, méconnu. Un procès décrit dans les journaux de 1828, au sujet d'un jeune précepteur qui avait tué, à l'église, la mère de ses élèves, cristallisa en lui bien des souvenirs, et il écrivit *Le Rouge et le Noir* (1831). Ce roman choqua, car il exprimait de la sympathie pour un jeune ambitieux dont la froide intelligence se met, pour réussir, au service d'une énergique hypocrisie; on l'admire aujourd'hui pour son

---

[1] Quartermaster Corps.   [2] man about town.   [3] Metastasio, *Italian opera-librettist-(1698-1782)*.   [4] (*Italian*) charcoal burners; *members of a secret political association organized in Italy about 1800 to make the country a republic.*

exactitude psychologique, son culte de l'action, sa vérité dans les petits faits, son style sobre, et les perles dures d'un humour sec et agressif.

M. le Consul (1830–42). Ce fidèle défenseur du libéralisme fut enfin récompensé d'un emploi à l'avènement du libéral Louis-Philippe. Il fut nommé consul à Trieste puis, en 1831, à Civita-Vecchia [5] dans l'Italie de son cœur. Il fit de longs et fréquents séjours à Rome et revint passer quelques congés à Paris et en province où il voyagea beaucoup avec son ami Prosper Mérimée qui était inspecteur des monuments historiques. De ces voyages sortirent les vivants *Mémoires d'un touriste* (1838).

Bien vivant aussi est son deuxième grand roman, qu'il publia en 1839, *La Chartreuse de Parme*, moins sombre, plus agréable à lire que *Le Rouge et le Noir* parce que les personnages ont plus de jeunesse dans le cœur, de charme et d'esprit, et que les incidents se déroulent à plus vive allure dans une atmosphère de mystère et d'intrigue qui tient la curiosité en éveil; et puis il contient les cinquante pages sur la bataille de Waterloo, qui introduisirent dans la littérature une façon nouvelle de décrire, réaliste par les petits détails précis, et dans un style sobre qui ne vise qu'à la vérité sans fard. Malheureusement il a été composé trop vite. Stendhal n'eut pas le loisir de le corriger selon les indications de Balzac, car il mourut dans une rue de Paris, d'une attaque d'apoplexie (1842). Trois personnes seulement, (dont Mérimée), suivirent son cercueil car, étant égoïste et sarcastique, vaniteux aussi, il avait peu de vrais amis. Aujourd'hui les *happy few*, qui le comprenaient, et pour qui, seuls, il disait écrire, sont devenus multitude, car son œuvre, qui exalte la pensée personnelle, et l'action énergique sur des bases scientifiques et libérales, répond aux grandes préoccupations modernes.

Il laissait de nombreux papiers, qui furent publiés par la suite: *Correspondance* (1855), *Journal* (1888), *Lamiel* (1889, roman incomplet d'une orpheline de Normandie qui devient prostituée à Paris, duchesse et maîtresse d'un chef de voleurs), *Vie d'Henri Brulard* (1890, autobiographique), et *Souvenirs d'égotisme* (1892).

LE ROUGE ET LE NOIR
1831

Julien Sorel, jeune intellectuel, fils d'un charpentier brutal, a décidé de réussir coûte que coûte dans la vie, d'être un nouveau Napoléon; pour cela il juge qu'à l'époque où il vit, la Restauration, l'habit noir de l'homme d'église est préférable à l'uniforme rouge de l'officier; voilà, selon les meilleurs critiques, l'explication du titre assez mystificateur du roman. Plus tard il préférera le rouge de la révolte au noir du conservatisme.

Dans son village natal de Franche-Comté, le fictif Verrières, Julien devient le précepteur des trois petits garçons du maire, M. de Rênal, un réactionnaire dont notre orgueilleux plébéien se fait un devoir de séduire la sentimentale femme. Informé de la trahison de Julien, par une lettre anonyme, M. de Rênal envoie son ingrat protégé au séminaire de Besançon. Plus tard, sur la recommandation du supérieur, l'abbé Picard, Julien devient, à Paris, le secrétaire du marquis de La Mole, homme politique influent. Discret, intelligent et travailleur, il gagne la confiance de son maître, mais il séduit, par orgueil toujours, plutôt que par amour, la fière et romanesque Mathilde, fille du marquis. Le gauche provincial est devenu un dandy, mais il n'a pas perdu sa « noire ambition ». Mathilde devient enceinte et avoue sa liaison à son père. Avant de consentir au mariage avec le plébéien, le marquis fait demander des renseignements complémentaires sur la famille de Julien; en attendant, il lui achète un brevet de

---

[5] *Seaport, 45 mi. NW of Rome.*

lieutenant aux hussards de Strasbourg, et le titre de chevalier. Voici donc Julien à
Strasbourg.

LE CRIME ET LA MORT DE JULIEN

Julien était ivre d'ambition et non pas de vanité; toutefois il donnait une
grande part de son attention à l'apparence extérieure. Ses chevaux, ses
uniformes, les livrées de ses gens étaient tenus avec une correction[1] qui
aurait fait honneur à la ponctualité d'un grand seigneur anglais. A peine
5 lieutenant, par faveur et depuis deux jours, il calculait déjà que, pour commander en chef à trente ans, au plus tard, comme tous les grands généraux,
il fallait à vingt-trois être plus que lieutenant. Il ne pensait qu'à la gloire
et à son fils.[2]

Ce fut au milieu des transports de l'ambition la plus effrénée[3] qu'il fut
10 surpris par un jeune valet de l'hôtel[4] de La Mole, qui arrivait en courrier.[5]

« Tout est perdu, lui écrivait Mathilde; accourez le plus vite possible,
sacrifiez tout, désertez s'il le faut. A peine arrivé,[6] attendez-moi dans un
fiacre, près de la petite porte du jardin, au n°[7] ... de la rue ... J'irai vous
parler; peut-être pourrai-je vous introduire dans le jardin. Tout est perdu,
15 et je le crains, sans ressource;[8] comptez sur moi, vous me trouverez dévouée
et ferme dans l'adversité. Je vous aime. »

En quelques minutes, Julien obtint une permission du colonel, et partit
de Strasbourg à franc étrier;[9] mais l'affreuse inquiétude qui le dévorait ne
lui permit pas de continuer cette façon de voyager au-delà de Metz. Il se
20 jeta dans une chaise de poste; et ce fut avec une rapidité presque incroyable
qu'il arriva au lieu indiqué, près la[10] petite porte du jardin de l'hôtel de La
Mole. Cette porte s'ouvrit, et à l'instant Mathilde, oubliant tout respect
humain,[11] se précipita dans ses bras. Heureusement il n'était que cinq heures
du matin et la rue était encore déserte.

25 — Tout est perdu; mon père, craignant mes larmes, est parti dans la nuit
de jeudi. Par où? personne ne le sait. Voici sa lettre; lisez. Et elle monta
dans le fiacre avec Julien.

« Je pouvais tout pardonner, excepté le projet de vous séduire parce que
vous êtes riche. Voilà, malheureuse fille, l'affreuse vérité. Je vous donne
30 ma parole d'honneur que je ne consentirai jamais à un mariage avec cet
homme. Je lui assure dix mille livres de rente[12] s'il veut vivre au loin, hors
des frontières de France, ou mieux encore en Amérique. Lisez la lettre que
je reçois en réponse aux renseignements que j'avais demandés. L'impudent
m'avait engagé lui-même à écrire à Mme de Rênal. Jamais je ne lirai une
35 ligne de vous relative à cet homme. Je prends en horreur Paris et vous. Je

---

[1] a nicety.   [2] *Julien was sure that, be-*
cause he wanted a boy, the child Mathilde
was expecting could not but be a boy.
[3] unbridled, immoderate.   [4] the mansion.   [5] as a messenger.   [6] **Sitôt ar-**
rivé, As soon as you arrive.   [7] **au**
numéro, at number.   [8] irretrievably,
beyond any hope of repair.   [9] at full
speed, at a gallop; *in pronouncing, link*
c [k] *with* é; **un étrier,** stirrup.   [10] *Gen-*
erally **près de la** *today.*   [11] [rɛspɛkymɛ̃],
fear of what people might say.   [12] an
income of ten thousand francs ($2,000).

vous engage à recouvrir [13] du plus grand secret ce qui doit arriver. Renoncez *franchement* [14] à un homme vil, et vous retrouverez un père. »

— Où est la lettre de Mme de Rênal? dit froidement Julien.
— La voici. Je n'ai voulu te la montrer qu'après que tu aurais été préparé.

LETTRE

« Ce que je dois à la cause sacrée de la religion et de la morale m'oblige, monsieur, à la démarche pénible que je viens accomplir auprès de vous; [15] une règle, qui ne peut faillir, m'ordonne de nuire en ce moment à mon prochain, mais afin d'[16]éviter un plus grand scandale. La douleur que j'éprouve doit être surmontée par le sentiment du devoir. Il n'est que trop vrai, monsieur, la conduite de la personne au sujet de laquelle vous me demandez toute la vérité a pu sembler inexplicable ou même honnête. On a pu croire convenable de cacher ou de déguiser une partie de la réalité, la prudence le voulait aussi bien que la religion. Mais cette conduite, que vous désirez connaître, a été dans le fait [17] extrêmement condamnable, et plus que je ne puis le dire. Pauvre avide,[18] c'est à l'aide de l'hypocrisie la plus consommée, et par la séduction d'une femme faible et malheureuse, que cet homme a cherché à se faire un état [19] et à devenir quelque chose. C'est une partie de mon pénible devoir d'ajouter que je suis obligée de croire que M. J.... n'a aucun principe de religion. En conscience, je suis contrainte de penser qu'un de ses moyens pour réussir dans une maison, est de chercher à séduire la femme qui a le principal crédit.[20] Couvert par une apparence de désintéressement, et par des phrases de roman, son grand et unique objet est de parvenir à disposer du [21] maître de la maison et de sa fortune. Il laisse après lui le malheur et des regrets éternels; » etc., etc., etc.

Cette lettre extrêmement longue et à demi effacée par des larmes était bien de la main de Mme de Rênal; elle était même écrite avec plus de soin qu'à l'ordinaire.

— Je ne puis blâmer M. de La Mole, dit Julien après l'avoir finie; il est juste et prudent. Quel père voudrait donner sa fille chérie à un tel homme! Adieu!

Julien sauta à bas du fiacre et courut à sa chaise de poste arrêtée au bout de la rue. Mathilde, qu'il semblait avoir oubliée, fit quelques pas pour le suivre; mais les regards des marchands qui s'avançaient sur la porte de leurs boutiques, et desquels elle était connue, la forcèrent à rentrer précipitamment au jardin.

Julien était parti pour Verrières. Dans cette route [22] rapide, il ne put écrire à Mathilde comme il en avait le projet, sa main ne formait sur le papier que des traits illisibles.

---

[13] to cover. [14] **sans hésitation, définitivement.** [15] to the unpleasant step which I take in applying to you (in approaching you). [16] **mais c'est afin d',** but this is in order to. *The style of this letter is stilted and not always correct.*

[17] **en fait,** in fact. [18] A penniless man full of avidity (cupidity). [19] to make a career for himself. [20] influence. [21] to succeed in having at his command the. [22] journey.

Il arriva à Verrières un dimanche matin. Il entra chez l'armurier du pays, qui l'accabla de compliments sur sa récente fortune. C'était la nouvelle [23] du pays.

Julien eut beaucoup de peine à lui faire comprendre qu'il voulait une paire
5 de pistolets. L'armurier sur sa demande chargea les pistolets.

Les *trois coups* [24] sonnaient; c'est un signal bien connu dans les villages de France, et qui, après les diverses sonneries de la matinée, annonce le commencement immédiat de la messe.

Julien entra dans l'église neuve de Verrières. Toutes les fenêtres hautes
10 de l'édifice étaient voilées avec des rideaux cramoisis. Julien se trouva à quelques pas derrière le banc de Mme de Rênal. Il lui sembla qu'elle priait avec ferveur. La vue de cette femme qui l'avait tant aimé fit trembler le bras de Julien d'une telle façon qu'il ne put d'abord exécuter son dessein. «Je ne le puis, se disait-il à lui-même; physiquement, je ne le puis.»
15 En ce moment le jeune clerc [25] qui servait la messe sonna pour l'*élévation*.[26] Mme de Rênal baissa la tête qui un instant se trouva presque entièrement cachée par les plis de son châle. Julien ne la reconnaissait plus aussi bien; il tira sur elle un coup de pistolet et la manqua; il tira un second coup, elle tomba.
20 Julien resta immobile, il ne voyait plus. Quand il revint un peu à lui, il aperçut tous les fidèles qui s'enfuyaient de l'église; le prêtre avait quitté l'autel. Julien se mit à suivre d'un pas assez lent quelques femmes qui s'en allaient en criant. Une femme qui voulait fuir plus vite que les autres le poussa rudement;[27] il tomba. Ses pieds s'étaient embarrassés dans une chaise
25 renversée par la foule; en se relevant, il se sentit le cou serré; c'était un gendarme en grande tenue qui l'arrêtait. Machinalement Julien voulut avoir recours à ses petits pistolets mais un second gendarme s'emparait de ses bras.

Il fut conduit à la prison. On entra dans une chambre, on lui mit les fers
30 aux mains,[28] on le laissa seul; la porte se referma sur lui à double tour; tout cela fut exécuté très vite, et il y fut insensible.

— Ma foi, tout est fini, dit-il tout haut en revenant à lui ... Oui, dans quinze jours la guillotine ... ou se tuer d'ici là.[29]

Son raisonnement n'allait pas plus loin; il se sentait la tête comme si
35 elle eût été serrée avec violence. Il regarda pour voir si quelqu'un le tenait. Après quelques instants, il s'endormit profondément.

Mme de Rênal n'était pas blessée mortellement. La première balle avait percé son chapeau; comme elle se retourna, le second coup était parti. La balle l'avait frappée à l'épaule, et, chose étonnante, avait été renvoyée par
40 l'os de l'épaule,[30] que pourtant elle cassa, contre un pilier gothique, dont elle détacha un énorme éclat de pierre.

Dans sa prison, Julien ne pense qu'à étonner les gens par la sublimité de ses paroles et de sa conduite. Quand il apprend que la blessure de Mme de Rênal n'est pas grave,

---

[23] news, talk.   [24] The series (sets) of three strokes on the bell, The three bells.   [25] **l'enfant de chœur,** the altar boy.   [26] *The elevation of the Host, the solemn moment, during Mass, when the priest raises the Host before communion.* [27] violently.   [28] they put iron bands (shackles) around his wrists (**poignets** m.).   [29] in the meantime.   [30] had glanced back from the shoulder blade.

il se repent. Le repentir fait renaître son premier amour, en même temps que l'admira-tion et l'amour de Mathilde pour lui croissent aussi. Mathilde l'agace par les multiples démarches qu'elle fait pour le sauver. Ce qu'il veut, lui, c'est mourir avec fermeté et rester, pour les générations futures, le type du « paysan qui s'est révolté contre la bas-sesse de sa fortune ». C'est ce qu'il dit à ses juges, d'un ton qui ne le rend pas sym-pathique:

« Je ne vous demande aucune grâce,[31] continua Julien en affermissant sa voix. Je ne me fais point illusion, la mort m'attend: elle sera juste. J'ai pu attenter aux jours [32] de la femme la plus digne de tous les respects, de tous les hommages. Mme de Rênal avait été pour moi comme une mère. Mon crime est atroce, et il fut *prémédité*. J'ai donc mérité la mort, messieurs 5 les jurés.[33] Mais quand [34] je serais moins coupable, je vois des hommes qui, sans s'arrêter à ce que ma jeunesse peut mériter de pitié,[35] voudront punir en moi et décourager à jamais cette classe de jeunes gens qui, nés dans une classe inférieure et en quelque sorte opprimés par la pauvreté, ont le bon-heur de se procurer une bonne éducation, et l'audace de se mêler à ce que 10 l'orgueil des gens riches appelle la société.

« Voilà mon crime, messieurs, et il sera puni avec d'autant plus de sévérité, que dans le fait [36] je ne suis point jugé par mes pairs. Je ne vois point sur les bancs des jurés quelque paysan enrichi, mais uniquement des bourgeois indignés . . . »   15

Julien est condamné à mort. Mme de Rênal va le voir souvent dans sa cellule, et ce sont de tendres effusions. Julien l'aime plus encore quand elle lui dit que « la lettre écrite à M. de La Mole avait été faite par le jeune prêtre qui dirigeait la con-science de Mme de Rênal, et ensuite copiée par elle. » Le jour de l'exécution arrive:

Le mauvais air du cachot devenait insupportable à Julien. Par bonheur, le jour où on lui annonça qu'il fallait mourir, un beau soleil réjouissait la nature, et Julien était en veine de courage.[37] Marcher au grand air fut pour lui une sensation délicieuse, comme la promenade à terre pour le navigateur qui longtemps a été à la mer. «Allons, tout va bien, se dit-il, je ne manque 20 point de courage.»

Jamais cette tête n'avait été aussi poétique qu'au moment où elle allait tomber. Les doux instants qu'il avait trouvés jadis dans les bois de Vergy [38] revenaient en foule à sa pensée et avec une extrême énergie.

Tout se passa simplement, convenablement, et de sa part sans aucune 25 affectation.

L'avant-veille, il avait dit à Fouqué: [39]

— Pour de l'émotion, je ne puis en répondre; ce cachot si laid, si humide, me donne des moments de fièvre où je ne me reconnais pas; mais de la peur non, on ne me verra point pâlir.   30

[31] mercy.   [32] I have been vile enough to make an attempt on the life.   [33] Gen-tlemen of the Jury.   [34] Even though. [35] without pausing to consider what pity my youth (the fact that I am so young) may deserve. [36] in fact, actually.   [37] in a courageous mood.   [38] *Vergy is the name of a hill, 12 mi. SW of Dijon. It was crowned by a castle which was de-stroyed by order of Henry IV. La Châte-laine de Vergy is a long 13th-century poem in French about unhappy lovers. The Rênal family used to spend the sum-mer in an old castle situated among the Vergy woods.* [39] *A lumber dealer, friend of Julien.*

Il avait pris ses arrangements d'avance pour que, le matin du dernier jour, Fouqué enlevât Mathilde et Mme de Rênal.

— Emmène-les dans la même voiture, lui avait-il dit. Arrange-toi pour que les chevaux de poste ne quittent pas le galop. Elles tomberont dans les
5 bras l'une de l'autre, ou se témoigneront une haine mortelle. Dans les deux cas, les pauvres femmes seront un peu distraites de ⁴⁰ leur affreuse douleur.

Julien avait exigé de Mme de Rênal le serment qu'elle vivrait pour donner des soins au fils de Mathilde.

— Qui sait ? peut-être avons-nous encore des sensations après notre mort,
10 disait-il un jour à Fouqué. J'aimerais assez à reposer, puisque reposer est le mot, dans cette petite grotte de la grande montagne qui domine Verrières. Plusieurs fois, je te l'ai conté, retiré la nuit dans cette grotte, et ma vue plongeant au loin sur les plus riches provinces de France, l'ambition a enflammé mon cœur: alors c'était ma passion. Enfin, cette grotte m'est
15 chère, et l'on ne peut disconvenir ⁴¹ qu'elle ne soit située d'une façon à faire envie à l'âme d'un philosophe . . . eh bien ! ces bons congréganistes ⁴² de Besançon font argent de tout; si tu sais t'y prendre, ils te vendront ma dépouille mortelle . . .

Fouqué réussit dans cette triste négociation. Il passait la nuit seul dans
20 sa chambre, auprès du corps de son ami, lorsqu'à sa grande surprise il vit entrer Mathilde. Peu d'heures auparavant il l'avait laissée à dix lieues de Besançon. Elle avait le regard et les yeux égarés.⁴³

— Je veux le voir, dit-elle.

Fouqué n'eut pas le courage de parler ni de se lever. Il lui montra du
25 doigt un grand manteau bleu sur le plancher; là était enveloppé ce qui restait de Julien.

Elle se jeta à genoux. Le souvenir de Boniface de La Mole ⁴⁴ et de Marguerite de Navarre lui donna sans doute un courage surhumain. Ses mains tremblantes ouvrirent le manteau. Fouqué détourna les yeux.
30 Il entendit Mathilde marcher avec précipitation dans la chambre. Elle allumait plusieurs bougies. Lorsque Fouqué eut la force de la regarder, elle avait placé sur une petite table de marbre, devant elle, la tête de Julien, et la baisait au front.

Mathilde suivit son amant jusqu'au tombeau qu'il s'était choisi. Un
35 grand nombre de prêtres escortait la bière, et à l'insu de tous, seule dans sa voiture drapée, elle porta sur ses genoux la tête de l'homme qu'elle avait tant aimé.

Arrivés ainsi vers le point le plus élevé d'une des hautes montagnes du Jura, au milieu de la nuit, dans cette petite grotte magnifiquement illuminée
40 d'un nombre infini de cierges, vingt prêtres célébrèrent le service des morts.

---

⁴⁰ diverted from. ⁴¹ deny. ⁴² members of the Congregation (*a Catholic and philanthropic organization founded in France in 1801. It took care of the welfare of hospital patients and prisoners, buried the victims of executions, etc.*). ⁴³ *Redundant; translate:* There was a wild look in her eyes. ⁴⁴ *One of Mathilde's ancestors. He was beheaded for taking part in a conspiracy (1574). Henry III's sister, Marguerite de Valois (also called Queen Margot, or Marguerite de Navarre because she was the first wife of Henry de Navarre), was in love with him. She bought his head from the executioner and buried it in a chapel.*

Tous les habitants des petits villages de montagne, traversés par le convoi,[45] l'avaient suivi, attirés par la singularité de cette étrange cérémonie.

Mathilde parut au milieu d'eux en longs vêtements de deuil, et, à la fin du service, leur fit jeter plusieurs milliers de pièces de cinq francs.[46]

Restée seule avec Fouqué, elle voulut ensevelir [47] de ses propres mains 5 la tête de son amant. Fouqué faillit en devenir fou de douleur.

Par les soins de Mathilde, cette grotte sauvage fut ornée de marbres sculptés à grands frais, en Italie.

Madame de Rênal fut fidèle à sa promesse. Elle ne chercha en aucune manière à attenter à sa vie; mais, trois jours après Julien, elle mourut en 10 embrassant ses enfants.

TO THE HAPPY FEW [48]

OUVRAGES RECOMMANDÉS
Textes

Romans et Nouvelles, éd. H. Martineau. 2 vol. Gallimard.
Le Rouge et le Noir (2 vol.)
La Chartreuse de Parme (1 vol.) } Classiques Larousse.
Racine et Shakespeare

Critique

A. Caraccio. *Stendhal, l'homme et l'œuvre.* 208 p. Hatier.
H. Martineau. *L'Œuvre de Stendhal.* 640 p. Albin Michel, 1953.
Louis Aragon. *La Lumière de Stendhal.* Denoël, 1954.

ALPHONSE DE LAMARTINE
(1790–1869)
Le Poète des méditations et des harmonies

Milly [miji], **ou la terre natale** (1790–1820). Voici enfin un romantique qui eut une enfance heureuse et saine sur laquelle veillèrent un père indulgent, noble devenu vigneron, et une mère pieuse, intelligente et aimante, qui lui fit une âme limpide. Si Alphonse naquit dans une vieille maison d'une rue étroite et humide de Mâcon, en Bourgogne, il fut, dès l'âge de sept ans, élevé au village voisin de Milly, « parmi les pasteurs » et les enfants des pauvres vignerons. Blond, plein de sève,[1] il vagabondait dans les collines pierreuses.

Il fréquenta l'école du nostalgique abbé Dumont, vicaire de Bussières, le village voisin; de ce premier maître il fera plus tard le modèle de Jocelyn, le héros de son épopée rustique. En 1801 on essaya de professeurs plus savants, ceux de l'institution Pupier, à Lyon. Quelle cage pour cet oiseau! Un jour il prit pour excuse que

---

[45] the funeral procession, funeral cortege.
[46] *Up to 1918, five francs were worth a dollar; in 1956 the dollar was worth about 350 francs.*   [47] she insisted upon burying.   [48] *Stendhal appended this dedica-* *tion in English to each of the two volumes of* Le Rouge et le Noir, *to express his belief that only a few intelligent readers would understand the novel and approve of it.*

[1] energy, vim; *lit.* 'sap.'

sa balle était tombée dans la rue, passa la porte et s'enfuit (1802); un gendarme le ramena. De cette fugue, Alphonse gagna cependant d'**être** mis au collège de Belley [2] où les Pères Jésuites étaient des maîtres plus souples et humains. Il y resta de 1803 au début de 1808.

Que faire de ce jeune homme de dix-sept ans, généreux, mais un peu fier et porté vers les plaisirs? Il n'est d'avenir qu'au service de Napoléon; de cela le père, ancien officier des armées royales, ne veut pas. A Milly, Mâcon, Lyon, Paris, Alphonse mène la vie d'un oisif. Ses parents l'envoient en Italie pour lui faire oublier Lucy, fille d'un châtelain voisin (1811). A Naples il aime une jeune cigaretteuse,[3] bonne chez son hôte; il l'idéalisera trente-huit ans plus tard dans un roman, *Graziella*. Rentré à Milly, il monte à cheval et chasse, s'isole, se passionne pour les préromantiques, — Rousseau, Macpherson (*Poèmes d'Ossian*), Gœthe (*Werther*), Chateaubriand —, aussi bien que pour les poètes classiques. Il écrit des élégies galantes à l'imitation de ces derniers; il imite, il n'a pas encore l'inspiration poétique.

« L'usurpateur » a abdiqué (1814); maintenant Alphonse peut prendre du service dans l'armée. C'est un excellent cavalier; on fait de lui un garde du corps du roi Louis XVIII. Il tient garnison à Paris et à Beauvais. La discipline n'est pas son fort à ce sauvageon [4] de Milly. Comme il est heureux de quitter son uniforme, après avoir cependant, de même qu'Alfred de Vigny (p. 274), accompagné le roi en fuite jusqu'à Béthune! Il juge plus agréable de se reposer sur les bords du lac de Genève que de se battre à Waterloo.

En 1816 il fait, à Aix-les-Bains, cette « douce et fatale rencontre » (p. 268) qui de son cœur souffrant fait jaillir la véritable poésie. Ce fut un succès que la publication, en 1820, des vingt-quatre poèmes composant les *Méditations poétiques*. Ils traitaient quatre grands thèmes lyriques: l'amour, la nature, la mort, Dieu, et rendaient un son « pur comme l'art, triste comme la mort, doux comme le velours » (Lamartine). Ils marquaient le début du grand romantisme en France.

Poésie lyrique, Italie, Angleterre (1820–30). C'était la gloire, et avec elle l'aisance. Son père lui donna le château de Saint-Point, à l'ouest de Milly. Il se maria avec Miss Maria Anna (Marianne) Birch, une Anglaise de Chambéry, qui admirait ses vers et lui écrivit pour le lui dire. Elle devint maladive mais ne s'en dévoua pas moins à son grand poète. Depuis 1817 Lamartine sollicitait vainement un poste dans la diplomatie; le succès des *Méditations* le fit nommer attaché d'ambassade dans ce Naples où il avait aimé Graziella. Comme Rousseau et Chateaubriand il aurait voulu la première place à l'ambassade. Il fut déçu, naturellement, et revint à Saint-Point où il vécut comme un Prince Charmant.

En 1822 des affaires l'appelèrent en Angleterre pour laquelle il s'enthousiasma, mais où mourut son fils âgé de deux ans. En 1825–26 il fut secrétaire de la légation de Florence et remplaça le ministre de France qui était en congé. Chateaubriand ne représenta pas la France avec plus d'amabilité et de luxe.

Entre-temps il ne dédaignait pas sa muse. En 1823 ses *Nouvelles Méditations* n'eurent pas grand succès; ne semblaient-elles pas répéter celles de 1820? La pensée en était plus philosophique; il y avait là *Le Crucifix* (p. 270), *La Mort de Socrate* déjà si chrétienne, et le *Dernier Chant du pèlerinage d'Harold* où il adoucit l'irréligion de Byron. Dans les *Harmonies poétiques et religieuses* (1830) ce sont des hymnes d'amour et de foi qui montent vers Dieu.

Le démocrate (1830–51). Au début de la Monarchie de Juillet (règne de Louis-Philippe), il se présenta comme député royaliste et libéral devant les électeurs de Bergues, en Flandre. Il fut battu et se consola par un voyage en Orient où il chercha en vain à fortifier son catholicisme. Dans le Liban,[5] la visionnaire Lady

---

[2] *Town, 45 mi. E of Lyons.*   [3] cigarette maker.   [4] untamed boy.   [5] Lebanon.

Stanhope lui prédit la célébrité. A Beyrouth mourut sa fillette de dix ans, Julia. A son retour, en 1833, il siégea à la Chambre des Députés car il avait été nommé en remplacement de son rival heureux de Bergues, qui avait donné sa démission. « Où siégerez-vous? » lui avait-on demandé. — « Au plafond! » avait-il répondu. C'était la vraie place d'un poète idéaliste. Il s'imposa cependant comme orateur et ne dédaigna pas de parler sur des questions aussi prosaïques que le sucre de betterave et la taxe sur les chiens. Comme Chateaubriand à cette époque, il penchait vers un idéal démocratique.

Il restait poète et publia *Jocelyn* (1836), *La Chute d'un ange* (1838) et les *Recueillements poétiques* (1839). Ensuite il n'écrivit plus guère en vers, à part *La Marseillaise de la paix* (1841) et *La Vigne et la maison* (1857).

De 1839 à 1848 c'est Mâcon, sa ville natale, qu'il représenta à la Chambre. Il s'imposa comme un des chefs de l'opposition libérale à Louis-Philippe et au premier ministre Guizot [gizo]. Il publia en 1847 l'*Histoire des Girondins*, sympathique à la Révolution humanitaire mais non sanglante que les Girondins avaient favorisée. Il devint un des hommes les plus populaires de France. Son triomphe vint après l'abdication de Louis-Philippe le 24 février 1848. Il fut un des onze membres du gouvernement provisoire, et ministre des Affaires Étrangères. Il fut l'âme de la résistance républicaine à l'Hôtel de Ville de Paris; par les vibrantes paroles qui suivent il calma la foule de terroristes et communistes armés qui réclamaient la substitution du drapeau rouge au drapeau tricolore:

> Je repousserai jusqu'à la mort ce drapeau de sang, et vous devriez le répudier plus que moi, car le drapeau rouge, que vous nous rapportez, n'a jamais fait que le tour du Champ de Mars,[6] traîné dans le sang du peuple en 91 et en 93,[7] et le drapeau tricolore[8] a fait le tour du monde avec le nom, la gloire et la liberté de la patrie!

Aux élections d'avril 1848, pour l'Assemblée constituante, il fut élu dans dix départements. Il devint membre de la commission exécutive qui gouverna en attendant l'élection du président de la République. Celle-ci eut lieu en décembre 1848; le vainqueur fut le neveu de Napoléon Ier, Louis-Napoléon Bonaparte qui eut cinq millions et demi de voix. Lamartine en eut moins de dix-huit mille, beaucoup moins même que les deux autres candidats, le général Cavaignac et l'avocat Ledru-Rollin. Quand le prince-président eut fait le coup d'état (2 décembre 1851) qui en un an le conduisit à l'empire, Lamartine, découragé, se retira de la vie politique.

Le galérien de plume.[9] Ses prodigalités n'avaient eu d'égales que celles de Walter Scott, Chateaubriand et Balzac; comme eux, pour essayer de payer ses dettes, il se fit « galérien de plume ». Il écrivit ces romans et ces souvenirs idéalisés mais si vivants par l'émotion: *Les Confidences, Raphaël, Geneviève, Le Tailleur de pierres de Saint-Point, Nouvelles Confidences, Graziella*. Il se fit l'éducateur du peuple dans ces publications pas toujours régulièrement périodiques que furent *Le Conseiller du peuple, Les Foyers du peuple, Le Civilisateur*, et le *Cours familier de littérature.*

Sa vieillesse fut une longue douleur. Il dut vendre Milly; sa femme mourut en 1863; ses livres, d'une sensibilité si idéaliste, ne se vendaient plus guère en cette

---

[6] *Large park in Paris, on which the Eiffel Tower stands. It was formerly used for military drills and parades.* [7] *In 1791 and 1793, when riots of radicals broke out and were ruthlessly quelled by the army.* [8] *The tricolor (blue, red, and white; the* French kings' white between the blue and red of Paris) has been the national flag of France ever since 1789, with the exception of the Restoration period (1814-30) when it was replaced by the white-lilied flag of the former kings.* [9] *literary hack.*

période de réalisme impersonnel que fut le Second Empire. Il mourut en 1869 dans un petit pavillon de l'avenue Henri-Martin, à Passy, que la Ville de Paris avait mis à sa disposition. Il fut enterré à Saint-Point (Saône-et-Loire).

Comme caractère d'homme, c'est le plus séduisant de tous les romantiques, comme poète, c'est le plus intime et le plus sincère; il n'eut qu'un défaut, qui est tout à son honneur, l'excès de générosité.

LE LAC

Dans l'été de 1816, souffrant du foie, Lamartine alla prendre les eaux en Savoie, à Aix-les-Bains, sur les bords du lac du Bourget. Il descendit à la pension du vieux docteur Perrier. Là était aussi une créole de Saint-Domingue, Mme Julie Charles, femme d'un vieux physicien de Paris. La tuberculose lui donnait un charme alangui; elle avait trente-deux ans, Lamartine vingt-six. « Ils se rencontrèrent, ils s'aimèrent. » Au début de l'hiver elle regagna Paris où il la rejoignit en janvier 1817. Ils devaient se retrouver à Aix, à la fin de l'été. Il l'y attendait, elle ne venait pas; c'est qu'elle était mourante. En août 1817, il fit, avec des amis, une excursion sur le lac, débarqua à l'abbaye d'Hautecombe et, sur un rocher, près de la « fontaine intermittente », il ébaucha cette parfaite élégie moderne, *Le Lac*. Julie mourut quatre mois après.

Ainsi, toujours poussés vers de nouveaux rivages,
Dans la nuit éternelle emportés sans retour,[1]
Ne pourrons-nous jamais sur l'océan des âges
Jeter l'ancre un seul jour?[2]

5 O lac! l'année à peine a fini sa carrière,[3]
Et près des flots chéris qu'elle devait revoir,
Regarde! je viens seul m'asseoir sur cette pierre
Où tu la vis s'asseoir!

Tu mugissais ainsi sous ces roches profondes;
10 Ainsi tu te brisais sur leurs flancs déchirés;
Ainsi le vent jetait l'écume de tes ondes
Sur ses pieds adorés.

Un soir, t'en souvient-il? nous voguions[4] en silence;
On n'entendait au loin, sur l'onde et sous les cieux,
15 Que le bruit des rameurs qui frappaient en cadence
Tes flots harmonieux.

Tout à coup des accents[5] inconnus à la terre
Du rivage charmé frappèrent les échos;
Le flot fut attentif, et la voix qui m'est chère
20 Laissa tomber ces mots:

[1] driven away without any possibility of return(ing). [2] *Compare this stanza with the passage of Pascal's* Pensées, *p. 116, lines 35–38.* [3] **sa carrière,** its course. *It* is barely one year since I first met her here (in October 1816). [4] we were rowing along. [5] strains, sounds.

« O temps, suspends ton vol ! et vous, heures propices,
        Suspendez votre cours !
Laissez-nous savourer les rapides [6] délices
        Des plus beaux de nos jours !

25 « Assez de malheureux ici-bas vous implorent:
        Coulez, coulez pour eux;
Prenez avec leurs jours les soins qui les dévorent;
        Oubliez les heureux.

« Mais je demande en vain quelques moments encore,
30   Le temps m'échappe et fuit;
Je dis à cette nuit: « Sois plus lente »; et l'aurore
        Va dissiper la nuit.

« Aimons donc, aimons donc ! de l'heure fugitive,
        Hâtons-nous, jouissons ! [7]
35 L'homme n'a point de port, le temps n'a point de rive; [8]
        Il coule et nous passons ! »

Temps jaloux, se peut-il que ces moments d'ivresse,
Où l'amour à longs flots nous verse le bonheur,
S'envolent loin de nous de la même vitesse
40   Que les jours de malheur?

Hé quoi ! n'en pourrons-nous fixer au moins la trace? [9]
Quoi ! passés pour jamais?   Quoi ! tout entiers perdus?
Ce temps qui les donna, ce temps qui les efface,
        Ne nous les rendra plus?

45 Éternité, néant, passé, sombres abîmes,
Que faites-vous des jours que vous engloutissez?
Parlez: nous rendrez-vous ces extases sublimes
        Que vous nous ravissez?

O lac ! rochers muets ! grottes ! forêt obscure !
50 Vous que le temps épargne ou qu'il peut rajeunir,
Gardez de cette nuit, gardez, belle nature,
        Au moins le souvenir !

Qu'il soit dans ton repos, qu'il soit dans tes orages,
Beau lac, et dans l'aspect de tes riants coteaux,
55 Et dans ces noirs sapins, et dans ces rocs sauvages
        Qui pendent sur tes eaux !

---

[6] ephemeral.   [7] **de l'heure fugitive, . . .**
jouissons ! Let us hasten to enjoy the
fleeting hour !   [8] shore, limit.   [9] won't

we be able at least to preserve the trace
of their passage?

Qu'il soit dans le zéphyr qui frémit et qui passe,
Dans les bruits de tes bords par tes bords répétés,
Dans l'astre au front d'argent [10] qui blanchit ta surface
60   De ses molles clartés !

Que le vent qui gémit, le roseau qui soupire,
Que les parfums légers de ton air embaumé,
Que tout ce qu'on entend, l'on voit et l'on respire,
      Tout dise: « Ils ont aimé ! »

Méditations poétiques

LE CRUCIFIX [1]

Lamartine évoque la mort de Julie à Paris. Il suppose qu'il est présent et que le prêtre lui remet le crucifix sur lequel elle vient d'exhaler le dernier soupir. En réalité il était à Milly et c'est son ami, Amédée de Parseval, qui lui apporta ce crucifix. Celui-ci lui avait été remis par le curé de Saint-Germain-des-Prés qui avait assisté Mme Charles à ses derniers moments. Ce poème a été écrit en 1818 d'après des lettres du docteur Alin qui avait soigné la malade, et d'Aymon de Virieu qui l'avait vue morte; il a été complété et publié en 1823, six ans après la mort de Julie.

Toi que j'ai recueilli sur [2] sa bouche expirante
Avec son dernier souffle et son dernier adieu,
Symbole deux fois saint,[3] don d'une main mourante,
      Image de mon Dieu;

5 Que de pleurs ont coulé sur tes pieds que j'adore,
Depuis l'heure sacrée où, du sein d'un martyr,[4]
Dans mes tremblantes mains tu passas, tiède [5] encore
      De son dernier soupir !

Les saints flambeaux [6] jetaient une dernière flamme:
10 Le prêtre murmurait ces doux chants de la mort,[7]
Pareils aux chants plaintifs que murmure une femme
      A l'enfant qui s'endort.

De son pieux espoir [8] son front gardait la trace,
Et sur ses traits, frappés [9] d'une auguste beauté,
15 La douleur fugitive [10] avait empreint [11] sa grâce,
      La mort sa majesté.

[10] the silver-faced moon.

[1] [krysifi]. [2] taken from. [3] twice saintly (*first, through religion; second, through love*). [4] d'une **martyre**. *This martyr was Elvire, Mme Charles, who died of tuberculosis.* [5] a little warm. [6] **cierges,** tapers, candles. [7] *Actually the priest does not sing any psalm when a person is dying; he says the prayers for the dying.* [8] *Hope of salvation.* [9] stamped. [10] departed. [11] impressed.

Le vent qui caressait sa tête échevelée [12]
Me montrait tour à tour ou me voilait ses traits,
Comme l'on voit flotter sur un blanc mausolée [13]
20   L'ombre des noirs [14] cyprès.

Un de ses bras pendait de la funèbre couche;
L'autre, languissamment replié sur son cœur,
Semblait chercher encore et presser sur sa bouche
          L'image du Sauveur.[15]

25 Ses lèvres s'entr'ouvraient pour l'embrasser encore,
Mais son âme avait fui dans ce divin baiser,
Comme un léger parfum [16] que la flamme dévore
          Avant de l'embraser.[17]

Maintenant tout dormait sur sa bouche glacée,
30 Le souffle se taisait dans son sein endormi,
Et sur l'œil sans regard la paupière affaissée [18]
          Retombait à demi.

Et moi, debout, saisi d'une terreur secrète,
Je n'osais m'approcher de ce reste [19] adoré,
35 Comme si du trépas la majesté muette [20]
          L'eût déjà consacré.[21]

Je n'osais!... Mais le prêtre entendit [22] mon silence,
Et, de ses doigts glacés prenant le crucifix:
« Voilà le souvenir, et voilà l'espérance:
40   Emportez-les, mon fils! »

Oui, tu me resteras, ô funèbre héritage!
Sept [23] fois, depuis ce jour, l'arbre que j'ai planté
Sur sa tombe sans nom [24] a changé de feuillage:
          Tu ne m'as pas quitté.

45 Placé près de ce cœur, hélas! où tout s'efface,
Tu l'as contre le temps défendu de l'oubli,
Et mes yeux goutte à goutte ont imprimé leur trace
          Sur l'ivoire amolli.[25]

O dernier confident de l'âme qui s'envole,
50 Viens, reste sur mon cœur! parle encore, et dis-moi
Ce qu'elle te disait quand sa faible parole
          N'arrivait plus qu'à toi;

[12] disheveled.   [13] mausoleum, tomb.
[14] *Elvire's hair was black.*   [15] *The cruci-fix.*   [16] incense.   [17] setting it on fire.
[18] her drooping eyelids.   [19] **ces restes,** those mortal remains.   [20] the silent majesty of death.   [21] hallowed.   [22] understood.   [23] *Six, rather; but seven is a* *mystical and symbolical number which poets prefer.*   [24] *Elvire was buried in a village cemetery. Where? No one today seems to know.*   [25] On the softened ivory. *Softened by the poet's tears! A regrettable statement.*

A cette heure douteuse où l'âme recueillie,[26]
Se cachant sous le voile épaissi [27] sur nos yeux,
55 Hors de nos sens glacés pas à pas se replie,[28]
      Sourds aux derniers adieux;

Alors qu'entre la vie et la mort incertaine,[29]
Comme un fruit par son poids détaché [30] du rameau,
Notre âme est suspendue et tremble à chaque haleine [31]
60   Sur la nuit du tombeau;

Quand des chants, des sanglots la confuse harmonie [32]
N'éveille déjà plus notre esprit endormi,
Aux lèvres du mourant collé [33] dans l'agonie,
      Comme un dernier ami:

65 Pour éclaircir [34] l'horreur de cet étroit passage,[35]
Pour relever vers Dieu son regard abattu,[36]
Divin consolateur, dont nous baisons l'image,
      Réponds, que lui dis-tu?

Tu sais, tu sais mourir! et tes larmes divines,
70 Dans cette nuit terrible [37] où tu prias en vain,
De l'olivier sacré baignèrent les racines
      Du soir jusqu'au matin.

De la croix, où ton œil sonda ce grand mystère,
Tu vis ta mère en pleurs et la nature en deuil; [38]
75 Tu laissas comme nous tes amis sur la terre,
      Et ton corps au cercueil!

Au nom de cette mort, que [39] ma faiblesse obtienne
De rendre sur ton sein ce douloureux soupir:
Quand mon heure viendra, souviens-toi de la tienne,
80   O toi qui sais mourir!

Je chercherai la place où sa bouche expirante
Exhala sur tes pieds l'irrévocable adieu,
Et son âme viendra guider mon âme errante
      Au sein du même Dieu.

---

[26] meditative.   [27] which has thickened.
[28] retires within itself.   [29] hesitating;
refers to âme, *two lines below.*   [30] being
detached.   [31] breath.   [32] *Invert.*
[33] glued; *refers to* **Divin consolateur**
(*l. 67*).   [34] To lighten (*not to light*).
[35] passage (*leading to death*).   [36] downcast.   [37] *The night that Jesus spent in
the garden of Gethsemane. See Vigny's
Le Mont des Oliviers (p. 284).*   [38] in
mourning. *"Now from the sixth hour there
was darkness over all the land unto the
ninth hour." (Matthew 27 : 45)*   [39] let.

85 Ah ! puisse, puisse alors sur ma funèbre couche,
   Triste et calme à la fois, comme un ange éploré,[40]
   Une figure [41] en deuil recueillir sur ma bouche
      L'héritage sacré !

   Soutiens ses derniers pas, charme sa dernière heure ;
90 Et, gage [42] consacré d'espérance et d'amour,
   De celui qui s'éloigne à celui qui demeure
      Passe ainsi tour à tour,

   Jusqu'au jour où, des morts perçant la voûte sombre,[43]
   Une voix dans le ciel, les appelant sept fois,
95 Ensemble éveillera ceux qui dorment à l'ombre
      De l'éternelle croix !

Nouvelles Méditations

OUVRAGES RECOMMANDÉS
Textes

Œuvres choisies, éd. M. Levaillant. Hatier.
Graziella, éd. F. M. Warren. Heath.
Jeanne d'Arc, éd. A. Barrère. Heath.
Méditations ⎫
Harmonies ⎬ Classiques Larousse.
Recueillements. Dernières Poésies (1 vol.) ⎭
Poésies choisies. Classiques Hachette.

Critique

H. Guillemin. *Lamartine.* 168 p. Hatier.
——. *Connaissance de Lamartine.* 320 p. Plon.

ALFRED DE VIGNY
(1797–1863)
Un Poète dans sa tour d'ivoire

Enfance et jeunesse (1797–1813). Les parents de Vigny étaient de vieille et petite noblesse provinciale, comme ceux de Lamartine. Comme eux ils avaient souffert et perdu leur fortune pendant la Révolution ; ils étaient restés fidèles à la monarchie absolue, dite de droit divin.

Si Chateaubriand et Lamartine, surtout Lamartine, eurent le bonheur de passer leur enfance à la manière paysanne, le frêle Alfred de Vigny, né à Loches [1] en 1797, fut amené à Paris à l'âge de dix-huit mois. Il y fut élevé sans joie entre une mère dévouée, intelligente mais sévère, et un père qui, du fait d'une blessure de guerre et

[40] in tears. [41] *A friend. This person was to be Lamartine's devoted niece, Valentine de Cessiat. When the poet died, she* put Elvire's small black crucifix on his breast. [42] pledge. [43] **perçant la voûte sombre des morts.**

[1] *Town, 25 mi. SE of Tours, with a remarkable medieval castle.*

de rhumatismes, ne pouvait marcher qu'à l'aide de deux bâtons. Ses parents étaient vieux; pour ce fils unique, l'atmosphère familiale dut contribuer à cette humeur chagrine, même pessimiste, qu'il montra toute sa vie.

Le vieux capitaine de Vigny racontait à son fils la guerre de Sept Ans, ainsi que les splendeurs de Versailles au temps de Mme de Pompadour et de M. de Malesherbes dont il avait été l'ami; chevaleresque, il lui vantait la courtoisie et la beauté de « servir », l'élevait dans la religion de l'honneur.

Brillant élève au lycée Bourbon (aujourd'hui Condorcet), mais trop taquiné par ses camarades, il fut retiré du lycée. Il étudia chez lui avec passion sous des précepteurs; dès l'âge de quatorze ans il pouvait traduire Homère du grec en anglais. Son désir était d'entrer à l'École Polytechnique.

Le soldat et l'homme de lettres mondain (1814-35). Au début de la Restauration (1814), à l'âge de dix-sept ans, il fut choisi comme gendarme rouge de la Maison du Roi; cela équivalait au grade de sous-lieutenant de cavalerie. Il fit partie de l'escorte qui, au retour de Napoléon, accompagna vers le Nord l'obèse et peu brave Louis XVIII fuyant dans son carrosse.

Lamartine était aux Gardes du corps et il abandonna le cortège à Béthune. Vigny l'abandonna à la frontière de Belgique et fut interné à Amiens pendant les Cent-Jours.[2] Après Waterloo, le voici sous-lieutenant dans l'infanterie de la Garde Royale; il lui faudra sept ans pour être promu lieutenant! S'ennuyant dans sa garnison de Vincennes, il fréquenta chez Charles Nodier,[3] d'abord rue de Provence, ensuite à l'Arsenal, près de la Bastille, où Nodier fut nommé bibliothécaire en 1824.

A l'Arsenal il rencontrait Hugo, — dont il fut le premier témoin à son mariage avec Adèle Foucher (1822) —, Dumas et tous les jeunes littérateurs ambitieux qui avaient formé le *Cénacle* (p. 299). On se réunissait aussi chez Hugo et Delacroix; chacun lisait ses œuvres, des vers plutôt que de la prose; on parlait haut, on fumait, on dansait, on ne faisait pas de cérémonies. Seul, Vigny restait fort digne, assez distant même. Il s'esquivait pour aller dans un milieu plus conforme à sa nature: les salons du boulevard Saint-Germain où Balzac aurait bien voulu être reçu, et que Proust décrira plus tard (p. 446). Dans le salon de Mme Ancelot il rencontra la charmante Delphine Gay, s'éprit d'elle, mais Mme de Vigny s'opposa au mariage.

En 1823 Alfred passa dans l'infanterie ordinaire, avec le grade de capitaine. Il tint garnison à Strasbourg, puis à Orthez et Oloron dans les Pyrénées où l'armée se concentrait pour une expédition contre l'Espagne.[4] A sa grande déception son régiment ne passa pas les monts. Vigny s'ennuya de plus en plus dans ses garnisons.

En 1825, à Pau, il épousa Lydia Bunbury, une belle Anglaise qui avait été élevée aux Indes. Elle devint bientôt malade. Elle était fille d'un Anglais riche et original qui détesta tout de suite son gendre. Vigny se fit mettre en congé et s'installa à Paris.

Assez froid, il s'enfermait en lui-même; il lisait, surtout la Bible, Chateaubriand et Mme de Staël. Il composa des vers, *Éloa* (1824), *Poèmes antiques et modernes*, et un roman historique, *Cinq-Mars* (1826). Il porta un exemplaire de ce dernier ouvrage à Walter Scott qui était descendu à l'hôtel de Windsor, à Paris.

Jusqu'en 1832 ses œuvres eurent plus de succès que celles de Hugo, à part *Hernani*: traduction d'*Othello* (1829), *La Maréchale d'Ancre* (1831), drame historique, *Stello* (1832), roman sur trois jeunes poètes malheureux, *Chatterton* (1835),

---

[2] *Period (exactly 94 days) between Napoleon's return to Paris (March 20, 1815) and his second abdication (June 22, 1815), after Waterloo.* [3] *Charming storyteller* and librarian (1780-1844) who encouraged the young Romantics. [4] *See Chateaubriand, p. 251.*

drame littéraire.   Victor Hugo lui enleva l'actrice Marie Dorval, qui jouait Kitty Bell, la douce jeune femme dans *Chatterton;* ce fut la brouille entre ces deux poètes qui jusqu'ici s'étaient disputé, fort amicalement, la place de chef de la nouvelle école.

Dans la tour d'ivoire (1835–63).   Par la profondeur de ses œuvres Vigny aurait pu et aurait dû être le chef de la nouvelle école.   Fier et réservé, disons le mot, hautain, il attendit que les disciples vinssent à lui.   Hugo alla les chercher pour lui-même et les flatta.   Cette disposition à rester dans sa tour d'ivoire nuisit à Vigny toute sa vie: pas d'avancement dans l'armée; légitimiste, c'est-à-dire partisan des descendants de Charles X, il ne demanda rien au gouvernement de Louis-Philippe qui était de la maison Bourbon-Orléans.   Il n'eut aucune place officielle, même sous Charles X.   Élection à l'Académie française (1845) après cinq échecs, échec à la députation, inimitié de ses confrères, de Sainte-Beuve surtout, inimitié de son beau-père qui le déshérita, Vigny était bien le romantique antisocial.   Sa production se ralentit, celle de Hugo s'accéléra, le plaça au premier plan.

En 1843–44 Vigny fit paraître cinq *Poèmes philosophiques* dans la *Revue des Deux Mondes.*   Il ne publia plus rien après *La Bouteille à la mer* (1854), n'écrivit plus que son *Journal d'un poète* où il notait ses impressions, ses projets, ses pensées.

Il vivait auprès de sa femme malade, de sa mère paralysée, dans son appartement, 6 rue des Écuries d'Artois, ou dans son domaine de Charente, le Maine-Giraud (p. 278).   Il mourut en 1863 au Maine-Giraud, d'un cancer à l'estomac, comme Napoléon.   Ses derniers poèmes furent publiés sous le titre *Les Destinées* (1864).

Conclusion.   La poésie de Vigny ne distille pas le mal du siècle; elle est virile; elle est aussi pleine de pitié pour l'humanité, pour « les souffrances humaines ». Elle est haute, noble, parfois un peu froide et dédaigneuse, mais parfois aussi caressante; alors, avec la clarté en plus, elle annonce le symbolisme (p. 374). Bien qu'il ait aimé « la majesté des souffrances humaines », Vigny s'est haussé au-dessus de la vie terrestre, de l'incarnation de ses maux.   Ange rebelle et noble comme le Satan romantique, stoïque, presque païen, il a aspiré à « l'esprit pur »; il a souvent atteint à la poésie pure, « perle de la pensée ».

LE COR

En 1822, le Congrès de Vérone, où Chateaubriand fut le représentant de la France, donna au gouvernement français la mission de refaire un souverain absolu de l'incapable roi d'Espagne, Ferdinand VII; un soulèvement militaire avait forcé celui-ci à remettre la constitution de 1812 en vigueur.   Une armée française prit le Trocadéro, fort de la baie de Cadix, et imposa au peuple espagnol la volonté de la *Sainte-Alliance* des monarques absolus.   Le lieutenant de la Garde Royale, Vigny, qui s'ennuyait dans sa garnison de Vincennes, avait voulu être de l'expédition; il avait demandé et obtenu de passer dans l'infanterie ordinaire avec le grade supérieur.   A Pau, en attendant de passer en Espagne, il trompa l'ennui en se mariant et en écrivant *Le Cor*.   Il y évoque *La Chanson de Roland*, surtout le légendaire épisode de Roncevaux.

I

J'aime le son du Cor, le soir, au fond des bois,
Soit qu'il chante les pleurs de la biche aux abois,[1]
Ou l'adieu du chasseur que l'écho faible accueille,
Et que le vent du nord porte de feuille en feuille.

[1] the doe at bay.

5 Que de fois, seul, dans l'ombre à minuit demeuré,
J'ai souri de l'entendre, et plus souvent pleuré !
Car je croyais ouïr de [2] ces bruits prophétiques
Qui précédaient la mort des Paladins [3] antiques.[4]

O montagne d'azur ! ô pays adoré !
10 Rocs de la Frazona,[5] cirque du Marboré,[6]
Cascades qui tombez des neiges entraînées,
Sources, gaves,[7] ruisseaux, torrents des Pyrénées;

Monts gelés et fleuris, trône des deux saisons,[8]
Dont le front est de glace et le pied de gazons !
15 C'est là qu'il faut s'asseoir, c'est là qu'il faut entendre
Les airs lointains d'un Cor mélancolique et tendre.

Souvent un voyageur, lorsque l'air est sans bruit,
De cette voix d'airain [9] fait retentir la nuit;
A ses chants cadencés autour de lui se mêle
20 L'harmonieux grelot [10] du jeune agneau qui bêle.

Une biche attentive, au lieu de se cacher,
Se suspend immobile au sommet du rocher,
Et la cascade unit, dans une chute immense,
Son éternelle plainte au chant de la romance.[11]

25 Ames des Chevaliers, revenez-vous encor?
Est-ce vous qui parlez avec la voix du Cor?
Roncevaux ! Roncevaux ! dans ta sombre vallée
L'ombre du grand Roland n'est donc pas consolée ! [12]

II

Tous les preux [13] étaient morts, mais aucun n'avait fui.
30 Il reste seul debout, Olivier [14] près de lui;
L'Afrique [15] sur le mont l'entoure et tremble encore.
« Roland, tu vas mourir, rends-toi, criait le More; [16]

[2] some of.   [3] **un paladin,** great warrior, knight-errant, champion; *lit.* 'officer of the palace.' *In the Charlemagne romances, a* **paladin** *is one of the twelve peers.*   [4] of old.   *In Ossian's Temora we read that harps gave forth, of themselves, prophetic sounds before the death of some distinguished person.*   [5] *There is no mountain by the name of* Frazona.   *The real name may be* le pic d'Estazou, *about 2 miles N of the* pic de Marboré *(see n. 6).*   [6] *Mountainous amphitheater of Gavarnie, topped by Marboré Peak, across the Franco-Spanish border, 45 mi. SE of Pau.*   [7] mountain torrents (*in the Pyrenees*).   [8] beautiful spots where the two seasons are enthroned (*where one can enjoy winter and summer at the same time*).   [9] brass.   [10] small round bell.   [11] sentimental tune (song).   [12] *Because Charlemagne's vengeance wreaked upon the Saracens had not been cruel enough?*   [13] the peers (*Roland's companions; see p. 11, n. 30*).   [14] *Roland's bosom friend.*   [15] the Saracens.   [16] the Moors.

« Tous tes pairs sont couchés dans les eaux des torrents. »
Il rugit comme un tigre, et dit: « Si je me rends,
35 Africain, ce sera lorsque les Pyrénées
Sur l'onde avec leurs corps rouleront entraînées. »

— « Rends-toi donc, répond-il, ou meurs, car les voilà. »
Et du plus haut des monts un grand rocher roula.
Il bondit, il roula jusqu'au fond de l'abîme,
40 Et de ses pins, dans l'onde, il vint briser la cime.

— « Merci, cria Roland; tu m'as fait un chemin. »
Et jusqu'au pied des monts le roulant d'une main,[17]
Sur le roc affermi [18] comme un géant s'élance,
Et, prête à fuir, l'armée à ce seul pas balance.[19]

III

45 Tranquilles cependant,[20] Charlemagne et ses preux
Descendaient la montagne et se parlaient entre eux.
A l'horizon déjà, par leurs eaux signalées,
De Luz et d'Argelès se montraient les vallées.

L'armée applaudissait. Le luth du troubadour
50 S'accordait pour chanter les saules de l'Adour; [21]
Le vin français coulait dans la coupe étrangère; [22]
Le soldat, en riant, parlait à la bergère.

Roland gardait les monts; tous passaient sans effroi.
Assis nonchalamment sur un noir palefroi
55 Qui marchait revêtu de housses [23] violettes,
Turpin [24] disait, tenant les saintes amulettes: [25]

« Sire, on voit dans le ciel des nuages de feu;
Suspendez votre marche; il ne faut tenter Dieu.
Par monsieur saint Denis,[26] certes ce sont des âmes
60 Qui passent dans les airs sur ces vapeurs de flammes.[27]

Deux éclairs ont relui,[28] puis deux autres encor. »
Ici l'on entendit le son lointain du Cor.—
L'Empereur étonné, se jetant en arrière,
Suspend du destrier [29] la marche aventurière.

---

[17] *Roland was a superhuman hero.* [18] now steady. [19] hearing the step of that single-handed knight, hesitates, holds back. [20] in the meantime. [21] *River rising in the Pyrenees and flowing into the Atlantic below Bayonne.* [22] foreign, *stolen from the Spaniards.* [23] trappings, caparison. [24] *Archbishop of Rheims, one of the twelve peers.* [25] relics of some saint. [26] *First bishop of Paris, beheaded at Montmartre by order of the Roman governor (250 A.D.). He was the patron saint of the kings of France, whose battle cry was* Montjoie Saint-Denis! [27] *Just as in Ossian's poems.* [28] Two flashes of lightning have lit the heavens. [29] of his charger. *The palfrey* (**le palefroi**) *was a quieter horse.*

65 « Entendez-vous? dit-il. — Oui, ce sont des pasteurs
   Rappelant les troupeaux épars sur les hauteurs,
   Répondit l'archevêque, ou la voix étouffée
   Du nain vert Obéron,[30] qui parle avec sa Fée. »

   Et l'Empereur poursuit; mais son front soucieux
70 Est plus sombre et plus noir que l'orage des cieux.
   Il craint la trahison,[31] et, tandis qu'il y songe,
   Le Cor éclate et meurt, renaît et se prolonge.

   « Malheur! c'est mon neveu! malheur! car, si Roland
   Appelle à son secours, ce doit être en mourant.
75 Arrière, chevaliers, repassons la montagne!
   Tremble encor sous nos pieds, sol trompeur de l'Espagne! »

IV

   Sur le plus haut des monts s'arrêtent les chevaux;
   L'écume les blanchit; sous leurs pieds, Roncevaux
   Des feux mourants du jour à peine se colore.
80 A l'horizon lointain fuit l'étendard du More.

   « — Turpin, n'as-tu rien vu dans le fond du torrent?
   — J'y vois deux chevaliers: l'un mort, l'autre expirant.
   Tous deux sont écrasés sous une roche noire;
   Le plus fort, dans sa main, élève un Cor d'ivoire,
85 Son âme en s'exhalant nous appela deux fois. »

   Dieu! que le son du Cor est triste au fond des bois!

   Écrit à Pau, 1825
   Poèmes antiques et modernes

VIGNY APÔTRE DU STOÏCISME
LA MORT DU LOUP

   Comme Lamartine, Vigny était grand chasseur. Il raconte ici une chasse au
loup dans les campagnes alors sauvages qui entouraient son modeste château-
ferme du Maine-Giraud, faisant partie de la commune de Champagne, à une
douzaine de milles au sud d'Angoulême. Les quelques loups qui restent en France
aujourd'hui se trouvent surtout dans les Pyrénées.

I

   Les nuages couraient sur la lune enflammée
   Comme sur l'incendie on voit fuir la fumée,
   Et les bois étaient noirs jusques à [1] l'horizon.
   Nous marchions, sans parler, dans l'humide gazon,

---

[30] *King of the fairies. It is strange that the pious archbishop should speak so rev-* *erently of pagan genii.* [31] *Ganelon proved to be the traitor.*

[1] *Poetical license for* **jusqu'à.**

5 Dans la bruyère épaisse et dans les hautes brandes,[2]
Lorsque, sous des sapins [3] pareils à ceux des Landes,[4]
Nous avons aperçu les grands ongles marqués [5]
Par les loups voyageurs que nous avions traqués.[6]
Nous avons écouté, retenant notre haleine
10 Et le pas suspendu. — Ni le bois ni la plaine
Ne poussaient un soupir dans les airs; seulement
La girouette en deuil [7] criait au firmament;
Car le vent, élevé bien au-dessus des terres,
N'effleurait de ses pieds [8] que les tours solitaires,
15 Et les chênes d'en bas, contre les rocs penchés,[9]
Sur leurs coudes semblaient endormis et couchés.
Rien ne bruissait donc, lorsque, baissant la tête,
Le plus vieux des chasseurs qui s'étaient mis en quête [10]
A regardé le sable en s'y couchant; bientôt,
20 Lui que jamais ici l'on ne vit en défaut,[11]
A déclaré tout bas que ces marques récentes
Annonçaient la démarche et les griffes puissantes
De deux grands loups-cerviers [12] et de deux louveteaux.[13]
Nous avons tous alors préparé nos couteaux,
25 Et cachant nos fusils et leurs lueurs trop blanches,
Nous allions pas à pas en écartant les branches.
Trois s'arrêtent, et moi, cherchant ce qu'ils voyaient,
J'aperçois tout à coup deux yeux qui flamboyaient,
Et je vois au-delà quatre formes légères [14]
30 Qui dansaient sous la lune au milieu des bruyères,
Comme font chaque jour, à grand bruit sous nos yeux,
Quand le maître revient, les lévriers [15] joyeux.
Leur forme était semblable et semblable la danse;
Mais les enfants du Loup se jouaient en silence,
35 Sachant bien qu'à deux pas, ne dormant qu'à demi,
Se couche dans ses murs l'homme, leur ennemi.
Le père était debout, et plus loin, contre un arbre,
Sa louve [16] reposait comme celle de marbre
Qu'adoraient les Romains, et dont les flancs velus
40 Couvaient [17] les demi-dieux Rémus et Romulus.[18]

[2] *Unusual, dialectal word for a certain kind of heather. Vigny means* brushwood, *not* moorlands. [3] **sapin** *means* fir; *here* pines. [4] the Landes, *a region extending from Bordeaux to Bayonne, famous for its pine forests;* **une lande,** *a heath, waste land.* [5] footprints left; **un ongle,** finger-nail; *here* **griffes** *f.* claws. [6] hemmed in, cornered. [7] The mourning weather-vane. [8] *The wind is personified.* [9] beetling rocks. [10] who had started examining the footprints. [11] who had never been seen to lose a track or to be mistaken. [12] **cervier,** attacking **les cerfs** (the deer). *Dictionaries translate* **loup-cervier** *by* lynx, *but to a Frenchman's mind, and of course Vigny's, it means the biggest and most ferocious kind of wolf, a sort of timber wolf.* [13] cubs. [14] *The two cubs and their shadows.* [15] grey-hounds. [16] mate. [17] Warmed up; *lit.* 'Hatched.' [18] *The legendary founders of Rome, who are supposed to have been suckled by a she-wolf.*

Le loup vient et s'assied, les deux jambes dressées,[19]
Par leurs ongles crochus [20] dans le sable enfoncées.
Il s'est jugé perdu, puisqu'il était surpris,
Sa retraite coupée et tous ses chemins pris;
45 Alors il a saisi, dans sa gueule [21] brûlante,
Du chien le plus hardi la gorge pantelante,[22]
Et n'a pas desserré ses mâchoires de fer,
Malgré nos coups de feu, qui traversaient sa chair,
Et nos couteaux aigus qui, comme des tenailles,[23]
50 Se croisaient en plongeant dans ses larges entrailles,
Jusqu'au dernier moment où le chien étranglé,
Mort longtemps avant lui, sous ses pieds a roulé.
Le Loup le quitte alors et puis il nous regarde.
Les couteaux lui restaient au flanc jusqu'à la garde,[24]
55 Le clouaient au gazon tout baigné dans son sang;
Nos fusils l'entouraient en sinistre croissant.
Il nous regarde encore, ensuite il se recouche,
Tout en léchant le sang répandu sur sa bouche,
Et, sans daigner savoir comment il a péri,
60 Refermant ses grands yeux, meurt sans jeter un cri.[25]

II

J'ai reposé mon front sur mon fusil sans poudre,
Me prenant à penser,[26] et n'ai pu me résoudre
A poursuivre sa Louve et ses fils, qui, tous trois,[27]
Avaient voulu l'attendre, et, comme je le crois,
65 Sans ses deux louveteaux, la belle et sombre veuve
Ne l'eût pas laissé seul subir la grande épreuve; [28]
Mais son [29] devoir était de les sauver, afin
De pouvoir leur apprendre à bien souffrir la faim,
A ne jamais entrer dans le pacte des villes [30]
70 Que l'homme a fait avec les animaux serviles [31]
Qui chassent devant lui, pour avoir le coucher,[32]
Les premiers possesseurs du bois et du rocher.[33]

III

Hélas! ai-je pensé, malgré ce grand nom d'Hommes,
Que j'ai honte de nous, débiles [34] que nous sommes!
75 Comment on doit quitter la vie et tous ses maux,
C'est vous qui le savez, sublimes animaux!

[19] his forelegs straight. *Ordinarily the legs of an animal are called* **pattes**; *the wolf is personified; his cubs are called* **enfants** *here, not* **petits.** [20] hooked, crooked. [21] his mouth. *Say* **la bouche d'un homme,** *but* **la gueule d'un animal carnassier** (carnivorous). [22] gasping. [23] tongs, pincers. [24] the hilt. [25] *" And the wolf dies in silence."* (*Byron, Childe Harold, IV, xxxi*) [26] And beginning to think. [27] *The she-wolf and the two cubs.* [28] go through the ordeal (*death*). [29] *Refers to the she-wolf.* [30] the social agreement. [31] *Dogs. Remember* Le Loup et le chien, *by La Fontaine, p. 98.* [32] a shelter. [33] *Namely the wild beasts.* [34] weaklings.

A voir [35] ce que l'on fut sur terre et ce qu'on laisse,
Seul le silence est grand; tout le reste est faiblesse.
— Ah! je t'ai bien compris, sauvage voyageur,
80 Et ton dernier regard m'est allé jusqu'au cœur!
Il disait: « Si tu peux, fais que ton âme arrive,
A force de rester studieuse et pensive,
Jusqu'à ce haut degré de stoïque fierté
Où, naissant dans les bois, j'ai tout d'abord [36] monté.
85 Gémir,[37] pleurer, prier, est également lâche.
Fais énergiquement ta longue et lourde tâche
Dans la voie où le sort a voulu t'appeler,
Puis, après, comme moi, souffre et meurs sans parler. »

Écrit au château du Maine-Giraud, 1843
Les Destinées

VIGNY PESSIMISTE
LA MAISON DU BERGER

Selon Vigny, les exigences de la vie moderne qui s'industrialise sont incompatibles avec la pureté de l'amour, de la poésie et du rêve. Pour trouver le bonheur, il faut vivre loin du monde, dans la « maison du berger », avec la femme aimée, créature toute d'intuition; il faut aussi se garder de cette sentimentalité panthéiste de la plupart des romantiques qui font de la Nature une mère et une consolatrice.

Lettre à Éva [1]

Si ton cœur, gémissant du poids [2] de notre vie,
Se traîne et se débat [3] comme un aigle blessé, . . .

Pars courageusement, laisse toutes les villes;
Ne ternis [4] plus tes pieds aux poudres du chemin;
5 Du haut de nos pensers vois les cités serviles
Comme les rocs fatals de l'esclavage humain.[5]
Les grands bois et les champs sont de vastes asiles,
Libres comme la mer autour des sombres îles.
Marche à travers les champs une fleur à la main.

10 La Nature t'attend dans un silence austère;
L'herbe élève à tes pieds son nuage des soirs, [6]
Et le soupir d'adieu du soleil à la terre
Balance les beaux lis comme des encensoirs.[7]

[35] When one considers.   [36] at the outset.   [37] Whining.

[1] *This Eva is the woman after Vigny's heart, a combination of all the women that he has loved, his English wife, the actress Marie Dorval, the Countess d'Agoult, etc.; thus was Elvire, to Lamartine.*   [2] bewailing the weight.   [3] Drags itself and struggles.   [4] tarnish.   [5] *Thought is the liberator of man; cities are rocks to which men are chained, like Prometheus.*   [6] its evening mist.   [7] censers.

La forêt a voilé ses colonnes profondes,
15 La montagne se cache, et sur les pâles ondes
Le saule a suspendu ses chastes reposoirs.[8]

Le crépuscule ami s'endort dans la vallée
Sur l'herbe d'émeraude et sur l'or du gazon,
Sous les timides joncs [9] de la source isolée
20 Et sous le bois rêveur qui tremble à l'horizon,
Se balance en fuyant dans les grappes sauvages,
Jette son manteau gris sur le bord des rivages,
Et des fleurs de la nuit entrouvre la prison.

Il est sur ma montagne une épaisse bruyère [10]
25 Où les pas du chasseur ont peine à se plonger,
Qui plus haut que nos fronts lève sa tête altière,
Et garde dans la nuit le pâtre [11] et l'étranger.
Viens y cacher l'amour et ta divine faute; [12]
Si l'herbe est agitée ou n'est pas assez haute,
30 J'y roulerai pour toi la Maison du Berger.[13] . . .

Je verrai, si tu veux, les pays de la neige,
Ceux où l'astre amoureux [14] dévore et resplendit,
Ceux que heurtent [15] les vents, ceux que la mer assiège,
Ceux où le pôle obscur sous sa glace est maudit.
35 Nous suivrons du hasard la course vagabonde.
Que m'importe le jour? que m'importe le monde?
Je dirai qu'ils sont beaux quand tes yeux l'auront dit . . .

Éva, qui donc es-tu? Sais-tu bien ta nature?
Sais-tu quel est ici ton but et ton devoir?
40 Sais-tu que, pour punir l'homme, sa créature,
D'avoir porté la main sur l'arbre du savoir,
Dieu permit qu'avant tout, de l'amour de soi-même
En tout temps, à tout âge, il fît son bien suprême,
Tourmenté de s'aimer,[16] tourmenté de se voir?

45 Mais, si Dieu près de lui t'a voulu mettre, ô femme! [17]
Compagne délicate! Éva! sais-tu pourquoi?
C'est pour qu'il se regarde au miroir d'une autre âme,
Qu'il entende ce chant qui ne vient que de toi:
— L'enthousiasme pur dans une voix suave.

---

[8] (temporary) altars. [9] cattails. [10] heather; *in the neighborhood of Maine-Giraud.* *See* La Mort du Loup. [11] the shepherd. [12] original sin. [13] the Shepherd's Hut (on wheels). *The more common name is* la **cabane du berger.** *"Je n'ai jamais aperçu au coin d'un bois la hutte roulante d'un berger, sans songer qu'elle me suffirait avec toi."* (*Chateaubriand,* Les Martyrs, *livre X*) [14] the evening star, Venus. [15] buffet. [16] Finding his torment in the love of himself. [17] *Eva is the symbolic woman.*

50 C'est afin que tu sois son juge et son esclave
Et règnes sur sa vie en vivant sous sa loi . . .[18]

Éva, j'aimerai tout dans les choses créées,
Je les contemplerai dans ton regard rêveur
Qui partout répandra ses flammes colorées,
55 Son repos gracieux, sa magique saveur:
Sur mon cœur déchiré viens poser ta main pure,
Ne me laisse jamais seul avec la Nature;
Car je la connais trop pour n'en pas avoir peur.

Elle me dit: « Je suis l'impassible théâtre
60 « Que ne peut remuer le pied de ses acteurs; [19]
« Mes marches d'émeraude et mes parvis [20] d'albâtre,
« Mes colonnes de marbre ont les dieux pour sculpteurs.
« Je n'entends ni vos cris ni vos soupirs; à peine
« Je sens passer sur moi la comédie humaine
65 « Qui cherche en vain au ciel ses muets spectateurs.[21]

« Je roule avec dédain, sans voir et sans entendre,
« A côté des fourmis les populations;
« Je ne distingue pas leur terrier [22] de leur cendre,[23]
« J'ignore en les portant les noms des nations.
70 « On me dit une mère,[24] et je suis une tombe.
« Mon hiver prend vos morts [25] comme son hécatombe,
« Mon printemps ne sent pas vos adorations.

« Avant vous, j'étais belle et toujours parfumée,
« J'abandonnais au vent mes cheveux tout entiers;
75 « Je suivais dans les cieux ma route accoutumée,
« Sur l'axe harmonieux des divins balanciers.[26]
« Après vous, traversant l'espace où tout s'élance,

[18] *According to Vigny, if women are socially inferior to men, they are, just the same, all-powerful over them.   In* La Colère de Samson *Vigny shows Samson dominated by Delilah, his slave, Samson* "dont la force divine obéit à l'esclave," *although he calls woman:*

. . . ce compagnon dont le cœur n'est pas sûr.
La femme, enfant malade, et douze fois impur!

[19] " *La nature est pour moi une décoration dont la durée est insolente et sur laquelle est jetée cette passagère et sublime marionnette* (puppet) *appelée l'homme.*" (*Vigny,* Journal d'un poète, *1835*)   [20] halls; **un parvis,** *lit.* 'square in front of a church.'

[21] *According to Vigny, God is not interested in men. He is* "Muet, aveugle et sourd au cri des créatures." (Le Mont des Oliviers, *p. 287, l. 117*)   *This is a deistic idea: God made man, but after making him, he was no longer interested in him.*   [22] burrow, dwelling.   [23] grave; *lit.* 'ashes,' 'remains.'   [24] *For example Lamartine in* Le Vallon:

Car la nature est là, qui t'invite et qui t'aime.
Plonge-toi dans son sein qu'elle t'ouvre toujours . . .

[25] your deaths.   [26] *Pseudo-classic style;* allusion to the Pythagorean harmony of the spheres; **balanciers** m. pendulums, poles.

« J'irai seule et sereine, en un chaste silence
« Je fendrai l'air du front et de mes seins altiers. »

80 C'est là ce que me dit sa voix triste et superbe,
Et dans mon cœur alors je la hais, et je vois
Notre sang dans son onde et nos morts sous son herbe
Nourrissant de leurs sucs [27] la racine des bois.
Et je dis à mes yeux qui lui trouvaient des charmes:
85 « Ailleurs [28] tous vos regards, ailleurs toutes vos larmes,
« Aimez ce que jamais on ne verra deux fois. » [29]

Oh! qui verra deux fois ta grâce et ta tendresse,
Ange doux et plaintif qui parle en soupirant?
Qui naîtra comme toi portant une caresse
90 Dans chaque éclair [30] tombé de ton regard mourant,
Dans les balancements de ta tête penchée,
Dans ta taille dolente [31] et mollement couchée
Et dans ton pur sourire amoureux et souffrant? [32]

Vivez, froide Nature, et revivez sans cesse
95 Sous nos pieds, sur nos fronts, puisque c'est votre loi;
Vivez, et dédaignez, si vous êtes déesse,
L'homme, humble passager, qui dut [33] vous être un roi;
Plus que tout votre règne et que ses splendeurs vaines,
J'aime la majesté des souffrances humaines; [34]
100 Vous ne recevrez pas un cri d'amour de moi...

Les Destinées

LE MONT DES OLIVIERS

I

Alors il était nuit, et Jésus marchait seul,
Vêtu de blanc ainsi qu'un mort de son linceul; [1]
Les disciples dormaient au pied de la colline,
Parmi les oliviers, qu'un vent sinistre incline;
5 Jésus marche à grands pas en frissonnant comme eux;
Triste jusqu'à la mort, l'œil sombre et ténébreux,
Le front baissé, croisant les deux bras sur sa robe
Comme un voleur de nuit cachant ce qu'il dérobe,
Connaissant les rochers mieux qu'un sentier uni, [2]
10 Il s'arrête en un lieu nommé Gethsémani.

[27] Feeding with their substance.
[28] (Rest) elsewhere. [29] *Namely men, and more especially women, whose transitory lives are contrasted with the immortality of Nature.* [30] spark; *lit.* 'flash of lightning.' [31] Your languid waist.

[32] *This portrait suits the actress Marie Dorval very well.* [33] **devrait,** ought to. [34] *"Ce vers est le sens de tous mes poèmes philosophiques."* (*Vigny,* Journal d'un poète, *1844*)

[1] shroud. [2] smooth path.

Il se courbe, à genoux, le front contre la terre;
Puis regarde le ciel en appelant: « Mon père ! »
— Mais le ciel reste noir, et Dieu ne répond pas.
Il se lève étonné, marche encore à grands pas,
15 Froissant ³ les oliviers qui tremblent. Froide et lente
Découle de sa tête une sueur sanglante.
Il recule, il descend, il crie avec effroi:
« Ne pouviez-vous prier et veiller avec moi ? »
Mais un sommeil de mort accable les apôtres.
20 Pierre à la voix du maître est sourd comme les autres.
Le Fils de l'Homme alors remonte lentement;
Comme un pasteur d'Égypte, il cherche au firmament
Si l'Ange ne luit pas au fond de quelque étoile.⁴
Mais un nuage en deuil s'étend comme le voile
25 D'une veuve, et ses plis entourent le désert.
Jésus, se rappelant ce qu'il avait souffert
Depuis trente-trois ans, devint homme, et la crainte
Serra ⁵ son cœur mortel d'une invincible étreinte.⁶
Il eut froid. Vainement il appela trois fois:
30 « Mon père ! » Le vent seul répondit à sa voix.
Il tomba sur le sable assis, et, dans sa peine,
Eut sur le monde et l'homme une pensée humaine.
— Et la terre trembla, sentant la pesanteur
Du Sauveur qui tombait aux pieds du Créateur.

II

35 Jésus disait: « O Père, encor laisse-moi vivre !
Avant le dernier mot ne ferme pas mon livre !
Ne sens-tu pas le monde et tout le genre humain
Qui souffre avec ma chair et frémit dans ta main ?
C'est que la Terre a peur de rester seule et veuve,
40 Quand meurt celui qui dit une parole neuve,
Et que tu n'as laissé dans son sein desséché
Tomber qu'un mot du ciel par ma bouche épanché.⁷
Mais ce mot est si pur, et sa douceur est telle,
Qu'il a comme enivré la famille mortelle
45 D'une goutte de vie et de divinité,
Lorsqu'en ouvrant les bras j'ai dit: « *Fraternité.* »

« Père, oh ! si j'ai rempli mon douloureux message,⁸
Si j'ai caché le Dieu sous la face du sage,
Du sacrifice humain si j'ai changé le prix,
50 Pour l'offrande des corps recevant les esprits,

³ Brushing against.   ⁴ "*And there
appeared an angel unto him from
heaven, strengthening him.*" (*Luke 22:43*)   ⁵ clutched.   ⁶ grasp.   ⁷ disclosed; *lit.*
'spilt.'   ⁸ mission.

Substituant partout aux choses le symbole,
La parole au combat,[9] comme au trésor l'obole,[10]
Aux flots rouges du sang les flots vermeils du vin,
Aux membres de la chair le pain blanc sans levain;[11]
55 Si j'ai coupé les temps en deux parts, l'une esclave
Et l'autre libre; — au nom du passé que je lave,[12]
Par le sang de mon corps qui souffre et va finir,
Versons-en la moitié pour laver l'avenir!
Père libérateur! jette aujourd'hui, d'avance,
60 La moitié de ce sang d'amour et d'innocence
Sur la tête de ceux qui viendront en disant:
« Il est permis pour tous de tuer l'innocent. »[13]
Nous savons qu'il naîtra, dans le lointain des âges,
Des dominateurs durs escortés de faux sages
65 Qui troubleront l'esprit de chaque nation
En donnant un faux sens à ma rédemption.[14]
— Hélas! je parle encor, que[15] déjà ma parole
Est tournée en poison dans chaque parabole;
Éloigne ce calice impur et plus amer
70 Que le fiel,[16] ou l'absinthe,[17] ou les eaux de la mer.
Les verges[18] qui viendront, la couronne d'épine,
Les clous des mains, la lance au fond de ma poitrine,
Enfin toute la croix qui se dresse et m'attend,
N'ont rien, mon Père, oh! rien qui m'épouvante autant!

75 «Quand les Dieux veulent bien s'abattre[19] sur les mondes,
Ils n'y doivent laisser que des traces profondes;
Et, si j'ai mis le pied sur ce globe incomplet,
Dont le gémissement sans repos m'appelait,
C'était pour y laisser deux Anges à ma place
80 De qui la race humaine aurait baisé la trace,
La Certitude heureuse et l'Espoir confiant,
Qui, dans le paradis, marchent en souriant.
Mais je vais la quitter, cette indigente terre,
N'ayant que soulevé ce manteau de misère
85 Qui l'entoure à grands plis, drap[20] lugubre et fatal,
Que d'un bout tient le Doute et de l'autre le Mal.

« Mal et Doute! En un mot je puis les mettre en poudre.
Vous les aviez prévus, laissez-moi vous absoudre
De les avoir permis. — C'est l'accusation
90 Qui pèse[21] de partout sur la création! —

---

[9] Persuasion for violence. [10] *Allusion to the widow's mite* (**obole,** *f.*); *Mark 12:41–44.* [11] leaven. *These two lines refer to the Lord's Supper on the eve of Christ's passion.* [12] redeem; *lit.* 'wash out.' [13] *Allusion to the Inquisition, to terrorist massacres for the so-called good of all.* [14] *A prophetic line.* [15] and. [16] gall. [17] wormwood. [18] whippings; *lit.* 'rods.' [19] are willing to descend; *lit.* 'to pounce.' [20] pall; *lit.* 'cloth.' [21] raised; *lit.* 'which lies heavy.'

Sur son tombeau désert faisons monter Lazare.[22]
Du grand secret des morts qu'il ne soit plus avare,[23]
Et de ce qu'il a vu donnons-lui souvenir;
Qu'il parle. — Ce qui dure et ce qui doit finir,
95 Ce qu'a mis le Seigneur au cœur de la Nature,
Ce qu'elle prend et donne à toute créature, . . .
Et pourquoi pend la Mort comme une sombre épée
Attristant la Nature à tout moment frappée; . . .
Et pourquoi les Esprits du mal sont triomphants
100 Des [24] maux immérités, de la mort des enfants; . . .
Tout sera révélé dès que l'homme saura
De quels lieux il arrive et dans quels il ira. »

III

Ainsi le divin Fils parlait au divin Père.
Il se prosterne [25] encore, il attend, il espère,
105 Mais il renonce et dit: « Que votre volonté
Soit faite et non la mienne, et pour l'éternité! » [26]
Une terreur profonde, une angoisse infinie
Redoublent sa torture et sa lente agonie.
Il regarde longtemps, longtemps cherche sans voir.
110 Comme un marbre de deuil tout le ciel était noir;
La Terre, sans clartés, sans astre et sans aurore,
Et sans clartés de l'âme ainsi qu'elle est encore,
Frémissait. — Dans le bois il entendit des pas,
Et puis il vit rôder la torche de Judas.

LE SILENCE [27]

115 S'il est vrai qu'au Jardin sacré des Écritures,[28]
Le Fils de l'Homme ait dit ce qu'on voit rapporté; [29]
Muet, aveugle et sourd au cri des créatures,
Si le Ciel nous laissa comme un monde avorté,[30]
Le juste opposera le dédain à l'absence,[31]
120 Et ne répondra plus que par un froid silence
Au silence éternel de la Divinité.

Les Destinées

---

[22] Lazarus (*who was raised from the dead*).
[23] sparing. [24] Because of the. [25] He
"fell on the ground." (*Mark 14:35*)
[26] "*Father, if thou be willing, remove this
cup from me: nevertheless not my will, but
thine, be done. And there appeared an
angel unto him from heaven, strengthening
him.*" (*Luke 22:42–43*) Vigny does **not**
*mention this encouragement that Jesus re-
ceived.* [27] *This passage was added in
1862. The poem was first published in the*
Revue des Deux Mondes, *in 1843.*
[28] *Gethsemane.* [29] recorded. [30] abortive.
[31] to absence of interest, to indifference.

OUVRAGES RECOMMANDÉS
Textes

Œuvres complètes, éd. F. Baldensperger. 2 vol. Gallimard.
Servitude et grandeur militaires. Classiques Larousse, Hatier.
Poésies choisies. Classiques Larousse, Hachette.
Chatterton. Classiques Larousse, Hachette.
Cinq-Mars ⎫
Le Journal d'un poète ⎬ Classiques Larousse.
Stello ⎭

Critique

P.-G. Castex. *Vigny.* 196 p. Hatier.
Henri Guillemin. *Monsieur de Vigny, homme d'ordre et poète.* Gallimard, 1956.

HONORÉ DE BALZAC
(1799–1850)
Le Napoléon du roman français

Le plus émouvant des romans de Balzac c'est sa vie même.

Pensionnaire et étudiant (1799–1819). Ce gros garçon fort gai naquit à Tours, 39 rue Nationale; la maison a été incendiée en 1940. Son enfance fut aussi malheureuse que celle de Stendhal, bien qu'il eût le bonheur d'avoir sa mère, mais elle était nerveuse et manquait de tendresse. Son père était un original qui ne s'intéressait guère qu'à lui-même. Ce père était un ancien paysan des environs d'Albi, qui, venu à Paris, avait réussi comme clerc chez des hommes de loi et avait épousé une Parisienne de trente-deux ans plus jeune que lui. Il venait d'arriver à Tours comme haut fonctionnaire chargé des subsistances de la division militaire. Il avait changé son nom de Balssa en Balzac, et même en de Balzac. De huit à quatorze ans Honoré fut pensionnaire au sévère collège des Oratoriens de Vendôme; il a raconté, dans *Louis Lambert*, les souffrances qu'il y endura. Devenu malade à force de lire, il revint à Tours. L'année suivante (1814), il suivit ses parents, ses deux sœurs et son jeune frère à Paris où son père avait été nommé directeur dans le service des subsistances militaires. Après avoir goûté de deux pensionnats, il fut reçu bachelier (1816). Son père voulait qu'il devînt notaire; donc Honoré dut se faire inscrire à l'École de Droit et faire un stage chez des hommes de loi. C'est là qu'il acquit la connaissance de bien des secrets de famille liés à des contrats, des testaments, etc., et dont il allait faire un si remarquable usage dans ses romans. En attendant, ces études et ce stage déplaisaient au jeune homme que ses camarades appelaient « l'Éléphant », au point qu'il eut le courage de signifier à ses parents qu'il voulait être écrivain (1819). Ils lui allouèrent une pension de 1500 francs par an.

Échecs littéraires et commerciaux (1820–28). Il s'installa joyeusement dans une mansarde près de la place de la Bastille. Il se mit à relire Corneille, Molière, Voltaire, Rousseau, etc., pour trouver un sujet dont il ferait un chef-d'œuvre; malheureusement il ne se borna pas aux grands classiques, et s'arrêta à une étude de Villemain sur Cromwell, dont il entreprit de tirer une tragédie en vers. Le sujet ne lui porta pas plus bonheur qu'à Victor Hugo sept ans après (p. 297).

De 1820 à 1824 il vécut surtout chez ses parents retirés à Villeparisis (12 milles au nord-est de Paris). Il s'était résigné à ne pas devenir un grand poète tragique comme Corneille, et à tenter la fortune dans un genre considéré comme inférieur, le roman, selon les modèles d'un mystère « noir », c'est-à-dire macabre, donnés par l'école anglaise d'Ann Radcliffe et de Monk Lewis à la fin du dix-huitième siècle. Sous divers pseudonymes, — dont celui de Lord R'hoone —, il écrivit donc des romans historiques à la manière de Walter Scott, c'est-à-dire romanesque; il y ajouta du surnaturel et même du vampirisme. Il en publia cinq en 1822, et, nous l'espérons, un peu moins les années suivantes. Ils lui rapportèrent un peu d'argent, mais pas assez pour l'encourager à persévérer dans cette voie.

Son imagination, toujours en effervescence, lui montrait les affaires comme une source certaine de fortune et de luxe. Avec de l'argent prêté par des parents et des amis, il publia une édition complète de Molière et de La Fontaine; il n'en vendit que dix exemplaires! Il acheta une imprimerie (17 rue Visconti), et une fonderie de caractères.[1] Au bout de dix-huit mois (1828) il était en faillite avec cent mille francs de dettes. Balzac se décourager? Jamais! Il revint à ses secondes amours, les romans. Il eut, cette fois, l'idée de traiter des sujets contemporains, d'y peindre les mœurs et les caractères avec un réalisme qui n'exclurait pas la chaleur de l'imagination et même de la passion, traits que la jeune école romantique mettait à l'honneur.

Le romancier de génie (1829–50). Ce fut alors, et jusqu'en 1850 où il mourut épuisé de travail, une magnifique floraison dont le calendrier figure à la fin de cette notice. En tout, Balzac publia quatre-vingt-dix romans et nouvelles, auxquels il faut ajouter trente *Contes drolatiques* et autres (*Un Drame au bord de la mer*, *Un Épisode sous la Terreur*, *La Messe de l'athée*, *Le Réquisitionnaire*, *El Verdugo*). Mentionnons aussi cinq pièces de théâtre (*Mercadet*, *Vautrin*, etc.), de nombreux articles de journaux et revues, des lettres à Mᵐᵉ Zulma Carraud, à l'Étrangère, etc.

En 1842 il donna à ses œuvres le titre général de *La Comédie humaine*, et les divisa en: *Scènes de la vie privée*, *Scènes de la vie de province*, *Scènes de la vie parisienne*, *Scènes de la vie politique*, *Scènes de la vie militaire*, *Scènes de la vie de campagne*, *Études philosophiques* et *Études analytiques*.

Pendant vingt ans ce fut pour lui une effervescence de production littéraire qui lui ruina la santé. Il s'en échappa trop peu souvent pour des voyages en province où il se documentait et écrivait (Fougères,[2] Angoulême, Saché,[3] Frapesle [4]), ou rejoignait des admiratrices de ses romans, comme la marquise de Castries, à Aix-les-Bains. Celle-ci avait remplacé dans son cœur inconstant sa vieille voisine de Villeparisis, Mᵐᵉ de Berny, sa *Dilecta*, qui avait essayé en vain de faire de lui un homme aux belles manières.

En 1833 il se rendit au rendez-vous que lui avait donné à Neuchâtel (Suisse) une admiratrice polonaise, l'Étrangère, Éva, c'est-à-dire, Mᵐᵉ Hanska, femme d'un général et comte russe. Il la revit à Genève l'année suivante, puis à Saint-Pétersbourg neuf ans après; elle était devenue veuve en 1841. Il voyagea avec elle en Allemagne et en Italie, fit deux longs séjours (5 et 18 mois) dans son château de Wierzchownia en Ukraine, où elle consentit enfin à l'épouser (mars 1850).

Il était bien malade; le surmenage intellectuel, le manque d'exercice, l'abus du café, avaient causé une hypertrophie du cœur et affaibli les poumons. Quel triste marié que celui qui, en mai 1850, rentra à Paris, rue Fortunée (aujourd'hui rue Balzac), près de l'Arc de Triomphe, dans une maison que malgré les cent mille francs de dettes qu'il avait toujours, il avait fait richement meubler pour son Éva! Il mourut trois mois après, à cinquante et un ans, comme ses maîtres en littérature, Shakespeare et Molière.

[1] type foundry.   [2] *Town 30 mi. NE of Rennes, in Brittany.*   [3] *Town in Touraine.*   [4] [frapɛl], *small town near Issoudun, in central France.*

Le Napoléon du roman français.   Les défauts de son œuvre sont grands: prétentions à la science, à l'économie politique et à la philosophie qui lui font couper son récit de digressions qui arrivent rarement à être autre chose que des platitudes, situations invraisemblables et mélodramatiques, style parfois sans art, entaché de métaphores sans goût, psychologie sommaire pour beaucoup de personnages épisodiques et qui restent fades; mais, quand il s'agit du personnage central, Balzac n'a pas son pareil pour le douer d'une vie si intense qu'elle arrive à faire peur au lecteur, car ce sont partout les laideurs qu'il se plaît à mettre en relief. Une passion unique brûle non seulement le corps et l'âme des héros balzaciens, mais détruit le bonheur de leur famille: c'est l'ambition d'être riche et puissant chez Rastignac, et qui dégénère en faiblesse, c'est l'amour paternel chez le père Goriot, l'avarice chez le père Grandet, la monomanie de l'invention chez Balthazar Claës, l'alchimiste de *La Recherche de l'absolu*.   Ses dons d'observateur, son amour du détail l'orientaient vers le réalisme, mais sa puissance d'imagination et sa chaleur de sentiments l'ont retenu dans le tourbillon romantique où étaient à l'aise et son corps éléphantin, et sa verve inépuisable et ses passions « énormes ». Comme Rabelais il a manqué de finesse, bien qu'il ait eu des intuitions de génie, mais, à la tête de son armée de deux mille cinq cents personnages fort divers, — toute une société —, il figure magnifiquement comme le Napoléon du roman français.

Calendrier des meilleurs romans de Balzac

1829   *Les Chouans*
1831   *La Peau de chagrin, La Femme de trente ans*
1832   *Le Colonel Chabert, Le Curé de Tours, Louis Lambert*
1833   *Ferragus, La Duchesse de Langeais, Le Médecin de campagne, Eugénie Grandet*
1834   *L'Illustre Gaudissart, La Recherche de l'absolu, Le Père Goriot*
1836   *Le Lys dans la vallée*
1837   *Grandeur et décadence de César Birotteau, Les Illusions perdues*
1838   *La Maison Nucingen*
1839   *Le Curé de village*
1840   *Pierrette*
1841   *Ursule Mirouet; La Rabouilleuse, ou Un Ménage de garçon; Une Ténébreuse Affaire*
1842   *Un Début dans la vie*
1844   *Les Paysans, Modeste Mignon*
1846   *La Cousine Bette*
1847   *Le Cousin Pons*
1848   *L'Envers de l'histoire contemporaine*

LE PÈRE GORIOT
1834

En 1819, le père Goriot, pour économiser sur ses maigres rentes et pouvoir ainsi ajouter au luxe de ses filles, vit dans une pauvre pension de Paris, la maison Vauquer [voke], *dirigée par Mᵐᵉ Vauquer, veuve rapace.   Outre le père Goriot, les pensionnaires sont Victorine Taillefer, une douce jeune fille que son millionnaire de père a reniée pour que sa fortune aille tout entière à son fils Frédéric, des étudiants comme Bianchon (en médecine) et Eugène de Rastignac (en droit), de vieilles dames, et un gaillard plein de verve mais dont le cynisme est plutôt inquiétant, Monsieur Vautrin.   Celui-ci voudrait que Rastignac, joli garçon d'une ambition illimitée et qui souffre d'être pauvre,*

*épouse Victorine qu'il se charge, — contre 200.000 francs de commission —, en faisant
tuer Frédéric en duel, de faire rentrer dans les bonnes grâces du millionnaire. Ce
projet fait horreur à Rastignac qui, protégé par sa cousine, la vicomtesse de Beauséant,
une des femmes les plus en vue de l'aristocratique faubourg Saint-Germain, tombe
amoureux de la jolie et blonde baronne Mme Delphine de Nucingen, une des filles du
père Goriot. Il fait aussi la connaissance de l'autre fille, Anastasie, comtesse de
Restaud. Épousées pour leur argent, ces deux femmes n'aiment pas leurs maris, ne
pensent qu'à de coûteuses toilettes, au bal, au jeu, s'endettent pour leurs amants, et
ne vont voir leur père que pour lui soutirer l'argenterie, les valeurs et les bijoux qu'il
a gardés. Rastignac trouve le père Goriot sublime, et le rend infiniment heureux
lorsqu'il lui parle de ses filles qu'il a vues dans le beau monde.*

HYMNE D'AMOUR PATERNEL

L'étudiant frappa rudement [1] à la porte du père Goriot.

— Mon voisin, dit-il, j'ai vu madame Delphine.

— Où?

— Aux Italiens.[2]

— S'amusait-elle bien? Entrez donc. Et le bonhomme, qui s'était levé 5
en chemise, ouvrit sa porte et se recoucha promptement . . .

— Eh bien! qui aimez-vous mieux de madame de Restaud ou de madame
de Nucingen?

— Je préfère madame Delphine, répondit l'étudiant, parce qu'elle vous
aime mieux. 10

A cette parole chaudement dite, le bonhomme sortit son bras du lit et
serra la main d'Eugène.

— Merci, merci, répondit le vieillard ému. Que vous a-t-elle donc dit
de moi?

L'étudiant répéta les paroles de la baronne en les embellissant, et le 15
vieillard l'écouta comme s'il eût entendu la parole de Dieu.

— Chère enfant! oui, oui, elle m'aime bien. Mais ne la croyez pas dans
ce qu'elle vous a dit d'Anastasie. Les deux sœurs se jalousent, voyez-vous;
c'est encore une preuve de leur tendresse. Madame de Restaud m'aime
bien aussi. Je le sais. Un père est avec ses enfants comme Dieu est avec 20
nous; il va jusqu'au fond des cœurs, et juge les intentions. Elles sont toutes
deux aussi aimantes. Oh! si j'avais eu de bons gendres, j'aurais été trop
heureux. Il n'est sans doute pas de bonheur complet ici-bas. Si j'avais
vécu chez elles, mais rien que d'entendre leurs voix, de les savoir là, de les
voir aller, sortir, comme quand je les avais chez moi, ça m'eût fait cabrioler 25
le cœur.[3] Étaient-elles bien mises?

— Oui, dit Eugène. Mais, monsieur Goriot, comment, en ayant des
filles aussi richement établies [4] que sont les vôtres, pouvez-vous demeurer
dans un taudis pareil? [5]

---

[1] sharply. [2] *The Théâtre-Italien, which,
in 1819, gave Italian operas at the Odéon
Theater, near the Luxembourg; in 1820 it
was transferred to the salle Louvois, —
across from the Bibliothèque Nationale —,
where Rossini's music was interpreted by
la Pasta, la Malibran, la Fodor, la Grisi*
and Rubini. [3] **cela eût fait faire des
cabrioles à mon cœur,** that would have
made my heart leap with joy (*lit.* 'cut
capers'). [4] married and settled. [5] in
a wretched room like this one; **les taudis
m.,** the slums.

— Ma foi, dit-il, d'un air en apparence insouciant, à quoi cela me servirait-il d'être mieux? Je ne puis guère vous expliquer ces choses-là; je ne sais pas dire deux paroles de suite comme il faut. Tout est là, ajouta-t-il en se frappant au cœur. Ma vie, à moi, est dans mes deux filles. Si

5 elles s'amusent, si elles sont heureuses, bravement mises,[6] si elles marchent sur des tapis, qu'importe de quel drap je suis vêtu, et comment est l'endroit où je me couche? Je n'ai point froid si elles ont chaud, je ne m'ennuie jamais si elles rient. Je n'ai de chagrins que les leurs. Quand vous serez père, quand vous direz, en oyant gazouiller vos enfants:[7] « C'est sorti de

10 moi! » que[8] vous sentirez ces petites créatures tenir à chaque goutte de votre sang, dont elles ont été la fine fleur,[9] car c'est ça![10] vous vous croirez attaché à leur peau, vous croirez être agité vous-même par leur marche.[11] Leur voix me répond partout. Un regard d'elles, quand il est triste, me fige le sang.[12] Un jour vous saurez que l'on est bien plus heureux de leur

15 bonheur que du sien propre. Je ne peux pas vous expliquer ça: c'est[13] des mouvements intérieurs qui répandent l'aise partout.[14] Enfin, je vis trois fois. Voulez-vous que je vous dise une drôle de chose? Eh bien, quand j'ai été père,[15] j'ai compris Dieu. Il est tout entier partout, puisque la création est sortie de lui. Monsieur, je suis ainsi avec mes filles. Seule-

20 ment j'aime mieux mes filles que Dieu n'aime le monde, parce que le monde n'est pas aussi beau que Dieu, et que mes filles sont plus belles que moi. Elles me tiennent si bien à l'âme que j'avais idée que vous les verriez ce soir. Mon Dieu! un homme qui rendrait ma petite Delphine aussi heureuse qu'une femme l'est quand elle est bien aimée, mais je lui cirerais ses bottes,

25 je lui ferais ses commissions. J'ai su par sa femme de chambre que ce petit M. de Marsay est un mauvais chien.[16] Il m'a pris des envies de lui tordre le cou. Ne pas aimer un bijou de femme,[17] une voix de rossignol, et faite comme un modèle! Où a-t-elle eu les yeux[18] d'épouser cette grosse souche[19] d'Alsacien? Il leur fallait à toutes deux de jolis jeunes gens bien aimables.

30 Enfin, elles ont fait à leur fantaisie.

Le père Goriot était sublime. Jamais Eugène ne l'avait pu voir illuminé par les feux de sa passion paternelle. Une chose digne de remarque est la puissance d'infusion[20] que possèdent les sentiments. Quelque grossière que soit une créature, dès qu'elle exprime une affection forte et vraie, elle

35 exhale un fluide particulier qui modifie la physionomie, anime le geste, colore la voix. Souvent l'être le plus stupide arrive, sous l'effort de la passion, à la plus haute éloquence dans l'idée, si ce n'est dans le langage, et semble se mouvoir dans une sphère lumineuse. Il y avait en ce moment dans la voix, dans le geste de ce bonhomme, la puissance communicative

---

[6] **vêtues richement.**   [7] hearing your children prattle; **oyant** *is the pres. part. of the obsolete verb* **ouïr,** *to hear.*   [8] when. [9] the very flower.   [10] for that's what it is!   [11] you will believe that you are moving when they move.   [12] makes my blood run cold.   [13] **ce sont.**   [14] inner waves of joy which spread happiness all over you.   [15] **quand je suis devenu père.**   [16] *A more modern expression is* **un sale type,** a bad egg. *De Marsay was the wealthy lover of Delphine; he had just deserted her.*   [17] a jewel of a woman.   [18] **Où a-t-elle pris l'idée.** [19] blockhead; *lit.* 'stump.'   [20] *A comparison with certain dried blossoms or leaves, like those of camomile, linden, tea, etc., whose essence is easily infused into boiling water to make beverages called infusions.*

qui signale le grand acteur. Mais nos beaux sentiments ne sont-ils pas les poésies de la volonté?

— Eh bien, vous ne serez peut-être pas fâché d'apprendre, lui dit Eugène, qu'elle va rompre sans doute avec ce de Marsay. Ce beau fils [21] l'a quittée pour s'attacher à la princesse Galathionne. Quant à moi, ce soir, je suis 5 tombé amoureux de madame Delphine.

— Bah! fit le père Goriot.

— Oui. Je ne lui ai pas déplu. Nous avons parlé amour pendant une heure, et je dois aller la voir après-demain samedi.

— Oh! que je vous aimerais, mon cher monsieur, si vous lui plaisiez. 10 Vous êtes bon, vous ne la tourmenteriez point. Si vous la trahissiez, je vous couperais le cou, d'abord. Une femme n'a pas deux amours, voyez-vous! Mon Dieu! mais je dis des bêtises, monsieur Eugène. Il fait froid ici pour vous. Mon Dieu! vous l'avez donc entendue? Que vous a-t-elle dit pour moi? [22] 15

— Rien, se dit en lui-même Eugène. Elle m'a dit, répondit-il à haute voix, qu'elle vous envoyait un bon baiser de fille.

— Adieu, mon voisin; dormez bien, faites de beaux rêves; les miens sont tout faits [23] avec ce mot-là. Que Dieu vous protège dans tous vos désirs! Vous avez été pour moi ce soir comme un bon ange: vous me rapportez 20 l'air [24] de ma fille.

— Le pauvre homme, se dit Eugène en se couchant, il y a de quoi toucher des cœurs de marbre. Sa fille n'a pas plus pensé à lui qu'au Grand Turc.[25]

Le père Goriot trouve donc un ami en Rastignac, — l'amant de sa fille Delphine —, qui néglige ses études de droit et devient joueur. Vautrin lui prête de l'argent pour payer ses dettes et le pousse à courtiser Victorine qui l'aime. C'est le moment d'agir. Vautrin fait donc tuer Frédéric en duel par un colonel italien à qui il a enseigné la façon traîtresse de porter une botte [26] au front. Mais il ne touchera pas sa forte commission; le mariage d'Eugène et de Victorine ne se fera pas. Vautrin est arrêté le jour même, car il a été reconnu pour être Trompe-la-Mort, [27] forçat en fuite.

Tous ces dramatiques événements n'intéressent pas le père Goriot qui est tout à sa joie de meubler une jolie garçonnière où Eugène pourra recevoir Delphine; lui logera dans une modeste chambre, tout en haut de l'immeuble. Il sera heureux car sa fille sera souvent près de lui; c'est tout ce qu'il demande.

Hélas, des revers financiers détruisent bientôt ce bonheur! Le baron de Nucingen a fait des spéculations malheureuses; il ne peut rendre la dot de Delphine, qu'il a administrée. Mme de Restaud s'est compromise en vendant, pour payer les dettes de son amant Maxime de Trailles, les diamants que lui a confiés son mari. Les dernières économies du père Goriot ne suffisent pas à combler le déficit. Le chagrin de voir ses filles se quereller devant lui amène une apoplexie. Plutôt que de venir soigner leur père, Delphine et Anastasie préfèrent aller à un grand bal. Le père Goriot meurt en appelant ses filles, en les bénissant, bien qu'elles soient absentes. Il n'y a que Rastignac et Bianchon, l'étudiant en médecine, pour s'occuper du mort; mais ils sont pauvres. Eugène va chez la baronne et chez la comtesse pour avoir quelque argent pour l'enterrement.

[21] *Ironical;* **ce beau sire,** this dude. [22] What message did she give you for me? [23] are a fact, are assured; *lit.* 'ready-made.' [24] the fragrance. [25] of the Grand Turk, the Sultan of the Turks. [26] make a lunge. [27] Death Dodger.

L'ENTERREMENT DU PÈRE GORIOT ET LE DÉFI
DE RASTIGNAC A PARIS

Il n'alla pas plus loin que la porte. Chacun des concierges avait des ordres sévères.

— Monsieur et madame, dirent-ils, ne reçoivent personne; leur père est mort, et ils sont plongés dans la plus vive douleur.

5 Eugène avait assez l'expérience du monde parisien pour savoir qu'il ne devait pas insister. Son cœur se serra étrangement quand il se vit dans l'impossibilité de parvenir jusqu'à Delphine.

Vendez une parure,[28] lui écrivit-il chez le concierge, *et que votre père soit décemment conduit à sa dernière demeure.*

10 Il cacheta ce mot, et il pria le concierge du baron de le remettre à Thérèse [29] pour sa maîtresse; mais le concierge le remit au baron de Nucingen qui le jeta dans le feu. Après avoir fait [30] toutes ses dispositions, Eugène revint vers trois heures à la pension bourgeoise,[31] et ne put retenir une larme quand il aperçut à cette porte bâtarde [32] la bière à peine couverte d'un drap noir, 15 posée sur deux chaises dans cette rue déserte. Un mauvais goupillon,[33] auquel personne n'avait encore touché, trempait dans un plat de cuivre argenté [34] plein d'eau bénite. La porte n'était pas même tendue de noir.[35] C'était la mort des pauvres, qui n'a ni faste, ni suivants,[36] ni amis, ni parents. Bianchon, obligé d'être à son hôpital, avait écrit un mot à Rastignac pour 20 lui rendre compte de ce qu'il avait fait avec l'église. L'interne lui mandait qu'une messe était hors de prix, qu'il fallait se contenter du service moins coûteux des vêpres, et qu'il avait envoyé Christophe [37] avec un mot aux Pompes Funèbres.[38] Au moment où Eugène achevait de lire le griffonnage [39] de Bianchon, il vit entre les mains de madame Vauquer le médaillon à 25 cercle d'or [40] où étaient les cheveux des deux filles.

— Comment avez-vous osé prendre ça? lui dit-il.

— Pardi! fallait-il l'enterrer avec? [41] répondit Sylvie, c'est en or.

— Certes! reprit Eugène avec indignation, qu'il emporte au moins avec lui la seule chose qui puisse représenter ses deux filles.

30 Quand le corbillard [42] vint, Eugène fit remonter la bière,[43] la décloua,[44] et plaça religieusement sur la poitrine du bonhomme une image qui se rapportait à un temps où Delphine et Anastasie étaient jeunes, vierges et pures, et *ne raisonnaient pas*, comme il l'avait dit dans ses cris d'agonisant. Rastignac et Christophe accompagnèrent seuls, avec deux croque-

---

[28] **un collier,** a necklace. [29] *Mme de Nucingen's chambermaid.* [30] **Après avoir pris.** [31] the boarding house. [32] (single-leaf) house door. [33] An old holy-water sprinkler. [34] a silver-plated copper vessel. [35] hung with black draperies. *The custom in many French cities is to hang black draperies around the front door of a house where a body lies in state. In the villages of the North of France, a big cross is made with sheaves of straw in front of the house* of the deceased. [36] neither pomp nor attendants. [37] *The servant at the boarding house.* [38] undertakers. [39] scrawl. [40] the gold-rimmed locket. [41] **My** goodness! did we have to lay him in the casket with that? *Sylvie (the cook) means* l'ensevelir, *not* l'enterrer (*Goriot is not buried yet*). [42] hearse. [43] ordered the casket to be taken up again into the house. [44] pulled the nails from it; *or rather* **dévissa le couvercle,** unscrewed the lid.

morts,[45] le char [46] qui menait le pauvre homme à Saint-Étienne-du-Mont,[47] église peu distante de la rue Neuve-Sainte-Geneviève.[48]   Arrivé là, le corps fut présenté à une petite chapelle basse et sombre, autour de laquelle l'étudiant chercha vainement les deux filles du père Goriot ou leurs maris.   Il fut seul avec Christophe, qui se croyait obligé de rendre les derniers devoirs à un homme qui lui avait fait gagner quelques bons pourboires.   En attendant les deux prêtres, l'enfant de chœur et le bedeau,[49] Rastignac serra la main de Christophe, sans pouvoir prononcer une parole.

— Oui, monsieur Eugène, dit Christophe, c'était un brave et honnête homme, qui n'a jamais dit une parole plus haut que l'autre,[50] qui ne nuisait à personne et n'a jamais fait de mal.

Les gens du clergé [51] chantèrent un psaume, le *Libera*,[52] le *De profundis*.[53] Le service dura vingt minutes.   Il n'y avait qu'une seule voiture de deuil pour un prêtre et un enfant de chœur, qui consentirent à recevoir avec eux Eugène et Christophe.

— Il n'y a point de suite,[54] dit le prêtre, nous pourrons aller plus vite, afin de ne pas nous attarder; il est cinq heures et demie.

Cependant, au moment où le corps fut placé dans le corbillard, deux voitures armoriées,[55] mais vides, celle du comte de Restaud et celle du baron de Nucingen, se présentèrent et suivirent le convoi jusqu'au Père-Lachaise.[56] A six heures, le corps du père Goriot fut descendu dans sa fosse,[57] autour de laquelle étaient les gens [58] de ses filles, qui disparurent avec le clergé aussitôt que fut dite la courte prière due au bonhomme pour l'argent de l'étudiant.

Quand les deux fossoyeurs eurent jeté quelques pelletées de terre sur la bière pour la cacher, ils se relevèrent,[59] et l'un d'eux, s'adressant à Rastignac, lui demanda leur pourboire.   Eugène fouilla dans sa poche et n'y trouva rien; il fut forcé d'emprunter vingt sous à Christophe.   Ce fait, si léger en lui-même, détermina chez Eugène un accès d'horrible tristesse.   Le jour tombait, un humide crépuscule agaçait [60] les nerfs, il regarda la tombe et y ensevelit sa dernière larme de jeune homme, cette larme arrachée par les saintes émotions d'un cœur pur, une de ces larmes qui, de la terre où elles tombent, rejaillissent [61] jusque dans les cieux.   Il se croisa les bras, contempla les nuages, et, le voyant ainsi, Christophe le quitta.

Rastignac, resté seul, fit quelques pas vers le haut du cimetière, et vit Paris tortueusement couché [62] le long des rives de la Seine où commençaient à briller les lumières.   Ses yeux s'attachèrent presque avidement entre la

[45] *A strong word* (*lit.* 'eaters of dead people') *for* employés des **Pompes Funèbres,** undertakers.   [46] **le char funéraire, le corbillard,** the hearse. [47] *Famous church in Paris, near the Pantheon.   It contains the shrine of sainte Geneviève, the patron saint of Paris, and the tombs of Pascal and Racine.* [48] *Now* rue Tournefort, *SE of the Pantheon.*   [49] beadle, sexton.   [50] **qui ne s'est jamais fâché,** who never got angry. [51] **Les prêtres.**   [52] *Libera me, Domine, de morte aeterna,* Deliver me, O Lord, from eternal death.   [53] *The prayer be-* ginning with "*Out of the depths (I cried out to Thee, O Lord)."*   [54] **point de gens qui suivent à pied.**   [55] with armorial bearings.   [56] *The largest cemetery, in the NE part of Paris, on the site of an estate which belonged to* le Père de La Chaise, *one of the confessors of Louis XIV.   La Fontaine, Molière, Musset, Alphonse Daudet, Balzac himself, Colette, and many other prominent writers are buried there.* [57] [fɔs], grave.   [58] the servants.   [59] **ils se redressèrent,** they drew themselves up.   [60] irritated.   [61] spring back. [62] lying in a tortuous (crooked) line.

colonne de la place Vendôme et le dôme des Invalides, là où vivait ce beau monde dans lequel il avait voulu pénétrer. Il lança sur cette ruche bourdonnante un regard qui semblait par avance en pomper le miel,[63] et dit ces mots grandioses:

5   — A nous deux, maintenant![64]

Et pour premier acte de défi qu'il portait à la Société, Rastignac alla dîner chez madame de Nucingen.

Ainsi se termine *Le Père Goriot*, par un défi grandiose dans son insolence, et qui pique notre curiosité. Qui sera victorieux, de la société, ou de ce jeune ambitieux qui de plus en plus jette ses scrupules aux quatre vents? Comme *La Comédie humaine* est un roman-fleuve,[65] nous retrouverons Eugène de Rastignac dans nombre des volumes qui suivent: *Les Illusions perdues*, *La Peau de chagrin*, *La Maison Nucingen*, *La Cousine Bette*, etc. Il devint riche, ministre, comte, resta quinze ans l'amant de Delphine, et finit par épouser la fille de celle-ci, tout comme Molière avait épousé la fille de sa vieille maîtresse (p. 105). Il avait retrouvé Vautrin, — encore une fois échappé à la police et se cachant sous un habit de prêtre —; il avait appliqué, avec moins de cynisme cependant, quelques-uns de ses principes. « Il n'y a pas de vertu absolue, il n'y a que des circonstances », avait-il coutume de dire.

OUVRAGES RECOMMANDÉS
Textes

La Comédie humaine, éd. Marcel Bouteron. 10 vol. Gallimard.
Le Père Goriot, éd. R. L. Sanderson. Heath.
Le Père Goriot. Classiques Larousse (2 vol.), Classiques Hatier (1 vol.).
Eugénie Grandet, éd. Spiers. Heath.
Eugénie Grandet. Classiques Larousse.
Le Curé de Tours, éd. Super. Heath.
La Cousine Bette. 2 vol. Classiques Larousse.
La Recherche de l'absolu. 1 vol. Classiques Larousse.
Les Paysans. Classiques Larousse, Hachette.
Le Colonel Chabert. Classiques Hatier.

Critique

P. Bertault. *Balzac*. 244 p. Hatier.
G. Atkinson. *Les Idées de Balzac d'après La Comédie humaine*. 5 vol. Genève: Droz.
Félicien Marceau. *Balzac et son monde*. Gallimard, 1955.

VICTOR HUGO
(1802–1885)
L'Écho sonore du XIXᵉ siècle

Victor Hugo domine le dix-neuvième siècle comme Voltaire le dix-huitième.

Enfance et jeunesse (1802–22). Il naquit à Besançon, dans une maison qui existe encore, 138 Grande-Rue. Son père, alors commandant dans l'armée de

---

[63] to suck in its honey.   [64] The fight is between you and me now!   [65] cycle novel.

Napoléon Ier, emmena bientôt sa famille en Italie et en Espagne. Quand la guerre de guérillas s'accentua (1812), il l'envoya à Paris. Victor fit d'excellentes études, comme interne, à la pension Decotte et Cordier près de Saint-Germain-des-Prés, puis au lycée Louis-le-Grand. En 1816 il écrivait sur un cahier: « Je veux être Chateaubriand ou rien. » Il traduisait déjà Virgile en vers, il écrivait même une tragédie. En politique il était royaliste, comme sa mère. En 1819 il reçut le prix unique de l'Académie des Jeux floraux de Toulouse, un lis d'or pour une de ses odes, *Rétablissement de la statue de Henri IV;* [1] il était donc lancé dans la carrière littéraire. Avec ses frères, Abel et Eugène, dans l'espoir de gagner un peu d'argent pour sa mère malade et abandonnée du commandant devenu général, Victor Hugo fonda un journal bimensuel, *Le Conservateur Littéraire*, qui eut du succès. Chateaubriand l'encouragea, Vigny devint son ami. En 1822 la publication de ses *Odes et poésies diverses* lui valut une pension de 1000 francs, accordée par Louis XVIII. Ce n'était pas la richesse, mais c'était un encouragement pour le poète à réaliser son rêve de toujours, épouser Adèle Foucher, la camarade de jeux de son enfance; ce qu'il fit, en 1822, à l'église Saint-Sulpice, dans la chapelle de la Vierge, où l'année précédente il avait fait enterrer sa mère.

Le chef romantique (1823–85). **1823:** publication du roman *Han d'Islande* (monstre qui ne boit que de l'eau de mer et du sang, et cela dans le crâne de son fils) qu'admire son compatriote de Besançon, Charles Nodier, qui va devenir le mentor charmant des romantiques, dans son salon de l'Arsenal. Le roi ajoute 2000 francs à la pension. **1826:** publication des *Odes et Ballades*, dont en 1828 le poète donne l'édition définitive. Légitimiste, disciple de Chateaubriand, il y chante le trône et l'autel (*Funérailles de Louis XVIII, Le Sacre de Charles X*); romantique, il s'inspire du Moyen Age de Walter Scott, et du satanisme mis à la mode par les romans noirs d'Ann Radcliffe et de Monk Lewis (*La Ronde du Sabbat*).

Sa jeune gloire littéraire le mit à la tête du mouvement romantique. Il publia *Cromwell*, drame injouable dont la *Préface* fut retentissante (p. 299).

Les romantiques n'avaient pas tardé à prendre parti pour les Grecs qui, dès 1821, s'étaient révoltés contre les Turcs. L'imagination de Hugo joua sur les souvenirs lointains du séjour d'Italie et d'Espagne, intensifiant les couleurs, dégageant la sauvagerie et la volupté, et ce furent, en 1829, cinq séries d'orientales: grecques et turques, persanes et arabes, et enfin espagnoles: *Les Orientales*.

En juillet 1829, Hugo termine un drame, jouable cette fois, *Marion de Lorme*, réhabilitation d'une courtisane par un amour pur. Hélas, cette pièce est interdite par la censure à cause de sa critique de la royauté! L'auteur se met aussitôt à *Hernani*, dont la première représentation, au Théâtre-Français, le 25 février 1830, provoque une « bataille » inoubliable entre les « chevelus »,[2] les « brigands de la pensée », les « sauvages de l'art », les quatre cents et quelques jeunes romantiques de la littérature et des studios (Théophile Gautier, Gérard de Nerval, Berlioz, Balzac, Vigny, Dumas, Stendhal, Mérimée, Sainte-Beuve), et les « genoux »,[3] les « perruques », « douaniers de la pensée », vieux écrivains admirateurs des classiques, de Racine en particulier. La bataille se répète, de moins en moins violente, tous les soirs pendant trois semaines. L'avantage reste à la nouvelle école; la pièce, malgré ses invraisemblances, s'impose par le dynamisme pathétique de l'action et par le lyrisme jeune et enthousiaste des vers.

Lisez *Hernani;* c'est *Le Cid* passé au moule, puis au four du romantisme.

---

[1] *The equestrian bronze statue of Henry IV, on the Pont-Neuf. It had been melted down to make guns in 1792. The sculptor Lemot made another one, which was un-* veiled *August 25, 1818*. [2] The long-haired ones. [3] The baldheads; *lit.* 'the knees.'

Aucun des drames historiques que Victor Hugo écrivit ensuite n'eut le succès d'*Hernani*. Ce furent *Le Roi s'amuse* (1832, le libertin François Ier qui se fait aimer de Blanche, la fille de son fou, Triboulet), *Lucrèce Borgia* (1833, tragédie en prose dans laquelle Juliette Drouet joua le rôle peu important de la princesse Negroni, mais plut tant à Hugo qu'elle devint son amie jusqu'à sa mort), *Ruy Blas* (1838, valet à l'âme noble, amoureux de la reine d'Espagne, « ver de terre amoureux d'une étoile »), enfin *Les Burgraves* (1843) dont la chute fit comprendre à l'auteur que le public allait rendre sa faveur à un art moins sensationnel et violent, plus classique, qui sera la comédie bourgeoise et moralisante d'Augier et de Dumas fils.

Après la révolution de 1830 Hugo revint au bonapartisme de son père, puis à un royalisme plus libéral que celui de sa mère. Il fut élu à l'Académie française (1841), puis nommé à la Chambre des Pairs (1845). Son œuvre poétique s'augmenta de quatre recueils: *Les Feuilles d'automne* (1831), *Les Chants du crépuscule* (1835), *Les Voix intérieures* (1837), *Les Rayons et les Ombres* (1840). Sa vie domestique était assez agitée. Il avait quatre enfants, Léopoldine, Charles, François-Victor et Adèle. Léopoldine se noya accidentellement dans la Seine, à Villequier, entre Rouen et Le Havre (1843). Adèle devint folle à Halifax (Nova Scotia) où elle avait suivi un officier anglais qui l'abandonna. Les deux fils furent écrivains. Charles fera de Victor Hugo le plus heureux et le plus inspiré des grands-pères qui écrira, pour Georges et Jeanne, ravissement de ses vieux jours, *L'Art d'être grand-père* (1877).

Hugo en exil. En 1849, sous la présidence du prince Louis-Napoléon Bonaparte, Victor Hugo fut élu député de Paris à l'Assemblée législative et fit partie de la minorité républicaine. A la tribune il dénonça l'ambition du prince-président contre qui, après le coup d'état du 2 décembre 1851, il essaya, mais en vain, d'organiser la résistance des ouvriers dans le faubourg Saint-Antoine. Le 9 décembre, un décret l'expulsait de France avec soixante et onze autres députés. Il se réfugia d'abord à Bruxelles, d'où une loi contre les réfugiés politiques le fit passer, en 1852, à Jersey (Saint-Hélier, Marine Terrace), puis, en 1855, chassé encore une fois, à Guernesey (Saint-Pierre-Port, Hauteville House). Il y resta jusqu'à son retour en France, le 5 septembre 1870, lendemain de la proclamation de la IIIe République. Pour se venger de cet exil, Victor Hugo, Jupiter tonnant, publia un violent pamphlet en prose, *Napoléon le petit*, — « par Victor Hugo le Grand », dit le prince-président en l'ouvrant (août 1852) —, *Histoire d'un crime* (1877), et surtout cette satire épique en même temps que lyrique, *Les Châtiments* (1853). Supérieurs sont le lyrisme émouvant des *Contemplations* (1856) où Léopoldine n'est pas oubliée, et la qualité épique de *La Légende des siècles* (p. 309). Hugo ne rentra en France que lorsque Napoléon III en sortit comme prisonnier des Allemands.

Hugo romancier. Hugo a écrit trois grands romans. *Notre-Dame de Paris* (1831) est remarquable par son pittoresque médiéval. *Les Misérables* (1862) manque de vérité psychologique mais décrit avec un pathétique puissant le relèvement, comme celui de Satan (*La Fin de Satan*), de l'ancien bagnard Jean Valjean par l'expiation volontaire, le travail honnête et la charité. *Quatre-vingt-treize* (1874), dans le décor historique de la guerre civile dans l'Ouest, en 1793, nous présente avec force trois caractères symboliques, Lantenac, aristocrate insurgé, son neveu Gauvain, républicain généreux, et l'ancien prêtre Cimourdain devenu républicain fanatique.

Les autres romans de Hugo sont: *Bug Jargal* (1819), *Han d'Islande* (1823), *Le Dernier Jour d'un condamné* (1829), *Claude Gueux* (1834), *Les Travailleurs de la mer* (1866) et *L'Homme qui rit* (1869).

Conclusion. De son retour d'exil, 5 septembre 1870, à sa mort, 22 mai 1885, Victor Hugo fut l'homme le plus universellement admiré en France; il personnifiait la conscience moyenne du siècle après en avoir été l'« écho sonore ». On lui fit des funérailles nationales et on l'enterra au Panthéon. Il eût été le plus grand écrivain de la France s'il avait été un peu moins romantique, c'est-à-dire moins déclamatoire et emphatique, moins obscur et superficiel dans l'expression de ses idées à prétentions philosophiques; il n'en reste pas moins le géant littéraire du dix-neuvième siècle par la puissance de son imagination lyrique et de son invention verbale, ainsi que par sa foi éloquente et émue au progrès démocratique et à la justice sociale.

LA PRÉFACE DE *CROMWELL*
1827

A la fin de 1827, dans la préface de son drame injouable, *Cromwell*, Victor Hugo, chez qui, 11 rue Notre-Dame-des-Champs, se tiennent les réunions du « Cénacle romantique », donne le manifeste du romantisme dans le drame: (1) rejet des unités de temps, et de lieu, mais respect de l'unité d'action et d'impression; (2) alliance, comme dans la réalité, du laid et du beau, du grotesque et du sublime comme dans Shakespeare joué avec succès à l'Odéon par la troupe anglaise de Kemble et de Miss Harriet Smithson; (3) couleur locale; (4) respect de l'art qui permet la liberté, mais non la licence; (5) maintien du vers, mais que ce vers soit un vers dramatique, coloré, souple, « sachant briser à propos et déplacer la césure pour déguiser sa monotonie d'alexandrin; plus ami de l'enjambement qui l'allonge que de l'inversion qui l'embrouille; fidèle à la rime, cette esclave-reine, cette suprême grâce de notre poésie. »

Du jour où le christianisme a dit à l'homme: — Tu es double, tu es composé de deux êtres, l'un périssable, l'autre immortel, l'un charnel, l'autre éthéré, l'un enchaîné par les appétits, les besoins et les passions, l'autre emporté sur les ailes de l'enthousiasme et de la rêverie, celui-ci enfin toujours courbé vers la terre, sa mère, celui-là sans cesse élancé vers le ciel, 5 sa patrie; — de ce jour le drame a été créé. Est-ce autre chose en effet que ce contraste de tous les jours, que cette lutte de tous les instants entre deux principes opposés qui sont toujours en présence dans la vie, et qui se disputent l'homme depuis le berceau jusqu'à la tombe?

La poésie née du christianisme, la poésie de notre temps est donc le drame; 10 le caractère du drame est le réel; le réel résulte de la combinaison toute naturelle de deux types, le sublime et le grotesque, qui se croisent [1] dans le drame, comme ils se croisent dans la vie et dans la création. Car la poésie vraie, la poésie complète, est dans l'harmonie des contraires. Puis, il est temps de le dire hautement, et c'est ici surtout que les exceptions con- 15 firmeraient la règle, tout ce qui est dans la nature est dans l'art.

En se plaçant à ce point de vue pour juger nos petites règles conventionnelles, pour débrouiller tous ces labyrinthes scolastiques, pour résoudre tous ces problèmes mesquins [2] que les critiques des deux derniers siècles ont laborieusement bâtis autour de l'art, on est frappé de la promptitude avec 20 laquelle la question du théâtre moderne se nettoie. Le drame n'a qu'à faire un pas pour briser tous ces fils d'araignée dont les milices de Lilliput [3] ont cru l'enchaîner dans son sommeil.

[1] meet. [2] cheap. [3] the militia of Lilliput (*the imaginary island inhabited by* *tiny people, described in Swift's* Gulliver's Travels, *1726*).

Ainsi, que des pédants étourdis (l'un n'exclut pas l'autre) prétendent que
le difforme, le laid, le grotesque, ne doit jamais être un objet d'imitation
pour l'art, on leur répond que le grotesque, c'est la comédie, et qu'apparemment la comédie fait partie de l'art . . .

5   Ce qu'il y a d'étrange, c'est que les routiniers prétendent appuyer leur
règle des deux unités sur la vraisemblance,[4] tandis que c'est précisément le
réel qui la tue. Quoi de plus invraisemblable et de plus absurde en effet
que ce vestibule, ce péristyle, cette antichambre, lieu banal où nos tragédies
ont la complaisance de venir se dérouler, où arrivent, on ne sait comment,
10 les conspirateurs pour déclamer contre le tyran, le tyran pour déclamer
contre les conspirateurs, chacun à leur tour, comme s'ils s'étaient dit bu-
coliquement:

Alternis cantemus; amant alterna Camenæ [5]

Où a-t-on vu vestibule ou péristyle de cette sorte? Quoi de plus contraire, nous ne dirons pas à la vérité, les scolastiques en font bon marché,[6]
15 mais à la vraisemblance? Il résulte de là que tout ce qui est trop caractéristique, trop intime, trop local, pour se passer dans l'antichambre ou
dans le carrefour,[7] c'est-à-dire tout le drame, se passe dans la coulisse.[8]
Nous ne voyons en quelque sorte [9] sur le théâtre que les coudes de l'action;
ses mains sont ailleurs. Au lieu de scènes, nous avons des récits; au lieu
20 de tableaux, des descriptions. De graves personnages placés, comme le
chœur antique, entre le drame et nous, viennent nous raconter ce qui se
fait dans le temple, dans le palais, dans la place publique, de façon que
souventes fois [10] nous sommes tentés de leur crier:— Vraiment! mais
conduisez-nous donc là-bas! On s'y doit bien amuser, cela doit être beau
25 à voir! A quoi ils répondraient sans doute:— Il serait possible que cela
vous amusât ou vous intéressât, mais ce n'est point là la question; nous
sommes les gardiens de la dignité de la Melpomène [11] française. — Voilà. . . .

L'unité de temps n'est pas plus solide que l'unité de lieu. L'action, encadrée de force dans les vingt-quatre heures, est aussi ridicule qu'encadrée
30 dans le vestibule. Toute action a sa durée propre comme son lieu particulier.
Verser la même dose de temps à tous les événements! appliquer la même
mesure sur tout! On rirait d'un cordonnier qui voudrait mettre le même
soulier à tous les pieds. Croiser l'unité de temps à l'unité de lieu comme
les barreaux d'une cage, et y faire pédantesquement entrer, de par Aristote,[12]
35 tous ces faits, tous ces peuples, toutes ces figures que la providence déroule
à si grandes masses dans la réalité! c'est mutiler hommes et choses, c'est
faire grimacer l'histoire. Disons mieux; tout cela mourra dans l'opération;
et c'est ainsi que les mutilateurs dogmatiques arrivent à leur résultat ordinaire: ce qui était vivant dans la chronique est mort dans la tragédie.
40 Voilà pourquoi, bien souvent, la cage des unités ne renferme qu'un squelette.

Et puis si vingt-quatre heures peuvent être comprises dans deux, il sera

---

[4] credibility, verisimilitude.   [5] Let us
sing in alternate verses; the muses love
alternate verses. (*Vergil, Bucolics, Ec-
logue III, line 59*)   [6] dogmatic critics
don't care much about it.   [7] at a road
junction.   [8] in the wings.   [9] so to
speak. [10] **souvent, maintes fois.** [11] *The
muse of tragedy.*   [12] by order of Aristotle (*who recommended the unities of
time, place, and more especially of action*).

logique que quatre heures puissent en contenir quarante-huit. L'unité de
Shakespeare ne sera donc pas l'unité de Corneille. Pitié![13] . . .

Il suffirait enfin, pour démontrer l'absurdité de la règle des deux unités,
d'une dernière raison, prise dans les entrailles de l'art. C'est l'existence de la
troisième unité, l'unité d'action, la seule admise de tous parce qu'elle résulte   5
d'un fait: l'œil ni l'esprit humain ne sauraient saisir plus d'un ensemble à
la fois. Celle-là est aussi nécessaire que les deux autres sont inutiles. C'est
elle qui marque le point de vue du drame; or, par cela même, elle exclut les
deux autres. Il ne peut pas plus y avoir trois unités dans le drame que trois
horizons dans un tableau. Du reste, gardons-nous de confondre l'unité avec   10
la simplicité d'action. L'unité d'ensemble ne répudie en aucune façon les
actions secondaires sur lesquelles doit s'appuyer l'action principale. Il faut
seulement que ces parties, savamment subordonnées au tout, gravissent
sans cesse vers l'action centrale et se groupent autour d'elle aux différents
étages ou plutôt sur les divers plans du drame. L'unité d'ensemble est la   15
loi de perspective du théâtre . . .

D'autres, ce nous semble, l'ont déjà dit, le drame est un miroir où se
réfléchit la nature. Mais si ce miroir est un miroir ordinaire, une surface
plane et finie, il ne renverra des objets qu'une image terne[14] et sans relief,
fidèle, mais décolorée; on sait ce que la couleur et la lumière perdent à la   20
réflexion simple. Il faut donc que le drame soit un miroir de concentration
qui, loin de les affaiblir, ramasse et condense les rayons colorants, qui fasse
d'une lueur une lumière, d'une lumière une flamme. Alors seulement le
drame est avoué de l'art.[15]

Le théâtre est un point d'optique. Tout ce qui existe dans le monde,   25
dans l'histoire, dans la vie, dans l'homme, tout doit et peut s'y réfléchir,
mais sous la baguette magique de l'art. L'art feuillette[16] les siècles, feuillette la nature, interroge les chroniques, s'étudie à[17] reproduire la réalité
des faits, restaure ce que les annalistes ont tronqué,[18] harmonise ce qu'ils
ont dépouillé, devine leurs omissions et les répare, comble leurs lacunes[19]   30
par des imaginations qui aient[20] la couleur du temps, groupe ce qu'ils ont
laissé épars, rétablit le jeu des fils de la providence sous les marionnettes
humaines, revêt le tout d'une forme poétique et naturelle à la fois, et lui
donne cette vie de vérité et de saillie[21] qui enfante l'illusion, ce prestige
de réalité qui passionne le spectateur, et le poète le premier, car le poète   35
est de bonne foi. Ainsi le but de l'art est presque divin: ressusciter, s'il
fait de l'histoire; créer, s'il fait de la poésie . . .

On conçoit que, pour une œuvre de ce genre, si le poète doit *choisir* dans
les choses (et il le doit), ce n'est pas le *beau*, mais le *caractéristique*. Non
qu'il convienne de faire, comme on dit aujourd'hui, *de la couleur locale*,   40
c'est-à-dire d'ajouter après coup quelques touches criardes[22] çà et là sur un
ensemble du reste parfaitement faux et conventionnel. Ce n'est point à
la surface du drame que doit être la couleur locale, mais au fond, dans le
cœur même de l'œuvre, d'où elle se répand au dehors, d'elle-même, naturellement, également, et, pour ainsi parler, dans tous les coins du drame, comme   45

[13] Isn't this ridiculous!   [14] dull.   [15] ac-
knowledged as art.   [16] turns the pages of.
[17] endeavors to.   [18] truncated, mutilated, omitted.   [19] fills their gaps.   [20] will
have.   [21] relief, vividness.   [22] loud.

la sève qui monte de la racine à la dernière feuille de l'arbre. Le drame
doit être radicalement imprégné de cette couleur des temps; elle doit en
quelque sorte y être dans l'air, de façon qu'on ne s'aperçoive qu'en y entrant
et qu'en en sortant qu'on a changé de siècle et d'atmosphère. Il faut quel-
5 que étude, quelque labeur pour en venir là; tant mieux. Il est bon que les
avenues de l'art soient obstruées de ces ronces [23] devant lesquelles tout
recule, excepté les volontés fortes. C'est d'ailleurs cette étude, soutenue
d'une ardente inspiration, qui garantira le drame d'un vice qui le tue, le
commun. Le commun est le défaut des poètes à courte vue et à courte
10 haleine. Il faut qu'à cette optique de la scène, toute figure soit ramenée à
son trait le plus saillant, le plus individuel, le plus précis. Le vulgaire et
le trivial même [24] doit avoir un accent. Rien ne doit être abandonné.
Comme Dieu, le vrai poète est présent partout à la fois dans son œuvre . . .

FONCTION DU POÈTE

En 1835, dans la préface de son roman *Mademoiselle de Maupin*, Théophile
Gautier défendait la théorie de « l'art pour l'art » (p. 333). En 1840, dans la
préface de son dernier recueil de poèmes avant 1853 (*Les Rayons et les Ombres*),
Victor Hugo affirmait que « tout poète véritable . . . doit contenir la somme des
idées de son temps ». Le poète doit être un « écho sonore » des faits et des idées
de son temps, et aussi un voyant,[1] un « mage » guidant les peuples vers un Bethléem
d'espoir et de vérité.

Je vous aime, ô sainte nature !
Je voudrais m'absorber en vous; [2]
Mais dans ce siècle d'aventure,
Chacun, hélas ! se doit à tous !
5 Toute pensée est une force.
Dieu fit la sève pour l'écorce,[3]
Pour l'oiseau les rameaux fleuris,
Le ruisseau pour l'herbe des plaines,
Pour les bouches les coupes pleines,
10 Et le penseur pour les esprits !

Dieu le veut, dans les temps contraires,
Chacun travaille et chacun sert.
Malheur à qui dit à ses frères:
Je retourne dans le désert !
15 Malheur à qui prend ses sandales
Quand les haines et les scandales
Tourmentent le peuple agité !
Honte au penseur qui se mutile
Et s'en va, chanteur inutile,
20 Par la porte de la cité !

[23] brambles, prickly bushes.   [24] Vulgarity and even commonplaceness.

[1] seer.   [2] to give myself entirely to you.   [3] bark.

Le poëte, en des jours impies,
Vient préparer les jours meilleurs.
Il est l'homme des utopies,
Les pieds ici, les yeux ailleurs.
25 C'est lui qui sur toutes les têtes,
En tout temps, pareil aux prophètes,
Dans sa main, où tout peut tenir,
Doit, qu'[4]on l'insulte ou qu'on le loue,
Comme une torche qu'il secoue,
30 Faire flamboyer l'avenir ! . . .

Peuples ! écoutez le poëte !
Écoutez le rêveur sacré !
Dans votre nuit, sans lui complète,
Lui seul a le front éclairé.
35 Des temps futurs perçant les ombres,
Lui seul distingue en leurs flancs sombres
Le germe qui n'est pas éclos.[5]
Homme, il est doux comme une femme.
Dieu parle à voix basse à son âme
40 Comme aux forêts et comme aux flots.

C'est lui qui, malgré les épines,
L'envie et la dérision,
Marche, courbé dans vos ruines,
Ramassant la tradition.
45 De la tradition féconde
Sort tout ce qui couvre le monde,
Tout ce que le ciel peut bénir.
Toute idée, humaine ou divine,
Qui prend le passé pour racine
50 A pour feuillage l'avenir.

Il rayonne ! il jette sa flamme
Sur l'éternelle vérité !
Il la fait resplendir pour l'âme
D'une merveilleuse clarté.
55 Il inonde de sa lumière
Ville et désert, Louvre et chaumière,
Et les plaines et les hauteurs;
A tous d'en haut il la dévoile;
Car la poésie est l'étoile
60 Qui mène à Dieu rois et pasteurs !

Les Rayons et les Ombres

Lamartine et Vigny croyaient aussi à l'utilité sociale du poète, à sa mission;
pour Lamartine, voyez *l'Ode sur les Révolutions, Réponse à Némésis:*
Honte à qui peut chanter pendant que Rome brûle.

---

[4] whether.   [5] The undeveloped embryo; **éclos,** hatched.

Dans son drame philosophique, *Chatterton*, Vigny dit du poète « Il lit dans les astres la route que nous montre le doigt du Seigneur » (III, 6). Vigny, cependant, perdit vite la foi en cette fonction sociale du poète et se retira dans sa tour d'ivoire.

TRISTESSE D'OLYMPIO

Raphaël, tel était le nom sous lequel Lamartine se représentait dans ses œuvres; moins modeste, Victor Hugo avait pris celui d'Olympio; ne se considérait-il pas comme le Jupiter des lettres? Dans le poème qu'on va lire, il descend de son majestueux Olympe et nous fait la confidence de son amour; il aimait sa femme, la belle, douce et mystique Adèle, mère de ses quatre enfants, mais beaucoup moins qu'avant l'année 1827 où l'oblique Sainte-Beuve s'était insinué dans son ménage. Fort de l'indulgence de sa femme qui avait sans doute des reproches du même ordre à se faire, Victor Hugo, à partir de 1833, vécut dans l'intimité de « l'oiseau de flamme », la belle actrice Juliette Drouet. Intelligente et enjouée, elle fut, jusqu'à sa mort en 1883, le bon génie du poète et sa muse la plus fidèle; pour lui, elle renonça au théâtre. Pendant les grandes vacances de 1834 et 1835, la famille Hugo habita chez Bertin, directeur du *Journal des Débats*, aux Roches, à cinq milles au sud-est de Versailles. Juliette Drouet s'installa à mi-chemin de Versailles, au hameau des Metz [mɛs] dépendant de Jouy-en-Josas. Les amants se rencontraient presque chaque jour sur les bords boisés de la Bièvre. En 1837 Hugo écrivit la *Tristesse d'Olympio* après avoir revu, avec Juliette, ces lieux peuplés de beaux souvenirs; le thème est le même que celui du *Lac* de Lamartine et du *Souvenir* de Musset, mais ces deux poètes avaient, pour leur tristesse, de meilleures raisons qu'Olympio dont l'amour n'était encore qu'à la brillante aurore d'un long jour qui rayonna « dans un azur sans bornes » jusqu'à sa mort (1885). Juliette mourut deux ans avant lui.

> Les champs n'étaient point noirs, les cieux n'étaient pas mornes.
> Non, le jour rayonnait dans un azur sans bornes
>   Sur la terre étendu,
> L'air était plein d'encens [1] et les prés de verdures
> 5 Quand il revit ces lieux où par tant de blessures
>   Son cœur s'est répandu! [2]
>
> L'automne souriait; les coteaux vers la plaine
> Penchaient leurs bois charmants qui jaunissaient à peine;
>   Le ciel était doré;
> 10 Et les oiseaux, tournés vers celui que tout nomme,
> Disant peut-être à Dieu quelque chose de l'homme,
>   Chantaient leur chant sacré!
>
> Il voulut tout revoir, l'étang près de la source,
> La masure [3] où l'aumône [4] avait vidé leur bourse,
> 15   Le vieux frêne [5] plié,

---

[1] sweet scents; *lit.* 'incense.' [2] emptied itself. *The Romantic poet exaggerates his grief. Victor Hugo, the happy lover, the successful author, had no excuse to grieve; he had not suffered very much by his wife's* affair with Sainte-Beuve and had long since forgiven and forgotten it. [3] The hovel. [4] charity; *lit.* 'alms.' [5] ash (tree).

Les retraites d'amour au fond des bois perdues,
L'arbre [6] où dans les baisers leurs âmes confondues [7]
   Avaient tout oublié!

  Il chercha le jardin, la maison isolée, [8]
20 La grille d'où l'œil plonge en une oblique allée,
   Les vergers en talus. [9]
  Pâle, il marchait. — Au bruit de son pas grave et sombre,
Il voyait à chaque arbre, hélas! se dresser l'ombre
   Des jours qui ne sont plus! [10]

25 Il entendait frémir [11] dans la forêt qu'il aime
Ce doux vent qui, faisant tout vibrer en nous-même,
   Y réveille l'amour,
Et, remuant le chêne ou balançant la rose,
Semble l'âme de tout qui va sur chaque chose
30   Se poser tour à tour!

  Les feuilles qui gisaient dans le bois solitaire, [12]
S'efforçant sous ses pas de s'élever de terre,
   Couraient dans le jardin;
Ainsi, parfois, quand l'âme est triste, nos pensées
35 S'envolent un moment sur leurs ailes blessées,
   Puis retombent soudain.

  Il contempla longtemps les formes magnifiques
Que la nature prend dans les champs pacifiques;
   Il rêva jusqu'au soir;
40 Tout le jour il erra le long de la ravine,
Admirant tour à tour le ciel, face divine,
   Le lac, [13] divin miroir!

  Hélas! se rappelant ses douces aventures,
Regardant sans entrer, par-dessus les clôtures, [14]
45   Ainsi qu'un paria,
Il erra tout le jour. Vers l'heure où la nuit tombe,
Il se sentit le cœur triste comme une tombe,
   Alors il s'écria:

[6] *An old chestnut tree which had sheltered "Toto" (Victor) and "Juju" (Juliette) during a thunderstorm; they used it as a mailbox.* [7] intermingled, lost in each other. [8] *It was still there, on the top of the hill north of Jouy. It is a small white house with an attic second floor; the rent for the room occupied by Juliette was 92 francs a year ($18 in those days).* [9] The sloping orchards. [10] *Lack of sincerity; Romantic pose. Juliette was with him, more beautiful and affectionate than ever.* [11] rustle. [12] *It was called* le Bois de l'Homme mort. [13] *There are half a dozen ponds (rather than lakes) between Bièvres and Jouy.* [14] walls surrounding the properties.

« O douleur ! j'ai voulu, moi dont l'âme est troublée,
50 Savoir si l'urne encor conservait la liqueur,[15]
Et voir ce qu'avait fait cette heureuse vallée [16]
De [17] tout ce que j'avais laissé là de mon cœur !

« Que peu de temps suffit pour changer toutes choses ! [18]
Nature au front serein, comme vous oubliez !
55 Et comme vous brisez dans vos métamorphoses
Les fils mystérieux où nos cœurs sont liés !

« Nos chambres de feuillage en halliers sont changées ! [19]
L'arbre où fut notre chiffre [20] est mort ou renversé ;
Nos roses dans l'enclos [21] ont été ravagées
60 Par les petits enfants qui sautent le fossé.

« Un mur clôt la fontaine où, par l'heure échauffée,[22]
Folâtre, elle buvait en descendant des bois ;
Elle prenait de l'eau dans sa main, douce fée,
Et laissait retomber des perles de ses doigts !

65 « On a pavé la route [23] âpre et mal aplanie,[24]
Où, dans le sable pur se dessinant [25] si bien,
Et de sa petitesse étalant l'ironie,[26]
Son pied charmant semblait rire à côté du mien !

« La borne [27] du chemin, qui vit [28] des jours sans nombre,
70 Où jadis pour m'attendre elle aimait à s'asseoir,
S'est usée en heurtant, lorsque la route est sombre,
Les grands chars gémissants qui reviennent le soir.[29]

« La forêt ici manque [30] et là s'est agrandie.
De tout ce qui fut nous presque rien n'est vivant ;
75 Et, comme un tas de cendre éteinte et refroidie,
L'amas des souvenirs se disperse à tout vent !

« N'existons-nous donc plus ? Avons-nous eu notre heure ?
Rien ne la rendra-t-il à nos cris superflus ?
L'air joue avec la branche au moment où je pleure ;
80 Ma maison me regarde et ne me connaît plus.

[15] *Nature is the urn, memories of love are the liquor.* [16] *The Bièvre valley.* [17] *With.* [18] *Two years. Their last stay dated back to 1835.* [19] **sont changées en halliers** (thickets). [20] intertwined initials, monogram. [21] garden surrounded by a fence or a wall; *here the garden of Juliette's house.* [22] *An artificial phrase* for **aux heures chaudes de la journée,** on hot afternoons. [23] *The Bièvres-Versailles road via Monteclin.* [24] badly graded (smoothed down). [25] imprinting itself. [26] **étalant** (displaying) **l'ironie** (the ironical contrast) **de sa petitesse.** [27] **La borne kilométrique,** The milestone. [28] which has seen. [29] Has become worn out, . . . by the big creaking hay wagons coming home at night and scraping it; **heurter,** *lit.* 'to bump into.' *Read:* **S'est usée en étant heurtée par les grands chars . . .** [30] is gone; *lit.* 'is lacking.'

« D'autres vont maintenant passer où nous passâmes.
Nous y sommes venus, d'autres vont y venir;
Et le songe qu'avaient ébauché [31] nos deux âmes,
Ils le continueront sans pouvoir le finir !

85 « Car personne ici-bas ne termine et n'achève; [32]
Les pires des humains sont comme les meilleurs;
Nous nous réveillons tous au même endroit du rêve.
Tout commence en ce monde et tout finit ailleurs.

« Oui, d'autres à leur tour viendront, couples sans tache, [33]
90 Puiser dans cet asile heureux, calme, enchanté,
Tout ce que la nature à l'amour qui se cache
Mêle de rêverie et de solennité ! . . .

« Oh ! dites-moi, ravins, frais ruisseaux, treilles mûres, [34]
Rameaux chargés de nids, grottes, forêts, buissons,
95 Est-ce que vous ferez pour d'autres vos murmures?
Est-ce que vous direz à d'autres vos chansons? . . .

« Répondez, vallon pur, répondez, solitude,
O nature abritée en ce désert si beau,
Lorsque nous dormirons tous deux dans l'attitude
100 Que donne aux morts pensifs la forme du tombeau,

« Est-ce que vous serez à ce point insensible [35]
De nous savoir couchés, morts avec nos amours,
Et de continuer votre fête paisible,
Et de toujours sourire et de chanter toujours? . . .

105 « Et s'il est quelque part, dans l'ombre où rien ne veille,
Deux amants sous vos fleurs abritant leurs transports,
Ne leur irez-vous pas murmurer à l'oreille:
— Vous qui vivez, donnez une pensée aux morts !

« Dieu nous prête un moment les prés et les fontaines,
110 Les grands bois frissonnants, les rocs profonds et sourds,
Et les cieux azurés et les lacs et les plaines,
Pour y mettre nos cœurs, nos rêves, nos amours;

« Puis il nous les retire. Il souffle notre flamme;
Il plonge dans la nuit l'antre [36] où nous rayonnons;
115 Et dit à la vallée, où s'imprima notre âme,
D'effacer notre trace et d'oublier nos noms.

---

[31] begun.   [32] *Redundant verbs; translate:* brings his undertaking to an end.
[33] immaculate.   [34] ripe grapes; *lit.*
'ripe grapevines.' *The two grapevines are still adorning the front of the "maison de Juliette, aux Metz."*   [35] unconcerned (*to the extent of going on with your peaceful holiday*). [36] cave, den; *an unfortunate word here because of its unpleasant connotations (wild beasts, brigands, vice). The poet means* sanctuary.

« Eh bien ! oubliez-nous, maison, jardin, ombrages !
Herbe, use notre seuil ! ronce,[37] cache nos pas !
Chantez, oiseaux ! ruisseaux, coulez ! croissez, feuillages !
120 Ceux que vous oubliez ne vous oublieront pas.

« Car vous êtes pour nous l'ombre de l'amour même !
Vous êtes l'oasis qu'on rencontre en chemin !
Vous êtes, ô vallon, la retraite suprême
Où nous avons pleuré nous tenant par la main !

125 « Toutes les passions s'éloignent avec l'âge,
L'une emportant son masque [38] et l'autre son couteau,[39]
Comme un essaim [40] chantant d'histrions [41] en voyage
Dont le groupe décroît [42] derrière le coteau . . .

« Quand notre âme en rêvant descend dans nos entrailles,[43]
130 Comptant dans notre cœur, qu'enfin la glace [44] atteint,
Comme on compte les morts sur les champs de batailles,
Chaque douleur tombée et chaque songe éteint,

« Comme quelqu'un qui cherche en tenant une lampe,
Loin des objets réels, loin du monde rieur,
135 Elle [45] arrive à pas lents par une obscure rampe
Jusqu'au fond désolé du gouffre intérieur;

« Et là, dans cette nuit qu'aucun rayon n'étoile,[46]
L'âme en un repli [47] sombre où tout semble finir,
Sent quelque chose encor palpiter sous un voile. —
140 C'est toi qui dors dans l'ombre, ô sacré souvenir ! »

Les Rayons et les Ombres

VICTOR HUGO PRÉCURSEUR DE VERLAINE

Ces deux chansons d'amour, par leur thème délicat et leurs rythmes ailés et impairs annoncent la poésie fluide de Verlaine (p. 379). La première a été écrite en 1841, pour la femme du peintre Biard qui avait une villa à Sannois (à six milles au nord-est de Paris), avec un beau jardin et un « foyer qui rit »: deux charmants enfants. Le compositeur Reynaldo Hahn a écrit une mélodie charmante sur ces vers. La seconde fut écrite aux Metz (p. 304) où le poète était revenu en pèlerinage avec Juliette Drouet en septembre 1846.

II

Mes vers fuiraient, doux et frêles,
Vers votre jardin si beau,
Si mes vers avaient des ailes,
Des ailes comme l'oiseau.

[37] bramble.   [38] *The mask of the comedy of life.*   [39] *The knife of the tragedy of life.*   [40] troupe; *lit.* 'swarm.'   [41] histrions, actors (*derogatory*).   [42] gradually disappears.   [43] goes down to investigate our feelings (*lit.* 'inwards'); **être sans entrailles,** to be heartless.   [44] *The ice of old age.*   [45] She (*refers to* **âme**).   [46] **n'éclaire,** illuminates.   [47] recess.

5 Ils voleraient, étincelles,
  Vers votre foyer qui rit,
  Si mes vers avaient des ailes,
  Des ailes comme l'esprit.

  Près de vous, purs et fidèles,
10 Ils accourraient nuit et jour,
   Si mes vers avaient des ailes,
   Des ailes comme l'amour.

Les Contemplations, Livre II, L'Ame en fleurs, 1856

XIII

Viens ! — une flûte invisible
Soupire dans les vergers. —
La chanson la plus paisible
Est la chanson des bergers.

5 Le vent ride, sous l'yeuse,[1]
  Le sombre miroir des eaux. —
  La chanson la plus joyeuse
  Est la chanson des oiseaux.

  Que nul soin ne te tourmente.[2]
10 Aimons-nous ! aimons toujours ! —
   La chanson la plus charmante
   Est la chanson des amours.

Les Contemplations, Livre II

LA LÉGENDE DES SIÈCLES
1859

Hugo est ici l'évocateur du passé et de l'avenir. Il croit au progrès et montre « l'homme montant des ténèbres à l'idéal », depuis l'antiquité biblique et mythologique jusqu'à « maintenant » et « demain », en s'arrêtant longuement au Moyen Age, époque de prédilection des romantiques.

PLEIN CIEL

Nul plus que Victor Hugo n'a eu foi en la science et au progrès. Dans l'hymne prophétique qui suit, il symbolise l'avenir par le dirigeable dont il prédit le succès, même après l'échec de l'ingénieur Pétin en 1850–51. L'invention du dirigeable à moteur en 1901, par le Brésilien Santos-Dumont, donna raison au poète.

[1] **le chêne vert,** holm oak (*evergreen oak with hollylike leaves*).   [2] Let no care worry you.

Oui, l'aube s'est levée.

               Oh ! ce fut tout à coup
Comme une éruption de folie et de joie,
Quand après six mille ans [1] dans la fatale voie,[2]
Défaite [3] brusquement par l'invisible main,
5 La pesanteur, liée au pied du genre humain,[4]
Se brisa ; cette chaîne était toutes les chaînes !

            *   *   *

Où va-t-il ce navire ? Il va, de jour vêtu,[5]
A l'avenir divin et pur, à la vertu,
        A la science qu'on voit luire,
10 A la mort des fléaux, à l'oubli généreux,
A l'abondance, au calme, au rire, à l'homme heureux ;
        Il va, ce glorieux navire,

Au droit, à la raison, à la fraternité,
A la religieuse et sainte vérité
15   Sans impostures et sans voiles.
A l'amour, sur les cœurs serrant son doux lien,
Au juste, au grand, au bon, au beau . . . — Vous voyez bien
        Qu'en effet il monte aux étoiles !

            *   *   *

Oh ! ce navire fait le voyage sacré !
20 C'est l'ascension bleue à son premier degré ;
        Hors de l'antique et vil décombre,[6]
Hors de la pesanteur, c'est l'avenir fondé ;
C'est le destin de l'homme à la fin évadé,
        Qui lève l'ancre et sort de l'ombre !

25 Ce navire là-haut conclut [7] le grand hymen,
Il mêle presque à Dieu l'âme du genre humain.
        Il voit l'insondable,[8] il y touche ;
Il est le vaste élan du progrès vers le ciel ;
Il est l'entrée altière et sainte du réel
30   Dans l'antique idéal farouche. . . .

Nef [9] magique et suprême ! elle a, rien qu'en marchant,[10]
Changé le cri terrestre en pur et joyeux chant,
        Rajeuni les races flétries,

---

[1] *In the 19th century it was still believed that man appeared on the earth only 6000 years ago. Bossuet said so in his* Discours sur l'Histoire universelle (*1681*). *In his* Caractères (*1688, p. 155*), *La Bruyère said* **sept mille ans;** *modern anthropologists say at least fifty thousand years!* [2] the deadly road (*laid out for men by the original sin*). [3] Released; lit. 'undone.' [4] *By the original sin. See* La Bouche d'Ombre, *in* Les Contemplations:

      Or la première faute
      Fut le premier poids.

[5] clad in daylight. [6] rubbish; *usually plural.* [7] concludes, arranges. [8] unfathomable. [9] Ship (*poet.*). [10] by moving only.

Établi l'ordre vrai, montré le chemin sûr,
35 Dieu juste ! et fait entrer dans l'homme tant d'azur
    Qu'elle a supprimé les patries !

Faisant à l'homme avec le ciel une cité,
Une pensée avec toute l'immensité,
    Elle abolit les vieilles règles;
40 Elle abaisse les monts, elle annule les tours;
Splendide, elle introduit les peuples, marcheurs lourds,
    Dans la communion des aigles.

Elle a cette divine et chaste fonction
De composer là-haut l'unique nation,
45   A la fois dernière et première,[11]
De promener l'essor dans le rayonnement,[12]
Et de faire planer,[13] ivre de firmament,
    La liberté dans la lumière.

La Légende des siècles, 1859-77-83

OUVRAGES RECOMMANDÉS
Textes

Œuvres complètes, éd. Braspart. 32 vol. A. Martel.
Cris dans l'ombre. Chansons lointaines; textes réunis par Henri Guillemin.
    A. Michel, 1953.
Océan. Tas de pierres; inédits, présentés par H. Guillemin. A. Michel.
Pierres, inédits, présentés par H. Guillemin. Genève: Milieu du Monde.
Les Misérables, éd. Super et éd. Campbell. Heath.
Les Misérables. 2 vol. Classiques Larousse.
Hernani, éd. Matzke and Blondheim. Heath.
Hernani. Classiques Larousse.
Ruy Blas, éd. Moore. Heath.
Quatre-vingt-treize, éd. Fontaine. Heath.
Notre-Dame de Paris. Classiques Larousse.
Les Travailleurs de la mer. Classiques Larousse.
Les Contemplations, La Légende des siècles, Les Châtiments, Préface de Cromwell et autres, Odes et Ballades, etc. 11 vol. Classiques Larousse.
Poésies choisies. Classiques Hachette.

Discographie

Hugo: *Les Pauvres Gens, Ce siècle avait deux ans, L'Expiation*, dits par Seigner et Falcon, de la Comédie-Française. 1 disque microsillon. Disques Pléiade.
Pauca Meae, présentation de Georges Hacquard. Collection Les Grands Textes. Hachette.

Critique

Elliott M. Grant. *The Career of Victor Hugo.* Harvard University Press, 1945.

---

[11] *Last, chronologically; first, in importance.*   [12] To take enthusiasm (*lit.* 'soaring') all over radiance.   [13] float.

J.-B. Barrère. *Victor Hugo.* 256 p. Hatier, 1952.

H. Guillemin. *Victor Hugo par lui-même.* 192 p. Le Seuil.

Abbé Géraud Venzac. *Les Origines religieuses de Victor Hugo.* Bloud et Gay, 1954.

Foster E. Guyer. *The Titan, Victor Hugo.* S. F. Vanni, 1955.

PROSPER MÉRIMÉE

(1803–1870)

Un Romantique concis

Mérimée est un romantique dont l'œuvre reste populaire parce qu'elle n'a ni la sentimentalité ni le style prolixe de trop d'autres œuvres romantiques.

Il est né à Paris. Il y fit d'excellentes études qu'il continua toute sa vie. Il devint un érudit, un linguiste, et surtout un archéologue, inspecteur des monuments historiques. Il sauva certains de ceux-ci de la destruction. Il fut l'ami de grands écrivains, Chateaubriand, Stendhal, George Sand, et de peintres comme Delacroix. Pour mystifier les romantiques, il écrivit d'abord le *Théâtre de Clara Gazul*, recueil de courtes pièces (*Le Carrosse du Saint-Sacrement, Les Espagnols en* [1] *Danemark, L'Occasion, Une Femme et un diable*) qu'il attribuait à une comédienne espagnole.

Il voyagea. Il aima particulièrement l'Espagne (1830 et 1840) et la Corse (1840). Ses chefs-d'œuvre sont deux courts romans sur les mœurs primitives, presque sauvages, de la Corse (*Colomba*, 1840) et de l'Espagne (*Carmen*, 1847).

Aux journaux il donna des contes dont les meilleurs sont *Mateo Falcone, Tamango, L'Enlèvement de la redoute, La Vénus d'Ille* [2] et *La Partie de trictrac.* [3]

Mérimée est connu, au contraire de Hugo, pour son attachement au régime impérial de Napoléon III. C'est qu'il avait été en Espagne l'ami de la mère de l'impératrice Eugénie. Au contraire de Victor Hugo aussi, Mérimée a un style limpide, concis, précis. Il avait plutôt la nature réservée d'un Anglais, mais sous un masque de froid humoriste il cachait un cœur inquiet qui se plaisait au spectacle des passions pittoresques et brutales. Il mourut à Cannes (1870) dans une maison qui existe encore, en face du casino et de la mer Méditerranée.

COLOMBA

Sur le bateau qui le ramène de Marseille en Corse, après Waterloo, le lieutenant Orso della Rebbia s'éprend de [1] *Lydia Nevil, une Irlandaise. A l'arrivée, au lieu de son amour, il doit s'occuper d'une vendetta,* [2] *car son père a été tué par le chef d'une famille rivale, Barricini, qui a deux fils, Orlanduccio et Vincentello. Le voici qui voyage à cheval dans le maquis* [3] *montagneux où s'est réfugié son ami Brandolaccio, sorte de Robin Hood.*

LE COUP DOUBLE D'ORSO

Obligé par la roideur [4] de la pente à mettre pied à terre, Orso, qui avait laissé la bride sur le cou de son cheval, descendait rapidement en glissant

---

[1] **au.**   [2] *Small town in the eastern section of the French Pyrenees.*   [3] backgammon.

[1] falls in love with.   [2] Corsican blood feud.   [3] wild, bushy land, wilds.   [4] **la raideur,** steepness.

sur la cendre;[5] et il n'était guère qu'à vingt-cinq pas d'un de ces enclos en pierre à droite du chemin, lorsqu'il aperçut, précisément en face de lui, d'abord un canon de fusil, puis une tête dépassant la crête du mur. Le fusil s'abaissa, et il reconnut Orlanduccio prêt à faire feu. Orso fut prompt à se mettre en défense, et tous les deux, se couchant en joue,[6] se regardèrent quelques secondes avec cette émotion poignante que le plus brave éprouve au moment de donner ou de recevoir la mort.

— Misérable lâche ! s'écria Orso.

Il parlait encore quand il vit la flamme du fusil d'Orlanduccio, et presque en même temps un second coup partit à sa gauche, de l'autre côté du sentier, tiré par un homme qu'il n'avait point aperçu, et qui l'ajustait[7] posté derrière un autre mur. Les deux balles l'atteignirent: l'une, celle d'Orlanduccio, lui traversa le bras gauche, qu'il lui présentait en le couchant en joue; l'autre le frappa à la poitrine, déchira son habit, mais, rencontrant heureusement la lame de son stylet,[8] s'aplatit dessus et ne lui fit qu'une contusion légère. Le bras gauche d'Orso tomba immobile le long de sa cuisse, et le canon de son fusil s'abaissa un instant; mais il le releva aussitôt, et, dirigeant son arme de sa seule main droite, il fit feu sur Orlanduccio. La tête de son ennemi, qu'il ne découvrait que jusqu'aux yeux, disparut derrière le mur. Orso, se tournant à sa gauche, lâcha son second coup sur un homme entouré de fumée qu'il apercevait à peine. A son tour, cette figure disparut. Les quatre coups de fusil s'étaient succédé avec une rapidité incroyable, et jamais soldats exercés ne mirent moins d'intervalle dans un feu de file.[9] Après le dernier coup d'Orso, tout rentra dans le silence. La fumée sortie de son arme montait lentement vers le ciel; aucun mouvement derrière le mur, pas le plus léger bruit. Sans la douleur qu'il ressentait au bras, il aurait pu croire que ces hommes sur qui il venait de tirer étaient des fantômes de son imagination.

S'attendant à une seconde décharge, Orso fit quelques pas pour se placer derrière un des arbres brûlés restés debout dans le maquis. Derrière cet abri, il plaça son fusil entre ses genoux et le rechargea à la hâte. Cependant son bras gauche le faisait cruellement souffrir, et il lui semblait qu'il soutenait un poids énorme. Qu'étaient devenus ses adversaires? Il ne pouvait le comprendre. S'ils s'étaient enfuis, s'ils avaient été blessés, il aurait assurément entendu quelque bruit, quelque mouvement dans le feuillage. Étaient-ils donc morts, ou bien plutôt n'attendaient-ils pas, à l'abri de leur mur, l'occasion de tirer de nouveau sur lui? Dans cette incertitude, et sentant ses forces diminuer, il mit en terre le genou droit, appuya sur l'autre son bras blessé et se servit d'une branche qui partait du tronc de l'arbre brûlé pour soutenir son fusil. Le doigt sur la détente,[10] l'œil fixé sur le mur, l'oreille attentive au moindre bruit, il demeura immobile pendant quelques minutes, qui lui parurent un siècle. Enfin, bien loin derrière lui, un cri éloigné se fit entendre, et bientôt un chien, descendant le coteau avec la rapidité d'une flèche, s'arrêta auprès de lui en remuant la queue. C'était

---

[5] ashes (*of burned trees and brush*).
[6] leveling their rifles at each other.
[7] was taking a bead on him.   [8] stiletto,
dagger.
ranks.   [10] trigger.
[9] uninterrupted firing by

Brusco, le disciple et le compagnon des bandits, annonçant sans doute l'arrivée de son maître; et jamais honnête homme ne fut plus impatiemment attendu. Le chien, le museau [11] en l'air, tourné du côté de l'enclos le plus proche, flairait avec inquiétude. Tout à coup il fit entendre un grognement sourd, franchit le mur d'un bond, et presque aussitôt remonta sur la crête, d'où il regarda fixement Orso, exprimant dans ses yeux la surprise aussi clairement que chien le peut faire; puis il se remit le nez au vent, cette fois dans la direction de l'autre enclos, dont il sauta encore le mur.
Au bout d'une seconde, il reparaissait sur la crête, montrant le même air d'étonnement et d'inquiétude; puis il sauta dans le maquis, la queue entre les jambes, regardant toujours Orso et s'éloignant de lui à pas lents, par une marche de côté, jusqu'à ce qu'il s'en trouvât à quelque distance. Alors, reprenant sa course, il remonta le coteau presque aussi vite qu'il l'avait descendu, à la rencontre d'un homme qui s'avançait rapidement malgré la roideur de la pente.
— A moi, Brando! s'écria Orso dès qu'il le crut à portée de la voix.
— Ho! Ors' Anton'! vous êtes blessé! lui demanda Brandolaccio accourant tout essoufflé. Dans le corps ou dans les membres?
— Au bras.
— Au bras! Ce n'est rien. Et l'autre?
— Je crois l'avoir touché.
Brandolaccio, suivant son chien, courut à l'enclos le plus proche et se pencha pour regarder de l'autre côté du mur. Là, ôtant son bonnet:
— Salut au seigneur Orlanduccio, dit-il. Puis, se tournant du côté d'Orso, il le salua à son tour d'un air grave:
— Voilà, dit-il, ce que j'appelle un homme proprement accommodé.
— Vit-il encore? demanda Orso respirant avec peine.
— Oh! il s'en garderait; il a trop de chagrin de la balle que vous lui avez mise dans l'œil. Sang de la Madone, quel trou! Bon fusil, ma foi! Quel calibre! Ça vous écrabouille [12] une cervelle! Dites donc, Ors' Anton', quand j'ai entendu d'abord pif! pif! [13] je me suis dit: Sacrebleu! ils escofient [14] mon lieutenant. [15] Puis j'entends boum! boum! Ah! je dis, voilà le fusil anglais qui parle: il riposte. Mais, Brusco, qu'est-ce que tu me veux donc?
Le chien le mena à l'autre enclos.
— Excusez! s'écria Brandolaccio stupéfait. Coup double! rien que cela! Peste! [16] on voit bien que la poudre est chère, car vous l'économisez.
— Qu'y a-t-il, au nom de Dieu! demanda Orso.
— Allons! ne faites donc pas le farceur, [17] mon lieutenant! vous jetez le gibier par terre, et vous voulez qu'on vous le ramasse. En voilà un qui va en avoir un drôle de dessert aujourd'hui! c'est l'avocat Barricini. De la viande de boucherie, en veux-tu, en voilà! [18] Maintenant qui diable héritera?
— Quoi! Vincentello mort aussi?
— Très mort. Bonne santé à nous autres! Ce qu'il y a de bon avec

---

[11] nose. [12] squashes. [13] zing! [14] as-
sassinent. [15] *Brando served under Orso* *at Waterloo.* [16] Goodness! [17] away
with your jokes. [18] galore!

vous, c'est que vous ne les faites pas souffrir. Venez donc voir Vincentello: il est encore à genoux, la tête appuyée contre le mur. Il a l'air de dormir. C'est là le cas de dire: Sommeil de plomb. Pauvre diable!

Orso détourna la tête avec horreur.

— Es-tu sûr qu'il soit mort?   5

— Vous êtes comme Sampiero Corso, qui ne donnait jamais qu'un coup. Voyez-vous, là, dans la poitrine, à gauche? tenez, comme Vincileone fut attrapé à Waterloo. Je parierais bien que la balle n'est pas loin du cœur. Coup double! Ah! je ne me mêle plus de tirer. Deux en deux coups! A balle! Les deux frères! S'il avait eu un troisième coup, il aurait tué le 10 papa. On fera mieux une autre fois. Quel coup, Ors' Anton'!

Ayant vengé son père, Orso épouse Lydia.

Colomba, chapitre 17

OUVRAGES RECOMMANDÉS
Textes

Œuvres, éd. E. Marsan. 10 vol. Le Divan.
Carmen et autres nouvelles, éd. Blondheim. Heath.
Carmen, L'Enlèvement de la redoute. 1 vol. Classiques Larousse.
Colomba, éd. Robert. Heath.
Mateo Falcone, Colomba. 1 vol. Classiques Larousse.
Nouvelles choisies et Extraits. Classiques Hachette.

Discographie

Colomba, présentation d'Aimé Dupuy, réalisation de Jean Deschamps. Hachette.
Mérimée, textes présentés par Pierre Josserand. Hachette.
Le Carrosse du Saint-Sacrement, avec Jacques Copeau, Valentine Tessier, etc. Decca.

Critique

R. de Luppe. *Mérimée.* 240 p. A. Michel.

SAINTE-BEUVE
(1804-1869)
Le Plus Grand Critique littéraire français

Charles-Augustin Sainte-Beuve, né à Boulogne-sur-Mer (Pas-de-Calais), mena d'abord le bon combat pour le romantisme auquel il donna le *Tableau de la poésie française au XVIᵉ siècle* (1828), les *Poésies de Joseph Delorme* (1829), les *Consolations* (1830), et *Volupté* (1834), roman-confession de son amour pour Mᵐᵉ Victor Hugo. Jaloux de ses grands camarades du romantisme, dont il n'avait pas le génie créateur, il se consacra entièrement, dès 1837, au professorat et à la critique littéraire personnelle et psychologique. Ses deux meilleures œuvres critiques sont l'*Histoire de Port-Royal* (sept volumes, 1840-1859) et les *Lundis: Causeries du Lundi* (quinze volumes, 1851-1862), *Nouveaux Lundis* (treize volumes, 1863-1870), *Premiers Lundis* (trois volumes, 1874-1875), recueils de ses articles hebdomadaires dans *Le Constitutionnel*, puis dans *Le Moniteur*.

Comme homme, Sainte-Beuve est le plus antipathique de tous les grands écrivains de son siècle: il fut souvent un hypocrite et un faux ami; ce qu'il eut d'admirable, c'est un esprit juste, à la fois méticuleux et subtil; il est le plus grand critique littéraire de la France.

QU'EST–CE QU'UN CLASSIQUE?

La meilleure définition est l'exemple: depuis que la France posséda son siècle de Louis XIV et qu'elle put le considérer un peu à distance, elle sut ce que c'était qu'être classique, mieux que par tous les raisonnements. Le XVIIIᵉ siècle, jusque dans son mélange,[1] par quelques beaux ouvrages dus à
5 ses quatre grands hommes, ajouta à cette idée. Lisez le *Siècle de Louis XIV* par Voltaire, *la Grandeur et la Décadence des Romains* de Montesquieu, les *Époques de la Nature* de Buffon, le *Vicaire savoyard* et les belles pages de rêverie et de description de nature par Jean-Jacques, et dites si le XVIIIᵉ siècle n'a pas su, dans ces parties mémorables, concilier la tradition avec la
10 liberté du développement et l'indépendance. Mais au commencement de ce siècle-ci et sous l'Empire,[2] en présence des premiers essais d'une littérature décidément nouvelle et quelque peu aventureuse, l'idée de classique, chez quelques esprits résistants et encore plus chagrins que sévères, se resserra [3] et se rétrécit étrangement. Le premier Dictionnaire de l'Aca-
15 démie (1694) définissait simplement un auteur classique, « un auteur ancien fort approuvé, et qui fait autorité dans la matière qu'il traite ». Le Dictionnaire de l'Académie de 1835 presse beaucoup plus cette définition, et d'un peu vague qu'elle était, il la fait précise et même étroite. Il définit auteurs classiques ceux « qui sont devenus *modèles* dans une langue quelcon-
20 que »,[4] et, dans tous les articles qui suivent, ces expressions de *modèles*, de *règles* établies pour la composition et le style, de *règles strictes* de l'art auxquelles on doit *se conformer*, reviennent continuellement. Cette définition du *classique* a été faite évidemment par les respectables académiciens nos devanciers en présence et en vue de ce qu'on appelait alors le *romantique*,
25 c'est-à-dire en vue de l'ennemi. Il serait temps, ce me semble, de renoncer à ces définitions restrictives et craintives, et d'en élargir l'esprit.

Un vrai classique, comme j'aimerais à l'entendre définir, c'est un auteur qui a enrichi l'esprit humain, qui en a réellement augmenté le trésor, qui lui a fait faire un pas de plus, qui a découvert quelque vérité morale non
30 équivoque, ou ressaisi quelque passion éternelle dans ce cœur où tout semblait connu et exploré; qui a rendu sa pensée, son observation ou son invention, sous une forme n'importe laquelle, mais large et grande, fine et sensée,[5] saine et belle en soi; qui a parlé à tous dans un style à lui et qui se trouve aussi celui de tout le monde, dans un style nouveau sans néologisme
35 nouveau et antique, aisément contemporain de tous les âges.[6]

Un tel classique a pu être un moment révolutionnaire, il a pu le paraître du moins, mais il ne l'est pas; il n'a fait main basse d'abord autour de lui, il n'a renversé ce qui le gênait que [7] pour rétablir bien vite l'équilibre au profit de l'ordre et du beau.

---

[1] even with its mixture of trends.   [2] *The first Empire (1804–15)*.   [3] contracted. [4] in any language.   [5] sensible.   [6] *This is the most felicitous and famous definition*

[6] *... of the classicist.*   [7] **il n'a fait main basse ... que,** he has stolen (plundered) ... only.

On peut mettre, si l'on veut, des noms sous cette définition, que je voudrais faire exprès grandiose et flottante,[8] ou, pour tout dire, généreuse. J'y mettrais d'abord le Corneille de *Polyeucte*, de *Cinna*, et d'*Horace*.[9] J'y mettrais Molière, le génie poétique le plus complet et le plus plein que nous ayons eu en français ...

L'important aujourd'hui me paraît être de maintenir l'idée et le culte, tout en l'élargissant. Il n'y a pas de recette pour faire des classiques; ce point doit être enfin reconnu évident. Croire qu'en imitant certaines qualités de pureté, de sobriété, de correction et d'élégance, indépendamment du caractère même et de la flamme, on deviendra classique, c'est croire qu'après Racine père il y a lieu à [10] des Racine fils; [11] rôle estimable et triste, ce qui est le pire en poésie. Il y a plus: il n'est pas bon de paraître trop vite et d'emblée [12] classique à ses contemporains; on a grande chance alors de ne pas rester tel pour la postérité. Fontanes,[13] en son temps, paraissait un classique pur à ses amis; voyez quelle pâle couleur cela fait à vingt-cinq ans de distance.[14] Combien de ces classiques précoces qui ne tiennent pas et qui ne le sont que pour un temps! On se retourne un matin, et l'on est tout étonné de ne plus les retrouver debout derrière soi. Il n'y en a eu, dirait gaiement Mme de Sévigné, que pour un *déjeuné de soleil*.[15] En fait de classiques, les plus imprévus [16] sont encore les meilleurs et les plus grands: demandez-le plutôt à ces mâles génies vraiment nés immortels et perpétuellement florissants. Le moins classique, en apparence, des quatre grands poètes de Louis XIV, était Molière; on l'applaudissait alors bien plus qu'on ne l'estimait; on le goûtait sans savoir son prix. Le moins classique après lui semblait La Fontaine: et voyez après deux siècles ce qui, pour tous deux, en est advenu.[17] Bien avant Boileau, même avant Racine, ne sont-ils pas aujourd'hui unanimement reconnus les plus féconds et les plus riches pour les traits d'une morale universelle?

Au reste, il ne s'agit véritablement de rien sacrifier, de rien déprécier. Le Temple du goût,[18] je le crois, est à refaire; mais, en le rebâtissant, il s'agit simplement de l'agrandir, et qu'il devienne le Panthéon de tous les nobles humains, de tous ceux qui ont accru pour une part notable et durable la somme des jouissances et des titres [19] de l'esprit ...

Dans ce Temple du goût *qu'il rebâtit, Sainte-Beuve place les écrivains français suivants: La Rochefoucauld, La Bruyère, Fénelon, Boileau, Montaigne, La Fontaine, Voltaire, Pellisson,[20] Vauvenargues,[21] Molière.*

Voilà nos classiques; l'imagination de chacun peut achever le dessin et même choisir son groupe préféré. Car il faut choisir, et la première condition

---

[8] vague.   [9] *Not* Le Cid, *for it contains Romantic elements.*   [10] we must necessarily have.   [11] *Racine's son, Louis, was a poet of no great ability.*   [12] at one's first attempt.   [13] *The statesman and poet Fontanes is now remembered only as Chateaubriand's protector in London and in Paris (from 1797 to 1801).*   [14] *This article was written in 1850. Fontanes died in 1821.*   [15] **déjeuné,** *spelled* **déjeuner** *now.* There was only enough ... for the sun's breakfast; They were ephemeral; **un déjeuner de soleil,** *phrase often applied to some material that fades quickly in the sun.*   [16] unexpected.   [17] has happened.   [18] *The paradise of the great writers. In 1733 Voltaire published a poem in prose and verse called* Le Temple du goût.   [19] titles, ornaments.   [20] *See p. 96, n. 11.*   [21] *Moralist whose* Maximes, *contrary to La Rochefoucauld's, are optimistic (1715–47).*

du goût, après avoir tout compris, est de ne pas voyager sans cesse, mais de s'asseoir une fois et de se fixer.   Rien ne blase et n'éteint plus le goût que les voyages sans fin; l'esprit poétique n'est pas le *Juif errant.*[22]   Ma conclusion pourtant, quand je parle de se fixer et de choisir, ce n'est pas d'imiter ceux
5 même qui nous agréent le plus entre nos maîtres dans le passé.   Contentons-nous de les sentir, de les pénétrer, de les admirer, et nous, venus si tard, tâchons du moins d'être nous-mêmes.   Faisons notre choix dans nos propres instincts.   Ayons la sincérité et le naturel de nos propres pensées, de nos sentiments, cela se peut toujours; joignons-y, ce qui est plus difficile, l'éléva-
10 tion, la direction, s'il se peut, vers quelque but haut placé; et tout en parlant notre langue, en subissant[23] les conditions des âges où nous sommes jetés et où nous puisons notre force comme nos défauts, demandons-nous de temps en temps, le front levé vers les collines et les yeux attachés aux groupes des mortels révérés: *Que diraient-ils de nous?*
15   Mais pourquoi parler toujours d'être auteur et d'écrire? il vient un âge, peut-être, où l'on n'écrit plus.   Heureux ceux qui lisent, qui relisent, ceux qui peuvent obéir à leur libre inclination dans leurs lectures!   Il vient une saison dans la vie, où, tous les voyages étant faits, toutes les expériences achevées, on n'a pas de plus vives jouissances que d'étudier et d'appro-
20 fondir les choses qu'on sait, de savourer ce qu'on sent, comme de voir et de revoir les gens qu'on aime: pures délices du cœur et du goût dans la maturité.   C'est alors que ce mot de *classique* prend son vrai sens, et qu'il se définit pour tout homme de goût par un choix de prédilection et irré-sistible.   Le goût est fait alors, il est formé et définitif; le bon sens chez
25 nous, s'il doit venir, est consommé.[24]   On n'a plus le temps d'essayer ni l'envie de sortir à la découverte.   On s'en tient à ses amis, à ceux qu'un long commerce a éprouvés.   Vieux vin, vieux livres, vieux amis.   On se dit comme Voltaire dans ces vers délicieux:

Jouissons, écrivons, vivons, mon cher Horace!...
30 J'ai vécu plus que toi: mes vers dureront moins;
Mais, au bord du tombeau, je mettrai tous mes soins
A suivre les leçons de ta philosophie,
A mépriser la mort en savourant la vie,
A lire tes écrits pleins de grâce et de sens,
35 Comme on boit d'un vin vieux qui rajeunit les sens.

Enfin, que ce soit Horace ou tout autre, quel que soit l'auteur qu'on préfère et qui nous rende nos propres pensées en toute richesse et maturité, on va demander alors à quelqu'un de ces bons et antiques esprits un entretien de tous les instants, une amitié qui ne trompe pas, qui ne saurait nous manquer,
40 et cette impression habituelle de sérénité et d'aménité qui nous réconcilie, nous en avons souvent besoin, avec les hommes et avec nous-même.

Causeries du Lundi, vol. II, Lundi, 21 octobre 1850

---

[22] the Wandering Jew; *also refers to a then recent novel by Eugène Sue (1845).*
[23] enduring.   [24] used, relished.

OUVRAGES RECOMMANDÉS
Textes

Œuvres, éd. M. Leroy. 4 vol. Gallimard.
Correspondance générale, éd. Jean Bonnerot. 7 vol. Stock.
Causeries du Lundi (3 vol.)
Port-Royal
Volupté } Classiques Larousse.
Chateaubriand et son groupe littéraire sous l'Empire

Critique

L.-F. Choizy. *Sainte-Beuve, l'homme et le poète.* 302 p. Plon.

ALFRED DE MUSSET
(1810–1857)
Le Prince Charmant de la poésie française

Musset naquit à Paris, 57 boulevard Saint-Germain (à 200 mètres de la Sorbonne), d'aimables bourgeois lettrés. Il fut un brillant élève du lycée Henri IV où il eut comme condisciple Paul Foucher qui le présenta, en 1822, à son beau-frère Victor Hugo. Comme il n'avait pas le cœur [1] assez solide pour supporter les dissections de l'École de Médecine, force lui fut d'accepter un emploi de gratte-papier [2] dans une peu romantique entreprise de poêles [3] pour l'armée. Il se consolait du prosaïsme de son gagne-pain en écrivant des vers qu'il lisait aux réunions du *Cénacle*, club romantique, le dimanche, chez Charles Nodier. Bientôt ce charmant blondin, fin valseur et spirituel dandy, se lançait à corps et âme perdus dans le tourbillon [4] de la vie parisienne.

Il faisait des vers pétillants [5] d'esprit, aussi facilement qu'il buvait du champagne et de l'alcool mélangé de bière. Il donna en 1830 ses *Contes d'Espagne et d'Italie* et put vivre de sa plume en collaborant, par des vers et des articles de critique et d'actualité, au *Temps*, à la *Revue de Paris* et à la *Revue des Deux Mondes*. C'est à un dîner offert par la direction aux rédacteurs [6] de cette dernière revue, en juin 1833, qu'il fit la connaissance de George Sand, et bientôt celle de l'amour vrai, et de la douleur.

L'échec de *La Nuit Vénitienne*, à l'Odéon, en 1830, l'avait dégoûté des représentations théâtrales. Il écrivit pour la *Revue des Deux Mondes* et la lecture seulement, des *Comédies et Proverbes* qui sont des diamants d'esprit où la vérité se mêle joliment à la fantaisie, et l'émotion à la gaieté: *Les Caprices de Marianne* (1833), *Fantasio, On ne badine* [7] *pas avec l'amour, Lorenzaccio* ('le mauvais Laurent,' drame sur Lorenzo de Médicis, patriote mais débauché, qui assassina son cousin le duc Alexandre, en 1537) (1834), *Le Chandelier* (1835), *Il ne faut jurer de rien* [8] (1836), *Un Caprice* (1837), etc. Ces pièces furent représentées avec succès à Paris à partir de 1847, grâce à l'enthousiasme de l'actrice Mme Allan-Despréaux qui venait de faire applaudir *Un Caprice* à Saint-Pétersbourg.

Les charmants contes en prose qui suivirent son roman autobiographique *Confession d'un enfant du siècle*, 1836, (*Frédéric et Bernerette, Le Fils du Titien, Histoire d'un merle* [9] *blanc, Mimi Pinson, Pierre et Camille, La Mouche,* [10] etc.) ont été

---

[1] stomach. [2] copying clerk. [3] stove *Never Can Tell.* [9] blackbird. [10] beauty company. [4] giddy round. [5] sparkling. [6] staff writers. [7] trifle. [8] *You* spot.

réunis sous le titre de *Contes et Nouvelles*. Son œuvre poétique comprend deux volumes: *Premières Poésies* (1829–1835) et *Poésies nouvelles* (1835–1852).

Il avait vécu trop vite. Il n'écrivit plus guère après 1841 et mourut à l'âge de quarante-sept ans (1857). Il reste pour nous le chérubin terrible et souffrant du romantisme, le cœur blessé des *Nuits*, mais aussi le « Prince Phosphore du Cœur-Volant » qui, au charme assez pervers de sa personnalité, ajouta la grâce de Marot, le fin sourire de Montaigne et l'esprit irrévérencieux de Voltaire.

L'ESPRIT DE MUSSET
BALLADE A LA LUNE

Présenté au *Cénacle* dont les chefs étaient Hugo et Vigny, le jeune Musset écrivit d'abord des poèmes dans la manière romantique, mais il avait trop d'originalité, de bon sens et d'esprit, pour *hugotiser* [1] longtemps et prendre le romantisme au sérieux. Il ironise ici sur la lune, accessoire un peu trop employé en littérature, depuis Rousseau, Bernardin de Saint-Pierre et Chateaubriand.

C'était, dans la nuit brune,
Sur le clocher [2] jauni,
    La lune,
Comme un point sur un i.

5 Lune, quel esprit sombre
Promène au bout d'un fil,
    Dans l'ombre,
Ta face et ton profil?

Es-tu l'œil du ciel borgne? [3]
10 Quel chérubin cafard [4]
    Nous lorgne [5]
Sous ton masque blafard? [6]

N'es-tu rien qu'une boule?
Qu'un grand faucheux [7] bien gras
15   Qui roule
Sans pattes et sans bras?

Es-tu, je t'en soupçonne,
Le vieux cadran [8] de fer
    Qui sonne
20 L'heure aux damnés d'enfer?

Sur ton front qui voyage,
Ce soir ont-ils compté
    Quel âge
A leur éternité?

[1] imitate Hugo.   [2] steeple.   [3] of the one-eyed sky.   [4] hypocritical. *One of the modern meanings of* **cafard** *is* tattle-tale.   [5] Spies on us; **lorgner,** to look through a glass, cast sidelong glances at.   [6] wan.   [7] daddy longlegs, field spider.   [8] dial.

25 Est-ce un ver qui te ronge,
Quand [9] ton disque noirci
   S'allonge
En croissant rétréci? [10]

Qui t'avait éborgnée [11]
30 L'autre nuit? T'étais-tu
   Cognée
A [12] quelque arbre pointu?

Car tu vins pâle et morne,
Coller [13] sur mes carreaux [14]
   Ta corne,[15]
35
A travers les barreaux.

Va,[16] lune moribonde,
Le beau corps de Phébé [17]
   La blonde
40 Dans la mer est tombé.

Tu n'en es que la face,
Et déjà tout ridé,[18]
   S'efface
Ton front dépossédé.[19]

45 Rends-nous la chasseresse,[20]
Blanche, au sein virginal,[21]
   Qui presse [22]
Quelque cerf matinal! [23]

Oh! Sous le vert platane,[24]
50 Sous les frais coudriers,[25]
   Diane
Et ses grands lévriers! [26]

Le chevreau noir qui doute,[27]
Pendu [28] sur un rocher,
   L'écoute,
55
L'écoute s'approcher.

---

[9] Is it because a worm is eating (gnawing) you that . . . ? [10] narrower. [11] put your eye out. [12] Bumped into. [13] And pressed; *lit.* 'stuck.' [14] windowpanes. [15] horn. [16] Believe me. [17] Phoebe; *Artemis or Selene (in Greek), Diana (in Latin), the moon goddess.* [18] wrinkled. [19] dispossessed (*of majestic beauty*). [20] *The huntress Phoebe was the goddess of hunting.* [21] *Phoebe also represented chastity.* [22] presses hard upon, follows close behind. [23] Some early-morning deer. [24] plane tree, sycamore. [25] hazel trees. [26] greyhounds. [27] The black young goat which hesitates. [28] **Suspendu,** Poised.

Et, suivant leurs curées,[29]
Par les vaux,[30] par les blés,[31]
Les prées,[32]
60 Ses chiens s'en sont allés.

Oh ! le soir, dans la brise,
Phébé, sœur d'Apollo,[33]
Surprise [34]
A l'ombre, un pied dans l'eau !

65 Phébé qui, la nuit close,[35]
Aux lèvres d'un berger [36]
Se pose,
Comme un oiseau léger.

Lune, en notre mémoire,
70 De tes belles amours
L'histoire
T'embellira toujours.

Et toujours rajeunie,
Tu seras du passant
75 Bénie,[37]
Pleine lune ou croissant.

T'aimera le vieux pâtre,[38]
Seul, tandis qu'à ton front
D'albâtre
80 Ses dogues [39] aboieront.

T'aimera le pilote
Dans son grand bâtiment [40]
Qui flotte
Sous le clair firmament !

85 Et la fillette preste [41]
Qui passe le buisson,[42]
Pied leste,[43]
En chantant sa chanson.

[29] quarries, preys.   [30] Through the vales.   [31] wheat fields.   [32] *Old form for* **prés** *m.,* meadows.   [33] *Phoebe was the twin sister of Apollo. They were the children of Zeus and Latona.*   [34] *By Actaeon (**Actéon**), a hunter. He came by surprise upon Diana as she was bathing. He was changed into a stag by the incensed virgin, and consequently was torn to pieces by his own dogs.*   [35] **à la nuit close,** after dark.   [36] *The handsome shepherd Endymion was loved by Diana who bore him fifty daughters. From Jupiter she obtained for him the gift of retaining his beauty in eternal sleep, in a cave where she visited and kissed him nightly. See Keats'* Endymion.   [37] **du passant bénie:** blessed by the passer-by.   [38] shepherd.   [39] dogs; *lit.* 'mastiffs.'   [40] ship.   [41] nimble.   [42] Going by the bushes.   [43] Light-footed.

Comme un ours [44] à la chaîne,
90 Toujours sous tes yeux bleus
       Se traîne [45]
   L'Océan montueux.[46]

   Et qu'il vente [47] ou qu'il neige,
   Moi-même, chaque soir,
95   Que fais-je,
   Venant ici m'asseoir?

Je viens voir à la brune,[48]
Sur le clocher jauni,
       La lune
100 Comme un point sur un i.

Contes d'Espagne et d'Italie, 1830

LA NUIT DE MAI

C'est en juin 1833 que Musset fit la connaissance de George Sand, brune « aux yeux d'Isis, femme à l'œil sombre ». Il avait vingt-trois ans; elle, séparée de son brutal mari, en avait vingt-neuf, et deux enfants. En août Alfred s'installait chez elle, quai Malaquais.

« L'amant-enfant » était déjà un débauché et un halluciné. Il était affligé d'une curiosité malsaine et avait le mauvais goût de poser à George des questions sur son passé; cela tournait à des crises nerveuses dont la plus « belle » eut comme cadre la gorge de Franchard, dans la forêt de Fontainebleau. Un voyage en Italie ne ferait-il pas couler une douceur d'idylle dans ces amours en tempête? Va pour l'Italie! En décembre 1833, sur le bateau qui descend le Rhône, on fait la connaissance d'un écrivain fort original qui déplaît à George par son athéisme, ses plaisanteries grossières et ses danses de moujik; c'est Henri Beyle, Stendhal en littérature, qui regagne son consulat de Civita-Vecchia; on s'empresse de lui fausser compagnie. Marseille-Gênes en bateau, puis, en voiture, Pise, Florence, Venise où l'on descend à l'hôtel Danieli.

George est malade. Son « gamin d'Alfred » en profite pour se livrer à toutes les orgies, et le voici en proie à une fièvre cérébrale. Tout en le soignant, George comble de ses faveurs le bon gros docteur Pietro Pagello. Alfred s'en aperçoit et, mal guéri, repart pour Paris à la fin de mars 1834. George y rentre en août avec son prosaïque amant qu'elle abandonne bientôt pour revenir au poète. La jalousie rétrospective de celui-ci est la cause de nouvelles querelles; on se sépare définitivement en mars 1835. Voilà une navrante histoire que nous aimons pourtant, car elle a fait jaillir les plus beaux vers d'amour que la douleur et le souvenir aient jamais inspirés. En mai 1835, sous les marronniers en fleur du jardin des Tuileries, Musset conçut l'idée de *La Nuit de Mai*. Il rentra chez lui, alluma une douzaine de bougies, s'entoura de vases pleins de fleurs, et se mit à écrire; il continua la nuit suivante, et voici le fruit de ces deux veilles embaumées.

---

[44] bear.   [45] Drawls along.   [46] high-waved; *lit.* 'hilly.' *The poet refers to the influence of the moon upon the tides.*   [47] whether it is windy.   [48] in the dusk of the evening, in the gloaming.

LA MUSE

Poète, prends ton luth [1] et me donne un baiser;
La fleur de l'églantier [2] sent ses bourgeons éclore.
Le printemps naît ce soir; les vents vont s'embraser; [3]
Et la bergeronnette,[4] en attendant l'aurore,
5 Aux premiers buissons verts commence à se poser.
Poète, prends ton luth et me donne un baiser.

LE POÈTE

Comme il fait noir dans la vallée !
J'ai cru qu'une forme voilée
Flottait là-bas sur la forêt.
10 Elle sortait de la prairie;
Son pied rasait [5] l'herbe fleurie;
C'est une étrange rêverie;
Elle s'efface et disparaît.

LA MUSE

Poète, prends ton luth; la nuit, sur la pelouse,
15 Balance le zéphyr dans son voile odorant.
La rose, vierge encor, se referme jalouse [6]
Sur le frelon [7] nacré [8] qu'elle enivre en mourant.[9]
Écoute ! tout se tait; songe à ta bien-aimée.
Ce soir, sous les tilleuls à la sombre ramée,[10]
20 Le rayon du couchant laisse un adieu plus doux.
Ce soir, tout va fleurir: l'immortelle nature
Se remplit de parfums, d'amour et de murmure,
Comme le lit joyeux de deux jeunes époux.

LE POÈTE

Pourquoi mon cœur bat-il si vite ?
25 Qu'ai-je donc en moi qui s'agite
Dont je me sens épouvanté ? [11]
Ne frappe-t-on pas à ma porte ?
Pourquoi ma lampe à demi morte
M'éblouit-elle de clarté ?

[1] lute (*guitar-like instrument*). *The clause* **prends ton luth** *is to be taken figuratively as meaning* 'come back to poetry.'   [2] sweetbrier (*wild-rose bush*). [3] *are going to be warmer;* **s'embraser** *is too strong a word here;* **s'embraser**, *devenir comme un brasier,* to catch fire. [4] *the wagtail* (*the companion of shepherds,* **bergers**).   [5] barely touched, grazed.   [6] *passionately.*   [7] hornet. [8] **couleur de nacre,** pearly, iridescent; **la nacre,** mother-of-pearl.   [9] *which she* enraptures as she dies; *as he dies, referring to* **le frelon,** *makes as much sense but runs counter to the phrasing.*   [10] *under the dark leafy branches of the linden trees* (*or lime trees, or basswoods, whose yellowish flowers are used to make a sedative infusion*); **la ramée,** *poet. for* leafy branches. *Many editors put the comma after* **tilleuls,** *thus making both the style and the meaning unnatural.*   [11] terrified. *The poet's mind is verging on madness.*

30   Dieu puissant ! tout mon corps frissonne.
    Qui vient ? qui m'appelle ? — Personne.
    Je suis seul ; c'est l'heure qui sonne ;
    O solitude ! ô pauvreté !

LA MUSE

    Poète, prends ton luth ; le vin de la jeunesse
35 Fermente cette nuit dans les veines de Dieu.[12]
    Mon sein est inquiet ; la volupté l'oppresse,
    Et les vents altérés [13] m'ont mis la lèvre en feu.
    O paresseux enfant ! [14] regarde, je suis belle.
    Notre premier baiser ne t'en souviens-tu pas,
40 Quand je te vis si pâle au toucher de mon aile,
    Et que, les yeux en pleurs, tu tombas dans mes bras ? [15]
    Ah ! Je t'ai consolé d'une amère souffrance ! [16]
    Hélas ! bien jeune encor, tu te mourais d'amour.
    Console-moi ce soir, je me meurs d'espérance ;
45 J'ai besoin de prier pour vivre jusqu'au jour.

LE POÈTE

    Est-ce toi dont la voix m'appelle,
    O ma pauvre Muse ! est-ce toi ?
    O ma fleur ! ô mon immortelle !
    Seul être pudique et fidèle
50   Où vive encor [17] l'amour de moi !
    Oui, te voilà, c'est toi, ma blonde,[18]
    C'est toi, ma maîtresse et ma sœur !
    Et je sens, dans la nuit profonde,
    De ta robe d'or qui m'inonde [19]
55   Les rayons glisser dans mon cœur.

LA MUSE

    Poète, prends ton luth ; c'est moi, ton immortelle,
    Qui t'ai vu cette nuit triste et silencieux,
    Et qui, comme un oiseau que sa couvée [20] appelle,
    Pour pleurer avec toi descends du haut des cieux.
60 Viens, tu souffres, ami. Quelque ennui solitaire
    Te ronge, quelque chose a gémi dans ton cœur ;
    Quelque amour t'est venu, comme on en voit sur terre,
    Une ombre [21] de plaisir, un semblant de bonheur.
    Viens, chantons devant Dieu ; chantons dans tes pensées,
65 Dans tes plaisirs perdus, dans tes peines passées ;

---

[12] *In Nature.*   [13] parching ; *lit.* 'thirsty.'
[14] *Musset was 25 when he wrote this poem.*
[15] *Musset's first poem, an elegy, was written when he was 18, after reading André Chénier. He read it to Sainte-Beuve who encouraged him to write more poetry.*

[16] *After Musset, then 20 years old, had been betrayed by the first woman that he had loved, Mme Grosellier (or de Groiselliez).*
[17] In whom still lives.   [18] my beloved.
[19] enveloping me.   [20] its brood.   [21] A particle.

Partons, dans un baiser, pour un monde inconnu.
Éveillons au hasard les échos de ta vie,
Parlons-nous de bonheur, de gloire et de folie,[22]
Et que ce soit un rêve, et le premier venu.[23]
70 Inventons quelque part des lieux où l'on oublie;
Partons, nous sommes seuls, l'univers est à nous . . .

La Muse suggère de nombreux sujets et types de poèmes, puis se fait pressante.

Prends ton luth! prends ton luth! je ne peux plus me taire;
Mon aile me soulève au souffle du printemps.
Le vent va m'emporter; je vais quitter la terre.
75 Une larme [24] de toi! Dieu m'écoute; il est temps.

LE POÈTE

S'il ne te faut, ma sœur chérie,
Qu'un baiser d'une lèvre amie
Et qu'une larme de mes yeux,
Je te les donnerai sans peine;
80 De nos amours qu'il te souvienne,[25]
Si tu remontes dans les cieux.
Je ne chante ni l'espérance,
Ni la gloire, ni le bonheur,
Hélas! pas même la souffrance.
85 La bouche garde le silence
Pour écouter parler le cœur.

LA MUSE

Crois-tu donc que je sois comme le vent d'automne,
Qui se nourrit de pleurs [26] jusque [27] sur un tombeau,
Et pour qui la douleur n'est qu'une goutte d'eau?
90 O poète! un baiser, c'est moi qui te le donne.
L'herbe [28] que je voulais arracher de ce lieu,
C'est ton oisiveté; ta douleur est à Dieu.
Quel que soit le souci [29] que ta jeunesse endure,
Laisse-la s'élargir, cette sainte blessure [30]
95 Que les noirs séraphins [31] t'ont faite au fond du cœur;
Rien ne nous rend si grands qu'une grande douleur.
Mais, pour en être atteint,[32] ne crois pas, ô poète,
Que ta voix ici-bas doive rester muette.
Les plus désespérés sont les chants les plus beaux,
100 Et j'en sais d'immortels qui sont de purs sanglots.
Lorsque le pélican, lassé d'un long voyage,
Dans les brouillards du soir retourne à ses roseaux,

[22] ecstasy.   [23] any dream.   [24] A tear (*a touching poem*).   [25] Remember our love.   [26] Which feeds on tears (*by drying them*). *This is far-fetched.*   [27] even.   [28] weed.   [29] No matter what suffering.   [30] *The wound caused by the infidelity of George Sand.*   [31] the spirits of darkness.   [32] **bien que tu en sois atteint,** just because you are stricken by it, hurt though you may be.

Ses petits affamés courent sur le rivage
En le voyant au loin s'abattre sur les eaux.
105 Déjà, croyant saisir et partager leur proie,
Ils courent à leur père avec des cris de joie
En secouant leurs becs sur leurs goitres [33] hideux.
Lui, gagnant à pas lents une roche élevée,
De son aile pendante abritant sa couvée,
110 Pêcheur mélancolique, il regarde les cieux.
Le sang coule à longs flots de sa poitrine ouverte;
En vain il a des mers fouillé la profondeur:
L'Océan était vide et la plage [34] déserte;
Pour toute nourriture il apporte son cœur.
115 Sombre et silencieux, étendu sur la pierre,
Partageant à ses fils ses entrailles de père,[35]
Dans son amour sublime il berce sa douleur,
Et, regardant couler sa sanglante mamelle,
Sur son festin de mort il s'affaisse et chancelle,[36]
120 Ivre de volupté, de tendresse et d'horreur.
Mais parfois, au milieu du divin sacrifice,
Fatigué de mourir dans un trop long supplice,
Il craint que ses enfants ne le laissent vivant;
Alors il se soulève, ouvre son aile au vent,
125 Et, se frappant le cœur avec un cri sauvage,
Il pousse dans la nuit un si funèbre adieu,
Que les oiseaux des mers désertent le rivage,
Et que le voyageur attardé sur la plage,
Sentant passer la mort se recommande à Dieu.
130 Poète, c'est ainsi que font les grands poètes.
Ils laissent s'égayer ceux qui vivent un temps; [37]
Mais les festins humains [38] qu'ils servent à leurs fêtes
Ressemblent la plupart à ceux des pélicans.
Quand ils parlent ainsi d'espérances trompées,
135 De tristesse et d'oubli, d'amour et de malheur,
Ce n'est pas un concert à dilater le cœur,[39]
Leurs déclamations [40] sont comme des épées:
Elles tracent dans l'air un cercle éblouissant,
Mais il y pend toujours quelque goutte de sang.[41]

LE POÈTE

140   O Muse ! spectre insatiable,
Ne m'en demande pas si long.

---

[33] pouches; *lit.* 'goiters.'   [34] shore; *lit.*
'beach.'   [35] his life substance. *As a
matter of fact, the pelican presses his long
bill against his pouch to expel the fish that
he has stored there; he does not tear his
stomach open. The blood which stains his
breast at feeding time is that of the fish that
he has killed.*   [36] staggers. *Logically the*
order should be **chancelle et s'affaisse** (col-
lapses).   [37] They let those who live in
the present only (and are forgotten after
they are dead) have a gay time.   [38] the
human flesh; *here* poems.   [39] **à dilater**
le cœur de joie, to cheer the heart.
[40] poems.   [41] *Compare* Les Montreurs,
p. 340.

L'homme n'écrit rien sur le sable
A l'heure où passe l'aquilon.[42]
J'ai vu le temps où ma jeunesse
145 Sur mes lèvres était sans cesse
Prête à chanter comme un oiseau;
Mais j'ai souffert un dur martyre,
Et le moins que j'en pourrais dire,
Si je l'essayais sur ma lyre,
150 La briserait comme un roseau !

Mai 1835
Poésies nouvelles

Quatre autres « *Nuits* » suivirent. Dans la *Nuit de Décembre* (1835) Musset, sujet à des hallucinations, voit son double,

Un jeune homme vêtu de noir
Qui lui ressemblait comme un frère.

Ce double, qui est la Solitude, lui apparaît depuis vingt ans, aux heures de douleur. Dans la solitude de la nuit le poète frissonne au souvenir des souffrances passées; il s'emporte [43] contre l'orgueilleuse femme au « cœur de glace » qui ne sait pas pardonner. L'année suivante il commence, en chantonnant,[44] la *Nuit de Juin*, mais des amis viennent l'arracher à l'inspiration. Dans la *Nuit d'Août*, la Muse lui reproche son oisiveté poétique; il lui lance un défi d'épicurien qui veut goûter à tout, aux douleurs comme aux plaisirs:

J'aime, et pour un baiser je donne mon génie . . .
Après avoir souffert il faut souffrir encore;
Il faut aimer sans cesse après avoir aimé.

Voici la cinquième et dernière, la *Nuit d'Octobre:* le poète se croit consolé et commence à raconter à la Muse son douloureux amour; il s'anime au souvenir de la trahison de sa maîtresse qu'il invective maintenant. La Muse l'apaise en lui montrant ce qu'il doit à la douleur:

L'homme est un apprenti, la douleur est son maître,
Et nul ne se connaît tant qu'il n'a pas souffert.

Le poète, calmé, part avec la Muse chanter le réveil de la nature.

LE MAL DU SIÈCLE

Ses orageuses amours avec George Sand, Musset les a racontées dans un roman où, sous le nom d'Octave, il s'est donné la plupart des torts, *La Confession d'un enfant du siècle* (1836). Ce que le livre a d'aussi admirable que cette générosité, c'est la longue préface où, malgré le style déclamatoire par endroits, est finement diagnostiqué le mal du siècle, la maladie du doute et de la désespérance.

Ayant été atteint, jeune encore, d'une maladie morale abominable, je raconte ce qui m'est arrivé pendant trois ans. Si j'étais seul malade, je n'en dirais rien; mais, comme il y en a beaucoup d'autres que moi qui souffrent du même mal, j'écris pour ceux-là sans trop savoir s'ils y feront
5 attention . . .

[42] north wind.   [43] inveighs.   [44] humming a tune.

Pendant les guerres de l'Empire, tandis que les maris et les frères étaient en Allemagne,[1] les mères inquiètes avaient mis au monde une génération ardente, pâle, nerveuse. Conçus entre deux batailles, élevés dans les collèges aux roulements des tambours,[2] des milliers d'enfants se regardaient entre eux d'un œil sombre, en essayant leurs muscles chétifs. De temps en temps leurs pères ensanglantés apparaissaient, les soulevaient sur leurs poitrines chamarrées d'or,[3] puis les posaient à terre et remontaient à cheval . . . 5

Cependant l'immortel empereur était un jour sur une colline [4] à regarder sept peuples s'égorger; Azraël [5] passa sur la route; il l'effleura du bout de l'aile, et le poussa dans l'Océan. Au bruit de sa chute, les vieilles croyances 10 moribondes se redressèrent sur leurs lits de douleur, et, avançant leurs pattes crochues,[6] toutes les royales araignées découpèrent l'Europe,[7] et de la pourpre [8] de César se firent un habit d'Arlequin . . .

Alors s'assit sur un monde en ruines une jeunesse soucieuse. Tous ces enfants étaient des gouttes d'un sang brûlant qui avait inondé la terre; ils 15 étaient nés au sein de la guerre, pour la guerre. Ils avaient rêvé pendant quinze ans des neiges de Moscou et du soleil des Pyramides . . . Ils avaient dans la tête tout un monde; ils regardaient la terre, le ciel, les rues et les chemins; tout cela était vide, et les cloches de leurs paroisses résonnaient seules dans le lointain . . . 20

Trois éléments partageaient . . . la vie qui s'offrait alors aux jeunes gens: derrière eux un passé à jamais détruit, s'agitant sur ses ruines, avec tous les fossiles des siècles de l'absolutisme; devant eux l'aurore d'un immense horizon, les premières clartés de l'avenir; et entre ces deux mondes quelque chose de semblable à l'Océan qui sépare le vieux continent de la jeune Amé- 25 rique . . ., le siècle présent . . . qui sépare le passé de l'avenir, qui n'est ni l'un ni l'autre et qui ressemble à tous deux à la fois, et où l'on ne sait, à chaque pas qu'on fait, si l'on marche sur une semence ou sur un débris.

Voilà dans quel chaos il fallut choisir alors; voilà ce qui se présentait à des enfants pleins de force et d'audace, fils de l'Empire et petits-fils de 30 la Révolution . . .

Un sentiment de malaise inexprimable commença donc à fermenter dans tous les jeunes cœurs. Condamnés au repos par les souverains du monde,[9] livrés aux cuistres [10] de toute espèce, à l'oisiveté et à l'ennui,[11] les jeunes gens voyaient se retirer d'eux les vagues écumantes contre lesquelles ils 35 avaient préparé leurs bras. Tous ces gladiateurs frottés d'huile se sentaient au fond de l'âme une misère insupportable. Les plus riches se firent libertins; ceux d'une fortune médiocre prirent un état, et se résignèrent soit à la robe,[12] soit à l'épée; les plus pauvres se jetèrent dans l'enthousiasme à froid,[13] dans les grands mots, dans l'affreuse mer de l'action sans but . . . 40

[1] *Also in Italy, Spain, and Russia.*
[2] drums. *The* lycées, *still the most important secondary schools in France, were organized during the Consulate (1799–1804). Many* lycées, *except those in Paris, have now replaced drums by bells.*
[3] gold-braided chests. [4] *At Waterloo, 1815.* [5] *Azrael, in Moslem mythology, the "Angel of Death."* [6] rapacious.

[7] carved up Europe (*at the Congress of Vienna, 1815*). [8] the purple robe, imperial dignity. [9] *Vigny, an Army officer, anxious for promotion, resented the fact that there was no war, and resigned in 1827.* [10] pedants. [11] *Strong meaning here,* disgust with life. [12] the magistracy. [13] insincere.

En même temps que la vie au dehors était si pâle et si mesquine, la vie intérieure de la société prenait un aspect sombre et silencieux; l'hypocrisie la plus sévère régnait dans les mœurs; les idées anglaises se joignant à la dévotion,[14] la gaieté même avait disparu ...

5 Or, vers ce temps-là, deux poètes, les deux plus beaux génies du siècle après Napoléon, venaient de consacrer leur vie à rassembler tous les éléments d'angoisse et de douleurs épars dans l'univers. Gœthe, le patriarche d'une littérature nouvelle, après avoir peint dans Werther [15] la passion qui mène au suicide, avait tracé dans son Faust [16] la plus sombre figure humaine
10 qui eût jamais représenté le mal et le malheur ... Byron lui répondit par un cri de douleur qui fit tressaillir la Grèce et suspendit Manfred [17] sur les abîmes, comme si le néant eût été le mot de l'énigme hideuse dont il s'enveloppait ...

Quand les idées anglaises et allemandes passèrent ainsi sur nos têtes, ce
15 fut comme un dégoût morne et silencieux ... Ce fut comme une dénégation de toutes choses du ciel et de la terre, qu'on peut nommer désenchantement, ou si l'on veut désespérance ...

Dès lors il se forma comme deux camps: d'une part, les esprits exaltés,[18] souffrants, toutes les âmes expansives qui ont besoin de l'infini plièrent la
20 tête en pleurant; ils s'enveloppèrent de rêves maladifs, et l'on ne vit plus que de frêles roseaux sur un océan d'amertume. D'une autre part, les hommes de chair [19] restèrent debout, inflexibles, au milieu des jouissances positives, et il ne leur prit d'autre souci que [20] de compter l'argent qu'ils avaient. Ce ne fut qu'un sanglot et un éclat de rire, l'un venant de l'âme,
25 l'autre du corps ...

Pareille à la peste asiatique exhalée des vapeurs du Gange, l'affreuse désespérance marchait à grands pas sur la terre. Déjà Chateaubriand, prince de la poésie, enveloppant l'horrible idole [21] de son manteau de pèlerin, l'avait placée sur un autel de marbre, au milieu des parfums des encensoirs sacrés.[22]
30 Déjà, pleins d'une force désormais inutile, les enfants du siècle raidissaient leurs mains oisives et buvaient dans leur coupe stérile le breuvage empoisonné. Déjà tout s'abîmait,[23] quand les chacals sortirent de terre. Une littérature cadavéreuse et infecte, qui n'avait que la forme, mais une forme hideuse, commença d'arroser d'un sang fétide tous les monstres de la na-
35 ture.[24]

Qui osera jamais raconter ce qui se passait alors dans les collèges? Les hommes doutaient de tout: les jeunes gens nièrent tout. Les poètes chantaient le désespoir; les jeunes gens sortirent des écoles avec le front serein, le visage frais et vermeil, et le blasphème à la bouche ...
40 Toute la maladie du siècle présent vient de deux causes; le peuple qui a passé par 93 [25] et par 1814 porte au cœur deux blessures. Tout ce qui

---

[14] assumed piety. [15] Werther, *published in 1774, thirteen years after one of its models, Rousseau's* La Nouvelle Héloïse, *p. 209.* [16] *In* Faust, *first part in 1790 and 1808, second part in 1832.* [17] *In* Manfred, *1817.* [18] excitable. [19] the materialists. [20] they had no other worry except. [21] *idol of despair.* [22] *In* René, *1805;* le mal du siècle *was also called* le mal de René; *p. 252.* [23] was falling into the abyss. [24] *Inspired by the "black novels."* [25] *1793, the heroic year of the French Revolution.*

était n'est plus; tout ce qui sera n'est pas encore. Ne cherchez pas ailleurs le secret de nos maux . . .

O peuples des siècles futurs! lorsque, par une chaude journée d'été, vous serez courbés sur vos charrues dans les vertes campagnes de la patrie; lorsque vous verrez, sous un soleil pur et sans tache, la terre, votre mère féconde, [5] sourire dans sa robe matinale au travailleur, son enfant bien-aimé; lorsque, essuyant sur vos fronts tranquilles le saint baptême de la sueur, vous promènerez vos regards sur votre horizon immense, où il n'y aura pas un épi plus haut que l'autre dans la moisson [26] humaine, mais seulement des bluets [27] et des marguerites [28] au milieu des blés jaunissants; ô hommes libres! quand [10] alors vous remercierez Dieu d'être nés pour cette récolte, pensez à nous qui n'y serons plus; dites-vous que nous avons acheté bien cher le repos dont vous jouirez; plaignez-nous plus que tous vos pères; car nous avons beaucoup des maux qui les rendaient dignes de plainte, et nous avons perdu ce qui les consolait. [15]

La Confession d'un enfant du siècle, chapitres I et II

Après tout, ce *Weltschmerz*, ce *mal du siècle*, a été moins général et profond que cette préface ne le laisse entendre; il n'a pas atteint la masse de la nation, il a plutôt été une mode, une pose des écrivains et des artistes; ni Hugo, ni Balzac, ni Stendhal, ni Dumas, pour ne citer que les auteurs de premier plan vers 1830, n'en ont été atteints. Musset lui-même écrivait en 1840 à la duchesse de Castries: « J'ai eu, ou cru avoir cette vilaine maladie du doute, qui n'est, au fond, qu'un enfantillage, quand ce n'est pas un parti pris [29] et une parade.[30] »

OUVRAGES RECOMMANDÉS
Textes

Œuvres complètes, éd. M. Allem. 3 vol. Gallimard.

Trois comédies (Fantasio, On ne badine pas avec l'amour, Il faut qu'une porte soit ouverte ou fermée), éd. McKenzie. Heath.

Pages choisies. Classiques Larousse (2 vol.). Classiques Hachette (1 vol.).

On ne badine pas avec l'amour
Il ne faut jurer de rien } Classiques Larousse et Hachette.

Fantasio
Les Caprices de Marianne } Classiques Larousse.
Lorenzaccio

Poésies choisies. Classiques Hachette.

Discographie

Lorenzaccio, enregistrement intégral par Gérard Philipe, Jean Deschamps, Jean Vilar. Collection Vie du Théâtre. Hachette.

On ne badine pas avec l'amour. 2 microsillons. Decca.

Musset, textes présentés par André Stegmann. Collection Les Grands Textes. Hachette.

Critique

Ph. Van Tieghem. *Musset*. 168 p. Hatier.

---

[26] *Note here the influence of the equalitarian, socialistic theories of Saint-Simon (p. 333, n. 8), Fourier (p. 339, n. 5), etc.*

[27] bachelor's-buttons. [28] daisies. [29] a (fixed) prejudice. [30] ostentation, pose.

THÉOPHILE GAUTIER

(1811–1872)

L'Initiateur de l'art pour l'art

Le romantique militant (1811–36). C'était un méridional de Tarbes,[1] que son père, employé des contributions indirectes, avait amené à Paris à l'âge de trois ans. Il y vécut toute sa vie, regrettant, lui païen et « Fils du Soleil », de ne connaître les pays de la lumière et de la couleur que par de trop courts voyages (Espagne, 1840; Algérie, 1845; Italie, 1850; Turquie, Grèce, 1852). Malgré d'excellentes études classiques au collège Charlemagne où il était externe, il n'eut pas la patience de les pousser jusqu'au baccalauréat et préféra fréquenter l'atelier du peintre Rioult, aujourd'hui bien oublié. Bientôt son condisciple de Charlemagne, Gérard Labrunie, dit Gérard de Nerval, l'enrôlait comme chef de claque [2] pour les représentations d'*Hernani;* on sait quelle part active et glorieuse il y prit, porteur d'un gilet rouge.

Grisé par les succès de la nouvelle école, Gautier décida de laisser la peinture où il ne réussissait que médiocrement, et de se consacrer à la littérature. Sous le titre modeste de *Poèmes*, il fit publier, en 1830, les vers d'un romantisme léger qu'il avait griffonnés au collège. Il continua par des œuvres d'un romantisme excessif: en 1832 *Albertus*, long poème byronien, et en 1833 un roman, *Les Jeune-France*, et *Les Grotesques*, éloges peu orthodoxes de poètes bohèmes antérieurs au classicisme: Villon, Théophile de Viau, Saint-Amant, Cyrano de Bergerac, Scarron, et d'autres aujourd'hui tout à fait oubliés. En 1835 ce fut *Mademoiselle de Maupin*, roman lyrique au sujet d'une cantatrice du dix-huitième siècle, qui, s'habillant parfois en homme, redoutable duelliste, eut des aventures bien romanesques et risquées. La préface en est célèbre; elle fustige la bourgeoisie hypocrite, et soutient que l'art est indépendant de la morale et de l'utilité. C'était pour Gautier prendre position contre le romantisme, ses premières amours. Impatient de vivre, il était en pleine rébellion, avec d'autres Jeune-France, Nerval, Petrus Borel, Auguste Macquet (Mac'Keat), — qui sera le collaborateur de Dumas père —, le sculpteur Jehan du Seigneur, les peintres Nanteuil, Chassériau et Corot, et nombre de grisettes poétisées en « Cydalises ».[3] Il avait fondé le *petit Cénacle*, impasse du Doyenné, dans un vieux quartier démoli depuis pour faire place aux jardins entre le Louvre et les Tuileries; là on « épatait le bourgeois » [4] par les extravagances de la « bohème galante », nudisme, orgies, etc.

Faiseur de copie et sculpteur de vers (1836–72). Jeunesse truculente et paradoxale passe vite sous les soucis d'argent, car les parents qui l'avaient gâté s'étaient ruinés dans des spéculations; notre fou s'assagit. Balzac, qui resta un de ses meilleurs amis, lui conseilla de faire du journalisme, et voici Ariel condamné à « faire de la copie ». Jusqu'à sa mort il donna des chroniques artistiques et littéraires dans les principaux journaux, *La Presse*, d'Émile de Girardin, *Le Moniteur*, *Le Journal officiel;* il souffrit de cette routine qu'il considérait comme indigne de son talent. Il se consolait en occupant ses trop rares loisirs à ciseler et colorier les poèmes d'*España* (1845), et surtout ceux d'*Émaux et Camées* (1852–72) où la forme, travaillée jusqu'à la perfection comme ces précieux objets que le titre nomme, pousse l'idée au second plan, et met les effusions lyriques à la porte. Gautier est l'initiateur de « l'art pour l'art », cette théorie qui affirme que l'art est une fin en soi-même. Il est la transition entre la grande poésie romantique et

---

[1] *Capital of the Hautes-Pyrénées department, famous for its horses.* [2] chief hired applauder. [3] Muses of love. [4] startled the old fogies.

l'art impassible et glacé du Parnasse; pourtant, impassible il ne l'est pas toujours, témoin sa hantise de la mort.   Des contes fantastiques et deux romans ajoutent encore à sa gloire, *Le Roman de la momie* (1858), évocation érudite et poétique des amours d'un pharaon et de Tahoser, fille d'un grand prêtre, et *Le Capitaine Fracasse* (1863), récit coloré des aventures d'un baron du temps de Louis XIII qui s'engage dans une troupe de comédiens ambulants pour l'amour de l'ingénue.

Le bon Théo avait épousé une cantatrice italienne, Ernesta Grisi, dont il eut deux filles; l'une d'elles, Judith Gautier, écrivit de charmants romans exotiques. Elle fut la première femme à entrer à l'Académie Goncourt.   Il s'occupait d'écrire une *Histoire du romantisme* quand il mourut d'une maladie de cœur dans sa petite maison de Neuilly, parmi ses chats et ses objets d'art (1872).

PRÉFACE DE *MADEMOISELLE DE MAUPIN*

Cette préface, écrite un an avant la publication du roman, jette en défi à la société utilitaire du temps du roi bourgeois Louis-Philippe,[1] la théorie de l'art pour l'art, *ars gratia artis*, qu'elle est évidemment incapable de comprendre.   A coups de paradoxes et d'affirmations à la dynamite, notre « Jeune-France » de vingt-quatre ans prend plaisir à « épater le bourgeois ».

Une des choses les plus burlesques de la glorieuse époque où nous avons le bonheur de vivre est incontestablement la réhabilitation de la vertu entre-prise par tous les journaux, de quelque couleur qu'ils soient, rouges,[2] verts[3] ou tricolores.[4]

La vertu est assurément quelque chose de fort respectable . . .   C'est [5] une grand-mère très agréable, mais c'est une grand-mère.   Il me semble naturel de lui préférer, surtout quand on a vingt ans, quelque petite im-moralité bien pimpante,[5] bien coquette . . .

Mais c'est la mode maintenant d'être vertueux et chrétien; . . . l'on ne jure plus, l'on fume peu, et l'on chique[6] à peine . . .   [10]

A côté des journalistes moraux, sous cette pluie d'homélies[7] comme sous une pluie d'été dans quelque parc, il a surgi, entre les planches du tréteau saint-simonien,[8] une théorie de petits champignons[9] . . .   Ce sont les criti-ques utilitaires . . .   Quand un auteur jetait sur leur bureau un volume quel-conque, roman ou poésie, ces messieurs se renversaient[10] nonchalamment [15] sur leur fauteuil, le mettaient en équilibre sur ses pieds de derrière, et, se balançant d'un air capable, ils se rengorgeaient[11] et disaient:

— A quoi sert ce livre?   Comment peut-on l'appliquer à la moralisation et au bien-être de la classe la plus nombreuse et la plus pauvre?   Quoi! pas un mot des besoins de la société, rien de civilisant et de progressif! [20] Comment, au lieu de faire la grande synthèse de l'humanité, et de suivre, à travers les événements de l'histoire, les phases de l'idée régénératrice et providentielle, peut-on faire des poésies et des romans qui ne mènent à rien, et qui ne font pas avancer la génération dans le chemin de l'avenir?   Com-

[1] *1830–48.*   [2] *The red of the socialists, who were the disciples of Count de Saint-Simon and Fourier.*   [3] *The green of the Bonapartists.*   [4] *The blue, white, and red of the supporters of the government of Louis-Philippe.*   [5] *dainty.*   [6] *people chew tobacco.*   [7] *homilies, sermons.*   [8] *Saint-Simonian soapbox; lit. 'trestle,' 'mountebank's stage.'   Count de Saint-Simon (1760–1825) is the founder of French socialism.*   [9] *a host (lit. 'a procession') of small mushrooms.*   [10] *leaned back.*   [11] *they gave themselves airs.*

ment peut-on s'occuper de la forme, du style, de la rime, en présence de si graves intérêts? ...

Non, imbéciles, non, crétins et goitreux que vous êtes, un livre ne fait pas de la soupe à la gélatine, un roman n'est pas une paire de bottes sans
5 couture,[12] ... un drame n'est pas un chemin de fer, toutes choses essentiellement civilisantes, et faisant marcher l'humanité dans la voie du progrès.

... On ne se fait pas un bonnet de coton [13] d'une métonymie,[14] on ne chausse [15] pas une comparaison en guise de pantoufle; [16] on ne se peut servir d'une antithèse pour parapluie.
10 ... Rien de ce qui est beau n'est indispensable à la vie. On supprimerait les fleurs, le monde n'en souffrirait pas matériellement; qui voudrait cependant qu'il n'y eût plus de fleurs? Je renoncerais plutôt aux pommes de terre qu'aux roses, et je crois qu'il n'y a qu'un utilitaire au monde capable d'arracher une plate-bande de tulipes [17] pour y planter des choux.
15 ... Il n'y a de vraiment beau que ce qui ne peut servir à rien; tout ce qui est utile est laid, car c'est l'expression de quelque besoin, et ceux de l'homme sont ignobles et dégoûtants, comme sa pauvre et infirme nature.

... Moi, n'en déplaise à [18] ces messieurs, je suis de ceux pour qui le superflu est nécessaire, et j'aime mieux les choses et les gens en raison inverse des [19]
20 services qu'ils me rendent ... Je renoncerais très joyeusement à mes droits de Français et de citoyen pour voir un tableau authentique de Raphaël ... Je vendrais ma culotte pour avoir une bague, et mon pain pour avoir des confitures. L'occupation la plus séante [20] à un homme policé [21] me paraît de ne rien faire, ou de fumer analytiquement sa pipe ou son cigare. J'estime
25 aussi beaucoup ceux qui jouent aux quilles,[22] et aussi ceux qui font bien les vers.

Au lieu de faire un prix Montyon [23] pour la récompense de la vertu, j'aimerais mieux donner, comme Sardanapale,[24] ce grand philosophe que l'on a si mal compris, une forte prime [25] à celui qui inventerait un nouveau
30 plaisir; car la jouissance me paraît le but de la vie, et la seule chose utile au monde.

1835

DANS LA SIERRA

« Il n'y a de vraiment beau que ce qui ne peut servir à rien », avait écrit Gautier dans la préface de *Mlle de Maupin* (1835). Six ans après, au cours d'un voyage en Espagne, il trouve que le spectacle de la Sierra Nevada, près de Grenade, justifie son assertion révolutionnaire.

[12] seamless topboots.   [13] nightcap.
[14] metonymy (*use of one word for another, as the effect for the cause, the sign for the thing signified, etc.*).   [15] put on.   [16] to replace a slipper.   [17] to dig up a border of tulips.   [18] with all due reverence to.
[19] in inverse ratio to the.   [20] fitting.
[21] civilized.   [22] [kiːj], ninepins, tenpins.

[23] *Jean-Baptiste de Montyon (1733–1820),* French baron, lawyer, and émigré who founded and endowed many prizes for citizenship and literature awarded by the Institute of France.   [24] *Ashurbanipal,* one of the last kings of Assyria (7th century B.C.); notorious for his orgies.   [25] premium, reward.

J'aime d'un fol amour les monts fiers et sublimes !
Les plantes n'osent pas poser leurs pieds frileux [1]
Sur le linceul [2] d'argent qui recouvre leurs cimes,
Le soc s'émousserait [3] à leurs pics anguleux.

5 Ni vigne aux bras lascifs,[4] ni blés dorés, ni seigles,[5]
Rien qui rappelle l'homme et le travail maudit.
Dans leur air libre et pur nagent des essaims d'aigles,
Et l'écho du rocher siffle l'air du bandit.

Ils ne rapportent [6] rien et ne sont pas utiles;
10 Ils n'ont que leur beauté, je le sais, c'est bien peu.
Mais, moi, je les préfère aux champs gras et fertiles,
Qui sont si loin du ciel qu'on n'y voit jamais Dieu.

España

L'ART

C'est le poème le plus célèbre de Gautier; il parut dans la revue *L'Artiste* en
septembre 1857, et par son exaltation de la forme au-dessus de l'émotion et même
de l'idée, devint « l'art poétique » du Parnasse.

Oui, l'œuvre sort plus belle
D'une forme au travail
Rebelle,[1]
Vers, marbre, onyx,[2] émail.

5 Point de [3] contraintes fausses !
Mais que,[4] pour marcher droit,
Tu chausses,
Muse, un cothurne étroit.[5]

Fi du [6] rythme commode,
10 Comme un soulier trop grand,
Du mode [7]
Que tout pied quitte et prend !

Statuaire, repousse
L'argile que pétrit [8]
15 Le pouce
Quand flotte ailleurs l'esprit.

---

[1] sensitive to cold.   [2] shroud.   [3] The
plowshare would be blunted.   [4] wanton.   [5] champs de **seigle,** rye fields.   [6] produce.

[1] the work of art comes more beautiful
from a material rebellious to treatment.
[2] onyx (*kind of quartz with color layers*).
[3] You must not brook (tolerate) any.
[4] Be sure to.   [5] tight buskin (*shoe with a thick sole worn by actors in ancient tragic drama; symbol of tragedy*).   [6] Fie
(Shame) upon.   [7] **De la forme,** Shame
on the last (*shoemaker's model*).
[8] molds; *lit.* 'kneads.'

Lutte avec le carrare,[9]
Avec le paros [10] dur
Et rare,
20 Gardiens du contour pur;

Emprunte à Syracuse [11]
Son bronze où fermement
S'accuse [12]
Le trait fier et charmant;

25 D'une main délicate
Poursuis dans un filon [13]
D'agate
Le profil d'Apollon.

Peintre, fuis l'aquarelle,
30 Et fixe la couleur
Trop frêle
Au four de l'émailleur.[14]

Fais [15] les sirènes bleues,
Tordant [16] de cent façons
35 Leurs queues,
Les monstres des blasons; [17]

Dans son nimbe trilobe [18]
La Vierge et son Jésus,
Le globe [19]
40 Avec la croix dessus.

Tout passe. — L'art robuste
Seul a l'éternité.
Le buste
Survit à la cité.[20]

45 Et la médaille austère
Que trouve un laboureur
Sous terre
Révèle un empereur.

Les dieux eux-mêmes meurent.
50 Mais les vers souverains
Demeurent
Plus forts que les airains.[21]

[9] white marble from Carrara (*N of Pisa*).
[10] marble from Paros (*island in the Aegean Sea*). [11] Borrow from Syracuse (*city in Sicily, famous in antiquity for its bronze workers*). [12] Stands out. [13] a vein. [14] In the enameler's oven. [15] Make, Mold. [16] Twisting. *Read:* (**Fais**) **les monstres ... tordant.** [17] Heraldic monsters. [18] trilobate (*in three parts*) nimbus (halo). [19] *symbol of power.* [20] **l'état,** the state. [21] bronze statues.

Sculpte, lime,[22] cisèle;
Que ton rêve flottant
55   Se scelle [23]
Dans le bloc résistant !

Émaux et Camées

OUVRAGES RECOMMANDÉS
Textes

Romans et Contes. Nouvelles. 2 vol. Lemerre.
Émaux et Camées, éd. Pommier et Matoré. Genève: Droz.
Gautier, Choix. Classiques Larousse et Hachette.

Critique

Léo Larguier. *Théophile Gautier.* 256 p. Tallandier.

CLAUDE BERNARD
(1813–1878)

Né à Saint-Julien-en-Beaujolais,[1] de petits cultivateurs, Claude Bernard fut préparateur [2] dans une pharmacie près de Lyon, puis après avoir fait sa médecine à Paris, dans un laboratoire du Collège de France, où il fut nommé professeur (1855). Il fit de belles découvertes sur le rôle du pancréas, la fonction glycogénique du foie [3] et le grand sympathique.[4] Il a sa place en littérature à cause de son *Introduction à l'étude de la médecine expérimentale* (1865), qui proclame le respect du fait rigoureusement établi par l'expérience. Sa méthode expérimentale, basée sur celle de Descartes, « secoue non seulement le joug [5] philosophique et théologique, mais elle n'admet pas non plus d'autorité scientifique personnelle. »

LA MÉTHODE EXPÉRIMENTALE

La méthode expérimentale proclame la limite de l'esprit et de la pensée. Son caractère est de ne relever que d'[1]elle-même, parce qu'elle emprunte à son critérium,[2] l'expérience, une autorité impersonnelle qui domine toute la science. Elle n'admet pas d'autorité personnelle; elle repousse d'une manière absolue les systèmes et les doctrines. Ceci n'est point de l'orgueil 5 et de la jactance.[3] L'expérimentateur au contraire fait acte d'humilité en niant l'autorité individuelle, car il doute de ses propres connaissances, et il soumet ainsi l'autorité des hommes à celle de l'expérience et des lois de la nature.

La première condition à remplir pour un savant qui se livre à l'investiga- 10 tion expérimentale des phénomènes naturels, c'est donc de ne se préoccuper

---

[22] file.   [23] Be sealed.

[1] *20 mi. NW of Lyons; pop. 700.*   [2] assistant.   [3] liver.   [4] sympathetic nerve.
[5] throws off the yoke.

[1] to be dependent only on.   [2] criterion, standard of judgment.   [3] bragging.

d'aucun système et de conserver une entière liberté d'esprit assise sur le doute philosophique. En effet, d'un côté nous avons la certitude de l'existence du déterminisme des phénomènes parce que cette certitude nous est donnée par un rapport de causalité dont notre esprit a conscience; mais

5 nous n'avons, d'un autre côté, aucune certitude relativement à la formule de ce déterminisme, parce qu'elle se réalise dans des phénomènes qui sont en dehors de nous. L'expérience seule doit nous diriger; elle est notre critérium unique, et elle devient, suivant l'expression de Gœthe, la seule médiatrice [4] qui existe entre le savant et les phénomènes qui l'environnent.

10   Une fois que la recherche du déterminisme des phénomènes est admise comme but unique de la méthode expérimentale, il n'y a plus ni matérialisme, ni spiritualisme, ni matière brute, ni matière vivante, il n'y a que des phénomènes naturels dont il faut déterminer les conditions, c'est-à-dire connaître les circonstances qui jouent par rapport à ces phénomènes le rôle de

15 cause prochaine.[5] Toutes les sciences qui font usage de la méthode expérimentale doivent tendre à devenir antisystématiques.

La méthode expérimentale ne sera pas un système nouveau de médecine, mais au contraire la négation de tous les systèmes. Elle ne devra se rattacher à aucun mot systématique; elle ne sera ni animiste,[6] ni organiciste,[7] ni

20 solidiste,[8] ni humorale: [9] elle sera simplement la science qui cherche à remonter aux causes prochaines des phénomènes à l'état sain et à l'état morbide.

Introduction à l'étude de la médecine expérimentale, 1865

OUVRAGES RECOMMANDÉS
Textes

Introduction à l'étude de la médecine expérimentale, éd. Sertillanges. Imprimerie Levé, 1900.
Introduction à l'étude de la médecine expérimentale, Ière partie. Classiques Larousse.

Critique

J. M. D. Olmsted and E. H. Olmsted. *Claude Bernard and the Experimental Method in Medicine*. 277 p. New York: H. Schuman, 1952.

LECONTE DE LISLE
(1818–1894)
Le Maître du Parnasse

Le Parnasse est l'école poétique qui, vers le milieu du dix-neuvième siècle, remplaça le romantisme et le réalisme dans la faveur du public lettré. Il est issu de

---

[4] mediator, umpire.   [5] proximate (immediate) cause.   [6] animist (*believing that the soul is the principle of life*).   [7] organicist (*believing that the vital activities of an organism arise from its autonomous composition*).   [8] solidist (*attributing vital properties only to the solid parts of the body*).   [9] humoralist (*believing that only the "humors" or liquid parts of the body are subject to morbid conditions*).

« l'art pour l'art » de Théophile Gautier.   Il préféra l'impersonnalité aux confessions lyriques et le culte de la forme à celui de la morale.   Les poètes parnassiens, dont Heredia, Mallarmé, Verlaine, se groupèrent autour de Leconte de Lisle.   Ils publièrent, à partir de 1866, plusieurs anthologies de leurs œuvres, *Le Parnasse contemporain*, consacré à Apollon et aux Muses, comme le mont Parnasse en Grèce.

Leconte de Lisle naquit à l'île de la Réunion,[1] qu'on appelait alors l'île Bourbon. Son père, ancien chirurgien de l'armée napoléonienne, avait été rendu à la vie civile par les Bourbons reprenant possession du trône de France (1814); il était allé chercher fortune aux antipodes.   Il y avait épousé une héritière créole et s'était fait planteur, près de Saint-Paul.   Leur enfant fut emmené en France à l'âge de trois ans, vécut à Nantes jusqu'à dix ans et retourna à Bourbon.   Le père lui servit de professeur mais ne prit pas son rôle au sérieux.   Le garçon aimait la lecture et dès seize ans s'essayait à des vers sentimentaux et romantiques.

A dix-huit ans il s'embarqua seul pour aller finir ses études en France.   Le voyage dura plus de trois mois.   Le voilier fit escale [2] à Sainte-Hélène.   Le jeune démocrate et libre penseur, plus par curiosité que par sympathie, monta jusqu'au tombeau de Napoléon, à Longwood.   Il débarqua à Nantes et se rendit à Dinan (15 milles au sud de Saint-Malo), chez un cousin de son père, l'avoué [3] Leconte qui lui reprocha bientôt ses manières hautaines.   Il passa son baccalauréat à Rennes et y suivit des cours de lettres et de droit.   Il préférait les lettres.   Il continuait d'écrire des vers et collaborait à des revues locales.

Pris du mal du pays, il retourna à la Réunion (1843).   N'ayant pas la licence en droit, il ne put devenir ni magistrat ni avocat.   Il se contenta d'ouvrir un cabinet d'affaires [4] à Saint-Denis, mais il était trop poète pour réussir.

On lui offrit une place de rédacteur au journal fouriériste [5] de Paris, *La Démocratie pacifique*, et il alla l'occuper (1845).   Le chimiste et poète hellénisant Louis Ménard lui communiqua son enthousiasme pour la langue grecque, le mit en rapport avec Charles Baudelaire et Théodore de Banville.[6]   Bien entendu, à la révolution de 1848 il fut du côté des socialistes, travailla pour l'abolition de l'esclavage dans les colonies, fit, mais en vain, de la propagande démocratique en Bretagne et passa quarante-huit heures en prison lors des émeutes [7] sanglantes de juin.   Au début de 1849 il s'enfuit à Bruxelles pour éviter un autre emprisonnement.   Il revint bientôt.   Dès 1851, las de la politique, il se consacra définitivement à la poésie.   L'histoire de sa vie ne fut plus alors que l'histoire de ses œuvres: *Poèmes antiques* (1852), *Poèmes barbares* (1862), traduction de *L'Iliade* (1866), puis de *L'Odyssée* (1867).

Il avait toujours été pauvre.   Pour vivre, il dut oublier sa fierté républicaine et accepter de l'empereur une pension de 300 francs ($60) par mois.   La Troisième République lui donna une sinécure, une place de sous-bibliothécaire au Sénat où il eut Anatole France comme collègue (1872).   Il put alors vivre très honorablement et recevoir ses disciples et amis chez lui, boulevard Saint-Michel.   Les plus célèbres de ses invités furent Heredia, Verlaine, Mallarmé, Bourget, Rostand et Barrès.

Victor Hugo l'avait recommandé pour être son successeur à l'Académie; c'est ce qui arriva en 1886.   Il mourut à Louveciennes [8] en 1894.

1. *Island in the Indian Ocean, 420 mi. E of Madagascar.   It is now an overseas department of France.   Its capital is Saint-Denis.*   2. called.   3. attorney.   4. business office.   5. following the doctrine of Charles Fourier (*1772-1837, a radical French economist*).   6. *Parnassian poet* (*1823-91*), *a little less famous than Leconte de Lisle and Heredia; author of Odes funambulesques and a comedy in prose, Gringoire.*   7. riots.   8. *Pleasant town overlooking the Seine, 7 mi. W of Paris.*

Il est difficile, pour beaucoup de lecteurs, de sympathiser avec un poète si anti-religieux et pessimiste, d'un pessimisme qui va jusqu'au désir d'anéantissement,[9] mais on ne peut qu'admirer chez lui les évocations du monde antique, de la nature tropicale, et la forme impeccable, marmoréenne des poèmes à la composition rigoureuse, aux mots précis et aux rimes riches, belle contribution du Parnasse à la poésie française.

L'ANTIROMANTISME, L'IMPERSONNALITÉ
LES MONTREURS [1]

Le poème illustre cette déclaration, dans la préface des *Poèmes antiques:* « Il y a dans l'aveu public des angoisses du cœur, et de ses voluptés non moins amères, une vanité et une profanation gratuites. »

Tel qu'un morne animal, meurtri,[2] plein de poussière,
La chaîne au cou, hurlant au chaud soleil d'été,
Promène qui voudra [3] son cœur ensanglanté
Sur ton pavé cynique, ô plèbe carnassière ! [4]

5 Pour mettre un feu stérile en ton œil hébété,[5]
Pour mendier ton rire ou ta pitié grossière,
Déchire qui voudra la robe de lumière
De la pudeur divine et de la volupté.

Dans mon orgueil muet, dans ma tombe sans gloire,
10 Dussé-je m'engloutir [6] pour l'éternité noire,
Je ne te vendrai pas mon ivresse ou mon mal,

Je ne livrerai pas ma vie à tes huées,[7]
Je ne danserai pas sur ton tréteau banal [8]
Avec tes histrions et tes prostituées.

Poèmes barbares, 1862

L'INSPIRATION GRÉCO–PAÏENNE
HYPATIE [1]

Anti-chrétien, le poète regrette la Grèce antique et chante la « sainte Beauté » païenne.

Au déclin des grandeurs qui dominent la terre,
Quand les cultes divins, sous les siècles ployés,
Reprenant de l'oubli le sentier solitaire,
Regardent s'écrouler leurs autels foudroyés . . .

[9] annihilation.

[1] **montreurs de bêtes féroces,** exhibitors of wild animals.   [2] bruised, battered.   [3] Let him who will (who wishes to) parade.   [4] bloodthirsty rabble; **carnassière,** carnivorous.   [5] dazed, stultified.   [6] Were I to be engulfed.   [7] booing.   [8] public stage.

[1] Hypatia, *a pagan philosopher of Alexandria, famed for her beauty and learning. She was dragged into a church and killed by a Christian mob (415 A.D.).*

5 Toujours des Dieux vaincus embrassant la fortune,
  Un grand cœur les défend du sort injurieux:
  L'aube des jours nouveaux le blesse et l'importune,
  Il suit à l'horizon l'astre de ses aïeux ...

  O vierge, qui, d'un pan [2] de ta robe pieuse,
10 Couvris la tombe auguste où s'endormaient tes Dieux,
  De leur culte éclipsé prêtresse harmonieuse,
  Chaste et dernier rayon détaché de leurs cieux ! ...

  O sage enfant, si pure entre tes sœurs mortelles !
  O noble front, sans tache entre les fronts sacrés !
15 Quelle âme avait chanté sur des lèvres plus belles,
  Et brûlé plus limpide en des yeux inspirés ?

  Sans effleurer jamais ta robe immaculée,
  Les souillures [3] du siècle [4] ont respecté tes mains:
  Tu marchais, l'œil tourné vers la Vie étoilée,
20 Ignorante des maux et des crimes humains.

  Le vil Galiléen [5] t'a frappée et maudite,
  Mais tu tombas plus grande ! Et maintenant, hélas !
  Le souffle de Platon et le corps d'Aphrodite
  Sont partis à jamais pour les beaux cieux d'Hellas ! [6]

25 Dors, ô blanche victime, en notre âme profonde,
  Dans ton linceul de vierge et ceinte de lotos; [7]
  Dors ! L'impure laideur est la reine du monde,
  Et nous avons perdu le chemin de Paros. [8]

  Les Dieux sont en poussière et la terre est muette;
30 Rien ne parlera plus dans ton ciel déserté.
  Dors ! mais vivante en lui, chante au cœur du poète
  L'hymne mélodieux de la sainte Beauté !

  Elle seule survit, immuable, éternelle.
  La mort peut disperser les univers tremblants,
35 Mais la Beauté flamboie, et tout renaît en elle,
  Et les mondes encor roulent sous ses pieds blancs !

Poèmes antiques, 1852

---

[2] flap. [3] sins; *lit.* 'impurities.' [4] world.   *Archipelago, where the finest white marble*
[5] Galilean, follower of Christ. [6] Greece.   *was quarried. Here Paros is symbolic*
[7] lotus, *m.*   [8] *Island in the Greek*   *for Beauty.*

LA FILLE AUX CHEVEUX DE LIN [1]

Cette « chanson écossaise » a inspiré à Claude Debussy un prélude pour piano.

Sur la luzerne [2] en fleur assise,
Qui chante dès le frais matin ?
C'est la fille aux cheveux de lin,
La belle aux lèvres de cerise.

5 L'amour, au clair soleil d'été,
Avec l'alouette a chanté.

Ta bouche a des couleurs divines,
Ma chère, et tente le baiser !
Sur l'herbe en fleur veux-tu causer,
10 Fille aux cils [3] longs, aux boucles fines ? [4]

L'amour, au clair soleil d'été,
Avec l'alouette a chanté.

Ne dis pas non, fille cruelle !
Ne dis pas oui ! J'entendrai mieux
15 Le long regard de tes grands yeux
Et ta lèvre rose, ô ma belle !

L'amour, au clair soleil d'été,
Avec l'alouette a chanté.

Adieu les daims, adieu les lièvres [5]
20 Et les rouges perdrix ! Je veux
Baiser le lin de tes cheveux,
Presser la pourpre de tes lèvres.

L'amour, au clair soleil d'été,
Avec l'alouette a chanté.

Poèmes antiques

L'EXOTISME
LES ÉLÉPHANTS

Né à l'île de la Réunion, ayant voyagé dans l'Inde et les îles de la Sonde, [1] Leconte de Lisle, observateur précis, a peint des tableaux exotiques éclatants de couleurs et impressionnants par leur flore (*Le Bernica*) et leur faune (*Le Rêve du jaguar*, *La Panthère noire*, et ces *Éléphants* qui semblent sculptés en bronze).

[1] flaxen hair.   [2] lucerne, alfalfa.   [3] eyelashes.   [4] delicate curls.   [5] hares, jack rabbits.

[1] Sunda Isles, *the Malay Archipelago*.

Le sable rouge est comme une mer sans limite,
Et qui flambe, muette, affaissée en son lit.
Une ondulation immobile remplit
L'horizon aux vapeurs de cuivre [2] où l'homme habite.

5 Nulle vie et nul bruit. Tous les lions repus
Dorment au fond de l'antre éloigné de cent lieues,[3]
Et la girafe boit dans les fontaines bleues,
Là-bas, sous les dattiers des panthères connus.

Pas un oiseau ne passe en fouettant de son aile
10 L'air épais, où circule un immense soleil.
Parfois quelque boa, chauffé dans son sommeil,
Fait onduler son dos dont l'écaille étincelle.

Tel [4] l'espace enflammé brûle sous les cieux clairs.
Mais, tandis que tout dort aux mornes solitudes,
15 Les éléphants rugueux, voyageurs lents et rudes,[5]
Vont au pays natal à travers les déserts.

D'un point de l'horizon, comme des masses brunes
Ils viennent, soulevant la poussière, et l'on voit,
Pour ne point dévier du chemin le plus droit,
20 Sous leur pied large et sûr crouler au loin les dunes.

Celui qui tient la tête est un vieux chef. Son corps
Est gercé [6] comme un tronc que le temps ronge [7] et mine;
Sa tête est comme un roc, et l'arc de son échine [8]
Se voûte [9] puissamment à ses moindres efforts.

25 Sans ralentir jamais et sans hâter sa marche,
Il guide au but certain ses compagnons poudreux;
Et, creusant [10] par derrière un sillon sablonneux,[11]
Les pèlerins massifs suivent leur patriarche.

L'oreille en éventail, la trompe [12] entre les dents,
30 Ils cheminent, l'œil clos. Leur ventre bat et fume,
Et leur sueur dans l'air embrasé monte en brume;
Et bourdonnent autour mille insectes ardents.

Mais qu'importent la soif et la mouche vorace,
Et le soleil cuisant leur dos noir et plissé?
35 Ils rêvent en marchant du pays délaissé,[13]
Des forêts de figuiers où s'abrita leur race.

[2] A motionless curve of copper-colored vapor fills the horizon. [3] All the lions gorged with food sleep in the depths of their dens, a hundred leagues away. [4] Thus. [5] persistent. [6] grooved; *lit.* 'chapped,' 'cracked.' [7] the weather wears. [8] spine, back. [9] Tightens; *lit.* 'is curved,' 'stoops.' [10] leaving; *lit.* 'digging.' [11] sandy trail; *lit.* 'furrow.' [12] their trunks. [13] **qu'ils ont délaissé (il y a longtemps)**, that they left (long ago).

Ils reverront le fleuve échappé des grands monts,
Où nage en mugissant l'hippopotame énorme,
Où, blanchis par la lune et projetant leur forme,[14]
40 Ils descendaient pour boire en écrasant les joncs.

Aussi, pleins de courage et de lenteur, ils passent
Comme une ligne noire, au [15] sable illimité;
Et le désert reprend son immobilité
Quand les lourds voyageurs à l'horizon s'effacent.

Poèmes barbares, 1862

LE PESSIMISME
A UN POÈTE MORT

Ce poète est Théophile Gautier dont la théorie de « l'art pour l'art » est à la base du mouvement parnassien; il mourut en 1872.

Toi dont les yeux erraient,[1] altérés de [2] lumière,
De [3] la couleur divine au contour immortel
Et de la chair vivante à la splendeur du ciel,
Dors en paix dans la nuit qui scelle [4] ta paupière.

5 Voir, entendre, sentir? Vent, fumée et poussière.
Aimer? La coupe d'or ne contient que du fiel.[5]
Comme un Dieu plein d'ennui qui déserte l'autel,
Rentre et disperse-toi dans l'immense matière.

Sur ton muet sépulcre et tes os consumés,
10 Qu'[6]un autre verse ou non les pleurs accoutumés,
Que ton siècle banal t'oublie ou te renomme;[7]

Moi, je t'envie, au fond du tombeau calme et noir,
D'être affranchi de vivre et de ne plus savoir [8]
La honte de penser et l'horreur d'être un homme!

Poèmes tragiques, 1884

OUVRAGES RECOMMANDÉS
Textes

Poèmes. 4 vol. Lemerre.
Choix de poésies. 1 vol. Lemerre.

Critique

P. Jobit. *Leconte de Lisle et le mirage de l'île natale.* 124 p. de Boccard.
P. Flottes. *Leconte de Lisle.* Hatier, 1955.

[14] shadows. [15] across the.

[1] went; *lit.* 'wandered.' [2] thirsting for. [3] From. [4] seals. [5] gall. [6] Whether. [7] **te fasse une renommée,** celebrates you, makes you renowned. [8] For being rid of life and for realizing no longer.

CHARLES BAUDELAIRE

(1821–1867)

L'Inspirateur de la poésie contemporaine

« Ma jeunesse ne fut qu'un ténébreux orage » (1821–39). C'est à Paris que naquit Baudelaire, dans une maison moyenâgeuse située rue Hautefeuille, sur l'emplacement qu'occupe aujourd'hui le boulevard Saint-Germain, devant la librairie Hachette. Il était le produit d'une antithèse, un père vieux, artiste et voltairien, une mère jeune, prosaïque et pieuse. Le père mourut; la mère se remaria avec le commandant Aupick que l'enfant de sept ans, adorant sa mère, jalousa férocement. Accusons l'officier beau-père de sévérité et d'étroitesse d'esprit, plaignons l'orphelin, lourdement mélancolique, livré aux tristes internats de Lyon et de Paris, mais n'oublions pas qu'il fut 'un enfant sournois,[1] hautain, inquiétant, et qu'il fut renvoyé du collège Louis-le-Grand pour perversité (1839). Il fut reçu quand même au baccalauréat quelques mois après, car il était fort en vers latins et en français.

Dandy (1839–45). Il avait commencé d'écrire des vers byroniens et sensuels au collège; il continua, « Byron habillé par Brummell », dandy ganté de rose, en fréquentant des hommes de lettres, Balzac, Gérard de Nerval, Leconte de Lisle, Louis Ménard,[2] pour ne citer que les plus connus aujourd'hui, en fréquentant aussi tous les jardins du mal dont il cueillait toutes les fleurs.

« Les voyages assagissent la jeunesse », pensa le commandant Aupick devenu général; donc, en mai 1841, il embarqua son beau-fils sur un voilier qui allait de Bordeaux à Calcutta. Lors d'une escale à l'île Maurice, en septembre, et une autre, en octobre, à l'île Bourbon, la « cage à moustiques » de Leconte de Lisle, le jeune passager aux « expressions tranchantes », selon le capitaine, refusa d'aller plus loin et rentra en France. En février 1842 il reprenait à Paris sa « vie libre » qui bientôt, à sa majorité, se dorait des 75.000 francs ($15,000) de l'héritage paternel. Ce dandy mystificateur et ombrageux [3] vécut si librement et luxueusement, à l'hôtel Lauzun, île Saint-Louis, et ailleurs, que trois ans après il était déjà la proie des usuriers et que sa famille lui donnait un conseil judiciaire [4] et 200 francs ($50) par mois. Ses amis étaient le poète virtuose et parnassien Théodore de Banville, Théophile Gautier, Sainte-Beuve, les peintres Delacroix [5] et Manet, [6] le martial connétable des lettres Barbey d'Aurevilly,[7] Murger,[8] le futur romancier des *Scènes de la vie de bohème*, Champfleury,[9] le photographe Nadar, le chansonnier Pierre Dupont, le socialiste Proudhon,[10] Roger de Beauvoir,[11] Privat d'Anglemont,[12] etc. Ses amies étaient surtout Mme Sabatier, « la Présidente », Vénus blanche,

---

[1] underhanded, sly.   [2] *Parnassian poet, painter, and chemist (1822–1901) who discovered collodion (used to form a film on photographic plates).*   [3] skittish, touchy.   [4] administrator of estate.   [5] *Eugène Delacroix (1798–1863), the only great French Romantic painter; painted "Hamlet and the Gravediggers," "Dante's Boat," "Women of Algiers."*   [6] *Édouard Manet (1832–83), pioneer of Impressionism, publicized by Émile Zola; painted "Olympia," "The Good Glass of Beer," "Lunch on the Grass."*   [7] *Fiery novelist (1808–89) called "the High Constable of letters." Author of* Diaboliques, L'En-

sorcelée, Le Chevalier des Touches, *etc.*   [8] *Henry Murger* [myrʒe], *Parisian novelist and playwright (1822–61). Author of* Scènes de la vie de bohème *from which Puccini composed his opera* La Bohème.   [9] *Jules Champfleury (1821–89), realistic novelist (Chien-Caillou) and expert in ceramics.*   [10] *Pierre-Joseph Proudhon (1809–65), philosophical anarchist who claimed that "Property is theft."*   [11] *Romantic novelist (1809–66), friend of Alexandre Dumas père.*   [12] *Alexandre Privat d'Anglemont (1820–59), born in the West Indies, Bohemian writer of* Paris-Inconnu.

« ange plein de douceur, de joie et de lumières », en vérité femme entretenue et
« trop gaie », et Jeanne Duval, Vénus noire, avide d'argent et d'alcool, avec qui
il vécut vingt ans.

Poète maudit (1845–67). A court d'argent, il écrivit pour les journaux quelques
poèmes et nouvelles, et surtout des articles de critique littéraire et artistique
(*Salon de 1845, Salon de 1846*) qu'il signa Baudelaire Dufaÿs (Caroline Dufaÿs
était le nom de jeune fille de sa mère). Pendant les journées révolutionnaires de
février et de juin 1848 il fut pour les insurgés et fonda un journal qui n'eut que
deux numéros. Trop artiste pour s'intéresser longuement à la politique, il revint à
ses travaux littéraires. Depuis un ou deux ans il s'était remis à l'étude de la langue
anglaise que lui avait enseignée sa mère née à Londres de parents français. Il
prenait des leçons d'argot avec des jockeys, des garçons de café et des marins
anglais et américains. C'est qu'il s'était enthousiasmé pour l'œuvre de Poe dont
des traductions françaises avaient commencé de paraître en 1845; il y avait trouvé
« des poèmes et des nouvelles dont j'avais eu la pensée, mais vague et confuse, mal
ordonnée, et que Poe avait su combiner et mener à la perfection ». [13] Rencontre de
génies frères; il n'est donc pas étonnant que les traductions de Poe que Baudelaire
donna dans les journaux, de 1856 à 1865, non seulement soient exactes, mais
gardent leur accent personnel et tourmenté.

Mais où en était l'œuvre intégralement créatrice de Baudelaire? où étaient ces
poèmes dont il avait annoncé la publication dès 1845, qu'il récitait devant ses amis
d'une voix de mystificateur, et dont certains avaient paru en 1850 et 1851 dans
de petites revues, et en 1852 dans *La Revue de Paris?* En 1855 il donna à *La Revue
des Deux Mondes* dix-huit pièces nouvelles sous ce titre collectif suggéré par un
ami, Babou, *Les Fleurs du Mal.* En 1857 il se décida à faire paraître chez Poulet-
Malassis un recueil de cent pièces, « fleurs maladives » dédiées « au poète impeccable, au parfait magicien ès lettres françaises », Théophile Gautier, son voisin de
l'hôtel Lauzun. Aussitôt des journalistes crièrent au scandale: « Ce livre,
écrivait Bourdin, dans *Le Figaro*, est un hôpital ouvert à toutes les démences de
l'esprit, à toutes les putridités du cœur. » Il y eut un procès; moins heureux que
Flaubert peu de temps auparavant pour *Madame Bovary*, Baudelaire fut condamné
à 300 francs d'amende et à la suppression de six poèmes jugés licencieux.

Il se remit à ses traductions de Poe et commença les *Petits Poèmes en prose.* Il
publia en 1860 *Paradis artificiels, opium et haschisch*, et en 1861 *Richard Wagner
et Tannhäuser.* Une deuxième édition des *Fleurs du Mal*, en 1861, fut enrichie de
trente-cinq pièces nouvelles. Enrichie? Mais lui? Depuis vingt ans il était
harcelé par les créanciers. Dans l'espoir de gagner, par des conférences, autant
que Longfellow et Emerson en Angleterre, que Dickens en Amérique, il partit
pour Bruxelles en 1864. Il en donna trois, une sur Delacroix, une autre sur
Gautier, et la troisième sur les *Paradis artificiels.* Il les lut et bafouilla; [14] ce fut
un four noir. [15] A Bruxelles il vit souvent Dumas père et les Hugo, exilés et descendus chez leur fils Charles. Lors d'une visite à l'église Saint-Loup, à Namur,
en mars 1866, il eut une attaque d'hémiplégie, qui se renouvela à Bruxelles et
s'accompagna de perte de la parole. Déjà en 1862 il avait écrit: « J'ai toujours le
vertige, et aujourd'hui 23 janvier 1862, j'ai senti passer sur moi le vent de l'aile
de l'imbécillité ». Il avait cultivé son « hystérie avec jouissance et terreur », il
avait abusé du vin, de l'alcool, de l'opium, du laudanum et du haschisch; sa vie
amoureuse avait été trop chargée aussi. On le ramena à Paris, dans une maison
de santé, rue du Dôme, près de l'Étoile, où sa mère le soigna jusqu'à sa mort, un
an après. Elle le fit enterrer au cimetière Montparnasse, auprès du général-
ambassadeur Aupick qu'il avait tant haï !

---

[13] *Correspondance générale*, édition Jacques Crépet, tome III, p. 41.   [14] stuttered.
[15] flat failure, flop.

Conclusion. L'œuvre de Baudelaire, comme celle de Villon, — à bien des égards son frère en poésie —, est une œuvre de qualité, seulement 4000 vers en 167 poèmes. Elle est la quintessence de tous les thèmes sentimentaux et intellectuels, — surtout intellectuels —, du dix-neuvième siècle; elle continue le romantisme et annonce le Parnasse; toutefois elle leur fait rendre un son étrange, tourmenté, en les pénétrant d'impressions sensorielles qui se répondent; elle est à la base du symbolisme et contient, selon l'expression de Victor Hugo, « un frisson nouveau », celui de la Beauté vue, touchée, goûtée, entendue et sentie à travers le péché, l'étonnant, l'anormal, et même à travers la mort et ses décompositions.

BAUDELAIRE PRÉCURSEUR DU SYMBOLISME
L'ALBATROS

A part la troisième strophe, ce poème fut composé au cours du voyage que fit Baudelaire à l'île Bourbon, de mai 1841 à février 1842.

> Souvent, pour s'amuser, les hommes d'équipage
> Prennent des albatros, vastes oiseaux des mers,
> Qui suivent, indolents compagnons de voyage,
> Le navire glissant sur les gouffres amers.[1]
>
> 5 A peine les ont-ils déposés sur les planches,
> Que ces rois de l'azur, maladroits et honteux,
> Laissent piteusement leurs grandes ailes blanches
> Comme des avirons traîner à côté d'eux.
>
> Ce voyageur ailé, comme il est gauche et veule![2]
> 10 Lui, naguère si beau, qu'il est comique et laid!
> L'un agace son bec avec un brûle-gueule,[3]
> L'autre mime, en boitant,[4] l'infirme qui volait!
>
> Le Poète est semblable au prince des nuées
> Qui hante la tempête et se rit de l'archer;
> 15 Exilé sur le sol au milieu des huées,[5]
> Ses ailes de géant l'empêchent de marcher.

1841-1859

LA CLOCHE FÊLÉE[1]

Toujours le symbolisme. Baudelaire s'est reconnu dans l'albatros, le flacon vide de parfum, « un cimetière abhorré de la lune; » ici la cloche fêlée symbolise son âme en proie au spleen.

> Il est amer et doux, pendant les nuits d'hiver,
> D'écouter, près du feu qui palpite[2] et qui fume,
> Les souvenirs lointains lentement s'élever
> Au bruit des carillons qui chantent dans la brume.

[1] briny deep.   [2] weak.   [3] "nose-warmer," short-stemmed pipe.   [4] limping.
[5] booing.

[1] cracked.   [2] flickers.

5 Bienheureuse la cloche au gosier [3] vigoureux
Qui, malgré sa vieillesse, alerte et bien portante,
Jette fidèlement son cri religieux,
Ainsi qu'un vieux soldat qui veille sous la tente !

Moi, mon âme est fêlée, et lorsqu'en ses ennuis
10 Elle veut de ses chants peupler l'air froid des nuits,
Il arrive souvent que sa voix affaiblie

Semble le râle [4] épais d'un blessé qu'on oublie
Au bord d'un lac de sang, sous un grand tas de morts,
Et qui meurt, sans bouger, dans d'immenses efforts ! [5]

1851

LA VIE ANTÉRIEURE [1]

Le poète, dandy incompris des ignares bourgeois, albatros en proie aux taquineries et aux huées des marins, essaie d'oublier son spleen en adoptant la métempsycose de Pythagore, de Platon et des Hindous. Il évoque une scène fort exotique de sa vie antérieure.

J'ai longtemps habité sous de vastes portiques
Que les soleils marins teignaient de mille feux,
Et que leurs grands piliers, droits et majestueux,
Rendaient pareils, le soir, aux grottes basaltiques.[2]

5 Les houles,[3] en roulant les images des cieux,
Mêlaient d'une façon solennelle et mystique
Les tout-puissants accords de leur riche musique
Aux couleurs du couchant reflété par mes yeux.

C'est là que j'ai vécu dans les voluptés calmes,
10 Au milieu de l'azur, des vagues, des splendeurs
Et des esclaves nus, tout imprégnés d'odeurs,

Qui me rafraîchissaient [4] le front avec des palmes,
Et dont l'unique soin était d'approfondir [5]
Le secret douloureux qui me faisait languir.[6]

1855

L'INVITATION AU VOYAGE

Le poète songe à un voyage en Hollande où il n'alla jamais.

Mon enfant, ma sœur,
Songe à la douceur
D'aller là-bas vivre ensemble !

[3] throat.   [4] rattle.   [5] prodigious writhing.

[1] former.   [2] *This whole stanza reminds the reader of the classical paintings of Poussin and Lorrain (17th century).*   [3] billows.   [4] fanned; *lit.* 'cooled.'   [5] whose sole task served only to sink deeper into my heart.   [6] pine.

Aimer à loisir,
5   Aimer et mourir
Au pays qui te ressemble;
Les soleils mouillés
De ces ciels brouillés [1]
Pour mon esprit ont les charmes
10   Si mystérieux
De tes traîtres yeux,
Brillant à travers leurs larmes.

Là, tout n'est qu'ordre et beauté,
Luxe, calme et volupté.

15   Des meubles luisants,
Polis par les ans,
Décoreraient notre chambre;
Les plus rares fleurs
Mêlant leurs odeurs
20 Aux vagues senteurs de l'ambre,
Les riches plafonds,
Les miroirs profonds,
La splendeur orientale,
Tout y parlerait
25   A l'âme en secret
Sa douce langue natale.

Là, tout n'est qu'ordre et beauté,
Luxe, calme et volupté.

Vois sur ces canaux
30   Dormir ces vaisseaux
Dont l'humeur est vagabonde;
C'est pour assouvir [2]
Ton moindre désir
Qu'ils viennent du bout du monde.
35   — Les soleils couchants
Revêtent les champs,
Les canaux, la ville entière,
D'hyacinthe et d'or;
Le monde s'endort
40 Dans une chaude lumière.

Là, tout n'est qu'ordre et beauté,
Luxe, calme et volupté.

1855

[1] blurred.   [2] satisfy.

ÉLÉVATION

L'inspiration de Hugo est visible dans ce poème.

> Au-dessus des étangs, au-dessus des vallées,
> Des montagnes, des bois, des nuages, des mers,
> Par-delà le soleil, par-delà les éthers,[1]
> Par-delà les confins des sphères étoilées,
>
> 5 Mon esprit, tu te meus avec agilité,
> Et, comme un bon nageur qui se pâme [2] dans l'onde,
> Tu sillonnes [3] gaîment l'immensité profonde
> Avec une indicible [4] et mâle volupté.
>
> Envole-toi bien loin de ces miasmes [5] morbides,
> 10 Va te purifier dans l'air supérieur,
> Et bois, comme une pure et divine liqueur,
> Le feu clair qui remplit les espaces limpides.
>
> Derrière les ennuis et les vastes chagrins
> Qui chargent de leur poids l'existence brumeuse,
> 15 Heureux celui qui peut d'une aile vigoureuse
> S'élancer vers les champs lumineux et sereins !
>
> Celui dont les pensers, comme des alouettes,
> Vers les cieux le matin prennent un libre essor,[6]
> — Qui plane [7] sur la vie et comprend sans effort
> 20 Le langage des fleurs et des choses muettes ! [8]

1857

CORRESPONDANCES

Ce sonnet est à la base du symbolisme qui voit, entre tous les aspects de la création, des correspondances ou des analogies; ils se répondent tous; on peut les évoquer les uns par les autres; un parfum devient une vision ou une voix, et réciproquement.

> La Nature est un temple où de vivants piliers
> Laissent parfois sortir de confuses paroles;
> L'homme y passe à travers des forêts de symboles
> Qui l'observent avec des regards familiers.
>
> 5 Comme de longs échos qui de loin se confondent
> Dans une ténébreuse et profonde unité,
> Vaste comme la nuit et comme la clarté,
> Les parfums, les couleurs et les sons se répondent.[1]

---

[1] beyond the ether (*rarefied air filling the upper regions of space*), in the stratosphere.   [2] revels; *lit.* 'swoons with pleasure.'   [3] You streak through.   [4] ineffable, unspeakable.   [5] miasmas, noxious exhalations.   [6] take wing freely.   [7] hovers.   [8] voiceless things.

[1] correspond.

Il est des parfums frais [2] comme des chairs d'enfants,
10 Doux comme les hautbois,[3] verts comme les prairies,
— Et d'autres, corrompus, riches et triomphants,

Ayant l'expansion des choses infinies,
Comme l'ambre, le musc, le benjoin [4] et l'encens,
Qui chantent les transports de l'esprit et des sens.

1857

BAUDELAIRE INSPIRATEUR DE LA POÉSIE MUSICALE DES SYMBOLISTES

HARMONIE DU SOIR

Ce poème a été inspiré par Mme Sabatier. Remarquez sa forme; le deuxième et le quatrième vers de chaque strophe forment le premier et le troisième de la strophe suivante; c'est un *pantoum;* il a été emprunté par les romantiques à la poésie malaise.[1] Victor Hugo l'a essayé dans *Les Orientales.*

Voici venir les temps où vibrant sur sa tige
Chaque fleur s'évapore ainsi qu'un encensoir; [2]
Les sons et les parfums tournent dans l'air du soir;
Valse mélancolique et langoureux vertige !

5 Chaque fleur s'évapore ainsi qu'un encensoir;
Le violon frémit comme un cœur qu'on afflige;
Valse mélancolique et langoureux vertige !
Le ciel est triste et beau comme un grand reposoir.[3]

Le violon frémit comme un cœur qu'on afflige,
10 Un cœur tendre, qui hait le néant vaste et noir !
Le ciel est triste et beau comme un grand reposoir;
Le soleil s'est noyé dans son sang qui se fige.

Un cœur tendre, qui hait le néant vaste et noir,
Du passé lumineux recueille tout vestige !
15 Le soleil s'est noyé dans son sang qui se fige . . .
Ton souvenir en moi luit comme un ostensoir ! [4]

1857

LA HANTISE DE LA MORT

O MORT, VIEUX CAPITAINE...

O Mort, vieux capitaine, il est temps ! levons l'ancre !
Ce pays nous ennuie, ô Mort ! Appareillons ! [1]
Si le ciel et la mer sont noirs comme de l'encre,
Nos cœurs que tu connais sont remplis de rayons !

[2] pure; *lit.* 'cool'.   [3] oboes.   [4] benzoin, gum benjamin.

[1] Malay.   [2] censer.   [3] temporary altar (*of procession*).   [4] shines like a monstrance.

[1] Let us get under way.

5 Verse-nous ton poison pour qu'il nous réconforte!
Nous voulons, tant ce feu [2] nous brûle le cerveau,
Plonger au fond du gouffre, Enfer ou Ciel, qu'importe?
Au fond de l'Inconnu pour trouver du *nouveau!*

Le Voyage, 1859

HYMNE A LA BEAUTÉ

Baudelaire, dans sa conception de la Beauté, est allé plus profond que son maître Théophile Gautier à qui il a dédié *Les Fleurs du Mal*, plus profond que les Parnassiens, malgré leur idéal philosophique. Pour lui la Beauté est aussi un reflet du malheur; elle ouvre la porte de l'infini avec ses ivresses qui font oublier la laideur du monde matériel et « l'horrible fardeau du temps ».

Viens-tu du ciel profond ou sors-tu de l'abîme,
O Beauté? Ton regard, infernal et divin,
Verse confusément le bienfait et le crime,
Et l'on peut pour cela te comparer au vin.

5 Tu contiens dans ton œil le couchant et l'aurore;
Tu répands des parfums comme un soir orageux;
Tes baisers sont un philtre [1] et ta bouche une amphore [2]
Qui font le héros lâche et l'enfant courageux.

Sors-tu du gouffre noir ou descends-tu des astres?
10 Le Destin charmé suit tes jupons [3] comme un chien;
Tu sèmes au hasard la joie et les désastres,
Et tu gouvernes tout et ne réponds de rien.

Tu marches sur des morts, Beauté, dont tu te moques,
De tes bijoux l'Horreur n'est pas le moins charmant,
15 Et le Meurtre, parmi tes plus chères breloques, [4]
Sur ton ventre orgueilleux danse amoureusement . . .

Que [5] tu viennes du ciel ou de l'enfer, qu'importe,
O Beauté! monstre énorme, effrayant, ingénu!
Si ton œil, ton souris, [6] ton pied, m'ouvrent la porte
20 D'un Infini que j'aime et n'ai jamais connu?

De Satan ou de Dieu, qu'importe? Ange ou Sirène,
Qu'importe, si tu rends, — fée aux yeux de velours,
Rythme, parfum, lueur, ô mon unique reine! —
L'univers moins hideux et les instants moins lourds?

1860

[2] ce feu de ton poison.

[1] spell, philter (*love potion*). [2] amphora (*Greek or Roman two-handled vase*). [3] garments; *lit.* 'skirts.' [4] fobs, watch charms. [5] Whether. [6] *Old for* sourire, smile.

RECUEILLEMENT [1]

Sois sage, ô ma Douleur, et tiens-toi plus tranquille.
Tu réclamais le Soir; il descend; le voici:
Une atmosphère obscure enveloppe la ville,
Aux uns portant la paix, aux autres le souci.

5 Pendant que des mortels la multitude vile,
Sous le fouet du Plaisir, ce bourreau sans merci,
Va cueillir des remords dans la fête servile,
Ma Douleur, donne-moi la main; viens par ici,

Loin d'eux. Vois se pencher les défuntes Années, [2]
10 Sur les balcons du ciel, en robes surannées; [3]
Surgir du fond des eaux le Regret souriant;

Le Soleil moribond s'endormir sous une arche,
Et, comme un long linceul traînant à l'Orient,
Entends, ma chère, entends la douce Nuit qui marche. [4]

1861

OUVRAGES RECOMMANDÉS
Textes

Œuvres complètes. Gallimard.
Les Fleurs du Mal, éd. Yves-Gérard Le Dantec. Éd. de Cluny.
Baudelaire, choix par Luc Decaunes. Seghers.
Pages choisies. Classiques Larousse.
Poésies choisies. Classiques Hachette.

Discographie

Baudelaire: *Les Fleurs du Mal*, extraits lus par L. Jourdan et Éva Le
  Gallienne. 1 disque microsillon. Disques Pléiade.
Baudelaire, textes présentés par Roger Pons. Collection Visages de
  l'Homme. Hachette.

Critique

P. Pia. *Baudelaire par lui-même.* 192 p. Le Seuil, 1952.
Henri Peyre. *Connaissance de Baudelaire.* 240 p. Corti.
Marcel-A. Ruff. *Baudelaire, l'homme et l'œuvre.* Hatier-Boivin, 1955.
Marcel-A. Ruff. *L'Esprit du mal et l'esthétique baudelairienne.* 492 p.
  Armand Colin, 1955.

---

[1] Contemplation, Self-communion, Meditation. [2] See how the vanished Years lean over. [3] old-fashioned. [4] hear the gentle steps of Night.

GUSTAVE FLAUBERT
(1821–1880)
Le Martyr hurlant de la perfection littéraire

Romantisme (1821–49). Né et élevé à l'Hôtel-Dieu [1] de Rouen où son père était chirurgien-chef, Flaubert doit sans doute à ce voisinage de souffrance son réalisme parfois morbide et sa maîtrise à analyser les cas pathologiques. Son enfance fut morose, comme toute sa vie. Il fut, au lycée de Rouen, un élève gonflé d'orgueil et d'ennui, enfiévré de *mal du siècle* et de romantisme que, dès l'âge de quinze ans, il épanchait dans nombre de nouvelles et d'essais historiques et philosophiques.

Pendant trois ans, après son baccalauréat (1840), il étudia le droit à Paris, mais c'était à contre-cœur. En 1843 il eut sa première crise d'épilepsie et décida de passer la plus grande partie de son temps à Rouen, puis dans sa belle propriété de Croisset, à deux milles en aval,[2] au bord de la Seine. Il n'y reste plus aujourd'hui qu'un pavillon transformé en musée, près d'une fabrique de papier. Son père et sa sœur bien-aimée, Caroline, moururent en 1846. Il resta à Croisset avec sa mère qu'il aida tendrement à élever et à instruire Caro, la fillette de Caroline.

Il se rendait souvent à Paris. Il fréquentait surtout chez le sculpteur Pradier où il rencontra son « grand homme », Victor Hugo, et aussi Louise Colet, femme de lettres qui de 1846 à 1855 fut son amie intime et tempêtueuse.

En 1846 le tableau de Pieter Breughel [3] et la gravure de Jacques Callot [4] sur le même sujet lui avaient donné l'idée de cette œuvre hallucinatoire, éminemment romantique, qu'est *La Tentation de saint Antoine*. Terminée en 1849, il la lut aussitôt à ses deux meilleurs amis, le poète Louis Bouilhet et le littérateur Maxime Du Camp; déçus, ils lui conseillèrent de tuer son « cancer de lyrisme » en écrivant un roman terre-à-terre dont Bouilhet lui fournit bientôt le sujet, la navrante histoire du docteur Delamare qui avait été un des internes du docteur Flaubert.

Réalisme, romantisme et haine du bourgeois (1850–80). Il se mit à l'œuvre, résolument, mais sans joie, après un voyage d'un an et demi en Égypte, Turquie, Grèce et Italie. Le résultat fut, en 1856, la publication de *Madame Bovary* dans *La Revue de Paris*. L'ouvrage fut jugé immoral; le procès que la censure fit à l'auteur se termina par un acquittement (1857). *Madame Bovary* devint un succès de librairie.

En 1858 Flaubert fit un voyage en Tunisie pour se documenter sur la lutte entre Carthage et ses mercenaires au troisième siècle avant J.-C. Il publia *Salammbô* en 1862; son romantisme s'y redonnait carrière, de même que plus tard dans *Hérodias* et *La Légende de saint Julien l'Hospitalier* qui forment les *Trois contes* (1877) avec *Un Cœur simple*, pathétique histoire d'une servante au grand cœur.

L'Éducation sentimentale (1869) est le roman *Madame Bovary* grossi, rendu touffu, ralenti, dans un cadre parisien et champenois (Nogent-sur-Seine). Le personnage central, Frédéric Moreau, homme indécis et médiocre, n'atteint pas son idéal, l'amour de la chaste Mme Arnoux, et finit, non dans le suicide, mais dans la platitude de la vie bourgeoise. Cette platitude qu'il abominait, Flaubert l'analysera encore dans son roman inachevé, *Bouvard et Pécuchet* (1881), histoire de deux imbéciles parfois réjouissants, et de leurs déboires dans une ferme de Normandie.

---

[1] the hospital.   [2] downstream.   [3] Pieter Breughel (or Brueghel) the Younger, Flemish painter (about 1564–1637), born in Brussels.   [4] French realistic miniature engraver (1592–1635).

La tristesse de ses dernières années fut adoucie par l'admiration affectueuse des jeunes naturalistes, — Maupassant, les frères Goncourt, Zola, Daudet, Huysmans [5] —, pour leur « chef de file ». Il s'était dépouillé de sa fortune pour éviter la faillite à sa nièce Caro qui avait épousé un homme d'affaires. Il mourut à Croisset en 1880; il n'avait que cinquante-huit ans.

Conclusion. Dans l'œuvre de Flaubert, le romantisme, qui répond à son tempérament, alterne avec le réalisme impersonnel qui lui est imposé par sa raison et son sens artistique. Souvent ces deux éléments sont en conflit aigu et l'œuvre est disparate, mais quand le réalisme a le dessus, c'est la réussite de *Madame Bovary* et d'*Un Cœur simple*. La réussite totale, omniprésente de Flaubert, c'est le style, d'une perfection toute classique; ce style est le produit d'un travail incessant, héroïque, d'affres [6] d'une laborieuse « chimie » d'où ne sortaient pas plus de vingt pages en un mois, avec l'auteur travaillant, raturant,[7] relisant en « gueulant », sept heures par jour. A vrai dire, Flaubert fut le martyr hurlant de la perfection littéraire; c'est à bon droit que la critique l'a canonisé, l'a installé au paradis des grands écrivains.

MADAME BOVARY

Une charmante jeune fille, Emma Rouault, est revenue à la ferme de son père, près de Rouen où elle a terminé ses études dans un couvent. Son rêve est de vivre la vie brillante des héroïnes des livres romantiques qu'elle dévore, ceux de Walter Scott surtout. Elle croit connaître « la félicité, la passion et l'ivresse » en épousant un médecin de campagne, Charles Bovary. Elle ne tarde pas à s'apercevoir que son mari est un médiocre, qui l'aime pourtant. Elle s'ennuie dans la petite ville d'Yonville-l'Abbaye. Elle désire un fils, elle a une fille, et se désintéresse d'elle. Ses rêves romantiques se réaliseront-ils auprès d'un autre homme? Elle devient la maîtresse de Rodolphe Boulanger, propriétaire du château de la Huchette, sur la grand-route de Beauvais, puis de Léon Dupuis, clerc de notaire romanesque comme elle, mais timoré. Coquette, elle achète à crédit chez Lheureux, marchand d'étoffes et usurier. Affolée à la pensée que son impitoyable créancier va révéler son inconduite à son mari, elle suggère à Léon de détourner l'argent de ses clients; il reste évasif. Elle se rend alors à la Huchette, chez Rodolphe, son premier amant.

LE DÉSESPOIR DE MME BOVARY

Elle se demandait tout en marchant: « Que vais-je dire? Par où commencerai-je? » Et à mesure qu'elle avançait, elle reconnaissait les buissons, les arbres, les joncs marins [1] sur la colline, le château là-bas. Elle se retrouvait dans les sensations de sa première tendresse, et son pauvre cœur comprimé s'y dilatait amoureusement. Un vent tiède lui soufflait au visage; 5 la neige, se fondant, tombait goutte à goutte des bourgeons sur l'herbe.

Elle entra, comme autrefois, par la petite porte du parc, puis arriva à la cour d'honneur, que bordait un double rang de tilleuls touffus.[2] Ils balançaient, en sifflant, leurs longues branches. Les chiens au chenil [3] aboyèrent tous, et l'éclat de leurs voix retentissait sans qu'il parût personne. 10

Elle monta le large escalier droit, à balustres de bois, qui conduisait au

[5] See p. 244.   [6] pangs.   [7] erasing.

[1] furze, sea rushes (reeds).   [2] leafy linden trees.   [3] [ʃ(ə)ni], in their kennels.

corridor pavé de dalles poudreuses [4] où s'ouvraient plusieurs chambres à
la file, comme dans les monastères ou les auberges. La sienne était au bout,
tout au fond, à gauche. Quand elle vint à poser les doigts sur la serrure,[5]
ses forces subitement l'abandonnèrent. Elle avait peur qu'il ne fût pas là,
5 le souhaitait presque, et c'était pourtant son seul espoir, la dernière chance
du salut. Elle se recueillit [6] une minute, et, retrempant [7] son courage au
sentiment de la nécessité présente, elle entra.

Il était devant le feu, les deux pieds sur le chambranle,[8] en train de fumer
une pipe.

10 — Tiens! c'est vous! dit-il en se levant brusquement.

— Oui, c'est moi!... je voudrais, Rodolphe, vous demander un conseil.

Et, malgré tous ses efforts, il lui était impossible de desserrer [9] la bouche.

— Vous n'avez pas changé, vous êtes toujours charmante!

15 — Oh! reprit-elle amèrement, ce sont de tristes charmes, mon ami, puisque vous les avez dédaignés.

Alors il entama [10] une explication de sa conduite, s'excusant en termes
vagues, faute de pouvoir inventer mieux.

Elle se laissa prendre à ses paroles, plus encore à sa voix et par le spectacle
20 de sa personne; si bien qu'elle fit semblant de croire, ou crut-elle peut-être,
au prétexte de leur rupture; c'était un secret d'où dépendaient l'honneur
et même la vie d'une troisième personne.

— N'importe! fit-elle en le regardant tristement, j'ai bien souffert!

Il répondit d'un ton philosophique:

25 — L'existence est ainsi!

— A-t-elle du moins, reprit Emma, été bonne pour vous depuis notre
séparation?

— Oh! ni bonne ... ni mauvaise.

— Il aurait peut-être mieux valu ne jamais nous quitter.

30 — Oui ..., peut-être!

— Tu crois? dit-elle en se rapprochant.

Et elle soupira.

— O Rodolphe! si tu savais!... je t'ai bien aimé!

Ce fut alors qu'elle prit sa main, et ils restèrent quelque temps les doigts
35 entrelacés ...; s'affaissant contre sa poitrine, elle lui dit:

— Comment voulais-tu que je vécusse [11] sans toi? On ne peut pas se
déshabituer du bonheur! J'étais désespérée! j'ai cru mourir! Je te con-
terai tout cela, tu verras. Et toi ... tu m'as fuie!

Car, depuis trois ans, il l'avait soigneusement évitée, par suite de cette
40 lâcheté naturelle qui caractérise le sexe fort; et Emma continuait avec des
gestes mignons de tête ...

Et elle était ravissante à voir, avec son regard où tremblait une larme,
comme l'eau d'un orage dans un calice [12] bleu ...

— Mais tu as pleuré! dit-il. Pourquoi?

45 Elle éclata en sanglots. Rodolphe crut que c'était l'explosion de son

---

[4] dusty flagstones. [5] the lock. [6] She
collected her thoughts. [7] strengthen-
ing. [8] casing, side (of the fireplace). [9] to open. [10] began. [11] How did you
think I could live. [12] calyx, flower cup.

amour; comme elle se taisait, il prit ce silence pour une dernière pudeur, et alors il s'écria:

— Ah! pardonne-moi! tu es la seule qui me plaise. J'ai été imbécile et méchant! Je t'aime, je t'aimerai toujours!... Qu'as-tu? dis-le donc!

Il s'agenouillait.

— Eh bien!... je suis ruinée, Rodolphe! Tu vas me prêter trois mille francs!

— Mais..., mais..., dit-il en se relevant peu à peu, tandis que sa physionomie prenait une expression grave.

— Tu sais, continuait-elle vite, que mon mari avait placé toute sa fortune chez un notaire; il s'est enfui. Nous avons emprunté; les clients ne payaient pas. Du reste, la liquidation n'est pas finie; nous en aurons plus tard. Mais, aujourd'hui, faute de trois mille francs, on va nous saisir; [13] c'est à présent, à l'instant même; et, comptant sur ton amitié, je suis venue.

— Ah! pensa Rodolphe qui devint très pâle tout à coup, c'est pour cela qu'elle est venue!

Enfin il dit d'un air calme:

— Je ne les ai pas, chère madame.

Il ne mentait point. Il les eût eus qu'il [14] les aurait donnés, sans doute, bien qu'il soit généralement désagréable de faire de si belles actions: une demande pécuniaire, de toutes les bourrasques [15] qui tombent sur l'amour, étant la plus froide et la plus déracinante.[16]

Elle resta d'abord quelques minutes à le regarder.

— Tu ne les as pas!

Elle répéta plusieurs fois:

— Tu ne les as pas! J'aurais dû m'épargner cette dernière honte. Tu ne m'as jamais aimée! tu ne vaux pas mieux que les autres!

Elle se trahissait, elle se perdait.

Rodolphe l'interrompit, affirmant qu'il se trouvait « gêné » [17] lui-même.

— Ah! je te plains! dit Emma. Oui, considérablement!...

Et, arrêtant ses yeux sur une carabine damasquinée [18] qui brillait dans la panoplie:

— Mais, lorsqu'on est si pauvre, on ne met pas d'argent à la crosse [19] de son fusil! On n'achète pas une pendule avec des incrustations d'écailles! [20] continuait-elle en montrant l'horloge de Boulle; [21] ni des sifflets de vermeil pour ses fouets [22] — elle les touchait! — ni des breloques pour sa montre! Oh! rien ne lui manque! jusqu'à un porte-liqueurs [23] dans sa chambre; car tu t'aimes, tu vis bien, tu as un château, des fermes, des bois; tu chasses à courre,[24] tu voyages à Paris. Eh! quand [25] ce ne serait que cela, s'écria-t-elle en prenant sur la cheminée ses boutons de manchettes,[26] que [27]

---

[13] our belongings are going to be attached (by the sheriff). [14] If he had had them, he. [15] squalls, gusts of wind. [16] upsetting, destructive. [17] short of money, hard up. [18] damascened (*decorated with a peculiar marking or "water"*) carbine. [19] butt. [20] inlaid with tortoise shell. [21] *French cabinet-maker* (*1642–1732*), *famous for his furniture inlaid with tortoise shell, mother-of-pearl, ivory, copper, etc.; his four sons continued his work.* [22] silver-gilt whistles for one's whips. [23] liqueur stand. [24] you hunt with hounds. [25] if. [26] cuff links. [27] but.

la moindre de ces niaiseries![28] on en peut faire de l'argent! Oh! je n'en veux pas! garde-les.

Et elle lança bien loin les deux boutons, dont la chaîne d'or se rompit en cognant contre la muraille.

5 — Mais, moi, je t'aurais tout donné, j'aurais tout vendu, j'aurais travaillé de mes mains, j'aurais mendié sur les routes, pour un sourire, pour un regard, pour t'entendre dire: « Merci! » Et tu restes là tranquillement dans ton fauteuil, comme si déjà tu ne m'avais pas fait assez souffrir! Sans toi, sais-tu bien, j'aurais pu vivre heureuse! Qui[29] t'y forçait? Était-ce une

10 gageure?[30] Tu m'aimais cependant, tu le disais. Et tout à l'heure encore. Ah! il eût mieux valu me chasser! J'ai les mains chaudes de tes baisers, et voilà la place, sur le tapis, où tu jurais à mes genoux une éternité d'amour. Tu m'y as fait croire; tu m'as, pendant deux ans, traînée dans le rêve le plus magnifique et le plus suave! Hein! nos projets de voyage,[31] tu te

15 rappelles? Oh! ta lettre, ta lettre![32] elle m'a déchiré le cœur! Et puis, quand je reviens vers lui, vers lui, qui est riche, heureux, libre! pour implorer un secours que le premier venu rendrait, suppliante et lui rapportant toute ma tendresse, il me repousse, parce que ça lui coûterait trois mille francs!

20 — Je ne les ai pas! répondit Rodolphe avec ce calme parfait dont se recouvrent, comme d'un bouclier,[33] les colères résignées.

Elle sortit. Les murs tremblaient, le plafond l'écrasait; et elle repassa par la longue allée, en trébuchant[34] contre les tas de feuilles mortes que le vent dispersait. Enfin elle arriva au saut-de-loup[35] devant la grille; elle

25 se cassa les ongles contre la serrure, tant elle se dépêchait pour l'ouvrir. Puis, cent pas plus loin, essoufflée, près de tomber, elle s'arrêta. Et alors, se détournant, elle aperçut encore une fois l'impassible château, avec le parc, les jardins, les trois cours, et toutes les fenêtres de la façade.

Elle resta perdue de stupeur, et n'ayant plus conscience d'elle-même que

30 par le battement de ses artères, qu'elle croyait entendre s'échapper comme une assourdissante musique qui emplissait la campagne. Le sol sous ses pieds était plus mou qu'une onde,[36] et les sillons lui parurent d'immenses vagues brunes, qui déferlaient.[37] Tout ce qu'il y avait dans sa tête de réminiscences, d'idées, s'échappait à la fois, d'un seul bond, comme les mille

35 pièces d'un feu d'artifice.[38] Elle vit son père, le cabinet[39] de Lheureux, leur chambre là-bas,[40] un autre paysage. La folie la prenait, elle eut peur, et parvint à se ressaisir, d'une manière confuse, il est vrai; car elle ne se rappelait point la cause de son horrible état, c'est-à-dire la question d'argent. Elle ne souffrait que de son amour, et sentait son âme l'abandonner par ce

40 souvenir, comme les blessés, en agonisant, sentent l'existence qui s'en va par leur plaie qui saigne.

La nuit tombait, des corneilles[41] volaient.

Il lui sembla tout à coup que des globules couleur de feu éclataient dans

---

[28] silly things, trifles. [29] **Qu'est-ce qui,** What. [30] [ɡaʒyr], bet. [31] *Emma and Rodolphe had planned to run away to Italy.* [32] *Letter in which Rodolphe had told Emma to forget him.* [33] shield. [34] stumbling.

[35] ha-ha, ditch (against trespassers). [36] softer (more yielding) than water. [37] **qui déferlaient,** breaking into foam. [38] fireworks. [39] office. [40] *In Rouen, where she used to meet Léon.* [41] crows.

l'air comme des balles fulminantes en s'aplatissant,[42] et tournaient, tournaient, pour aller se fondre sur la neige, entre les branches des arbres. Au
milieu de chacun d'eux, la figure de Rodolphe apparaissait. Ils se mul-
tiplièrent, et ils se rapprochaient, la pénétraient; tout disparut. Elle reconnut les lumières des maisons, qui rayonnaient de loin dans le brouillard. 5

Alors sa situation, telle qu'un abîme, se représenta. Elle haletait à se
rompre la poitrine. Puis, dans un transport d'héroïsme qui la rendait
presque joyeuse, elle descendit la côte en courant, traversa la planche aux
vaches,[43] le sentier, l'allée, les halles,[44] et arriva devant la boutique du
pharmacien. 10

Il n'y avait personne. Elle allait entrer; mais, au bruit de la sonnette,
on pouvait venir; et, se glissant par la barrière, retenant son haleine,
tâtant [45] les murs, elle s'avança jusqu'au seuil de la cuisine, où brûlait une
chandelle posée sur le fourneau.[46] Justin,[47] en manches de chemise,[48] emportait un plat. 15

— Ah! ils dînent. Attendons.

Il revint. Elle frappa contre la vitre. Il sortit.

— La clé! celle d'en haut,[49] où sont les . . .[50]

— Comment!

Et il la regardait, tout étonné par la pâleur de son visage, qui tranchait 20
en blanc sur le fond noir [51] de la nuit. Elle lui apparut extraordinairement
belle, et majestueuse comme un fantôme; sans comprendre ce qu'elle voulait, il pressentait quelque chose de terrible.

Mais elle reprit vivement, à voix basse, d'une voix douce, dissolvante:

— Je la veux! donne-la-moi. 25

Comme la cloison [52] était mince, on entendait le cliquetis [53] des fourchettes
sur les assiettes dans la salle à manger.

Elle prétendit avoir besoin de tuer les rats qui l'empêchaient de dormir.

— Il faudrait que j'avertisse monsieur.[54]

— Non! reste! 30

Puis d'un air indifférent:

— Eh! ce n'est pas la peine, je lui dirai tantôt.[55] Allons, éclaire-moi!

Elle entra dans le corridor où s'ouvrait la porte du laboratoire. Il y avait
contre la muraille une clé étiquetée *capharnaüm*.[56]

— Justin! cria l'apothicaire, qui s'impatientait. 35

— Montons!

Et il la suivit.

La clé tourna dans la serrure, et elle alla droit vers la troisième tablette,[57]
tant son souvenir la guidait bien,[58] saisit le bocal bleu,[59] en arracha le

---

[42] fulminating bullets flattening (as they
strike).   [43] the cow plank (bridge).
[44] market hall.   [45] feeling her way along.
[46] the stove.   [47] *The fifteen-year-old
druggist's assistant who was in love with
Emma.*   [48] in his shirt sleeves.   [49] the
upstairs one.   [50] *poisons.*   [51] that stood
out white against the black background.
[52] partition wall.   [53] clatter.   [54] I must
tell the boss.   [55] presently.   [56] [ka-
farnaɔm], catchall, junk closet, glory
hole. *Homais, the druggist, stored his
supplies and poisons there, in the attic.*
[57] shelf.   [58] *Once, while scolding Justin,
Homais had told Emma where the jar of
arsenic was (Conard edition, p. 342, third
part, II).*   [59] the blue jar. *The law
compelled druggists to keep their poisons
in blue jars.*

bouchon, y fourra [60] sa main, et, la retirant pleine d'une poudre blanche, elle se mit à manger à même.[61]

— Arrêtez ! s'écria-t-il en se jetant sur elle.

— Tais-toi ! on viendrait . . .

Il se désespérait, voulait appeler.

— N'en dis rien, tout retomberait sur ton maître !

Puis elle s'en retourna subitement apaisée, et presque dans la sérénité d'un devoir accompli.

Édition Conard, pages 426–434

*M*ᵐᵉ *Bovary meurt. Le bonasse* [62] *docteur, son mari, trouve ses lettres d'amour dans le grenier, mais il continue de vénérer sa mémoire: « C'est la faute de la fatalité, » dit-il. Ses affaires continuent de péricliter et il meurt de chagrin.*

Charles Bovary s'appelait en réalité Eugène Delamare. Il avait épousé en 1839, à vingt-huit ans, Adelphine Couturier qui en avait dix-huit et dont le père exploitait la ferme du Vieux-Château, — les Bertaux dans le roman —. Le docteur Delamare exerça la médecine à Ry, à vingt kilomètres à l'ouest de Rouen. Dans l'unique rue du bourg on voit encore sa maison à un étage surmonté de lucarnes,[63] et avec ses nombreuses et grandes fenêtres et ses rangées verticales de briques. Mᵐᵉ Delamare s'ennuya à Ry. Ses amants furent en réalité Louis Campion, le châtelain de la Huchette, qui en 1852, à Paris, en plein boulevard, se fit sauter la cervelle au retour du Canada où il était allé en vain chercher la fortune, et Louis Bottet qui, par la suite, fut notaire à Formerie (Oise). Mᵐᵉ Delamare eut une fille en 1842, et s'empoisonna en 1848. Un peu moins de deux ans après, son mari la rejoignait au cimetière de Ry. C'est sur le conseil de son ami, le poète Louis Bouilhet, que Flaubert essaya de tuer le « cancer de lyrisme » qui avait produit *La Tentation de saint Antoine*, en écrivant objectivement la tragédie toute récente encore de Mᵐᵉ Delamare, dont il fit, avec des traits empruntés aussi à d'autres femmes, ce chef-d'œuvre du roman, *Madame Bovary*.

OUVRAGES RECOMMANDÉS
Textes

Œuvres complètes, éd. Thibaudet et Dumesnil. 2 vol. Gallimard.

Madame Bovary
Trois contes   } Classiques Larousse.
Salammbô

Contes. Classiques Hachette.

Discographie

Un Cœur simple, enregistrement par Françoise Rosay. Hachette.

Critique

François Denoeu. *L'Ombre de Madame Bovary*. 22 p. Publications of the Modern Language Association of America, New York, December 1935.

J. de La Varende. *Flaubert par lui-même*. 192 p. Le Seuil.

Jean Canu. *Flaubert auteur dramatique*. 148 p. Les Écrits de France, 1946.

[60] plunged. [61] eating off it; **manger à même**, to eat off the dish. [62] simpleminded, innocent. [63] dormer windows.

HIPPOLYTE TAINE
(1828–1893)

Né à Vouziers,[1] Taine fut un brillant élève à Paris, puis professeur de philosophie en province. Il quitta le professorat à cause de ses idées avancées et se mit à écrire surtout des œuvres de critique: *Voyage aux Pyrénées* (1855–58), *La Fontaine et ses fables* (1860), *Histoire de la littérature anglaise* (1863), *Origines de la France contemporaine* (1876–90), *Essais de critique et d'histoire* (1858–94). Il s'inspira du positivisme d'Auguste Comte et de la science expérimentale de Claude Bernard pour faire de la critique plus exacte, mais malheureusement trop systématique. Sa théorie de la race, du milieu, du moment et de la faculté maîtresse est célèbre.

LA RACE, LE MILIEU,[1] LE MOMENT

Trois sources différentes contribuent à produire cet état moral élémentaire, *la race, le milieu* et *le moment*. Ce qu'on appelle *la race*, ce sont ces dispositions innées et héréditaires que l'homme apporte avec lui à la lumière, et qui ordinairement sont jointes à des différences marquées dans le tempérament et dans la structure du corps. Elles varient selon les peuples. Il 5 y a naturellement des variétés d'hommes, comme des variétés de taureaux et de chevaux, les unes braves et intelligentes, les autres timides et bornées,[2] les unes capables de conceptions et de créations supérieures, les autres réduites aux idées et aux inventions rudimentaires, quelques-unes appropriées plus particulièrement à certaines œuvres et approvisionnées plus richement 10 de certains instincts, comme on voit des races de chiens mieux douées, les unes pour la course, les autres pour le combat, les autres pour la chasse, les autres enfin pour la garde des maisons ou des troupeaux . . .

Lorsqu'on a ainsi constaté la structure intérieure d'une race, il faut considérer le *milieu* dans lequel elle vit. Car l'homme n'est pas seul dans le 15 monde; la nature l'enveloppe et les autres hommes l'entourent; sur le pli[3] primitif et permanent viennent s'étaler les plis accidentels et secondaires, et les circonstances physiques ou sociales dérangent ou complètent le naturel qui leur est livré. Tantôt le climat a fait son effet. Quoique nous ne puissions suivre qu'obscurément l'histoire des peuples aryens depuis leur patrie 20 commune jusqu'à leurs patries définitives, nous pouvons affirmer cependant que la profonde différence qui se montre entre les races germaniques d'une part, et les races helléniques et latines de l'autre, provient en grande partie de la différence des contrées[4] où elles se sont établies . . .

Il y a pourtant un troisième ordre de causes; car, avec les forces du 25 dedans et du dehors, il y a à l'œuvre qu'elles ont déjà faite ensemble, et cette œuvre elle-même contribue à produire celle qui suit; outre l'impulsion permanente et le milieu donné, il y a la vitesse[5] acquise. Quand le caractère national et les circonstances environnantes opèrent, ils n'opèrent point sur une table rase,[6] mais une table où des empreintes[7] sont déjà marquées. 30

---

[1] *130 mi. NE of Paris; pop. 3,000.*

[1] environment. [2] dense, thick-headed. [5] mo- [6] clean slate; *lit.* 'empty [3] nature; *lit.* 'fold.' [4] regions. mentum. (bare) table.' [7] impressions.

Selon qu'on prend la table à un *moment* ou à un autre, l'empreinte est différente; et cela suffit pour que l'effet total soit différent . . .

Il (l'effet final) est grand ou petit, selon que les forces fondamentales sont grandes ou petites et tirent plus ou moins exactement dans le même
5 sens, selon que les effets distincts de la race, du milieu et du moment se combinent pour s'ajouter l'un à l'autre ou pour s'annuler l'un par l'autre. C'est ainsi que s'expliquent les longues impuissances et les éclatantes réussites qui apparaissent irrégulièrement et sans raison apparente dans la vie d'un peuple; elles ont pour causes des concordances ou des contrariétés
10 intérieures. Il y eut une de ces concordances lorsque, au dix-septième siècle, le caractère sociable et l'esprit de conversation innés en France rencontrèrent les habitudes de salon et le moment de l'analyse oratoire, lorsque, au dix-neuvième siècle, le flexible et profond génie d'Allemagne rencontra l'âge des synthèses philosophiques et de la critique cosmopolite. Il y eut une
15 de ces contrariétés lorsque, au dix-septième siècle, le rude et solitaire [8] génie anglais essaya maladroitement de s'approprier l'urbanité nouvelle, lorsque, au seizième siècle, le lucide et prosaïque esprit français essaya inutilement d'enfanter une poésie vivante.[9] C'est cette concordance secrète des forces créatrices qui a produit la politesse achevée [10] et la noble littérature régulière
20 sous Louis XIV et Bossuet, la métaphysique grandiose et la large sympathie critique sous Hegel [11] et Gœthe. C'est cette contrariété secrète des forces créatrices qui a produit la littérature incomplète, la comédie scandaleuse, le théâtre avorté [12] sous Dryden [13] et Wycherley,[14] les mauvaises importations grecques, les tâtonnements,[15] les fabrications, les petites beautés par-
25 tielles sous Ronsard et la Pléiade.

Nous pouvons affirmer avec certitude que les créations inconnues vers lesquelles le courant des siècles nous entraîne, seront suscitées et réglées tout entières par les trois forces primordiales; que, si ces forces pouvaient être mesurées et chiffrées, on en déduirait comme d'une formule les propriétés
30 de la civilisation future, et que, si, malgré la grossièreté [16] visible de nos notations et l'inexactitude foncière [17] de nos mesures, nous voulons aujourd'hui nous former quelque idée de nos destinées générales, c'est sur l'examen de ces forces qu'il faut fonder nos prévisions.[18] Car nous parcourons en les énumérant le cercle complet des puissances agissantes, et,
35 lorsque nous avons considéré la race, le milieu, le moment, c'est-à-dire le ressort [19] du dedans, la pression du dehors et l'impulsion déjà acquise, nous avons épuisé, non seulement toutes les causes réelles, mais encore toutes les causes possibles du mouvement.

Histoire de la littérature anglaise, Introduction, V, 1863

---

[8] rough and individualistic. [9] *Under the auspices of la Pléiade (p. 55).* [10] consummate. [11] *German philosopher (1770–1831).* [12] abortive. [13] *John Dryden (1631–1700), author of the heroic drama* All for Love. [14] *William Wycherley (1640–1716), English dramatist whose best play is* The Plain Dealer. [15] gropings. [16] crudity. [17] fundamental. [18] forecasts. [19] mainspring.

OUVRAGES RECOMMANDÉS
Textes
Œuvres. Hachette.
Pages choisies. Classiques Hachette.
Les Origines de la France contemporaine. Classiques Hachette.
Critique
A. Cresson. *Hippolyte Taine.* 156 p. Presses universitaires.

ALPHONSE DAUDET
(1840–1897)
Le Dickens français

Alphonse Daudet eut une enfance assez malheureuse, comme l'indique son roman autobiographique *Le Petit Chose.*[1] Il naquit à Nîmes, dans la province du Languedoc, à l'ouest du Rhône, mais il préféra la province voisine, à l'est du fleuve, la Provence. Il avait neuf ans quand son père, qui fabriquait des écharpes[2] et ne faisait pas de bonnes affaires, s'installa à Lyon avec sa famille. Bien que frivole, Alphonse fit de bonnes études secondaires; il ne les termina pas, faute d'argent, et entra comme surveillant au collège d'Alès (30 milles au nord-ouest de Nîmes). Il avait seize ans. Dégoûté de la grossièreté qui y régnait, il en partit un an après pour aller retrouver son frère aîné, Ernest, qui faisait du journalisme à Paris.

La pauvreté disparut de sa vie avec le succès de ses vers, *Les Amoureuses.* Il n'avait que dix-huit ans. Il devint le secrétaire du demi-frère de Napoléon III, le duc de Morny, collabora au journal *Le Figaro,* écrivit de charmantes petites pièces. Il profita de ses nombreux loisirs pour faire des voyages et des séjours dans le Midi de la France et en Algérie. De son voyage en Algérie (1862), il rapporta la couleur locale de son roman *Tartarin de Tarascon;* à ses séjours dans la Provence de l'ouest, nous devons la poésie, belle d'observation et de sensibilité, des *Lettres de mon moulin.*

A vrai dire, Daudet n'a jamais possédé de moulin, mais il y en a encore quelques-uns au bourg de Fontvieille (sud-est de Tarascon) où il habitait au château des quatre frères Ambroy, des célibataires. Au-dessus du château, sur une colline plantée de pins, il y avait un moulin abandonné. Daudet aimait y aller contempler le paysage, écrire et rêver. Ce moulin a été réparé; on y a fait un musée Alphonse Daudet.

Dans la région habitaient des poètes qui écrivaient en langue provençale et qui s'appelaient les *félibres.* Le plus célèbre d'entre eux était Frédéric Mistral. Daudet se joignit à leur joyeuse bande. Beaucoup de leur connaissance de la Provence, de leur gaieté, est passé dans ces *Lettres de mon moulin* qu'il écrivit à son retour à Paris. Un spirituel Provençal, Paul Arène, surveillant dans un lycée, fut un peu son collaborateur. Il publia la plupart de ces vingt-quatre « lettres » dans des journaux comme *Le Figaro.* Le livre sortit en 1869. Il n'eut de grand succès qu'après la publication de *Tartarin de Tarascon* (1872), et surtout d'un roman naturaliste et sentimental sur le petit peuple de Paris, *Fromont jeune et Risler*[3] *aîné.* C'était après la guerre franco-allemande (1870–71) dont il décrivit les misères, pour la région parisienne, dans *Contes du lundi.*

---

[1] *Little What's-His-Name.* [2] scarves [3] [risler].

Daudet nous est cher surtout à cause de *Tartarin de Tarascon*, de ses *Lettres de mon moulin* et de ses *Contes du lundi*. Sa verve était caricaturale; elle s'est exercée sur les petites faiblesses des braves gens: paysans, soldats, prêtres, moines, etc., jamais avec méchanceté, toujours avec une délicate émotion. Son style est clair, harmonieux, un peu trop riche de vocabulaire pour les étudiants étrangers, mais parfait littérairement.

Daudet a bien mérité d'être appelé « le Dickens français ».

De *L'Arlésienne*,[4] dont Daudet fit un drame en prose, le compositeur Georges Bizet tira un opéra (1872). L'air le plus fameux est un noël entraînant [5] sur les rois mages: [6]

> De bon matin,
> J'ai rencontré le train [7]
> De trois grands rois qui allaient en voyage.
> De bon matin,
> J'ai rencontré le train
> De trois grands rois dessus le grand chemin.
> Venaient d'abord des gardes du corps,
> Des gens armés avec trente petits pages,
> Venaient d'abord des gardes du corps;
> Des gens armés dessus leurs justaucorps.[8]

Alphonse Daudet

L'ARLÉSIENNE [1]

Pour aller au village,[2] en descendant de mon moulin,[3] on passe devant un *mas* [4] bâti près de la route, au fond d'une grande cour plantée de micocouliers.[5] C'est la vraie maison du *ménager* [6] de Provence, avec ses tuiles rouges, sa large façade brune irrégulièrement percée, puis tout en haut la
5 girouette [7] du grenier, la poulie pour hisser les meules,[8] et quelques touffes de foin brun qui dépassent.

Pourquoi cette maison m'avait-elle frappé? Pourquoi ce portail fermé me serrait-il le cœur? Je n'aurais pas pu le dire, et pourtant ce logis me faisait froid. Il y avait trop de silence autour. Quand on passait, les chiens
10 n'aboyaient pas, les pintades [9] s'enfuyaient sans crier. A l'intérieur, pas une voix! Rien, pas même un grelot [10] de mule. Sans les rideaux blancs des fenêtres et la fumée qui montait des toits, on aurait cru l'endroit inhabité.

Hier, sur le coup de midi, je revenais du village, et, pour éviter le soleil, je longeais les murs de la ferme, dans l'ombre des micocouliers. Sur la
15 route, devant le *mas*, des valets silencieux achevaient de charger une charrette de foin. Le portail était resté ouvert. Je jetai un regard en passant,

---

[4] *See n. 1 below.*   [5] lively Christmas carol.   [6] Magi.   [7] column, retinue.   [8] tight-fitting jackets.

[1] The Girl from Arles (*town, 50 mi. NW of Marseilles*). *Arles is famous for its Roman arena and theater, its Romanesque church and cloister of Saint-Trophime. Van Gogh did his best work at Arles.*   [2] *Fontvieille. See notice on Daudet.*   [3] *See notice.*   [4] [mas], *Provençal for* **ferme,** farmhouse.   [5] African lotus.   [6] **riche fermier.**   [7] weather vane.   [8] **meules de foin,** haystacks.   [9] guinea fowl.   [10] harness bell.

et je vis, au fond de la cour, accoudé, — la tête dans ses mains —, sur une large table de pierre, un grand vieux tout blanc, avec une veste trop courte et des culottes en lambeaux.[11] Je m'arrêtai. Un des hommes me dit tout bas:

— Chut! c'est le maître. Il est comme ça depuis le malheur de son fils. 5

A ce moment une femme et un petit garçon, vêtus de noir, passèrent près de nous avec de gros paroissiens dorés,[12] et entrèrent à la ferme.

L'homme ajouta:

— La maîtresse et Cadet qui reviennent de la messe. Ils y vont tous les jours, depuis que l'enfant s'est tué. Ah! monsieur, quelle désolation! Le 10 père porte encore les habits du mort; on ne peut pas les lui faire quitter. Dia! hue! la bête![13]

La charrette s'ébranla pour partir. Moi, qui voulais en savoir plus long, je demandai au voiturier de monter à côté de lui, et c'est là-haut, dans le foin, que j'appris toute cette navrante histoire. 15

Il s'appelait Jan.[14] C'était un admirable paysan de vingt ans, sage comme une fille, solide et le visage ouvert. Comme il était très beau, les femmes le regardaient; mais lui n'en avait qu'une en tête, — une petite Arlésienne, toute en velours et en dentelles, qu'il avait rencontrée sur la Lice[15] d'Arles, une fois. — Au *mas*, on ne vit pas d'abord cette liaison avec 20 plaisir. La fille passait pour coquette, et ses parents n'étaient pas du pays. Mais Jan voulait son Arlésienne à toute force. Il disait:

— Je mourrai si on ne me la donne pas.

Il fallut en passer par là. On décida de les marier après la moisson.

Donc, un dimanche soir, dans la cour du *mas*, la famille achevait de dîner. 25 C'était presque un repas de noces. La fiancée n'y assistait pas, mais on avait bu en son honneur tout le temps. Un homme se présente à la porte, et, d'une voix qui tremble, demande à parler à maître Estève, à lui seul. Estève se lève et sort sur la route.

— Maître, lui dit l'homme, vous allez marier votre enfant à une coquine.[16] 30 Ce que j'avance, je le prouve: voici des lettres! Les parents savent tout et me l'avaient promise; mais, depuis que votre fils la recherche, ni eux ni la belle ne veulent plus de moi. J'aurais cru pourtant qu'après ça elle ne pouvait pas être la femme d'un autre.

— C'est bien! dit maître Estève quand il eut regardé les lettres; entrez 35 boire un verre de muscat.[17]

L'homme répond:

— Merci! j'ai plus de chagrin que de soif.

Et il s'en va.

Le père rentre, impassible; il reprend sa place à table; et le repas s'achève 40 gaiement.

Ce soir-là, maître Estève et son fils s'en allèrent ensemble dans les champs. Ils restèrent longtemps dehors; quand ils revinrent, la mère les attendait encore.

---

[11] rags.   [12] gilt-edged prayer books. [13] Giddap, old Dobbin!   [14] [ʒã], **Jean.** [15] **la Promenade des Lices** (Lists, Tournament Fields), *a tree-shaded avenue running along the Public Garden and the Hotel Jules-César.*   [16] hussy.   [17] muscatel.

— Femme, dit le *ménager*, en lui amenant son fils, embrasse-le! il est malheureux.

Jan ne parla plus de l'Arlésienne. Il l'aimait toujours cependant, et même plus que jamais, depuis qu'on la lui avait montrée dans les bras d'un
5 autre. Seulement il était trop fier pour rien dire; c'est ce qui le tua, le pauvre enfant! Quelquefois il passait des journées entières seul dans un coin, sans bouger. D'autres jours, il se mettait à la terre avec rage et abattait à lui seul le travail de dix journaliers.[18] Le soir venu, il prenait la route d'Arles et marchait devant lui jusqu'à ce qu'il vît monter dans le couchant
10 les clochers grêles [19] de la ville. Alors il revenait. Jamais il n'alla plus loin.
De le voir ainsi, toujours triste et seul, les gens du *mas* ne savaient plus que faire. On redoutait un malheur. Une fois, à table, sa mère, en le regardant avec des yeux pleins de larmes, lui dit:
— Eh bien! écoute, Jan, si tu la veux tout de même, nous te la donnerons.
15 Le père, rouge de honte, baissait la tête. . . .
Jan fit signe que non, et il sortit.
A partir de ce jour, il changea sa façon de vivre, affectant d'être toujours gai, pour rassurer ses parents. On le revit au bal, au cabaret, dans les ferrades.[20] A la vote [21] de Fontvieille, c'est lui qui mena la farandole.[22]
20 Le père disait: « Il est guéri. » La mère, elle, avait toujours des craintes et plus que jamais surveillait son enfant. Jan couchait avec Cadet, tout près de la magnanerie; [23] la pauvre vieille se fit dresser un lit à côté de leur chambre. . . . Les magnans [24] pouvaient avoir besoin d'elle, dans la nuit.
Vint la fête de Saint Éloi, patron [25] des ménagers.
25 Grande joie au *mas*. Il y eut du châteauneuf [26] pour tout le monde et du vin cuit [27] comme s'il en pleuvait. Puis des pétards,[28] des feux sur l'aire,[29] des lanternes de couleur plein les micocouliers. Vive saint Éloi! On farandola à mort. Cadet brûla sa blouse [30] neuve. Jan lui-même avait l'air content; il voulut faire danser sa mère; la pauvre femme en pleurait de
30 bonheur.
A minuit, on alla se coucher. Tout le monde avait besoin de dormir. Jan ne dormit pas, lui. Cadet a raconté depuis que toute la nuit il avait sangloté. Ah! je vous réponds qu'il était bien mordu,[31] celui-là . . .

Le lendemain, à l'aube, la mère entendit quelqu'un traverser sa chambre
35 en courant. Elle eut comme un pressentiment:
— Jan, c'est toi?
Jan ne répond pas; il est déjà dans l'escalier.
Vite, vite la mère se lève:
— Jan, où vas-tu?
40 Il monte au grenier; elle monte derrière lui:

[18] day laborers. [19] thin. [20] festivals at the time of the branding of the cattle. [21] la vogue, la fête, village fair. *In Brittany it is called* le pardon, *and in the north of France* la ducasse, la kermesse. [22] *Dance somewhat like the Virginia reel.* [23] silkworm house. [24] silkworms. [25] patron saint. [26] *Famous wine of Châteauneuf-du-Pape, N of Avignon, where the 14th-century French popes had their summer residence.* [27] mulled wine. [28] firecrackers. [29] threshing floor. [30] smock. [31] terribly in love; *lit.* 'bitten.'

— Mon fils, au nom du ciel !

Il ferme la porte et tire le verrou.[32]

— Jan, mon Janet, réponds-moi. Que vas-tu faire ?

A tâtons,[33] de ses vieilles mains qui tremblent, elle cherche le loquet.[34] Une fenêtre qui s'ouvre, le bruit d'un corps sur les dalles de la cour, et c'est 5 tout.

Il s'était dit, le pauvre enfant : « Je l'aime trop. Je m'en vais. » Ah ! misérables cœurs que nous sommes ! C'est un peu fort [35] pourtant que le mépris ne puisse pas tuer l'amour !

Ce matin-là, les gens du village se demandèrent qui pouvait crier ainsi, 10 là-bas, du côté du *mas* d'Estève.

C'était, dans la cour, devant la table de pierre couverte de rosée [36] et de sang, la mère toute nue qui se lamentait, avec son enfant mort sur ses bras.

OUVRAGES RECOMMANDÉS
Textes

Œuvres. Librairies Lemerre et Fasquelle.
Lettres de mon moulin (extraits), éd. Robert. Heath.
Choix de Lettres de mon moulin. Classiques Hachette.
Tartarin de Tarascon, éd. Hawkins. Heath.
Tartarin sur les Alpes, éd. Kurz. Heath.
Le Petit Chose, éd. Super. Heath.
La Belle-Nivernaise, éd. Wisewell. Heath.

Discographie

Daudet: *Le Sous-Préfet aux champs, La Mort du dauphin, La Chèvre de M. Seguin,* lus par Denis d'Inès. 1 disque microsillon. Disques Pléiade.
Le Petit Chose. Decca.
Tartarin de Tarascon, sélection d'Aimé Dupuy, réalisation de Louis Seigner. Hachette.

Critique

G. Benoît-Guyot. *Alphonse Daudet et son temps.* 256 p. Tallandier.

ÉMILE ZOLA
(1840–1902)
Le Chef du naturalisme

Il naquit à Aix-en-Provence, d'un père ingénieur d'origine italienne et d'une mère française. Après des études peu brillantes en compagnie du futur peintre post-impressionniste Paul Cézanne, il s'installa à Paris. Il fut employé à la librairie Hachette, puis fit du journalisme et de la littérature. Le succès lui vint avec le roman naturaliste *L'Assommoir* [1] (1877). Il fit une vigoureuse campagne pour le naturalisme et la peinture nouvelle. Il défendit le capitaine juif Albert Dreyfus [2] injustement accusé de trahison, publia dans le journal de Georges Clemenceau,[3]

[32] bolt. [33] Gropingly. [34] latch. [35] too much, too bad. [36] dew.

[1] *Knock-Out Bar.* [2] *Dreyfus (1859–1935) was imprisoned on Devil's Island, off the N coast of South America. and was* *rehabilitated in 1906.* [3] *Statesman, fiery leader of France during World War I; nicknamed " The Tiger " (1841–1929).*

L'Aurore, une lettre ouverte au président de la République (*J'accuse*, 13 janvier 1898), où il accusait par leurs noms de grands chefs de l'armée de ne pas être impartiaux. Il fut poursuivi devant les tribunaux. Condamné, il se réfugia à Londres, puis dans sa banlieue, bien qu'il ne connût pas l'anglais. Il rentra en France au bout d'un an, quand le jugement fut cassé.

Il fut asphyxié par l'oxyde de carbone d'un poêle qu'il avait laissé allumé pendant la nuit, dans sa chambre, 21 rue de Bruxelles, à Paris.

C'est une grande injustice de ne voir en Zola que l'auteur de *Nana*. Certes, il a présenté de l'humanité son côté animal, mais un souffle puissant d'idéalisme, d'art et de justice sociale passe dans son œuvre. Plutôt que *Nana* il faut lire *La Terre* qui peint la passion du paysan pour le sol, et *Germinal* (1885) qui fait entrevoir aux ouvriers les conditions meilleures dont ils jouissent aujourd'hui.

GERMINAL

Vers 1884, à Montsou, — Anzin —, pays de mines de charbon du Nord de la France, les mineurs, dont Maheu et ses fils Zacharie, Jeanlin et Bébert, se mettent en grève. Leur chef est Étienne Lantier, fils de Gervaise Macquart de L'Assommoir. Protégeant la mine contre les grévistes[1] affamés et leurs femmes, la Maheude, la Brûlé, la Levaque et leurs enfants, est une compagnie de soldats commandée par un capitaine.

LES SOLDATS TIRENT SUR LES GRÉVISTES

Mais une bousculade[2] se produisit. Le capitaine, pour calmer l'énervement de ses hommes, se décidait à faire des prisonniers. D'un saut, la Mouquette[3] s'échappa, en se jetant entre les jambes des camarades. Trois mineurs, Levaque et deux autres, furent empoignés[4] dans le tas[5] des plus

5 violents, et gardés à vue, au fond de la chambre des porions.[6] D'en haut, Négrel[7] et Dansaert[8] criaient au capitaine de rentrer, de s'enfermer avec eux. Il refusa, il sentait que ces bâtiments, aux portes sans serrure, allaient être emportés d'assaut, et qu'il y subirait la honte d'être désarmé. Déjà sa petite troupe grondait d'impatience, on ne pouvait fuir devant ces

10 misérables en sabots. Les soixante, acculés au mur,[9] le fusil chargé, firent de nouveau face à la bande.

Il y eut d'abord un recul, un profond silence. Les grévistes restaient dans l'étonnement de ce coup de force. Puis, un cri monta, exigeant les prisonniers, réclamant leur liberté immédiate. Des voix disaient qu'on les égor-

15 geait là-dedans. Et, sans s'être concertés, emportés d'un même élan, d'un même besoin de revanche, tous coururent aux tas de briques voisins, à ces briques dont le terrain marneux[10] fournissait l'argile,[11] et qui étaient cuites sur place. Les enfants les charriaient une à une, des femmes en emplissaient leurs jupes. Bientôt, chacun eut à ses pieds des munitions, la bataille à

20 coups de pierre commença.

Ce fut la Brûlé qui se campa[12] la première. Elle cassait les briques, sur l'arête maigre[13] de son genou, et de la main droite, et de la main gauche,

---

[1] strikers.   [2] pushing.   [3] *A girl in love with Étienne. The* **la** *before a woman's name is a bit derogatory.*   [4] grabbed.   [5] gang, lot.   [6] overseers, foremen.   [7] *The mining engineer.*   [8] *The head foreman.*   [9] with their backs to the wall.   [10] marly, chalky.   [11] clay.   [12] planted herself.   [13] sharp edge.

elle lâchait les deux morceaux. La Levaque se démanchait les épaules,[14] si grosse, si molle, qu'elle avait dû s'approcher pour taper juste, malgré les supplications de Bouteloup,[15] qui la tirait en arrière, dans l'espoir de l'emmener, maintenant que le mari était à l'ombre.[16] Toutes s'excitaient, la Mouquette, ennuyée de se mettre en sang, à rompre les briques sur ses 5 cuisses trop grasses, préférait les lancer entières. Des gamins eux-mêmes entraient en ligne, Bébert [17] montrait à Lydie [18] comment on envoyait ça, par-dessous le coude. C'était une grêle,[19] des grêlons [20] énormes, dont on entendait les claquements sourds.[21] Et, soudain, au milieu de ces furies, on aperçut Catherine,[22] les poings en l'air, brandissant elle aussi des moitiés 10 de brique, les jetant de toute la force de ses petits bras. Elle n'aurait pu dire pourquoi, elle suffoquait, elle crevait d'une envie de massacrer le monde. Est-ce que ça n'allait pas être bientôt fini, cette sacrée existence de malheur? Elle en avait assez, d'être giflée [23] et chassée par son homme, de patauger [24] ainsi qu'un chien perdu dans la boue des chemins, sans pouvoir seulement 15 demander une soupe à son père, en train d'avaler sa langue [25] comme elle. Jamais ça ne marchait mieux, ça se gâtait au contraire depuis qu'elle se connaissait; [26] et elle cassait des briques, et elle les jetait devant elle, avec la seule idée de balayer tout, les yeux si aveuglés de sang, qu'elle ne voyait même pas à qui elle écrasait les mâchoires. 20

Étienne, resté devant les soldats, manqua d'avoir le crâne fendu. Son oreille enflait, il se retourna, il tressaillit en comprenant que la brique était partie des poings fiévreux de Catherine; et, au risque d'être tué, il ne s'en allait pas, il la regardait. Beaucoup d'autres s'oubliaient également là, passionnés par la bataille, les mains ballantes.[27] Mouquet [28] jugeait les 25 coups, comme s'il eût assisté à une partie de bouchon: [29] oh! celui-là, bien tapé! [30] et cet autre, pas de chance! Il rigolait, il poussait du coude Zacharie,[31] qui se querellait avec Philomène, parce qu'il avait giflé Achille et Désirée, en refusant de les prendre sur son dos, pour qu'ils pussent voir. Il y avait des spectateurs, massés au loin, le long de la route. Et, en haut de la 30 pente, à l'entrée du coron,[32] le vieux Bonnemort [33] venait de paraître, se traînant sur une canne, immobile maintenant, droit dans le ciel couleur de rouille.

Dès les premières briques lancées, le porion Richomme s'était planté de nouveau entre les soldats et les mineurs. Il suppliait les uns, il exhortait les autres, insoucieux du péril, si désespéré que de grosses larmes lui cou- 35 laient des yeux. On n'entendait pas ses paroles au milieu du vacarme, on voyait seulement ses grosses moustaches grises qui tremblaient.

Mais la grêle des briques devenait plus drue, les hommes s'y mettaient, à l'exemple des femmes.

[14] was almost dislocating her shoulders. [15] *Her lover.* [16] her husband had been arrested (*lit.* 'was in the shade,' 'in the cooler'). [17] *A son of the Maheus.* [18] *Bébert's girlfriend.* [19] hail, shower. [20] hailstones. [21] thuds. [22] *Sixteen-year-old daughter of the Maheus. She was attracted to Étienne, although she lived with Chaval, a brutal, cowardly miner.* [23] slapped. [24] splashing. [25] who did not dare to talk back. [26] since she could remember. [27] dangling. [28] *Father of la Mouquette.* [29] game of cork penny. *Pennies placed on a cork have to be knocked off with a* **palet** *(puck, quoit).* [30] struck. [31] *Oldest son of the Maheus, husband of Philomène and father of Achille and Désirée.* [32] miners' settlement. [33] *Old crippled miner, father of Maheu.*

Alors, la Maheude s'aperçut que Maheu demeurait en arrière. Il avait
les mains vides, l'air sombre.

— Qu'est-ce que tu as, dis? cria-t-elle. Est-ce que tu es lâche? est-ce
que tu vas laisser conduire tes camarades en prison? Ah! si je n'avais pas
5 cette enfant, tu verrais!

Estelle, qui s'était cramponnée à son cou en hurlant, l'empêchait de se
joindre à la Brûlé et aux autres. Et, comme son homme ne semblait pas
entendre, elle lui poussa du pied des briques dans les jambes.

— Nom de Dieu! veux-tu prendre ça! Faut-il que je te crache à la figure
10 devant le monde, pour te donner du cœur?

Redevenu très rouge, il cassa des briques, il les jeta. Elle le cinglait,[34]
l'étourdissait, aboyait derrière lui des paroles de mort, en étouffant sa fille
sur sa gorge, dans ses bras crispés; et il avançait toujours, il se trouva en
face des fusils.

15 Sous cette rafale de pierres, la petite troupe disparaissait. Heureusement, elles tapaient trop haut, le mur en était criblé.[35] Que faire? l'idée
de rentrer, de tourner le dos, empourpra un instant le visage pâle du capitaine; mais ce n'était même plus possible, on les écharperait,[36] au moindre
mouvement. Une brique venait de briser la visière de son képi,[37] des gouttes
20 de sang coulaient de son front. Plusieurs de ses hommes étaient blessés;
et il les sentait hors d'eux, dans cet instinct débridé de la défense personnelle,
où l'on cesse d'obéir aux chefs. Le sergent avait lâché un nom de Dieu!
l'épaule gauche à moitié démontée, la chair meurtrie[38] par un choc sourd,
pareil à un coup de battoir[39] dans du linge. Éraflée à deux reprises,[40] la
25 recrue avait un pouce broyé,[41] tandis qu'une brûlure l'agaçait au genou
droit: est-ce qu'on se laisserait embêter[42] longtemps encore? Une pierre
ayant ricoché et atteint le vieux chevronné[43] sous le ventre, ses joues ver-
dirent, son arme trembla, s'allongea, au bout de ses bras maigres. Trois
fois, le capitaine fut sur le point de commander le feu. Une angoisse
30 l'étranglait, une lutte interminable de quelques secondes heurta en lui des
idées, des devoirs, toutes ses croyances d'homme et de soldat. La pluie
des briques redoublait, et il ouvrait la bouche, il allait crier: Feu! lorsque
les fusils partirent d'eux-mêmes, trois coups d'abord, puis cinq, puis un
roulement de peloton,[44] puis un coup tout seul, longtemps après, dans le
35 grand silence.

Ce fut une stupeur. Ils avaient tiré, la foule béante[45] restait immobile,
sans le croire encore. Mais des cris déchirants s'élevèrent, tandis que le
clairon sonnait la cessation du feu. Et il y eut une panique folle, un galop
de bétail mitraillé,[46] une fuite éperdue dans la boue.

40 Bébert et Lydie s'étaient affaissés[47] l'un sur l'autre, aux trois premiers
coups, la petite frappée à la face, le petit troué au-dessous de l'épaule
gauche. Elle, foudroyée,[48] ne bougeait plus. Mais lui, remuait, la saisissait
à pleins bras, dans les convulsions de l'agonie, comme s'il eût voulu la reprendre, ainsi qu'il l'avait prise, au fond de la cachette noire, où ils venaient

---

[34] She egged (lit. 'lashed') him on. [35] riddled. [36] would tear them to pieces. [37] kepi, cap. [38] bruised. [39] beater, bat, beetle. [40] Twice scratched. [41] thumb smashed. [42] be bothered. [43] soldier with the service stripes. [44] the roll of a volley. [45] gaping. [46] cattle riddled with bullets. [47] had crumpled. [48] blasted.

de passer leur nuit dernière.   Et Jeanlin,[49] justement, qui accourait enfin de Réquillart,[50] bouffi [51] de sommeil, gambillant [52] au milieu de la fumée, le regarda étreindre sa petite femme, et mourir.

Les cinq autres coups avaient jeté bas la Brûlé et le porion Richomme. Atteint dans le dos, au moment où il suppliait les camarades, il était tombé 5 à genoux; et, glissé sur une hanche, il râlait par terre, les yeux pleins des larmes qu'il avait pleurées.   La vieille, la gorge ouverte, s'était abattue toute raide et craquante comme un fagot de bois sec, en bégayant un dernier juron dans le gargouillement du sang.

Mais alors le feu de peloton balayait le terrain, fauchait à cent pas les 10 groupes de curieux qui riaient de la bataille.   Une balle entra dans la bouche de Mouquet, le renversa, fracassé, aux pieds de Zacharie et de Philomène, dont les deux mioches [53] furent couverts de gouttes rouges.   Au même instant, la Mouquette recevait deux balles dans le ventre.   Elle avait vu les soldats épauler, elle s'était jetée, d'un mouvement instinctif de bonne 15 fille, devant Catherine, en lui criant de prendre garde; et elle poussa un grand cri, elle s'étala sur les reins, culbutée par la secousse.   Étienne accourut, voulut la relever, l'emporter; mais, d'un geste, elle disait qu'elle était finie.   Puis, elle hoqueta,[54] sans cesser de leur sourire à l'un et à l'autre, comme si elle était heureuse de les voir ensemble, maintenant qu'elle s'en 20 allait.

Tout semblait terminé, l'ouragan des balles s'était perdu très loin, jusque dans les façades du coron, lorsque le dernier coup partit, isolé, en retard.

Maheu, frappé en plein cœur, vira sur lui-même [55] et tomba la face dans une flaque d'eau,[56] noire de charbon.   25

Stupide,[57] la Maheude, se baissa.

— Eh ! mon vieux, relève-toi.   Ce n'est rien, dis?

Les mains gênées par Estelle, elle dut la mettre sous un bras, pour retourner la tête de son homme.

— Parle donc ! où as-tu mal ?   30

Il avait les yeux vides, la bouche baveuse d'[58] une écume sanglante.   Elle comprit, il était mort.   Alors, elle resta assise dans la crotte,[59] sa fille sous le bras comme un paquet, regardant son vieux d'un air hébété.

La fosse était libre.   De son geste nerveux, le capitaine avait retiré, puis remis son képi coupé par une pierre; et il gardait sa raideur blême devant 35 le désastre de sa vie; pendant que ses hommes, aux faces muettes, rechargeaient leurs armes.   On aperçut les visages effarés de Négrel et de Dansaert, à la fenêtre de la recette.[60]   Souvarine [61] était derrière eux, le front barré d'une grande ride, comme si le clou de son idée fixe se fût imprimé là, menaçant.   De l'autre côté de l'horizon, au bord du plateau, Bonnemort 40 n'avait pas bougé, calé [62] d'une main sur sa canne, l'autre main aux sourcils pour mieux voir, en bas, l'égorgement des siens.   Les blessés hurlaient, les morts se refroidissaient dans des postures cassées, boueux de la boue liquide du dégel, çà et là envasés [63] parmi les taches d'encre du charbon, qui re-

[49] *Another son of the Maheus.*   [50] *An abandoned pit.*   [51] puffy-faced.   [52] skipping about.   [53] kids.   [54] hiccuped.   [55] spun around.   [56] puddle.   [57] Stupe- fied.   [58] slavering with.   [59] dirt.   [60] coal-receiving room.   [61] *A Russian nihilist employed at the mine.*   [62] propped.   [63] stuck in the mud.

paraissaient sous les lambeaux salis de la neige.   Et, au milieu de ces cadavres d'hommes, tout petits, l'air pauvre avec leur maigreur de misère, gisait le cadavre de Trompette,[64] un tas de chair morte, monstrueux et lamentable.

Étienne n'avait pas été tué.   Il attendait toujours, près de Catherine
5 tombée de fatigue et d'angoisse, lorsqu'une voix vibrante le fit tressaillir. C'était l'abbé Ranvier,[65] qui revenait de dire sa messe, et qui, les deux bras en l'air, dans une fureur de prophète, appelait sur les assassins la colère de Dieu.   Il annonçait l'ère de justice, la prochaine extermination de la bourgeoisie par le feu du ciel, puisqu'elle mettait le comble à ses crimes,[66]
10 en faisant massacrer les travailleurs et les déshérités de ce monde.

Germinal, 6ᵉ Partie, chapitre 5

OUVRAGES RECOMMANDÉS
Textes

Œuvres.   Librairie Fasquelle.
La Débâcle, éd. Wells.   Heath.
Germinal.   Classiques Larousse.
L'Assommoir.   Classiques Larousse.
Pages choisies.   Classiques Hachette.

Critique

Albert Salvan.   *Zola aux États-Unis.*   Brown University Studies, 1943.
M. Bernard.   *Zola par lui-même.*   192 p.   Le Seuil.
F. W. J. Hemmings.   *Émile Zola.*   Oxford University Press, 1953.
Armand Lanoux.   *Bonjour, monsieur Zola.*   Amiot-Dumont, 1954.

JOSÉ–MARIA DE HEREDIA
(1842–1905)

Heredia naquit à Cuba.   Il se rendit en France à l'âge de neuf ans pour y faire ses études.   Il passa par l'École des Chartes où il prit le goût de l'érudition.   Il devint le disciple et l'ami de Leconte de Lisle.   Il eut, plus que Leconte de Lisle encore, le souci de la forme, mais il avait une nature de bon artisan plutôt qu'une sensibilité et une philosophie de poète.   Il écrivit des sonnets dans les revues.   Il n'est pas un haut sommet littéraire.   Gide nous a décrit son salon où il recevait des poètes qui n'étaient pas tous ses admirateurs (p. 442).   Sur la fin de sa vie, il devint bibliothécaire de l'Arsenal.

Ses sonnets, à la forme parfaite, forment un petit recueil, *Les Trophées* (1893); ils s'inspirent surtout de l'histoire romaine, de la Renaissance, des conquistadors et de la Bretagne.

LA TREBBIA

La Trebbia est un affluent du Pô, rive droite, au nord-est de Gênes.   Annibal (ou Hannibal), le fameux général carthaginois, y battit le consul romain Sempronius (218 avant J.–C.).

[64] *A horse.*   [65] *The parish priest.*   [66] it was bringing its crimes to a climax.

L'aube d'un jour sinistre [1] a blanchi les hauteurs.
Le camp s'éveille. En bas roule et gronde le fleuve
Où l'escadron léger des Numides [2] s'abreuve.[3]
Partout sonne l'appel clair des buccinateurs.[4]

5 Car malgré Scipion,[5] les augures menteurs,[6]
La Trebbia débordée, et qu'il vente et qu'il pleuve,[7]
Sempronius Consul, fier de sa gloire neuve,[8]
A fait lever la hache et marcher les licteurs.[9]

Rougissant le ciel noir de flamboîments lugubres,[10]
10 A l'horizon brûlaient les villages Insubres; [11]
On entendait au loin barrir [12] un éléphant.

Et là-bas, sous le pont, adossé contre une arche,
Hannibal écoutait, pensif et triomphant,[13]
Le piétinement sourd [14] des légions en marche.

Les Trophées

ANTOINE ET CLÉOPATRE

Antoine, ancien lieutenant de César, était devenu triumvir de Rome et avait reçu le gouvernement de la Grèce et de l'Orient avec le titre d'Imperator. Il se laissa subjuguer par les charmes de Cléopâtre, reine d'Égypte, et se brouilla avec son collègue Octave. Cette image qu'Antoine, selon Heredia, voit dans les yeux de sa maîtresse, est prophétique de la bataille navale d'Actium (Grèce occidentale) contre Octave, où la flotte d'Antoine vit déserter celle de Cléopâtre (31 avant J.-C.). Battu, assiégé ensuite dans Alexandrie, Antoine se suicida. Cléopâtre l'imita bientôt.

Tous deux ils regardaient, de la haute terrasse,
L'Égypte s'endormir sous un ciel étouffant
Et le Fleuve,[1] à travers le Delta noir qu'il fend,
Vers Bubaste ou Saïs [2] rouler son onde grasse.[3]

[1] ominous. [2] Numids, *people from Numidia, the old name of Algeria.* [3] is drinking. [4] buglers. *They played le* **buccin,** *which was a shell-like trumpet.* [5] Scipio. *He was only 19 at the battle of the Trebbia. He had been wounded and defeated some time before, and was against attacking now.* [6] the lying augurs (soothsayers); **menteurs** *from the consul's point of view.* [7] wind or rain, rain or shine. [8] *Sempronius had just been appointed consul.* [9] Has ordered the ax to be raised and his lictors (*officers bearing the fasces, or insignia of power*) to clear the way in front of him. *These* were two signs of war. [10] lugubrious glares; **flamboiement** *is usually spelled with* ie *instead of* î, *like* **gaieté** *instead of* **gaîté.** *Conscientious craftsman as Heredia was, he did not like the mute* e *making a sort of extra syllable in the middle of* **flamboiement.** [11] Insubrian. *The Insubres were a tribe of Gauls who founded Milan in the 5th century* B.C. [12] trumpet. *Hannibal brought elephants into battle, using them as modern warfare does tanks.* [13] *Hannibal was sure that the Roman legions were going to fall into the trap that he had set for them.* [14] The muffled trampling.

[1] *The Nile.* [2] *Cities on the Nile delta.* [3] muddy.

5 Et le Romain sentait sous la lourde cuirasse,
Soldat captif berçant le sommeil d'un enfant,
Ployer et défaillir sur son cœur triomphant
Le corps voluptueux que son étreinte embrasse.

Tournant sa tête pâle entre ses cheveux bruns
10 Vers celui qu'enivraient d'invincibles parfums,
Elle tendit sa bouche et ses prunelles claires;

Et sur elle courbé, l'ardent Imperator
Vit dans ses larges yeux étoilés de points d'or
Toute une mer immense où fuyaient des galères.

Les Trophées

OUVRAGES RECOMMANDÉS
Textes

Les Trophées. Lemerre.

Critique

M. Ibrovac. *José-Maria de Heredia.* 3 vol. Nizet.

STÉPHANE MALLARMÉ
(1842–1898)
Le Maître symboliste

Vers 1898, le public lettré, fatigué et même écœuré[1] du réalisme de Balzac et de Flaubert que Maupassant et Zola avaient accentué pour en faire le naturalisme, accueillit avec plaisir l'art raffiné des symbolistes, qui allait à l'autre extrême, qui n'avait rien de commun avec l'anecdote, le positivisme, la science, la précision, la révolution industrielle.   Le symbolisme était dépouillé, spiritualisé au point d'en être un peu sec, obscur et maniéré, mais il était rafraîchi par l'émotion, la rêverie et la musique, embelli d'images neuves.   Cet art difficile, de grande probité intellectuelle, de mystère et de pudeur, faisait aussi entendre une note moins froide que celle du Parnasse.   Le créateur, le législateur de la nouvelle école fut une sorte de Socrate moderne, un professeur d'anglais de Paris, modeste, charmant, un brin pessimiste, Stéphane Mallarmé.

Enfance et jeunesse (1842–63). Le pur poète, Stéphane Mallarmé, est issu de positifs fonctionnaires de l'enregistrement.[2]   Il est né à Paris en 1842, passage Laferrière, 2ᵉ arrondissement.   A cinq ans il perdait sa mère; il fut élevé par sa bonne et pieuse grand-mère maternelle, Mᵐᵉ Desmolins, à Passy.[3]   Quand il eut dix ans, elle le mit dans une aristocratique pension d'Auteuil tenue par un abbé. A l'âge de quinze ans il devint interne au lycée de Sens[4] où son père, remarié, était conservateur des hypothèques.[5]   C'était un enfant doux et rêveur, un peu

[1] sick.   [2] registry office.   [3] *Section of Paris, W of the Eiffel Tower and the Seine. Until 1860, it was a town outside of Paris.*   [4] *Town, 60 miles SE of Paris,* graced by a Gothic cathedral and an archiepiscopal palace.   [5] registrar of mortgages.

maladif, un élève moyen qui faisait des vers et admirait les poèmes de Béranger,[6] de Baudelaire et d'Edgar Poe. Reçu au baccalauréat en 1860, il devint employé dans le bureau de l'enregistrement, à Sens. Il détestait son métier. Ce qu'il aimait, c'était parler poésie avec le jeune professeur de lettres et poète parnassien du lycée de Sens, Emmanuel des Essarts, avec un autre poète parnassien, le docteur Henri Cazalis qui écrira sous le nom de Jean Lahor, et suivre par les rues la fille d'un instituteur wurtembergeois, Marie Gerhard, avec qui il s'installera à Londres (novembre 1862) « pour mieux apprendre à lire Edgar Poe ». Il l'y épousa (1863), revint en France pour passer le certificat d'aptitude à l'enseignement de l'anglais dans les lycées, et en novembre, après un autre retour de Londres, fut nommé professeur au lycée de Tournon.[7]

Professeur d'anglais en province (1863–73). A Tournon, le jeune professeur de vingt et un ans s'installa avec sa femme dans un noir et peu confortable appartement où naquit la gentille Geneviève qui ressemblera à son père et que l'on surnommera Vève. Ce ne fut qu'au bout de deux ans qu'il fut un peu plus heureux à Tournon, lorsqu'il trouva enfin une agréable maison, très claire, bâtie face au Rhône, sur l'emplacement d'une ancienne forteresse, « maison penchée sur le fleuve bien aimé ». Aves ses sujets poétiques, *Hérodiade*,[8] *L'Après-Midi d'un faune*, il y oublia les classes qui lui furent toujours pénibles, se plaisant à contempler l'azur du ciel et à écouter les carillons et leurs « bleus angélus ». « J'ai besoin de la plus silencieuse solitude de l'âme, et d'un oubli inconnu pour entendre chanter en moi certaines notes mystérieuses », écrivit-il alors. Les familles se plaignaient du peu de progrès que le morose professeur faisait faire aux élèves; il fut envoyé dans le froid Besançon, puis au bout d'un an dans le chaud Avignon où il retrouva ses amis, les poètes provençaux Mistral[9] et Aubanel.[10]

Professeur d'anglais et poète symboliste à Paris (1873–93). Du fait de son ancienneté plutôt que de ses qualités pédagogiques, il fut nommé professeur de lycée à Paris, d'abord à Fontanes (aujourd'hui Condorcet), puis à Janson-de-Sailly, enfin à Rollin (aujourd'hui lycée Jacques Decour[11]). Il se retrouvait dans son cher milieu poétique, auprès de ses maîtres, Hugo, Gautier, Leconte de Lisle, Banville, près de ses amis les poètes Heredia, Verlaine, Coppée,[12] Mendès,[13] Villiers de l'Isle-Adam,[14] les romanciers Huysmans, Maupassant, Barrès,[15] les peintres Manet, Renoir,[16] Whistler,[17] le sculpteur Rodin,[18] le musicien Debussy.[19] Lentement il polissait des vers qui furent publiés dans des revues et surtout dans les deux premiers *Parnasse contemporain*, anthologie compilée par Catulle Mendès.

[6] *Pierre Béranger (1780–1857), the most popular French song writer (Le Roi d'Yvetot).* [7] *Town on the Rhône, 50 miles S of Lyons.* [8] *Herodias, wife of Herod Antipas who was tetrarch of Galilee at the time of Jesus' death. She had Saint John the Baptist decapitated.* [9] *Frédéric Mistral (1830–1914), Provençal poet, author of the pastoral epic Mireille.* [10] *Théodore Aubanel (1829–86), Provençal poet from Avignon.* [11] *Pen name of Daniel Decourdemanche, professor of German at the lycée Rollin, Paris. Communist member of the Resistance, founder of the Communist literary weekly, Les Lettres françaises, tortured and shot by the Nazis (1942).* [12] *François Coppée (1842–1908), Parisian poet of the little people (Les Humbles).*

[13] *Catulle Mendès [mēdɛs], not the greatest, but the most active Parnassian poet (1841–1909).* [14] *Auguste Villiers de l'Isle-Adam (1838–89), poet and short story writer (Contes cruels).* [15] *See p. 416.* [16] *Auguste Renoir (1841–1919), Impressionist painter with remarkable skill for skin texture and flesh color ("Le Moulin de la Galette").* [17] *James A. Whistler (1834–1903), born at Lowell, Mass., died in London; painter of "Portrait of My Mother," "Nocturnes."* [18] *Auguste Rodin (1840–1917), sculptor of "The Thinker," "The Kiss," "The Burghers of Calais," "John the Baptist," "Balzac," "Victor Hugo."* [19] *Claude Debussy (1862–1918), Symbolist, discreet composer of Clair de lune, Pelléas et Mélisande.*

Il rédigea, presque seul, une dizaine de numéros d'une revue mondaine, *La Dernière Mode*, et il donna une traduction des poèmes d'Edgar Poe (1886). Son modeste appartement de la rue de Rome (d'abord n° 87, puis n° 89) devint, surtout le mardi soir, le rendez-vous de poètes, ses disciples, et d'artistes dont les plus fameux furent Jean Moréas,[20] Henri de Régnier, Pierre Louÿs, Gide, Valéry, Claudel, et que nous étudierons plus loin. Voyez la description qu'en a faite Gide (p. 443). Dès 1885 il fut considéré comme le chef incontesté du symbolisme poétique. Il fit quelques conférences à l'étranger (Belgique, Angleterre), mais sans beaucoup de succès, car, bien qu'il eût une belle voix, son style n'était pas facile à comprendre.

La retraite (1893-98). De santé assez fragile, détestant plus que jamais l'enseignement, il prit une retraite anticipée et se retira à sa maison de campagne de Valvins, au bord de la Seine, près de la forêt de Fontainebleau. Enfin il était le cygne libéré des glaces d'un métier détesté (p. 378). Il pouvait se livrer entièrement à la poésie et se reposer dans de charmantes promenades dans la forêt en compagnie de sa fille, sur la Seine dans sa « yole à jamais littéraire ». Il remplaça Verlaine comme « Prince des Poètes » (1896). Il publia *Vers et Prose* (1893) et *Divagations* (1897). Il mourut dans une crise de suffocation. Il est enterré à Samoreau, près de Valvins.

Conclusion. Mallarmé est un poète de qualité, non de quantité; ses vers, travaillés dans la forme aussi bien que dans la pensée, sont difficiles à comprendre, même pour les lecteurs français. On peut lui reprocher une forme rendue un peu artificielle et obscure par des inversions, des incidentes,[21] des ruptures de syntaxe, des mots dont le sens n'est pas toujours courant, mais pour qui veut faire un effort intellectuel, quelle récompense que cette poésie pure, chargée de pensée, harmonieuse de musique et belle d'images ! Il est allé au-delà du réel et du personnel, et il a trouvé la Beauté idéale.

APPARITION

Mallarmé écrivit ce poème à Londres, à la demande de son ami Henri Cazalis mystiquement amoureux d'une Anglaise, la blonde Ettie, qu'il voulait que tous ses amis célèbrent. Clair comme tous les poèmes de jeunesse de Mallarmé, il rend le son préraphaélite de *La Damoiselle élue* de Dante-Gabriel Rossetti.

> La lune s'attristait. Des séraphins en pleurs
> Rêvant, l'archet[1] aux doigts, dans le calme des fleurs
> Vaporeuses, tiraient de mourantes violes
> De blancs sanglots glissant sur l'azur des corolles.
> 5 — C'était le jour béni de ton premier baiser.
> Ma songerie aimant à me martyriser
> S'enivrait savamment du parfum de tristesse
> Que même sans regret et sans déboire[2] laisse
> La cueillaison[3] d'un Rêve au cœur qui l'a cueilli.
> 10 J'errais donc, l'œil rivé sur le pavé vieilli
> Quand avec du soleil aux cheveux, dans la rue
> Et dans le soir, tu m'es en riant apparue

[20] *Jean Moréas (1856-1910), French poet of Greek origin* (Stances).   [21] parenthetical clauses.

[1] a bow.   [2] aftertaste.   [3] picking.

Et j'ai cru voir la fée au chapeau de clarté
Qui jadis sur mes beaux sommeils d'enfant gâté
15 Passait, laissant toujours de ses mains mal fermées
Neiger de blancs bouquets d'étoiles parfumées.

Londres, 1863

BRISE MARINE

C'est une *Invitation au voyage*, comme celle de Baudelaire (p. 348), avec cette différence qu'elle est moins sensuelle, et que le poète partira seul, laissant à la maison sa femme et sa fillette Geneviève. Comparez aussi avec le *Parfum exotique* du même Baudelaire, et avec ces vers de Hugo:

Quelque navire ailé qui fait un long voyage,
Et fuit sur l'océan, par tous les vents traqué,[1]
Qui naguère dormait au port, le long du quai,
Et que n'ont retenu, loin des vagues jalouses,
Ni les pleurs des parents, ni l'effroi des épouses . . .

Les Contemplations

La chair est triste, hélas! et j'ai lu tous les livres.
Fuir! là-bas fuir! Je sens que des oiseaux sont ivres
D'être parmi l'écume inconnue et les cieux!
Rien, ni les vieux jardins reflétés par les yeux [2]
5 Ne retiendra ce cœur qui dans la mer se trempe,[3]
O nuits! ni la clarté déserte de ma lampe
Sur le vide papier que la blancheur défend,[4]
Et ni la jeune femme allaitant son enfant.[5]
Je partirai! Steamer [6] balançant ta mâture [7]
10 Lève l'ancre pour une exotique nature!
Un Ennui, désolé [8] par les cruels espoirs,
Croit encore à l'adieu suprême des mouchoirs!
Et, peut-être, les mâts, invitant les orages
Sont-ils de ceux qu'un vent penche sur les naufrages
15 Perdus, sans mâts, sans mâts, ni fertiles îlots . . .
Mais,[9] ô mon cœur, entends le chant des matelots! [10]

Tournon, mai 1865

LE TOMBEAU D'EDGAR POE

C'est le poète anglais Charles Swinburne qui conseilla au comité américain s'occupant d'honorer la mémoire d'Edgar Poe, de demander un poème à Mallarmé. Le sonnet fut publié dans *Edgar Allan Poe, a Memorial Volume* (Baltimore, 1877), deux ans après l'érection d'un monument, un bloc de basalte, à Baltimore.

[1] hounded. [2] in the eyes (of the beloved one). [3] dips. [4] On the blank paper whose whiteness is a defense against the poet who may want to write on it. [5] nursing her child. *This refers to Mal-larmé's wife nursing Genevieve.* [6] [stimœr]. [7] rocking thy masts and spars. [8] disappointed. [9] Maybe I'll be shipwrecked, but . . . [10] the songs of the sailors are irresistible.

Tel qu'en Lui-même enfin l'éternité le change,
Le Poëte suscite [1] avec un glaive [2] nu
Son siècle épouvanté de n'avoir pas connu
Que la mort triomphait dans cette voix étrange !

5 Eux,[3] comme un vil sursaut d'hydre oyant [4] jadis l'ange
Donner un sens plus pur aux mots de la tribu,
Proclamèrent très haut le sortilège [5] bu
Dans le flot sans honneur de quelque noir mélange.[6]

Du sol et de la nue hostiles, ô grief ! [7]
10 Si notre idée avec [8] ne sculpte un bas-relief
Dont la tombe de Poe éblouissante s'orne,

Calme bloc ici-bas chu [9] d'un désastre obscur,
Que ce granit du moins montre à jamais sa borne [10]
Aux noirs vols du Blasphème épars dans le futur.[11]

Paris, 1876

LE VIERGE, LE VIVACE...

Le point de départ de ce sonnet est peut-être dans ces deux vers des *Émaux et Camées* de Gautier:

Un cygne s'est pris en nageant
Dans le bassin des Tuileries.

Rapprochons, bien que Mallarmé n'ait pu le connaître, publié qu'il ne fut qu'en 1895, ce passage de Fiona Macleod, auteur écossais:

The tarn was frozen deep, and for all the pale light that dwelled upon it, was black as basalt, for a noon tempest had swept its surface clear of snow. At first he (a lad) thought small motionless icebergs lay in it, but wondered at their symmetrical circle. He descended as far as he dared, and saw that seven wild swans were frozen on the tarn's face. They had alit there to rest, no doubt; but a fierce cold had numbed them, and an intense frost of death had suddenly transfixed each as they swam slowly circlewise as is their wont.

Fiona Macleod (William Sharp), *Where the Forest Murmurs* (*The Hill Tarn*), 1895

Le thème est le conflit entre l'idéal du poète et les dures et froides réalités de la vie, qui créent « l'impuissance » poétique.

Le vierge, le vivace et le bel aujourd'hui
Va-t-il nous [1] déchirer avec un coup d'aile ivre
Ce lac dur oublié que hante sous le givre [2]
Le transparent glacier des vols qui n'ont pas fui ! [3]

[1] stirs up, challenges.   [2] sword, blade.   *alcoholic.*   [7] grievance.   [8] **avec le**
[3] *His contemporaries.*   [4] **entendant,**   **sortilège de Poe.**   [9] **tombé.**   [10] **sa stèle,**
hearing.   [5] the wizardry, charm, genius.   its pillar, slab, monument.   [11] **l'avenir.**
[6] mixture, mixed drink.   *Poe was an*

[1] for us.   [2] hoarfrost.   [3] (poetical) flights that haven't taken place; *lit.* 'run away,' 'soared up.'

5 Un cygne d'autrefois [4] se souvient que c'est lui
Magnifique, mais qui, sans espoir, se délivre [5]
Pour n'avoir pas chanté la région où vivre [6]
Quand du stérile hiver a resplendi l'ennui.

Tout son col secouera cette blanche agonie
10 Par l'espace infligée à l'oiseau qui le nie,[7]
Mais non l'horreur du sol où le plumage est pris.

Fantôme qu'à ce lieu [8] son pur éclat assigne,
Il s'immobilise au [9] songe froid de mépris
Que vêt [10] parmi l'exil inutile [11] le cygne.

1885

OUVRAGES RECOMMANDÉS
Textes

Œuvres complètes, éd. Mondor et Jean-Aubry. Gallimard.
Verlaine et les poètes symbolistes. Classiques Larousse.

Critique

G. Michaud. *Mallarmé*. 192 p. Hatier.
Henri Mondor. *Vie de Mallarmé*. 828 p. Gallimard.

PAUL VERLAINE
(1844–1896)
Un Musicien en poésie

« **Or je naquis choyé,**[1] **béni** » (1844–64). Jamais enfant ne fut plus désiré et choyé que notre laideron [2] de Paul, qui naquit à Metz, en Lorraine. Il avait sept ans quand son père donna sa démission de capitaine du génie [3] et s'installa aux Batignolles, qui font aujourd'hui partie de Paris. De neuf à dix-huit ans, Paul fut interne à la pension Landry dont les élèves suivaient les cours du lycée Bonaparte, aujourd'hui lycée Condorcet. Il s'intéressait médiocrement à ses études, et beaucoup à la poésie. A quatorze ans il envoyait à Victor Hugo, exilé à Guernesey, un poème, *La Mort*. Il passait les grandes vacances au pays de son père, dans les Ardennes belges (Paliseul, Jehonville), ou chez des parents de sa mère, à Fampoux et Lécluse, près d'Arras (Pas-de-Calais). A dix-huit ans il fut reçu bachelier ès lettres, et commença ses études de droit. Comme il montrait plus de goût pour les cafés, son père lui trouva une place de gratte-papier au Bureau des Budgets et Comptes de l'Hôtel de Ville de Paris.

[4] Something that was a swan (*a poet*) before. *He has been caught in the ice and therefore is no longer a real swan.* [5] **essaie de se délivrer.** [6] **le pays de l'idéal,** Romantic themes (*like those treated by the common run of lyric poets*). [7] who denies it (*space*), *because the open spaces of the skies are inaccessible to the icebound swan.* [8] *The high open spaces of the skies.* [9] in the. [10] **Que revêt. Dont s'enveloppe.** [11] unnecessary (*because the real poet naturally isolates himself within scorn*).

[1] **coddled.** [2] **homely child.** [3] Engineering Corps.

Le parnassien (1865–70).   Si le démon de l'alcool le prit, il vécut aussi en bons termes avec celui de la poésie qui le possédait depuis la classe de quatrième au lycée.[4]   Il se lia avec les jeunes animateurs du Parnasse (p. 338), Catulle Mendès et Xavier de Ricard, avec les grands aînés: Gautier, Leconte de Lisle, Banville et leurs bouillants disciples: Heredia, le polytechnicien Sully Prudhomme,[5] Anatole France, François Coppée; il publia huit poèmes dans le *Parnasse contemporain* de 1866 (p. 339).   La même année parurent les *Poèmes saturniens* dont le titre rappelait Baudelaire qui avait présenté ses *Fleurs du Mal* comme un livre « saturnien,[6] orgiaque [7] et mélancolique ».   Le seul lecteur que le recueil enthousiasma fut un jeune professeur d'anglais du lycée de Besançon, Stéphane Mallarmé; ce fut le début de l'amitié de ces deux chefs du symbolisme.

En août 1867 Verlaine alla saluer les Hugo exilés et en visite à Bruxelles; en septembre il suivait le cercueil de Baudelaire — qu'il n'avait pas connu — au cimetière Montparnasse; en 1869 il publiait les *Fêtes galantes* (p. 383).

Le couple infernal Verlaine-Rimbaud (1870–75).   A vingt-six ans Verlaine voulut quitter les « chemins perfides », et se ranger; [8] pour cela il composa *La Bonne Chanson* (1870), puis épousa Mathilde, « petite fée de seize ans », demi-sœur d'un de ses amis, le musicien fantaisiste marquis de Sivry.   C'était au début de la guerre de 1870.   Il s'engagea dans la garde nationale en octobre, et, pour ne prendre part à aucun combat, tira au flanc [9] avec génie.

En septembre 1871 lui arriva de Charleville un rustre de dix-sept ans et de près de six pieds de haut, mais un poète visionnaire, Arthur Rimbaud.   Ce fut pour Verlaine, faible de volonté, l'envoûtement [10] et des débauches qui se traduisirent en brutalités sur Mathilde et même sur son bébé, Georges.   Ce Rimbaud « aux semelles de vent » communique à Verlaine sa fièvre de vagabondage, et les voilà partis (juillet 1872): Arras, Paris, Charleville, Bruxelles, Ostende, Douvres, Londres.   Soûleries, coups de poing, duels au couteau, réconciliations, démêlés avec la police, gêne, fugue de Rimbaud à Charleville, retour de Rimbaud à Londres pour quelques jours en janvier 1873, retour de Verlaine en Belgique en avril, entrevues avec Rimbaud à Bouillon, dans le Luxembourg belge, quel couple infernal ils firent !   En mai les deux étranges amis sont de nouveau à Londres où Verlaine donne des leçons de français; en juillet c'est au tour de Verlaine de planter là [11] son compagnon.   Rimbaud le rejoint à Bruxelles, et les disputes d'ivrognes recommencent.   Mais le dénouement est proche: affolé à la pensée que Rimbaud va le quitter de nouveau, Verlaine, dans leur chambre d'hôtel, lui tire un coup de revolver; la balle se loge dans l'avant-bras gauche, près du poignet; une seconde balle manque son but.   Verlaine essaie de récidiver dans la rue; cette fois Rimbaud court vers un agent de police et dénonce son « ami ».   L'agresseur fait trois mois à la prison des Petits Carmes à Bruxelles et quinze mois à la prison cellulaire [12] de Mons; alors il a tout le temps de se laisser évangéliser par l'aumônier et d'écrire des vers, dont le fameux *Art poétique* (p. 383).

Le « pieux » professeur (1875–81).   Il sortit de prison en janvier 1875 et alla retrouver son mauvais génie, Rimbaud, à Stuttgart.   Les libations de la rencontre se terminèrent par une rixe [13] et une séparation définitive.   Pendant six ans Verlaine lutta contre son vieux « moi » alcoolique et pervers.   Il fut professeur à Stickney et Boston (Lincolnshire), à Bournemouth, à l'institution Notre-Dame de Rethel (Ardennes), et de nouveau en Angleterre, à Lymington (Hampshire).   En 1880 il acheta une ferme à Juniville, au sud de Rethel; il y vécut gaiement avec

---

[4] *Roughly corresponding to the freshman year in high school.*   [5] *See p. 243.*   [6] saturnine, gloomy.   [7] orgiastic (*pertaining to the worship of Bacchus*).   [8] to turn over a new leaf.   [9] "goldbricked."   [10] magic spell, charm.   [11] run away from.   [12] prison where each prisoner is alone in a cell.   [13] fight.

un de ses anciens élèves, Lucien Létinois, et les parents de celui-ci. En 1881 il publia *Sagesse*, mais il n'était plus sage, et dut vendre la ferme pour payer ses dettes.

De plus en plus bas (1882–96). Il revint à Paris en 1882 et y trouva des admirateurs, Courteline,[14] Barrès et surtout Moréas. Il renoua avec Mallarmé, et, par son article sur Rimbaud, dans les *Poètes maudits* (1884), accompagné de six poèmes dont *Voyelles* (p. 404) et le *Bateau ivre* (p. 405), lança « l'enfant de colère » qui dirigeait alors, à Aden, une agence de cafés. Autre séjour malheureux à la campagne, dix-huit mois à Coulommes, près de Vouziers, qui se terminent par un attentat au couteau sur sa mère et un voisin, et un mois de prison à Vouziers. Vagabondage, retour définitif à Paris en 1885, persistance dans l'ivrognerie et la fréquentation des filles, douleurs au genou gauche, séjours à l'hôpital, gloire littéraire montante, lamentables conférences sur la poésie contemporaine, en Hollande, en Belgique, en Angleterre, publications de recueils de vers, *Jadis et naguère*, 1884; *Amour*, 1888; *Parallèlement*, 1889; *Dédicaces*, 1890; *Bonheur; Chansons pour elle*, 1891, etc., voilà les dix dernières années de la vie du « pauvre Lélian », – ˜anagramme de son nom. Une congestion pulmonaire l'emporta, le 8 janvier 1896, dans un taudis [15] qui existe encore, 39 rue Descartes, derrière le Panthéon.

Plutôt que de le juger sévèrement, faisons ce qu'il a humblement demandé à ses lecteurs:

Priez avec et pour le pauvre Lélian.[16]

POÈMES SATURNIENS
1866

Recueil d'étiquette baudelairienne et de technique parnassienne, mais déjà bien verlainien d'atmosphère.

MON RÊVE FAMILIER

Je fais souvent ce rêve étrange et pénétrant
D'une femme inconnue, et que j'aime et qui m'aime,
Et qui n'est, chaque fois, ni tout à fait la même
Ni tout à fait une autre, et m'aime et me comprend.

5 Car elle me comprend, et mon cœur, transparent
Pour elle seule, hélas ! cesse d'être un problème
Pour elle seule, et les moiteurs [1] de mon front blême,
Elle seule les sait rafraîchir, en pleurant.

Est-elle brune, blonde ou rousse ? — Je l'ignore.
10 Son nom ? Je me souviens qu'il est doux et sonore
Comme ceux des aimés que la Vie exila.[2]

Son regard est pareil au regard des statues,
Et pour sa voix, lointaine, et calme, et grave, elle a
L'inflexion des voix chères qui se sont tues.

---

[14] *See p. 415.* [15] hovel. [16] *Anatole France made of Verlaine a character in two of his novels, Gestas in* L'Étui de nacre, *and Choulette in* Le Lys rouge. *Verlaine was elected "Prince des Poètes," to succeed the late Leconte de Lisle, in 1894.*

[1] sweat. [2] *Vagueness is one of the characteristics of Verlaine's poetry.*

SOLEILS COUCHANTS

Une aube [1] affaiblie
Verse par les champs
La mélancolie
Des soleils couchants.
5 La mélancolie
Berce de doux chants
Mon cœur qui s'oublie
Aux soleils couchants.
Et d'étranges rêves,
10 Comme des soleils
Couchants sur les grèves,[2]
Fantômes vermeils,
Défilent sans trêves,
Défilent, pareils
15 A des grands soleils
Couchants sur les grèves.

CHANSON D'AUTOMNE

Les sanglots longs
Des violons
De l'automne
Blessent mon cœur
5 D'une langueur
Monotone.

Tout suffoquant
Et blême, quand
Sonne l'heure,
10 Je me souviens
Des jours anciens
Et je pleure.

Et je m'en vais
Au vent mauvais
15 Qui m'emporte
Deçà, delà,
Pareil à la
Feuille morte.

[1] A light. [2] shores.

FÊTES GALANTES
1869

Dans *L'Art au XVIIIᵉ siècle* (1859), les Goncourt avaient réhabilité les toiles à la fois mélancoliques et gaies, élégantes toujours, de ces maîtres que furent Watteau, Lancret, Pater, Fragonard et Boucher. Verlaine fit mieux, il leur fit une immortalité poétique.

CLAIR DE LUNE

Votre âme est un paysage choisi [1]
Que vont charmant masques [2] et bergamasques,[3]
Jouant du luth et dansant et quasi [4]
Tristes sous leurs déguisements fantasques.[5]

5 Tout en chantant sur le mode [6] mineur
L'amour vainqueur et la vie opportune,
Ils n'ont pas l'air de croire à leur bonheur
Et leur chanson se mêle au clair de lune,

Au calme clair de lune triste et beau,
10 Qui fait rêver les oiseaux dans les arbres
Et sangloter d'extase les jets d'eau,
Les grands jets d'eau sveltes parmi les marbres.

JADIS ET NAGUÈRE
ART POÉTIQUE

Bien que publié en 1884 dans *Jadis et Naguère*, ce poème fut écrit en 1874. Verlaine était alors maître de son art et en formula les principes: naturel, naïveté, musique, vague, léger mélange de joie et de mélancolie, atténuation de la rime et de la cadence.

De la musique avant toute chose,
Et pour cela préfère l'Impair,[1]
Plus vague et plus soluble dans l'air,
Sans rien en lui qui pèse ou qui pose.[2]

5 Il faut aussi que tu n'ailles point
Choisir tes mots sans quelque méprise: [3]
Rien de plus cher que la chanson grise
Où l'Indécis au Précis se joint.

[1] choice. [2] Made charming by masks (persons wearing masks, masqueraders). [3] Bergamasks, *Italian rustic dances (from Bergamo, a city NE of Milan); also people dressed like natives of Bergamo, like the characters in the* Commedia dell'Arte: *Pierrot, with his whitened face and loose white fancy dress, Harlequin* (Arlequin), *lover of* Columbine (Colombine) *who is the daughter of the foolish old man Pantaloon* (Pantalon). *Here Verlaine refers to the people, not to the dances.* [4] [kazi], almost. [5] fanciful. [6] key.

[1] the Uneven (*odd number of syllables to the line, nine here*). [2] clings. [3] imprecision. *This is a criticism of the cold precision of the Parnassians.*

C'est des beaux yeux [4] derrière des voiles,
10 C'est le grand jour tremblant de midi,
C'est, par un ciel d'automne attiédi,[5]
Le bleu fouillis [6] des claires étoiles !

Car nous voulons la Nuance encor,
Pas la Couleur, rien que la nuance !
15 Oh ! la nuance seule fiance [7]
Le rêve au rêve et la flûte au cor !

Fuis du plus loin la Pointe assassine,[8]
L'Esprit cruel et le Rire impur,
Qui font pleurer les yeux de l'Azur,
20 Et tout cet ail de basse cuisine ! [9]

Prends l'éloquence et tords-lui son cou !
Tu feras bien, en train d'énergie,[10]
De rendre un peu la Rime assagie.[11]
Si l'on n'y veille, elle ira jusqu'où ?

25 Oh ! qui dira les torts de la Rime !
Quel enfant sourd ou quel nègre fou
Nous a forgé ce bijou d'un sou
Qui sonne creux et faux sous la lime ? [12]

De la musique encore et toujours !
30 Que ton vers soit la chose envolée,[13]
Qu'on sent qui fuit d'une âme en allée
Vers d'autres cieux à d'autres amours.

Que ton vers soit la bonne aventure [14]
Éparse au vent crispé [15] du matin,
35 Qui [16] va fleurant la menthe et le thym . . .
Et tout le reste est littérature.[17]

ROMANCES SANS PAROLES

Le titre, qui répète celui d'une œuvre de Mendelssohn, indique que les poèmes sont « de la musique avant toute chose », de la musique avant l'expression intelligible des faits et de la pensée; mais Verlaine ne s'enfonce pas dans l'obscurisme, comme Mallarmé; il préfère, en musicien, jouer avec les rythmes, les enjambements, rimes, assonances et formes de stances, et continuer de travailler à la libération du vers commencée par le romantisme puis tenue en échec par le Parnasse. Ces poèmes furent composés pour la plupart en 1872 et 1873 pendant les courses des « fils du Soleil » en Belgique et en Angleterre. Ils parurent pendant la dé-

[4] *A grammarian would say* **Ce sont de beaux yeux.** [5] mild. [6] medley. [7] unites. [8] deadly witticisms, epigrams. [9] garlic used in cheap cooking. [10] while you are in good form. [11] more reasonable, less exacting. [12] file; **limer ses vers, son style,** to polish one's verses, one's style. [13] winged. [14] Let your poetry be genuine inspiration. [15] brisk. [16] *Refers to* **aventure.** [17] mere literature, bunk.

tention de Verlaine à Mons; c'est la « chanson mauvaise » après *La Bonne Chanson*, et avant *Sagesse*, la sage chanson.

ARIETTES [1] OUBLIÉES

I

C'est l'extase langoureuse,
C'est la fatigue amoureuse,
C'est tous les frissons des bois
Parmi l'étreinte des brises,
5   C'est, vers les ramures [2] grises,
Le chœur des petites voix.

O le frêle et frais murmure!
Cela gazouille [3] et susurre,[4]
Cela ressemble au cri doux
10   Que l'herbe agitée expire [5] . . .
Tu dirais, sous l'eau qui vire,[6]
Le roulis sourd des cailloux.

Cette âme qui se lamente
En cette plainte dormante
15   C'est la nôtre, n'est-ce pas?
La mienne, dis, et la tienne,
Dont s'exhale l'humble antienne [7]
Par ce tiède soir, tout bas?

III

Il pleure dans mon cœur
20   Comme il pleut sur la ville.
Quelle est cette langueur
Qui pénètre mon cœur?

O bruit doux de la pluie
Par terre et sur les toits!
25   Pour un cœur qui s'ennuie
O le chant de la pluie!

Il pleure sans raison
Dans ce cœur qui s'écœure.[8]
Quoi! nulle trahison?
30   Ce deuil est sans raison.

C'est bien la pire peine
De ne savoir pourquoi,
Sans amour et sans haine,
Mon cœur a tant de peine!

---

[1] *An ariette (or arietta) is a short air, a brief aria.*   [2] branches.   [3] warbles.   [4] murmurs softly.   [5] exhales.   [6] is eddying.   [7] [ɑ̃tjɛn], anthem.   [8] that sickens, is becoming nauseated.

V

35 Le piano que baise une main frêle
Luit dans le soir rose et gris vaguement,
Tandis qu'avec un très léger bruit d'aile
Un air bien vieux, bien faible et bien charmant
Rôde discret, épeuré quasiment,[9]
40 Par le boudoir longtemps parfumé d'Elle.

Qu'est-ce que c'est que ce berceau soudain
Qui lentement dorlote [10] mon pauvre être?
Que voudrais-tu de moi, doux chant badin? [11]
Qu'as-tu voulu, fin refrain incertain [12]
45 Qui vas tantôt mourir vers la fenêtre
Ouverte un peu sur le petit jardin?

VIII

Dans l'interminable
Ennui de la plaine
La neige incertaine
50 Luit comme du sable.

Le ciel est de cuivre
Sans lueur aucune.
On croirait voir vivre
Et mourir la lune.

55 Comme des nuées
Flottent gris les chênes
Des forêts prochaines
Parmi les buées.[13]

Le ciel est de cuivre
60 Sans lueur aucune.
On croirait voir vivre
Et mourir la lune.

Corneille poussive [14]
Et vous, les loups maigres,
65 Par ces bises aigres [15]
Quoi donc vous arrive?

Dans l'interminable
Ennui de la plaine
La neige incertaine
70 Luit comme du sable.

[9] frightened, as it were.   [10] soothes; *lit.*
'coddles.' [11] playful. [12] delicate, uncer-
tain tune. [13] mists. [14] broken-winded.
[15] In these bitter north winds.

CHEVAUX DE BOIS [1]

Tournez, tournez, bons chevaux de bois,
Tournez cent tours, tournez mille tours,
Tournez souvent et tournez toujours,
Tournez, tournez au son des hautbois [2] . . .

5 C'est ravissant comme ça vous soûle
D'aller ainsi dans ce cirque bête !
Bien dans le ventre [3] et mal dans la tête,
Du mal en masse [4] et du bien en foule.

Tournez, tournez, sans qu'il soit besoin
10 D'user jamais de nuls éperons, [5]
Pour commander à vos galops ronds,
Tournez, tournez, sans espoir de foin [6] . . .

Tournez, tournez ! le ciel en velours
D'astres en or se vêt lentement.
15 Voici partir l'amante et l'amant.
Tournez au son joyeux des tambours.

Champ de foire [7] de Saint-Gilles, Bruxelles, août 1872

GREEN

Voici des fruits, des fleurs, des feuilles et des branches,
Et puis voici mon cœur, qui ne bat que pour vous.
Ne le déchirez pas avec vos deux mains blanches,
Et qu'¹là vos yeux si beaux l'humble présent soit doux.

5 J'arrive tout couvert encore de rosée [2]
Que le vent du matin vient glacer à mon front.
Souffrez que ma fatigue, à vos pieds reposée,
Rêve des chers instants qui la délasseront.[3]

Sur votre jeune sein laissez rouler ma tête
10 Toute sonore encore de vos derniers baisers;
Laissez-la s'apaiser de la bonne tempête,[4]
Et que je dorme un peu puisque vous reposez.

---

[1] Merry-go-round.   [2] oboes.   [3] It gives you a pleasant sensation in the   stomach.   [4] aplenty.   [5] spurs.   [6] hay.   [7] Fair grounds.

[1] **Et qu'**, And may.   [2] dew.   [3] will ease.   [4] tempest of lovemaking.

OUVRAGES RECOMMANDÉS
Textes

Œuvres poétiques, éd. Y.-G. Le Dantec. Gallimard.
Verlaine et les poètes symbolistes. Classiques Larousse.
Paul Verlaine, choix par Jean Richer. Seghers, 1953.

Critique

R. Adam. *Verlaine.* 176 p. Hatier.
J. Rousselot. *De quoi vivait Verlaine.* 96 p. Les Deux-Rives.

ANATOLE FRANCE
(1844–1924)
Un Charmant Sceptique

L'enfance parmi les livres (1844–64). Né au 19 du quai Malaquais, à Paris, Quartier Latin, Anatole-François Thibaut prit de bonne heure dans la boutique de son père, libraire se spécialisant dans les « ouvrages, journaux, caricatures, autographes, etc., relatifs à la Révolution, » le goût des livres et des documents écrits. Il prit aussi celui des paysages de grandes villes et des vieux monuments dans ses horizons étroits d'enfant solitaire couvé [1] par ses parents et ses bonnes.

De onze à dix-huit ans il fit ses humanités au collège Stanislas dirigé par des prêtres et des moines. Un de ses professeurs le notait ainsi: « Insouciance et légèreté. Il ricane [2] à chaque instant. Une mouche le distrait. » Il ne réussit au baccalauréat qu'à sa deuxième tentative, et deux ans après avoir quitté le collège. Nonchalamment il aida son père dans sa librairie et refusa de lui succéder.

Papillon du Parnasse (1865–78). Pour de petites revues il écrivit des articles de critique et de bibliographie. Il fréquenta les Parnassiens, Leconte de Lisle, Banville, Heredia, Verlaine et leur éditeur, Lemerre, qui lui publia ses *Poèmes dorés* (1873) et un drame en vers sur le conflit des religions grecque et païenne, *Les Noces corinthiennes* (1876). Ses succès littéraires lui valurent de devenir le collègue de Leconte de Lisle à la bibliothèque du Sénat. Assuré d'un gagne-pain il se maria avec une femme de petite noblesse et acheta une maison, — 5 rue Chalgrin —, où naquit une fillette, Suzanne.

Le dilettante en prose (1879–1924). Adieu les vers ! « Cette ironie douce et cette tendresse spirituelle qui fait le fond de sa nature », — comme il le dit lui-même —, il allait les faire passer dans des récits en prose, *Jocaste et le chat maigre* (1879) et surtout *Le Crime de Sylvestre Bonnard, membre de l'Institut* (1881), qui fut son premier grand succès.

En 1893 il divorça d'avec son « impérieuse » épouse et de plus en plus devint le familier de la muse qui, avenue Hoche, tenait le salon littéraire le plus brillant de Paris, Mme Arman de Caillavet à laquelle il fut présenté en 1883 et sans qui, disait-il, « je ne ferais pas de livres ». Ces nouveaux livres furent *Thaïs* (1890), courtisane égyptienne du quatrième siècle, *L'Étui de nacre* (recueil de contes dont les meilleurs sont *Le Procurateur de Judée* et *Le Jongleur de Notre-Dame*), *Les Opinions de Jérôme Coignard* et *La Rôtisserie de la Reine Pédauque* (1893). Un voyage en Italie qu'il fit avec Mme de Caillavet lui inspira *Le Lys rouge*, roman d'adultère purifié par l'art florentin, et *Le Puits de Sainte-Claire*, autre recueil de contes.

[1] coddled.   [2] giggles.

Élu à l'Académie française en 1895, poussé vers la gauche politique par Mme Arman, bourgeoise qui ne s'en laissait pas imposer par le titre « de Caillavet » que son vaniteux de mari avait fait ajouter à son nom, Anatole France prit parti pour Dreyfus. Dans *Le Mannequin d'osier, L'Orme du mail, L'Anneau d'améthyste* et *M. Bergeret à Paris* il donna une *Histoire contemporaine* (1897–1901) remarquable d'exactitude et de scepticisme souriant. De plus en plus ce dilettante, surtout au contact de Jaurès,[3] le grand socialiste, devint un militant qui sincèrement désirait une ère meilleure pour le peuple: *Sur la pierre blanche, L'Ile des Pingouins* (1908), *Vers les temps meilleurs.* Il adhéra au communisme sur la fin de sa vie.

En 1909 il fit à Buenos-Ayres une série de conférences sur Rabelais. Au début de la première Grande Guerre il se réfugia dans une maison de campagne près de Tours, la Béchellerie, où après quelques écrits patriotiques il se plaça, comme Romain Rolland,[4] « au-dessus de la mêlée » et se consacra à *Petit Pierre* (1918), ses souvenirs d'enfance dont il avait déjà mis la meilleure part dans le *Livre de mon ami* (1885) et *Pierre Nozière* (1899). Sa fille Suzanne mourut; elle avait épousé Michel Psichari, petit-fils de Renan, tué au front; elle laissait un fils de dix ans, Lucien, dont France s'occupa. En 1920 l'écrivain épousa Mlle Laprévotte, ancienne femme de chambre de Mme de Caillavet; en 1921 il reçut le prix Nobel de littérature. Il mourut à la Béchellerie en 1924, quelques mois après une apothéose qu'on lui fit au théâtre du Trocadéro, à Paris, pour ses quatre-vingts ans.

Conclusion. Anatole France n'est pas un penseur bien profond ni original, mais ses œuvres font penser. C'est un esprit curieux d'érudition et d'art, fouillant ses sujets de prédilection (l'antiquité chrétienne, l'Italie du Moyen Age et de la Renaissance, le dix-huitième siècle, la Révolution française et la fin du dix-neuvième siècle) sans méthode peut-être, mais avec une finesse à la pointe corrosive. Son analyse, cependant, ne va pas jusqu'à la cruauté; elle se tempère de pitié pour les souffrances des humbles: « L'Ironie et la Pitié sont deux bonnes conseillères; l'une, en souriant, nous rend la vie aimable; l'autre, qui pleure, nous la rend sacrée. » Son style, travaillé comme une mosaïque, un peu artificiel, est clair, fluide et musical comme celui de Racine.

LA ROTISSERIE DE LA REINE PÉDAUQUE

1893

Le jeune Jacques Ménétrier, dit Tournebroche, est employé à tourner la broche par son père, rôtisseur, rue Saint-Jacques, à l'enseigne de la Reine Pédauque *qui avait les pieds palmés comme les oies. L'abbé Jérôme Coignard, savant et épicurien, lui enseigne le grec et le latin. Un soir, un cabaliste,[1] M. d'Astarac, entre dans la rôtisserie à la poursuite d'une salamandre; il prend à son service l'abbé et Jacques pour traduire Zozime, auteur grec qui écrivit des ouvrages sur l'alchimie. Ils passent plusieurs mois à ce travail dans un château morose sur la route de Saint-Germain, puis vont se distraire à Paris.*

UNE SOIRÉE MOUVEMENTÉE

Ce soir-là, nous trouvant, mon bon maître et moi, dans la rue du Bac, comme il faisait chaud, M. Jérôme Coignard me dit:

[3] *See p. 465, n. 4.* [4] *French novelist, music and art critic, and pacifist (1866–1944). Author of* Jean-Christophe, *an 11-volume cyclic novel on a musical genius;* Beethoven.

[1] cabalist, *expert in occult sciences like witchcraft.*

— Jacques Tournebroche, mon fils, ne vous plairait-il point tirer[2] à gauche, dans la rue de Grenelle, à la recherche d'un cabaret ? Encore[3] nous faut-il chercher un hôte qui vende du vin à deux sous le pot. Car je suis démuni[4] d'argent et je pense, mon fils, que vous n'êtes pas mieux pourvu que moi, par l'injure[5] de M. d'Astarac, qui fait peut-être de l'or, mais qui n'en donne point à ses secrétaires et domestiques . . .

Nous approchions du joli hôtel où M. de la Guéritaude avait logé mam'selle Catherine. « Vous le reconnaîtrez, m'avait-elle dit, aux rosiers du balcon. » Il ne faisait pas assez jour pour que je visse les roses, mais je croyais les sentir. Après avoir fait quelques pas, je la reconnus à la fenêtre, un pot à eau à la main, arrosant ses fleurs. En me reconnaissant de même dans la rue, elle rit et m'envoya un baiser. Sur quoi, une main, passant par la croisée,[6] lui donna sur la joue un soufflet[7] dont elle fut si étonnée qu'elle lâcha le pot à eau, qui tomba, peu s'en faut,[8] sur la tête de mon bon maître. Puis la belle souffletée disparut et le souffleteur, paraissant à sa place à la fenêtre, se pencha sur la grille et me cria:

— Dieu soit loué, monsieur, . . . vous me semblez honnête homme, et je crois vous avoir déjà vu. Faites-moi l'honneur de monter. Il y a céans[9] un souper préparé. Vous m'obligerez d'y prendre part avec M. l'abbé qui vient de recevoir une potée[10] d'eau sur la tête et qui se secoue comme un chien mouillé. Après souper, nous jouerons aux cartes, et, quand il fera jour, nous irons nous couper la gorge[11] . . .

Je reconnus en celui qui parlait de la sorte ce monsieur d'Anquetil, que j'avais vu naguère exciter si vivement ses gens à piquer le frère Ange au derrière. Il parlait poliment et me traitait en gentilhomme. Je sentis toute la faveur qu'il me faisait en consentant à me couper la gorge. Mon bon maître n'était pas moins sensible à[12] tant d'urbanité. S'étant suffisamment secoué:

— Jacques Tournebroche, mon fils, me dit-il, nous ne pouvons pas refuser une si gracieuse invitation.

Déjà deux laquais étaient descendus avec des flambeaux. Ils nous conduisirent dans une salle où un ambigu[13] était préparé sur une table éclairée par deux candélabres d'argent. M. d'Anquetil nous pria d'y prendre place et mon bon maître noua sa serviette à son cou. Il avait déjà piqué une grive[14] à sa fourchette quand un bruit de sanglots déchira nos oreilles.

— Ne prenez point garde à ces cris, dit M. d'Anquetil, c'est Catherine qui gémit dans la chambre où je l'ai enfermée.

— Ah ! monsieur, il faut lui pardonner, répondit mon bon maître qui regardait tristement le petit oiseau au bout de sa fourchette. Les mets les plus agréables semblent amers, assaisonnés de larmes et de gémissements. Auriez-vous le cœur de laisser pleurer une femme ? Faites grâce à celle-ci, je vous prie ! Est-elle donc si coupable d'avoir envoyé un baiser à mon

---

[2] *Anatole France is fond of archaic constructions; in modern French:* **de tirer,** to turn.   [3] And even.   [4] devoid.   [5] *Archaic for* **injustice.**   [6] casement, window.   [7] slap.   [8] which all but fell.   [9] inside.   [10] potful.   [11] cut each other's throat, fight a duel.   [12] appreciative of.   [13] cold meal (collation); *lit.* 'medley.'   [14] impaled a thrush (passerine bird).

jeune disciple, qui fut son voisin et son compagnon au temps de leur médiocrité commune ? . . .

Je joignis mes prières à celles de mon bon maître, et M. d'Anquetil consentit à délivrer la prisonnière. Il s'approcha de la porte d'où partaient
les cris, l'ouvrit et appela Catherine qui ne répondit que par le redoublement
de ses plaintes.

— Messieurs, nous dit son amant, elle est là, couchée à plat ventre sur
le lit, la tête dans l'oreiller et soulevant à chaque sanglot une croupe [15]
ridicule. Regardez cela. Voilà donc pourquoi nous nous donnons tant de
peine et faisons tant de sottises ! Catherine, venez souper.

Mais Catherine ne bougeait point et pleurait encore. Il l'alla tirer par
le bras, par la taille. Elle résistait. Il fut pressant :

— Allons ! viens, mignonne.

Elle s'entêtait à ne point changer de place, tenant embrassés le lit et
les matelas.

Son amant perdit patience, et cria d'une voix rude avec mille juremens : [16]
— Lève-toi, garce ! [17]

Aussitôt elle se leva et, souriant dans les larmes, lui prit le bras et entra
dans la salle à manger, avec un air de victime heureuse.

Elle s'assit entre M. d'Anquetil et moi . . .
— A boire ! dit M. l'abbé Coignard.

M. d'Anquetil passa la dame-jeanne [18] à mon bon maître . . .
— Monsieur, votre vin est généreux.
— Vous me faites trop d'honneur, répondit M. d'Anquetil. C'est le vin
de M. de la Guéritaude. Je lui ai pris sa maîtresse. Je puis bien lui prendre
ses bouteilles . . .

Un laquais apporta des cartes et les pipes que nous allumâmes. La
chambre fut bientôt remplie d'une épaisse fumée au milieu de laquelle
notre hôte et M. l'abbé Coignard jouaient gravement au piquet.[19]

La chance favorisa mon bon maître, jusqu'au moment où M. d'Anquetil,
croyant le voir pour la troisième fois marquer cinquante-cinq lorsqu'il
n'avait que quarante, l'appela grec,[20] vilain pipeur,[21] chevalier de Transylvanie [22] et lui jeta à la tête une bouteille qui se brisa sur la table qu'elle
inonda de vin.

— Il faudra donc, monsieur, dit l'abbé, que vous preniez la peine de faire
déboucher une autre bouteille,[23] car nous avons grand soif.
— Volontiers, dit M. d'Anquetil . . .
— Monsieur, poursuivit mon bon maître, Jacques Tournebroche m'est
fort utile pour une traduction de Zozime le Panopolitain que j'ai entreprise.
Je vous serai infiniment obligé de ne vous battre avec lui qu'après que ce
grand ouvrage sera parachevé.[24]
— Je me fiche de [25] votre Zozime, répondit M. d'Anquetil. Je m'en fiche,
vous m'entendez, l'abbé. Je m'en fiche comme le roi de sa première maîtresse . . . Qu'est-ce que c'est que ce Zozime ?

[15] rump.   [16] oaths.   [17] you strumpet!
[18] demijohn.   [19] at piquet (old game of
cards played by two).   [20] a Greek, a
swindler.   [21] cardsharp.   [22] The hôtel
de Transylvanie was a famous casino in
Paris.   [23] of having another bottle
opened.   [24] completed.   [25] I don't care
about.

— Zozime, monsieur, répondit l'abbé, Zozime de Panopolis, était un savant grec qui florissait à Alexandrie au IIIᵉ siècle de l'ère chrétienne et qui composa des traités sur l'art spagyrique.[26]

— Que voulez-vous que cela me fasse? répondit M. d'Anquetil, et pour-
5 quoi le traduisez-vous?...

— Si vous voulez tout savoir, dit mon bon maître, j'y trouve quelque sensualité.

— A la bonne heure! dit M. d'Anquetil, mais en quoi M. Tournebroche, qui en ce moment caresse ma maîtresse, peut-il vous aider?

10 — Par la connaissance du grec, dit mon bon maître, que je lui ai donnée.

M. d'Anquetil se tournant vers moi:

— Quoi, monsieur, dit-il, vous savez le grec! Vous n'êtes donc pas gentilhomme?

— Monsieur, répondis-je, mon père est porte-bannière de la confrérie
15 des rôtisseurs parisiens.[27]

— Il m'est donc impossible de vous tuer, me répondit-il. Veuillez m'en excuser. Mais l'abbé, vous ne buvez pas. Vous me trompiez. Je vous croyais un bon biberon,[28] et j'avais envie de vous prendre pour mon aumô- nier quand j'aurai une maison.[29]

20 Cependant, M. l'abbé Coignard buvait à même la bouteille[30]...

A ce même moment nous entendîmes des coups frappés avec le marteau de la porte dans le silence de la nuit. Nous en demeurâmes soudain im- mobiles et muets comme des convives enchantés.[31]

Les coups redoublèrent bientôt de force et de fréquence. Et M. d'Anquetil
25 rompit le premier le silence en se demandant tout haut, avec d'affreux jure- ments, quel pouvait bien être ce fâcheux[32]...

Mon bon maître mit une bouteille dans l'une de ses poches par précau- tion et une autre bouteille dans l'autre poche, pour l'équilibre, comme dit le conte. Toute la maison tremblait sous les coups du frappeur furieux.
30 M. d'Anquetil, en qui cet assaut réveillait les vertus militaires, s'écria:

— Je vais reconnaître l'ennemi.

Il courut en trébuchant[33] à la fenêtre où il avait naguère souffleté large- ment sa maîtresse, et puis revint dans la salle à manger en éclatant de rire.

— Ah! ah! ah! s'écria-t-il, savez-vous qui frappe? C'est M. de la
35 Guéritaude en perruque à marteau,[34] avec deux grands laquais portant des torches ardentes...

Il saisit un flambeau[35] et descendit les degrés. Nous le suivîmes en tremblant. Il ouvrit la porte. M. de la Guéritaude s'y trouvait, tel qu'il nous l'avait décrit, avec sa perruque, entre deux laquais armés de torches.
40 M. d'Anquetil le salua avec cérémonie et lui dit:

— Faites-nous la faveur de monter céans, monsieur. Vous y trouverez des personnes aimables et singulières: un Tournebroche à qui mam'selle Catherine envoie des baisers par la fenêtre et un abbé qui croit en Dieu.

Et il s'inclina profondément.

---

[26] alchemic.   [27] banner bearer for the brotherhood of Parisian cookshop pro- prietors.   [28] toper.   [29] household.   [30] from the bottle.   [31] spellbound guests.   [32] troublesome person.   [33] stumbling.   [34] bob wig (*short wig with bobs or short curls*).   [35] candlestick.

M. de la Guéritaude était une espèce de grand homme sec, peu enclin
à goûter la plaisanterie. Celle de M. d'Anquetil l'irrita fort, et sa colère
s'échauffa par la vue de mon bon maître, déboutonné, une bouteille à la
main et deux autres dans ses poches . . .

— Jeune homme, dit-il, avec une froide colère, à M. d'Anquetil, j'ai 5
l'honneur de connaître monsieur votre père, avec qui je m'entretiendrai [36]
demain de la ville où le roi vous enverra méditer la honte de vos déporte-
ments [37] et de votre impertinence. Ce digne gentilhomme, à qui j'ai prêté
de l'argent que je ne lui réclame pas,[38] n'a rien à me refuser. Et notre bien-
aimé prince,[39] qui se trouve précisément dans le même cas que monsieur 10
votre père, a des bontés pour moi. C'est donc une affaire faite.[40] J'en ai
conclu, Dieu merci, de plus difficiles. Quant à cette fille,[41] puisqu'on dé-
sespère de la ramener au bien, j'en dirai, avant midi, deux mots à M. le
lieutenant de police,[42] que je sais tout disposé à l'envoyer à l'hôpital. Je
n'ai pas autre chose à vous dire. Cette maison est à moi, je l'ai payée, et 15
je prétends y entrer.

Puis, se tournant vers ses laquais, et désignant du bout de sa canne mon
bon maître et moi:

— Jetez, dit-il, ces deux ivrognes dehors.

M. Jérôme Coignard était communément d'une mansuétude [43] exem- 20
plaire . . . Pourtant, cette fois, il perdit toute mesure et oublia toute prudence.

— Tais-toi, vil publicain,[44] s'écria-t-il, en agitant sa bouteille comme
une massue.[45] Si ces coquins [46] osent m'approcher, je leur casse la tête,
pour leur apprendre à respecter mon habit, qui témoigne assez de mon sacré 25
caractère.

A la lueur des flambeaux, luisant de sueur, rubicond, les yeux hors de la
tête, l'habit ouvert et son gros ventre à demi hors de sa culotte, mon bon
maître semblait un compagnon dont on ne vient pas à bout facilement.[47]
Les coquins hésitaient.   30

— Tirez, leur criait M. de la Guéritaude, tirez, tirez ce sac à vin ! Voyez-
vous pas qu'il n'y a qu'à le pousser au ruisseau, où il restera jusqu'à ce que
les balayeurs [48] le viennent jeter dans le tombereau aux ordures ? [49] Je le
tirerais moi-même, sans la crainte de souiller mes habits . . .

Il leva sa grande canne. Mon bon maître, hors de lui,[50] lança sa bouteille 35
à la tête de M. le traitant,[51] qui tomba de son long [52] sur le pavé en criant:
« Il m'a tué ! » Et, comme il nageait [53] dans le vin de la bouteille, il y avait
apparence qu'il fût assassiné. Ses deux laquais se voulurent jeter sur le
meurtrier, et l'un d'eux, qui était robuste, croyait déjà le saisir, quand
M. l'abbé Coignard lui donna de la tête un si grand coup dans l'estomac 40
que le drôle [54] alla rouler dans le ruisseau tout contre le financier.

Il se releva pour son malheur et, s'armant d'une torche encore ardente,

[36] I shall converse.   [37] meditate upon
your shameful behavior.   [38] which I do
not press for.   [39] king.   [40] So, that is
settled.   [41] harlot.   [42] the Police Commissioner.   [43] gentleness, moderation.
[44] money grubber, publican.   [45] club.

[46] rogues.   [47] the sort of fellow who
would not be easily overcome.   [48] street
sweepers (cleaners).   [49] rubbish cart.
[50] beside himself, unable to control himself.   [51] tax speculator.   [52] full length.
[53] was weltering.   [54] rascal.

se jeta dans l'allée [55] d'où lui venait son mal.   Mon bon maître n'y était plus: il avait enfilé la venelle.[56]   M. d'Anquetil y était encore avec Catherine, et ce fut lui qui reçut la torche sur le front.   Cette offense lui parut insupportable; il tira son épée et l'enfonça dans le ventre du malencontreux
5 coquin, qui apprit ainsi, à ses dépens, qu'il ne faut pas s'en prendre à un gentilhomme.[57]   Cependant mon bon maître n'avait point fait vingt pas dans la rue, quand le second laquais, grand diable aux jambes de faucheux,[58] se mit à courir après lui en criant à la garde [59] et en hurlant: « Arrêtez-le ! » Il le gagna de vitesse [60] et nous vîmes qu'à l'angle de la rue Saint-Guillaume,
10 il étendait déjà le bras pour le saisir par le collet.   Mais mon bon maître, qui savait plus d'un tour, vira [61] brusquement et, passant à côté de son homme, l'envoya, d'un croc-en-jambe, contre une borne [62] où il se fendit la tête.   Cela se fit tandis que nous accourions, M. d'Anquetil et moi, au secours de M. l'abbé Coignard, qu'il convenait [63] de ne point abandonner
15 en ce danger pressant.

— L'abbé, dit M. d'Anquetil, donnez-moi la main: vous êtes un brave homme.

— Je crois, en effet, dit mon bon maître, que j'ai été quelque peu homicide.[64]   Mais je ne suis pas assez dénaturé [65] pour en tirer gloire.   Il me
20 suffit qu'on ne m'en fasse pas un trop véhément reproche.   Ces violences ne sont point dans mes usages, et, tel que vous me voyez, monsieur, j'étais mieux fait pour enseigner les belles-lettres dans la chaire d'un collège, que pour me battre avec des laquais, au coin d'une borne.

— Oh ! reprit M. d'Anquetil, ce n'est pas le pire de votre affaire.[66]   Mais
25 je crois que vous avez assommé un fermier général.[67]

— Est-il bien vrai ? demanda l'abbé.

— Aussi vrai que j'ai poussé mon épée dans quelque tripe de cette canaille.[68]

— En ces conjonctures,[69] dit l'abbé, il conviendrait premièrement de
30 demander pardon à Dieu, envers qui seul nous sommes comptables [70] du sang répandu, secondement de hâter le pas jusqu'à la prochaine fontaine où nous nous laverons.   Car il me semble que je saigne du nez.

— Vous avez raison, l'abbé, dit M. d'Anquetil, car le drôle qui maintenant crève entr'ouvert [71] dans le ruisseau m'a fendu le front.   Quelle imperti-
35 nence !

— Pardonnez-lui, dit l'abbé, pour qu'il vous soit pardonné.

A l'endroit où la rue du Bac se perd dans les champs,[72] nous trouvâmes à propos, le long d'un mur d'hôpital, un petit Triton [73] de bronze qui lançait un jet d'eau dans une cuve [74] de pierre.   Nous nous y arrêtâmes pour nous
40 y laver et pour boire.   Car nous avions la gorge sèche . . .

---

[55] passage.   [56] taken to his heels; *lit.* 'threaded the alley.'   [57] it does not do to attack a nobleman.   [58] a long fellow with spidery legs; le faucheux, daddy longlegs.   [59] calling to the watch (police).   [60] He gained on him.   [61] turned.   [62] stone post (*not* milestone *here*).   [63] whom it was seemly.   [64] murderous.   [65] unnatural.   [66] predicament.   [67] you have knocked out a farmer-general (tax speculator).   [68] riffraff.   [69] At this juncture.   [70] answerable.   [71] is dying, his stomach open.   [72] *Today the southern end of the rue du Bac is near the Montparnasse station, a mile and a half within the nearest city limits.*   [73] *Sea demigod having the lower part of his body fishlike.*   [74] basin.

— Et Catherine, demandai-je, qu'est-elle devenue dans cette horrible aventure ?

— Je l'ai laissée, me répondit M. d'Anquetil, soufflant dans la bouche de son financier pour le ranimer. Mais elle aura beau souffler, je connais la Guéritaude. Il est sans pitié. Il l'enverra à l'hôpital et peut-être à 5 l'Amérique.[75] J'en suis fâché pour elle. C'était une jolie fille ... Il est clair que nous sommes en danger, moi d'être mis à la Bastille, et vous, l'abbé, d'être pendu avec Tournebroche, votre élève, qui pourtant n'a tué personne.

— Il n'est que trop vrai, répondit mon bon maître. Il faut songer à notre sûreté. Peut-être sera-t-il nécessaire de quitter Paris où l'on ne 10 manquera pas de nous rechercher ...

— Écoutez-moi, l'abbé, dit M. d'Anquetil, j'ai un ami qui nous cachera dans sa terre[76] tout le temps qu'il faudra. Il habite, à quatre lieues de Lyon, une campagne horrible et sauvage, où l'on ne voit que des peupliers, de l'herbe et des bois. C'est là qu'il faut aller. Nous y attendrons que 15 l'orage passe. Nous chasserons. Mais il faut trouver au plus vite une chaise de poste, ou, pour mieux dire, une berline.[77]

— Pour cela, monsieur, dit l'abbé, j'ai votre affaire. L'hôtel du Cheval Rouge, au rond-point[78] des Bergères, vous fournira de bons chevaux et toutes sortes de voitures ... Avez-vous de l'argent ? 20

— J'en ai sur moi une assez grosse somme, dit M. d'Anquetil. C'est ce dont je me réjouis; car je ne puis songer à rentrer chez moi, où les exempts[79] ne manqueront pas de me chercher pour me conduire au Châtelet[80] ... Allons tout de suite au rond-point des Bergères.

— Monsieur, dit l'abbé, je vais vous faire une proposition, souhaitant 25 qu'elle vous soit agréable. Nous logeons, Tournebroche et moi, à la Croix-des-Sablons, dans un alchimique et délabré[81] château, où il vous sera facile de passer une douzaine d'heures sans être vu. Nous allons vous y conduire et nous attendrons que notre voiture soit prête. Il y a cela de bon que les Sablons sont peu distants du rond-point des Bergères. 30

M. d'Anquetil ne trouva rien à contredire à[82] ces arrangements ...

— Je vous confierai, messieurs, dit mon bon maître, que des trois bouteilles que je pris soin d'emporter, l'une se brisa malheureusement sur la tête de M. de la Guéritaude, l'autre se cassa dans ma poche pendant ma fuite. Elles sont toutes deux regrettables. La troisième fut préservée contre 35 toute espérance; la voici !

Et la tirant de dessous son habit, il la posa sur la marge[83] de la fontaine.

— Voilà qui va bien, dit M. d'Anquetil. Vous avez du vin; j'ai des dés[84] et des cartes dans ma poche. Nous pouvons jouer.

— Il est vrai, dit mon bon maître, que c'est un grand divertissement ... 40

M. d'Anquetil, assis sur le bord de la vasque,[85] battait[86] les cartes, et jurait comme un diable qu'on n'y voyait goutte pour faire une partie de piquet.

---

[75] en Amérique.　[76] on his estate.
[77] berlin (four-wheeled, two-seated, covered carriage, having a rear platform for footmen).　[78] circus, circle (intersection of roads).　[79] police officers.　[80] Old fortress and prison in Paris, torn down in 1802; it was situated on the present place du Châtelet.　[81] dilapidated.　[82] rien à redire à.　[83] la margelle, the edge.　[84] dice.　[85] basin.　[86] shuffled.

— Vous avez raison, monsieur, dit mon bon maître; on n'y voit pas bien clair, et j'en éprouve quelque déplaisir, moins par la considération des cartes, dont je me passe facilement, que pour l'envie que j'ai de lire quelques pages des *Consolations* de Boèce,[87] dont je porte toujours un exemplaire de petit
5 format[88] dans la poche de mon habit, afin de l'avoir sans cesse sous la main, pour l'ouvrir au moment où je tombe dans l'infortune, comme il m'arrive aujourd'hui. Car c'est une disgrâce cruelle, monsieur, pour un homme de mon état, que d'être homicide et menacé d'être mis dans les prisons ecclésiastiques. Je sens qu'une seule page de ce livre admirable affermirait
10 mon cœur qui s'abîme à la seule idée de l'official.[89]

En prononçant ces mots, il se laissa choir sur l'autre bord de la vasque et si profondément, qu'il trempait dans l'eau par tout le beau milieu de son corps. Mais il n'en prenait aucun souci et ne semblait point même s'en apercevoir; tirant de sa poche son Boèce, qui y était réellement, et chaus-
15 sant ses lunettes,[90] dont il ne restait plus qu'un verre, lequel était fendu en trois endroits, il se mit à chercher dans le petit livre la page la mieux appropriée à sa situation. Il l'eût trouvée sans doute, et il y eût puisé des forces nouvelles, si le mauvais état de ses besicles,[91] les larmes qui lui montaient aux yeux et la faible clarté qui tombait du ciel lui eussent permis de la
20 chercher. Mais il dut bien confesser qu'il n'y voyait goutte, et il s'en prit à[92] la lune qui lui montrait sa corne aiguë au bord d'un nuage. Il l'interpella vivement[93] et l'accabla d'invectives:

— Astre obscène, polisson et libidineux,[94] lui dit-il, tu n'es jamais las d'éclairer les turpitudes des hommes, et tu envies[95] un rayon de ta lumière
25 à qui cherche des maximes vertueuses!

— Aussi bien,[96] l'abbé, dit M. d'Anquetil, puisque cette catin de[97] lune nous donne assez de clarté pour nous conduire[98] par les rues, et non pas pour faire un piquet, allons tout de suite à ce château que vous m'avez dit et où il faut que j'entre sans être vu.
30 Le conseil était bon, et après avoir bu à même le goulot[99] tout le vin de la bouteille, nous prîmes tous trois le chemin de la Croix-des-Sablons. Je marchais en avant avec M. d'Anquetil. Mon bon maître, ralenti par toute l'eau que sa culotte avait bue, nous suivait pleurant, gémissant et dégouttant.

La Rôtisserie de la Reine Pédauque, pp. 189–230.

Reproduit avec l'autorisation de la Librairie Calmann-Lévy

Au château, d'Anquetil s'éprend de Jahel, la jolie nièce et maîtresse de Mosaïde, vieux cabaliste juif employé lui aussi par l'alchimiste. L'abbé intervient pour qu'elle s'enfuie avec eux, car ils sont toujours recherchés par la police. Les voilà donc partis

[87] Boethius, *Roman statesman and philosopher who was imprisoned for treason and executed; during his imprisonment he wrote* De Consolatione Philosophiae (*6th century A.D.*). [88] a small-sized copy. [89] which sinks at the very notion of the official (ecclesiastic judge). [90] putting on his spectacles. [91] *Humor-* ous for **lunettes,** spectacles. [92] he laid the blame on. [93] He addressed her sharply. [94] depraved and lustful. [95] *Archaic for* **tu refuses, marchandes,** thou begrudgest. [96] Well, after all. [97] lewd; **la catin,** slut. [98] **pour que nous nous conduisions.** [99] from the bottle; *lit.* 'by the neck.'

pour Lyon dans une berline. Hélas, avant Mâcon, l'abbé est assassiné par Mosaïde qui l'a rendu responsable de l'enlèvement de Jahel. Jacques rentre à Paris et devient commis rue Saint-Jacques, chez M. Blaizot, libraire à l'Image Sainte Catherine; plus tard il lui succède. Il aime à s'entretenir avec les savants et beaux esprits qui fréquentent sa boutique, mais « aucun ne me donne seulement l'ombre de cette grâce, de cette sagesse, de cette force de pensée qui brillaient en M. Jérôme Coignard. Je le tiens, celui-là, pour le plus gentil esprit qui ait jamais fleuri sur la terre. »

OUVRAGES RECOMMANDÉS
Textes
Œuvres complètes, éd. L. Carrias. 25 vol. Calmann-Lévy.
Le Livre de mon ami, éd. Barton. Heath.
Le Crime de Sylvestre Bonnard, éd. Borgerhoff. Heath.
Le Crime de Sylvestre Bonnard, Les Dieux ont soif. 1 vol. Classiques Larousse.
Pages choisies. Classiques Hachette.
Discographie
Anatole France, textes présentés par Jacques Suffel. Hachette.
Critique
Jacques Suffel. *Anatole France.* Le Seuil, 1954.

GUY DE MAUPASSANT
(1850–1893)
Le Maître du conte naturaliste

Maupassant fut un vrai Normand. Né au château de Miromesnil, près de Dieppe, il y a été élevé, ainsi qu'à Étretat. Il a fait ses études à Yvetot et à Rouen. Il a parcouru la Normandie dans tous les sens, il y a fait de longs séjours. Il a joué avec les fils des paysans; devenu homme, il a continué à les fréquenter. Non seulement il a appris leur patois qu'il cite généreusement, mais rien de leur caractère ne lui a échappé: amour du travail et de l'argent, des bons repas et de l'alcool, du rire et des farces, malice, méfiance.

Quand la guerre avec la Prusse éclata (1870), il avait vingt ans. Il fut mobilisé à Vincennes, puis à Paris, dans l'Intendance. Il connut les souffrances du siège. Il fréquenta, la paix revenue, les bords de la Seine. Que de dimanches il passa à faire du canotage d'Argenteuil à Nanterre, Chatou et plus loin vers l'ouest !

Il était alors commis au ministère de la Marine, à Paris. Il s'y ennuya, mais il oubliait la routine du bureau dans les salons mondains et dans les groupes littéraires. Par Gustave Flaubert qui lui avait donné des leçons de style, il connut Zola, Daudet, les Goncourt. Il écrivit un conte, *Boule de Suif*[1] qui eut beaucoup de succès et lui ouvrit les colonnes des grands journaux de Paris (1880). Il quitta les bureaux du ministère de l'Instruction Publique où il était passé (1878). Alors, en une douzaine d'années seulement, il produisit les deux cent quatre-vingt dix contes et les sept romans qui lui ont fait une réputation universelle.

---

[1] *Ball of Fat.*

Maupassant s'usa dans le travail et les plaisirs. Météore, il s'éteignit plus vite qu'il ne s'était allumé. Il devint paralysé, puis fou, et mourut à l'âge de quarante-trois ans.

On lui reproche son manque d'idées. Pourtant, ses contes sont parmi les meilleurs, non seulement de France mais du monde entier; c'est qu'ils sont simples, vrais, humains, écrits dans un style concis et avec une composition logique. Toutes ces qualités leur donnent une beauté classique.

LE LOUP

Voici ce que nous raconta le vieux marquis d'Arville à la fin du dîner de Saint-Hubert,[1] chez le baron des Ravels.

On avait forcé un cerf[2] dans le jour.[3] Le marquis était le seul des convives[4] qui n'eût point pris part à cette poursuite, car il ne chassait jamais.

5 Pendant toute la durée du grand repas, on n'avait guère parlé que de massacres d'animaux. Les femmes elles-mêmes s'intéressaient aux récits sanguinaires et souvent invraisemblables, et les orateurs mimaient les attaques et les combats d'hommes contre les bêtes, levaient les bras, contaient d'une voix tonnante.

10 M. d'Arville parlait bien, avec une certaine poésie un peu ronflante,[5] mais pleine d'effet. Il avait dû répéter souvent cette histoire, car il la disait couramment, n'hésitant pas sur les mots choisis avec habileté pour faire image.

— Messieurs, je n'ai jamais chassé, mon père non plus, mon grand-père 15 non plus, et, non plus, mon arrière-grand-père. Ce dernier était fils d'un homme qui chassa plus que vous tous. Il mourut en 1764. Je vous dirai comment.

Il se nommait Jean, était marié, père de cet enfant qui fut mon trisaïeul,[6] et il habitait avec son frère cadet, François d'Arville, notre château de 20 Lorraine, en pleine forêt.

François d'Arville était resté garçon[7] par amour de la chasse.

Ils chassaient tous deux d'un bout à l'autre de l'année, sans repos, sans arrêt, sans lassitude. Ils n'aimaient que cela, ne comprenaient pas autre chose, ne parlaient que de cela, ne vivaient que pour cela.

25 Ils avaient au cœur cette passion terrible, inexorable. Elle les brûlait, les ayant envahis tout entiers, ne laissant de place pour rien autre.[8]

Ils avaient défendu qu'on les dérangeât jamais en chasse, pour aucune raison. Mon trisaïeul[9] naquit pendant que son père suivait un renard, et Jean d'Arville n'interrompit point sa course, mais il jura: « Nom d'un 30 nom,[10] ce gredin-là[11] aurait bien pu attendre après l'hallali ! »[12]

Son frère François se montrait encore plus emporté[13] que lui. Dès son lever, il allait voir les chiens, puis les chevaux, puis il tirait des oiseaux autour du château jusqu'au moment de partir pour forcer quelque grosse bête.

On les appelait dans le pays M. le Marquis et M. le Cadet, les nobles

---

[1] *The patron saint of hunters.* [2] hunted down a deer. [3] *dans la journée.* [4] dinner guests. [5] bombastic. [6] great-great-grandfather. *Maupassant's mistake: that child was only the narrator's* bisaïeul (great-grandfather). [7] a bachelor. [8] *rien d'autre.* [9] *Should be* bisaïeul. [10] For God's sake. [11] that scoundrel. [12] kill. [13] fanatical.

d'alors ne faisant point, comme la noblesse d'occasion [14] de notre temps, qui veut établir dans les titres une hiérarchie descendante; car le fils d'un marquis n'est pas plus comte, ni le fils d'un vicomte baron, que le fils d'un général n'est colonel de naissance. Mais la vanité mesquine [15] du jour trouve profit à cet arrangement. 5

Je reviens à mes ancêtres.

Ils étaient, paraît-il, démesurément grands, osseux, poilus, violents et vigoureux. Le jeune, plus haut encore que l'aîné, avait une voix tellement forte que, suivant une légende dont il était fier, toutes les feuilles de la forêt s'agitaient quand il criait. 10

Et lorsqu'ils se mettaient en selle tous deux pour partir en chasse, ce devait être un spectacle superbe de voir ces deux géants enfourcher [16] leurs grands chevaux.

Or, vers le milieu de l'hiver de cette année 1764, les froids furent excessifs et les loups devinrent féroces. 15

Ils attaquaient même les paysans attardés, rôdaient la nuit autour des maisons, hurlaient du coucher du soleil à son lever et dépeuplaient les étables.

Et bientôt une rumeur circula. On parlait d'un loup colossal, au pelage [17] gris, presque blanc, qui avait mangé deux enfants, dévoré le bras d'une 20 femme, étranglé tous les chiens de garde du pays et qui pénétrait sans peur dans les enclos pour venir flairer sous les portes. Tous les habitants affirmaient avoir senti son souffle qui faisait vaciller la flamme des lumières. Et bientôt une panique courut par toute la province. Personne n'osait plus sortir dès que tombait le soir. Les ténèbres semblaient hantées par l'image 25 de cette bête.

Les frères d'Arville résolurent de la trouver et de la tuer, et ils convièrent à de grandes chasses tous les gentilshommes du pays.

Ce fut en vain. On avait beau battre les forêts, fouiller les buissons, on ne le rencontrait jamais. On tuait des loups, mais pas celui-là. Et, chaque 30 nuit qui suivait la battue,[18] l'animal, comme pour se venger, attaquait quelque voyageur ou dévorait quelque bétail, toujours loin du lieu où on l'avait cherché.

Une nuit enfin, il pénétra dans l'étable aux porcs du château d'Arville et mangea les deux plus beaux élèves.[19] 35

Les deux frères furent enflammés de colère, considérant cette attaque comme une bravade du monstre, une injure directe, un défi. Ils prirent tous leurs forts limiers [20] habitués à poursuivre les bêtes redoutables, et ils se mirent en chasse, le cœur soulevé de fureur.[21]

Depuis l'aurore jusqu'à l'heure où le soleil empourpré descendit derrière 40 les grands arbres nus, ils battirent les fourrés [22] sans rien trouver.

Tous deux enfin, furieux et désolés, revenaient au pas de leurs chevaux [23] par une allée bordée de broussailles,[24] et s'étonnaient de leur science déjouée [25] par ce loup, saisis soudain d'une sorte de crainte mystérieuse.

L'aîné disait: 45

---

[14] second-hand, tawdry. [15] cheap, petty.   blood boiling.   [22] thickets.   [23] were
[16] mount.   [17] coat, hair.   [18] roundup.   walking their horses back.   [24] brush.
[19] shoats.   [20] bloodhounds.   [21] their   [25] baffled.

— Cette bête-là n'est point ordinaire. On dirait qu'elle pense comme un homme.

Le cadet répondit:

— On devrait peut-être faire bénir une balle par notre cousin l'évêque, 5 ou prier quelque prêtre de prononcer les paroles qu'il faut.[26]

Puis ils se turent.

Jean reprit:

— Regarde le soleil, s'il est rouge.[27] Le grand loup va faire quelque malheur cette nuit.

10   Il n'avait point fini de parler que [28] son cheval se cabra; [29] celui de François se mit à ruer.[30] Un large buisson couvert de feuilles mortes s'ouvrit devant eux, et une bête colossale, toute grise, surgit, qui détala [31] à travers le bois.

Tous deux poussèrent une sorte de grognement de joie, et, se courbant 15 sur l'encolure de leurs pesants chevaux, ils les jetèrent en avant d'une poussée de tout leur corps, les lançant d'une telle allure, les excitant, les entraînant, les affolant de la voix, du geste et de l'éperon, que les forts cavaliers semblaient porter les lourdes bêtes entre leurs cuisses et les enlever [32] comme s'ils s'envolaient.

20   Ils allaient ainsi, ventre à terre,[33] crevant les fourrés, coupant les ravins, grimpant les côtes, dévalant dans les gorges, et sonnant du cor à pleins poumons pour attirer leurs gens et leurs chiens.

Et voilà que soudain, dans cette course éperdue, mon aïeul heurta du front [34] une branche énorme qui lui fendit le crâne; et il tomba raide mort 25 sur le sol, tandis que son cheval affolé s'emportait,[35] disparaissait dans l'ombre enveloppant les bois.

Le cadet d'Arville s'arrêta net, sauta par terre, saisit dans ses bras son frère, et il vit que la cervelle coulait de la plaie avec le sang.

Alors il s'assit auprès du corps, posa sur ses genoux la tête défigurée et 30 rouge, et il attendit en contemplant cette face immobile de l'aîné. Peu à peu une peur l'envahissait, une peur singulière qu'il n'avait jamais sentie encore, la peur de l'ombre, la peur de la solitude, la peur du bois désert et la peur aussi du loup fantastique qui venait de tuer son frère pour se venger d'eux.

35   Les ténèbres s'épaississaient, le froid aigu faisait craquer les arbres. François se leva, frissonnant, incapable de rester là plus longtemps, se sentant presque défaillir.[36] On n'entendait plus rien, ni la voix des chiens ni le son des cors, tout était muet par l'invisible horizon; et ce silence morne du soir glacé avait quelque chose d'effrayant et d'étrange.

40   Il saisit dans ses mains de colosse le grand corps de Jean, le dressa et le coucha en travers sur la selle pour le reporter au château; puis il se remit en marche doucement, l'esprit troublé comme s'il était gris,[37] poursuivi par des images horribles et surprenantes.

Et, brusquement, dans le sentier qu'envahissait la nuit, une grande forme 45 passa. C'était la bête. Une secousse d'épouvante agita le chasseur; quel-

---

[26] the necessary words.   [27] Isn't it red!   [34] bumped his head against.   [35] bolted.
[28] when.   [29] reared.   [30] kick.   [31] ran away.   [36] fainting.   [37] half drunk.
[32] to lift them.   [33] at full gallop.

que chose de froid, comme une goutte d'eau, lui glissa le long des reins, et il fit, ainsi qu'un moine hanté du diable, un grand signe de croix, éperdu à ce retour brusque de l'effrayant rôdeur. Mais ses yeux retombèrent sur le corps inerte couché devant lui, et soudain, passant brusquement de la crainte à la colère, il frémit d'une rage désordonnée. 5

Alors il piqua son cheval et s'élança derrière le loup.

Il le suivait par les taillis,[38] les ravines et les futaies,[39] traversant des bois qu'il ne reconnaissait plus, l'œil fixé sur la tache blanche qui fuyait dans la nuit descendue sur la terre.

Son cheval aussi semblait animé d'une force et d'une ardeur inconnues. 10 Il galopait le cou tendu, droit devant lui, heurtant aux arbres, aux rochers, la tête et les pieds du mort jeté en travers sur la selle. Les ronces[40] arrachaient les cheveux; le front, battant les troncs énormes, les éclaboussait[41] de sang; les éperons déchiraient des lambeaux d'écorce.[42]

Et soudain, l'animal et le cavalier sortirent de la forêt et se ruèrent dans 15 un vallon, comme la lune apparaissait au-dessus des monts. Ce vallon était pierreux, fermé par des roches énormes, sans issue possible; et le loup acculé[43] se retourna.

François alors poussa un hurlement de joie que les échos répétèrent comme un roulement de tonnerre, et il sauta de cheval, son coutelas[44] à la main. 20

La bête hérissée,[45] le dos rond, l'attendait; ses yeux luisaient comme deux étoiles. Mais, avant de livrer bataille, le fort chasseur, empoignant son frère, l'assit sur une roche, et, soutenant avec des pierres sa tête qui n'était plus qu'une tache de sang, il lui cria dans les oreilles, comme s'il eût parlé à un sourd: « Regarde, Jean, regarde ça ! » 25

Puis il se jeta sur le monstre. Il se sentait fort à culbuter[46] une montagne, à broyer[47] des pierres dans ses mains. La bête le voulut mordre, cherchant à lui fouiller[48] le ventre; mais il l'avait saisie par le cou, sans même se servir de son arme, et il l'étranglait doucement, écoutant s'arrêter les souffles de sa gorge et les battements de son cœur. Et il riait, jouissant 30 éperdument, serrant de plus en plus sa formidable étreinte,[49] criant, dans un délire de joie: « Regarde, Jean, regarde ! » Toute résistance cessa; le corps du loup devint flasque.[50] Il était mort.

Alors François, le prenant à pleins bras, l'emporta et vint le jeter aux pieds de l'aîné en répétant d'une voix attendrie: « Tiens, tiens, tiens, mon 35 petit Jean, le voilà ! »

Puis il replaça sur la selle les deux cadavres l'un sur l'autre, et il se remit en route.

Il rentra au château, riant et pleurant, comme Gargantua à la naissance de Pantagruel,[51] poussant des cris de triomphe et trépignant[52] d'allégresse 40 en racontant la mort de l'animal, et gémissant et s'arrachant la barbe en disant celle de son frère.

---

[38] thickets.   [39] sections of tall trees.
[40] thorns, brambles.   [41] spattered.
[42] strips of bark.   [43] cornered.   [44] hunting (broad-bladed) knife.   [45] bristling.
[46] strong enough to knock down.   [47] grind.
[48] dig into.   [49] pressure, grasp.   [50] limp.

[51] *Gargantua* "pleurait comme une vache" *when he thought of his wife Badebec who had just died in childbirth,* "mais tout soudain riait comme un veau, quand Pantagruel lui venait en mémoire." (Pantagruel, *chapitre 3*).   [52] dancing.

Et souvent, plus tard, quand il reparlait de ce jour, il prononçait, les larmes aux yeux: « Si seulement ce pauvre Jean avait pu me voir étrangler l'autre, il serait mort content, j'en suis sûr ! »

La veuve de mon aïeul inspira à son fils orphelin l'horreur de la chasse, 5 qui s'est tranmise de père en fils jusqu'à moi.

Le marquis d'Arville se tut.   Quelqu'un demanda:

— Cette histoire est une légende, n'est-ce pas?

Et le conteur répondit:

— Je vous jure qu'elle est vraie d'un bout à l'autre.

10 Alors une femme déclara d'une petite voix douce:

— C'est égal,[53] c'est beau d'avoir des passions pareilles.

Clair de lune, 1884

OUVRAGES RECOMMANDÉS
Textes

Œuvres complètes. 29 vol.   Louis Conard.
Nouvelles choisies et extraits.   Classiques Hachette.
Huit Contes choisis, éd. White.   Heath.
Six Contes choisis, éd. Barton.   Heath.

Discographie

Maupassant: *Le Parapluie* (dit par Béatrice Bretty); *La Peur* (dit par Louis Seigner). 1 disque microsillon. Disques Pléiade.

Critique

René Dumesnil. *Guy de Maupassant.* 288 p. Tallandier.

ARTHUR RIMBAUD
(1854–1891)
Un Voyant,[1] adolescent et frénétique

Sous la férule [2] maternelle (1854–70).   La carrière poétique d'Arthur Rimbaud fut aussi fulgurante [3] que celle de l'Anglais Thomas Chatterton; [4] cependant, tourné vers le passé, celui-ci fait, pour les poètes modernes, fort pâle figure auprès de celui-là dont l'œuvre violente, ultra-réelle, prophétique, n'a pas cessé d'étonner par ses « illuminations » qui parfois sont des « hallucinations ».

L'enfance d'Arthur Rimbaud se passa dans « l'idiote » [5] ville militaire de Charleville, à la frontière de l'Est.   Le père, capitaine d'infanterie, y avait été affecté [6] après huit ans de service en Algérie; il la quitta bientôt pour d'autres garnisons, et pour la campagne de Crimée (1855).   Il y laissa sa famille, deux fils et deux filles, dont par la suite il semble s'être complètement désintéressé.   Il fallut à la

[53] Just the same.

[1] seer.   [2] iron rod.   [3] meteoric, lightning-like.   [4] *English poet (1752–70) who poisoned himself with arsenic at the age* of 17.   [5] *The adjective is Rimbaud's.*   [6] assigned, posted.

mère, paysanne bigote et brutale, beaucoup d'énergie pour élever sa famille; il semble qu'elle en eût trop. Au contraire de son peu intelligent frère Frédéric qui devint valet de ferme, Arthur collectionnait les premiers prix au collège de Charleville, lisait passionnément, s'exaltait surtout à la lecture des poèmes de Hugo et de Banville qu'il essayait d'imiter.

Le voyou voyant [7] (1870–73). Pour ne pas faire comme tout le monde, ce révolté de seize ans refusa de continuer ses études pour le baccalauréat. En pleine guerre de 1870, fuyant les gifles de sa mère, il prend le train, — mais pas un billet —, pour Paris, où il est mis dix jours à la prison de Mazas [mazɑs], boulevard Diderot, aujourd'hui démolie. Libéré sur l'intervention de son jeune professeur, Izambard, il rejoint celui-ci à Douai,[8] regagne Charleville, fait une fugue jusqu'à Bruxelles, rentre à Douai, est renvoyé à sa mère par la police, retourne, malgré sa mère, deux fois encore à Paris qui vient de se rendre aux Allemands (28 janvier 1871); enfin, en septembre 1871, il s'y installe chez Verlaine à qui il avait envoyé de ses poésies et qui l'avait invité: « Venez, chère grande âme, on vous appelle, on vous attend. » On a dit plus haut (p. 380) les rapports de la « chère grande âme » et de la « vierge folle »,[9] ainsi que Rimbaud appela Verlaine. Bien que dix ans plus jeune, Arthur prit un grand ascendant sur Paul; il lui fit vivre sa théorie selon laquelle l'homme, à travers les sensations les plus violentes, retrouve « son état primitif de Fils du Soleil ». Le faible Verlaine se livra au « dérèglement [10] de tous les sens », à la « fête aux Sept Péchés », mais ne réussit qu'à être un « pitoyable frère » en proie au remords.

L'alchimie du commerce colonial (1874–91). L'alchimie poétique, au lieu de l'or du succès, n'avait laissé à Rimbaud que la cendre, l'amertume des sarcasmes du Paris victorien et lettré. De colère il brûla ses exemplaires d'*Une Saison en Enfer* (p. 409) qu'il venait de faire imprimer à Bruxelles; orgueilleux, il voulut conquérir le monde par le côté matériel puisqu'il avait échoué du côté de l'esprit. Il commença par se perfectionner en langues, et, fuyant le service militaire en France, fut répétiteur [11] en Angleterre, précepteur à Stuttgart où Verlaine, devenu « le Loyola », essaya vainement de le ramener à la foi religieuse, voyagea à pied en Italie et en France, s'engagea dans l'armée hollandaise et, arrivé à Java, déserta. Il revint en Europe qu'il parcourut encore, fit deux séjours à Chypre [12] comme contremaître,[13] enfin, en 1880, il trouva la pierre philosophale [14] à Aden, sous les espèces d'une maison d'exportation de café. Ce ne fut pas sans travailler dur cependant, qu'il se trouva, dix ans plus tard, en possession de 80.000 francs en or ($16,000); il les portait dans une ceinture: poids, huit kilos. Envoyé par ses patrons en Éthiopie, il y fit non seulement le commerce du café, mais de l'ivoire, de la poudre d'or, des peaux, des fusils. Il avait gardé le goût d'écrire juste assez pour envoyer en prose très sèche, à la *Société de Géographie* de Paris, un rapport d'exploration dans l'Ogaden, au sud de Harrar. Il avait risqué sa vie à voyager à cheval parmi des tribus hostiles; il avait aussi compromis sa santé. En 1891 il retourna à Marseille où il dut être amputé de la jambe droite pour un ostéosarcome.[15] Il y mourut bientôt; il avait trente-sept ans.

Mais sa gloire poétique, dont il n'avait qu'une très vague idée, et qui d'ailleurs ne l'intéressait plus, était loin de mourir; elle n'a fait que grandir depuis, malgré de violentes controverses. Elle inspire encore les meilleurs poètes d'aujourd'hui, non seulement en France, mais dans le monde entier.

---

[7] seeing scoundrel.   [8] *Industrial center in the north of France, 18 mi. S of Lille.* [9] wanton virgin.   [10] disorders.   [11] study-hall teacher.   [12] Cyprus, *British island in the E Mediterranean.*   [13] foreman.   [14] philosophers' stone, *gold, wealth.*   [15] bone cancer.

VOYELLES

C'est peu connaître Rimbaud que de voir, en ce sonnet irrégulier, seulement la description des images autour des voyelles du livre où sa mère lui apprit à lire: A, abeille; E, eau, évaporation, Esquimaux (tentes, glaciers), émir; I, Indiens; O, olifant,[1] œil, orgue; U, univers, urus,[2] usine de produits chimiques. Un point de départ plus important est le sonnet de Baudelaire, *Correspondances* (p. 350), et en particulier ce vers:

Les parfums, les couleurs et les sons se répondent.

Voici l'interprétation rimbaldienne [3] de la vision et de l'audition colorées, frénétiquement brutale, mais, aussi, voluptueusement tendre et cosmique.

A noir, E blanc, I rouge, U vert, O bleu: voyelles,
Je dirai quelque jour vos naissances latentes:[4]
A, noir corset velu [5] des mouches éclatantes [6]
Qui bombinent [7] autour des puanteurs cruelles,[8]

5 Golfes d'ombre;[9] E, candeurs [10] des vapeurs et des tentes,
Lances des glaciers fiers, rais [11] blancs, frissons d'ombelles;[12]
I, pourpres, sang craché, rire des lèvres belles
Dans la colère ou les ivresses pénitentes;[13]

U, cycles, vibrements [14] divins des mers virides,[15]
10 Paix des pâtis semés [16] d'animaux, paix des rides
Que l'alchimie imprime aux grands fronts studieux;

O, suprême Clairon [17] plein des strideurs [18] étranges,
Silences traversés [19] des Mondes et des Anges:
— O l'Oméga, rayon violet de Ses Yeux![20]

1871

[1] oliphant (*Roland's horn, ivory hunting-horn, bugle; p. 13*).   [2] aurochs, European bison.   [3] of Rimbaud.   [4] *Some day I shall speak of your latent (hidden) birth. Rimbaud kept his word in Alchimie du Verbe, p. 409.*   [5] hairy corselet (thorax). *The proper word in French is* **corselet,** *as it is in English for the thorax of an insect.*   [6] dazzling, brightly colored flies.   [7] **bourdonnent,** buzz; *word coined from the Latin noun* bombus (buzzing).   [8] cruel (fierce) stench (*of carrion*).   [9] Whose disemboweled bodies are like gulfs (abysses) of darkness.   [10] whiteness (*suggested by the word Eskimos*).   [11] *Some editors give* rois, kings, *which does not fit in as well as* rais, rays, sunbeams.   [12] quivering of umbels (*clusters of white blossoms*).   [13] penitent (repentant) ecstasies.   [14] *Masculine word coined by Rimbaud, to replace* **vibrations.**   [15] *Another neologism, from Latin* viridis (green, vigorous).   [16] grazing grounds strewn (dotted).   [17] Clarion, bugle of the Day of Judgment.   [18] *Neologism substituted for* **stridences,** shrillness.   [19] pierced.   [20] *The shape of the long* **o,** *the last letter of the Greek alphabet, brings a comparison with the eyes of one of Rimbaud's mistresses.*

LE BATEAU IVRE

My soul is an enchanted boat

a écrit Shelley (*Prometheus Unbound*); et Baudelaire:

Notre âme est un trois-mâts cherchant son Icarie.[1] (*Le Voyage*)

Le symbole de l'âme de Rimbaud c'est ce prosaïque bateau qui jusqu'ici n'a fait que transporter du blé ou du coton sur les lentes rivières de l'Amérique du Sud, et qui soudain part à la dérive dans l'Océan furieux.   Adieu le calme protecteur du port, de la famille, de la ville natale !   Voici Rimbaud, dès dix-sept ans, voguant dans tout ce que la bohème de Paris et d'Europe a de furieusement pervers et enivrant.   Il vient de mettre au point, après la lecture de la préface des *Fleurs du Mal* de Baudelaire par Gautier, sa théorie de la Voyance: « Inspecter l'invisibilité et entendre l'inouï » par le « dérèglement de tous les sens ».   Le poème qu'on va lire et essayer de comprendre est une hallucination de génie, truculente, éloquente, magique, poussée magnifiquement sur des lectures de Mayne Reid [2] et de Fenimore Cooper, de Hugo, Gautier, et surtout d'Edgar Poe et de son traducteur Baudelaire.   C'est aussi une prophétie personnelle, car, ainsi que son bateau ivre, Rimbaud se dégoûtera de « l'âcre amour » et reviendra à ses « anciens parapets », la petite bourgeoisie conformiste.   On ne peut expliquer une « illumination » dans tous ses détails; le lecteur est invité, ici plus que jamais, à comparer hardiment ses interprétations à celles qui sont suggérées dans les notes.

Comme je descendais des Fleuves impassibles,[3]
Je ne me sentis plus guidé par les haleurs: [4]
Des Peaux-Rouges criards [5] les avaient pris pour cibles,
Les ayant cloués nus aux poteaux de couleurs.[6]

5 J'étais insoucieux de tous les équipages,
Porteur de blés flamands [7] ou de cotons anglais.
Quand avec mes haleurs ont fini ces tapages,[8]
Les Fleuves m'ont laissé descendre où je voulais.

Dans les clapotements furieux des marées,[9]
10 Moi, l'autre hiver, plus sourd que les cerveaux d'enfants,[10]
Je courus !   Et les Péninsules démarrées [11]
N'ont pas subi tohu-bohus plus triomphants.[12]

La tempête a béni mes éveils maritimes.[13]
Plus léger qu'un bouchon j'ai dansé sur les flots

[1] Icaria (*imaginary land of happiness, utopia described by Étienne Cabet in* Voyage en Icarie, *1842.   Cabet failed in his attempts to establish an Icaria in Texas, Illinois, and finally in Iowa*). [2] *English writer of adventure stories (1818–83)*.   [3] *Slowly flowing rivers, canals, of South America, as opposed to the "furious seas" of line 9*.   [4] *the men towing me, my haulers*.   [5] *whooping Redskins*.   [6] *colored (totem) poles*. [7] **Je ne me souciais pas de mes** équipages, ni **d'être un porteur de blés flamands**, I did not concern myself about any of my crews, or whether I carried Flemish wheat.   [8] *that din*. [9] *furious splashing of the tides*. [10] *more deaf (to warnings) than children's brains*. [11] **ayant rompu leurs amarres**, having broken away from their moorings; detached from the continents; *lit*. 'unmoored.'   [12] *Did not go through more triumphant   hurly-burlies*.   [13] *has blessed my awakenings to the sea*.

15 Qu'on appelle rouleurs [14] éternels de victimes,
Dix nuits, sans regretter l'œil niais des falots.[15]

Plus douce [16] qu'aux enfants la chair des pommes sures,[17]
L'eau verte pénétra ma coque de sapin [18]
Et des taches de vins bleus et des vomissures [19]
20 Me lava, dispersant gouvernail et grappin.[20]

Et dès lors, je me suis baigné dans le Poème
De la Mer, infusé d'astres, et lactescent,[21]
Dévorant les azurs verts; où,[22] flottaison blême
Et ravie,[23] un noyé pensif parfois descend;

25 Où, teignant [24] tout à coup les bleuités,[25] délires [26]
Et rythmes lents sous les rutilements [27] du jour,
Plus fortes que l'alcool, plus vastes que nos lyres,[28]
Fermentent les rousseurs amères de l'amour ! [29]

Je sais les cieux crevant en éclairs,[30] et les trombes
30 Et les ressacs [31] et les courants; je sais le soir,
L'aube exaltée ainsi qu'un peuple de colombes,[32]
Et j'ai vu quelquefois ce que l'homme a cru voir.

J'ai vu le soleil bas taché d'horreurs mystiques
Illuminant de longs figements violets,[33]
35 Pareils à des acteurs de drames très antiques,
Les flots roulant au loin leurs frissons de volets.[34]

J'ai rêvé la nuit verte aux neiges éblouies,[35]
Baiser [36] montant aux yeux des mers avec lenteurs,
La circulation des sèves inouïes [37]
40 Et l'éveil jaune et bleu des phosphores chanteurs.[38]

[14] rollers. *Like most French school children, Rimbaud had learned by heart Hugo's poem* Oceano nox, *in* Les Rayons et les Ombres, *about the dead bodies of sailors:*

Nul ne sait votre sort, pauvres têtes
  perdues!
Vous roulez à travers les sombres éten-
  dues,
Heurtant de vos fronts morts des écueils
  (*reefs*) inconnus.

[15] the silly eyes of the lanterns (*on the wharves, or of the beacons and lighthouses*). [16] More delicious. [17] the pulp (flesh) of sour apples. [18] my hull of fir; **de pin** (pine) *would be more correct.* [19] vomits. [20] rudder and grappling anchor (*grapnel, small anchor with several claws*), *or rather* grappling iron. [21] steeped in stars (of the Milky Way) and (therefore) the color of milk (*refers to the boat*); not latescent (becoming concealed, obscure). [22] *Refers to* la Mer. [23] wan and blissful flotsam. *The usual meaning of* la flottaison *is* waterline. [24] dyeing. [25] *A noun coined by Rimbaud for* les espaces bleutés, the bluish spaces (of sky and sea). [26] *Refers to* rousseurs, *l. 28*. [27] golden-red glow. [28] our feeble lyric poetry. [29] the bitter russet of love (*as symbolized by the red hair of the beloved girl*). [30] bursting into flashes of lightning. [31] and the waterspouts and surf; ressacs [rəsak]. [32] The dawn which soars like a flock of doves. [33] long congealed (curdled) masses of purple (clouds). [34] their shivers (ripples) like slats of shutters; **le volet**, shutter. [35] **éblouissantes**, dazzling. [36] Kiss; *refers to* nuit. [37] (I dreamed of) the circulation of unheard-of saps (sea currents). [38] of singing phosphorescences (*of the seas*).

J'ai suivi, des mois pleins, pareille aux vacheries [39]
Hystériques, la houle à l'assaut des récifs,[40]
Sans songer que les pieds lumineux des Maries [41]
Pussent forcer le mufle aux Océans poussifs.[42]

45 J'ai heurté, savez-vous? d'[43] incroyables Florides
Mêlant aux fleurs [44] des yeux de panthères à peaux
D'hommes! Des arcs-en-ciel tendus comme des brides
Sous l'horizon des mers, à de glauques troupeaux.[45]

J'ai vu fermenter les marais, énormes nasses
50 Où pourrit dans les joncs tout un Léviathan! [46]
Des écroulements d'eaux au milieu des bonaces,[47]
Et les lointains vers les gouffres cataractant! [48]

Glaciers, soleils d'argent, flots nacreux,[49] cieux de braises,[50]
Échouages [51] hideux au fond [52] des golfes bruns
55 Où les serpents géants dévorés des punaises [53]
Choient [54] des arbres tordus,[55] avec de noirs parfums!

J'aurais voulu montrer aux enfants ces dorades [56]
Du flot bleu, ces poissons d'or, ces poissons chantants.
— Des écumes de fleurs ont bercé mes dérades,[57]
60 Et d'ineffables vents m'ont ailé [58] par instants.

Parfois, martyr lassé [59] des pôles et des zones,
La mer, dont le sanglot faisait mon roulis doux,[60]
Montait vers moi ses fleurs d'ombre aux ventouses jaunes [61]
Et je restais, ainsi qu'une femme à genoux.

[39] herds of cattle; **la vacherie,** cowbarn.
[40] the billows (swell) storming the reefs.
[41] of the three holy Marys (*Mary Magdalen; Mary, mother of Saint James; Mary, sister of the Virgin*). *According to Provençal legend, after the death of Christ they were sent out to sea in an open boat, with Martha, Lazarus, and their colored maid Sarah, and landed at a place now called Les Saintes-Maries-de-la-Mer (50 mi. W of Marseilles).* [42] Might curb the snouts of the short-winded Oceans. [43] I collided with. [44] mixing with the flowers. [45] Rainbows stretched taut like bridles ..., on glaucous (sea-green) herds. [46] weirs where a whole Leviathan rots in the reeds; **nasses** *f.* snares, weirs. *Leviathan is the name given by the Scripture to an aquatic monster, interpreted as a crocodile, a dragon, a python, and a whale.* [47] Cataracts of water in the midst of calm seas. [48] And the distant horizons rushing like cataracts toward the abyss. [49] *Adjective coined by Rimbaud to replace* **nacrés,** pearly. [50] skies like burning embers. [51] Beachings, Wreckage. [52] in the farthest recess. [53] eaten up by bugs (*zoologically true*). [54] **Tombent,** Drop. [55] twisted. [56] *More commonly called* **dauphins,** dolphins. **La daurade** (*not* **dorade**), gilthead, *is a delicious fish of the Mediterranean.* [57] **mes déradages, courses à la dérive;** Masses of foamlike flowers rocked my driftings. [58] gave me wings. [59] tired. [60] whose sobbing made my rolling sweet. [61] Raised toward me its shadowy flowers (*maybe jellyfish*) with yellow blisters (pustules). **Une ventouse** *is a large blister made with* **un verre à ventouse** (cupping glass).

65 Presque île,[62] ballottant sur mes bords [63] les querelles
Et les fientes d'oiseaux clabaudeurs [64] aux yeux blonds.
Et je voguais,[65] lorsqu'à travers mes liens frêles [66]
Des noyés descendaient dormir, à reculons ! [67]

Or, moi, bateau perdu sous les cheveux des anses,[68]
70 Jeté par l'ouragan dans l'éther [69] sans oiseau,
Moi dont les Monitors [70] et les voiliers des Hanses [71]
N'auraient pas repêché [72] la carcasse ivre d'eau ;

Libre, fumant, monté de brumes violettes,[73]
Moi qui trouais le ciel rougeoyant [74] comme un mur
75 Qui porte, confiture exquise [75] aux bons poètes,
Des lichens de soleil et des morves [76] d'azur ;

Qui courais, taché de lunules électriques,[77]
Planche folle, escorté des hippocampes [78] noirs,
Quand les juillets faisaient crouler à coups de triques [79]
80 Les cieux ultramarins aux ardents entonnoirs ; [80]

Moi qui tremblais, sentant geindre à cinquante lieues
Le rut des Béhémots et les Malstroms épais,[81]
Fileur éternel [82] des immobilités bleues,
Je regrette l'Europe aux anciens parapets !

85 J'ai vu des archipels sidéraux ! [83] et des îles
Dont les cieux délirants [84] sont ouverts au vogueur : [85]
— Est-ce en ces nuits sans fond [86] que tu dors et t'exiles,
Million d'oiseaux d'or, ô future Vigueur ? [87] —

[62] Almost an island of earth. *The word* **Presqu'île,** Peninsula, *given by many editors, is wrong. How could this drifting boat be compared to a never-drifting peninsula?* [63] shaking on my shores. [64] the droppings of clamorous birds. [65] I sailed along. [66] through my fragile bonds (*the seaweed clinging to me*). [67] backwards (*refers to* **noyés**). [68] seaweed (**algues**) of the coves. [69] hurricane into the ether; **éther,** *strangely enough, means* sea *here.* [70] Monitors, warships. [71] the sailing vessels of the Hanseatic League (*a political and commercial federation of some German cities, like Lübeck, Hamburg, Bremen, Cologne, etc., in the Middle Ages*). [72] fished out. [73] manned by purple mists. [74] glowing red. [75] **régal,** treat; *lit.* 'delicious jam.' [76] mucus. [77] spotted with electric lunules (*crescent-shaped marks, like the one at the base of each fingernail*). *Rimbaud has probably in mind the electric eels of the Orinoco and* Amazon basins, with their electricity-producing organs along the sides of their bodies. [78] Wanton ship (board, deck) escorted by sea horses; **escorté** *is masculine because it refers to* **moi, bateau.** [79] knocked down with their bludgeons; **crouler,** to crumble. [80] The high regions of the sky into the burning funnels of the lower regions. [81] sensing, fifty leagues away, the whimper of the Behemoths' sexual desire, and of the thick Whirlpool. *Behemoth, an animal, probably the hippopotamus, described in* Job. *Maelstrom is the name of the famous whirlpool off the west coast of Norway.* [82] Eternal weaver (*because the ship goes like a shuttle across the Ocean*). [83] sidereal (*of stars*). [84] enraptured skies. [85] **à ce qui vogue,** to what is wafted by the sea. [86] bottomless (endless) nights. [87] *Force which eventually will revitalize the world, like the millions of migratory birds coming back in the Spring.*

Mais, vrai, j'ai trop pleuré! Les Aubes sont navrantes.[88]
90 Toute lune est atroce et tout soleil amer:
L'âcre amour [89] m'a gonflé de [90] torpeurs enivrantes.
O que ma quille éclate![91] O que j'aille à la mer![92]

Si je désire une eau d'Europe, c'est la flache [93]
Noire et froide où, vers le crépuscule embaumé [94]
95 Un enfant accroupi,[95] plein de tristesse, lâche [96]
Un bateau frêle comme un papillon de mai.

Je ne puis plus, baigné de vos langueurs, ô lames, [97]
Enlever leur sillage aux porteurs de cotons,[98]
Ni traverser l'orgueil [99] des drapeaux et des flammes,[1]
100 Ni nager sous les yeux horribles des pontons![2]

septembre 1871

ALCHIMIE DU VERBE [1]

Voici la confession poétique, et, aussi, pathologique de Rimbaud; elle fait partie d'une œuvre mi-prose mi-vers écrite en 1872 dans les Ardennes, et que Verlaine publia quatorze ans plus tard sous le titre *Les Illuminations*. On la place aujourd'hui dans le chapitre *Délires II*, d'*Une Saison en Enfer* où Rimbaud raconte ses révoltes de pervers et de damné et proclame la faillite de sa « Voyance »![2]

A moi.[3] L'histoire d'une de mes folies.

Depuis longtemps je me vantais de posséder tous les paysages [4] possibles, et trouvais dérisoires [5] les célébrités de la peinture et de la poésie modernes.

J'aimais les peintures idiotes, dessus de portes,[6] décors, toiles de saltimbanques,[7] enseignes, enluminures [8] populaires; la littérature démodée, [5] latin d'église, livres érotiques sans orthographe, romans de nos aïeules, contes de fées, petits livres de l'enfance, opéras vieux, refrains niais,[9] rythmes naïfs.

Je rêvais croisades, voyages de découvertes dont on n'a pas de relations, républiques sans histoires, guerres de religion étouffées, révolutions de [10] mœurs, déplacements de races et de continents: je croyais à tous les enchantements.

J'inventai la couleur des voyelles! — A noir, E blanc, I rouge, O bleu,

[88] The dawns are distressing. [89] Acrid love (*my affair with the sea, its brine, mucus, droppings, etc.*). [90] has filled me with. [91] may my keel burst! [92] **que j'aille au fond de la mer!** may I founder! [93] the puddle; **une flaque**, puddle (in the street), *is to be understood here, as Rimbaud, like the people of Charleville and northern France today, often pronounced* it **flache**, *for fun.* [94] the balmy twilight. [95] squatting down. [96] **lance**, launches; **lâcher**, to let go. [97] waves. [98] Cross (*lit.* 'take away,' 'rub off') the wakes of the ships carrying cotton. [99] Nor go through the proud display (*lit.* 'the pride'). [1] of flags and pennants. [2] Nor sail under the horrible eyes (*the portholes*) of the prison ships.

[1] language, word. [2] Second sight. [3] **C'est à moi de parler.** [4] landscapes, visions. [5] ridiculous. [6] overdoors, decorative designs over doors. [7] paintings (on the booths) of mountebanks (carnival people). [8] colored pictures. [9] silly choruses (burdens) of songs.

U vert. — Je réglai la forme et le mouvement de chaque consonne, et, avec des rythmes instinctifs, je me flattai d'inventer un verbe poétique accessible, un jour ou l'autre, à tous les sens. Je réservais la traduction.[10]

Ce fut d'abord une étude. J'écrivais des [11] silences, des nuits, je notais
5 l'inexprimable.[12] Je fixais des vertiges [13] . . .

La vieillerie poétique [14] avait une bonne part dans mon alchimie du verbe.

Je m'habituais à l'hallucination simple: je voyais très franchement une mosquée à la place d'une usine, une école de tambours faite par des anges,[15] des calèches sur les routes du ciel, un salon au fond d'un lac; les monstres,
10 les mystères; un titre de vaudeville dressait des épouvantes [16] devant moi.

Puis j'expliquai mes sophismes [17] magiques avec l'hallucination des mots!

Je finis par trouver sacré le désordre de mon esprit. J'étais oisif,[18] en proie à une lourde fièvre: j'enviais la félicité des bêtes, — les chenilles,[19] qui représentent l'innocence des limbes,[20] les taupes,[21] le sommeil de la
15 virginité!

Mon caractère s'aigrissait. Je disais adieu au monde dans d'espèces de romances [22] . . .

J'aimais le désert, les vergers brûlés, les boutiques fanées, les boissons tiédies. Je me traînais dans les ruelles puantes et, les yeux fermés, je
20 m'offrais au soleil, dieu de feu . . .

Enfin, ô bonheur, ô raison, j'écartai du ciel l'azur, qui est du noir, et je vécus, étincelle d'or de la lumière *nature*.[23] De joie, je prenais une expression bouffonne et égarée au possible [24] . . .

Je devins un opéra fabuleux: je vis que tous les êtres ont une fatalité
25 de bonheur: l'action n'est pas la vie, mais une façon de gâcher quelque force, un énervement.[25] La morale est la faiblesse de la cervelle.

A chaque être, plusieurs *autres* vies me semblaient dues. Ce monsieur ne sait ce qu'il fait: il est un ange. Cette famille est une nichée de chiens.[26] Devant plusieurs hommes, je causai tout haut avec un moment d'une de
30 leurs autres vies. — Ainsi, j'ai aimé un porc.[27]

Aucun des sophismes de la folie, — la folie qu'on enferme,[28] — n'a été oublié par moi: je pourrais les redire tous, je tiens le système.

Ma santé fut menacée. La terreur venait. Je tombais dans des sommeils de plusieurs jours, et, levé, je continuais les rêves les plus tristes. J'étais
35 mûr pour le trépas,[29] et par une route de dangers ma faiblesse me menait aux confins du monde et de la Cimmérie,[30] patrie de l'ombre et des tourbillons.

Je dus voyager, distraire [31] les enchantements [32] assemblés dans mon

---

[10] I kept the key (code) for the translation.
[11] I wrote down. [12] I expressed the inexpressible. [13] I put dizziness into words. [14] old poetical stuff. [15] angels giving drum instruction. [16] planted frightful visions. [17] sophisms, fallacies. [18] idle. [19] caterpillars. [20] limbo, abode of the souls of unbaptized infants. [21] moles (which represent). [22] sentimental songs. [23] gold spark of pure light. [24] as clownish and crazy as possible. [25] crippling, hamstringing. [26] litter of pups. [27] *Verlaine.* [28] which is put in an insane asylum. [29] death. [30] country of the Cimmerians (*a partly mythical people described in Homer's* Odyssey *as dwelling in a sunless land, and identified by Herodotus as occupants of the northern shore of the Black Sea*). [31] divert, distract, scatter away. [32] delusions.

cerveau. Sur la mer, que j'aimais comme si elle eût dû me laver d'une souillure, je voyais se lever la croix consolatrice.[33] J'avais été damné par l'arc-
en-ciel. Le Bonheur était ma fatalité, mon remords, mon ver:[34] ma vie
serait toujours trop immense pour être dévouée à la force et à la beauté.

Le Bonheur ! Sa dent, douce à la mort, m'avertissait au chant du coq, 5
— ad matutinum,[35] au Christus venit,[36] — dans les plus sombres villes . . .
Cela s'est passé. Je sais aujourd'hui saluer la beauté.

OUVRAGES RECOMMANDÉS
Textes

Œuvres complètes, éd. R. de Renéville et J. Mouquet. Gallimard.
Rimbaud, choix par Claude-Éliane Magny. Seghers.

Discographie

Le Bateau ivre, Ma Bohème, Ophélie, Le Bal des pendus, présentation de Guy
  Michaud. Hachette.
Une Saison en Enfer, présentation et réalisation de Henri Pichette. 2
  microsillons. Hachette.

Critique

Jean-Marie Carré. La Vie aventureuse de Rimbaud. 310 p. Plon.
C.-É. Magny. Arthur Rimbaud. 208 p. Seghers.
René Étiemble. Le Mythe de Rimbaud. 508 p. Gallimard, 1952.
Henri Mondor. Rimbaud ou le Génie impatient. Gallimard, 1955.

[33] the comforting cross (the Southern Cross, symbol of God's mercy) rise. [34] worm, canker in the rose. [35] in the morning. [36] Christ comes. Here Rimbaud's first draft reads: " Quand pour les hommes forts le Christ vient."

LE VINGTIÈME SIÈCLE

Néo-romantisme
Psychologie
Intellectualisme
Surréalisme
Immoralisme
Néo-classicisme
Les deux grandes guerres
Résistance
Révolte
Existentialisme

LE VINGTIÈME SIÈCLE
Contour littéraire

Les grands courants littéraires de la seconde moitié du dix-neuvième siècle, — Parnasse, réalisme, naturalisme, symbolisme —, se prolongent assez avant dans le vingtième siècle, prenant parfois des noms nouveaux; celui qui semble le moins vivant est le romantisme, bien que l'on garde toujours de lui le «je», l'indulgence de soi, l'amour de la nature et de l'exotisme, 5 la frénésie des passions.

Sous l'influence de la science, l'écrivain est plus soucieux de réalité; à la rhétorique il préfère l'analyse psychologique et les idées, surtout les idées politiques. Beaucoup d'écrivains sont des militants de partis politiques, des écrivains engagés. Freud est à l'honneur. La révolte et la 10 violence se manifestent au nom de la liberté et de la dignité de l'homme.

Le Théâtre. GEORGES DE PORTO-RICHE (1849–1930) et MAURICE DONNAY (1859–1945) ont analysé l'amour dans ses nuances les plus grises et sceptiques; ils l'ont dépoétisé et ont conclu, contre les romantiques, qu'on ne meurt pas d'amour. FRANÇOIS DE CUREL (1854–1928) 15 a créé le théâtre d'idées (*La Nouvelle Idole* [1]). Plus gai se révèle le théâtre de GEORGES COURTELINE (1860–1929), et pourtant, sous les portraits bouffons qu'il nous fait des fantoches [2] de la justice, de l'armée, de l'administration et de la vie quotidienne (*La Paix chez soi*), nous sentons le tragique de la vie (*Boubouroche*). Les pièces en vers d'EDMOND ROSTAND 20 (p. 502, n. 1) sont une réaction du néo-romantisme de 1897 à 1914 contre le naturalisme. Nous étudierons JEAN GIRAUDOUX (p. 482) et PAUL CLAUDEL (p. 428). FRANÇOIS MAURIAC s'est aussi distingué au théâtre (p. 491). STEVE PASSEUR (1899–19) est puissant: *L'Acheteuse, Je vivrai un grand amour, N'importe quoi pour elle*. Dans *Knock*, JULES 25 ROMAINS (p. 494) a retrouvé la force comique de Molière. HENRY DE MONTHERLANT (p. 510), souvent dans un cadre espagnol (*La Reine morte*), réédite l'héroïsme cornélien.

Bien entendu le théâtre a dû s'adapter à la technique plus variée et rapide du cinéma et de la télévision. Dans cette nouvelle voie se sont 30 distingués JEAN COCTEAU (p. 502) et MARCEL PAGNOL (1895– 19 , *Les Marchands de gloire, Topaze, Merlusse, Marius, Fanny, César, Cigalon*). ARMAND SALACROU (1895–19) est le maître du théâtre de l'angoisse (*L'Inconnue d'Arras; Les Nuits de la colère*, tueries entre des résistants et des collaborateurs; *Les Invités du bon Dieu*). L'existentialiste 35

[1] *La science.*   [2] puppets.

SARTRE (p. 522) a dégagé, du drame sordide de l'existence, la notion positive de liberté.   MARCEL AYMÉ (1902–19), qui excelle dans des contes où la fantaisie se mêle à l'humour réaliste (*Le Passe-muraille*), fait le procès cruel des juges (*La Tête des autres*), et revient à plus d'indulgence
5 dans *Les Quatre Vérités, Les Oiseaux de lune.*   JEAN ANOUILH (p. 532) produit des pièces «noires», «roses», «brillantes», et ALBERT CAMUS (p. 536) a la hantise de la justice.   D'autres auteurs dramatiques en vue sont CLAUDE ANDRÉ PUGET (1905–19 , *Les Jours heureux, La Peine capitale*), ANDRÉ ROUSSIN (1911–19 , *La Petite Hutte, La Sainte
10 Famille, Jean-Baptiste le Mal-Aimé,*[3] *Le Mari, la femme et la mort*), ALBERT HUSSON (1912–19 , *La Cuisine des anges,*[4] *La Nuit du 4 Août*).
   Le Roman.   Sous l'influence de PAUL BOURGET (p. 244) et de MAURICE BARRÈS (1862–1923, *Le Jardin de Bérénice, Les Déracinés, Colette Baudoche*), le roman est devenu psychologique (MARCEL PROUST,
15 p. 446), mais sa morale conventionnelle a été jetée par-dessus bord.   Le roman contemporain est plutôt dans la ligne immoraliste d'ANDRÉ GIDE (p. 436), de SARTRE (p. 522).   Les pécheurs de MAURIAC (p. 490) y trouvent la grâce, mais ils sont des exceptions.   ANDRÉ MAUROIS (1885–19) est un fin romancier (*Climats*) et biographe (*Shelley, Byron, Hugo*).
20 JEAN GIONO (1895–19) a décrit sa Provence natale, ses paysans, bergers, bûcherons avec un lyrisme cosmique, panthéiste (*Regain, Le Chant du monde*).   Ses derniers romans sont moins effervescents (*Le Hussard sur le toit*, 1951).   La majorité des écrivains du vingtième siècle que nous présentons sont des romanciers.   Notons la prédilection pour le roman-
25 fleuve commencé par Balzac (*La Comédie humaine*), continué par Zola (*Les Rougon-Macquart*), Anatole France (*Histoire contemporaine*).   Ce sont les dix volumes de ROMAIN ROLLAND (1866–1944, *Jean-Christophe*), les seize de MARCEL PROUST (*A la recherche du temps perdu*), les huit de MARTIN DU GARD (1881–19 , *Les Thibault*), les dix de GEORGES
30 DUHAMEL (p. 487) et les vingt-sept de JULES ROMAINS (p. 495), *Les Hommes de bonne volonté.*
   Parmi les romanciers de la nouvelle génération, le plus en vue semble être HERVÉ BAZIN (1918–).   Avec un humour féroce il peint un fils qui hait sa mère (*Vipère au poing*), mais que la paternité rend enfin humain
35 (*La Mort du petit cheval*).
   L'Art.   La Poésie.   C'est dans l'art et la poésie que les changements apportés par le nouveau siècle sont les plus radicaux.   L'esprit critique, enfiévré par l'Affaire Dreyfus, se manifeste dans tous les domaines, surtout en politique et en art.   Le peintre HENRI MATISSE (1869–1954) lance
40 le **fauvisme.**   Ce mouvement est ainsi appelé à cause de sa férocité de «fauve» à détruire, non seulement l'art officiel ou académisme, mais l'impressionnisme et ses dérivés: néo-impressionnisme de Signac, Seurat et Pissarro, post-impressionnisme de Cézanne, Gauguin et Van Gogh.
   Les fauves ne se calmèrent que pour transporter leur enthousiasme au
45 **cubisme,** qui, lui, atteignit la littérature.   Sous l'influence de Cézanne, Georges Braque avait peint des paysages simplifiés, géométriques; ils furent

---

[3] *Molière.*   [4] My Three Angels.

refusés par le Salon d'Automne de 1908; le fauve Matisse prit la défense des «cubes» de Braque, comme il disait. Le mot frappa le critique Louis Vauxcelles qui, dans ses articles, créa le mot «cubisme». Alors, avec Picasso, Braque lança le cubisme, d'abord analytique, puis synthétique; ce mouvement envahit la littérature avec APOLLINAIRE (p. 476). 5

Le cubisme devint constructif. Pour alimenter la rébellion et l'anarchie, voici qu'un poète roumain réfugié, TRISTAN TZARA (1896–19), fondait à Zurich le groupe «Dada» (1916) qu'en 1917 le peintre et poète FRANCIS PICABIA (1878–19) fit connaître à Paris. «Dada» est un mot d'enfant qui signifie cheval, mais pour les dadaïstes il signifiait «néant», rien du tout, 10 tout ce qui ne signifie rien, tout ce qu'on ne connaît pas ou qu'on ne veut pas connaître. Le **dadaïsme** supprimait tout rapport entre la pensée et l'expression, produisait des peintures comme *Petite solitude au milieu des soleils*, de Picabia, et de pseudo-vers comme ceux-ci, de Tzara:

la femme construite en ballons de plus en plus petits commença à crier 15 comme une catastrophe ouiiiiiiiiiiiiiiii

l'idéaliste a tant regardé le soleil que son visage s'aplatit taratatatatatata

(*La Première Aventure céleste de Monsieur Antipyrine*, 1916)

Dès l'arrivée de Tzara à Paris, le dadaïsme eut comme organe la revue 20 *Littérature* de BRETON (p. 506), ARAGON (p. 544), et PHILIPPE SOUPAULT (1897–19).

Du dadaïsme sortit bientôt le **surréalisme** (1922). Le mot «surréaliste» avait été employé pour la première fois par Apollinaire en sous-titre aux *Mamelles de Tirésias*, drame «surréaliste», bouffonnerie en faveur de la re- 25 population française (1917). La chose n'était pas neuve; elle se rattachait au mysticisme du Moyen Age, au marquis de Sade (1740–1814), aux rêves du romantisme, Hoffmann en Allemagne, M. G. Lewis (*The Monk*) en Angleterre, Gérard de Nerval (1808–55) en France, à Lautréamont, Rimbaud, Freud. 30

Le surréalisme ne fut pas seulement un mouvement littéraire, ce fut une philosophie, une manière de vivre, de s'exprimer par tous les arts. Comme son nom l'indiquait, le surréalisme dépassait le réalisme, s'opposait à tout ce qui était tradition, conformisme, raison, logique. Ses mots d'ordre étaient liberté, imagination, merveilleux, aventure, humour noir, folie même. Au 35 rêve poétique du symbolisme il substitua le subconscient freudien, le cauchemar. A l'émotion discrète et musicale du symbolisme, fut préféré l'automatisme psychique, «l'écriture automatique» (p. 506). Un tel idéal n'était pas fait pour servir la clarté de la langue. Bien plus que le symbolisme il enfonça le français dans l'obscurité, mais le côté positif de cette révolution intel- 40 lectuelle, qui semble devoir être la plus importante du vingtième siècle, fut une connaissance plus poussée de la nature mystérieuse de l'homme, la création de fulgurantes images et métaphores, d'alliances sonores originales (voir Breton, p. 509).

Le culte surréaliste de la liberté alla jusqu'à celui de la rébellion, de la 45 violence, non seulement contre les idées littéraires et artistiques générale-

ment acceptées, mais contre l'ordre social établi. Dans le *Second manifeste du surréalisme* (p. 507), Breton prétendit même qu'il fallait «ruiner les idées de famille, de patrie, de religion». Logiquement, il aurait dû aboutir à l'anarchie; il s'intégra au communisme militant (1927) avec Aragon
5 (p. 544) et ÉLUARD (p. 543).

Naturellement Breton ne fut pas suivi de tous ses amis; il forma de nouveaux disciples et son mouvement garde encore une belle vitalité.

Les surréalistes, sauf Breton, HENRI MICHAUX (p. 546), ne sont pourtant pas les poètes les plus en vue du vingtième siècle. La gloire a plutôt
10 marqué les disciples de Mallarmé, de Verlaine (FRANCIS JAMMES, p. 425; VALÉRY, p. 457) et de Rimbaud (CLAUDEL, p. 428). Il reste des traditionalistes (PÉGUY, p. 465; PAUL FORT, 1872–19 , *Ballades françaises*; PHILIPPE CHABANEIX, 1898–19); des individualistes (LÉON-PAUL FARGUE, 1876–1947); il y a des fantaisistes (PRÉVERT,
15 p. 547). On note un retour au lyrisme et aux valeurs spirituelles et morales dans JULES SUPERVIELLE (1884–19), JOË BOUSQUET (grand blessé de la 1ère Grande Guerre, 1897–1950), SAINT-JOHN PERSE (1887– 19), PATRICE DE LA TOUR DU PIN (1911–19 , *Somme de poésie*).

L'existentialisme. Depuis la fin de la 2e Grande Guerre on parle beau-
20 coup de l'existentialisme; c'est un mot très laid, comme trop de mots philosophiques, et c'est une doctrine, dans son ensemble, qui n'est pas belle. Elle n'est pas neuve; elle vient du mystique danois Kierkegaard (1813–55); en réaction contre le matérialisme de l'Allemand Hegel, elle était chrétienne. Au vingtième siècle l'Allemand athée Heidegger lui
25 enleva son mysticisme. JEAN-PAUL SARTRE (p. 522) le fit connaître au public français. ALBERT CAMUS (p. 536) l'illustra et s'en sépara (1952).

L'existentialisme s'attache à découvrir le but de l'existence; il conclut que l'existence n'a pas de raison d'être, est absurde, aboutit au néant. Il s'oppose au rationalisme comme à l'idéalisme; il se manifeste par le pessi-
30 misme, la morbidité, le cynisme qui est une défense contre le sentimentalisme, celui-ci faisant de l'homme un être mou, sans caractère, une dupe. Par cela même qu'il est une révolte, il a un côté positif: il recommande l'action pour la liberté, le courage, la fraternité. Nos actes justifient notre existence; nous devons lutter pour nos idées, prendre parti, nous «engager»,[5] être
35 des militants.

L'existentialisme chrétien de Kierkegaard, qui a influencé Ibsen et le philosophe allemand Jaspers, a comme protagoniste français GABRIEL MARCEL (1889–19). Celui-ci est aussi un auteur dramatique aux pièces profondes, un peu ennuyeuses (*Le Dard*, 1936, *Croissez et multipliez*, 1955).
40 **Conclusion.** La littérature française contemporaine jouit d'un grand prestige dans le monde; ses représentants sont les plus nombreux dans la liste des gagnants du prix Nobel. Les voici:

    1901   Sully Prudhomme (p. 243)
    1904   Frédéric Mistral (p. 375, n. 9)
45   1915   Romain Rolland (p. 389, n. 4)
    1921   Anatole France (p. 388)

---

[5] involve ourselves.

1927 Henri Bergson (p. 420)
1937 Roger Martin du Gard (p. 416)
1947 André Gide (p. 436)
1952 François Mauriac (p. 490)

S'il fallait caractériser la production littéraire française d'aujourd'hui, on 5
l'appellerait cérébrale et abstraite plutôt que sentimentale et concrète,
objective et même cynique plutôt que subjective et candide, amorale et
même immorale plutôt que moralisante, pessimiste plutôt qu'optimiste, en
somme plutôt classique que romantique. Le sombre coloris qu'elle montre
reflète le tragique d'un demi-siècle où les deux grandes guerres ont ravagé 10
la France physiquement et moralement. Il est à souhaiter qu'elle se dégage
de l'anormal, de la hantise des monstres, de l'issue qui est souvent le crime,
la folie ou le suicide. Mais peut-on faire de bonne littérature avec de bons
sentiments? Gide répondait «non!» Avec un monde plus stable la littérature sortira du désespoir. Elle n'y perdra pas forcément en profondeur 15
et en art. Et les progrès de la science continueront de lui ouvrir de nouveaux
horizons.

OUVRAGES RECOMMANDÉS
Œuvres critiques

Marcel Girard. *Guide illustré de la littérature française moderne (de 1918 à 1949).* 260 p. Seghers.

Jean Rousselot. *Panorama critique des nouveaux poètes français.* 390 p. Seghers, 1952.

René Lalou. *Le Théâtre en France depuis 1900.* 128 p. Presses Universitaires.

Claude-Éliane Magny. *Histoire du roman français depuis 1918.* 360 p. Le Seuil.

Pierre Brodin. *Présences contemporaines.* École Libre des Hautes Études, New York, 1954.

Discographie

Poètes maudits d'aujourd'hui: Robert Desnos, Max Jacob, Jacques Prévert. Présentés par Pierre Brasseur. 1 microsillon de 12 pouces. Pathé.

Lectures recommandées

François de Curel. *La Nouvelle Idole,* éd. H. A. Smith et L. R. Méras. Appleton-Century-Crofts.

Georges Courteline. *Le Train de 8 heures 47.* Flammarion.

——. *La Paix chez soi.* Dans *Four Contemporary One-Act Plays,* éd. A. G. Fite. Heath.

Maurice Barrès. *La Colline inspirée.* Classiques Larousse.

——. *Pages choisies.* Classiques Hachette.

Romain Rolland. *Jean-Christophe.* 2 vol. Classiques Larousse.

Jean Giono. *Le Chant du monde.* Collection Pourpre.

——. *Regain.* Livre de Demain.

Marcel Pagnol. *Topaze,* éd. A. G. Bovée. Heath.

——. *Marius.* Collection Pourpre.

——. *Fanny.* Livre de Poche.

Armand Salacrou. *Les Nuits de la colère.* Théâtre, vol. 5. Gallimard.

Marcel Aymé. *Le Passe-muraille.* Gallimard.

Albert Husson. *La Cuisine des anges,* éd. J. G. Andison et L. J. Pronger. Harper.

HENRI BERGSON

(1859–1941)

Né à Paris, élève de l'École normale supérieure, agrégé de philosophie, Bergson enseigna cinq ans au lycée de Clermont-Ferrand. Rentré définitivement à Paris, il fut, au Collège de France, le professeur dont les cours étaient les plus populaires. Il fit des conférences aux États-Unis pendant la 1ère Grande Guerre. Il reçut le prix Nobel en 1927. Il révolutionna la philosophie traditionnelle en montrant les insuffisances du rationalisme, de l'intelligence ou esprit géométrique. Il leur préféra, pour tenter d'expliquer la vie, l'instinct, l'intuition, l'élan vital,[1] intérieur, qui, plus que le milieu, produit l'évolution. Il fit la distinction entre le temps et l'espace, sans les nier comme Einstein, montra l'importance de la durée, de l'acte libre.

Ses œuvres principales sont: *Essai sur les données immédiates de la conscience* (1888), *Matière et mémoire* (1896), *Le Rire* (1900), *L'Évolution créatrice* (1907), *L'Énergie spirituelle* (1919), *Les Deux sources de la morale et de la religion* (1932), *La Pensée et le mouvant* (1934).

L'influence de Bergson fut grande sur la littérature contemporaine: Péguy, Proust, Gide, le dadaïsme. Son style clair, imagé, lui vaut une place dans la littérature.

L'INTELLIGENCE ET L'INSTINCT

L'intelligence, si habile à manipuler l'inerte, étale sa maladresse dès qu'elle touche au vivant. Qu'il s'agisse de traiter la vie du corps ou celle de l'esprit, elle procède avec la rigueur, la raideur et la brutalité d'un instrument qui n'était pas destiné à un pareil usage. L'histoire de l'hygiène
5 et de la pédagogie en dirait long à cet égard. Quand on songe à l'intérêt capital, pressant et constant, que nous avons à conserver nos corps et à élever nos âmes, aux facilités spéciales qui sont données ici à chacun pour expérimenter sans cesse sur lui-même et sur autrui, au dommage palpable par lequel se manifeste et se paie la défectuosité d'une pratique médicale
10 ou pédagogique, on demeure confondu de[2] la grossièreté et surtout de la persistance des erreurs. Aisément on en découvrirait l'origine dans notre obstination à traiter le vivant comme l'inerte et à penser toute réalité, si fluide soit-elle, sous forme de solide définitivement arrêté. Nous ne sommes à notre aise que dans le discontinu, dans l'immobile, dans le mort.
15 *L'intelligence est caractérisée par une incompréhension naturelle de la vie.*

C'est sur la forme même de la vie, au contraire, qu'est moulé[3] l'instinct. Tandis que l'intelligence traite toutes choses mécaniquement, l'instinct procède, si l'on peut parler ainsi, organiquement. Si la conscience qui sommeille en lui se réveillait, s'il s'intériorisait en connaissance au lieu
20 de s'extérioriser en action, si nous savions l'interroger et s'il pouvait répondre, il nous livrerait les secrets les plus intimes de la vie. Car il ne fait que continuer le travail par lequel la vie organise la matière, à tel point que nous ne saurions dire, comme on l'a montré bien souvent, où

---

[1] vital impulse, inner urgency.

[1] Whether.   [2] dumfounded at.   [3] molded.

l'organisation finit et où l'instinct commence.   Quand le petit poulet brise
sa coquille d'un coup de bec, il agit par instinct, et pourtant il se borne à
suivre le mouvement qui l'a porté à travers la vie embryonnaire.   Inverse-
ment, au cours de la vie embryonnaire elle-même (surtout lorsque l'embryon
vit librement sous forme de larve) bien des démarches [4] s'accomplissent   5
qu'il faut rapporter à l'instinct.   Les plus essentiels d'entre les instincts
primaires sont donc réellement des processus vitaux.   La conscience virtuelle
qui les accompagne ne s'actualise le plus souvent que dans la phase initiale
de l'acte et laisse le reste du processus s'accomplir tout seul.   Elle n'aurait
qu'à s'épanouir plus largement, puis à s'approfondir complètement, pour   10
coïncider avec la force génératrice de la vie.

Quand on voit dans un corps vivant, des milliers de cellules travailler
ensemble à un but commun, se partager la tâche, vivre chacune pour soi
en même temps que pour les autres, se conserver, se nourrir, se reproduire,
répondre aux menaces de danger par des réactions défensives appropriées,   15
comment ne pas penser à autant d'instincts?   Et pourtant ce sont là des
fonctions naturelles de la cellule, les éléments constitutifs de sa vitalité.
Réciproquement, quand on voit les abeilles d'une ruche [5] former un système
si étroitement organisé qu'aucun des individus ne peut vivre isolé au-delà
d'un certain temps, même si on lui fournit le logement et la nourriture,   20
comment ne pas reconnaître que la ruche est réellement, et non pas méta-
phoriquement, un organisme unique, dont chaque abeille est une cellule
unie aux autres par d'invisibles liens?   L'instinct qui anime l'abeille se
confond donc avec la force dont la cellule est animée, ou ne fait que la
prolonger.   Dans des cas extrêmes comme celui-ci, il coïncide avec le travail   25
d'organisation.

Certes, il y a bien des degrés de perfection dans le même instinct.   Entre
le bourdon [6] et l'abeille, par exemple, la distance est grande, et l'on passerait
de l'un à l'autre par une foule d'intermédiaires, qui correspondent à autant
de complications de la vie sociale.   Mais la même diversité se retrouverait   30
dans le fonctionnement d'éléments histologiques [7] appartenant à des tissus
différents, plus ou moins apparentés les uns aux autres.   Dans les deux cas,
il y a des variations multiples exécutées sur un même thème.   La constance
du thème n'en est pas moins manifeste, et les variations ne font que l'adapter
à la diversité des circonstances.   35

Or, dans un cas comme dans l'autre, qu'il s'agisse des instincts de l'animal
ou des propriétés vitales de la cellule, la même science et la même ignorance
se manifestent.   Les choses se passent comme si la cellule connaissait des
autres cellules ce qui l'intéresse, l'animal des autres animaux ce qu'il
pourra utiliser, tout le reste demeurant dans l'ombre.   Il semble que la   40
vie, dès qu'elle s'est contractée en une espèce déterminée, perde contact
avec le reste d'elle-même, sauf cependant sur un ou deux points qui intéressent l'espèce qui vient de naître.   Comment ne pas voir que la vie procède
ici comme la conscience en général, comme la mémoire?   Nous traînons
derrière nous, sans nous en apercevoir, la totalité de notre passé: mais   45
notre mémoire ne verse dans le présent que les deux ou trois souvenirs qui
compléteront par quelque côté notre situation actuelle.   La connaissance

[4] processes.   [5] hive.   [6] bumblebee.   [7] histological, of organic tissues.

instinctive qu'une espèce possède d'une autre espèce sur un certain point particulier a donc sa racine dans l'unité même de la vie, qui est, pour employer l'expression d'un philosophe ancien, un tout sympathique à lui-même. Il est impossible de considérer certains instincts spéciaux de l'animal
5 et de la plante, évidemment nés dans des circonstances extraordinaires, sans les rapprocher de ces souvenirs, en apparence oubliés, qui jaillissent tout à coup sous la pression d'un besoin urgent.

Sans doute, une foule d'instincts secondaires, et bien des modalités de l'instinct primaire, comportent [8] une explication scientifique. Pourtant
10 il est douteux que la science, avec ses procédés d'explication actuels, arrive jamais à analyser l'instinct complètement. La raison en est qu'instinct et intelligence sont deux développements divergents d'un même principe qui, dans un cas, reste intérieur à lui-même, dans l'autre cas s'extériorise et s'absorbe dans l'utilisation de la matière brute: cette divergence continue
15 témoigne d'une incompatibilité radicale et de l'impossibilité pour l'intelligence de résorber [9] l'instinct. Ce qu'il y a d'essentiel dans l'instinct ne saurait s'exprimer en termes intellectuels, ni par conséquent s'analyser.

L'Évolution créatrice (1907), pp. 165–169

Reproduit avec l'autorisation des Presses Universitaires de France, Paris

OUVRAGES RECOMMANDÉS
Textes
Œuvres. Presses Universitaires de France.
Critique
Félicien Challaye. *Bergson*. Mellottée.
Lydie Adolphe. *L'Univers bergsonien*. La Colombe, 1955.

JULES LAFORGUE
(1860–1887)

Né à Montevideo (Uruguay), où son père était instituteur, Jules Laforgue fut élevé à Tarbes (Hautes-Pyrénées), ville natale de Théophile Gautier, à partir de l'âge de six ans. Il termina ses études secondaires à Paris où il vécut dans la pauvreté et fréquenta les cénacles « décadents ». Le romancier Paul Bourget lui fit obtenir le poste de lecteur de français de l'impératrice Augusta, femme de Guillaume II. Il l'occupa pendant cinq ans, à Berlin surtout (1881–1886). Il se rendit ensuite à Londres où il épousa une Anglaise qu'il ramena à Paris. Il ne tarda pas à mourir de tuberculose. Il avait vingt-sept ans. Il avait publié des vers, *Les Complaintes* (1885), *L'Imitation de Notre-Dame la Lune*, *Le Concile féerique* (1886), remarquables par un rythme libre et un humour populaire riche de sensibilité.

[8] require.   [9] resorb, absorb again.

COMPLAINTE¹ DES PIANOS QU'ON ENTEND DANS LES QUARTIERS AISÉS

A quoi pensent, en jouant du piano les premiers soirs de printemps, les jeunes filles en fleur récemment sorties de pensionnats religieux?

Menez l'âme que les Lettres ont bien nourrie,
Les pianos, les pianos, dans les quartiers aisés!
Premiers soirs,² sans pardessus, chaste flânerie,³
Aux complaintes des nerfs incompris ou brisés.

5   Ces enfants,⁴ à quoi rêvent-elles,
     Dans les ennuis des ritournelles? ⁵

        — « Préaux ⁶ du soir,
        Christ des dortoirs!

     « Tu t'en vas et tu nous laisses,
10   Tu nous laiss's et tu t'en vas,⁷
     Défaire et refaire ses tresses,
     Broder d'éternels canevas. » ⁸

Jolie ou vague? triste ou sage? encore pure?
O jours, tout m'est égal? ou, monde, moi je veux?
15 Et si vierge, du moins, de la bonne blessure,
Sachant quels gras couchants ont les plus blancs aveux?

     Mon Dieu, à quoi donc rêvent-elles?
     A des Roland,⁹ à des dentelles?

        — « Cœurs en prison,
20   Lentes saisons!

     « Tu t'en vas et tu nous quittes,
     Tu nous quitt's et tu t'en vas!
     Couvents gris, chœurs de Sulamites, ¹⁰
     Sur nos seins nuls croisons nos bras. »

25 Fatales clés de l'être un beau jour apparues;
Psitt! ¹¹ aux hérédités en ponctuels ferments,
Dans le bal incessant de nos étranges rues;
Ah! pensionnats,¹² théâtres, journaux, romans!

---

¹ lament, plaintive ballad.   ² *In the spring*.   ³ strolls.   ⁴ girls (*playing the piano*).   ⁵ repeated tunes.   ⁶ Games in the covered playgrounds of convent schools.   ⁷ *This popular song continues:* *Si tu t'en vas, paie un litre* (buy a quart of wine for us all), *Paie un litre, si tu t'en vas*.   ⁸ samplers.   ⁹ Of heroes like Roland (*in* La Chanson de Roland).   ¹⁰ Shulamites (*brides like the one in the Song of Solomon, 6:13*).   ¹¹ Here!   ¹² girls' boarding schools.

Allez, stériles ritournelles,
30   La vie est vraie et criminelle.

— « Rideaux tirés,
Peut-on entrer ?

« Tu t'en vas et tu nous laisses,
Tu nous laiss's et tu t'en vas,
35   La source des frais rosiers baisse,
Vraiment ! Et lui qui ne vient pas . . . »

Il viendra ! Vous serez les pauvres cœurs en faute,
Fiancés au remords comme aux essais sans fond,
Et les suffisants cœurs cossus,[13] n'ayant d'autre hôte
40 Qu'un train-train pavoisé d'[14]estime et de chiffon.

Mourir ? peut-être brodent-elles,
Pour un oncle à dot [15] des bretelles ?

— « Jamais ! Jamais !
Si tu savais !

45   « Tu t'en vas et tu nous quittes,
Tu nous quitt's et tu t'en vas,
Mais tu nous reviendras bien vite
Guérir mon beau mal, n'est-ce-pas ? »

Et c'est vrai ! l'Idéal les fait divaguer [16] toutes ;
50 Vigne [17] bohème, même en ces quartiers aisés.
La vie est là ; l'impur flacon des vives gouttes
Sera, comme il convient, d'eau propre baptisé.

Aussi, bientôt, se joueront-elles
De plus exactes ritournelles.

55   — « Seul oreiller !
Mur familier !

« Tu t'en vas et tu nous laisses,
Tu nous laiss's et tu t'en vas,
Que ne suis-je morte à la messe !
60 O mois, ô linges, ô repas ! »

Les Complaintes

COMPLAINTE SUR CERTAINS ENNUIS

Un couchant des cosmogonies ! [1]
Ah ! que la vie est quotidienne [2] . . .

---

[13] conceited, wealthy hearts.   [14] routine   his niece with a dowry.   [16] wander,
beflagged with.   [15] who will provide   make wild dreams.   [17] Grapevine.

[1] setting (twilight) of the cosmogonies (*theories of the origins of the universe*).
[2] drab like daily routine !

Et, du plus vrai qu'on se souvienne,
Comme on fut piètre [3] et sans génie . . .

5 On voudrait s'avouer des choses
Dont on s'étonnerait en route,
Qui feraient, une fois pour toutes,
Qu'on s'entendrait à travers poses.[4]

On voudrait saigner le silence,
10 Secouer l'exil des causeries;
Et non! ces dames sont aigries
Par des questions de préséance.[5]

Elles boudent là, l'air capable.
Et, sous le ciel, plus d'un s'explique,
15 Par quel gâchis [6] suresthétique
Ces êtres-là [7] sont adorables.

Justement,[8] une nous appelle,
Pour l'aider à chercher sa bague
Perdue (où? dans ce terrain vague?) [9]
20 Un souvenir D'AMOUR, dit-elle!

Ces êtres-là sont adorables!

Les Complaintes, Mercure de France, 1885

OUVRAGES RECOMMANDÉS
Textes
Poésies complètes, éd. G. Jean-Aubry. 2 vol. Éd. de Cluny.
Marie-Jeanne Durry. *Jules Laforgue* (textes et critique). 254 p. Seghers,
   1952.
Jules Laforgue. Tristan Corbière. Classiques Larousse.
Critique
L. Guichard. *Jules Laforgue et ses poésies.* 204 p. Presses Universitaires
   de France.

FRANCIS JAMMES
(1868–1938)

Jammes passa la plus grande partie de sa vie dans ses Pyrénées natales
(Tournay,[1] Orthez,[2] Hasparren [3]). Ce fut un poète intimiste, d'un doux catholicisme, qui exprima avec une naïveté un peu étudiée son amour de la terre, des
animaux et des petites gens. Ses œuvres principales sont des recueils de vers,

[3] shabby.   [4] poses, affectation.   [5] precedence.   [6] mess.   [7] *Women.*   [8] As a
matter of fact.   [9] vacant lot.

[1] *12 mi. E of Tarbes; pop. 900.*   [3] [asparɛn], *15 mi. SE of Bayonne; pop.*
[2] [ɔrtɛz], *25 mi. NW of Pau; pop. 6,000.*   *2,100; famous for its caves.*

De l'angélus de l'aube à l'angélus du soir (1898), *Les Géorgiques chrétiennes* (1911-12), et des œuvres en prose dont la plus célèbre est une nouvelle sentimentale sur une jeune fille de dix-sept ans qui se suicide au laudanum, *Clara d'Ellébeuse* (1899). Il fut l'ami d'André Gide, qui fit de lui le troisième visiteur du château abandonné, dans *Isabelle*. Il se maria avec une admiratrice de Picardie (1907) qui lui donna sept enfants.

PRIÈRE POUR ALLER AU PARADIS AVEC LES ÂNES

Lorsqu'il faudra aller vers vous, ô mon Dieu, faites
que ce soit par un jour où la campagne en fête
poudroiera.[1] Je désire, ainsi que je fis ici-bas,
choisir un chemin pour aller, comme il me plaira,
5 au Paradis, où sont en plein jour les étoiles.
Je prendrai mon bâton et sur la grande route
j'irai, et je dirai aux ânes, mes amis:
Je suis Francis Jammes et je vais au Paradis,
car il n'y a pas d'enfer au pays du Bon Dieu.
10 Je leur dirai: Venez, doux amis du ciel bleu,
pauvres bêtes chéries qui, d'un brusque mouvement d'oreille,
chassez les mouches plates, les coups et les abeilles.

Que je Vous apparaisse au milieu de ces bêtes
que j'aime tant parce qu'elles baissent la tête
15 doucement, et s'arrêtent en joignant leurs petits pieds
d'une façon bien douce et qui vous fait pitié.
J'arriverai suivi de leurs milliers d'oreilles,
suivi de ceux qui portèrent au flanc des corbeilles,[2]
de ceux traînant des voitures de saltimbanques[3]
20 ou des voitures de plumeaux[4] et de fer-blanc,[5]
de ceux qui ont au dos des bidons bossués,[6]
des ânesses pleines comme des outres,[7] aux pas cassés,[8]
de ceux à qui l'on met de petits pantalons
à cause des plaies bleues et suintantes[9] que font
25 les mouches entêtées qui s'y groupent en ronds.
Mon Dieu, faites qu'avec ces ânes je Vous vienne.[10]
Faites que, dans la paix, des anges nous conduisent
vers des ruisseaux touffus[11] où tremblent des cerises
lisses comme la chair qui rit des jeunes filles,
30 et faites que, penché dans ce séjour des âmes,
sur vos divines eaux, je sois pareil aux ânes
qui mireront leur humble et douce pauvreté
à la limpidité de l'amour éternel.

Le Deuil des primevères,[12] Mercure de France, 1924

---

[1] the festive countryside will have sunshine and dust. [2] baskets, panniers. [3] street-fair people. [4] feather dusters. [5] tinware. [6] dented cans. [7] goatskins. [8] taking irregular steps. [9] running. [10] je **vienne à Vous**. [11] bushy. [12] primroses.

CLARA D'ELLÉBEUSE A LA CHAPELLE

Et cette peur du péché, torture que peut seule comprendre une âme catholique, bouleverse en ce moment l'âme douce de Clara. Elle arrive au bout du verger et, près de la tonnelle,[1] elle ouvre la barrière verte et gagne la partie la plus ombreuse du parc. Là sont les vernis du Japon,[2] des lauriers, de faux-pistachiers,[3] des liquidambars [4] et des érables. Sous [5] la voûte de feuillages règne une espèce de nuit, même lorsque la canicule pose une lumière de silence aux cimes luisantes des arbres.

Bientôt la jeune fille quitte le parc et franchit la grille où des initiales des d'Ellébeuse, dans une ferronnerie [5] ovale, s'encadrent de fleurs de lis rouillées. Et, quittant le domaine, elle se trouve sur le chemin craquelé [10] par la chaleur, entre les fougères des talus. Un bec choque une écorce, un lézard se glisse, une cigale se tait.

Ce chemin conduit à la chapelle ancienne et pauvre. Pour s'y rendre, Clara traverse le cimetière où sont des tertres [6] ornés de yuccas, de menthes poussiéreuses, et de ces plantes que l'on appelle cabarets des oiseaux [7] à [15] cause de leurs feuilles creuses où séjourne de l'eau.

Clara d'Ellébeuse entre dans la chapelle. Une impression glaciale la saisit. Il lui semble que des gouttes de pluie se glissent le long de son corps tiède, car sous son lierre et ses briques, sous l'azur torride, la chaumière de Dieu a fraîchi comme une cruche. [20]

L'autel est pauvre et beau, à peine éclairé par deux fenêtres aux petits carreaux en losanges d'où tombe un tulle campagnard soigneusement empesé.[8] De chaque côté du tabernacle, sont trois grands chandeliers [9] dorés. A gauche, il y a une vierge dans une niche du mur et, à droite, dans une niche pareille, un saint Joseph. A leurs pieds, de petits vases de [25] loterie,[10] si dorés et si verts qu'ils réjouissent le cœur, contiennent d'humbles fleurs artificielles. Au milieu de l'église, sur un fût [11] brisé, une pierre creusée comme un calice renferme l'eau bénite pleine d'ombre. Sous la tribune,[12] semblable aux crèches [13] des étables, la grille du confessionnal est cachée par une lustrine [14] verte, luisante et roide.[15] Cet asile pacifique [30] n'a point de nef, mais un plafond de bois que recouvre une chaux [16] d'azur.

Clara d'Ellébeuse s'agenouille et prie.

Mon Dieu, murmure-t-elle, préservez-moi des mauvaises pensées. Je veux être une petite fille pure. Éloignez de moi la curiosité. Ne me donnez pas envie de lire dans le tiroir de bonne-maman [17] les lettres de l'oncle [35] Joachim. Je suis une âme tourmentée. Sainte Vierge, intercédez pour nous. Faites que je n'aille pas en enfer. Mon Dieu, que je suis malheureuse ! J'ai peur d'être damnée. Mon Dieu, ne me séparez pas de maman ni de petit-père.[18] Faites que nous soyons ensemble dans le ciel. Pardonnez-moi. [40]

---

[1] bower, arbor.   [2] varnish trees.   [3] false pistachio trees.   [4] liquidambars (*exuding amber*), sweet gums.   [5] ironwork, wrought iron.   [6] mounds.   [7] wild teasels.   [8] starched.   [9] candlesticks.   [10] such as those that are given as prizes in lotteries.   [11] column.   [12] gallery, organ loft.   [13] tableaux of the holy family, people and animals around Jesus' crib.   [14] cotton luster.   [15] stiff.   [16] whitewash.   [17] grandma.   [18] dad.

Elle fait une génuflexion devant l'autel, se signe, prend de l'eau bénite et sort.

Clara d'Ellébeuse, 1899

Les extraits de Jammes sont reproduits avec l'autorisation du Mercure de France, Paris.

OUVRAGES RECOMMANDÉS
Textes

Choix de poèmes, éd. L. Moulin. 254 p. Mercure de France.
Poèmes choisis. Classiques Larousse.
Robert Mallet. *Francis Jammes* (textes et critique). 224 p. Seghers, 1950.

PAUL CLAUDEL
(1868–1955)
Un Poète catholique, visionnaire et concret

L'enfance saine et studieuse (1868–85). Au physique comme au moral, Claudel fut un fils de la terre; il naquit dans un village de Champagne, Villeneuve-sur-Fère-en-Tardenois (11 milles au nord de Château-Thierry). Son père, qui était conservateur des hypothèques, comme celui de Mallarmé, promena sa famille dans nombre de petites villes de l'Est et de la région parisienne, pour l'installer enfin à Paris (1882). Paul avait quatorze ans; il fut un excellent élève du lycée Louis-le-Grand, où il se révolta contre l'enseignement positiviste, kantien,[1] de son professeur de philosophie; il n'était pourtant pas alors un catholique fanatique.

Converti et convertisseur (1886–1934). Il le devint, en même temps qu'illuminé, à la lecture des poèmes de Rimbaud, et surtout au cours de la messe de minuit de 1886, à Notre-Dame (p. 430). Avec la fougue du prosélyte, il s'attacha à convertir au catholicisme militant ses camarades, les esthètes du symbolisme; il y réussit, surtout avec Francis Jammes, mais non avec Gide et Valéry.

Il étudia à l'école des Sciences politiques et fut reçu au concours des Affaires étrangères (1890). Il fit une longue et brillante carrière comme consul suppléant (New-York, Boston); consul (Chine, Allemagne); ministre plénipotentiaire (Brésil, Danemark); ambassadeur (Tokio, 1921–25; Washington 1927–33; Bruxelles, 1933–35). Il se maria (1906) avec la fille de Sainte-Marie Perrin, un des architectes de la basilique Notre-Dame de Fourvière, à Lyon; il eut cinq enfants.

Les drames. Il consacra ses loisirs à l'étude, à la littérature, surtout au théâtre et à la poésie. Sa première œuvre marquante fut *Tête d'or* (1889), poème dramatique, en versets libres, assonancés, sur un aventurier qui devient roi, domine l'Europe, fait la guerre aux Mongols, est abandonné, mortellement blessé, sur un rocher du Caucase. Passionné pour le théâtre, Claudel continua par des drames difficiles à jouer, parce qu'ils sont longs, parfois obscurs; leur mise en scène nécessite de grandes machines, mais ils sont beaux par leur symbolisme lyrique et leur exaltation de la foi catholique et du sacrifice de soi.

L'Otage (1910) est le pape Pie VII à qui Napoléon Ier ne permit pas de le sacrer à Notre-Dame de Paris (1804) et qui fut prisonnier en France (1812–14). Un

---

[1] Kantian, *inspired by Immanuel Kant (1724–1804), philosopher born in Koenigsberg (Prussia). His philosophy is the* *forerunner of positivism; it is based on experience, reason, freedom of the will, and moral law* (Critique of Pure Reason).

vicomte le cache dans l'abbaye de sa cousine Sygne; un préfet de Napoléon, le brutal Turelure, consent à favoriser l'évasion du pape si la belle Sygne l'épouse; exhortée par son curé, Sygne se sacrifie; plus tard elle est tuée par son cousin en défendant son mari qu'il menace. *Le Père humilié* (1920), c'est le pape Pie IX qui, en 1870, voit se terminer le pouvoir temporel de l'Église.

Le Soulier de satin (1919–24) est un drame cornélien et cosmique, un drame du renoncement dont la récompense est le paradis. Un vaillant capitaine, Rodrigue, aime d'un amour partagé Prouhèze, femme de don Pélage, roi fictif d'Espagne (fin du 16e siècle). La reine a posé son soulier de satin au pied d'une statue de la Vierge en disant: « Quand j'essaierai de m'élancer vers le mal, que ce soit avec un pied boiteux! » C'est dire qu'elle luttera héroïquement contre son amour coupable. Rodrigue fera de même et s'éloignera pour servir son roi dans le Nouveau-Monde; il deviendra conquistador. Cette pièce est un chef-d'œuvre.

Les poèmes. L'œuvre poétique de Claudel est centrée sur la foi catholique et la Bible. Sa force lyrique s'exerce tout aussi bien sur le passé que sur le présent, sur les humbles choses de la terre aussi bien que sur les grands thèmes cosmiques où Dieu met l'harmonie. Elle est noble, émouvante, vraie, mais, du fait de sa fougue, elle a parfois des longueurs et une obscurité que la profondeur de la pensée et le pittoresque de l'expression n'arrivent pas à faire complètement pardonner; elle n'a pas de rimes; elle s'exprime par versets assonancés inspirés de ceux de la Bible; à ses meilleurs moments, elle a une simplicité limpide et convaincante dont *La Vierge à midi* (p. 432) est un bel exemple. Elle s'est aussi exercée au sujet des pays où Claudel a représenté la France, surtout la Chine et le Japon: *Connaissance de l'Est, Partage de midi, L'Oiseau noir dans le soleil levant.*

La retraite (1935–55). Rentré en France après avoir pris sa retraite d'ambassadeur (1935), Claudel a surtout vécu à Paris et dans son château de Brangues (Isère, sur le Rhône, 30 milles à l'est de Lyon). Il fut élu à l'Académie française en 1947.

Ses dernières œuvres sont: *Poèmes et paroles pendant la guerre de Trente ans* (1945); *Laudes* (poèmes à Pétain,[2] de Gaulle,[3] Georges Bidault,[4] François Mauriac, 1947), *Le Ravissement de Scapin* (1952). Il est enterré à Brangues.

Conclusion. Parmi les catholiques, Claudel n'a que des admirateurs; les non-catholiques lui reprochent, comme à Bossuet, une pointe d'orgueil et un prosélytisme parfois intolérant. Il n'est donc pas le poète universel que ses dons lui auraient permis d'être; il décourage un peu par l'hermétisme de sa pensée et de son style; il irrite par sa brutalité, son manque de goût. Beaucoup l'admirent de loin; ceux qui font l'effort de s'approcher de lui ne le regrettent pas.

MAGNIFICAT

Dans cette ode, Claudel se rappelle le temps où, au lycée et dans les chapelles symbolistes, il était soumis à l'influence des « mauvais maîtres » que Maurice Barrès et Paul Bourget ont aussi dénoncés. Il évoque sa conversion lors de la messe de minuit de 1886 à la cathédrale Notre-Dame de Paris: « En un instant mon cœur fut touché et je crus »; il en remercie Dieu en le glorifiant.

[2] *Henri-Philippe Pétain (1856–1951), general-in-chief of the French armies in 1917–18, marshal of France, head of the French state during the Nazi occupation (1940–44). He was sentenced to death for collaboration but the sentence was commuted to life imprisonment.* [3] *Charles de Gaulle (1890–), general, leader of the Free French forces during World War II, president of the French provisional government until 1946; moral chief of the rightist parties.* [4] *Professor of history; head of the French Resistance during the Nazi occupation; head of the provisional government (1946–47); several times minister of Foreign Affairs; one of the leaders of the Catholic party M.R.P.* (Mouvement Républicain Populaire) *(1899–).*

Mon âme magnifie le Seigneur.

O les longues rues amères autrefois et le temps où j'étais seul et un![1]
La marche dans Paris, cette longue rue qui descend vers Notre-Dame![2]...
O mon Dieu, un jeune homme et le fils de la femme[3] vous est plus agréable
5 qu'un jeune taureau![4]
Et je fus devant vous comme un lutteur qui plie,
Non qu'il se croie faible, mais parce que l'autre[5] est plus fort.
Vous m'avez appelé par mon nom
Comme quelqu'un qui le connaît, vous m'avez choisi entre tous ceux de
10 mon âge.
O mon Dieu, vous savez combien le cœur des jeunes gens est plein
d'affection et combien il ne tient pas à sa souillure et à sa vanité!
Et voici que vous êtes quelqu'un tout à coup!
Vous avez foudroyé Moïse de votre puissance, mais vous êtes à mon
15 cœur ainsi qu'un être sans péché.
O que je suis bien le fils de la femme! car voici que la raison, et la leçon
des maîtres, et l'absurdité, tout cela ne tient pas un rien[6]
Contre la violence de mon cœur et contre les mains tendues de ce petit
enfant![7]...
20 Soyez béni, mon Dieu, qui m'avez délivré des idoles,
Et qui faites que je n'adore que Vous seul, et non point Isis[8] et Osiris,[9]
Ou la Justice, ou le Progrès, ou la Vérité, ou la Divinité, ou l'Humanité,
ou les Lois de la Nature, ou l'Art, ou la Beauté...
Seigneur, vous m'avez délivré des livres et des Idées, des Idoles et de
25 leurs prêtres...
Je n'honorerai point les fantômes et les poupées, ni Diane, ni le Devoir,
ni la Liberté[10] et le bœuf Apis.[11]
Et vos « génies », et vos « héros », vos grands hommes et vos surhommes,
la même horreur de tous ces défigurés.
30 Car je ne suis pas libre entre les morts,
Et j'existe parmi les choses qui sont et je les contrains à m'avoir indispensable.
Et je désire de n'être supérieur à rien, mais un homme *juste*...
Seigneur, vous ne m'avez pas mis à part comme une fleur de serre,...
35 Mais vous m'avez planté au plus épais de la terre
Comme le sec et tenace chiendent[12] invincible qui traverse l'antique
lœss[13] et les couches de sables superposées.

[1] one, individualistic, without God.
[2] *There are several long streets coming down from the Montagne Sainte-Geneviève toward the cathedral of Notre-Dame; they are the rues Saint-Jacques, de la Montagne Sainte-Geneviève, Lagrange, etc.* [3] born of woman. *Biblical language.* [4] *Young bull sacrificed to pagan gods.* [5] *His opponent.* [6] does not hold together a bit. [7] *The Christ child.* [8] *The great nature goddess of the Egyptians, and later of the Asiatics and Southern Europeans including the Romans. She was the sister and wife of Osiris, and was sometimes identified with the moon.* [9] *Great deity of the ancient Egyptians; sometimes identified with the sun.* [10] *Some leaders of the French Revolution, like Robespierre, worshipped the "goddess" Reason, and Hugo praised the "Angel" Liberty.* [11] [apis], *the incarnation of the Egyptian god of the sun, Osiris.* [12] couch grass, quitch (*with creeping rootstocks*). [13] [løs], loess (*loamy deposit formed by wind*).

Seigneur, vous avez mis en moi un germe non point de mort, mais de lumière ...

Restez avec moi, Seigneur, parce que le soir approche et ne m'abandonnez pas!

Ne me perdez point avec les Voltaire, et les Renan,[14] et les Michelet,[15] et les Hugo, et tous les autres infâmes!

Leur âme est avec les chiens morts, leurs livres sont joints au fumier.

Ils sont morts, et leur nom même après leur mort est un poison et une pourriture [16] ...

Vous voyez cette terre qui est votre créature innocente. Délivrez-la du joug de l'infidèle et de l'impur et de l'Amorrhéen![17] car c'est pour Vous et non pas pour lui qu'elle est faite ...

Comme les eaux qui s'élèvent de la solitude fondent dans un roulement de tonnerre sur les champs désaltérés,

Et comme quand approche cette saison qu'annonce le vol criard des oiseaux,

Le laboureur de tous côtés s'empresse à curer le fossé et l'arroyo, à relever les digues, et ouvrir son champ motte à motte [18] avec le soc et la bêche,

Ainsi comme j'ai reçu nourriture de la terre, qu'elle reçoive à son tour la mienne ainsi qu'une mère de son fils,

Et que l'aride boive à pleins bords la bénédiction par toutes les ouvertures de sa bouche ainsi qu'une eau cramoisie,

Ainsi qu'un pré profond qui boit toutes vannes [19] levées, comme l'oasis et la huerta [20] par la racine de son blé ...

Bénédiction sur la terre! ...

Bénédiction sur tous les hommes! accroissement et bénédiction sur l'œuvre des bons! accroissement et bénédiction sur l'œuvre des méchants! ...

Et me voici comme un prêtre couvert de l'ample manteau d'or qui se tient debout devant l'autel embrasé [21] et l'on ne peut voir que son visage et ses mains qui ont la couleur de l'homme,

Et il regarde face à face avec tranquillité, dans la force et dans la plénitude de son cœur,

Son Dieu dans la monstrance, sachant parfaitement que vous êtes là sous les accidents de l'azyme.[22]

Et tout à l'heure il va vous prendre entre ses bras, comme Marie vous prit entre ses bras,

Et mêlé à ce groupe au chœur [23] qui officie dans le soleil et dans la fumée,[24]

Vous montrer à l'obscure génération qui arrive,

---

[14] *Ernest Renan(1823–90) studied for the priesthood but shrank more and more from the Catholic dogmas as he applied the historical method to the Bible; his* Vie de Jésus *is famous. Claudel always resented the fact that, when he was fifteen, he was presented an academic prize and kissed by the positivist Renan.* [15] *Jules Michelet (1798–1874), French Romantic historian, famous for his His-* toire de France. [16] *Of course we must take these bitter statements with a grain of salt.* [17] The Amorite, *typical member of a tribe of Canaanites who were defeated by Joshua.* [18] clod by clod. [19] water gates. [20] irrigated region. [21] glowing. [22] **sous les espèces** (in the kind) **du pain azyme** (azymous, unleavened), **de l'hostie** (consecrated Host). [23] in the chancel. [24] **la fumée de l'encens.**

La lumière pour la révélation des nations et le salut de votre peuple Israël,

Selon que vous l'avez juré une seule fois à David, vous étant souvenu de votre miséricorde,

5   Et selon la parole que vous avez donnée à nos pères, à Abraham et à sa semence dans tous les siècles. Ainsi soit-il!

Cinq grandes odes pour saluer le siècle nouveau, 1910

Copyright by Librairie Gallimard

LA VIERGE A MIDI

Il est midi. Je vois l'église ouverte. Il faut entrer.
Mère de Jésus-Christ, je ne viens pas prier.

Je n'ai rien à offrir et rien à demander.
Je viens seulement, Mère, pour vous regarder.

5   Vous regarder, pleurer de bonheur, savoir cela [1]
Que je suis votre fils et que vous êtes là.

Rien que [2] pour un moment pendant que tout s'arrête.
Midi!
Être avec vous, Marie, en ce lieu où vous êtes.

10   Ne rien dire, regarder votre visage,
Laisser le cœur chanter dans son propre langage,

Ne rien dire, mais seulement chanter parce qu'on a le cœur trop plein,
Comme le merle [3] qui suit son idée en ces espaces de couplets soudains.[4]

Parce que vous êtes belle, parce que vous êtes immaculée,
15   La femme dans la Grâce enfin restituée,[5]

La créature dans son honneur premier [6] et dans son épanouissement [7] final,
Telle qu'elle est sortie de Dieu au matin de sa splendeur originale.

Intacte ineffablement [8] parce que vous êtes la Mère de Jésus-Christ,
20   Qui est la vérité entre vos bras, et la seule espérance et le seul fruit,

Parce que vous êtes la femme, l'Éden de l'ancienne tendresse oubliée,
Dont le regard trouve le cœur tout à coup et fait jaillir [9] les larmes accumulées,

Parce que vous m'avez sauvé, parce que vous avez sauvé la France,
25   Parce qu'elle aussi, comme moi, pour vous fut cette chose à laquelle on pense,[10]

[1] this thing.   [2] Only.   [3] blackbird.
[4] in his spells of singing, which come suddenly.   [5] at last reinstated in Grace.
[6] pristine.   [7] flowering.   [8] ineffably, and we cannot express this in words.
[9] well up.   [10] Because France also, was the subject of your thoughts.

Parce qu'à l'heure où tout craquait,[11] c'est alors que vous êtes intervenue,
Parce que vous avez sauvé la France une fois de plus,
Parce qu'il est midi, parce que nous sommes en ce jour d'aujourd'hui,

30   Parce que vous êtes là pour toujours, simplement parce que vous êtes
Marie, simplement parce que vous existez,
Mère de Jésus-Christ, soyez remerciée!

Poèmes de guerre, 1915–16

Copyright by Librairie Gallimard

LA JEUNE FILLE DONNE UN BAISER AU LÉPREUX

*Nous sommes en 1421. Avant l'aube, Violaine, paysanne de dix-huit ans, fait
ses adieux à Pierre de Craon qui repart à cheval pour Reims où il bâtit une église
au nom fictif, Sainte-Justice. L'année précédente, Pierre avait donné un léger coup
de couteau à Violaine qui lui résistait; comme punition, il était devenu lépreux.
Violaine a été fiancée par son père au fermier Jacques Hury qu'aime Mara, sa
sœur cadette. L'action se passe dans la région natale de Claudel, au sud-ouest de
Reims. Le nom du village, Combernon, de l'abbaye, Climchy, et celui du château
et de sa colline, Monsanvierge, d'où l'architecte de Craon fait extraire la pierre, sont
fictifs.*

VIOLAINE.   Et dites-moi que vous pardonnez à Jacques parce qu'il va
m'épouser.

PIERRE DE CRAON.   Non, je ne lui pardonne pas.

VIOLAINE.   La haine ne vous fait pas de bien, Pierre, et elle me fait du
chagrin.   5

PIERRE DE CRAON.   C'est vous qui me faites parler. Pourquoi me forcer
à montrer l'affreuse plaie qu'on ne voit pas?

Laissez-moi partir et ne m'en demandez pas davantage. Nous ne nous
reverrons plus.

Tout de même j'emporte son anneau![1]   10

VIOLAINE.   Laissez votre haine à la place[2] et je vous la rendrai quand
vous en aurez besoin.

PIERRE DE CRAON.   Mais aussi, Violaine, je suis bien malheureux!

Il est dur d'être un lépreux et de porter avec soi la plaie infâme et de
savoir que l'on ne guérira pas et que rien n'y fait,   15

Mais que chaque jour elle gagne et pénètre, et d'être seul et de supporter
son propre poison, et de se sentir tout vivant corrompre![3]

Et non point, la mort, seulement une fois et dix fois la savourer, mais
sans en rien perdre jusqu'au bout de l'affreuse alchimie de la tombe!

C'est vous qui m'avez fait ce mal par votre beauté, car avant de vous   20
voir j'étais pur et joyeux,

Le cœur à mon seul travail et idée sous l'ordre d'un autre.

[11] **craquait,** was giving way; *when the
French lines were buckling, before the two
battles of the Marne, in September 1914 and
in June 1918. Some people in France be-* *lieve that the victory on the Marne in 1914
was a miracle. They waited for the
same miracle to happen in June 1940;
they were bitterly disappointed.*

[1] *Jacques had given an engagement ring to
Violaine, who had just passed it on to* *Pierre.* [2] in its place, **à la place que
l'anneau occupait à mon doigt.** [3] rot.

Et maintenant que c'est moi qui commande à mon tour et de qui l'on prend le dessin,

Voici que vous vous tournez vers moi avec ce sourire plein de poison!

VIOLAINE. Le poison n'était pas en moi, Pierre!

5 PIERRE DE CRAON. Je le sais, il était en moi, et il y est toujours et cette chair malade n'a pas guéri l'âme atteinte!

O petite âme, est-ce qu'il était possible que je vous visse sans que je vous aimasse?

VIOLAINE. Et certes vous avez montré que vous m'aimiez!

10 PIERRE DE CRAON. Est-ce ma faute si le fruit tient à la branche? Et quel est celui qui aime qui ne veut avoir tout de ce qu'il aime?

VIOLAINE. Et c'est pourquoi vous avez essayé de me détruire? [4]

PIERRE DE CRAON. L'homme outragé aussi a ses ténèbres comme la femme.

VIOLAINE. En quoi vous ai-je manqué? [5]

15 PIERRE DE CRAON. O image de la Beauté éternelle, tu n'es pas à moi!

VIOLAINE. Je ne suis pas une image! Ce n'est pas une manière de dire les choses!

PIERRE DE CRAON. Un autre prend en vous ce qui était à moi.

VIOLAINE. Il reste l'image.

20 PIERRE DE CRAON. Un autre me prend Violaine et me laisse cette chair atteinte [6] et cet esprit dévoré!

VIOLAINE. Soyez un homme, Pierre! Soyez digne de la flamme qui vous consume!

Et s'il faut être dévoré, que ce soit sur un candélabre d'or comme le 25 Cierge Pascal [7] en plein chœur [8] pour la gloire de toute l'Église!

PIERRE DE CRAON. Tant de faîtes [9] sublimes! Ne verrai-je jamais celui de ma petite maison dans les arbres?

Tant de clochers dont l'ombre en tournant écrit l'heure sur toute une ville! Ne ferai-je jamais le dessin d'un four [10] et de la chambre des enfants?

30 VIOLAINE. Il ne fallait pas que je prisse pour moi seul ce qui est à tous.

PIERRE DE CRAON. Quand sera la noce,[11] Violaine?

VIOLAINE. A la Saint-Michel,[12] je suppose, lorsque la moisson est finie.

PIERRE DE CRAON. Ce jour-là quand les cloches de Monsanvierge [13] se seront tues, prêtez l'oreille et vous m'entendrez bien loin de Reims 35 répondre.

VIOLAINE. Qui prend soin de vous là-bas?

PIERRE DE CRAON. J'ai toujours vécu comme un ouvrier; une botte de paille me suffit entre deux pierres, un habit de cuir, un peu de lard [14] sur du pain.

40 VIOLAINE. Pauvre Pierre!

PIERRE DE CRAON. Ce n'est pas de cela qu'il faut me plaindre; nous sommes à part.

Je ne vis pas de plain pied [15] avec les autres hommes, toujours sous terre avec les fondations ou dans le ciel avec le clocher.

---

[4] *The year before, Pierre had stabbed Violaine in the arm.* [5] *In what way did I fail you?* [6] tainted, sick. [7] Easter taper. [8] chancel. [9] tops, ridgepoles. [10] oven. [11] wedding. [12] Michaelmas (*September 29*). [13] *The castle at Combernon.* [14] bacon. [15] on the same level.

VIOLAINE.   Eh bien! Nous n'aurions pas fait ménage [16] ensemble! Je ne puis monter au grenier sans que la tête me tourne.

PIERRE DE CRAON.   Cette église seule sera ma femme qui va être tirée de mon côté comme une Ève de pierre, dans le sommeil de la douleur.

Puissé-je bientôt sous moi sentir s'élever mon vaste ouvrage, poser la main sur cette chose indestructible que j'ai faite et qui tient ensemble dans toutes ses parties, cette œuvre bien fermée que j'ai construite de pierre forte afin que le principe y commence, mon œuvre que Dieu habite!

Je ne descendrai plus! C'est moi qu'à cent pieds au-dessous, sur le pavé quadrillé,[17] un paquet de jeunes filles enlacées désigne d'un doigt aigu!

VIOLAINE.   Il faut descendre. Qui sait si je n'aurai pas besoin de vous un jour?

PIERRE DE CRAON.   Adieu, Violaine, mon âme, je ne vous verrai plus!

VIOLAINE.   Qui sait si vous ne me verrez plus?

PIERRE DE CRAON.   Adieu, Violaine!

Que de choses j'ai faites déjà! Quelles choses il me reste à faire et suscitation [18] de demeures!

De l'ombre avec Dieu.

Non point les heures de l'office [19] dans un livre mais les vraies avec une cathédrale dont le soleil successif fait de toutes les parties lumière et ombre!

J'emporte votre anneau.

Et de ce petit cercle je vais faire une semence d'or!

« Dieu a fait séjourner [20] le déluge », comme il est dit au psaume du baptême,

Et moi entre les parois de la Justice [21] je contiendrai l'or du matin!

La lumière profane change mais non point celle que je décanterai [22] sous ces voûtes,

Pareille à celle de l'âme humaine pour que l'hostie [23] réside au milieu.

L'âme de Violaine, mon enfant, en qui mon cœur se complaît.

Il y a des églises qui sont comme des gouffres, et d'autres qui sont comme des fournaises,[24]

Et d'autres si juste combinées, et de tel art tendues,[25] qu'il semble que tout sonne sous l'ongle.

Mais celle que je vais faire sera sous sa propre ombre comme de l'or condensé et comme une pyxide pleine de manne! [26]

VIOLAINE.   O maître Pierre, le beau vitrail que vous avez donné aux moines de Climchy! [27]

PIERRE DE CRAON.   Le verre n'est pas de mon art, bien que j'y entends [28] quelque chose.

Mais avant le verre, l'architecte, par la disposition qu'il sait,

Construit l'appareil de pierre comme un filtre dans les eaux de la Lumière de Dieu,

Et donne à tout l'édifice son orient comme à une perle.

(MARA VERCORS *est entrée et les observe sans qu'ils la voient.*)

---

[16] got on well.   [17] checkered.   [18] rising up, building.   [19] Divine Service. [20] stay.   [21] *The church that Pierre is building at Rheims.*   [22] shall decant, pour off gently.   [23] Host.   [24] big fires, furnaces.   [25] hung.   [26] pyxidium (*seed vessel*) full of manna (*miraculous food*). [27] *Fictitious name.*   [28] entende.

Et maintenant adieu! Le soleil est levé, je devrais déjà être loin.

VIOLAINE. Adieu, Pierre!

PIERRE DE CRAON. Adieu! Violaine!

VIOLAINE. Pauvre Pierre!

5 (*Elle le regarde, les yeux pleins de larmes, hésite et lui tend la main. Il la saisit et pendant qu'il la tient dans les siennes elle se penche et le baise sur le visage.*

Mara fait un geste de surprise et sort.

Pierre de Craon et Violaine sortent, chacun de leur côté.)

L'*Annonce faite à Marie*, Prologue, pp. 29–36

Copyright by Librairie Gallimard

Violaine devient une lépreuse que tout le monde fuit. Jacques épouse Mara. Huit ans se passent. La lépreuse Violaine vit dans une grotte, comme une sainte. Elle aime Mara, bien que celle-ci la calomnie. Elle lui ressuscite son enfant par la prière. Sa récompense c'est que Mara, qui souffre de voir que Jacques aime encore Violaine, la tue en précipitant sur elle, du haut d'une carrière, une charrette pleine de sable.

OUVRAGES RECOMMANDÉS
Textes

Œuvres complètes, éd. P. Claudel et R. Mallet. Gallimard.

Le Soulier de satin. Classiques Larousse.

L'Annonce faite à Marie, dans *Representative Plays from the French Theater of Today*, éd. H. Harvitt. Heath.

Louis Perche. *Paul Claudel* (textes et critique). 224 p. Seghers, 1952.

Discographie

Paul Claudel vous parle. *Ma Conversion. La Muse qui est la grâce;* extraits de *L'Annonce faite à Marie*, lus par Jean-Louis Barrault, Maria Casarès, etc. 1 disque microsillon. Disques Festival, Period.

Claudel. *Christophe Colomb*, par la compagnie Madeleine Renaud-Barrault. Musique de Darius Milhaud. London International.

Claudel. *Jeanne d'Arc au bûcher*. Musique de Honegger. 2 microsillons. Philips.

Critique

L. Barjon. *Paul Claudel*. 128 p. Éditions Universitaires.

ANDRÉ GIDE
(1869–1951)
Un Pionnier de l'introspection et du libéralisme en morale

L'enfance et la jeunesse puritaines (1869–88). Son enfance « solitaire et rechignée »,[1] Gide l'a racontée dans *Si le grain ne meurt*. Il est né à Paris, rue de Médicis, en face du jardin du Luxembourg. Son père, d'une famille protestante d'Uzès, en Languedoc, était un homme très bon, professeur à la Faculté de Droit de Paris; il mourut lorsqu'André avait onze ans. Cet enfant maladif, nerveux, fut alors complètement soumis à l'influence de sa mère et de sa grand-mère,

---

[1] sullen.

femmes austères, au protestantisme puritain, appartenant à la bourgeoisie industrielle de Rouen. Il y avait aussi à la maison la tante Claire et une vieille demoiselle anglaise, Anna Shackleton, qui était douce et cultivée, et qui l'intéressa à la botanique; à partir de 1881 il y eut surtout Madeleine Rondeaux, — qu'il appelle parfois Emmanuèle —, une cousine germaine, dont la mère s'était enfuie, comme *Isabelle*. Elle avait quatorze ans, lui douze. Elle était calme, réaliste et intellectuelle; lui était remuant,[2] idéaliste et sentimental, c'est-à-dire tout le contraire. C'est pourquoi il tomba amoureux d'elle. Il raconta ses amours romantiques et pures dans *Les Cahiers d'André Walter*, qu'il publia à ses frais (1892). Ses études, il les fit chez lui, avec sa famille, avec des professeurs particuliers, puis au lycée de Montpellier, à l'École Alsacienne et au lycée Henri IV de Paris. Retardé par la maladie, il ne fut pas un brillant élève.

La période symboliste (1889–93). Après son baccalauréat il fréquenta les milieux symbolistes où il connut Verlaine, Mallarmé, Proust, Claudel, Valéry et Léon Blum. Il était alors un riche esthète, cachant sa timidité et sa gaucherie protestantes sous des gestes étudiés et un accoutrement de bohème. Il était grand et mince; il portait les cheveux longs, la barbe, un grand chapeau de feutre noir, une lavallière[3] et une cape. C'est dans cette atmosphère qu'il publia le *Traité du Narcisse* (1891). Il y détailla sa vision poétique du Paradis terrestre et son égoïsme narcissiste; il y affirma que la forme littéraire doit être soumise à l'émotion ou à l'idée.

L'immoralisme (1893–1939). Après un an de service militaire à Nancy, il se mit à voyager. Il aima surtout l'Afrique du Nord. Il se croyait tuberculeux; il séjourna dans l'oasis de Biskra[4] et s'y fit une belle santé physique sinon morale.

A la mort de sa mère (1895) il épousa sa cousine Madeleine. Elle fut une femme dévouée mais ne réussit pas à l'arracher au démon de l'inquiétude religieuse, morale et charnelle. C'est pendant son voyage de noces en Afrique du Nord qu'il rencontra Oscar Wilde et sa perversité. « Wilde ne m'a fait que du mal », écrira-t-il dans son *Journal* (1, p. 487). Petit à petit il se détachait du symbolisme qu'il accusait de mensonge. Dans *Les Nourritures terrestres* (1897) il exalta un panthéisme charnel et poétique, la « désinstruction » par les voyages, l'évasion, l'individualisme, le rejet de la tradition et de ses règles aussi bien morales que littéraires, de l'idée de mérite qu'il remplace par la « ferveur » et la « disponibilité »[5] de la personne devant toute nouveauté.

Paludes (1895) est la satire du conformisme. Son héros est un Robinson indifférent au monde normal, moral et ennuyeux; il préfère vivre dans un marais et se nourrir de vers!

L'Immoraliste (1902), dans son étalage de perversité, est son défi le plus hardi à la morale traditionnelle et hypocrite. Avec de telles œuvres, il ne pouvait plus guère s'entendre avec ses amis symbolistes; il s'en fit d'autres. Il devint chef d'école et encouragea les débutants qu'étaient alors Giraudoux,[6] Martin du Gard,[7] Jules Romains,[8] Jean Cocteau,[9] etc. Le catholique Paul Claudel essaya de le convertir mais n'y réussit pas car il admirait alors Nietzsche.

La production littéraire de Gide était très grande. Il écrivait dans les revues, rendait de la vitalité à l'une d'elle, *L'Ermitage*, qu'il transforma en cette revue qui est encore à la tête du mouvement moderniste, la *Nouvelle Revue Française*, N.R.F. Jusqu'à la guerre de 1914 ses œuvres les plus importantes furent des romans: *La Porte étroite* (1909), *Isabelle* (1911), *Les Caves du Vatican* (1913).

---

[2] restless.   [3] flowing black tie.   *p. 482.*   [7] *Roger Martin du Gard*
[4] *Town   and   oasis, "the garden of*   *(1881–19) won the Nobel Prize (1937)*
Allah," 230 mi. SE of Algiers, with an   *for his 11-volume novel* Les Thibault.
ideal climate.   [5] availability.   [6] *See*   [8] *See p. 494.*   [9] *See p. 502.*

Pendant la 1ère Grande Guerre il ne publia rien; il s'occupa d'œuvres de secours aux réfugiés. A partir de 1919 il retrouva, plus grand encore, surtout auprès des jeunes, son prestige de chef d'école. Naturellement on l'accusa, comme Socrate, de corrompre la jeunesse; il s'en défendit hardiment, brillamment dans *Corydon* (1920), quatre dialogues sur l'instinct sexuel.

S'il n'était pas complètement prophète en son pays, il l'était en Angleterre; il avait étudié et traduit des œuvres des plus grands auteurs anglais, Shakespeare, Browning, Conrad. Il fut nommé membre étranger de la Société Royale de Littérature de Londres, en remplacement d'Anatole France, mort en 1924. *Les Faux-Monnayeurs*[10] (1925) furent un succès de librairie aux États-Unis. Comme autres œuvres de cette période mentionnons *La Symphonie pastorale* (1919), court roman sur un pasteur suisse qui aime sa fille adoptive, aveugle, et *Si le grain ne meurt* (1926), autobiographie qui ne cache rien.

Il se remit à voyager, surtout en Afrique pour laquelle il avait une prédilection. Il publia *Voyage au Congo* (1927) et *Retour du Tchad* (1928). Son individualisme avait fait place à l'altruisme, à la philanthropie. Parce qu'il était charitable et croyait à l'amélioration du sort des pauvres, il adhéra au parti communiste (1932). En 1936 il se rendit à Moscou pour les funérailles du romancier Maxime Gorki; une photo le montre prononçant un discours auprès de Staline et Molotov. Ce voyage lui prouva que le communisme n'était pas le mouvement idéaliste qu'il avait cru. Il démissionna du parti et donna ses raisons dans *Retour de l'U.R.S.S.* (1936) et *Retouches à mon Retour de l'U.R.S.S.*

La vieillesse indulgente (1939–51). Vint la guerre de 1939. Gide avait toujours été un homme de bonne volonté et même un pacifiste. De même que pendant la guerre de 1914 il s'était refusé à considérer les Allemands « comme des barbares », de même pendant l'occupation de la France par les Nazis il préféra prendre une attitude neutre, passive, vivre en zone libre, sur la Côte d'Azur, d'abord, puis dès mai 1941, en Tunisie où l'offensive alliée le délivra. Il n'a pas été un patriote guerrier comme Péguy, André Malraux[11] et le communiste Louis Aragon,[12] un résistant littéraire comme Duhamel,[13] Mauriac[14] et tant d'autres, mais il n'a pas été un traître comme certains de ses successeurs à la N.R.F., Drieu de la Rochelle et Robert Brasillach, par exemple. Il n'a pas été un résistant, mais un hésitant; ceci est conforme à sa nature, et il ne s'en est pas caché: « La nécessité de l'option[15] me fut toujours intolérable ».

Rentré à Paris en 1945, Gide y retrouva son prestige d'avant-guerre, même auprès des écrivains de la Résistance, mais non auprès des communistes. Depuis, il publia *Thésée*, petite biographie du héros grec, bijou de souriante érudition; il fit jouer au théâtre Marigny, par l'acteur Jean-Louis Barrault,[16] une parfaite traduction d'*Hamlet* qu'il avait terminée en Tunisie.

Il continua de rédiger son *Journal*, qu'il arrêta en 1950 et fit représenter à la Comédie-Française une pièce tirée des *Caves du Vatican*. Il se dépensa aux répétitions, prit froid et mourut en janvier 1951. Il est enterré à Cuverville, entre Le Havre et Fécamp.

Dédaigneux des honneurs officiels il n'a pas sollicité un siège à l'Académie française. En 1947 il reçut le prix Nobel de littérature (environ 40.000 dollars). Il passa une vieillesse calme au cinquième étage d'une maison sur la rive gauche de la Seine, rue Vaneau, près de son neveu Marc Allégret qui fit un film de lui. Il se chauffait à son poêle, il fumait, jouait du piano, écrivait et surtout méditait. L'hiver il allait sur la Côte d'Azur. Son livre posthume *Et nunc manet in te* (1951)

---

[10] *The Counterfeiters.*   [11] *See p. 519.*   and director of the *Théâtre Marigny, in*
[12] *See p. 544.*   [13] *See p. 486*   [14] *See*   Paris (*1910–*).
p. 490.   [15] making a choice.   [16] *Actor*

fit grand bruit.   Il y exprime ses remords d'avoir fait souffrir sa femme Madeleine.

L'inquiétude gidienne.   Un démon habita l'âme protestante de Gide et jamais ne le laissa en repos.   « Êtes-vous inquiet ? » c'était la question qu'avant la 1ère Grande Guerre il posait souvent à ses interlocuteurs.   Son inquiétude fut religieuse et morale.   Il s'est rarement arrêté à une certitude car il voyait à la fois les deux côtés des choses.   Honnêtement il a pesé le pour et le contre, il a hésité, et il en a souffert.   Il n'a pu s'arrêter à une solution, à « l'être », au statique.   Inlassablement sa pensée, mobile et dynamique, a suivi toutes les sinuosités du « devenir ».   C'est pourquoi des critiques doutent de sa sincérité, appellent son attitude une pose.

Pourtant il est un aspect de la vie contre lequel il n'a jamais cessé de lutter sans hésitation, c'est la morale traditionnelle et ses fausses valeurs, les faux bonshommes,[17] faux-monnayeurs qui font passer leurs fausses idées comme les lycéens du roman écoulent [18] leurs fausses pièces.   Et ces fausses idées sont le mensonge, l'hypocrisie, le respect humain,[19] les soi-disant beaux sentiments de la famille et des institutions étroitement traditionnelles.   Ses héros sont doubles, torturés par un conflit, sollicités par l'examen de conscience.   Nul écrivain depuis Rousseau n'a été plus courageux que Gide devant la morale.   Malgré le conseil de Proust selon lequel on peut tout dire si l'on n'emploie pas le « je », Gide a raconté les expériences, les pensées et les sensations troubles de ses héros, en passant souvent à la première personne, proclamant ainsi que lui aussi en a été torturé.

Conclusion.   Gide a fait passer dans la littérature moderne un grand souffle de vérité, de probité.   Il est un penseur plutôt qu'un homme d'action, un rebelle, mais par la pensée seulement; c'est un Montaigne moderne, courtois, modeste, avec le sens du relatif et de la tolérance, le désintéressement, le culte de l'individu tempéré par la charité évangélique.   Il a aussi un style fluide et une sagesse d'artiste qui est une des plus belles inspirations intellectuelles de ce temps.

LES NOURRITURES TERRESTRES

Dans la préface qu'il écrivit pour l'édition de 1927, Gide explique qu'il a écrit ce livre à « un moment où la littérature sentait furieusement le factice [1] et le renfermé ».[2]   C'était la période du symbolisme.   « Ce manuel d'évasion ... est plus qu'une glorification du désir et des instincts », c'est une apologie de « l'oubli de soi » où l'on trouve « la réalisation de soi la plus parfaite »; c'est un acte de foi dans l'individualisme qu'il tempérera plus tard par l'altruisme.

L'auteur s'adresse à Nathanaël, jeune homme qui semble vouloir être son disciple.

Ne souhaite pas, Nathanaël, trouver Dieu ailleurs que partout ...

Tandis que d'autres publient ou travaillent, j'ai passé trois années de voyage à oublier, au contraire, tout ce que j'avais appris par la tête.   Cette désinstruction [3] fut lente et difficile; elle me fut plus utile que toutes les instructions imposées par les hommes, et vraiment le commencement d'une 5 éducation.

Tu ne sauras jamais les efforts qu'il nous [4] a fallu faire pour nous intéresser

[17] hypocrites.   [18] dispose of.   [19] [rɛspɛkymɛ̃], fear of what people might say.

[1] artificiality.   [2] mustiness, lack of   [4] m'; *affected use of the first person plural* freshness.   [3] diseducation; *a neologism.*   *for the first person singular.*

à la vie; mais maintenant qu'elle nous intéresse, ce sera comme toute chose — passionnément . . .

Supprimer en soi l'idée de *mérite;* il y a là un grand achoppement [5] pour l'esprit.

5　L'incertitude de nos voies nous tourmenta toute la vie. Que te dirais-je? Tout choix est effrayant, quand on y songe: effrayante une liberté que ne guide plus un devoir . . .

Agir sans *juger* si l'action est bonne ou mauvaise. Aimer sans s'inquiéter si c'est le bien ou le mal.

10　Nathanaël, je t'enseignerai la ferveur . . .

Nos actes s'attachent à nous comme sa lueur au phosphore. Ils nous consument, il est vrai, mais ils nous font notre splendeur.

Et si notre âme a valu quelque chose, c'est qu'elle a brûlé plus ardemment que quelques autres . . .

15　Ménalque [6] est dangereux; crains-le; il se fait réprouver par les sages,[7] mais ne se fait pas craindre par les enfants. Il leur apprend à n'aimer plus seulement leur famille et, lentement, à la quitter; il rend leur cœur malade d'un désir d'aigres fruits sauvages et soucieux d'étrange amour. Ah! Ménalque, avec toi j'aurais voulu courir encore sur d'autres routes.

20　Mais tu haïssais la faiblesse et prétendais m'apprendre à te quitter . . .

On est sûr de ne jamais faire que ce que l'on est incapable de comprendre. Comprendre, c'est se sentir capable de faire. ASSUMER LE PLUS POSSIBLE D'HUMANITÉ, voilà la bonne formule . . .

Nourritures

25　Je m'attends à vous, nourritures!
Ma faim ne se posera pas à mi-route;
Elle ne se taira que satisfaite;
Des morales n'en sauraient venir à bout,
Et de privations je n'ai jamais pu nourrir que mon âme.

30　Satisfactions! je vous cherche.
Vous êtes belles comme les aurores d'été . . .

Nathanaël, ne cherche pas, dans l'avenir, à retrouver jamais le passé. Saisis de chaque instant la nouveauté irressemblable,[8] et ne prépare pas tes joies, ou sache qu'en son lieu préparé te surprendra une joie *autre* . . .

35　Certes oui! ténébreuse fut ma jeunesse:
Je m'en repens.
Je ne goûtais pas le sel de la terre
Ni celui de la grande mer salée.
Je croyais que j'étais le sel de la terre.

40　Et j'avais peur de perdre ma saveur . . .

---

[5] difficulty, obstacle.　[6] *Fictitious character, a sort of "master" whose views are a little different from those of the narrator; he has characteristics of Gide himself, and* of Rimbaud. *In La Bruyère, Ménalque is the typical absent-minded man.*　[7] wise persons disapprove of him.　[8] which resembles nothing else; *a neologism.*

ENVOI

Nathanaël, à présent jette mon livre. Émancipe-t'en . . . Je suis las
de feindre d'éduquer quelqu'un. Quand ai-je dit que je te voulais pareil
à moi? — C'est parce que tu diffères de moi que je t'aime; je n'aime en
toi que ce qui diffère de moi. — Éduquer? Qui donc éduquerais-je que
moi-même? . . .   5

Nathanaël, jette mon livre; ne t'y satisfais point. Ne crois pas que ta
vérité puisse être trouvée par quelque autre . . .

Jette mon livre; dis-toi bien que ce n'est là qu'une des mille postures
possibles en face de la vie. Cherche la tienne . . . Ne t'attache en toi
qu'à ce que tu sens qui n'est nulle part ailleurs qu'en toi-même, et crée 10
de toi, impatiemment ou patiemment, ah! le plus irremplaçable des êtres!

Les Nourritures terrestres (1897),
Œuvres complètes d'André Gide, II, *passim*

Copyright by Librairie Gallimard

LE JEUNE GIDE CHEZ HEREDIA ET MALLARMÉ

J'entrai, sitôt après la publication de mes *Cahiers*, dans la période la
plus confuse de ma vie, selve [1] obscure dont je ne me dégageai qu'à mon
départ avec Paul Laurens pour l'Afrique. Période de dissipation, d'inquiétude . . . Volontiers je sauterais à pieds joints par-dessus,[2] si, par le rap- 15
prochement de son ombre,[3] ne se devait éclairer [4] ce qui suivra; de même
que je trouve quelque explication et quelque excuse à cette dissipation,
dans la contention [5] morale où m'avait maintenu l'élaboration des *Cahiers* . . .

Je n'avais pu savoir ce qu'Emmanuèle pensait de mon livre; tout ce
qu'elle m'avait laissé connaître, c'est qu'elle repoussait la demande [6] 20
qui s'ensuivit. Je protestai que je ne considérais pas son refus comme
définitif, que j'acceptais d'attendre, que rien ne me ferait renoncer. Néanmoins je cessai pour un temps de lui écrire des lettres auxquelles elle ne
répondait plus. Je restais tout désemparé [7] par ce silence et cette désoc-
cupation [8] de mon cœur; mais l'amitié cependant emplit le temps et la 25
place que cédait l'amour.

Je continuais de fréquenter presque quotidiennement [9] Pierre Louis [10] . . .
Je crois bien que, sans lui, j'aurais continué de vivre à l'écart,[11] en sauvage;
non que le désir m'eût manqué de fréquenter les milieux littéraires et d'y
quérir des amitiés,[12] mais une invincible timidité me retenait, et cette 30
crainte, qui me paralyse souvent encore, d'importuner, de gêner ceux vers
qui je me sens le plus naturellement entraîné. Pierre, plus primesautier,[13]
plus hardi, certainement aussi plus habile, et de talent déjà plus formé,
avait fait offrande de ses premiers poèmes à ceux de nos aînés que nous

---

[1] forest.   [2] I would jump over it with
both feet together, I would skip it.
[3] through the close contrast of its
shadow.   [4] were not to be made
clearer.   [5] exertion.   [6] rejected my
offer to marry her.   [7] at a loss, helpless.
[8] emptiness.   [9] daily.   [10] *Gide's class-*
mate at the École Alsacienne. He changed
his surname from Louis to Louÿs. He
wrote sensuous works, mostly about ancient
Greece: Les Chansons de Bilitis, Aphrodite, La Femme et le pantin (*1870–1925*).
[11] aloof.   [12] make friends.   [13] spon-
taneous, buoyant.

consentions d'admirer.   Pressé par lui, je décidai d'aller porter mon livre
à Heredia.[14]

— Je lui ai parlé de toi.   Il t'attend, me répétait-il.

Heredia n'avait pas encore réuni ses sonnets en volume; la *Revue des*
5 *Deux Mondes* en avait publié certains;   Jules Lemaître [15] en avait cité
d'autres;   la plupart, inédits encore, et dont notre mémoire gardait jalouse-
ment le dépôt, nous paraissaient d'autant plus splendides que le vulgaire [16]
les ignorait.   Mon cœur battait quand, pour la première fois, je sonnai à
la porte de son appartement, rue Balzac.[17]

10 A quel point Heredia ressemblait peu à l'idée que je me faisais alors
d'un poète, c'est ce qui d'abord me consterna.   Aucun silence en lui, aucun
mystère;   nulle nuance dans le bégayant claironnement [18] de sa voix.
C'était un petit homme, assez bien fait, quoique un peu court et replet; [19]
mais il cambrait d'autant jarret et taille,[20] et marchait en faisant sonner
15 les talons.   Il portait la barbe carrée, les cheveux en brosse,[21] et, pour lire,
un lorgnon [22] par-dessus lequel, ou, plus souvent, à côté duquel, il jetait
un regard singulièrement trouble et voilé,[23] sans malice aucune.   Comme
la pensée ne l'encombrait pas,[24] il pouvait sortir tout de go [25] ce qui lui
passait par la tête, et cela donnait à sa conversation une verdeur [26] extrême-
20 ment plaisante.   Il s'intéressait à peu près exclusivement au monde extérieur
et à l'art;   je veux dire qu'il restait on ne peut plus [27] embarrassé dans le
domaine de la spéculation, et qu'il ne connaissait d'autrui que les gestes.
Mais il avait beaucoup de lecture,[28] et, comme il ignorait ses manques,[29]
rien ne lui faisait besoin.   C'était plutôt un artiste qu'un poète;   et plutôt
25 encore un artisan.[30]   Je fus terriblement déçu d'abord;   puis j'en vins à
me demander si ma déception ne venait pas de ce que je me faisais de l'art
et de la poésie une idée fausse et si la simple perfection de métier n'était
pas chose de plus de prix que je n'avais cru jusqu'alors.   Il accueillait à
bras ouverts, et son accueil était si chaud que l'on ne s'apercevait pas tout
30 de suite que son cerveau était un peu moins ouvert que ses bras;   mais il
aimait tant la littérature que, même ce qu'il ne comprenait pas par l'esprit,
je crois encore qu'il y parvenait par la lettre, et je ne me souviens pas de
l'avoir entendu bêtifier [31] sur rien.

· Chaque samedi, Heredia recevait;   dès quatre heures son fumoir s'emplis-
35 sait de monde: diplomates, journalistes, poètes;   et j'y serais mort de gêne
si Pierre Louis n'eût été là.   C'était aussi le jour de réception de ces dames,[32]
parfois un des assidus [33] passait du fumoir dans le salon, ou vice versa;
par la porte un instant entr'ouverte, on entendait un gazouillement de voix
flûtées [34] et de rires;   mais la peur d'être aperçu par Madame de Heredia

---

[14] *See p. 372.*   [15] *Literary critic* (Contemporains) *and dramatist* (Le Député Le-
veau) (*1853–1914*).   [16] the general public.
[17] *E of the Arc de Triomphe, where Balzac
resided.*   [18] stuttering clarion.   [19] stout-
ish, dumpy.   [20] he braced his knees
and stuck out his chest all the more.
[21] he had a crew cut.   [22] pince-nez
(*eyeglasses clipped to the nose by a spring*).
[23] dim and blurred.   [24] As he was not
encumbered (stocked up) with ideas.
[25] right off.   [26] pith, raciness.   [27] extremely.   [28] he had read a great deal.
[29] as he was ignorant of his shortcomings.
[30] craftsman (*because he polished his sonnets so much*).   [31] tell stupidities, talk
nonsense.   [32] of the women in the house.
[33] regular visitors.   [34] twitter of flute-
like (piping, melodious) voices.

ou par une de ses trois filles, à qui je sentais bien qu'il eût été séant,[35] après que je leur eus été présenté, et pour répondre à l'amabilité de leur accueil, que j'allasse un peu plus souvent présenter mes hommages— cette peur me retenait à l'autre extrémité du fumoir, caché dans la fumée des cigarettes et des cigares comme dans une olympienne nuée.[36]

Henri de Régnier,[37] Ferdinand Hérold,[38] Pierre Quillard,[39] Bernard La- zare,[40] André Fontainas,[41] Pierre Louis, Robert de Bonnières,[42] André de Guerne, ne manquaient pas un samedi. Je retrouvais les six premiers chez Mallarmé, le mardi soir. De tous ceux-ci, nous étions Louis et moi les plus jeunes.

Chez Mallarmé s'assemblaient plus exclusivement des poètes; ou des peintres parfois (je songe à Gauguin et à Whistler). J'ai décrit par ailleurs cette petite pièce de la rue de Rome, à la fois salon et salle à manger; notre époque est devenue trop bruyante pour qu'on puisse se figurer aisément aujourd'hui la calme et quasi religieuse atmosphère de ce lieu. Certaine- ment Mallarmé préparait ses conversations, qui ne différaient souvent pas beaucoup de ses « divagations »[43] les plus écrites; mais il parlait avec tant d'art et d'un ton si peu doctrinal qu'il semblait qu'il vînt d'inventer à l'instant chaque proposition nouvelle, laquelle il n'affirmait point tant qu'il ne semblait vous la soumettre, interrogativement presque, l'index levé, l'air de dire: « Ne pourrait-on pas dire aussi? . . . peut-être . . . » et faisant presque toujours suivre sa phrase d'un: « N'est-ce pas? » par quoi, sur certains esprits, il eut sans doute le plus de prise.

Souvent quelque anecdote coupait la « divagation », quelque bon mot qu'il rapportait avec perfection, tourmenté par ce souci d'élégance et de préciosité qui fit son art s'écarter[44] si délibérément de la vie.

Certains soirs que l'on n'était pas trop nombreux autour de la petite table, Mme Mallarmé s'attardait, brodant, et près d'elle sa fille. Mais bientôt l'épaisseur de la fumée les faisait fuir; car, au milieu de la table ronde autour de laquelle nous étions assis, il y avait un énorme pot à tabac où l'on puisait, chacun roulant sa cigarette. Mallarmé lui-même fumait sans cesse, mais de préférence une petite pipe de terre. Et vers onze heures, Geneviève Mallarmé rentrait, apportant des grogs;[45] car, dans ce très simple intérieur, il n'y avait pas de domestique, et à chaque coup de sonnette le Maître lui-même allait ouvrir.

Si le grain ne meurt, X, 1926

---

[35] proper. [36] Olympian cloud. *Mount Olympus is a mountain in Macedonia; it is the mythical abode of the gods.* [37] *Parnassian and Symbolist poet* (Le Miroir des heures) (*1864–1936*). [38] *Poet, grandson of the composer of* Le Pré-aux-Clercs. [39] *Poet; died in 1912.* [40] *Journalist, critic, poet (1865–1903). He played an important part in the vindi- cation of Captain Dreyfus.* [41] [fɔtɛna], *poet and art critic, born in Brussels (1865–1948).* [42] *Poet, critic, and jour- nalist (1850–1905).* [43] ramblings; inco- herent, abstruse disquisitions. [44] *This is an English construction. Gide trans- lated into French Shakespeare's* Anthony and Cleopatra *and* Hamlet, *Conrad's* Typhoon, *and a few pieces by William Blake and Rabindranath Tagore. The more regular French construction, — causa- tive* faire —, *is* qui fit s'écarter son art *or* qui fit que son art s'écarta, which made his art depart. [45] hot toddies.

LA PIÈCE FAUSSE

Bernard Profitendieu, révolté contre l'esprit bourgeois de sa famille, la quitte pour voler la valise d'un voyageur, Édouard, romancier qui ressemble fort à Gide. Édouard prend son voleur comme secrétaire et ami. Édouard est aussi l'amant de Laura Vedel dont le père dirige une pension où les élèves trafiquent des pièces fausses fabriquées par Strouvilhou et sa bande. Au cours d'un séjour dans les Alpes, on rencontre Mme Sophroniska, doctoresse polonaise, et l'on discute du futur roman d'Édouard.

La discussion se perdait en arguties.[1] Bernard, qui jusqu'à ce moment avait gardé le silence, mais qui commençait à s'impatienter sur sa chaise, à la fin n'y tint plus; avec une déférence extrême, exagérée même, comme chaque fois qu'il adressait la parole à Édouard, mais avec cette sorte d'en-
5 jouement qui semblait faire de cette déférence un jeu:

— Pardonnez-moi, Monsieur, dit-il, de connaître le titre de votre livre, puisque c'est par une indiscrétion, mais sur laquelle vous avez bien voulu, je crois, passer l'éponge. Ce titre pourtant semblait annoncer une histoire?

— Oh! dites-nous ce titre, dit Laura.

10 — Ma chère amie, si vous voulez. Mais je vous avertis qu'il est possible que j'en change. Je crains qu'il ne soit un peu trompeur. Tenez, dites-le-leur, Bernard.

— Vous permettez? *Les Faux-Monnayeurs*, dit Bernard. Mais maintenant, à votre tour, dites-nous: ces faux-monnayeurs, qui sont-ils?

15 — Eh bien? je n'en sais rien, dit Édouard.

Bernard et Laura se regardèrent, puis regardèrent Sophroniska; on entendit un long soupir; je crois qu'il fut poussé par Laura.

A vrai dire, c'est à certains de ses confrères qu'Édouard pensait d'abord, en pensant aux faux-monnayeurs; et singulièrement au vicomte de Pas-
20 savant. Mais l'attribution s'était bientôt considérablement élargie; suivant que le vent de l'esprit soufflait ou de Rome ou d'ailleurs, ses héros tour à tour devenaient prêtres ou francs-maçons. Son cerveau, s'il l'abandonnait à sa pente, chavirait[2] vite dans l'abstrait, où il se vautrait[3] tout à l'aise. Les idées de change, de dévalorisation, d'inflation, peu à peu envahissaient
25 son livre, comme les théories du vêtement le *Sartor Resartus*[4] de Carlyle,[5] — où elles usurpaient la place des personnages. Édouard ne pouvant parler de cela, se taisait de la manière la plus gauche, et son silence, qui semblait un aveu de disette,[6] commençait à gêner beaucoup les trois autres.

— Vous est-il arrivé déjà de tenir entre les mains une pièce fausse? de-
30 manda-t-il enfin.

— Oui, dit Bernard; mais le « non » des deux femmes couvrit sa voix.

— Eh bien, imaginez une pièce d'or de dix francs qui soit fausse. Elle ne vaut en réalité que deux sous. Elle vaudra dix francs tant qu'on ne reconnaîtra pas qu'elle est fausse. Si donc je pars de cette idée que . . .
35 — Mais pourquoi partir d'une idée? interrompit Bernard impatienté. Si vous partiez d'un fait bien exposé, l'idée viendrait l'habiter d'elle-même.

---

[1] quibbling, fine points.   [2] capsized.
[3] wallowed.   [4] *Lat. for* The Tailor Re-patched, *according to which human institutions, forms, and symbols are properly* clothes, and as such temporary.   [5] *Thomas Carlyle, Scottish essayist and historian (1795–1881).*   [6] dearth, scarcity.

Si j'écrivais *Les Faux-Monnayeurs*, je commencerais par présenter la pièce fausse, cette petite pièce dont vous parliez à l'instant . . . et que voici.

Ce disant, il saisit dans son gousset une petite pièce de dix francs, qu'il jeta sur la table.

— Écoutez comme elle sonne bien.   Presque le même son que les autres.   5 On jurerait qu'elle est en or.   J'y ai été pris ce matin, comme l'épicier qui me la passait y fut pris, m'a-t-il dit, lui-même.   Elle n'a pas tout à fait le poids, je crois; mais elle a l'éclat et presque le son d'une vraie pièce; son revêtement est en or, de sorte qu'elle vaut pourtant un peu plus de deux sous; mais elle est en cristal.   A l'usage, elle va devenir transparente. 10 Non, ne la frottez pas; vous me l'abîmeriez.   Déjà l'on voit presque au travers.

Édouard l'avait saisie et la considérait avec la plus attentive curiosité.

— Mais de qui l'épicier la tient-il?

— Il ne sait plus.   Il croit qu'il l'a depuis plusieurs jours dans son tiroir. 15 Il s'amusait à me la passer, pour voir si j'y serais pris.   J'allais l'accepter, ma parole! mais, comme il est honnête, il m'a détrompé; puis me l'a laissée pour cinq francs.   Il voulait la garder pour la montrer à ce qu'il appelle « les amateurs ».   J'ai pensé qu'il ne saurait y en avoir de meilleur que l'auteur des *Faux-Monnayeurs;* et c'est pour vous la montrer que je l'ai prise. 20 Mais maintenant que vous l'avez examinée, rendez-la-moi!   Je vois, hélas! que la réalité ne vous intéresse pas.

— Si, dit Édouard; mais elle me gêne.

— C'est dommage, reprit Bernard.

Journal d'Édouard.

« (Ce même soir.) — Sophroniska, Bernard et Laura m'ont questionné 25 sur mon roman.   Pourquoi me suis-je laissé aller à parler?   Je n'ai dit que des âneries.[7]

Les Faux-Monnayeurs, Seconde partie, III, pp. 243–246

Pour Gide, les faux-monnayeurs sont la plupart de ses personnages, même Édouard, qui regardent la vie avec des idées préconçues, qui refusent de la regarder en face et se contentent d'ersatz et d'hypocrisies.

OUVRAGES RECOMMANDÉS
Textes

Œuvres. Gallimard.
La Symphonie pastorale, éd. J. O'Brien et M. Shackleton.   Heath.
Les Faux-Monnayeurs.   2 vol.   Collection Pourpre, Gallimard et Macmillan.
Isabelle, éd. E. Pell.   Appleton-Century-Crofts.

Discographie

Gide: *La Leçon de piano*, *La Bille;* extraits des *Nourritures terrestres*, *Thésée*, lus par Gide, Barrault, Gérard Philipe.   1 disque microsillon.   Disques Festival, Period.
Gide, textes présentés par Colin Simart.   Hachette.

[7] stupid things.

Critique

Léon Pierre-Quint. *André Gide.* 568 p. Stock, 1952.

Germaine Brée. *André Gide l'insaisissable Protée.* 270 p. Les Belles Lettres, 1953.

Justin O'Brien. *Portrait of André Gide.* 390 p. Knopf, 1953.

Marc Beigbeder. *André Gide.* Éditions Universitaires, 1954.

Robert Mallet. *Une Mort ambiguë.* Gallimard, 1955.

MARCEL PROUST

(1871–1922)

Le Psychologue du temps perdu et retrouvé

L'enfant maladif et studieux (1871–91). Comme Baudelaire, Proust adora sa mère, qui était d'origine juive et dont il avait les traits « assyriens ». Son père, Adrien, professeur à la Faculté de Médecine de Paris, emmenait souvent sa famille, dont Robert, — son fils cadet, qui devint docteur —, à sa petite ville natale d'Illiers (quinze milles au sud-ouest de Chartres). On y était les hôtes de la grand-tante Léonie qui possédait une « vieille maison grise » à trois étages, rue du Saint-Esprit.[1] Le petit Parisien Marcel y fit la connaissance de la campagne et de ses « bonnes gens » dont le souvenir allait plus tard enrichir son livre et lui donner la plénitude qui l'a rendu universel. Illiers, c'est le modèle du bourg imaginaire de Combray, bien que dans *Le Temps retrouvé*, Proust l'ait situé dans la région de Laon,[2] où il n'a jamais séjourné, et qu'il l'ait décrit comme détruit par la guerre. Au contraire de Lamartine, Marcel ne fut pas élevé comme les petits paysans; c'était un enfant frêle qui fut couvé, dominé par sa mère, et dont le seul sport fut la lecture; toute sa vie il souffrit d'asthme et d'un rhume des foins [3] permanent. Il fit d'excellentes études au lycée Condorcet, à Paris.

Le mondain (1891–1906). Après un an de service militaire dans les bureaux d'Orléans, et quelques cours suivis à la Faculté de Droit et à l'École des Sciences politiques de Paris, il obtint de ses riches parents l'autorisation de ne pas se préparer pour un métier et de consacrer à la littérature les loisirs de sa vie mondaine; car il était mondain. Il fréquentait les salons aristocratiques, plutôt royalistes, du boulevard Saint-Germain; il aimait le théâtre, les plages à la mode, de Normandie et de Bretagne, — Deauville, Trouville, Cabourg, Dinard —. On aimait sa compagnie car il était distingué, d'une politesse exquise et d'une belle intelligence artistique. Il fit un voyage à Venise (1900). On l'aimait à cause « de son indifférence à l'argent, de sa gentillesse pour chacun, de sa délicatesse », qualités qu'il a attribuées à Swann (vol. 2). Il collabora quelque peu à des journaux et revues, *Le Banquet*, *La Revue Blanche* et *Le Figaro*. A vingt-quatre ans il publia *Les Plaisirs et les jours*, volume d'esquisses mondaines préfacé par Anatole France qu'il représenta sous le nom de Bergotte.[4] Ce furent ensuite des traductions annotées de Ruskin, *La Bible d'Amiens*, *Sésame et les lis*, et un long roman autobiographique, sentimental, qui ne fut publié qu'en 1951, *Jean Santeuil*.

[1] *The house is still to be seen today, between the rue du Saint-Esprit and the rue Adrien Proust, named after Marcel's father.* [2] *Town on a steep hill, 85 mi. NE of Paris. It has one of the six most beautiful Gothic cathedrals in France (with Chartres, Amiens, Reims, Paris, Beauvais).* [3] hay fever. [4] *Proust made up the name Bergotte from Bergeret, the professor of Latin and main character in France's* Histoire contemporaine.

Le romancier malade et cloîtré (1906–22).   A trente-cinq ans, après la mort de ses parents, il était fort riche, mais de plus en plus malade; chose plus grave, à son asthme s'était ajoutée la neurasthénie.   Il alla de moins en moins dans le monde; il s'enferma dans sa chambre du boulevard Haussmann, aux fenêtres closes aux émanations végétales, aux murs rendus plus impénétrables au son par un revêtement de liège.[5]   Il se mit à écrire ses souvenirs mais non plus d'une façon directe comme dans *Jean Santeuil*.   Il procéda lentement, n'omettant aucun détail, comme un détective sur une piste, comme Saint-Simon qui était un de ses auteurs favoris.   A ses souvenirs il laissa un fond de réalisme poétisé, mais il les transposa sur un plan plus général; il les étoffa, — jusqu'à parfois les étouffer —, de remarques finement psychologiques, de satire, de fantaisie et de rêve.   Beaucoup d'incidents restaient ceux de *Jean Santeuil* (le baiser du soir de la mère, les jeux aux Champs-Élysées, affaire de Panama, affaire Dreyfus, etc.).

Le manuscrit était gros, le récit traînait; pas étonnant que les éditeurs le refusèrent, même son ami Gide, directeur de la *Nouvelle Revue Française*.   Mais Proust était riche; à ses frais il publia, chez Grasset, *Du Côté de chez Swann*, en un gros volume qui ne fut apprécié que des esthètes.   Bientôt la *Nouvelle Revue Française* publia un fragment de la suite, *A l'Ombre des jeunes filles en fleurs*.   Il piqua la curiosité des lecteurs au sujet de l'immoral Monsieur de Charlus, et la revue décida de publier l'œuvre entière.   La guerre de 1914 interrompit ce projet. 1919 vit la publication d'*A l'Ombre des jeunes filles en fleurs*, en deux volumes que consacrèrent le prix Goncourt, un peu grâce au royaliste Léon Daudet, membre de l'Académie Goncourt.   Le succès de l'œuvre fut plus grand à l'étranger qu'en France.   Proust se surmena pour achever son œuvre et en corriger les épreuves; il mourut d'une pneumonie dans son appartement de Passy, 44 rue Hamelin (novembre 1922).   Les dates de publication des autres volumes sont:

1920–1921	*Le Côté de Guermantes*	(2 volumes)
1921–1922	*Sodome et Gomorrhe*	(3 volumes)
1923	*La Prisonnière*	(2 volumes)
1925	*Albertine disparue*	(2 volumes)
1927	*Le Temps retrouvé*	(2 volumes)

Conclusion.   Lire Proust c'est parfois se mettre en vase clos, mais c'est plus souvent s'ouvrir des horizons sur le monde et surtout en soi-même.   Ce qu'il y a d'original chez lui, ce qui durera, c'est la finesse du trait psychologique et ses ramifications en profondeur en des endroits encore inexplorés de l'âme, du subconscient.   Nul autre écrivain français, à l'exception de Stendhal, n'a eu autant le don des trouvailles d'[6]idées et de sensations qui forcent le lecteur à s'arrêter, à se reprendre après la surprise de la nouveauté, à répéter le trait original pour le mieux comprendre et en jouir davantage.   Stendhal a la main plus lourde; Proust est plus artiste.   Il se sert aussi de sa plume comme d'un scalpel; il taille menu, mais il va profond.   Proust embroussaille [7] parfois sa pensée plus qu'il ne la défriche,[8] mais dans la jungle de ses pages sans paragraphes où les *que* rebondissent, et de son style un peu mou, il sème des couleurs, des fleurs et des parfums.   Bien souvent il y fait passer un rayon de poésie comme un bel oiseau de paradis, et cela rend courage au lecteur qui se fraie un chemin [9] dans l'exubérante forêt proustienne où parfois l'on étouffe par manque d'air, comme Proust lui-même victime d'un asthme permanent.   Si l'on persévère, on est récompensé par une belle oasis de réalisme poétisé.   Ouvrir les seize volumes d'*A la Recherche du temps perdu*, entreprendre de faire connaissance avec ses deux cent quarante personnages

---

[5] cork.   [6] of finding striking.   [7] clutters up.   [8] clears it up.   [9] blazes a path for himself.

c'est partir pour une longue et rude expédition; les faibles, les grincheux [10] s'arrêtent, mais ceux qui s'obstinent sont récompensés par la nouveauté de la pensée psychologique et les gentillesses d'un art subtil mais sincère et vrai.

LE COUCHER DE PROUST, ENFANT

Voici le début du roman-fleuve de Proust.

Longtemps, je me suis couché de bonne heure. Parfois, à peine ma bougie éteinte, mes yeux se fermaient si vite que je n'avais pas le temps de me dire: « Je m'endors. » Et, une demi-heure après, la pensée qu'il était temps de chercher le sommeil m'éveillait; je voulais poser le volume que
5 je croyais avoir encore dans les mains et souffler ma lumière; je n'avais pas cessé en dormant de faire des réflexions sur ce que je venais de lire, mais ces réflexions avaient pris un tour un peu particulier; il me semblait que j'étais moi-même ce dont parlait l'ouvrage: une église, un quatuor, la rivalité de François Ier et de Charles-Quint.[1] Cette croyance survivait
10 pendant quelques secondes à mon réveil; elle ne choquait pas ma raison mais pesait comme des écailles [2] sur mes yeux et les empêchait de se rendre compte que le bougeoir n'était plus allumé.[3] Puis elle commençait à me devenir inintelligible, comme après la métempsycose [4] les pensées d'une existence antérieure; le sujet du livre se détachait de moi, j'étais libre de
15 m'y appliquer ou non; aussitôt je recouvrais la vue et j'étais bien étonné de trouver autour de moi une obscurité, douce et reposante pour mes yeux, mais peut-être plus encore pour mon esprit, à qui [5] elle apparaissait comme une chose sans cause, incompréhensible, comme une chose vraiment obscure. Je me demandais quelle heure il pouvait être; j'entendais le siffle-
20 ment des trains qui, plus ou moins éloigné, comme le chant d'un oiseau dans une forêt, relevant [6] les distances, me décrivait l'étendue de la campagne déserte où le voyageur se hâte vers la station prochaine; et le petit chemin qu'il suit va être gravé dans son souvenir par l'excitation qu'il doit à des lieux nouveaux, à des actes inaccoutumés, à la causerie récente
25 et aux adieux sous la lampe étrangère qui le suivent encore dans le silence de la nuit, à la douceur prochaine du retour.

J'appuyais tendrement mes joues contre les belles joues de l'oreiller qui, pleines et fraîches, sont comme les joues de notre enfance. Je frottais une allumette pour regarder ma montre. Bientôt minuit. C'est l'instant où
30 le malade, qui a été obligé de partir en voyage et a dû coucher dans un hôtel inconnu, réveillé par une crise,[7] se réjouit en apercevant sous la porte une raie de jour. Quel bonheur! C'est déjà le matin! Dans un moment les domestiques seront levés, il pourra sonner, on viendra lui porter secours. L'espérance d'être soulagé lui donne du courage pour souffrir. Justement

---

[10] grouches.

[1] *Charles V (1500–58), king of Spain and emperor of Germany, rival of Francis I of France; abdicated in favor of his son, Philip II.* [2] scales. [3] there was no longer any light on the candlestick. [4] [metāpsikoz], metempsychosis (pass-ing of the soul at death into another living body). [5] *Proust often writes* à qui *in reference to a thing, and* auquel *in reference to a man; it should be the reverse.* [6] marking out. [7] bad spell.

il a cru entendre des pas; les pas se rapprochent, puis s'éloignent. Et la raie de jour qui était sous sa porte a disparu. C'est minuit; on vient d'éteindre le gaz; le dernier domestique est parti et il faudra rester toute la nuit à souffrir sans remède.

Je me rendormais, et parfois je n'avais plus que de courts réveils d'un 5 instant, le temps d'entendre les craquements organiques des boiseries,[8] d'ouvrir les yeux pour fixer le kaléidoscope de l'obscurité, de goûter, grâce à une lueur momentanée de conscience, le sommeil où étaient plongés les meubles, la chambre, le tout dont je n'étais qu'une petite partie et à l'insensibilité[9] duquel je retournais vite m'unir . . .   10

A Combray,[10] tous les jours, dès la fin de l'après-midi, longtemps avant le moment où il faudrait me mettre au lit et rester, sans dormir, loin de ma mère et de ma grand-mère, ma chambre à coucher redevenait le point fixe et douloureux de mes préoccupations. On avait bien inventé, pour me distraire les soirs où on me trouvait l'air trop malheureux, de me donner 15 une lanterne magique[11] dont, en attendant l'heure du dîner, on coiffait ma lampe . . . Mais ma tristesse n'en était qu'accrue, parce que rien que le changement d'éclairage détruisait l'habitude que j'avais de ma chambre et grâce à quoi, sauf le supplice du coucher, elle m'était devenue supportable . . .   20

Après le dîner, hélas, j'étais bientôt obligé de quitter maman qui restait à causer avec les autres, au jardin s'il faisait beau, dans le petit salon où tout le monde se retirait s'il faisait mauvais. Tout le monde, sauf ma grand-mère qui trouvait que « c'est une pitié de rester enfermé à la campagne » et qui avait d'incessantes discussions avec mon père, les jours de 25 trop grande pluie, parce qu'il m'envoyait lire dans ma chambre au lieu de rester dehors. « Ce n'est pas comme cela que vous le rendrez robuste et énergique, disait-elle tristement, surtout ce petit qui a tant besoin de prendre des forces et de la volonté. » Mon père haussait les épaules et il examinait le baromètre, car il aimait la météorologie, pendant que ma mère, 30 évitant de faire du bruit pour ne pas le troubler, le regardait avec un respect attendri, mais pas trop fixement pour ne pas chercher à percer le mystère de ses supériorités.

Mais ma grand-mère, elle, par tous les temps, même quand la pluie faisait rage et que Françoise[12] avait précipitamment rentré les précieux fauteuils 35 d'osier[13] de peur qu'ils ne fussent mouillés, on la voyait dans le jardin vide et fouetté par l'averse, relevant ses mèches désordonnées et grises[14] pour que son front s'imbibât mieux de la salubrité du vent et de la pluie.[15] Elle disait: « Enfin, on respire! » et parcourait les allées détrempées, — trop symétriquement alignées à son gré[16] par le nouveau jardinier dépourvu 40 du sentiment de la nature et auquel[17] mon père avait demandé depuis le matin si le temps s'arrangerait[18] —, de son petit pas enthousiaste et sac-

[8] the natural creaking of the paneling. [9] unconsciousness. [10] *This Combray is not a village near Laon, as Proust wrote in* Le Temps retrouvé *to put his readers off the track; in reality it has most of the characteristics of the town of Illiers.* [11] magic lantern, projection lantern.

[12] *The maid and chief cook.* [13] wicker chairs. [14] pushing back her mussed and gray locks. [15] would be soaked more thoroughly by the wholesome wind and rain. [16] to please her. [17] **à qui** *is more common.* [18] was going to clear up.

cadé, réglé sur les mouvements divers [19] qu'excitaient dans son âme l'ivresse de l'orage, la puissance de l'hygiène, la stupidité de mon éducation et la symétrie des jardins, plutôt que sur le désir inconnu d'elle d'éviter à sa jupe prune les taches de boue sous lesquelles elle disparaissait jusqu'à
5 une hauteur qui était toujours pour sa femme de chambre un désespoir et un problème.

Du Côté de chez Swann, Vol. I, pp. 11–22

MONSIEUR SWANN

La vie est triste à la maison de Combray où le petit Proust et ses parents viennent pour les vacances. Un des rares visiteurs est M. Swann, qui a épousé une femme frivole, Odette de Crécy, qui est la maîtresse du baron de Charlus, frère cadet du duc de Guermantes.

M. Swann était à peu près la seule personne qui vînt chez nous à Combray, quelquefois pour dîner en voisin (plus rarement depuis qu'il avait sa femme), quelquefois après le dîner, à l'improviste . . .
10 Mon grand-père disait: « Je reconnais la voix de Swann ». On ne le reconnaissait en effet qu'à la voix; on distinguait mal son visage au nez busqué,[20] aux yeux verts, sous un haut front entouré de cheveux blonds, presque roux, parce que nous gardions le moins de lumière possible au jardin, pour ne pas attirer les moustiques . . .
15 M. Swann, quoique beaucoup plus jeune que lui, était très lié avec mon grand-père qui avait été un des meilleurs amis de son père, homme excellent, mais singulier . . .
Pendant bien des années, où pourtant, surtout avant son mariage, M. Swann, le fils, vint souvent les voir à Combray, ma grand-tante et
20 mes grands-parents ne soupçonnèrent pas qu'il ne vivait plus du tout dans la société qu'avait fréquentée sa famille et que sous l'espèce d'incognito que lui faisait chez nous ce nom de Swann, ils hébergeaient, — avec la parfaite innocence d'honnêtes hôteliers qui ont chez eux, sans le savoir, un célèbre brigand, — un des membres les plus élégants du Jockey-Club,[21]
25 ami préféré du comte de Paris [22] et du prince de Galles,[23] un des hommes les plus choyés de la haute société du faubourg Saint-Germain.[24]
L'ignorance où nous étions de cette brillante vie mondaine que menait Swann tenait évidemment en partie à la réserve et à la discrétion de son caractère, mais aussi à ce que les bourgeois d'alors se faisaient de la société
30 une idée un peu hindoue et la considéraient comme composée de castes fermées où chacun, dès sa naissance, se trouvait placé dans le rang qu'occupaient ses parents, et d'où rien, à moins des hasards d'une carrière exceptionnelle ou d'un mariage inespéré, ne pouvait vous tirer pour vous faire

---

[19] various effects.   [20] hooked nose.   *was also called* le comte de Paris; *he gave up his claim after World War II.*
[21] *Very exclusive club in Paris, founded in 1833; its members are supposed to be primarily interested in horse racing.*   [23] the Prince of Wales, *who became Edward VII.*   [24] *The old aristocratic suburb of Paris, now a part of the city, on the left bank of the Seine.*
[22] *Grandson of Louis-Philippe; pretender to the French throne. The last pretender*

pénétrer dans une caste supérieure.   M. Swann, le père, était agent de change;[25] le « fils Swann » se trouvait faire partie pour toute sa vie d'une caste où les fortunes, comme dans une catégorie de contribuables,[26] variaient entre tel et tel revenu.   On savait quelles avaient été les fréquentations de son père, on savait donc quelles étaient les siennes, avec quelles personnes il était « en situation » de frayer.[27]   S'il en connaissait d'autres, c'étaient relations de jeune homme sur lesquelles des amis anciens de sa famille, comme étaient mes parents, fermaient d'autant plus bienveillamment les yeux qu'il continuait, depuis qu'il était orphelin, à venir très fidèlement nous voir; mais il y avait fort à parier[28] que ces gens inconnus de nous qu'il voyait, étaient de ceux qu'il n'aurait pas osé saluer si, étant avec nous, il les avait rencontrés.   Si l'on avait voulu à toute force[29] appliquer à Swann un coefficient social qui lui fût personnel, entre les autres fils d'agents de situation égale à celle de ses parents, ce coefficient eût été pour lui un peu inférieur parce que, très simple de façon[30] et ayant toujours une « toquade »[31] d'objets anciens et de peinture, il demeurait maintenant dans un vieil hôtel[32] où il entassait ses collections et que ma grand-mère rêvait de visiter, mais qui était situé quai d'Orléans,[33] quartier que ma grand-tante Léonie trouvait infamant d'habiter.

Du Côté de chez Swann, Vol. I, pp. 26–29

Copyright by Librairie Gallimard

MADELEINE ET THÉ RAPPELLENT UNE FOULE DE SOUVENIRS

Il y avait déjà bien des années que, de Combray, tout ce qui n'était pas le théâtre et le drame de mon coucher, n'existait plus pour moi, quand un jour d'hiver, comme je rentrais à la maison, ma mère, voyant que j'avais froid, me proposa de me faire prendre, contre mon habitude, un peu de thé. Je refusai d'abord et, je ne sais pourquoi, me ravisai.   Elle envoya chercher un de ces gâteaux courts et dodus appelés petites madeleines[1] qui semblent avoir été moulés dans la valve rainurée d'une coquille de Saint-Jacques.[2] Et bientôt, machinalement, accablé par la morne journée et la perspective d'un triste lendemain,[3] je portai à mes lèvres une cuillerée du thé où j'avais laissé s'amollir un morceau de madeleine.   Mais à l'instant même où la gorgée mêlée des miettes du gâteau toucha mon palais, je tressaillis, attentif à ce qui se passait d'extraordinaire en moi.   Un plaisir délicieux m'avait envahi, isolé, sans la notion de sa cause.   Il m'avait aussitôt rendu les vicissitudes de la vie indifférentes, ses désastres inoffensifs, sa brièveté

---

[25] a stockbroker.   [26] taxpayers.   [27] to mix.   [28] there was a good chance.   [29] in spite of everything (of all opposition). [30] very informal, leading a very simple

life.   [31] craze, whim.   [32] old mansion. [33] *On the Saint-Louis Island, E of the cathedral of Notre-Dame.*

[1] *There are also* **grandes madeleines** *which are sold by the piece, whereas the* **petites madeleines** *are sold by the pound;* **une madeleine** *is a small shell-like cake made with flour, sugar, butter, and eggs in* *equal proportions.*   [2] molded in the fluted valve of a large scallop shell (pilgrim's shell).   *Most people say* **coquille Saint-Jacques,** *not* **de Saint-Jacques.**   [3] *Proust was a neurasthenic.*

illusoire, de la même façon qu'opère l'amour, en me remplissant d'une essence précieuse: ou plutôt cette essence n'était pas en moi, elle était moi. J'avais cessé de me sentir médiocre, contingent,[4] mortel. D'où avait pu me venir cette puissante joie? Je sentais qu'elle était liée au goût du thé
5 et du gâteau, mais qu'elle le dépassait [5] infiniment, ne devait pas être de même nature. D'où venait-elle? Que signifiait-elle? Où l'appréhender? Je bois une seconde gorgée où je ne trouve rien de plus que dans la première, une troisième qui m'apporte un peu moins que la seconde. Il est temps que je m'arrête, la vertu du breuvage semble diminuer. Il est clair que la
10 vérité que je cherche n'est pas en lui, mais en moi. Il l'y a éveillée, mais ne la connaît pas, et ne peut que répéter indéfiniment, avec de moins en moins de force, ce même témoignage que je ne sais pas interpréter et que je veux au moins pouvoir lui redemander et retrouver intact, à ma disposition, tout à l'heure, pour un éclaircissement décisif. Je pose la tasse et
15 me tourne vers mon esprit. C'est à lui de trouver la vérité. Mais comment? Grave incertitude,[6] toutes les fois que l'esprit se sent dépassé par lui-même; quand lui, le chercheur, est tout ensemble le pays obscur où il doit chercher et où tout son bagage ne lui sera de rien.[7] Chercher? pas seulement: créer. Il est en face de quelque chose qui n'est pas encore et
20 que seul il peut réaliser, puis faire entrer dans sa lumière ...

Arrivera-t-il jusqu'à la surface de ma claire conscience, ce souvenir, l'instant ancien que l'attraction d'un instant identique est venue de si loin solliciter, émouvoir, soulever tout au fond de moi? Je ne sais. Maintenant je ne sens plus rien; il est arrêté, redescendu peut-être; qui sait s'il
25 remontera jamais de sa nuit? Dix fois il me faut recommencer, me pencher vers lui. Et chaque fois la lâcheté qui nous détourne de toute tâche difficile, de toute œuvre importante, m'a conseillé de laisser cela, de boire mon thé en pensant simplement à mes ennuis d'aujourd'hui, à mes désirs de demain qui se laissent remâcher [8] sans peine.
30 Et tout d'un coup le souvenir m'est apparu. Ce goût, c'était celui du petit morceau de madeleine que le dimanche matin à Combray (parce que ce jour-là je ne sortais pas avant l'heure de la messe), quand j'allais lui dire bonjour dans sa chambre, ma tante Léonie [9] m'offrait après l'avoir trempé dans son infusion de thé ou de tilleul.[10] La vue de la petite made-
35 leine ne m'avait rien rappelé avant que je n'y eusse goûté; peut-être parce que, en ayant souvent aperçu depuis, sans en manger, sur les tablettes [11] des pâtissiers, leur image avait quitté ces jours de Combray pour se lier à d'autres plus récents; peut-être parce que de ces souvenirs abandonnés si longtemps hors de la mémoire, rien ne survivait, tout s'était désagrégé;
40 les formes, — et celle aussi du petit coquillage de pâtisserie, si grassement sensuel, sous son plissage sévère et dévot — s'étaient abolies, ou, ensommeillées, avaient perdu la force d'expansion qui leur eût permis de rejoindre

[4] accidental.   [5] it transcended it.   *the house.*   [10] [tijœl], linden (lime).
[6] **L'esprit se trouve dans une grave (profonde) incertitude.**   [7] will be of no use to it.   [8] let themselves be ruminated (pondered) over.   [9] *Actually Proust's great-aunt. She was an inquisitive invalid widow who never left her room; she owned*   Infusions *are very popular in France; they are made with herbs;* **le tilleul** *is a sort of European basswood whose yellowish blossoms are used to make sedative* **infusions de tilleul.**   [11] shelves.

la conscience.[12] Mais, quand d'un passé ancien rien ne subsiste, après la mort des êtres, après la destruction des choses, seules, plus frêles mais plus vivaces, plus immatérielles, plus persistantes, plus fidèles, l'odeur et la saveur restent encore longtemps, comme des âmes, à se rappeler,[13] à attendre, à espérer, sur la ruine de tout le reste, à porter sans fléchir, sur 5 leur gouttelette presque impalpable, l'édifice immense du souvenir.

Et dès que j'eus reconnu le goût du morceau de madeleine trempé dans le tilleul que me donnait ma tante (quoique je ne susse pas encore et dusse remettre à bien plus tard de découvrir pourquoi ce souvenir me rendait si heureux), aussitôt la vieille maison grise sur la rue, où était sa chambre, 10 vint comme un décor de théâtre s'appliquer au petit pavillon, donnant sur le jardin, qu'on avait construit pour mes parents sur ses derrières (ce pan tronqué [14] que seul j'avais revu jusque-là); et avec la maison, la ville, la Place où on m'envoyait avant déjeuner, les rues où j'allais faire des courses depuis le matin jusqu'au soir et par tous les temps, les chemins qu'on pre- 15 nait si le temps était beau. Et comme dans ce jeu où les Japonais s'amusent à tremper dans un bol de porcelaine rempli d'eau, de petits morceaux de papier jusque-là indistincts qui, à peine y sont-ils plongés s'étirent, se contournent, se colorent, se différencient, deviennent des fleurs, des maisons, des personnages consistants [15] et reconnaissables, de même maintenant 20 toutes les fleurs de notre jardin et celles du parc de M. Swann, et les nymphéas [16] de la Vivonne,[17] et les bonnes gens du village et leurs petits logis et l'église et tout Combray et ses environs, tout cela qui prend forme et solidité, est sorti, ville et jardins, de ma tasse de thé.

Du Côté de chez Swann, Vol. I, pp. 66–71

LE COTÉ DE CHEZ SWANN ET LE COTÉ DE GUERMANTES

Nous rentrions toujours de bonne heure de nos promenades pour pouvoir 25 faire une visite à ma tante Léonie avant le dîner. Au commencement de la saison où le jour finit tôt, quand nous arrivions rue du Saint-Esprit, il y avait encore un reflet du couchant sur les vitres de la maison et un bandeau de pourpre au fond des bois du Calvaire qui se reflétait plus loin dans l'étang, rougeur qui, accompagnée souvent d'un froid assez vif, 30 s'associait, dans mon esprit, à la rougeur du feu au-dessus duquel rôtissait le poulet qui ferait succéder pour moi, au plaisir poétique donné par la promenade, le plaisir de la gourmandise,[1] de la chaleur et du repos.

Dans l'été au contraire, quand nous rentrions, le soleil ne se couchait pas encore; et pendant la visite que nous faisions chez ma tante Léonie, 35 sa lumière qui s'abaissait et touchait la fenêtre était arrêtée entre les grands

---

[12] my conscious mind. [13] remembering. [14] this truncated (divided, incomplete, isolated) panel. [15] solid, permanent. [16] **nénufars**, water lilies. [17] *The fictitious name for the Loir River, which flows through Illiers, Vendôme, Montoire, La Flèche, and joins the Sarthe, 5 mi. N of Angers.*

[1] good eating.

rideaux et les embrasses,[2] divisée, ramifiée, filtrée, et incrustant [3] de petits morceaux d'or le bois de citronnier de la commode, illuminait obliquement la chambre avec la délicatesse qu'elle prend dans les sous-bois.

Mais certains jours fort rares, quand nous rentrions, il y avait bien long-
5   temps que la commode avait perdu ses incrustations momentanées; il n'y avait plus, quand nous arrivions rue du Saint-Esprit, nul [4] reflet de couchant étendu sur les vitres, et l'étang au pied du calvaire avait perdu sa rougeur; quelquefois il était déjà couleur d'opale et un long rayon de lune, qui allait en s'élargissant et se fendillait de toutes les rides [5] de l'eau, le traversait
10   tout entier.   Alors, en arrivant près de la maison, nous apercevions une forme sur le pas de la porte et maman me disait:

— Mon Dieu! voilà Françoise qui nous guette; ta tante est inquiète; aussi [6] nous rentrons trop tard.

Et sans avoir pris le temps d'enlever nos affaires, nous montions vite
15   chez ma tante Léonie pour la rassurer et lui montrer que, contrairement à ce qu'elle imaginait déjà, il ne nous était rien arrivé, mais que nous étions allés « du côté de Guermantes » et, dame,[7] quand on faisait cette prome-nade-là, ma tante savait pourtant bien qu'on ne pouvait jamais être sûr de l'heure à laquelle on serait rentré.

20   — Là, Françoise, disait ma tante, quand je vous le disais qu'ils seraient allés [8] du côté de Guermantes!   Mon Dieu! ils doivent avoir une faim! et votre gigot qui doit être tout desséché après ce qu'il a attendu.   Aussi est-ce une heure pour rentrer! comment, vous êtes allés du côté de Guer-mantes!

25   — Mais je croyais que vous le saviez, Léonie, disait maman.   Je pensais que Françoise nous avait vus sortir par la petite porte du potager.

Car il y avait autour de Combray deux « côtés » pour les promenades, et si opposés qu'on ne sortait pas en effet de chez nous par la même porte, quand on voulait aller d'un côté ou de l'autre: le côté de Méséglise-la-
30   Vineuse,[9] qu'on appelait aussi le côté de chez Swann parce qu'on passait devant la propriété de M. Swann pour aller par là, et le côté de Guermantes. De Méséglise-la-Vineuse, à vrai dire, je n'ai jamais connu que le « côté » et des gens étrangers qui venaient le dimanche se promener à Combray, des gens que, cette fois, ma tante elle-même et nous tous « ne connaissions
35   point » et qu'à ce signe on tenait pour « des gens qui seront venus [10] de Méséglise ».

Quant à Guermantes je devais un jour en connaître davantage, mais bien plus tard seulement; et pendant toute mon adolescence, si Méséglise était pour moi quelque chose d'inaccessible comme l'horizon, dérobé à la vue,
40   si loin qu'on allât, par les plis d'un terrain qui ne ressemblait déjà plus à celui de Combray, Guermantes, lui, ne m'est apparu que comme le terme plutôt idéal que réel de son propre « côté », une sorte d'expression géo-graphique abstraite comme la ligne de l'équateur, comme le pôle, comme l'orient.   Alors, « prendre par Guermantes » pour aller à Méséglise, ou le

---

[2] tiebacks, bands which tied the curtains back to the wall.   [3] inlaying.   [4] **aucun,** any.   [5] was broken by every ripple; **se fendiller, se fendre,** to crack.   [6] there-fore, that means.   [7] good Lord.   [8] didn't I tell you that they must have gone.   [9] *2 mi. SW of Illiers is a village called Méréglise.*   [10] *Future of probability.*

contraire, m'eût semblé une expression aussi dénuée de sens que prendre
par l'est pour aller à l'ouest.   Comme mon père parlait toujours du côté
de Méséglise comme de la plus belle vue de plaine qu'il connût, et du côté
de Guermantes comme du type de paysage de rivière, je leur donnais, en
les concevant ainsi comme deux entités, cette cohésion, cette unité qui 5
n'appartiennent qu'aux créations de notre esprit; la moindre parcelle de
chacun d'eux me semblait précieuse et manifester leur excellence particulière, tandis qu'à côté d'eux, avant qu'on fût arrivé sur le sol sacré de l'un
ou de l'autre, les chemins purement matériels au milieu desquels ils étaient
posés comme l'idéal de la vue de plaine et l'idéal du paysage de rivière, 10
ne valaient pas plus la peine d'être regardés que par le spectateur épris
d'art dramatique les petites rues qui avoisinent un théâtre.   Mais surtout
je mettais entre eux, bien plus que leurs distances kilométriques la distance
qu'il y avait entre les deux parties de mon cerveau où je pensais à eux,
une de ces distances dans l'esprit qui ne font pas qu'éloigner,[11] qui séparent 15
et mettent dans un autre plan.   Et cette démarcation était rendue plus
absolue encore parce que cette habitude que nous avions de n'aller jamais
vers les deux côtés un même jour, dans une seule promenade, mais une
fois du côté de Méséglise, une fois du côté de Guermantes, les enfermait
pour ainsi dire loin l'un de l'autre, inconnaissables l'un à l'autre, dans les 20
vases clos et sans communication entre eux d'après-midi différents.

Quand on voulait aller du côté de Méséglise, on sortait (pas trop tôt
et même si le ciel était couvert, parce que la promenade n'était pas bien
longue et n'entraînait pas trop [12]) comme pour aller n'importe où, par la
grande porte de la maison de ma tante sur la rue du Saint-Esprit.   On 25
était salué par l'armurier, on jetait ses lettres à la boîte, on disait en passant
à Théodore,[13] de la part de Françoise, qu'elle n'avait plus d'huile ou de
café, et l'on sortait de la ville par le chemin qui passait le long de la barrière
blanche du parc de M. Swann.

Avant d'y arriver, nous rencontrions, venue au-devant des étrangers, 30
l'odeur de ses lilas.   Eux-mêmes, d'entre les petits cœurs verts et frais de
leurs feuilles, levaient curieusement au-dessus de la barrière du parc leurs
panaches de plumes [14] mauves ou blanches que lustrait, même à l'ombre,
le soleil où elles avaient baigné.   Quelques-uns, à demi cachés par la petite
maison en tuiles appelée maison des Archers,[15] où logeait le gardien, dé- 35
passaient son pignon [16] gothique de leur rose minaret.   Les Nymphes du
printemps eussent semblé vulgaires, auprès de ces jeunes houris qui gar-
daient dans ce jardin français les tons vifs et purs des miniatures de la
Perse.

Du Côté de chez Swann, Vol. I, pp. 186–189

[11] which do more than merely give an
idea of remoteness.   [12] ne nous entraînait pas trop loin de la maison.
[13] *The young clerk in the grocery store,*
who also helped Françoise take care of the
invalid aunt Léonie.   [14] clusters of
blossoms.   [15] Archers' lodge.   [16] gable.

Proust retourne une vingtaine d'années en arrière, sous le Second Empire, et minutieusement décrit « un amour de Swann ». Swann rencontre une cocotte [1] du haut monde, Odette de Crécy, qui le présente dans le salon de M. et Mᵐᵉ Verdurin, faubourg Saint-Germain. Les Verdurin sont de riches bourgeois qui se piquent d'art et de musique et dont les invités, le docteur Cottard, le professeur Brichot, etc., sont loin d'avoir le bon goût de Swann. Celui-ci entend chez eux un pianiste jouer la sonate de Vinteuil avec sa petite phrase musicale qui est pour lui une révélation. Les Verdurin et leur « petit clan » essaient de détacher Odette de Swann qui, jaloux, de peur de la perdre, l'épouse. Odette n'est pas reçue dans les salons aristocratiques où son mari devient un peu moins le bienvenu. Ils ont une fillette, Gilberte, et passent l'été dans leur propriété de Combray où Proust enfant les voit et les admire. Swann est assez malheureux, car Odette lui est infidèle.

A l'Ombre des jeunes filles en fleurs. Le jeune Marcel Proust retrouve la blonde Gilberte à Paris. Elle a quatorze ans. Il joue à cache-cache avec elle aux Champs-Élysées; il commence à l'aimer mais s'éloigne d'elle quand il s'aperçoit qu'elle est légère et menteuse. Le meilleur ami de Marcel est le juif Bloch. Swann présente Marcel à Bergotte (Anatole France) qui le trouve intelligent. Avec sa grand-mère, Marcel va passer l'été à Balbec, plage imaginaire, qui est la synthèse de Cabourg et Deauville en Normandie et de Dinard en Bretagne. Il y fait de belles excursions en voiture avec la vieille et bonne Mᵐᵉ de Villeparisis et son neveu, le blond Robert de Saint-Loup qui est maréchal-des-logis.[2] Il y admire le peintre Elstir (Claude Monet) qui le présente à une bruyante petite bande de « jeunes filles en fleurs »: Andrée, Rosemonde, Gisèle, Albertine, qui sont à l'âge du baccalauréat (18 ans). Timidement il papillonne [3] autour d'elles; c'est la sportive orpheline Albertine qu'il préfère.

Du Côté de Guermantes nous fait connaître le duc de Guermantes, violent et hautain, et sa femme, la brillante Oriane, qui est vaniteuse, égoïste et snob. Ils ont un château à Combray. Leur salon est le premier du faubourg Saint-Germain. Mᵐᵉ de Villeparisis y introduit Marcel. Gilberte épouse Robert de Saint-Loup. La grand-mère meurt d'urémie.

Dans Sodome et Gomorrhe *se dévoile l'immoralité du baron de Charlus, frère cadet du duc de Guermantes dans le salon duquel il fait jouer le septuor de feu Vinteuil, compositeur fictif, amalgame des plus grands musiciens, Beethoven, Franck, Debussy, etc. Bergotte meurt d'une crise cardiaque devant la* Vue de Delft *de Vermeer,[4] prêtée au musée du Louvre. Proust s'attache de plus en plus à Albertine.*

*Jaloux, il se fiance avec elle et la séquestre dans sa garçonnière [5] (*La Prisonnière*).*

*Albertine s'enfuit et se réfugie chez une de ses tantes en Touraine. Au cours d'une promenade à cheval elle est projetée contre un arbre et meurt. (*Albertine disparue*).*

Ainsi Proust, prenant trop bien son temps, va « à la recherche du temps perdu ». Il le retrouve en regardant vieillir et mourir les autres; il s'aperçoit que lui aussi vieillit et devient de plus en plus malade. Avec Le Temps retrouvé *nous sommes à Paris pendant la première Grande Guerre. Swann est mort. Odette s'est remariée avec un de ses anciens amants, le comte de Forcheville. La duchesse de Guermantes est morte; le duc a épousé « la patronne », Mᵐᵉ Verdurin, devenue veuve. Gilberte Swann se plaint de son mari Robert de Saint-Loup devenu immoral comme son oncle Charlus. Le pacifiste Robert s'engage. Charlus est défaitiste et le professeur Brichot est chauvin. Combray, que Proust situe maintenant dans la région de Laon, derrière les lignes allemandes, est détruit par les bombardements français. Proust sent approcher la mort. Qu'importe! Par son don de faire revivre ses souvenirs et de les incorporer au présent, il a retrouvé le temps perdu.*

---

[1] light woman. [2] (cavalry) sergeant. *He is remarkable for his effects of light.*
[3] flutters. [4] *Dutch painter (1632–75).* [5] his bachelor apartment.

OUVRAGES RECOMMANDÉS
Textes

Œuvres. Gallimard.

Pages choisies. Classiques Hachette.

Du Côté de chez Swann. Classiques Larousse.

Un Amour de Swann. Collection Pourpre, Gallimard et Macmillan.

Combray, éd. Germaine Brée et Carlos Lynes, Jr. Appleton-Century-Crofts.

Critique

Germaine Brée. *Du Temps perdu au temps retrouvé.* 282 p. Les Belles Lettres, 1950.

Claude Mauriac. *Proust par lui-même.* 192 p. Le Seuil, 1953.

PAUL VALÉRY
(1871–1945)
Un Poète de l'intelligence

La patiente élaboration (1871–96). Fils d'un père corse, vérificateur des douanes, et d'une mère génoise dont le père fut consul italien à Sète, Valéry naquit dans cette ville, au bord de la « brillante et pure » Méditerranée. Il commença ses études au collège de Sète. Il avait quatorze ans quand son père prit sa retraite et s'installa à Montpellier. Paul continua donc ses études au lycée de cette ville. Trop personnel pour être un excellent élève, il réussit cependant au baccalauréat et s'inscrivit à la Faculté de Droit. A partir de dix-huit ans, il fit son année obligatoire de service militaire, puis reprit ses études de droit et devint licencié en 1892, toujours à Montpellier. Il y rencontra Pierre Louÿs, l'initiateur d'André Gide, qui l'encouragea à écrire des vers: *Album de vers anciens* (1891–93). Un peu plus tard il y rencontra aussi André Gide dont un oncle était professeur à la Faculté de Droit.

Il retrouva ses deux amis à Paris où il se fixa en 1892. Ils l'emmenèrent chez Mallarmé qu'il admira pour ses pensées profondes exprimées d'une voix grave et musicale; il connut Huysmans et Heredia. Au lieu d'écrire comme ses amis littéraires, abondamment, il étudia les mathématiques, l'art, la musique, la linguistique. Il avait fait de longs séjours à Gênes, dans la famille de sa mère. Il séjourna en Angleterre en 1894 et 1896; il y connut George Meredith et George Moore. Il n'était pas un écrivain spontané; sur commande, pour des revues, il écrivit des articles sur l'architecture, sur Léonard de Vinci. Il avait la nature rigoureusement, sinon clairement, intellectuelle de Descartes; il n'était jamais satisfait de ses connaissances qu'il étendait en surface, et surtout en profondeur.

Il avait vingt-six ans; il était temps qu'il eût un emploi régulier. Il fut secrétaire au ministère de la guerre (1897), puis à l'agence de nouvelles Havas [avɑs]. Il se maria (1900).

La lente, parfaite mais difficile création (1896–1945). Sa première grande œuvre fut *La Soirée avec Monsieur Teste* [tɛst] publiée dans une revue (1896). Plus de vingt ans s'écoulèrent jusqu'à la publication de l'œuvre suivante, *La Jeune Parque* (p. 458), vingt ans d'études, de méditations qu'il nota dans des cahiers. Dès lors le rythme de ses publications fut assez rapide. Ce furent des poèmes, *Charmes*,[1] dont le chef-d'œuvre est *Le Cimetière marin* (p. 459); des

[1] *Latin* carmina (poems).

études: *Eupalinos ou l'Architecte; L'Ame et la danse; Variété I, II, III, IV; Littérature; Moralités; Choses tues* [2]; *Regards sur le monde actuel; Pièces sur l'art,* etc.

Il fut reçu à l'Académie française en remplacement d'Anatole France (1927), et chargé d'un cours de poétique au Collège de France. Il fit aussi des causeries à la radio, des conférences à l'étranger, surtout en Angleterre. Il mourut à Paris en 1945; cette ville où il vécut cinquante-trois ans, et dont il fut une des lumières, lui fit d'impressionnantes funérailles.

Conclusion. Les profondes et vastes études auxquelles se livra Valéry avant d'écrire, son refus de la facilité aussi bien dans les mots que dans la pensée, sont à la base de son œuvre qui est toute intellectuelle et classique, sobre, concise, elliptique, mais pourtant traversée d'images au dessin ferme, condensée, d'une logique rigoureuse dès qu'on en a trouvé les fils conducteurs, — qui ne sont pas toujours faciles à trouver. Il admettait rarement qu'il était un auteur difficile, et alors il disait: « Je suis difficile; c'est mon genre de beauté. » Sa poésie se prête à la méditation, à l'interprétation qui peut varier d'un lecteur à l'autre; mais n'est-ce pas là le propre de la grande poésie moderne?

LA JEUNE PARQUE

1917

Ce difficile poème, de plus de cinq cents vers, devait figurer à la fin du recueil des poèmes de Valéry que, dès 1913, préparait André Gide pour la *Nouvelle Revue Française*. Valéry avait décidé de ne plus écrire de vers après ceux-ci; c'était son adieu à la poésie, son testament poétique; le sujet en devait donc être capital, rien de moins que le problème de la destinée humaine, de l'être et du non-être, de la conscience avec toutes ses vicissitudes. Il mit plus de quatre ans à l'écrire et en fit plus de cent brouillons.[1] C'est, selon lui, « la peinture d'une suite de substitutions psychologiques et en somme le changement d'une conscience pendant la durée d'une nuit ». Dans son sommeil, une jeune parque, — déesse de la destinée humaine —, au bord de la Méditerranée, par une nuit étoilée, encore vierge, mais tentée par le serpent, analyse son inquiétude.

> Qui pleure là, sinon le vent simple, à cette heure
> Seule, avec diamants extrêmes? [2] . . . Mais qui pleure,
> Si proche de moi-même au moment de pleurer? . . .
>
> *Elle interroge les cieux.*
>
> Tout-puissants étrangers, inévitables astres
> 5 Qui daignez faire luire au lointain temporel
> Je ne sais quoi de pur et de surnaturel;
> Vous qui dans les mortels plongez jusques aux larmes [3]
> Ces souverains éclats, ces invincibles armes,
> Et les élancements [4] de votre éternité,
> 10 Je suis seule avec vous, tremblante, ayant quitté
> Ma couche; et sur l'écueil mordu par la merveille,[5]
> J'interroge mon cœur quelle douleur [6] l'éveille,
> Quel crime [7] par moi-même ou sur moi consommé? . . .

[2] kept secret.

[1] **drafts.**   [2] the faraway stars.   [3] **run** (thrust) until they cry.   [4] **transports,** thrills.   [5] the reef (rock) bitten by your marvelous light.   [6] **pour savoir quelle douleur.**   [7] *This crime is love*

La jeune parque se demande s'il ne vaut pas mieux vivre par l'âme que par le corps. S'évadant de sa pauvre nature de femme, elle voudrait la perfection, l'absolu; en elle l'orgueil de ce qu'elle sera, — toujours consciente —, succède à l'angoisse, mais elle trouve que l'absolu et la perfection sont entachés de sécheresse, d'ennui et de mort. Le soleil se lève. Elle se réveille. Le « connu » revient. Elle se contentera du relatif, de l'instinct, de l'inconscience, et jouira de la vie, de son soleil, de la mer et de l'amour.

      Alors, n'ai-je formé, vains adieux si je vis,
15 Que songes? . . . Si je viens, en vêtements ravis,[8]
      Sur ce bord, sans horreur, humer la haute écume,[9]
      Boire des yeux l'immense et riante amertume,[10]
      L'être [11] contre le vent, dans le plus vif [12] de l'air,
      Recevant au visage un appel de la mer;
20 Si l'âme intense souffle, et renfle [13] furibonde
      L'onde abrupte sur l'onde abattue, et si l'onde
      Au cap tonne,[14] immolant un monstre de candeur,[15]
      Et vient des hautes mers vomir la profondeur [16]
      Sur ce roc, d'où jaillit jusque vers mes pensées
25 Un éblouissement d'étincelles glacées,
      Et sur toute ma peau que morde l'âpre éveil,[17]
      Alors, malgré moi-même, il le faut, ô Soleil,
      Que j'adore [18] mon cœur où tu te viens connaître,
      Doux et puissant retour [19] du délice de naître,

30 Feu vers qui se soulève une vierge de sang
      Sous les espèces d'or d'un sein reconnaissant!

LE CIMETIÈRE MARIN [1]

1920

Do not, dear soul, strive after the life of the immortals, but exhaust the practicable within you. (From the Greek of Pindar, Triumphal Odes, Pythians, III, lines 109–110, 5th century B.C.)

Ce cimetière marin se trouve dans une petite presqu'île près de Sète où Valéry est né. Le poète exprime ici son demi-désaccord avec les Parnassiens, — Leconte de Lisle surtout —, qui croyaient à l'inutilité de tout effort humain, à l'immobilité de tout ce qui est supérieur à l'homme. Selon Valéry, la nature mortelle et changeante de l'homme doit s'accorder avec l'immortalité impassible de la mer et des dieux grecs. Le tombeau de Valéry se trouve dans ce cimetière marin.

[8] having taken off my clothes. [9] breathe in the tall foam of the waves. [10] briny scene. [11] My being (body). [12] the keenest. [13] swells. [14] Thunders against (around) the headland (cape). [15] whiteness, virginity. [16] **vomir la profondeur des hautes mers.** [17] let a sharp (chilly) awakening bite. [18] Let me worship. [19] recurrence.

[1] by the sea.

1

Ce toit [2] tranquille, où marchent des colombes,[3]
Entre les pins palpite, entre les tombes;
Midi le juste [4] y compose de feux [5]
La mer, la mer, toujours recommencée !
5 O récompense après une pensée
Qu'un [6] long regard sur le calme des dieux !

2

Quel pur travail de fins éclairs [7] consume
Maint diamant d'imperceptible écume,
Et quelle paix semble se concevoir ! [8]
10 Quand sur l'abîme un soleil se repose,
Ouvrages purs d'une éternelle cause,
Le Temps scintille et le Songe est savoir.[9]

3

Stable trésor, temple simple à Minerve,
Masse de calme, et visible réserve,
15 Eau sourcilleuse,[10] Œil qui gardes en toi
Tant de sommeil sous un voile de flamme,
O mon silence ! . . . Édifice dans l'âme,
Mais comble [11] d'or aux mille tuiles, Toit ! [12]

4

Temple du Temps, qu'un seul soupir résume,
20 A ce point pur je monte et m'accoutume,
Tout entouré de mon regard [13] marin ;
Et comme aux dieux mon offrande suprême,
La scintillation sereine sème
Sur l'altitude un dédain souverain.

5

25 Comme le fruit se fond en jouissance,[14]
Comme en délice il change son absence [15]
Dans une bouche où sa forme se meurt,
Je hume [16] ici ma future fumée,[17]
Et le ciel chante à l'âme consumée
30 Le changement des rives en rumeur.[18]

[2] *The sea is compared to a roof, the tiles of which are the waves.* [3] doves, *suggested by the sailboats and also by the whitecaps.* [4] *Because noon divides the day into two equal parts, and the sun then sits on high, like a judge.* [5] compounds (and calms) with fires. [6] *Do not translate* **Qu'**. [7] delicate flashes of sunlight. [8] seems to be felt. [9] dreaming is knowledge. [10] **aux sourcils froncés,** frowning, haughty. [11] roof. [12] *The stanza suggests a Greek temple of contemplation and wisdom.* [13] view. [14] melts into enjoyment. [15] disappearance. [16] breathe in, smell. [17] insignificance. [18] murmuring shores.

6

Beau ciel, vrai ciel, regarde-moi qui change!
Après tant d'orgueil, après tant d'étrange
Oisiveté, mais pleine de pouvoir,
Je m'abandonne à ce brillant espace,
35 Sur les maisons des morts [19] mon ombre passe
Qui m'apprivoise à son frêle mouvoir.[20]

7

L'âme exposée aux torches du solstice,[21]
Je te soutiens, admirable justice
De la lumière aux armes sans pitié!
40 Je te rends pure à ta place première:[22]
Regarde-toi!... Mais rendre la lumière
Suppose d'ombre une morne moitié.[23]

8

O pour moi seul, à moi seul, en moi-même,
Auprès d'un cœur, aux sources du poème,
45 Entre le vide et l'événement [24] pur,
J'attends l'écho de ma grandeur interne,
Amère, sombre et sonore citerne,
Sonnant dans l'âme un creux toujours futur!

9

Sais-tu, fausse captive des feuillages,[25]
50 Golfe mangeur de ces maigres grillages,[26]
Sur mes yeux clos, secrets éblouissants,
Quel corps me traîne à sa fin paresseuse,
Quel front l'attire à cette terre osseuse?[27]
Une étincelle y pense à mes absents.[28]

10

55 Fermé, sacré, plein d'un feu sans matière,
Fragment terrestre offert à la lumière,
Ce lieu me plaît, dominé de flambeaux,
Composé d'or, de pierre et d'arbres sombres,
Où tant de marbre est tremblant sur tant d'ombres;
60 La mer fidèle y dort sur mes tombeaux!

11

Chienne [29] splendide, écarte l'idolâtre![30]
Quand solitaire au sourire de pâtre,

[19] Across the tombs. [20] wins me over to its slow (frail) movement. [21] summer solstice, sun. [22] original place. [23] Presupposes giving back a mournful half of shadow. [24] performance, action. [25] *The sea runs away from the shadows cast by the leaves.* [26] *The iron fences around the tombs.* [27] full of bones. [28] the departed members of my family. [29] Watchdog. [30] keep away profane people (*who do not feel as the poet does*).

Je pais [31] longtemps, moutons mystérieux,
Le blanc troupeau de mes tranquilles tombes,
65 Éloignes-en les prudentes colombes,
Les songes vains, les anges curieux!

12

Ici venu,[32] l'avenir est paresse.
L'insecte net gratte [33] la sécheresse;
Tout est brûlé, défait, reçu dans l'air
70 A je ne sais quelle sévère essence [34] . . .
La vie est vaste, étant ivre d'absence,
Et l'amertume est douce, et l'esprit clair.

13

Les morts cachés sont bien [35] dans cette terre
Qui les réchauffe et sèche leur mystère.
75 Midi là-haut, Midi sans mouvement
En soi se pense et convient à soi-même . . .
Tête complète et parfait diadème,[36]
Je suis en toi le secret changement.[37]

14

Tu n'as que moi pour contenir tes craintes!
80 Mes repentirs, mes doutes, mes contraintes
Sont le défaut [38] de ton grand diamant . . .
Mais dans leur nuit toute lourde de marbres,
Un peuple vague aux racines des arbres
A pris déjà ton parti [39] lentement.

15

85 Ils ont fondu dans une absence épaisse,
L'argile rouge a bu la blanche espèce,[40]
Le don de vivre a passé dans les fleurs!
Où sont des morts les phrases familières,
L'art personnel, les âmes singulières? [41]
90 La larve file [42] où se formaient des pleurs.

16

Les cris aigus des filles chatouillées,
Les yeux, les dents, les paupières mouillées,
Le sein charmant qui joue avec le feu,
Le sang qui brille aux lèvres qui se rendent,[43]

[31] I rest my eyes . . . upon; *lit.* 'I graze.'
[32] Now that I have come here.   [33] shrills
through. *This neat insect is the cicada.*
[34] intrinsic nature.   [35] comfortable.
[36] deity; *lit.* 'diadem.'   [37] mobility
(*contrasted with the immobility and sta-
bility of Noon*).   [38] flaw.   [39] Has already sided with you. *The dead have*
*become motionless and eternal. Some edi-
tors give* **A déjà pris son parti** (Have already become resigned) *which is not so
striking.*   [40] external form, appearance,
species, flesh and blood (*as in the
Eucharist*).   [41] individual.   [42] The
larva spins.   [43] surrender to kisses.

95 Les derniers dons, les doigts qui les défendent,
Tout va sous terre et rentre dans le jeu!

17

Et vous, grande âme, espérez-vous un songe
Qui n'aura plus ces couleurs de mensonge
Qu'aux yeux de chair l'onde et l'or [44] font ici?
100 Chanterez-vous quand serez vaporeuse?
Allez! Tout fuit! Ma présence est poreuse,
La sainte impatience meurt aussi!

18

Malgré l'immortalité noire et dorée,
Consolatrice affreusement laurée,[45]
105 Qui de la mort fais un sein maternel,
Le beau mensonge et la pieuse ruse!
Qui ne connaît, et qui ne les refuse,
Ce crâne vide [46] et ce rire éternel!

19

Pères profonds, têtes inhabitées,
110 Qui sous le poids de tant de pelletées,[47]
Êtes la terre et confondez [48] nos pas,
Le vrai rongeur,[49] le vrai irréfutable
N'est point pour vous qui dormez sous la table,[50]
Il vit de vie, il ne me quitte pas!

20

115 Amour, peut-être, ou de moi-même haine?
Sa dent secrète est de moi si prochaine
Que tous les noms lui peuvent convenir!
Qu'importe! Il voit, il veut, il songe, il touche!
Ma chair lui plaît, et jusque sur ma bouche,
120 A ce vivant je vis d'appartenir!

21

Zénon! Cruel Zénon! Zénon d'Élée! [51]
M'as-tu percé de cette flèche ailée
Qui vibre, vole, et qui ne vole pas!
Le son m'enfante [52] et la flèche me tue!
125 Ah! le soleil... Quelle ombre de tortue
Pour l'âme, Achille immobile à grands pas!

---

[44] the sea and the sun. [45] crowned with laurel, praised (by some poets, Leconte de Lisle in particular). [46] Like the skull examined by Hamlet. [47] shovelfuls (of earth). [48] don't recognize. [49] The actual worm. [50] la table (slab) de marbre. [51] Zeno, Greek philosopher and sophist who was born at Elea, southern Italy. He denied the reality of motion, asserting that an arrow did not fly and that fleet-footed Achilles was motionless and could not even overtake a turtle. [52] gives birth to me.

22

Non, non!... Debout! Dans l'ère successive! [53]
Brisez, mon corps, cette forme pensive!
Buvez, mon sein, la naissance du vent!
130 Une fraîcheur, de la mer exhalée,
Me rend mon âme... O puissance salée!
Courons à l'onde en rejaillir vivant! [54]

23

Oui! Grande mer de délires douée,
Peau de panthère et chlamyde [55] trouée
135 De mille et mille idoles [56] du soleil,
Hydre [57] absolue, ivre de ta chair bleue,
Qui te remords l'étincelante queue
Dans un tumulte au silence pareil,

24

Le vent se lève!... il faut tenter de vivre!
140 L'air immense ouvre et referme mon livre,
La vague en poudre [58] ose jaillir des rocs!
Envolez-vous, pages tout éblouies!
Rompez,[59] vagues! Rompez d'eaux réjouies
Ce toit tranquille où picoraient des focs! [60]

Charmes, 1922

OUVRAGES RECOMMANDÉS
Textes

Œuvres. Gallimard.
Poésies choisies. Classiques Hachette.

Discographie

Valéry, textes présentés par Maurice Bemol. Hachette.
L'Ame et la danse. Hachette.

Critique

E. Noulet. *Paul Valéry*. 300 p. Presses de la Cité.
P.-O. Waltzer. *La Poésie de Valéry*. 497 p. Genève: Droz, 1953.
Edmée de La Rochefoucauld. *Paul Valéry*. Éditions Universitaires, 1955.

---

[53] In mobile time (*composed of the present, the past, and the future*).   [54] to come out of it alive.   [55] chlamys, Greek mantle.   [56] idols, little images.   [57] Hydra (*nine-headed serpent*).   [58] The spray.   [59] Break out.   [60] where sails (jibs) were dipping (*lit.* 'pecking').

CHARLES PÉGUY

(1873–1914)

Un Catholique démocrate et passionné

La plupart des grands écrivains français, même Rousseau, sont des produits de la bourgeoisie; quelques-uns viennent de l'aristocratie; seuls les parents de Villon étaient, croit-on, de très petites gens, mais Villon fut élevé par son oncle qui était chanoine. Péguy [1] est, avec Camus, le seul fils du tout petit peuple, de très pauvres ouvriers, qui soit devenu un très grand écrivain.

Enfant et étudiant (1873–95). Péguy est né « dans l'antique Orléans sévère et sérieuse ». Orphelin de père à dix mois, il a été élevé par sa mère et sa grand-mère qui gagnaient leur vie à rempailler [2] des chaises. Élève brillant de l'école primaire, il obtint une bourse au lycée d'Orléans et fut toujours à la tête de sa classe. Il fut admis à l'École normale supérieure de Paris, l'école de France où il est le plus difficile d'entrer et où l'on forme les plus grands professeurs. Mais Péguy avait l'esprit trop combatif pour se contenter d'être professeur; il quitta l'École Normale avant de se présenter à l'agrégation et se lança dans le journalisme.

Socialiste athée (1895–1908). Avec la dot de sa femme, dans une boutique en face de la Sorbonne, il fonda une revue, les *Cahiers de la Quinzaine* (1900). Il y défendit avec passion Dreyfus, Zola, la propreté morale et l'idéal démocratique et socialiste. Il y attaqua vigoureusement, brutalement, l'artificialité, le scepticisme, la paresse, la malhonnêteté, l'intolérance, l'antisémitisme, même s'il les trouvait dans le peuple dont il était, chez ses amis dont certains comme Georges Sorel [3] et Jean Jaurès [4] devinrent ses ennemis. Ses plus célèbres collaborateurs furent Léon Blum [5] et Jacques Maritain.[6]

Catholique indépendant (1908–14). Sa mère et sa grand-mère étaient de bonnes catholiques, mais lui avait perdu la foi au cours de ses études; il la retrouva dans sa croisade de journaliste pour la liberté et la justice. Il l'exprima dans ses œuvres, *Notre Jeunesse* (1910), *L'Argent* (1912), *Note conjointe sur M. Bergson et M. Descartes* (1914), surtout dans *Jeanne d'Arc* (1897), long drame en prose mêlée de vers. Ses autres œuvres poétiques sont *Le Mystère de la charité de Jeanne d'Arc* (1910), *Ève* (1913).

Le catholicisme de Péguy était sincère, brûlant, mais pas exactement orthodoxe. Ses œuvres auraient été condamnées par Rome si la 1ère Grande Guerre n'avait fait de lui un héros et un martyr.

Lieutenant au 276e Régiment d'infanterie, il fut tué debout, d'une balle de mitrailleuse en plein front, en commandant le feu de ses hommes; c'était le 5 septembre 1914. Il laissait une veuve, trois fils et une fille.

Par les soins de sa femme furent publiés en 1952 cinq inédits, *Par ce demi-clair matin*, où brillent *Suite* et *Deuxième Suite de notre patrie;* c'est un éloge vibrant de la France alors qu'elle était menacée d'une autre guerre par l'Allemagne (1905).

Le style de Péguy est oratoire, vigoureux par sa logique et sa passion. Ses répétitions de mots et d'idées, son sens poétique rappellent Carlyle et Walt Whitman.

---

[1] [pegi].   [2] by caning.   [3] *Advocate of violence; both a revolutionary and an anti-democrat (1847–1922).*   [4] *Great orator, Socialist leader, shot by an assassin (1859–1914).*   [5] *Leader of the Socialist party; premier from 1936 to 1938; again headed* the French government in 1946 (1872–1950).   [6] *Protestant who was converted to Catholicism, leader of Catholic thought; lived in the United States during the second World War; French ambassador to the Vatican in 1945 (1882–19   ).*

JEANNE D'ARC

Péguy eut une prédilection pour Jeanne d'Arc qui délivra Orléans, sa ville natale. Il écrivit deux *Jeanne d'Arc;* elles reflètent les deux périodes de sa vie intellectuelle et religieuse. La première, *Jeanne d'Arc, drame en trois pièces,* est plus réaliste et épique; la deuxième, *Le Mystère de la charité de Jeanne d'Arc,* est plus poétique et mystique. Ce qu'il faut remarquer aussi c'est que le Péguy presque athée de la première période n'a pas eu pour Jeanne d'Arc les sarcasmes de Voltaire; il l'a aimée, respectée, comprise autant qu'après son retour à la foi.

Jeanne a dix-sept ans. Elle est dans son village de Lorraine, Domremy, dans la vallée de la Meuse, fleuve qui coule vers le Nord et se jette dans la Mer du Nord. Elle croit sans réserve aux voix des saints qui lui ont dit d'aller chasser les Anglais de France; mais son père ne veut pas la laisser partir. Elle demande à son oncle de l'aider; il dira au père qu'il emmène Jeanne dans son village de Burey pour soigner sa femme qui est malade. En réalité l'oncle conduira Jeanne à la ville de Vaucouleurs où elle dira au capitaine-commandant que Dieu lui ordonne de la faire mener, elle Jeanne, par une petite escorte de soldats, au dauphin Charles qui se trouve à Chinon, dans le Centre de la France. C'est un mensonge et il tracasse[1] Jeanne. Enfin le père consent au départ. Voici les adieux de Jeanne à son village natal.

ADIEUX DE JEANNE D'ARC A DOMREMY

Adieu, Meuse endormeuse[2] et douce à mon enfance,
Qui demeures aux prés, où tu coules tout bas.[3]
Meuse, adieu: j'ai déjà commencé ma partance[4]
En des pays nouveaux où tu ne coules pas.

5　Voici que je m'en vais en des pays nouveaux:
Je ferai la bataille et passerai les fleuves;
Je m'en vais m'essayer à de nouveaux travaux,
Je m'en vais commencer là-bas les tâches neuves.

Et pendant ce temps-là, Meuse ignorante et douce,
10 Tu couleras toujours, passante accoutumée,
Dans la vallée heureuse où l'herbe vive pousse,

O Meuse inépuisable et que j'avais aimée!

Un silence.

Tu couleras toujours dans l'heureuse vallée;
Où tu coulais hier, tu couleras demain.
15 Tu ne sauras jamais la bergère en allée,[5]
Qui s'amusait, enfant, à creuser de sa main
Des canaux dans la terre, — à jamais écroulés.

La bergère s'en va, délaissant les moutons,
Et la fileuse[6] va, délaissant les fuseaux.[7]
20 Voici que je m'en vais loin de tes bonnes eaux,
Voici que je m'en vais bien loin de nos maisons.

---

[1] it worries.　[2] who lulled me to sleep.　[3] silently.　[4] I have already started on my way; **partance** *obs.*, departure.　[5] You'll never know that the shepherdess departed.　[6] spinner.　[7] spindles.

Meuse qui ne sais rien de la souffrance humaine,
O Meuse inaltérable et douce à toute enfance,
O toi qui ne sais pas l'émoi de la partance,[8]
25 Toi qui passes toujours et qui ne pars jamais,
O toi qui ne sais rien de nos mensonges faux,

O Meuse inaltérable, ô Meuse que j'aimais,

Un silence.

Quand reviendrai-je ici filer encor la laine?

Jeanne d'Arc, drame en trois pièces, 1897

Copyright by Librairie Gallimard

DE LA MYSTIQUE RÉPUBLICAINE [1]

Nous sommes la dernière des générations qui ont la mystique républicaine.
Pourquoi le nier? Toute la génération intermédiaire [2] a perdu le sens républicain, le goût de la République, l'instinct, plus sûr que toute connaissance, l'instinct de la mystique républicaine...

Aussitôt après nous commence le monde que nous avons nommé le *monde moderne*. Le monde qui fait le malin.[3] Le monde des intelligents, des avancés, de ceux qui savent, de ceux à qui on n'a plus rien à apprendre. C'est-à-dire: le monde de ceux qui ne croient à rien, pas même à l'athéisme, qui ne se dévouent, qui ne se sacrifient à rien. Exactement: le monde de ceux qui n'ont pas de mystique. Et qui s'en vantent.

Cela se voit surtout à ce que des pensées qui étaient pour nous des pensées sont devenues pour eux des idées,[4] à ce qui était pour nous, pour nos pères, un instinct, une race, des pensées, est devenu pour eux des propositions, à ce qui était pour nous organique est devenu pour eux logique. On prouve, on démontre aujourd'hui la République. Quand elle était vivante, on ne la prouvait pas. On la vivait.

Qu'importe, nous disent les politiciens, ça marche très bien. Nous avons désappris [5] la République, mais nous avons appris de [6] gouverner. Voyez les élections. Elles sont bonnes... Le gouvernement fait les élections, les élections font le gouvernement. Le gouvernement fait les députés, les députés font le gouvernement. Les populations regardent. Le pays est prié de payer. C'est un circuit parfait, un cercle fermé. Ce n'est pas tout à fait ce que nos fondateurs avaient prévu.[7] Mais nos fondateurs ne s'en tiraient pas déjà si bien. Et puis enfin on ne peut pas fonder toujours. Ça fatiguerait. La preuve est que ça dure...[8]

[8] how heartbreaking it is to leave.

[1] mystical ideology, mystic faith in the Republic. [2] *The second generation of the Third Republic, the coming generation.* [3] The world which tries to show how smart it is, The world of the smart alecks. [4] *Ideas are supposed to be more abstract and hypothetical than thoughts.*

[5] We have forgotten what we have learned about. [6] **appris à** *is more common.* [7] the founders (founding fathers of our Republic) had in mind. [8] The proof that our Republic is all right is that it endures.

Les politiciens se trompent . . .

La durée de la République ne prouve pas plus la durée de la République que la durée des monarchies voisines ne prouve la durée de la Monarchie . . .

Les raisons les plus profondes nous font croire, nous forcent à penser
5 que la génération suivante va enfin être une génération mystique.   Cette race [9] a trop de sang dans les veines pour demeurer l'espace de plus d'une génération dans les cendres et dans les moisissures [10] de la critique.   Nous tournant donc vers les jeunes gens, nous ne pouvons que leur dire: Prenez garde . . .   Quand vous parlez à la légère, quand vous traitez légèrement [11]
10 la République, vous ne risquez pas seulement d'être injustes, vous risquez plus, vous risquez d'être sots.   Vous oubliez, vous méconnaissez qu'il y a eu une mystique républicaine.   Des hommes sont morts pour la liberté, comme des hommes sont morts pour la foi.   Les élections aujourd'hui vous paraissent une formalité grotesque . . .   Mais des hommes ont vécu, des
15 hommes sans nombre, des héros, des martyrs, et je dirai des saints, des hommes ont souffert, des hommes sont morts, tout un peuple a vécu pour que le dernier des imbéciles [12] aujourd'hui ait le droit d'accomplir cette formalité truquée.[13]   Ce fut un terrible, un laborieux, un redoutable enfantement.   Ce ne fut pas toujours du dernier grotesque.[14]
20 Ces élections sont dérisoires.   Mais il y a eu une élection.   C'est le grand partage [15] du monde, la grande élection du monde moderne entre l'Ancien Régime et la Révolution . . .

Vous nous parlez de la dégradation républicaine.   N'y a-t-il pas eu, n'y a-t-il pas d'autres dégradations?   Tout commence en [16] mystique et finit
25 en politique.   Tout commence par la mystique, par *une* mystique, par sa propre mystique, et tout finit par *de la* politique . . .   L'intérêt,[17] la question, l'essentiel est que *dans chaque ordre,*[18] *dans chaque système, la mystique ne soit point dévorée par la politique à laquelle elle a donné naissance.*

Notre Jeunesse, 1910

DIEU ET LA FRANCE

DIEU PARLE:

C'est embêtant, dit Dieu.   Quand il n'y aura plus ces Français,
Il y a des choses que je fais, il n'y aura plus personne pour les comprendre.

Peuple, les peuples de la terre te disent léger
Parce que tu es un peuple prompt.
5 Les peuples pharisiens te disent léger
Parce que tu es un peuple vite,
Tu es arrivé avant que les autres soient partis.
Mais moi je t'ai pesé, dit Dieu, et je ne t'ai point trouvé léger.

---

[9] *Our race, the French race.*   [10] mustiness, dry rot.   [11] when you make light of.   [12] the biggest dumbbell.   [13] to go through this faked formality.   [14] the height of the grotesque.   [16] with.   [17] The point.   [15] division.   [18] régime, form of government.

O peuple inventeur de la cathédrale,[1] je ne t'ai point trouvé léger en foi.
10 O peuple inventeur de la croisade,[2] je ne t'ai point trouvé léger en charité.
Quant à l'espérance, il vaut mieux ne pas en parler, il n'y en a que pour eux.

Tels sont nos Français, dit Dieu. Ils ne sont pas sans défauts.
Il s'en faut.[3] Ils ont même beaucoup de défauts.
Ils ont même plus de défauts que les autres.
15 Mais avec tous leurs défauts, je les aime encore mieux que tous les autres
avec censément [4] moins de défauts.
Je les aime comme ils sont.

Le Mystère des Saints Innocents, 1912

Copyright by Librairie Gallimard

PRÉSENTATION DE LA BEAUCE A NOTRE–DAME
DE CHARTRES

La Beauce est un plateau fertile en blé, qui s'étend d'Orléans à Chartres.
Dans cette ville fut bâtie, aux douzième et treizième siècles, une cathédrale qui
marque le triomphe de l'art gothique, bien qu'une des deux tours soit romane.
Cette cathédrale est le sanctuaire de la Vierge Marie. De nombreux pèlerins
s'y rendent chaque année; ce sont les sentiments de ces pèlerins arrivant à pied
que Péguy exprime. Lui-même a fait ce pèlerinage deux fois: en 1911 par le
train, en 1912 à pied de Paris à Chartres, 96 kilomètres en trois jours. Il venait
prier pour la santé de ses enfants.

Étoile de la mer [1] voici la lourde nappe
Et la profonde houle [2] et l'océan des blés
Et la mouvante écume et nos greniers comblés,
Voici votre regard sur cette immense chape [3]

5 Et voici votre voix sur cette lourde plaine
Et nos amis absents et nos cœurs dépeuplés,
Voici le long de nous nos poings désassemblés [4]
Et notre lassitude et notre force pleine.

Étoile du matin, inaccessible reine,
10 Voici que nous marchons vers votre illustre cour,
Et voici le plateau de notre pauvre amour,
Et voici l'océan de notre immense peine . . .

Vous nous voyez marcher sur cette route droite,
Tout poudreux, tout crottés,[5] la pluie entre les dents.

---

[1] *It is a historical fact that Romanesque
(11th century) and Gothic (12th century)
cathedrals flourished earlier and more
beautifully in France than in any other
country.*   [2] *The First Crusade was
preached by Peter the Hermit, of Amiens,*
*and carried out by Godfrey of Bouillon,
Robert of Normandy, Robert of Flanders,
Raymond of Toulouse and many other
Frenchmen.*   [3] Not by a long shot.
[4] supposedly.

[1] *Metaphor used to designate the Virgin
Mary in the litanies to the Virgin.*   [2] billows.   [3] cope. *The big wheat fields ex-*
*tend like the long, embroidered mantle of
silk worn by ecclesiastics.*   [4] unclenched.
[5] covered with mud, bedraggled.

15 Sur ce large éventail ouvert à tous les vents
La route nationale [6] est notre porte étroite [7] . . .

Nous sommes nés au bord de ce vaste plateau,
Dans l'antique Orléans sévère et sérieuse,
Et la Loire coulante et souvent limoneuse [8]
20 N'est là que pour laver les pieds de ce coteau . . .

Un homme de chez nous, de la glèbe [9] féconde
A fait jaillir ici d'un seul enlèvement,[10]
Et d'une seule source et d'un seul portement,[11]
Vers votre assomption la flèche [12] unique au monde.

25 Tour de David [13] voici votre tour beauceronne.[14]
C'est l'épi le plus dur qui soit jamais monté
Vers un ciel de clémence et de sérénité,
Et le plus beau fleuron dedans votre couronne.

Un homme de chez nous a fait ici jaillir,
30 Depuis le ras du sol jusqu'au pied de la croix,
Plus haut que tous les saints, plus haut que tous les rois,[15]
La flèche irréprochable et qui ne peut faillir . . .

Nous arrivons vers vous de Paris capitale.
C'est là que nous avons notre gouvernement,
35 Et notre temps perdu dans le lanternement,[16]
Et notre liberté décevante et totale . . .

D'autres viendront vers vous du noble Vermandois,[17]
Et des vallonnements de bouleaux et de saules.
D'autres viendront vers vous des palais et des geôles.
40 Et du pays picard [18] et du vert Vendômois.[19]

Mais c'est toujours la France, ou petite ou plus grande,
Le pays des beaux blés et des encadrements,[20]
Le pays de la grappe et des ruissellements,[21]
Le pays de genêts,[22] de bruyère, de lande.[23]

45 Mais vous apparaissez, reine mystérieuse.
Cette pointe là-bas dans le moutonnement [24]
Des moissons et des bois et dans le flottement [25]
De l'extrême horizon ce n'est point une yeuse,[26]

[6] The national highway.   [7] narrow gate (to salvation). *"Because strait is the gate, and narrow is the way, which leadeth unto life, and few there be that find it."* (*Matthew 7:14*)   [8] muddy.   [9] soil, glebe.   [10] in one thrust, in one lift, directly.   [11] bearing.   [12] spire.   [13] *Another metaphor to designate Mary in the litanies.*   [14] of Beauce.   [15] *The statues of saints and kings on top of the cathedral.*   [16] dilly-dallying.   [17] *Eastern part of Picardy, capital Saint-Quentin.*   [18] from Picardy, capital *Amiens, in northern France.*   [19] region around Vendôme, *SW of Beauce.*   [20] fences.   [21] streamings (*rains, cascades, rushing rivers*).   [22] broom (*shrub with yellow flowers*).   [23] heath, waste land.   [24] undulations, rippling.   [25] vibration, swaying.   [26] live oak, evergreen oak, holm oak, ilex.

Ni le profil connu d'un arbre interchangeable.
50 C'est déjà plus distante, et plus basse, et plus haute,
Ferme comme un espoir sur la dernière côte,
Sur le dernier coteau la flèche inimitable . . .

Quand on nous aura mis dans une étroite fosse,
Quand on aura sur nous dit l'absoute [27] et la messe,
55 Veuillez vous rappeler, reine de la promesse,
Le long cheminement [28] que nous faisons en Beauce . . .

Nous ne demandons rien, refuge du pécheur,
Que la dernière place en votre Purgatoire,
Pour pleurer longuement notre tragique histoire,
60 Et contempler de loin votre jeune splendeur.

La Tapisserie de Notre-Dame, 1913

HEUREUX CEUX QUI SONT MORTS

Ce poème est prophétique. Péguy fut tué au début de la bataille de la Marne (septembre 1914). Cette bataille a été une des plus grandes victoires des armées françaises; elle a sauvé non seulement Paris, mais la France entière, et les nations opposées au pangermanisme.

Heureux ceux qui sont morts pour la terre charnelle,[1]
Mais pourvu que ce fût [2] dans une juste guerre.
Heureux ceux qui sont morts pour quatre coins de terre,[3]
Heureux ceux qui sont morts d'une mort solennelle.

5 Heureux ceux qui sont morts dans les grandes batailles,
Couchés dessus le sol à la face de Dieu.[4]
Heureux ceux qui sont morts sur un dernier haut lieu,
Parmi tout l'appareil [5] des grandes funérailles.

Heureux ceux qui sont morts pour les cités charnelles,
10 Car elles sont le corps de la maison de Dieu.
Heureux ceux qui sont morts dans cet embrassement,[6]
Dans l'étreinte d'honneur et le terrestre aveu.[7]

Car ce vœu de la terre [8] est le commencement
Et le premier essai d'une fidélité.
15 Heureux ceux qui sont morts dans ce couronnement
Et cette obéissance et cette humilité.

Heureux ceux qui sont morts, car ils sont retournés
Dans la première argile [9] et la première terre.

---

[27] prayers of intercession for the deceased.   [28] tramping.

[1] carnal.   [2] provided that it were.   [3] a few little plots of ground.   [4] their faces turned toward God.   [5] pomp.   [6] hugging the earth.   [7] In an embrace of honor, thus confessing that they loved the earth.   [8] such a pledge to the earth.   [9] the original clay.

Heureux ceux qui sont morts dans une juste guerre.
20 Heureux les épis mûrs et les blés moissonnés.[10]

Ève, 1913

OUVRAGES RECOMMANDÉS
Textes
Œuvres. Gallimard.
Pages choisies. Classiques Hachette.
Discographie
Présentation de la Beauce à Notre-Dame de Chartres. Hachette.
Critique
Marcel Péguy. *Le Destin de Charles Péguy.* 366 p. Perrin.
R. Johannet. *Vie et mort de Péguy.* 478 p. Flammarion.
Jean Roussel. *Charles Péguy.* Éditions Universitaires, 1955.

GABRIELLE COLETTE
(1873–1954)
La Sensualité féminine et artistique

Sidonie-Gabrielle Colette naquit à Saint-Sauveur-en-Puisaye,[1] petite ville de Bourgogne, d'un père, capitaine au 1er Zouaves,[2] devenu percepteur.[3] Elle passa une enfance heureuse avec deux frères et une sœur; elle l'a racontée dans *Claudine à l'école* et *Sido* (sa mère). A vingt ans elle épousa un écrivain libertin, de quatorze ans son aîné, Henry Gauthier-Villars. Il lui fit écrire ses souvenirs en accentuant lui-même la note risquée: *Claudine à l'école, Claudine s'en va, Claudine à Paris, Claudine en ménage.* Elle excella à décrire les chiens et les chats: *Dialogues de bêtes* (1904).

Divorcée (1906), elle gagna sa vie comme danseuse et mime de music-hall (*L'Envers du music-hall, La Vagabonde*). En 1912 elle se remaria avec Henry de Jouvenel,[4] rédacteur en chef du *Matin;* de lui elle eut une fille. Elle écrivit *Chéri* (1920), qu'elle adapta pour le théâtre où elle joua le rôle de Léa; *L'Enfant et les sortilèges* (1926), avec la musique de Maurice Ravel (1926).

Divorcée une seconde fois, elle se remaria avec Maurice Goudeket, romancier et homme de théâtre. L'Académie Goncourt lui ouvrit ses portes en 1945.

Ses meilleures œuvres, depuis les précédentes, sont *La Chatte* (1933), *Julie de Carneilhan* (1941), *Paris de ma fenêtre* (1944), *Gigi* (1945), *Le Fanal bleu* (1949).

Au cours de ses dernières années Colette souffrit beaucoup d'arthritisme et fut paralysée des jambes. Elle est enterrée au cimetière du Père-Lachaise, à Paris.

Colette a exprimé, dans une prose soignée, concise, naturelle, l'instinct féminin, l'espièglerie des écolières, la volupté assagie des femmes de quarante ans, la joie d'aimer la nature et les animaux. Son œuvre est claire, inspirée par la sensation; elle vivra tant que seront aimés la vie et l'amour.

[10] the ripe ears (of corn) and the harvested wheat.

[1] *Town, 40 mi. SE of Paris; pop. 1300.*
[2] 1st Regiment of Zouaves (*crack infantrymen, usually serving in North Africa*). [3] tax collector. [4] *Born in* Paris (*1876–1936*); senator from Corrèze, minister of Education, high French commissioner in Syria.

UNE LEÇON DE COQUETTERIE

Gilberte, dite Gigi, est une jolie petite jeune fille de quinze ans; elle est élevée par sa mère et sa grand-mère. La famille, dont la tante Alicia, une ancienne cocotte, essaie de la guérir de sa gaucherie.

L'heure qui suivit parut courte à Gilberte: tante Alicia avait entr'ouvert un coffret à bijoux, pour une leçon éblouissante.

— Qu'est-ce que c'est que ça, Gigi?

— Un diamant navette.[1]

— On dit: un brillant [2] navette. Et ça?   5

— Une topaze.

Tante Alicia leva ses mains que le soleil, ricochant sur ses bagues, éclaboussa de bluettes: [3]

— Une topaze! J'ai enduré bien des humiliations, mais celle-là dépasse tout. Une topaze parmi mes bijoux! Pourquoi pas une aigue-marine [4] 10 ou un péridot? [5] C'est un brillant jonquille, petite dinde,[6] et tu n'en verras pas souvent de pareils. Et ça?

Gilberte entr'ouvrit la bouche, devint rêveuse:

— Oh! ça, c'est une émeraude . . . Oh! c'est beau!

Tante Alicia passa la grande émeraude carrée à son doigt mince et se tut 15 un moment.

— Tu vois, dit-elle à mi-voix, ce feu presque bleu qui court au fond de la lumière verte . . . Seules les plus belles émeraudes contiennent ce miracle de bleu insaisissable . . .

— Qui te l'a donnée, tante? osa demander Gilberte.   20

— Un roi, dit simplement tante Alicia.

— Un grand roi?

— Non, un petit. Les grands rois ne donnent pas de très belles pierres.

— Pourquoi?

Tante Alicia montra fugitivement le blanc de ses dents étroites: 25

— Si tu veux mon opinion, c'est parce qu'ils n'aiment pas ça. Entre nous, les petits non plus.

— Alors qui donne les très belles pierres?

— Qui? Les timides. Les orgueilleux aussi. Les mufles,[7] parce qu'ils croient qu'en donnant un bijou monstre ils font preuve de bonne éducation. 30 Quelquefois une femme, pour humilier un homme. Ne porte pas de bijoux de second ordre, attends que viennent ceux de premier ordre.

— Et s'ils ne viennent pas?

— Tant pis. Plutôt qu'un mauvais diamant de trois mille francs, porte une bague de cent sous. Dans ce cas-là tu dis: « C'est un souvenir, je ne 35 la quitte ni jour ni nuit. » Ne porte jamais de bijoux artistiques, ça déconsidère complètement une femme.

— C'est quoi, un bijou artistique?

— Ça dépend. C'est une sirène en or, avec des yeux en chrysoprase.[8]

---

[1] rape-flower blue diamond.   [2] brilliant.   stupid, you goose (*lit.* 'turkey hen').
[3] flashes of light, sparkles.   [4] aquamarine (*greenish-blue gem*).   [7] boors.   [8] apple-green chalcedony (quartz).   [5] peridot (*green variety of chrysolite, topaz*).   [6] you

C'est un scarabée égyptien.   Une grosse améthyste gravée.   Un bracelet pas très lourd mais dont on dit qu'il est ciselé de main de maître.   Une lyre, une étoile montée en broche.   Une tortue incrustée.   Enfin des horreurs.   Ne porte pas de perles baroques, même en épingles à chapeau.
5 Garde-toi aussi du bijou de famille!

— Grand-mère a pourtant un beau camée, en médaillon.

— Il n'y a pas de beaux camées, dit Alicia en hochant la tête.   Il y a la pierre précieuse et la perle.   Il y a le brillant blanc, jonquille, bleuté ou rose.   Ne parlons pas des diamants noirs, ils n'en valent pas la peine.
10 Il y a le rubis — quand on est sûr de lui.   Le saphir, quand il est de Kashmeere,[9] l'émeraude, pourvu qu'elle n'ait pas Dieu sait quoi, dans son eau, d'un peu clair, d'un peu jaunasse . . .

— Tante, j'aime bien aussi les opales.

— Désolée, mais tu n'en porteras pas.   Je m'y oppose.
15 Saisie, Gilberte resta un moment bouche bée.

— Oh! . . . toi aussi, tu le crois, tante, qu'elles attirent la mauvaise chance?

— Pourquoi donc pas . . . ?   Petite bête, reprit légèrement Alicia, il faut avoir l'air d'y croire.   Crois aux opales, crois . . .   Voyons, qu'est-ce
20 que je pourrais bien t'indiquer . . . aux turquoises qui meurent, au mauvais œil . . .

— Mais, dit Gigi hésitante, ce sont des . . . des superstitions . . .

— Bien sûr, ma fille.   On appelle ça aussi des faiblesses.   Un joli lot de faiblesses et la peur des araignées, c'est notre bagage indispensable auprès
25 des hommes.

— Pourquoi, tante?

La vieille dame ferma le coffret, garda devant elle Gilberte agenouillée:

— Parce que neuf hommes sur dix sont superstitieux, dix-neuf sur vingt croient au mauvais œil, et quatre-vingt-dix-huit sur cent ont peur des
30 araignées.   Ils nous pardonnent . . . beaucoup de choses, mais non pas d'être libres de ce qui les inquiète . . .   Qu'est-ce que tu as à soupirer?

— Jamais je ne me rappellerai tout ça . . .

— L'important n'est pas que tu te le rappelles, mais que moi je le sache.

— Tante, qu'est-ce que c'est qu'une garniture de bureau en . . . en
35 malachite?[10]

— Toujours une calamité.   Mais qui, bon Dieu, t'apprend des mots pareils?

— La liste des cadeaux des grands mariages, tante, dans les journaux.

— Jolie lecture.   Enfin, tu peux toujours y apprendre quels sont les
40 cadeaux qu'il ne faut ni faire, ni recevoir . . .

En parlant, elle touchait çà et là, d'un ongle aigu, le jeune visage à hauteur du sien.   Elle soulevait une lèvre fendillée,[11] vérifiait l'émail sans tache des dents.

— Belle mâchoire, ma fille!   Avec des dents pareilles, j'aurais mangé
45 Paris et l'étranger.   Il est vrai que j'en ai mangé un joli morceau.   Qu'est-ce que tu as là?   Un petit bouton?[12]   Tu ne dois pas avoir un petit bouton

[9] **Cachemire,** Kashmir, *independent state in N India, adjacent to Tibet.*   [10] malachite (*green copper carbonate*).   [11] chapped.   [12] pimple, blemish.

près du nez.   Et là?   Tu t'es pincé un point noir.   Tu ne dois ni avoir ni pincer un point noir.   Je te donnerai de mon eau astringente.   Il ne faut pas manger d'autre charcuterie que du jambon cuit.   Tu ne mets pas de poudre?

— Grand-mère me le défend.

— Je l'espère bien.   Tu vas régulièrement au petit endroit? [13]   Souffle-moi dans le nez.   D'ailleurs à cette heure-ci ça ne prouve rien, tu viens de déjeuner . . .

Elle posa ses mains sur les épaules de Gilberte:

— Fais attention à ce que je te dis: tu peux plaire.   Tu as un petit nez impossible, une bouche sans style, les pommettes un peu moujikes [14] . . .

— Oh! tante! gémit Gilberte.

— . . . mais tu as de quoi t'en tirer avec les yeux, les cils, les dents et les cheveux, si tu n'es pas complètement idiote.   Et pour le corps . . .

Elle coiffa de ses paumes en conque [15] la gorge de Gigi et sourit:

— Projet [16] . . .   Mais joli projet, bien attaché.   Ne mange pas trop d'amandes, ça alourdit les seins.   Ah! fais-moi donc songer à t'apprendre à choisir les cigares.

Gilberte ouvrit si grands ses yeux que les pointes de ses cils touchèrent ses sourcils:

— Pourquoi?

Elle reçut une petite claque sur la joue.

— Parce que.   Je ne fais rien sans raison.   Si je m'occupe de toi, il faut que je m'occupe de tout.   Quand une femme connaît les préférences d'un homme, cigares compris, quand un homme sait ce qui plaît à une femme, ils sont bien armés l'un contre l'autre . . .

— Et ils se battent, conclut Gilberte d'un air fin.

— Comment, ils se battent?

La vieille dame regarda Gigi avec consternation:

— Ah! dit-elle, ce n'est décidément pas toi qui as inventé la glace à trois faces . . .   Viens, psychologue, que je te donne un mot pour Mme Henriette de chez Béchoff . . .

Pendant qu'elle écrivait, assise à un bonheur-du-jour [17] minuscule et rosé, Gilberte respirait le parfum de la chambre soignée, recensait [18] sans convoitise les meubles qui lui étaient familiers et mal connus, l'Amour sagittaire [19] indiquant les heures sur la cheminée, deux tableaux galants, un lit en forme de vasque [20] et sa couverture de chinchilla,[21] le chapelet de petites perles fines et les Évangiles sur la table de chevet, deux lampes de Chine rouges, heureuses sur la tenture grise . . .

— File, mon petit.   Je te convoquerai par la suite.   Demande à Victor [22] le gâteau que tu vas emporter.   Doucement, ne me décoiffe pas!   Et tu sais, je te regarde partir.   Gare à toi si tu marches en grenadier [23] ou si tu traînes les pieds!

Gigi (1945), pp. 52–59

Reproduit avec la gracieuse permission des Éditions Ferenczi, Paris

[13] bathroom.   [14] muzhik, like those of a Russian peasant, high.   [15] cupped; **conque,** conch, shell.   [16] Possibility.   [17] writing desk, escritoire.   [18] made a (mental) note of.   [19] arrow-shooting.   [20] fountain-basin (*round*).   [21] [ʃɛʃilla].   [22] *Aunt Alicia's servant.*   [23] like an amazon (*a tall, masculine woman*).

OUVRAGES RECOMMANDÉS
Textes

Œuvres complètes, éd. Le Fleuron. 15 vol. Flammarion.
Claudine à Paris. Collection Pourpre, Albin Michel et Macmillan.
Chéri. Collection Pourpre, Calmann-Lévy et Macmillan.
La Fin de Chéri. Collection Pourpre, Calmann-Lévy et Macmillan.
Julie de Carneilhan. Le Livre de demain, Arthème Fayard.

Discographie

Colette vous parle. Extraits de *Sido*, *Les Chats de Paris*, *La Femme cachée*,
lus par Colette, Danièle Delorme, Jean Desailly. 1 disque microsillon.
Disques Festival, Period.
Extraits de *Gigi*, *Chéri*, lus par Colette. 1 disque microsillon. Caedmon.

Critique

G. Beaumont et A. Parinaud. *Colette par elle-même*. 192 p. Le Seuil.
Maurice Goudeket. *Près de Colette*. Flammarion, 1956.

GUILLAUME APOLLINAIRE
(1880–1918)
L'Animateur du modernisme

Wilhelm-Apollinaire de Kostrowitsky naquit à Rome, d'une jeune princesse lithuanienne réfugiée, et d'un père inconnu, peut-être un officier de cavalerie, parent du roi d'Italie. Il reçut une excellente éducation française à Monaco, Nice et Cannes. Installé à Paris, il s'intéressa à toutes les manifestations de l'intelligence, devint un dilettante érudit, un animateur de la littérature et des arts. Il écrivit dans des revues sous le nom de Guillaume Apollinaire. Il s'enthousiasma pour le cubisme après avoir rencontré Picasso,[1] Matisse,[2] Braque,[3] Derain,[4] et contribua à son développement. Il fut l'ami de la délicate femme-peintre Marie Laurencin.[5] Fort patriote, il s'engagea au début de la guerre de quatorze. Instruit à Nîmes, il arriva au front en avril 1915 dans l'artillerie (Argonne). Devenu sous-lieutenant d'infanterie, sur le front de Champagne, près de Berry-au-Bac, il reçut un éclat d'obus à la tête (1916). Sa résistance diminuée, il mourut de la grippe espagnole, à Paris, 202 boulevard Saint-Germain, deux jours avant l'armistice. Une toute petite rue, près de Saint-Germain des Prés, porte son nom.

Ses meilleures œuvres sont des poèmes, *Alcools* (1913), au romantisme purifié par le symbolisme, éclairé par l'impressionnisme; *Calligrammes* (1918), évoquant la paix et la guerre, avec des poèmes en forme de dessins (p. 480). Œuvres posthumes publiées par sa femme, Jacqueline: *Ombre de mon amour* (1947), lettres en vers; *Le Guetteur mélancolique*, poèmes; *Tendre comme le souvenir* (1952),

[1] *Pablo Picasso (1881–19), painter, born in Málaga, Spain; lived in France from the age of 21 on; founder of cubism ("Trois musiciens," "Guernica)".*
[2] *Henri Matisse (1869–1954), painter, born in Le Cateau in N France; leader in modern art: fauvism; advocated simplification, harmony ("La Danse," "La Femme aux yeux verts)".*
[3] *Georges*

Braque (1882–19), painter, born in Argenteuil, NW of Paris; with Picasso, founder of cubism ("La Valse," "La Cheminée"). [4] *André Derain (1880–1954), painter, born in Chatou, W of Paris; disciple of Cézanne, Cubist ("Le Grand Pin").* [5] *Painter (1885–1956) ("Biches").*

lettres d'amour à une jeune fille, Madeleine Pagès, rencontrée dans le train, de Nice à Marseille, en 1915.

Dans *L'Esprit nouveau et les poètes* (1918), Apollinaire conseille, ancrés sur l'héritage classique, l'expérimentation à propos de la forme et des idées, l'effet de surprise, l'audace devant la nouveauté en même temps que la compréhension et la tolérance. C'est ce qu'il a fait.

LE CHAT

Je souhaite dans ma maison:
Une femme ayant sa raison,
Un chat passant parmi les livres,
Des amis en toute saison
5 Sans lesquels je ne peux pas vivre.

Le Bestiaire, 1911

Copyright by Librairie Gallimard

LA CHANSON DU MAL–AIMÉ

Apollinaire passa un an dans deux châteaux d'Allemagne, près de Bonn, comme secrétaire de la vicomtesse de Milhau. Il s'éprit d'Annie Playden, gouvernante anglaise de Gabrielle, une fillette de huit ans. Annie avait le même âge que Guillaume (née en 1880); elle était jolie, fine, gaie, énergique, mais marquée de l'éducation puritaine que lui avait donnée son père, architecte de Clapham, dans la banlieue de Londres. Pour fuir le violent amoureux qui par deux fois la relança à Clapham, Annie vint aux États-Unis comme gouvernante (1904). Elle ne se maria pas; elle habite aujourd'hui dans un ranch de Californie. (Voir *Le Mercure de France*, 1er avril 1952.)

A partir d'ici remarquez, dans la poésie française, la suppression de toute ponctuation, déjà réduite chez Mallarmé.

. . . .

Mon beau navire ô ma mémoire
Avons-nous assez navigué
Dans une onde mauvaise à boire
Avons-nous assez divagué [1]
5 De la belle aube au triste soir

Adieux faux amour confondu
Avec la femme qui s'éloigne
Avec celle que j'ai perdue
L'année dernière en Allemagne
10 Et que je ne reverrai plus

Voie lactée [2] ô sœur lumineuse
Des blancs ruisseaux de Chanaan [3]
Et des corps blancs des amoureuses
Nageurs morts suivrons-nous d'ahan [4]
15 Ton cours vers d'autres nébuleuses [5] . . .

[1] wandered. [2] Milky Way. [3] [kanaã], *divided between Israel and Palestine.* Canaan, *the Promised Land, between the* [4] pantingly. [5] nebulae (*cloudlike masses Dead Sea and the Mediterranean; today of stars beyond the solar system*).

Je ne veux jamais l'oublier
Ma colombe ma blanche rade [6]
O marguerite exfoliée [7]
Mon île au loin ma Désirade [8]
20 Ma rose mon giroflier? [9] . . .

Juin ton soleil ardente lyre
Brûle mes doigts endoloris
Triste et mélodieux délire
J'erre à travers mon beau Paris
25 Sans avoir le cœur d'y mourir

Les dimanches s'y éternisent [10]
Et les orgues de Barbarie [11]
Y sanglotent dans les cours grises
Les fleurs aux balcons de Paris
30 Penchent comme la tour de Pise [12]

Soirs de Paris ivres du gin
Flambant de l'électricité
Les tramways feux verts sur l'échine [13]
Musiquent [14] au long des portées [15]
35 De rails leur folie de machines

Les cafés gonflés de fumée
Crient tout l'amour de leurs tziganes [16]
De tous leurs siphons [17] enrhumés
De leurs garçons vêtus d'un pagne [18]
40 Vers toi toi que j'ai tant aimée

Moi qui sais des lais pour les reines [19]
Les complaintes de mes années
Des hymnes d'esclave aux murènes [20]
La romance [21] du mal-aimé
45 Et des chansons pour les sirènes

Juin 1903
Alcools, 1898–1913

[6] haven; *lit.* 'roadstead.' [7] daisy whose petals have been plucked (*as a test of love*). [8] my Desired Island. *La Désirade is a small island in the Lesser Antilles, NE of Guadeloupe.* [9] my clove tree (*for spice*). [10] are interminable there. [11] hurdy-gurdies. [12] Pisa, *city in NW Italy, with a famous leaning tower.* [13] their spines, backs. [14] Set to music. [15] staffs. [16] Hungarian gypsies. [17] Seltzer (charged water) bottles. [18] loincloth. [19] *Like the lays (poems to be sung) of Marie de France, a 13th-century poetess.* [20] *Roman slave whom his master, the gourmet Vedius Pollio, ordered thrown into a vivarium full of muraenae (lampreys, morays, large ferocious eels — a delicacy) because he had broken a cup. The Emperor Augustus, who witnessed the scene, ordered the slave freed, all the cups in the house broken, and the vivariums filled in. (Seneca, de Ira, III, 40,2)* [21] The sentimental song.

LE PONT MIRABEAU [1]

Sous le pont Mirabeau coule la Seine
Et nos amours
Faut-il qu'il m'en souvienne
La joie venait toujours après la peine

5   Vienne la nuit [2] sonne l'heure
Les jours s'en vont je demeure

Les mains dans les mains restons face à face
Tandis que sous
Le pont de nos bras passe
10 Des éternels regards l'onde si lasse [3]

Vienne la nuit sonne l'heure
Les jours s'en vont je demeure

L'amour s'en va comme cette eau courante
L'amour s'en va
15   Comme la vie est lente
Et comme l'Espérance est violente

Vienne la nuit sonne l'heure
Les jours s'en vont je demeure

Passent les jours et passent les semaines
20   Ni temps passé
Ni les amours reviennent
Sous le pont Mirabeau coule la Seine

Alcools

Copyright by Librairie Gallimard

SALTIMBANQUES [1]

Dans la plaine les baladins [2]
S'éloignent au long des jardins
Devant l'huis [3] des auberges grises
Par les villages sans églises

5 Et les enfants s'en vont devant
Les autres suivent en rêvant
Chaque arbre fruitier se résigne
Quand de très loin ils lui font signe [4]

[1] *Bridge which connects the left bank of the Seine with Auteuil, in western Paris, where Apollinaire lived (1909-12). The bridge is named after Count Honoré de* Mirabeau (*see p. 194, n. 14*).   [2] Let night come.   [3] **l'onde si lasse des éternels regards,** the water which is so tired of the eyes looking constantly at it.

[1] circus performers, showmen.   [2] clowns.   [3] door.   [4] they point it out (*to be robbed of its fruit*).

Ils ont des poids ronds ou carrés
10 Des tambours des cerceaux dorés
L'ours et le singe animaux sages
Quêtent des sous sur leur passage

Alcools

LA COLOMBE POIGNARDÉE ET LE JET D'EAU

Ce calligramme, poésie en forme de dessin, fut écrit alors qu'au dépôt d'artillerie de Nîmes, sud de la France, Apollinaire attendait d'être envoyé au front. Il le fut à Pâques 1915. Devant les jets d'eau et les lauriers-roses du jardin de la Fontaine, il évoque d'abord les femmes qu'il aima, Annie Playden, Marie Laurencin, etc, puis ses amis mobilisés.

Douces figures poignardées Chères lèvres fleuries

Mia   Mareye
Yette   Lorie
Annie   et   toi   Marie
où   êtes-
vous   ô
jeunes filles
mais
près d'un
jet d'eau qui
pleure et qui prie
cette colombe s'extasie [1]

Tous les souvenirs de naguère
O mes amis partis en guerre
Jaillissent vers le firmament
Et vos regards en l'eau dormant
Meurent mélancoliquement.

Où sont-ils Braque et Max Jacob [2]
Derain aux yeux gris comme l'aube
Où sont Raynal Billy [3] Dalize [4]
Dont les noms se mélancolisent [5]
Comme des pas dans une église
Où est Cremnitz [6] qui s'engagea
Peut-être sont-ils morts déjà

[1] goes into ecstasies. [2] *Cubist poet born at Quimper, Brittany (1876–1944). He died in the Drancy concentration camp for Jews.* [3] *André Billy (1882–19   ), born in Saint-Quentin (N of Paris), novelist, journalist, literary critic (Diderot, Balzac, Apollinaire, Sainte-Beuve), member of the Académie Goncourt.* [4] *René Dalize,* pseudonym of René Dupuy (1878–1917), poet, classmate of Apollinaire at the Collège de Monaco; author of La Ballade du pauvre macchabée mal enterré; killed in the first World War. [5] resound in a melancholy way. [6] *Maurice Cremnitz, poet who, for some time, had been with Apollinaire at the Nîmes training base.*

Douces figures poi**gnardée**s **C**hères lèvres fleuries

MIA   MAREYE

YETTE   LORIE

ANNIE   et toi   MARIE

où   êtes

vous   ô

jeunes   filles

M A I S

près d'un

jet d'eau qui

pleure et qui prie

cette colombe s'extasie

Tous les souvenirs de naguère

O mes amis partis en guerre

? Où sont Raynal Billy Dalize

Dont les noms se mélancolisent

Jaillissent vers le firmament Comme des pas dans une église

Et vos regards en l'eau dormant Où est Cremnitz qui s'engagea

Meurent mélancoliquement Peut-être sont-ils morts déjà

Où sont-ils Braque et Max Jacob De souvenirs mon âme est pleine

Derain aux yeux gris comme l'aube Le jet d'eau pleure sur ma peine

CEUX QUI SONT PARTIS A LA GUERRE AU NORD SE BATTENT MAINTENANT

Le soir tombe **O** sanglante mer

Jardins où saigne abondamment le laurier rose fleur guerrière

De souvenirs mon âme est pleine
Le jet d'eau pleure sur ma peine

Ceux qui sont partis à la guerre au nord [7] se battent maintenant
Le soir tombe O sanglante mer
Jardin où saigne abondamment le laurier-rose fleur guerrière [8]

Calligrammes (1913–16), Mercure de France, 1918

OUVRAGES RECOMMANDÉS
Textes

Œuvres. Gallimard.
André Billy. *Apollinaire* (textes et critique). 248 p. Seghers, 1947.

Critique

Marcel Adéma. *Apollinaire le mal aimé.* 320 p. Plon.
Pascal Pia. *Apollinaire.* Le Seuil, 1954.

JEAN GIRAUDOUX

(1882–1944)

Un Poète en prose

Il naquit à Bellac (Limousin, 240 milles au sud-ouest de Paris). Son père était ingénieur civil. Sa mère mourut; pendant sept ans il fut interne au lycée de Châteauroux.[1] Il y fit de brillantes études classiques, fut reçu premier à l'École normale supérieure. S'intéressant à l'allemand, il devint précepteur en Bavière. Chargé de la rubrique [2] des contes au journal *Le Matin*, il en écrivit, qui furent réunis en volume en 1952, *Les Contes d'un matin*. Il entra dans le service diplomatique. Pendant la guerre 14–18 il gagna la Légion d'honneur sur le front (Alsace, Marne, Dardanelles). Il fut de la mission Joffre [3]-Bergson aux États-Unis (1917), et en tira la matière d'*Amica America* (1919).

Tout en travaillant au service des Affaires Étrangères, il écrivit des romans et des pièces de théâtre. Romans: *Simon le Pathétique* (autobiographie, 1918), *Suzanne et le Pacifique* (1921), *Siegfried et le Limousin* (un amnésique parmi les relations franco-allemandes, 1922); *Choix des élues* (1938) dont l'action se passe en Californie.

Ses pièces, supérieures à ses romans, sont ingénieuses, plus charmantes et paradoxales que fortes: *Siegfried* (1928), *Amphitryon 38* (1929), *La Guerre de Troie* [4] *n'aura pas lieu* (1935), *Ondine* (1939), *La Folle de Chaillot* (p. 483), *Pour Lucrèce* (1953).

[7] *In the north of France where the front was.*   [8] *The rose laurel or oleander was woven into crowns, by the ancient Greeks and Romans, to honor their victorious generals, emperors, and also their poets.*

[1] *Town, 160 mi. S of Paris.*   [2] depart-ment, column.   [3] *Joseph Joffre (1852–1931), marshal of France, commander in chief of the French Army (1914–16). He came to America (1917) to whip up en-thusiasm for the Allies.*   [4] *Troy, ancient city in Asia Minor. It was captured and burned by the ancient Greeks after a siege of nine years. See Homer's* Iliad *and* Odyssey.

Au début de la guerre de 39 il fut nommé ministre de l'Information.

Il mourut d'une crise d'urémie dans son appartement du quai d'Orsay (janvier 1944).

Giraudoux est dans la tradition de pureté classique de Racine, de finesse de Musset; il est subtil, un peu précieux, jouant avec le rêve et les nuages, mais plein de mots irisés, de fantaisie, d'humour poétique et toujours brillant. Son œuvre est à la fois légère et solide.

POURQUOI LA VIE EST BELLE

La folle de Chaillot [1] vient, dans un café-restaurant, chercher des os pour son chien. Elle y est bien accueillie par le garçon Martial, la plongeuse [2] Irma et d'autres petites gens, mais fort mal par de riches spéculateurs. Ceux-ci sont en train de former une société pour la prospection du pétrole dans le sous-sol de Paris. Un sauveteur apporte un jeune homme évanoui, Pierre, qui a voulu se noyer dans la Seine par remords d'avoir travaillé pour les spéculateurs. La folle entreprend de lui rendre le goût de la vie.

LA FOLLE. Je n'ai pas envie de mourir.

PIERRE. Vous avez bien de la chance . . .

LA FOLLE. Tous les vivants ont de la chance, Fabrice [3] . . . Évidemment, au réveil, ce n'est pas toujours gai. En choisissant dans le coffret hindou vos cheveux du jour, en prenant votre dentier dans la seule coupe qui vous 5 soit restée du service [4] après le déménagement de la rue de la Bienfaisance,[5] vous pouvez évidemment vous sentir un peu dépaysé en ce bas monde, surtout si vous venez de rêver que vous étiez petite fille et que vous alliez à âne cueillir des framboises. Mais pour que vous vous sentiez appelée par la vie, il suffit que vous trouviez dans votre courrier une lettre avec le 10 programme de la journée. Vous l'écrivez vous-même la veille, c'est le plus raisonnable. Voici mes consignes de ce matin: repriser les jupons avec du fil rouge, repasser [6] les plumes d'autruche au petit fer,[7] écrire la fameuse lettre en retard, la lettre à ma grand-mère . . . etc . . . etc . . . Puis quand vous vous êtes lavé le visage à l'eau de roses, en le séchant, non 15 pas à cette poudre de riz qui ne nourrit pas la peau, mais avec une croûte d'amidon pur, quand vous avez, pour le contrôle,[8] mis tous vos bijoux, toutes vos broches, les boutons miniatures des favorites [9] y compris, et les boucles d'oreilles persanes avec leurs pendentifs, bref quand votre toilette du petit déjeuner est faite, et que vous vous regardez non pas dans la glace, 20 elle est fausse, mais dans le dessous du gong en cuivre qui a appartenu à l'amiral Courbet,[10] alors, Fabrice, vous êtes parée,[11] vous êtes forte, vous pouvez repartir . . .

Le jeune homme s'est levé sur son coude et s'est mis à écouter avidement.

PIERRE. O Madame! O Madame!

LA FOLLE. Tout ensuite n'est plus que joie, que facilité. La lecture du 25

[1] *See p. 203.*   [2] dishwasher (*woman*).
[3] *The madwoman calls Pierre "Fabrice" because she thinks that he is the Fabrice that she has loved.*   [4] set.   [5] *Behind Saint-Augustine's church, in the NW section of Paris.*   [6] curl once more.   [7] with a curling iron.   [8] to make sure that none is missing.   [9] favorite brooches.   [10] *André Courbet (1827–85), French admiral who distinguished himself, and died, in the China campaign.*   [11] ready.

journal, d'abord. Du même journal naturellement. Vous pensez bien que je ne vais pas lire ces feuilles du jour qui répandent le mensonge et le vulgaire. Je lis *Le Gaulois*.[12] Et je ne vais pas me gâter la vie avec leurs actualités.[13] Je lis toujours le même numéro. Celui du 7 octobre 1896.
5 C'est de beaucoup le meilleur. L'article sur les hommes de la comtesse Diane y est au complet ... Avec le post-scriptum sur la taille à la Bressant![14] Et il annonce en dernière heure la mort de Léonide Leblanc. Elle habitait ma rue. Pauvre femme! Chaque matin, j'en ai un sursaut ... Mais je ne vous le prêterai pas. Il est en loques.

10 LE SERGENT DE VILLE. C'est dans ce numéro que monsieur de Barthelemy raconte son combat avec la tigresse?

LA FOLLE. Évidemment!

LE SERGENT DE VILLE. Une tigresse et un marquis, à bras le corps,[15] dans les poivriers![16]

15 LA FOLLE. Puis, vos sels Karsen[17] une fois pris, non pas dans l'eau, c'est l'eau quoi qu'ils en disent qui donne l'aérophagie,[18] mais dans du pain d'épice,[19] sous le soleil et la pluie Chaillot vous appelle, et vous n'avez plus qu'à vous mettre à votre toilette de promenade. Elle est plus longue évidemment. On ne s'en tire pas en une heure sans femme de chambre
20 avec un corset, un cache-corset,[20] et un pantalon vareuse[21] qui se lacent ou se boutonnent par derrière. J'ai été chez les sœurs Callot pour qu'elles m'y adaptent des fermetures éclair.[22] Elles ont été polies mais elles n'ont pas voulu: cela enlevait le style.

Martial[23] *s'est approché.*

MARTIAL. Je connais un petit maroquinier[24] ...

25 LA FOLLE. Chacun ses fournisseurs,[25] Martial. D'ailleurs je m'en sors[26] très bien. Je les lace par devant et les fais glisser par derrière. Il ne me reste plus qu'à tirer au sort[27] entre mes face-à-main,[28] qu'à chercher, vainement d'ailleurs, le boa que votre prospecteur m'a volé, — je suis sûre que c'est lui, il n'a pas supporté mon regard —, et à attacher à l'intérieur par
30 ses baleines[29] l'ombrelle blanche, car elle n'a plus de déclic[30] depuis que j'ai tapé sur ce chat qui guettait un pigeon ... J'ai bien gagné ma journée, ce jour-là. La vue de la chapelle expiatoire[31] est tombée du manche en os et s'est perdue ...

Irma et la plupart des comparses[32] *sont arrivés et écoutent.*

IRMA. Pourquoi ne voulez-vous pas de cet œil de chevreuil[33] qu'un
35 Mexicain m'a donné? C'est juste la grandeur du trou et cela porte bonheur.

---

[12] *Rightist daily newspaper of Paris, amalgamated with* Le Figaro *in 1929.* [13] current events. [14] *Jean-Baptiste Bressant (1815–86), handsome French actor who played lovers' roles in Paris.* [15] locked in a fight. [16] pepper trees. [17] laxative salts. [18] aerophagia, morbid swallowing of air. [19] honey bread. [20] corset cover. [21] long underwear; **la vareuse,** jacket. [22] zippers. [23] [marsjal], *the waiter.* [24] morocco-leather man. [25] dealers. [26] I manage, I get along. [27] draw lots. [28] lorgnettes. [29] ribs. [30] catch. [31] *Expiatory chapel, erected in Paris (1821) as atonement for the execution of Louis XVI (1793). It is situated a quarter of a mile NW of the church of La Madeleine. In this particular case, there was a picture of the chapel inserted in a piece of glass in the handle of the parasol.* [32] supers. [33] buck.

LA FOLLE. Merci, Irma. On dit que ces yeux se mettent parfois à revivre et à pleurer. J'aurais trop peur.

LE CHIFFONNIER.[34] J'ai trouvé une petite vue de Buda-Pest [35] en ivoire. Si elle vous convenait, on voit Buda comme si l'on y était.

PIERRE. Continuez, continuez, Madame! Je vous en supplie!   5

LA FOLLE. Ah, cela vous intéresse, la vie?

PIERRE. Continuez! Que c'est beau!

LA FOLLE. Vous voyez que c'est beau! Ensuite les bagues. Ma topaze, si je vais à confesse. J'ai tort d'ailleurs. On ne peut imaginer les éclairs de la topaze dans le confessionnal. Vous venez encore vous confesser avec 10 l'œil du diable, me dit l'abbé Bridet. Il rit, mais il me renvoie au bout d'une minute. Il n'a jamais voulu m'écouter jusqu'au bout. C'est peut-être parce que je commence par mes péchés d'enfant. En tout cas, je sors absoute de mon premier mensonge, de ma première gourmandise, mais tous mes autres péchés, hélas, me restent pour compte ... Ce n'est vraiment 15 pas sérieux ... Qu'est-ce qu'il raconte, celui-là?

Le sourd-muet fait une mimique.

IRMA. Il dit qu'il connaît un curé ...

LA FOLLE. Qu'il garde son curé pour lui. Je ne vais pas aller me confesser par les mains,[36] surtout avec ma topaze.

PIERRE. Parlez, parlez, Madame. Je ne me tuerai plus! Que faites- 20 vous ensuite?

LA FOLLE. Ma promenade, Fabrice. Je vais surveiller où en sont les mauvaises gens de Chaillot. Ceux qui plissent les lèvres, ceux qui donnent à la dérobée des coups de pied dans les maisons, les ennemis des arbres, les ennemis des animaux. Je les vois qui entrent, pour donner le change,[37] 25 à l'établissement de bains, chez l'orthopédiste, le coiffeur. Mais ils en sortent sales, boiteux, avec de fausses barbes. En fait ils hésitent sur les moyens de tuer le platane du musée Galliera [38] ou de jeter une boule empoisonnée au chien du boucher de la rue Bizet.[39] Je cite ces deux protégés-là, je les ai vus tout petits. Pour que ces bandits perdent tout pouvoir, il faut 30 que je passe à leur hauteur,[40] par la gauche. C'est dur, le crime marche vite, mais j'ai l'enjambée large.[41] N'est-ce pas, mes amis? Jamais le platane n'a donné plus de cosses [42] et de duvet![43] Jamais le chien du boucher de la rue Bizet ne s'est promené plus allègre!

LE SERGENT DE VILLE. Et sans collier. Je l'aurai un de ces jours ... 35

MARTIAL. La crapule [44] va même voler chez le boucher de la rue Hya-cinthe.[45]

---

[34] ragpicker.   [35] Budapest, *capital of Hungary, formed by the union of Buda, on the right bank of the Danube, and of Pest, on the left bank.*   [36] by making hand signals (*to a deaf-mute priest*).   [37] to put people off the track, fool people.   [38] *10, avenue Pierre-Ier-de-Serbie, N of the Eiffel Tower; donated by the Italian-born Duchess of Galliera to the city of Paris; devoted to decorative* arts, tapestries, sculpture.   [39] *Rue Georges-Bizet, cutting the avenue Pierre-Ier-de-Serbie, in Chaillot. Georges Bizet is the composer of* Carmen, L'Arlésienne.   [40] I catch up with them.   [41] I have a good long stride.   [42] pods.   [43] down.   [44] The skunk (*refers to the butcher's dog*).   [45] *There is no rue Hyacinthe in Paris, but there is a rue Saint-Hyacinthe, near the church of Saint-Roch.*

IRMA.   Il n'y a que le lévrier de la duchesse de La Rochefoucauld [46] qui maigrit.

LA FOLLE.   Cela, c'est autre chose.   La duchesse l'a acheté à un vendeur qui ne savait pas son vrai nom.   Tout chien, sans son vrai nom, maigrit . . .

5   LE CHIFFONNIER.   Je peux lui envoyer un sidi.[47]   Ils savent tout sur les chiens arabes.

LA FOLLE.   Envoyez-le-lui . . .   Bonne idée.   Elle reçoit le mardi de cinq à sept . . .   Voilà ce qu'est la vie, Fabrice.   Elle vous tente, maintenant !

10   PIERRE.   Elle est merveilleuse, Madame !

La Folle de Chaillot (1946), pp. 66–74

Reproduit avec la gracieuse permission de Monsieur Jean Pierre Giraudoux

OUVRAGES RECOMMANDÉS
Textes

Œuvres.   Grasset.
La Guerre de Troie n'aura pas lieu.   Classiques Larousse.
Siegfried, dans *Four French Plays of the Twentieth Century*, éd. E. M. Grant. Harper.
La Folle de Chaillot, éd. M. E. Storer.   Harper, 1955.

Discographie

Giraudoux, textes présentés par André Stegmann.   Hachette.

Critique

Ch. Marker.   *Giraudoux par lui-même*.   192 p.   Le Seuil.
V. H. Debidour.   *Jean Giraudoux*.   Éditions Universitaires, 1955.

GEORGES DUHAMEL
(1884–19)
Le Romancier de la sagesse et de la pitié

De tous les grands écrivains français d'aujourd'hui, nul ne donne plus de satisfaction à ses lecteurs que Georges Duhamel; il est clair, simple et pourtant plein d'idées généreuses, il est sensible et pourtant gai, il est poète, il est charitable et humain.

Il est né à Paris.   Il fit d'excellentes études littéraires et scientifiques.   Il devint docteur en médecine mais n'exerça pas; il préféra travailler dans un laboratoire de recherches chimiques.

Il occupa ses loisirs à écrire des vers, des pièces de théâtre et des articles de revues.   Pendant la Ière Grande Guerre il servit sur le front de France comme chirurgien.   Le spectacle des souffrances humaines, pour lesquelles personne n'eut jamais plus de pitié que lui, fut la source d'histoires qu'il réunit dans *La Vie des martyrs* et *Civilisation*.   Ce dernier recueil, signé du pseudonyme Denis Thévenin, obtint le prix Goncourt (1918).

[46] *There is still a Duke of La Rochefoucauld, a descendant of the author of* Maxims.
[47] Arab.

Réinstallé à Paris en 1919, il se consacra entièrement à la littérature. Il voyagea beaucoup, donnant des conférences pour faire connaître et aimer la France. Il fit plusieurs séjours aux États-Unis et publia *Scènes de la vie future* (1930), où l'humaniste qu'il est exprime la crainte que la civilisation standardisée, mécanisée de l'Amérique, ne devienne un jour celle du monde entier.

Ses livres les plus remarquables depuis 1919 sont: *Confession de minuit* (1920, confession d'un employé de bureau, Salavin, à minuit, à la terrasse d'un café, sur les malheurs qui lui viennent de son manque de volonté; c'est un des dix meilleurs romans de ce siècle), *Le Journal de Salavin* (1927) et la *Chronique des Pasquier* (1933–45). Cette dernière œuvre est en dix volumes; c'est l'histoire, non seulement d'une famille française, — la famille bien diversifiée d'un docteur original —, mais de la société française depuis 1890.

Ses livres les plus récents sont *Lumières sur ma vie*, où il explique ce qui est vraiment autobiographique dans la *Chronique des Pasquier; Le Voyage de Patrice Périot*, où un honnête biologiste, qui s'engage dans la politique, va d'une déception à une autre; *Cri des profondeurs* (1951), remords d'un homme d'affaires qui s'est attaché davantage à faire fortune qu'à se faire aimer; *Refuges de la lecture* (1954), réflexions sur de grands auteurs; *L'Archange de l'aventure* (1955), roman satirique sur un critique d'art.

Georges Duhamel fait partie de l'Académie française.

LA NOUVELLE DE L'HÉRITAGE

Dans leur modeste appartement de Paris, Mme Pasquier et ses quatre enfants, Joseph, Ferdinand, Cécile et le petit Laurent, qui raconte l'histoire, soupent en attendant la rentrée du père. Il arrive enfin.

Père entra . . . Il vint jusque dans la salle à manger. Il tenait une lettre . . . Il nous regardait avec un sourire en même temps affectueux et ironique. Il n'avait pas quitté son pardessus qui portait un col de fourrure. Il avait son chapeau melon [1] sur la tête. Avec ses longues moustaches blondes, presque rousses, ses yeux bleus, sa belle prestance,[2] il ressemblait 5 à Clovis,[3] au Clovis de mon livre. Il était beau. Nous l'admirions.

Il sourit encore et jeta la lettre sur la table.

— Madame Delahaie est morte, dit-il.

Maman devint toute pâle.

— Est-ce possible? 10

— Vois toi-même, répondit papa. C'est une lettre du notaire.

Et il enleva son pardessus. Il avait un vêtement de coupe élégante mais qu'il jugeait fané,[4] ce dont nous ne pouvions nous apercevoir.

Maman dépliait la lettre. Soudain, elle se cacha le visage dans son tablier et se prit à pleurer.[5] Papa souriait, le sourcil dédaigneux. Joseph 15 s'écria:

— Ne pleure pas, maman. Puisqu'on ne l'aimait pas, c'est pas la peine de pleurer.

Maman posa sa serviette sur la table et dit:

— C'est elle qui m'a élevée, mes enfants. 20

Papa venait de lisser [6] sa belle moustache et de se passer la main dans les cheveux pour les faire boucler.[7] Il se redressa, fit trois ou quatre fois et

---

[1] derby. [2] his fine bearing. [3] [klɔvis],   *to 511, in Paris.* [4] faded. [5] started *king of the Franks; he reigned from 481*   to cry. [6] had just smoothed. [7] curl.

très fort: « hum! hum! » et s'assit à table. Il avait des manières gracieuses.
Un véritable homme du monde [8] comme on en voit sur les images.   Il
souriait toujours et joliment.

Notre mère tamponna [9] ses yeux et dit:

5 — Pardonne-moi, Raymond. C'est encore les lentilles. Tu sais pourquoi.[10] Le malheur est qu'on ne peut pas trouver de persil [11] en cette
saison.

Père était décidément de bonne humeur. Il haussa les épaules. Il disait
volontiers: « Donne-moi n'importe quoi, pourvu que ce soit cuit à point et
10 que ça ait de l'œil. » [12] Alors maman mettait du persil sur les lentilles, et
le plat avait de l'œil.

Papa mangea sa soupe, sans se presser, et dit à ma mère:

— Tu ne prends plus rien?

— Non, j'ai l'estomac serré.[13]

15 — Il n'y a vraiment pas de quoi.

Nous étions tous recueillis,[14] dans l'attente d'événements extraordinaires.
Joseph avait près de quatorze ans et, par instants, sa voix sonnait, grave et
basse, comme celle d'un homme. Il dit:

— Si Mᵐᵉ Delahaie est morte, alors on va hériter . . .

20 Papa fit des épaules un geste contrarié.

— Mon cher, mêle-toi de ce qui te regarde.[15]

— Joseph, ajouta ma mère, un homme de cœur [16] ne parle pas d'héritage
devant un cercueil.

Le dîner fini, les cahiers rangés, nos parents nous envoyèrent au lit.

25 Joseph et Ferdinand couchaient ensemble dans un réduit [17] qui prenait
jour sur la cuisine. Comme c'étaient de grands garçons, on leur allumait
une lampe et ils avaient le droit de lire ou de travailler une heure avant
de s'endormir. Ce soir-là, papa n'alluma point de lampe.

— Mes enfants, dit-il, vous allez dormir tout de suite.

30 — Pourquoi?

— Parce que c'est comme ça.

Nous couchions, Cécile et moi, dans la chambre de nos parents. Il y
avait là deux grands lits de bois disposés presque à angle droit. Maman
dormait dans l'un, papa dans l'autre. Nous, les petits, nous couchions
35 alternativement dans l'un et dans l'autre et nous nous querellions un peu
pour coucher toujours avec maman, parce qu'une mère, c'est plus doux,
plus chaud et parce que papa, craignant les coups de pied, nous refoulait
dans la ruelle.

Ce soir-là, j'eus beaucoup de peine à m'endormir. C'était « mon tour
40 de papa ». Je me tenais bien serré contre le mur et, le souffle court, j'écou-
tais ce que je pouvais entendre. Papa et maman avaient longtemps causé
à voix basse, dans la salle à manger, puis ils étaient venus se coucher.
Papa, les mains croisées sous la nuque, parlait d'un air détaché. De l'autre
lit, maman répondait.

45 — Nous allons commencer par quitter cette cambuse.[18]

---

[8] gentleman.   [9] dabbed.   [10] *Because*
we are so poor.   [11] [pɛrsi], parsley.
[12] that it looks pretty.   [13] I don't feel
like eating.   [14] meditative, thoughtful.
[15] mind your own business.   [16] generous man.   [17] alcove.   [18] shack.

— Sûrement, Raymond. Mais n'appelle pas ce petit logement une cambuse. Il a ses commodités. Nous le regretterons peut-être un jour.

— Non. Je veux un appartement de quatre bonnes pièces, au moins. Oui, au moins. D'ailleurs, sans ça, où mettrait-on les meubles?

— Les meubles, Raymond! Mais qui te dit que nous les aurons, les 5 meubles?

— A qui pourraient-ils aller? Ta tante avait bien trop le sens de la famille pour donner ses meubles aux hospices.[19] Une chose est sûre, c'est que, d'après le testament de ton oncle Prosper ...

— Mais, Raymond, ils avaient tout fait au dernier vivant.[20] Et je suis 10 sûre que Mme Delahaie a modifié les dispositions [21] de son mari.

La voix de maman arrivait, un peu sourde, à travers la nuit feutrée.[22]

— Oh! Ram, ne va pas te mettre à rêver.

— Rêver! grondait mon père avec irritation. Je me demande un peu lequel des deux s'amuse à rêver. Une chose est sûre: ta tante Alphonsine 15 est morte. As-tu lu la lettre du notaire? Est-ce un rêve, cette lettre du notaire?

— Elle est morte, Raymond. Mais qui te dit qu'elle ne m'a pas déshéritée?

Sur ces mots, j'entendis que ma mère se reprenait [23] à pleurer. Mon père 20 donnait des coups de tête dans le traversin.[24]

— Déshéritée ... Déshéritée ... Mais non, Lucie, ces gens-là n'avaient pas assez de caractère pour te déshériter.

— Oh! Ram, ne parle pas si durement d'eux dans un pareil moment.

— Je dis ce qui me plaît. Ils ne m'aimaient pas, ces Delahaie. Leur 25 bête noire,[25] voilà ce que j'étais. Leur bête noire!

— Ils ne pouvaient pas te comprendre, Ram. Tu es travailleur, tu es sobre,[26] et courageux et intelligent, tout, mais pas à leur façon. Et tu ne peux pas t'empêcher de dire des choses et d'avoir l'air de te moquer du monde. Eux, comment voulais-tu qu'ils s'y retrouvent? [27] 30

— Tant pis pour eux.

Il y eut un grand silence ...

— Lucie! souffla mon père.

— Quoi?

— Je préfère ne pas aller à Honfleur,[28] ni même au Havre,[29] s'il faut y 35 aller. D'ailleurs le notaire ne parle pas de moi. Tu es convoquée seule.

— J'irai seule, dit ma mère avec calme. Je demanderai à Mlle Bailleul de s'occuper des enfants.

— Oui. Pour ce qui est de l'appartement ...

— Attendons un peu. Je chercherai dès que je verrai clair dans toutes 40 ces histoires.

---

[19] old people's homes, county farms. [20] they had written it so everything would go to the last one alive. [21] clauses. [22] velvety, noiseless; lit. 'lined with felt.' [23] started ... again. [24] bolster (*sausage-shaped pillow extending from one side of the bed to the other*). [25] pet aversion.

[26] you don't drink. [27] how could you expect them to understand? [28] *Quaint seaport at the mouth of the Seine River, across from Le Havre.* [29] Le Havre (*largest French transatlantic seaport, 130 mi. W of Paris*).

Un grand silence encore et, soudain, la voix de ma mère, musicale, ailée, rêveuse:

— On m'a parlé de choses très intéressantes dans les environs de la gare Montparnasse.[30] Tu ne serais pas très loin de ton travail, en somme. Et
5 il paraît que là, on aurait enfin de l'air et même de la vue. Tu dors, Raymond?

— Non, mais ne te monte pas la tête,[31] Lucie. On verra tout ça plus tard, comme tu viens de le dire.

— Oh! Raymond, tirer des plans,[32] ça ne fait de mal à personne et ce
10 n'est pas là se monter la tête.

De nouveau, le silence, la nuit plus trouble. De nouveau, des voix languissantes, mêlées dans un interminable duo où reviennent des chiffres, des chiffres, des noms familiers, des noms inconnus, des exhortations, des soupirs. Je m'endors. Je dors longtemps. Je me réveille: le duo continue.
15 J'entends: « Il y a des postes où l'on gagne ce qu'on veut . . . Après tout, quarante, quarante-deux ans, c'est la fleur de l'âge. »[33]

Je ne comprends plus rien. Dormir est bon.

Chronique des Pasquier, Vol. I: *Le Notaire du Havre* (1933), chapitre I

Reproduit avec l'autorisation du Mercure de France, Paris

OUVRAGES RECOMMANDÉS
Textes

Œuvres. Mercure de France.
Chronique des Pasquier. 2 vol. Classiques Larousse.
Les Jumeaux de Vallangoujard, éd. M. E. Storer. Heath.
La Confession de minuit, éd. Cros et Preston. Appleton-Century-Crofts.

Critique

César Santelli. *Georges Duhamel.* 220 p. Bordas.
P.-H. Simon. *Georges Duhamel.* 208 p. Le Seuil.

FRANÇOIS MAURIAC
(1885–19)
Le Romancier du péché et du pardon

Il naquit à Bordeaux, dans une famille riche. Son père mourut bientôt. Il eut une enfance maladive, pieuse, auprès de sa mère, de trois frères et d'une sœur. Il fit ses études secondaires dans un collège catholique de Bordeaux. Après sa licence ès lettres, à la Faculté des Lettres de Bordeaux, il fut quelques mois, à Paris, élève à l'École des Chartes (Sorbonne), qui prépare à la profession de bibliothécaire. A l'érudition il préféra la littérature, publia des vers, *Les Mains jointes* (1909).

---

[30] *One of the seven important railroad stations in Paris; SW of the Luxembourg Garden.* [31] don't fool yourself. [32] to make plans. [33] the prime of life.

Mobilisé comme infirmier pendant la 1ère Grande Guerre, il tomba malade à Salonique.[1] Ce n'est qu'après sa démobilisation qu'il se mit à écrire des romans; ils l'ont porté à l'une des premières places dans la littérature d'aujourd'hui.

Ses principaux romans sont: *Génitrix* (1923, une mère jalouse qui, pour reconquérir son fils, laisse mourir sa belle-fille), *Le Désert de l'amour* (1925), *Thérèse Desqueyroux* [dɛskɛru] (p. 491), suivie de *La Fin de la nuit*, *Le Nœud de vipères* (1932, un avocat ambitieux, avare, en proie à ces vipères que sont les mauvais sentiments pour sa famille), *Les Chemins de la mer* (1939, le dégoût de l'argent), *Galigaï* (1952, une gouvernante laide domine une famille comme Léonora Galigaï domina la régente Marie de Médicis, veuve de Henri IV), *L'Agneau* (1954, un saint jeune homme sacrifié).

Un peu tard il se lança dans le théâtre, mais il eut moins de succès: *Asmodée* (1938, un fanatique directeur de conscience), *Les Mal Aimés* (1945, un jeune homme pour deux sœurs), *Passage du malin* (1947, un séducteur diabolique fait tomber une directrice d'école), *Le Feu sur la terre* (1950, drame d'une sœur dominant son frère, avec, comme fond, des incendies de forêts dans les Landes). L'action, chez Mauriac, se situe le plus souvent dans cette région des Landes où il a une propriété, Malagar.

Il fut élu à l'Académie française (1933). Pendant l'occupation nazie, il fut l'académicien qui prit la position la plus nette contre l'ennemi. Depuis la Libération il écrit des éditoriaux d'inspiration élevée dans *Le Figaro*. Il reçut le prix Nobel de littérature en 1952.

Nourri des grands classiques passionnés, Pascal, Racine, Bossuet, sur lesquels il a écrit des études, doué d'un style précis, Mauriac est un romantique doublé d'un psychanalyste; il sait peindre les désordres de l'âme humaine, de l'amour surtout. Ses personnages ont l'air de monstres, mais ils souffrent autant et peut-être plus qu'ils ne font souffrir les autres; à la fin, ils sont touchés par la grâce.

TENTATIVE D'EMPOISONNEMENT

Le tribunal d'une sous-préfecture de la Gironde[1] vient d'acquitter Thérèse. Elle a tenté d'empoisonner son mari Bernard Desqueyroux, mais celui-ci a fait un faux témoignage[2] en sa faveur. Dans le petit train qui l'emporte vers la gare de Saint-Clair, d'où une voiture la conduira chez Bernard, à Argelouse, dans une forêt de pins, elle se rappelle les détails de sa vie. Orpheline de mère, elle a été élevée par tante Claire, une sourde, sœur de son père. Elle a épousé Bernard sans l'aimer, a eu une petite fille, Marie, s'est éprise de Jean Azévédo, l'amoureux de son amie d'enfance Anne de la Trave. Bernard, gros mangeur, ne se sentant pas très bien, s'est cru cardiaque. Le docteur lui a ordonné des gouttes de Fowler.[3] Voici pourquoi Thérèse a été traînée devant les tribunaux. Quelle explication plausible de son crime va-t-elle donner à Bernard?

La voici au moment de regarder en face l'acte qu'elle a commis. Quelle explication fournir à Bernard? Rien à faire que de lui rappeler point par point comment la chose arriva. C'était ce jour du grand incendie de Mano. Des hommes entraient dans la salle à manger où la famille déjeunait en hâte. Les uns assuraient que le feu paraissait très éloigné de Saint-Clair; 5

---

[1] Salonika, *seaport in NE Greece* (*Macedonia*).

[1] *Department, with Bordeaux as capital.*   *Thomas Fowler, an English doctor, 1736–*
[2] testified falsely.   [3] drops of Fowler's   *1801).*
solution (*potash arsenite; originated by*

d'autres insistaient pour que sonnât le tocsin. Le parfum de la résine
brûlée imprégnait ce jour torride et le soleil était comme sali. Thérèse
revoit Bernard, la tête tournée, écoutant le rapport de Balion,[4] tandis que
sa forte main velue [5] s'oublie au-dessus du verre et que les gouttes de
5 Fowler tombent dans l'eau. Il avale d'un coup le remède sans qu'abrutie
de chaleur,[6] Thérèse ait songé à l'avertir qu'il a doublé sa dose habituelle.
Tout le monde a quitté la table, — sauf elle qui ouvre des amandes fraîches,
indifférente, étrangère à cette agitation, désintéressée de ce drame, comme
de tout drame autre que le sien. Le tocsin ne sonne pas. Bernard rentre
10 enfin: « Pour une fois, tu as raison de ne pas t'agiter: c'est du côté de
Mano que ça brûle . . . » Il demande: « Est-ce que j'ai pris mes gouttes? »,
et sans attendre la réponse, de nouveau il en fait tomber dans son verre.
Elle s'est tue par paresse, sans doute, par fatigue. Qu'espère-t-elle à cette
minute? « Impossible que j'aie prémédité de me taire. »
15   Pourtant, cette nuit-là, lorsqu'au chevet [7] de Bernard vomissant et
pleurant, le docteur Pédemay l'interrogea sur les incidents de la journée,
elle ne dit rien de ce qu'elle avait vu à table. Il eût été pourtant facile,
sans se compromettre, d'attirer l'attention du docteur sur l'arsenic que
prenait Bernard. Elle aurait pu trouver une phrase comme celle-ci: « Je
20 ne m'en suis pas rendu compte au moment même . . . Nous étions tous
affolés par cet incendie . . . mais je jurerais, maintenant, qu'il a pris une
double dose . . . » Elle demeura muette; éprouva-t-elle seulement la tentation de parler? L'acte qui, durant le déjeuner, était déjà en elle à son insu,[8]
commença alors d'émerger du fond de son être, — informe encore, mais à
25 demi baigné de conscience.
  Après le départ du docteur, elle avait regardé Bernard endormi enfin;
elle songeait: « Rien ne prouve que ce soit *cela;* ce peut être une crise
d'appendicite, bien qu'il n'y ait aucun autre symptôme . . ., ou un cas de
grippe infectieuse. » Mais Bernard, le surlendemain, était sur pied. « Il
30 y avait des chances pour que ce fût *cela.* » Thérèse ne l'aurait pas juré;
elle aurait aimé à en être sûre. « Oui, je n'avais pas du tout le sentiment
d'être la proie d'une tentation horrible; il s'agissait d'une curiosité un peu
dangereuse à satisfaire. Le premier jour où, avant que Bernard entrât
dans la salle, je fis tomber des gouttes de Fowler dans son verre, je me sou-
35 viens d'avoir répété: « Une seule fois, pour en avoir le cœur net [9] . . . je
saurai si c'est cela qui l'a rendu malade. Une seule fois, et ce sera fini. »

  Le train ralentit, siffle longuement, repart. Deux ou trois feux dans
l'ombre: la gare de Saint-Clair. Mais Thérèse n'a plus rien à examiner;
elle s'est engouffrée dans le crime béant; [10] elle a été aspirée par le crime.
40 Ce qui a suivi, Bernard le connaît aussi bien qu'elle-même: cette soudaine
reprise de son mal, et Thérèse le veillant nuit et jour, quoiqu'elle parût
à bout de forces et qu'elle fût incapable de rien avaler (au point qu'il la
persuada d'essayer du traitement Fowler et qu'elle obtint du docteur
Pédemay une ordonnance). Pauvre docteur! Il s'étonnait de ce liquide
45 verdâtre que vomissait Bernard; il n'aurait jamais cru qu'un tel désaccord

---

[4] *Manager of the farm.*   [5] hairy.   [6] dazed   out her knowledge.   [9] to be absolutely
by the heat.   [7] at the bedside.   [8] with-   sure about it.   [10] yawning, abysmal.

pût exister entre le pouls d'un malade et sa température; il avait maintes fois constaté dans la para-typhoïde un pouls calme en dépit d'une forte fièvre; — mais que pouvaient signifier ces pulsations précipitées et cette température au-dessous de la normale? Grippe infectieuse, sans doute: la grippe, cela dit tout.

Mme de la Trave [11] songeait à faire venir un grand médecin consultant, mais ne voulait pas froisser [12] le docteur, ce vieil ami; et puis Thérèse craignait de frapper [13] Bernard.   Pourtant, vers la mi-août, après une crise plus alarmante, Pédemay, de lui-même, souhaita l'avis d'un de ses confrères; heureusement, dès le lendemain, l'état de Bernard s'améliorait; trois semaines plus tard, on parlait de convalescence.   « Je l'ai échappé belle, disait Pédemay.   Si le grand homme avait eu le temps de venir, il aurait obtenu toute la gloire de cette cure. »

Bernard se fit transporter à Argelouse, comptant bien être guéri pour la chasse à la palombe.[14]   Thérèse se fatigua beaucoup à cette époque: une crise aiguë de rhumatismes retenait au lit tante Clara; tout retombait sur la jeune femme: deux malades, un enfant; sans compter les besognes que tante Clara avait laissées en suspens.   Thérèse mit beaucoup de bonne volonté à la relayer [15] auprès des pauvres gens d'Argelouse.   Elle fit le tour des métairies,[16] s'occupa, comme sa tante, de faire exécuter les ordonnances, paya de sa bourse les remèdes.   Elle ne songea pas à s'attrister que la métairie de Vilméja [17] demeurait close.   Elle ne pensait plus à Jean Azévédo, ni à personne au monde.   Elle traversait, seule, un tunnel, vertigineusement; elle en était au plus obscur; il fallait, sans réfléchir, comme une brute, sortir de ces ténèbres, de cette fumée, atteindre l'air libre, vite! vite!

Au début de décembre, une reprise de son mal terrassa [18] Bernard: un matin il s'était réveillé grelottant,[19] les jambes inertes et insensibles.   Et ce qui suivit!   Le médecin consultant amené un soir de Bordeaux par M. de la Trave; son long silence, après qu'il eut examiné le malade (Thérèse tenait la lampe et Balionte [20] se souvient encore qu'elle était plus blanche que les draps); sur le palier [21] mal éclairé, Pédemay, baissant la voix à cause de Thérèse aux écoutes, explique à son confrère que Darquey, le pharmacien, lui avait montré deux de ses ordonnances falsifiées: à la première une main criminelle avait ajouté: *Liqueur de Fowler;* sur l'autre figuraient d'assez fortes doses de chloroforme, de digitaline,[22] d'aconitine.[23] Balion les avait apportées à la pharmacie, en même temps que beaucoup d'autres.   Darquey, tourmenté d'avoir livré ces toxiques, avait couru, le lendemain, chez Pédemay . . .   Oui, Bernard connaît toutes ces choses aussi bien que Thérèse elle-même.   Une voiture sanitaire [24] l'avait transporté d'urgence à Bordeaux, dans une clinique; et, dès ce jour-là, il commença d'aller mieux.   Thérèse était demeurée seule à Argelouse; mais quelle que

[11] *The mother of Bernard and, by her second husband, of Thérèse's childhood friend, Anne.*   [12] hurt the feelings of.   [13] scare.   [14] wood pigeon, ring-dove.   [15] take her place.   [16] share-croppers' houses.   [17] *Jean Azévédo's farm.*   [18] laid up; *lit.* 'knocked down.'   [19] shivering.   [20] *The farm manager's wife.*   [21] landing.   [22] digitalin (*heart stimulant obtained from a plant called digitalis, or foxglove*).   [23] extract of aconite (monkshood, wolfbane).   [24] ambulance.

fût sa solitude, elle percevait autour d'elle une immense rumeur; bête tapie [25] qui entend se rapprocher la meute; [26] accablée comme après une course forcenée [27] — comme si, tout près du but, la main tendue déjà, elle avait été soudain précipitée à terre, les jambes rompues.

Thérèse Desqueyroux (1927), pp. 147–154

Reproduit avec l'autorisation de la Librairie Grasset, Paris

OUVRAGES RECOMMANDÉS
Textes

Œuvres. Grasset et Flammarion.
Œuvres complètes, éd. L. Jou.   11 vol. Fayard.
Les Chemins de la mer, éd. L. C. Keating et J. O. Swain. Heath.
Le Mystère Frontenac. Classiques Larousse.
Thérèse Desqueyroux
La Fin de la nuit
Le Nœud de vipères   } Collection Pourpre, Grasset et Macmillan.
Le Baiser au lépreux

Discographie

François Mauriac vous parle. Le Cantique de Cybèle; extraits de *Génitrix*, *Asmodée*, lus par des sociétaires de la Comédie-Française. 1 disque microsillon. Disques Festival, Period.
Mauriac, poèmes; textes sur Mozart, la propriété de Malagar, la *Vie de Jésus.* Microsillon Philips.

Critique

P.-H. Simon. *Mauriac par lui-même.* 192 p. Le Seuil.
Jacques Robichon. *François Mauriac.* Éditions Universitaires, 1955.

JULES ROMAINS
(1885–19)
Un Unanimiste

Louis Farigoule, qui prit le pseudonyme de Jules Romains, naquit dans une petite ville des Cévennes, Saint-Julien-Chapteuil (10 milles à l'est du Puy). Son père, qui y était instituteur, avait épousé une demoiselle du pays. Trois semaines après la naissance du petit, la famille s'installait dans le nord de Montmartre,[1] où le père avait été nommé. Louis fit ses études à l'école communale, rue Hermel, au lycée Condorcet,[2] enfin à l'École normale supérieure. Il fut reçu à l'agrégation de philosophie (1909). Il fut professeur au lycée de Laon mais abandonna l'enseignement pour la littérature. Il fréquenta Apollinaire, Picasso. Il rendit de la vigueur à la théorie de l'*unanimisme*, absorption de la personnalité par le groupe, la foule, la ville, le pays, déjà mise en relief par Hugo et Zola. Il

---

[25] crouching.   [26] pack of hounds.   [27] frantic, wild.

[1] *Section in N Paris, on a hill named for early Christian martyrs; crowned by the white Byzantine basilica of the Sacred Heart.*   [2] *Famous high school and college* in Paris, named after the marquis de Condorcet, French philosopher and mathematician (1743–94).

l'exprima dans des poèmes, *La Vie unanime* (1908) (p. 495), de courts romans, *Le Vin blanc de la Villette*[3] (1914).   Au don de la mystification il doit le succès des *Copains* (1913) et de pièces comme *Donogoo-Tonka* (1920), *Knock* (1923, satire des médecins), où il retrouva la force comique de Molière.

Pendant la 1ère Grande Guerre il fut mobilisé mais ne combattit pas; il n'en composa pas moins un des meilleurs romans, *Verdun*.[4]

Sa grande œuvre est *Les Hommes de bonne volonté* où il a brossé, en vingt-sept volumes, kaléidoscope donnant l'idée de la multiplicité des activités humaines, un tableau dynamique, brillant, de la vie française, avec de nombreuses fenêtres sur l'Europe et quelques-unes sur le monde, de 1908 à 1933.

Il fut élu à l'Académie française (1933).   Pendant l'occupation nazie il se réfugia aux États-Unis, enseigna à Mills College, écrivit *Salsette découvre l'Amérique*.   Ses dernières œuvres sont *Bertrand de Ganges* (1947); *Examen de conscience des Français* (1953), mise en garde contre la décadence du pays; *Passagers de cette planète où allons-nous?* (1955); *Le Fils de Jerphanion*, roman des générations nouvelles (1956).

Il partage son temps entre Paris et sa maison de Grand Cour Saint-Avertin, près de Tours.

L'HEURE SUPRÊME D'ÊTRE

Je cesse lentement d'être moi.   Ma personne
Semble s'anéantir chaque jour un peu plus.
C'est à peine si je le sens et m'en étonne.

Les passants, les maisons, le bruit des omnibus
5 Et le scintillement des vitres, d'un coup brusque,
Se renvoient ma pensée et l'émiettent à force.[1]

Bousculé par les apparences de la rue,
Je me suis tout vidé de vie intérieure.

Mon être diminue et se dissout.   La ville,
10 L'effleurant de sa langue avidement flatteuse,
Le retourne, le suce et cherche à l'avaler.

Je suis comme un morceau de sucre dans ta bouche,
Ville gourmande.   Mais je n'ai pas peur de toi.
Car pour ceux dont le vent gerce[2] l'âme et la peau,
15 Et qu'un rêve a perclus[3] de terreur, quelle joie
De fondre dans ton corps immense où l'on a chaud!

La Vie unanime (1926), pp. 152–153

---

[3] *Section in NE Paris.   The stockyards are located here.*   [4] *Town, 160 mi. NE of Paris; scene of the heaviest fighting in World War I.*

[1] pulverize (*lit.* 'crumble') it as a consequence.   [2] chaps.   [3] crippled.

LA DOUCEUR DE LA VIE

Pierre Jallez [ʒalɛz], *jeune écrivain, passe l'hiver 1919–1920 à Nice.*[1] *Il fait la connaissance d'Antonia, jeune fille de dix-sept ans, qui tient un kiosque à journaux. Un dimanche, tous deux prennent le tramway et vont faire un bon déjeuner à l'auberge de Falicon, village de montagne, à dix kilomètres au nord de Nice. Ils se mettent à danser sur la terrasse, au son d'un piano mécanique à sous.*

Nous nous mîmes à danser, Antonia et moi, les danses que ces autres personnes avaient choisies. Il était environ trois heures. Le soleil commençait à descendre; mais il ne pénétrait que mieux jusqu'au fond de la terrasse, et comme il n'y avait pas un souffle de vent, la température était
5 très douce.

Antonia sembla toute remise en train par la danse. Au début elle me dit:
— Je crois que la tête va me tourner. Tu m'as fait trop boire. Je ne vais plus pouvoir me tenir. Tiens-moi bien.

Et en effet, elle s'abandonnait dans mes bras, mais sans réussir à devenir
10 pesante. Elle avait l'instinct de la danse, à défaut d'un grand apprentissage. Le don des gestes gracieux, qui était sien, se retrouvait là. Surtout, elle se laissait on ne peut mieux guider.

Bientôt nous restâmes seuls sur la terrasse, avec le jour déclinant. J'avais fait une provision de gros sous, et nous dansions presque sans arrêt. Chaque
15 air y passait à son tour, bien qu'avec des préférences pour certains. L'un des deux one-step nous plaisait particulièrement. Un thème y revenait, qui, malgré sa tonalité mineure, était plein d'une joie provocante.[2] Oui, il défiait les mauvais hasards de la vie, le quotidien [3] et l'ennuyeux des choses, il chantait: « Nous sommes jeunes et un peu absurdes. Nous le savons
20 bien. Que nous importe! »

Antonia me répétait:
— Je suis morte, tu sais? Pierre. » (Elle avait pris le courage de m'appeler Pierre.) Mais c'est en riant qu'elle le disait; et quand, tirant de ma poche un de mes gros sous, je lui demandais:
25 — Je le mets?

Elle répondait:
— Mais oui!

Et pendant que je remontais le ressort du mécanisme, elle venait choisir elle-même la danse, en faisant tourner l'aiguille du petit cadran.
30 L'air de la scottish [4] aussi était de nos préférés. Il le devait au maniérisme désuet,[5] pointu, fragile de son élégance. Je ne sais si ma jeune compagne y apercevait les mêmes perspectives de passé que moi; mais elle était sûrement sensible à ce que cette musique contenait de tendresse fine, de coquetterie. Là-dessus, nous dansions une scottish des moins orthodoxes.
35 Nous inventions des pas, qui étaient pour moi une occasion de soutenir une Antonia qui n'était pas loin de défaillir,[6] de presque la porter d'une pointe à l'autre de l'étoile capricieuse que nous dessinions sur cette terrasse que personne ne nous disputait plus.

J'avais fait servir sur la petite table une bouteille de champagne que le

---

[1] *Beautiful French city on the Riviera.*   [4] schottishe (*round dance*).   [5] old-
[2] titillating.   [3] the daily drabness.   fashioned.   [6] faint.

patron possédait par hasard, et qui était fort vieille.   Le vin, sans doute
médiocre à l'origine, avait pris avec l'âge une belle couleur d'or liquide, un
goût plein et soyeux, assez noble: il était devenu comme une espèce de
Meursault [7] mousseux.   Mais c'était surtout l'idée même de champagne,
et de danser ainsi avec des coupes de champagne à portée de main, qui 5
était faite pour plaire à ma petite camarade.
   Je lui avais plusieurs fois demandé:
   — Si tu t'ennuies ici, si tu trouves que c'est trop seul, et que dans le
bas, du côté de Saint-André, ce serait plus gai, surtout dis-le-moi.
   Elle me répondait, tout en dansant, et en serrant ma main dans la sienne: 10
   — Oh! non . . . j'aime bien cela . . .   Nous sommes si bien!
   Et il est vrai qu'à condition de le sentir, c'était bien, notre danse à tous
les deux, indéfiniment recommencée, dans ce lieu de solitude, devant l'un
des plus beaux horizons qu'on puisse voir, avec le mélange d'ivresse inépuisable et de fatigue à tomber par terre et de mépris allègre de toute 15
fatigue, que nous avions en nous.   Je rendais grâces au Falicon d'il y a
deux ans.[8] C'était lui qui nous avait chargés de cette ivresse à longue
détente,[9] alors qu'un autre vin, pris en même quantité, après nous avoir
excités plus brusquement, nous eût laissés sans doute retomber dans la
torpeur, ou les rêveries moroses.   20
   C'était bien.   C'était même étrange.   Nous avions l'air, sur ce haut lieu,
de célébrer quelque chose.   Et je crois qu'en effet nous célébrions quelque
chose.   Cependant le soleil avait disparu derrière les crêtes d'en face.   Le
jour baissait décidément.   Notre terrasse, à l'abri de son plafond, commençait à devenir tout à fait crépusculaire.   L'on avait allumé au-dessus du piano 25
une lampe électrique, de faible éclat, qui se courbait comme une fleur jaune.
   Nous n'avions pas envie de redescendre.   Nous étions même un peu
anxieux,[10] je crois, de quitter cet endroit où nous avions connu des heures
d'excitation admirable.   Parfois, au détour d'une danse, ou devant nos
coupes de champagne, je donnais un baiser à Antonia, qui tantôt le faisait 30
glisser vers sa joue, tantôt le prenait sur ses lèvres.
   Notre champagne était fini.   Le ravin, le long duquel descendait l'ancien
chemin muletier [11] que nous allions prendre, se comblait de nuit peu à
peu.   Antonia venait de me dire que ce chemin n'était pas trop mauvais,
mais qu'il était fait de grosses pierres, qu'il avait des parties en escalier 35
çà et là, et que dans l'obscurité il serait très facile de s'y tordre le pied.
Heureusement, il y avait un peu de lune.
   Nous sommes partis enfin.   Cette descente a été quelque chose d'aussi
inoubliable en son genre que notre danse sur la terrasse solitaire.
   Le chemin, au début, était d'un sol assez uni, d'une pente commode, et 40
il allait à peu près droit.   En outre, du ciel d'Ouest et de la mer, que nous
avions, sans la voir, presque en face, il nous arrivait une large bouffée [12]
de lumière crépusculaire, qui était plus que suffisante.   Mais plus loin le
chemin se mit à tourner, à prendre une pente beaucoup plus rapide, à se
bossuer de [13] grosses pierres, souvent branlantes et croulantes.   Dans l'in- 45

---

[7] *Village in Burgundy, near Beaune, pro-*
ducing a first-rate sparkling wine.   [8] *the*
two-year-old Falicon wine.   [9] slowly

dispelling.   [10] uneasy, scared.   [11] mule
path.   [12] burst, puff.   [13] bulge with.

tervalle, l'énorme fatigue que nous avions accumulée — fatigue du vin, fatigue de la danse — avait fait rupture en nous, et nous en étions soudain inondés. A mesure que nous descendions, nous entrions dans la nuit. Les feuillages aussi devenaient plus serrés. La lune en éclairait un peu les 5 cimes, ou parfois jetait quelques ronds de lueur devant nos pas. Mais si elle pouvait nous plaire, elle ne pouvait pas nous aider.

Nous n'étions pas d'humeur à nous tourmenter pour si peu. La fatigue était venue. Mais l'état de grâce ne nous avait pas quittés. On eût même dit que la fatigue ne faisait que remplacer une ivresse par une autre, une 10 ivresse de mouvement et d'exubérance par une ivresse de consentement et d'abandon.

Les Hommes de bonne volonté,
Vol. 18: *La Douceur de la vie* (1939), pp. 134–143

Reproduit avec l'autorisation de la Librairie Flammarion, Paris

OUVRAGES RECOMMANDÉS
Textes
Œuvres. Flammarion.
Les Hommes de bonne volonté. 2 vol. Classiques Larousse.
Les Copains. Collection Pourpre, Gallimard et Macmillan.
Knock, éd. Menut et Chapman. Appleton-Century-Crofts.
André Figueras. *Jules Romains* (textes et critique). Seghers.
Discographie
Jules Romains, extraits. Philips.
Critique
M. Berry. *Jules Romains.* 306 p. Le Conquistador.
Armand Lanoux. *Jules Romains.* Éditions Universitaires, 1955.
André Cuisenier. *L'Art de Jules Romains.* Flammarion, 1955.

GEORGES BERNANOS
(1888–1948)
Le Romancier fulgurant de la lutte contre Satan

Georges Bernanos [1] naquit à Paris, d'un père lorrain à ancêtres espagnols installés en Artois, et d'une mère du Berry. Il fit ses études dans des institutions catholiques de Paris, Bourges, en Berry, et Aire-sur-la-Lys, en Artois. Son père habitait à Fressin, village près d'Azincourt; c'est dans cet Artois agricole, d'Ambricourt à Lumbres, qu'il situa ses meilleurs romans. Bachelier, il retourna à Paris faire sa licence en droit et ès lettres. Il devint un militant royaliste, adhéra à *L'Action française* [2] de Charles Maurras [3] et Léon Daudet, [4] participa à des manifestations qui lui valurent quinze jours de prison.

[1] [bernanos].   [2] *Monarchist and racist group founded by Charles Maurras under the auspices of Barrès and Bourget; it started with a bi-monthly magazine which became a daily with Léon Daudet (1908). It supported anti-Semitism, fascism, and Hitlerism; it did great harm to France.*

[3] *Pamphleteer and royalist, founder of* L'Action française *(1868–1952). He supported the Vichy government and was imprisoned for seven years after the Liberation.*   [4] *Son of the writer Alphonse Daudet, novelist, director of the royalist paper* L'Action française *(1868–1942).*

Il fit du journalisme à Paris, puis à Rouen où il polémiqua avec le philosophe laïque Alain.[5] Patriote, disciple de Barrès, il s'engagea en 1914 aux dragons, fut blessé et gagna la croix de guerre. Il se maria avec Jeanne Talbert d'Arc, de Rouen, et eut d'elle six enfants. Pour entretenir cette nombreuse famille il devint agent d'assurances dans l'Est de la France. C'est en voyage, dans les hôtels et les cafés, qu'il écrivit son premier roman, *Sous le soleil de Satan* (1926), action du démon, contrecarrée[6] par la foi, sur des âmes de paysannes comme la sensuelle Mouchette, et même de prêtres.

Arrivé au succès littéraire, il se consacra entièrement à son œuvre, qui cependant ne lui apporta pas la fortune: *L'Imposture* (1927); *La Joie* (1929); *La Grande Peur des bien-pensants* (1933, contre le conformisme bourgeois). Nomade, il vécut un peu partout en France, puis à Majorque[7] où il termina le *Journal d'un curé de campagne* (p. 499), le plus artistique et apaisé de ses livres. Puis ce fut *La Nouvelle Histoire de Mouchette* (1937). Son catholicisme épris de justice, de charité, de liberté, se tourna contre celui de Franco (1938, *Les Grands Cimetières sous la lune*). Dégoûté par la capitulation de Munich (1938), il emmena sa famille dans une ferme à buffles,[8] au Brésil. Pendant la 2e Grande Guerre il donna au mouvement de Gaulle son appui spirituel (*Lettre aux Anglais*). Rentré en France (1945), il recommença sa vie errante et littéraire: *Monsieur Ouine* (1946, professeur de langues qui trompe son ennui dans la perversité); *La France contre les robots* (1947); *Le Chemin de la croix des âmes, Dialogue des carmélites* (1948), scénario sur l'exécution, à Paris, de seize carmélites de Compiègne (1794), d'après un récit de l'Allemande Gertrude von Lefort, montrant la peur, l'angoisse comme sources de grâce; *Le Crépuscule des vieux* (1956), recueil posthume d'articles.

Depuis 1933, à la suite d'un accident de motocyclette, Bernanos ne marchait plus qu'avec deux cannes; il était devenu alcoolique; il mourut de la cirrhose du foie à l'hôpital américain de Neuilly.[9]

Catholique convaincu, comme Mauriac, il n'a pas la clarté logique de la pensée et le style précis de celui-ci, mais, obsédé par le péché, il crée un lyrisme qui parfois remue les profondeurs de l'âme et touche au génie.

UNE CONVERSION

Dans une paroisse matérialiste d'Artois, un jeune prêtre s'efforce d'arracher Satan de l'âme de ses paroissiens. La châtelaine, une comtesse, est révoltée contre Dieu depuis que son jeune fils est mort. Elle porte autour du cou un médaillon contenant une mèche blonde de l'enfant. Au château, devant la cheminée du salon où brûle un feu de bois, le prêtre s'efforce de lui enseigner la résignation.

— Madame, lui dis-je, si notre Dieu était celui des païens ou des philosophes (pour moi c'est la même chose) il pourrait bien se réfugier au plus haut des cieux, notre misère l'en précipiterait. Mais vous savez que le nôtre est venu au-devant.[1] Vous pourriez lui montrer le poing, lui cracher au visage, le fouetter de verges[2] et finalement le clouer sur une croix, 5 qu'importe? *Cela est déjà fait, ma fille ...*

---

[5] *Émile Chartier (1868–1951), liberal professor of philosophy who influenced many French writers (André Maurois, Pierre Bost).* [6] thwarted. [7] Majorca, largest island of the Balearics, 120 mi. E of Spain to which it belongs. [8] buffalo farm. [9] *Neuilly-sur-Seine, city bordering on Paris, NW side.*

[1] **au-devant de notre misère,** to meet our misery halfway. [2] whip him with birch rods.

Elle n'osait pas regarder le médaillon qu'elle tenait toujours dans sa main. J'étais si loin de m'attendre à ce qu'elle allait faire! Elle m'a dit:

— Répétez cette phrase . . . cette phrase sur . . . l'enfer, c'est de ne plus aimer.

5 — Oui, madame.

— Répétez!

— L'enfer, c'est de ne plus aimer. Tant que nous sommes en vie, nous pouvons nous faire illusion, croire que nous aimons par nos propres forces, que nous aimons hors de Dieu. Mais nous ressemblons à des fous qui
10 tendent les bras vers le reflet de la lune dans l'eau. Je vous demande pardon, j'exprime très mal ce que je pense.

Elle a eu un sourire singulier qui n'a pas réussi à détendre son visage contracté, un sourire funèbre. Elle avait refermé le poing sur le médaillon, et de l'autre main, elle serrait ce poing sur sa poitrine.

15 — Que voulez-vous que je dise?

— Dites: que votre règne arrive.

— Que votre règne arrive!

— Que votre volonté soit faite.

Elle s'est levée brusquement, la main toujours serrée contre sa poitrine.

20 — Voyons, m'écriai-je, c'est une parole que vous avez répétée bien des fois, il faut maintenant la prononcer du fond du cœur.

— Je n'ai jamais récité le *Pater* depuis . . . depuis que . . .[3] D'ailleurs, vous le savez, vous savez les choses avant qu'on ne vous les dise, a-t-elle repris en haussant les épaules, et cette fois avec colère.

25 Puis elle a fait un geste dont je n'ai compris le sens que plus tard. Son front était luisant de sueur.

— Je ne peux pas, gémit-elle, il me semble que je le perds deux fois.

— Le règne dont vous venez de souhaiter l'avènement est aussi le vôtre et le sien.

30 — Alors, que ce règne arrive!

Son regard s'est levé sur le mien, et nous sommes restés ainsi quelques secondes, puis elle m'a dit:

— C'est à vous que je me rends.

— A moi!

35 — Oui, à vous. J'ai offensé Dieu, j'ai dû le haïr. Oui, je crois maintenant que je serais morte avec cette haine dans le cœur. Mais je ne me rends qu'à vous.

— Je suis un trop pauvre homme. C'est comme si vous déposiez une pièce d'or dans une main percée.

40 — Il y a une heure, ma vie me paraissait bien en ordre, chaque chose à sa place, et vous n'y avez rien laissé debout, rien.

— Donnez-la telle quelle[4] à Dieu.

— Je veux donner tout ou rien, nous sommes des filles ainsi faites.

— Donnez tout.

45 — Oh! vous ne pouvez comprendre, vous me croyez déjà docile. Ce qui me reste d'orgueil suffirait bien à vous damner!

— Donnez votre orgueil avec le reste, donnez tout.

[3] **depuis que mon enfant est mort.**   [4] such as it is.

Le mot à peine prononcé, j'ai vu monter dans son regard je ne sais quelle lueur, mais il était trop tard pour que je puisse empêcher quoi que ce soit. Elle a lancé le médaillon au milieu des bûches [5] en flammes. Je me suis jeté à genoux, j'ai enfoncé mon bras dans le feu, je ne sentais pas la brûlure. Un instant, j'ai cru saisir entre mes doigts la petite mèche blonde, mais elle 5 m'a échappé, elle est tombée dans la braise rouge. Il s'est fait derrière moi un si terrible silence que je n'osai pas me retourner. Le drap de ma manche était brûlé jusqu'au coude.

— Comment avez-vous osé! ai-je balbutié. Quelle folie!

Elle avait reculé vers le mur, elle y appuyait son dos, ses mains. 10

— Je vous demande pardon, a-t-elle dit d'une voix humble.

— Prenez-vous Dieu pour un bourreau? Il veut que nous ayons pitié de nous-mêmes. Et d'ailleurs, nos peines ne nous appartiennent pas, il les assume, elles sont dans son cœur. Nous n'avons pas le droit d'aller les y chercher pour les défier, les outrager. Comprenez-vous? 15

— Ce qui est fait est fait, je n'y peux rien.

— Soyez donc en paix, ma fille, lui dis-je. Et je l'ai bénie.

Mes doigts saignaient un peu, la peau se soulevait par plaques. Elle a déchiré un mouchoir et m'a pansé. Nous n'échangions aucune parole. La paix que j'avais appelée sur elle, était descendue sur moi. Et si simple, 20 si familière qu'aucune présence n'aurait pu réussir à la troubler. Oui, nous étions rentrés si doucement dans la vie de chaque jour que le témoin le plus attentif n'eût rien surpris de ce secret, qui déjà ne nous appartenait plus.

Elle m'a demandé de l'entendre demain en confession. Je lui ai fait 25 promettre de ne rapporter à personne ce qui s'était passé entre nous, m'engageant à observer moi-même un silence absolu. « Quoi qu'il arrive », ai-je dit. En prononçant ces derniers mots, j'ai senti mon cœur se serrer, la tristesse m'a envahi de nouveau. Que la volonté de Dieu soit faite!

Journal d'un curé de campagne, (1936), pp. 209–213

Reproduit avec la gracieuse permission de la Librairie Plon, Paris

La scène a été trop forte pour la cardiaque qu'est la comtesse; elle meurt dans la nuit.

OUVRAGES RECOMMANDÉS
Textes

Œuvres. Gallimard et Plon.
Le Journal d'un curé de campagne. Collection Pourpre, Plon et Macmillan.
Sous le soleil de Satan. Collection Pourpre, Plon et Macmillan.

Discographie

Extraits des *Enfants humiliés*, de *Monsieur Ouine*. 1 microsillon. Philips.

Critique

A. Béguin. *Georges Bernanos*. 384 p. Le Seuil.
Louis Chaigne. *Georges Bernanos*. Éditions Universitaires, 1955.

[5] logs.

JEAN COCTEAU
(1889–19   )
Un Fantaisiste plein d'idées

Jean Cocteau naquit à Maisons-Laffitte (13 milles au nord-ouest de Paris).
Il fit ses études au lycée Condorcet, Paris.   Assez riche, touche-à-tout de talents
variés, poète, dessinateur, épris de théâtre et de musique, il fréquenta les milieux
parisiens les plus artistes et littéraires.   Il y rencontra Proust, Apollinaire, Rostand,[1] Giraudoux, Gide, Picasso, Stravinsky,[2] etc.   Comme Apollinaire, il fut
un animateur, amena Paris à s'intéresser aux ballets russes de Diaghilev [3] et
Nijinsky,[4] au cubisme de Picasso, au dadaïsme de Tzara, au surréalisme de Breton,
au groupe futuriste des Six (les musiciens Honegger, Milhaud, Auric, Poulenc,
Durey, Germaine Taillefer), au musicien humoriste, simple et naturel, Erik Satie
(1866–1925).   Son meilleur ami fut le jeune romancier Raymond Radiguet (*Le
Diable au corps*) qui mourut à vingt ans (1923).

Ses œuvres les plus significatives de cette première période furent: *La Lampe
d'Aladin* (1909, poésies), *Le Bœuf sur le toit* (1920, pièce), *Le Grand Écart* (1924,
roman), *Orphée* [5] (1927), *Antigone* [6] (1928).

D'une activité inlassable, il voulut goûter à tout, même à l'opium; c'est dans
une période de désintoxication qu'il écrivit son hallucinant roman *Les Enfants
terribles* (1929).   Ce furent ensuite *La Machine infernale* (1930, sur le mythe
d'Œdipe), *La Voix humaine* (1930, un acte), *Les Parents terribles* (1938, pièce).

Fougueusement, intelligemment, il incorpora au cinéma toutes ses expériences:
Le Sang d'un poète (1930), *L'Éternel Retour* (modernisation de la légende de *Tristan
et Iseut*), *L'Aigle à deux têtes* (1946), et la plupart de ses pièces précédentes, le
meilleur film étant celui des *Enfants terribles* (1950, *The Strange Ones*, en anglais).

Pendant une grave maladie il écrivit ses mémoires, *La Difficulté d'être;* il s'y
révéla, non plus avec son côté fumiste, mais comme un homme modeste, charmant,
qui n'avait rien perdu de son brillant.

Il fit de nombreux voyages aux États-Unis pour la présentation de ses pièces
et de ses films.

Ses dernières œuvres sont *Maalesh* (1950, histoire d'une tournée théâtrale),
Journal d'un inconnu (1953), *Clair-Obscur* (1954, poèmes).   Il fut élu à l'Académie
française en 1955.

On a surnommé Jean Cocteau « Jean l'Étoilé », parce que son œuvre évolue dans
un monde poétique, de rêve, un peu fou, artificiel, mais elle est originale, pleine
d'idées où la vérité se fait jour sous la fantaisie.

TRAGÉDIE DE L'AMOUR FRATERNEL

*Un frère et une sœur, Paul et Élisabeth, vivent avec leur mère malade, dans un
petit appartement de la rue Montmartre à Paris.   Paul, blessé dans une bataille de
boules de neige, quitte le petit lycée Condorcet où il était sous la mauvaise influence*

[1] *Edmond Rostand (1868–1918), poet,
playwright, born in Marseille; wrote
brilliant, neo-Romantic plays (Cyrano de
Bergerac,   L'Aiglon,   Chantecler).*
[2] *Igor Stravinsky (1882–19), Russian
composer of pantomime ballets and operas
(Petrouchka, Le Rossignol, L'Oiseau de
feu, Le Sacre du printemps).   He now*
*lives in Hollywood.   [3] Serge Diaghilev
(1872–1929), Russian ballet master and
producer.   [4] Waslaw Nijinsky (1890–
19), Russian ballet dancer who became
insane.   [5] Orpheus, son of Apollo and
Calliope, player of the lyre.   He followed
his dead wife Eurydice to Hades.   [6] See
page 532, n. 3.*

du héros, Dargelos.   La mère meurt; les orphelins, aidés par les subsides d'un oncle et d'un docteur, mènent une vie de désordre dont le centre est pourtant cette chambre. Gérard, ami de Paul, aime Élisabeth.   Celle-ci devient mannequin et ramène une camarade, Agathe, qui s'éprend de Gérard, puis de Paul, qui lui-même subit l'envoûtement [1] de sa sœur.   Élisabeth épouse un riche Américain qui meurt dans un accident d'automobile, lui laissant sa fortune et son luxueux hôtel.   Les quatre s'amalgament dans une galerie dont ils font une chambre rappelant la chambre aux rêves du temps où ils étaient pauvres.

Dargelos, le mauvais génie, fait remettre à Paul une boule de poison.   Celui-ci ne peut résister à la tentation de la goûter.   Élisabeth le trouve mourant.

— Monstre! Sale monstre!

Cette phrase terrible venant de Paul s'aggravait de ce qu'Élisabeth ne pensait point qu'il eût la force de parler et justifiait ses craintes d'un tête-à-tête.

— Sale monstre! Sale monstre!   5

Paul continuait, râlait, la fusillait d'un regard bleu, d'un feu bleu ininterrompu, entre la fente des paupières. Des crampes,[2] des tics [3] torturaient sa belle bouche, et la sécheresse qui tarissait la source des larmes communiquait au regard ces éclairs fébriles, une phosphorescence de loup.

La neige fouettait les vitrages. Élisabeth recula: 10

— Eh bien, oui, dit-elle, c'est vrai. J'étais jalouse. Je ne voulais pas te perdre. Je déteste Agathe. Je ne permettais pas qu'elle t'enlève de la maison.

L'aveu la grandissait, la drapait, lui arrachait son costume de ruses. Les boucles rejetées en arrière par la tourmente [4] dénudaient le petit front 15 féroce et le faisaient vaste, architectural au-dessus des yeux liquides.

Seule contre tous avec la chambre, elle bravait Agathe, elle bravait Gérard, elle bravait Paul, elle bravait le monde entier.

Elle saisit le revolver sur la commode. Agathe hurlait:

— Elle va tirer! Elle va me tuer! et se cramponnait à Paul qui divaguait. 20

Élisabeth ne songeait guère à tirer sur cette femme élégante. Elle avait empoigné le revolver d'un geste instinctif pour achever son attitude d'espionne acculée dans un coin et décidée à vendre chèrement sa peau.

En face d'une crise nerveuse, d'une agonie, elle perdait le bénéfice de sa bravade. La grandeur ne servait de rien.   25

Alors Agathe effarée voyait cette chose soudaine: une démente qui se disloque, s'approche de la glace, grimaçant, s'arrachant les cheveux, louchant, tirant la langue. Car, n'en pouvant plus d'une halte qui ne correspondait pas à sa tension interne, Élisabeth exprimait sa folie en une pantomime grotesque, essayait de rendre la vie impossible par un excès 30 de ridicule, de reculer les bornes du vivable,[5] d'arriver à la minute où le drame l'expulserait, ne la supporterait plus.

— Elle devient folle! au secours! continuait de hurler Agathe.

Ce mot de folle détourna Élisabeth de la glace, dompta son paroxysme. Elle se calma. Elle serrait l'arme et le vide entre ses mains tremblantes. 35 Elle se dressait, la tête basse.

[1] magical evil influence.   [2] contractions.   [3] twitchings.   [4] blizzard.   [5] of the livable, of what can be lived, endured.

Elle savait que la chambre glissait vers sa fin sur une pente vertigineuse, mais cette fin traînait et il faudrait la vivre. La tension ne se relâchait pas, et elle comptait, elle calculait, multipliait, divisait, se rappelait des dates, des numéros d'immeubles, les additionnait ensemble, se trompait, 5 recommençait. Tout à coup elle se souvint que le morne de son rêve sortait de *Paul et Virginie* où « morne » signifiait colline. Elle se demanda si le livre se passait à l'île de France.[6] Les noms des îles remplacèrent les chiffres. Ile de France; île Maurice; île Saint-Louis.[7] Elle récitait, embrouillait, mélangeait, obtenant un vide, un délire.

10 Son calme étonna Paul. Il ouvrit les yeux. Elle le regarda, rencontra des yeux qui s'éloignaient, qui s'enfonçaient, où une curiosité mystérieuse remplaçait la haine. Élisabeth, au contact de cette expression, eut un pressentiment de triomphe. L'instinct fraternel la soulevait. Sans quitter du regard ce regard nouveau, elle continua son travail inerte. Elle cal-15 culait, calculait, récitait, et au fur et à mesure qu'elle augmentait le vide, elle devina que Paul s'hypnotisait, reconnaissait le jeu, revenait à la chambre légère.

Sa fièvre la rendait lucide. Elle découvrait les arcanes.[8] Elle dirigeait les ombres. Ce qu'elle avait créé jusqu'alors sans le comprendre, travail-20 lant à la mode des abeilles, aussi inconsciente de son mécanisme qu'un sujet de la Salpêtrière,[9] elle le concevait, le provoquait, comme un paraly-tique se lève sous le coup d'un événement exceptionnel.

Paul la suivait, Paul venait; c'était l'évidence. Sa certitude formait la base de son inconcevable travail cérébral. Elle continuait, continuait, 25 continuait, charmant Paul par ses exercices. Déjà, elle en était sûre, il ne sentait plus Agathe s'accrocher à son cou, il n'entendait plus ses plaintes. Comment le frère et la sœur eussent-ils fait pour l'entendre? Ses cris retentissent au-dessous de la gamme dont ils composent leur champ de mort. Ils montent, montent côte à côte. Élisabeth emporte sa proie. 30 Sur les hauts patins [10] des acteurs grecs, ils quittent l'enfer des Atrides.[11] Déjà l'intelligence du tribunal divin ne suffirait pas; ils ne peuvent compter que sur son génie. Encore quelques secondes de courage et ils aboutiront où les chairs se dissolvent, où les âmes s'épousent, où l'inceste ne rôde plus.

35 Agathe hurlait dans un autre lieu, à une autre époque. Élisabeth et Paul s'en souciaient moins que des nobles secousses qui remuaient les vitres. L'éclairage dur de la lampe remplaçait le crépuscule, sauf du côté d'Élisabeth qui recevait la pourpre du lambeau rouge et s'y maintenait protégée, fabriquant le vide, halant Paul vers une ombre d'où elle l'observait 40 en pleine lumière.

Le moribond s'exténuait. Il se tendait du côté d'Élisabeth, du côté de la neige, du jeu, de la chambre de leur enfance. Un fil de la Vierge [12]

[6] *Name of* l'île Maurice (*Mauritius*) *when it belonged to France; E of Madagascar.*   [7] *Eastern islet in the Seine, center of Paris; quiet and picturesque.*   [8] arcana, mysteries.   [9] a candidate for la Salpêtrière, an insane woman. **La Salpêtrière** *is an old hospital for insane women, on the boulevard de l'Hôpital in SE Paris.*   [10] pattens, cothurni, high-soled-and-heeled shoes.   [11] Atreus and his descendants (*Agamemnon, Menelaus*). *Atreus, king of Mycenae, was sent to Hades for feeding his brother Thyestes the flesh of his children.*   [12] gossamer thread.

le reliait à la vie, attachait une pensée diffuse à son corps de pierre. Il distinguait mal sa sœur, une longue personne criant son nom. Car Élisabeth, comme une amoureuse retarde son plaisir pour attendre celui de l'autre, le doigt sur la gâchette,[13] attendait le spasme mortel de son frère, lui criait de la rejoindre, l'appelait par son nom, guettait la minute splendide 5 où ils s'appartiendraient dans la mort.

Paul, épuisé, laissa rouler sa tête. Élisabeth crut que c'était la fin, appuya le canon du revolver contre sa tempe et tira. Sa chute entraîna un des paravents qui s'abattit sous elle, avec un tintamarre effroyable, découvrant la lueur pâle des vitres de neige, ouvrant dans l'enceinte une 10 blessure intime de ville bombardée, faisant de la chambre secrète un théâtre ouvert aux spectateurs.

Ces spectateurs, Paul les distinguait derrière les vitres.

Tandis qu'Agathe, morte d'épouvante, se taisait et regardait saigner le cadavre d'Élisabeth, il distinguait dehors, s'écrasant parmi les rigoles de 15 givre et de glace fondue, les nez, les joues, les mains rouges de la bataille des boules de neige.[14] Il reconnaissait les figures, les pèlerines,[15] les cachecols de laine. Il cherchait Dargelos.[16] Lui seul il ne l'apercevait pas. Il ne voyait que son geste, son geste immense.

— Paul! Paul! Au secours! 20

Agathe grelotte, se penche.

Mais que veut-elle? Que prétend-elle? Les yeux de Paul s'éteignent. Le fil se casse et il ne reste de la chambre envolée que l'odeur infecte et qu'une petite dame sur un refuge,[17] qui rapetisse, qui s'éloigne, qui disparaît.

Les Enfants terribles (1929), p. 207 à la fin

Reproduit avec l'autorisation de la Librairie Grasset, Paris

OUVRAGES RECOMMANDÉS
Textes

Œuvres complètes. 11 vol. Intercontinentale-Costard.
R. Lannes. *Jean Cocteau* (textes et critique). 270 p. Seghers, 1952.
La Machine infernale, dans *The French Theater since 1930,* éd. O. F. Pucciani. Ginn, 1954.

Discographie

Jean Cocteau vous parle. Poèmes extraits de *Plain-Chant.* Extraits de *La Difficulté d'être, Les Parents terribles,* lus par Yvonne de Bray, Jean Marais, Rouleau. 1 disque microsillon. Disques Festival, Period.
Cocteau, textes tirés de *Un Ami dort, Bacchus,* etc. Microsillon Philips.

---

[13] trigger. [14] *The snowball fight among the pupils of the lycée Condorcet, in which Paul was injured.* [15] long hooded capes. [16] *It was Dargelos who injured Paul with a snowball containing a stone.* [17] traffic island.

ANDRÉ BRETON
(1896–19   )
Le Pape du Surréalisme

Né à Tinchebray, petite ville à 40 milles à l'ouest du Mont-Saint-Michel, dans une famille d'ouvriers, Breton passa sa jeunesse à Pantin, dans la banlieue industrielle NE de Paris. La 1ère Grande Guerre, interrompant ses études de médecine, fit de lui un infirmier, puis un médecin auxiliaire dans des centres neurologiques et psychiatriques. Ces contacts furent d'une importance capitale dans la formation de ses idées sur le subconscient, les rêves, sur lesquels le surréalisme est centré. (Voyez le surréalisme, p. 506.)

Il rompit avec le communisme (1935). Au cours d'un voyage au Mexique il se lia avec Trotsky [1] (1938). Il appartient aujourd'hui au parti démocratique révolutionnaire. Au temps de l'occupation nazie, il se réfugia aux États-Unis (New-York, Arizona, Nouveau-Mexique où il s'intéressa aux Indiens).

Avec ses trois manifestes, ses œuvres les plus marquantes sont: *Nadja* (p. 507), *Les Vases communicants* (1932, étude des rêves), *Qu'est-ce que le surréalisme?* (1934), *Arcane 17* (1948), *Flagrant délit* (1949).

Breton est un puissant dialecticien, un doctrinaire qui s'est brouillé avec ses premiers amis, mais il a fait des disciples et conservé l'unité de sa théorie, lui a donné de la durée, au point qu'elle sera peut-être celle par laquelle le vingtième siècle se distinguera des autres, en littérature.

DÉFINITION DU SURRÉALISME

C'est de très mauvaise foi qu'on nous contesterait le droit d'employer le mot SURRÉALISME dans le sens très particulier où nous l'entendons, car il est clair qu'avant nous ce mot n'avait pas fait fortune. Je le définis donc une fois pour toutes:

5   SURRÉALISME, *n.m.*[1] Automatisme psychique pur par lequel on se propose d'exprimer, soit verbalement, soit par écrit, soit de toute autre manière, le fonctionnement réel de la pensée. Dictée de la pensée, en l'absence de tout contrôle exercé par la raison, en dehors de toute préoccupation esthétique ou morale.

Premier manifeste du surréalisme, p. 45

SECRETS DE L'ART MAGIQUE SURRÉALISTE
Composition surréaliste écrite, ou premier et dernier jet [1]

10   Faites-vous apporter de quoi écrire, après vous être établi en un lieu aussi favorable que possible à la concentration de votre esprit sur lui-même. Placez-vous dans l'état le plus passif, ou réceptif que vous pourrez. Faites abstraction de votre génie, de vos talents et de ceux de tous les autres. Dites-vous bien que la littérature est un des plus tristes chemins qui mènent

---

[1] *Leon Trotsky (1879–1940), Russian revolutionary leader and writer; minister of War (1918–25); exiled; murdered by a Stalinist in Mexico City.*

[1] *nom masculin.*

[1] draft.

à tout. Écrivez vite sans sujet préconçu, assez vite pour ne pas retenir et ne pas être tenté de vous relire. La première phrase viendra toute seule, tant il est vrai qu'à chaque seconde il est une phrase étrangère à notre pensée consciente qui ne demande qu'à s'extérioriser.

Il est assez difficile de se prononcer sur le cas de la phrase suivante; elle 5 participe sans doute à la fois de notre activité consciente et de l'autre, si l'on admet que le fait d'avoir écrit la première entraîne un minimum de perception. Peu doit vous importer, d'ailleurs; c'est en cela que réside, pour la plus grande part, l'intérêt du jeu surréaliste. Toujours est-il que la ponctuation s'oppose sans doute à la continuité absolue de la coulée 10 qui nous occupe, bien qu'elle paraisse aussi nécessaire que la distribution des nœuds sur une corde vibrante. Continuez autant qu'il vous plaira. Fiez-vous au caractère inépuisable du murmure. Si le silence menace de s'établir pour peu que vous ayez commis une faute, une faute, peut-on dire, d'inattention, rompez sans hésiter avec une ligne trop claire. A la suite du mot 15 dont l'origine vous semble suspecte, posez une lettre quelconque, la lettre *l*, par exemple, toujours la lettre *l*, et ramenez l'arbitraire en imposant cette lettre pour initiale au mot qui suivra.

Premier manifeste du surréalisme, pp. 51–52

... rappelons que l'idée de surréalisme tend simplement à la récupération totale de notre force psychique par un moyen qui n'est autre que la descente 20 vertigineuse en nous, l'illumination systématique des lieux cachés et l'obscurcissement progressif des autres lieux, la promenade perpétuelle en pleine zone interdite.

Second manifeste du surréalisme, p. 111

Extraits reproduits avec la gracieuse permission de Monsieur André Breton et des Éditions du Sagittaire, Paris

PROMENADE AVEC NADJA, LA DEMI-FOLLE

L'auteur rencontre dans une rue de Paris une jeune fille pauvrement vêtue. C'est Nadja. Elle a quitté ses parents, à Lille,[1] *avec un étudiant qui l'a abandonnée. Comme second ami elle a eu un vieillard. Elle est intelligente, à demi folle. Elle dîne avec Breton dans un petit restaurant de la place Dauphine.*[2]

Comme arrive le dessert, Nadja commence à regarder autour d'elle. Elle est certaine que sous nos pieds passe un souterrain qui vient du Palais 25 de Justice (elle me montre de quel endroit du Palais, un peu à droite du perron blanc) et contourne l'Hôtel Henri IV.[3] Elle se trouble à l'idée de ce qui s'est passé sur cette place[4] et de ce qui se passera encore. Où ne se perdent en ce moment dans l'ombre que deux ou trois couples, elle

[1] *Largest city in N France, 140 mi. N of Paris.* [2] *Quiet square on the Ile de la Cité, between the Palais de Justice and the Pont-Neuf; named for Henry IV's son, le Dauphin, who was six at the time it was built (1607).* [3] *Old hotel on the SW side of the square, across from the restaurant called* La Rose de France. [4] *The place Dauphine witnessed the transfer of many prisoners to the Conciergerie (see n. 6) and the guillotine, during the French Revolution.*

semble voir une foule. « Et les morts, les morts ! » ... Le regard de
Nadja fait maintenant le tour des maisons. « Vois-tu, là-bas, cette fenêtre ?
Elle est noire, comme toutes les autres. Regarde bien. Dans une minute
elle va s'éclairer. Elle sera rouge. » La minute passe. La fenêtre s'éclaire.
5 Il y a, en effet, des rideaux rouges. (Je regrette, mais je n'y peux rien, que
ceci passe peut-être les limites de la crédibilité. Cependant, à pareil sujet
je m'en voudrais de prendre parti : je me borne à *convenir* que de noire,
cette fenêtre est alors devenue rouge, et c'est tout.) J'avoue qu'ici la
peur me prend, comme aussi elle commence à prendre Nadja. « Quelle
10 horreur ! Vois-tu ce qui passe dans les arbres ? Le bleu et le vent, le vent
bleu. Une seule autre fois j'ai vu sur ces mêmes arbres passer ce vent bleu.
C'était là, d'une fenêtre de l'Hôtel Henri IV,[5] et mon ami, le second dont
je t'ai parlé, allait partir. Il y avait aussi une voix qui disait : ‹ Tu mourras,
tu mourras. › Je ne voulais pas mourir mais j'éprouvais un tel vertige ...
15 Je serais certainement tombée si l'on ne m'avait retenue. Je crois qu'il
est grand temps de nous en aller. »

Le long des quais, je la sens toute tremblante. C'est elle qui a voulu
revenir vers la Conciergerie.[6] Elle est très abandonnée,[7] très sûre de moi.
Pourtant elle cherche quelque chose, elle tient absolument à ce que nous
20 entrions dans une cour, une cour de commissariat[8] quelconque qu'elle
explore rapidement. « Ce n'est pas là ... Mais, dis-moi, pourquoi dois-tu
aller en prison ? Qu'auras-tu fait ? Moi aussi j'ai été en prison. Qui
étais-je ? Il y a des siècles ? Et toi, alors, qui étais-tu ? » Nous longeons
de nouveau la grille[9] quand tout à coup Nadja refuse d'aller plus loin.
25 Il y a là, à droite, une fenêtre en contre-bas qui donne sur le fossé,[10] de la
vue de laquelle il ne lui est plus possible de se détacher. C'est devant cette
fenêtre, qui a l'air condamnée, qu'il faut absolument attendre, elle le sait.
C'est de là que tout peut venir. C'est là que tout commence. Elle tient
des deux mains la grille pour que je ne l'entraîne pas. Elle ne répond presque
30 plus à mes questions. De guerre lasse,[11] je finis par attendre que de son
propre gré elle poursuive sa route. La pensée du souterrain ne l'a pas
quittée et sans doute se croit-elle à l'une de ses issues. Elle se demande qui
elle a pu être, dans l'entourage de Marie-Antoinette.[12] Les pas des pro-
meneurs la font longuement tressaillir. Je m'inquiète, et, lui détachant
35 les mains l'une après l'autre, je finis par la contraindre à me suivre. Plus
d'une demi-heure s'est ainsi passée.

Le pont[13] traversé, nous nous dirigeons vers le Louvre. Nadja ne cesse
d'être distraite. Pour la ramener à moi, je lui dis un poème de Baudelaire,
mais les inflexions de ma voix lui causent une nouvelle frayeur, aggravée
40 du souvenir qu'elle garde du baiser de tout à l'heure : « un baiser dans lequel

---

[5] (*Note de l'auteur :*) *lequel fait face à
la maison dont il vient d'être question,
ceci toujours pour les amateurs de so-
lutions faciles.* [6] *Three-towered prison
on the Ile de la Cité; part of the
Palais de Justice. Here André Chénier,
Marie-Antoinette, Danton, etc., were imprisoned during the French Revolution.*
[7] relaxed, responsive to affection. [8] police station. [9] the railing (*along the
Conciergerie*). [10] pit, ditch, moat.
[11] Tired of arguing, For the sake of peace
and quiet. [12] *Daughter of the Empress
of Austria and Germany, Maria-Theresa;
wife of Louis XVI, king of France;
guillotined during the French Revolution
(1755–93).* [13] *The Pont-au-Change.*

il y a une menace. » Elle s'arrête encore, s'accoude à la rampe de pierre [14] d'où son regard, et le mien, plongent dans le fleuve à cette heure étincelant de lumières: « Cette main, cette main sur la Seine, pourquoi cette main qui flambe sur l'eau? C'est vrai que le feu et l'eau sont la même chose. Mais que veut dire cette main? Comment l'interprètes-tu? Laisse-moi 5 donc voir cette main. Pourquoi veux-tu que nous nous en allions? Que crains-tu? Tu me crois très malade, n'est-ce pas? Je ne suis pas malade. Mais qu'est-ce que cela veut dire pour toi: le feu et l'eau, une main de feu sur l'eau? (Plaisantant:) Bien sûr ce n'est pas la fortune: le feu et l'eau, c'est la même chose; le feu et l'or c'est tout différent. » 10

Vers minuit nous arrivons aux Tuileries, où elle désire que nous nous asseyions un moment. Nous sommes devant un jet d'eau dont elle paraît suivre la courbe. « Ce sont tes pensées et les miennes. Vois d'où elles partent toutes, jusqu'où elles s'élèvent et comme c'est encore plus joli quand elles retombent. Et puis aussitôt elles se fondent, elles sont reprises 15 avec la même force, de nouveau c'est cet élancement brisé, cette chute . . . et comme cela indéfiniment. » Je m'écrie: « Mais, Nadja, comme c'est étrange! Où prends-tu justement cette image [15] qui se trouve exprimée presque sous la même forme dans un ouvrage que tu ne peux connaître et que je viens de lire? » (Et je suis amené à lui expliquer qu'elle fait 20 l'objet d'une vignette, en tête du troisième des *Dialogues entre Hylas et Philonous*, de Berkeley,[16] édition de 1750, où elle est accompagnée de la légende: *Urget aquas vis sursum eadem, flectit que deorsum*,[17] qui prend à la fin du livre, au point de vue de la défense de l'attitude idéaliste, une si-gnification capitale.) 25

Mais elle ne m'écoute pas, toute attentive qu'elle est au manège d'un homme qui passe à plusieurs reprises devant nous et qu'elle pense connaître, car ce n'est pas la première fois qu'elle se trouve à pareille heure dans ce jardin. Cet homme, si c'est lui, s'est offert à l'épouser. Cela la fait penser à sa petite fille, une enfant dont elle m'a appris avec tant de précautions 30 l'existence, et qu'elle adore, surtout parce qu'elle est si peu comme les autres enfants, « avec cette idée de toujours enlever les yeux des poupées pour voir ce qu'*il y a* derrière ces yeux ». Elle sait qu'elle attire toujours les enfants: où qu'elle soit, ils ont tendance à se grouper autour d'elle, à venir lui sourire. Elle parle maintenant comme pour elle seule, tout ce 35 qu'elle dit ne m'intéresse plus également, elle a la tête tournée du côté opposé au mien, je commence à être fatigué. Mais, sans que j'aie donné aucun signe d'impatience: « Un point, c'est tout. J'ai senti tout à coup que j'allais te faire de la peine. (Se retournant vers moi:) C'est fini. »

Nous sortons du jardin et ne tardons pas à nous arrêter encore dans un 40 bar de la rue Saint-Honoré [18] qui s'appelle « Le Dauphin ». Elle observe que nous sommes venus de la place Dauphine au « Dauphin ». (A ce jeu qui consiste à se chercher des correspondances avec tel ou tel animal, on s'est généralement accordé à faire de moi un dauphin.[19]) Nadja ne peut

[14] stone parapet (wall) along the Seine.
[15] metaphor. [16] *George Berkeley (1685–1753), Irish philosopher and bishop; idealistic.* [17] The very force that drives the water up curves it downward. [18] *The rue Saint-Honoré extends from the rue Royale to les Halles.* [19] dolphin.

supporter la vue d'une bande de mosaïque qui se prolonge du comptoir sur le sol et nous devons quitter le bar peu après y être entrés. Elle se fait arrêter devant le théâtre des Arts.[20] Nous convenons de ne nous retrouver à la « Nouvelle France » [21] que le soir du surlendemain.

André Breton, *Nadja* (1928), pp. 107–118
Copyright by Librairie Gallimard

OUVRAGES RECOMMANDÉS
Textes

Œuvres. Gallimard.
J.-L. Bédouin. *André Breton* (textes et critique). 232 p. Seghers, 1950.

HENRY DE MONTHERLANT
(1896–19)

Né à Paris dans une famille royaliste d'ascendance catalane et bretonne, Montherlant fit ses études au lycée Janson-de-Sailly, de Paris, et au collège Sainte-Croix, de Neuilly. Très tôt il prit le goût des lettres, des sports et des voyages. Pendant la 1ère Grande Guerre il fut grièvement blessé. Guéri, il se mit à écrire, chanta sa vie de soldat de deuxième classe (*La Relève du matin*, 1920), son collège, dont il avait été expulsé (*Le Songe*, 1922), les morts (*Chant funèbre pour les morts de Verdun*), le football, la course à pied (*Les Olympiques*, 1924). Il voyagea, se plut surtout en Espagne où il prit part à des courses de taureaux (*Les Bestiaires*, 1926) et en Afrique du Nord (*Coups de soleil*, 1950). Il définit son attitude cynique envers la femme dans des romans, *Les Célibataires* (1934), *Les Jeunes Filles* (1936), *Pitié pour les femmes* (1936), *Le Démon du bien* (1937), *Les Lépreuses* (1939), créant le personnage de Costals, l'écrivain qui est un séducteur insensible. Il publia aussi des poèmes, *Encore un instant de bonheur* (1934). Il fut contre l'apaisement d'Hitler à Munich (1938). Pendant la 2e Grande Guerre il fut journaliste sur le front (*Le Solstice de juin*, 1941; *Carnets sous une occupation*, 1953).

Ses plus belles réussites furent au théâtre, avec des pièces inspirées surtout de Corneille, de l'Espagne (*La Reine morte*, 1942; *Le Maître de Santiago*, 1947), de l'Italie des condottieri ou chefs de mercenaires (*Malatesta*, 1946), des deux dernières guerres (*L'Exil*, 1914; *Fils de personne*, 1943, suivi de *Demain il fera jour*, 1949). Mentionnons aussi *Celles qu'on prend dans ses bras* (1950, un vieux séducteur conquiert une jeune fille peu facile), *La Ville dont le prince est un enfant* (1951, amitiés particulières dans un collège), et surtout *Port-Royal* (1954, douze religieuses du monastère de Port-Royal de Paris refusent, devant l'archevêque, de signer la condamnation du jansénisme).

De chaque œuvre, le personnage qui se dégage le plus est Montherlant lui-même: hautain, égoïste, misanthrope, mais tendre pour les enfants, ne trouvant de satisfaction que dans le pur et dur métal des êtres exceptionnels.

[20] *Now* le théâtre Hébertot, *boulevard des Batignolles*, *in the NW section of Paris*.
[21] *Bar near the Gare du Nord.*

INÈS ET L'INFANTE

En 1355, le vieux roi de Portugal, Ferrante, a fait venir à sa cour la fière infante de Navarre,[1] qui a dix-sept ans, dans l'espoir qu'elle épousera son fils aîné, don Pedro. Celui-ci, à l'insu de son père, a épousé la tendre Inès de Castro qui a vingt-six ans et qui va être mère. Inès avoue tout ceci au roi, qui fait emprisonner Pedro. Le premier ministre Coelho et le conseiller Gonçalvès voudraient que le roi fît assassiner Inès. Un page portugais a averti l'infante de ce noir dessein; celle-ci rencontre Inès.

L'INFANTE. . . . Egas Coelho et Alvar Gonçalvès ont demandé votre mort. Le Roi aurait pu couper court, d'un non énergique. Mais ils ont discuté interminablement. « Comme des avocats », dit le page. A la fin, le Roi a dit: « J'y réfléchirai. » Ensuite il est resté seul avec Egas Coelho, mais le page était parti vous chercher. 5

INÈS. « J'y réfléchirai. . . . » Ce n'est pas un arrêt de mort[2] . . . Le Roi, dans toute cette affaire, m'a traitée avec tant d'ouverture.[3]

L'INFANTE. Mon père dit du roi Ferrante qu'il joue avec sa perfidie comme un bébé joue avec son pied.

INÈS. « J'y réfléchirai. . . . » Il a peut-être voulu se donner du champ.[4] 10

L'INFANTE. Doña Inès, doña Inès, je connais le monde et ses voies.

INÈS. Oh! oui, vous les connaissez. Penser qu'en trois jours, vous, une étrangère, et si jeune, vous apprenez de tels secrets. Moi, j'aurais pu vivre des années au palais, sans savoir ce qu'on y disait de moi.

L'INFANTE. J'ai été élevée pour le règne. 15

INÈS. Et don Pedro, le Roi a-t-il parlé de lui?

L'INFANTE. Selon le page, Ferrante n'a pas parlé de son fils. Et maintenant, doña Inès, je vous dis: je repars demain, profitant de ce que les vents sont favorables. Regardez: un nuage en forme d'aile: il vole vers la Navarre. Et des nuages moutonnants:[5] ils paissent[6] vers ma Navarre, 20 toujours mouvante de troupeaux. Oui, demain, à cette heure, si Dieu veut, je fendrai[7] la mer ténébreuse: avec quelle véhémence les flots se rebelleront devant mon étrave,[8] et puis s'abaisseront étonnés, comme s'ils savaient qui je suis! Ma Navarre! Je désire tant la retrouver que j'appréhende presque ce que j'y retrouverai. Eh bien! je vous propose de 25 venir avec moi. Vous ferez partie de ma maison. Vous ne serez pas en sûreté tant que vous serez au Portugal. Mais, dès l'instant que je vous prends sous mon manteau, le Roi n'osera pas vous toucher: m'offenser une seconde fois,[9] jamais! Seulement, il faut vous décider tout de suite, et laisser en l'état[10] votre Mondego.[11] Je sais, les gens préfèrent mourir, à 30 quitter leurs affaires ou à se donner la peine de les mettre en ordre promptement. Mais il faut voir ce qui importe pour vous, si c'est le Mondego, ou si c'est d'être vivante. Suivez-moi donc en Navarre, et attendez. Ou

---

[1] *Former kingdom in SW France and N Spain.* [2] death sentence. [3] **ouverture de cœur**, openheartedness, frankness. [4] give himself room (leeway). [5] like whitecaps, fleecy. [6] are grazing, browsing. [7] I shall be cleaving, sailing across. [8] stem. [9] *The first time was when Ferrante had told her that his son could not marry her.* [10] **laisser en l'état où il est**, leave. [11] *Inès's castle, on the Mondego River, in N Portugal.*

le Roi mourra, et vous reviendrez et régnerez. Ou le Roi fera périr son fils. . . .

INÈS. Oh!

L'INFANTE. Pardonnez-moi!

5 INÈS. Mais qui peut vous faire croire. . . .

L'INFANTE. Je ne crois pas que Ferrante y songe aujourd'hui. Mais aujourd'hui et demain ne sont pas fils de la même mère, et moins que jamais sous le coup [12] du Roi. Il est naturellement incertain, et son art est de faire passer son incertitude pour politique.[13] Il noie le poisson [14] par hésita-
10 tion et inconsistance,[15] mais il arrive à déguiser cette noyade en calcul profond. Il affirme les deux choses contraires, à la fois spontanément, parce qu'il est irrésolu, et systématiquement, afin de brouiller ses traces.[16] Il mélange avec danger des éléments inconciliables; [17] nul ne sait ainsi ce qu'il pense, mais c'est parce qu'il n'a pas de pensée précise, hormis,
15 quelquefois, sur son intérêt immédiat. Combien de temps croira-t-il de son intérêt immédiat d'épargner don Pedro et vous?

INÈS. Je suis bouleversée. Mais, du moins, sachez ma gratitude . . . Que ce soit vous!

L'INFANTE. Il y a deux gloires: la gloire divine, qui est que Dieu soit
20 content de vous, et la gloire humaine, qui est d'être content de soi. En vous sauvant, je conquiers ces deux gloires. Et notamment la seconde, car la nature m'ordonnerait plutôt de vous haïr. Mais je fais peu de cas de la nature.

INÈS. Certes, Madame, car à votre place. . . .

25 L'INFANTE. Vous vous oubliez, doña Inès. Personne ne peut se mettre à ma place.

INÈS. Pardonnez-moi, Infante. Il est vrai, votre rang . . .

L'INFANTE. Où je suis, il n'y a pas de rang. Doña Inès, je vous tiens quitte de vos honnêtetés: [18] vous n'y êtes pas heureuse.[19] Mais quoi,
30 vous êtes charmante ainsi . . . Allons, doña Inès, . . . dites-moi que vous m'accompagnerez en Navarre.

INÈS. Non, Princesse, je ne puis.

L'INFANTE. Pourquoi?

INÈS. Quand l'oiseau de race est capturé, il ne se débat pas.[20] Vous
35 parliez d'un nuage en forme d'aile. Si j'avais une aile, ce ne serait pas pour fuir, mais pour protéger.

L'INFANTE. Je sais, cela se paie cher, d'être noble. Mais vous n'êtes pas « capturée ». Vous n'avez peut-être qu'une nuit devant vous: du moins vous l'avez.

40 INÈS. Non! Non! je ne peux plus être autre part qu'à côté de lui! N'importe quelle condition, même la plus misérable, pourvu que je ne le quitte pas. Et, s'il le faut, mourir avec lui ou pour lui.

L'INFANTE. Il n'y a pas d'être qui vaille qu'on meure pour lui.

INÈS. Un homme qu'on aime!

---

[12] **sous la coupe,** under the rule, dicta-tion. [13] as shrewdness. [14] He plays (*lit.* 'drowns') the fish. [15] lack of firm-ness. [16] cover his tracks. [17] irrecon-cilable. [18] polite words. [19] You don't do too well in that respect. [20] it does not struggle.

L'INFANTE. Je ne suis pas encore parvenue à comprendre comment on peut aimer un homme. Ceux que j'ai approchés, je les ai vus, presque tous, grossiers, et tous, lâches. Lâcheté: c'est un mot qui m'évoque irrésistiblement les hommes.

INÈS. N'avez-vous donc jamais aimé, Infante? 5

L'INFANTE. Jamais, par la grâce de Dieu.

INÈS. Mais sans doute avez-vous été aimée?

L'INFANTE. Si un homme s'était donné le ridicule de m'aimer, j'y aurais prêté si peu d'attention que je n'en aurais nul souvenir. (*Avec brusquerie et candeur.*) Vous entendez les passereaux?[21] Ils chantent mes louanges. 10 Oh! ne me croyez pas orgueilleuse: je n'ai pas d'orgueil, pas une once. Mais il n'est pas nécessaire, pour aimer les louanges, de s'en croire digne. Allons, Inès, venez! Je vous tends[22] votre vie. Le souffle des rois est brûlant. Il vous consumera.

INÈS. Il consume ce qui de toutes façons sera consumé. Je n'ai pas été 15 faite pour lutter, mais pour aimer. Toute petite, quand la forme de mes seins n'était pas encore visible, j'étais déjà pleine d'amour pour mes poupées; et il y en avait toujours une que j'appelais l'Amant, et l'autre la Bien-Aimée. Et déjà, si l'on m'avait ouvert la poitrine, il en aurait coulé de l'amour, comme cette sorte de lait qui coule de certaines plantes, quand on 20 en brise la tige. Aimer, je ne sais rien faire d'autre. Voyez cette cascade: elle ne lutte pas, elle suit sa pente. Il faut laisser tomber les eaux.

L'INFANTE. La cascade ne tombe pas: elle se précipite. Elle fait aussi marcher les moulins. L'eau est dirigée dans des canaux. La rame la bat, la proue[23] la coupe. Partout je la vois violentée.[24] Oh'! comme vous 25 êtes molle!

INÈS. C'est quand le fruit est un peu mol, qu'il reçoit bien jusqu'à son cœur tous les rayons de la Création.

L'INFANTE. Je vous en prie, ne me faites pas l'éloge de la mollesse: vous me blessez personnellement. (*Elle fait asseoir Inès sur un banc, sur lequel* 30 *elle s'assied elle-même.*) Venez plutôt en Espagne: vous y reprendrez de la vigueur. Ne vous en cachez pas: je sais qu'ici on n'aime pas l'Espagne. Le Portugal est une femme étendue au flanc de l'Espagne; mais ce pays qui reste quand même à l'écart, qui brûle seul, et qui est fou, empêche le Portugal de dormir. Si j'avais épousé don Pedro, c'est moi qui aurais été 35 l'homme: je l'aurais empêché de dormir.

INÈS. Altesse, puisque le Roi, dites-vous, ne peut que vous satisfaire, je vous en supplie, obtenez d'abord la grâce de don Pedro!

L'INFANTE. Ce n'est pas don Pedro, c'est vous que je veux sauver. Venez à Pampelune.[25] Pampelune est comme la cour intérieure d'une 40 citadelle, encaissée[26] entre de hautes montagnes; et il y a mon âme, alentour, qui va de hauteur en hauteur, qui veille, et qui ne permet pas. . . . La main du Roi ne pourra vous atteindre, par-dessus ces montagnes. Venez à Pampelune, même si ma cour est pour vous sans attraits. La sensation d'être en sécurité donnerait du charme à n'importe quel lieu, et 45 vous retrouverez votre âme avec votre sécurité.

[21] sparrows. [22] I offer you. [23] prow, bow. [24] forced, done violence to, out- raged. [25] Pamplona, *capital of Navarre*. [26] boxed in.

INÈS. C'est lui qui est mon âme.

L'INFANTE. Vous êtes molle, et en même temps trop courageuse.

INÈS. Ne me dites pas que j'ai du courage: je le perdrais dans l'instant.

L'INFANTE. A la naissance de vos seins, dans le duvet entre vos seins,
5 un de vos cils [27] est tombé. Il est là, comme la plume d'une hirondelle qui a
été blessée dans son vol; il bouge un peu, on le dirait vivant. L'hirondelle
est blessée, doña Inès. Combien de temps volera-t-elle encore, si elle ne
trouve abri? Un jour elle n'annoncera plus le printemps, un jour il n'y
aura plus de printemps pour elle sur la terre. Laissez-moi croire que je
10 puis trouver encore les mots pour vous convaincre. Penser que vous aurez
passé à côté de moi! Et moi, être l'Infante de Navarre, et échouer à convaincre! Et échouer à convaincre l'être auquel on veut tant de bien!
Comment le bien que l'on veut à un être ne resplendit-il pas sur votre
visage et ne passe-t-il pas dans le son de votre voix, tellement qu'il soit
15 impossible de s'y méprendre? Mais non, au contraire, c'est peut-être mon
visage qui vous effraie. Peut-être les visages nouveaux vous effrayent-ils?
Ou peut-être est-ce parce qu'il est en sueur? Ou peut-être en ai-je trop
dit? Quand on veut convaincre, et qu'on a dépassé le point où c'était
encore possible, tout ce qu'on dit de surcroît [28] ne fait que vous rendre
20 suspect et endurcir l'être qu'on veut convaincre. Vous devez penser:
« Pourquoi y tient-elle tant? N'y aurait-il pas un piège? ... » O porte!
porte! quel mot pour t'ouvrir? Je m'arrête, car ma bouche est desséchée.
(*Temps.*) N'est-ce pas? vous regardez l'écume aux coins de ma bouche.
Cela vient de ma bouche desséchée, et de l'ardeur de cette route, qui était
25 pâle comme un lion. Tout mon intérieur est desséché comme si on m'avait
enfoncé dans la gorge, jusqu'à la garde,[29] l'épée de feu de l'ange nocturne;
vous savez, quand les voix de la muraille crièrent de nouveau: « Senna-
chérib! » [30] Ah! la chose insensée, qu'un désir violent ne suffise pas à faire
tomber ce qu'on désire. Une dernière fois, Inès: venez-vous avec moi?

30 INÈS. Princesse, ne m'en veuillez pas: je ne puis.

L'INFANTE (*se levant*). Eh bien, soit! Vous avez laissé passer le moment
où je vous aimais. Maintenant, vous m'irritez. Pourquoi votre vie m'im-
porterait-elle, alors qu'elle ne vous importe pas?

INÈS (*se levant*). Moi, Madame, je vous irrite?

35 L'INFANTE. Vous me décevez. Allez donc mourir, doña Inès. Allez
vite mourir, le plus vite possible désormais. Que votre visage n'ait pas le
temps de s'imprimer en moi. Qu'il s'efface et que je puisse l'oublier:
effacé comme une tache de sang sur les dalles,[31] qu'on efface avec de l'eau.
J'aurais voulu que tout mon séjour au Portugal s'évanouît comme un
40 mauvais rêve, mais cela n'est plus possible, à cause de vous. C'est vous
seule qui empoisonnez le doux miel de mon oubli, comme il est dit de la
mouche dans le parfum au livre de nos Saintes Écritures.[32] Partez, doña

---

[27] eyelashes.   [28] in addition to what is
strictly necessary.   [29] up to the hilt.
[30] *One night, when Sennacherib, king of
Assyria, was besieging Jerusalem, "the
angel of the Lord went out, and smote in
the camp of the Assyrians a hundred*
*fourscore and five thousand." (II Kings
19:35)*   [31] flagstones.   [32] *"Dead flies
cause the ointment of the apothecary to
send forth a stinking savour: so doth a
little folly him that is in reputation for
wisdom and honour." (Ecclesiastes 10:1)*

Inès, Dieu vous reste. Est-ce que ce n'est pas beau, que, quoi qu'il arrive, et même si on a péché, on puisse toujours se dire: « Dieu me reste » ? Regardez vers le ciel, où est Celui qui vous protégera.

INÈS. Dieu me protégera, si j'en suis digne. Mais pourquoi regarder le ciel? Regarder le ciel me ramène toujours vers la terre, car, les choses 5 divines que je connais, c'est sur la terre que je les ai vécues.

L'INFANTE. Alors, ma chère, si vous ne voulez pas regarder le ciel, tournez-vous d'un coup vers l'enfer. Essayez d'acquérir le page, qui est d'enfer, et de savoir par lui les intentions du Roi. Il s'appelle Dino del Moro. Il est Andalou.[33] Les Andalous ne sont pas sûrs. Il trahira tout ce 10 qu'on voudra.

INÈS. Je crois que jamais je n'aurai le cœur de pousser un enfant à trahir.

L'INFANTE. Même si votre vie et la vie de don Pedro sont en jeu?

INÈS. Pedro!... Mais, quand même, un enfant! Un enfant... 15 pareil à ce que pourrait être un jour un fils à moi.

L'INFANTE. Eh bien! doña Inès, soyez donc sublime, puisque c'est cela décidément qui vous tente. Sublime en ne partant pas. Sublime en ne poussant pas à trahir. Allons, soyez sublime tout votre soûl,[34] et mourez-y. Adieu. 20

(Inès s'incline, prend la main de l'Infante et va la baiser. Dans ce geste, le bracelet de pierreries de l'Infante se détache et tombe. Inès le ramasse et le lui tend.)

L'INFANTE. Gardez-le, Inès. Chez nous, une princesse de sang royal ne peut rien accepter, qui ne lui ait été tendu par quelqu'un de sa maison. 25 Ce bracelet qui joint si mal vous restera comme un symbole de ce qui ne s'est pas joint entre nous.

INÈS. Si c'est un symbole, il y a des choses tellement plus pures que le diamant.

L'INFANTE. C'est vrai. (Elle prend le bracelet, le jette à terre, et l'écrase 30 sous son talon. Un temps.) Embrassez-moi. (Elles s'embrassent.) Dieu vous garde! (Seule, regardant au loin la cascade.) Il faut laisser tomber les eaux.

La Reine morte (1942), Acte II, scène 5

Le roi fait assassiner Inès, mais il meurt bientôt de remords. Pedro devient roi; « on apporte sur une litière [35] Inès morte...; tous s'écartent du cadavre du roi étendu sur le sol, se massent du côté opposé de la scène autour de la litière, et mettent un genou en terre. »

OUVRAGES RECOMMANDÉS
Textes

Théâtre choisi. Classiques Hachette.
Les Bestiaires. Classiques Larousse.
La Reine morte. Collection Pourpre, Gallimard et Macmillan.
Les Jeunes Filles. Livre de poche.
Œuvres. Gallimard.

[33] an Andalusian, from Andalusia (*region in S Spain*). [34] to your heart's content. [35] litter.

Discographie

Port-Royal.   Répertoire de la Comédie-Française.   Microsillons Pathé.

Critique

M. Saint-Pierre. *Montherlant, bourreau de soi-même.* Gallimard, 1950.
Jacques de Laprade. *Le Théâtre de Montherlant.* Denoël, 1950.
René Tavernier. *Henry de Montherlant.* Éditions Universitaires, 1955.

ANTOINE DE SAINT-EXUPÉRY

(1900–1944)

Un Noble Écrivain

Né à Lyon, orphelin de père à quatre ans, Saint-Exupéry fit ses études chez les Jésuites du Mans, chez les Maristes[1] de Fribourg (Suisse), puis au lycée Saint-Louis et au collège Bossuet de Paris. Ayant échoué au concours d'entrée à l'École navale,[2] il étudia l'architecture aux Beaux-Arts,[3] puis fit son service militaire dans l'aviation (Strasbourg, Casablanca,[4] Le Bourget[5]). Rendu à la vie civile, il fut quelque temps représentant d'une maison d'automobiles, puis entra dans une compagnie d'aviation comme pilote sur les lignes Toulouse[6]–Casablanca, Dakar–Casablanca. Commandant le poste dangereux du cap Juby dans le Rio de Oro,[7] il écrit *Courrier Sud* (1928). En Amérique du Sud il établit la jonction Buenos Ayres–Punta Arenas[8] et transcrivit ses aventures dans *Vol de nuit* (1931). Il épousa Consuelo Suncin, sculpteur. Rentré en France il fit du journalisme et quelques raids aériens. Tentant le raid New-York–Terre de Feu,[8] il subit, au Guatemala, un grave accident qui lui laissa le bras gauche un peu paralysé; le résultat littéraire en fut *Terre des hommes* (*Wind, Sand and Stars*, en anglais, 1939).

Mobilisé à un groupe de reconnaissance (1939), il raconta son dernier vol, peu avant la capitulation de la France, dans *Pilote de guerre* (*Flight to Arras*, 1942). Il fut démobilisé en Afrique du Nord et vécut à New-York jusqu'en 1943. Il y écrivit *Lettre à un otage* et *Le Petit Prince*, charmant conte philosophique. Il reprit du service dans l'aviation française après les débarquements alliés en Afrique du Nord. Il disparut, fin juillet 1944, au cours d'une mission de reconnaissance de Corse[9] dans la région de Grenoble où le maquis livrait de durs combats. Depuis sa mort on a publié *Citadelle* (1948), *Carnets, Lettres de jeunesse* (1953), *Lettres à sa mère* (1955) et des récits, articles et reportages, *Un Sens à la vie* (1956).

Saint-Exupéry a décrit en poète et philosophe les dangers et les joies de l'aviation; son message contient beaucoup d'amour et de courage.

---

[1] Marists, *members of the "Society of Mary" founded in 1816.*   [2] *The French Annapolis, in Brest (Brittany).*   [3] **École nationale supérieure des Beaux-Arts,** *School of Fine Arts, in Paris.*   [4] *Seaport, largest city in French Morocco, on the Atlantic coast.*   [5] *Airport and town, 4 mi. NE of Paris.*   [6] *City on the Garonne River, 140 mi. SE of Bordeaux.*

[7] *Spanish possession on the NW coast of Africa.*   [8] *Tierra del Fuego, South American archipelago, S of the Strait of Magellan. The western part belongs to Chile, its capital being* **Punta Arenas;** *the eastern part belongs to Argentina.*   [9] *Corsica, French island, 200 mi. SE of Marseille.*

L'AVION EN FEU

La scène s'est passée sur le front français, au printemps de 1940.

Je le revois avec précision, couché dans son lit d'hôpital. Son genou a été accroché et brisé par l'empennage[1] de l'avion, au cours du saut en parachute, mais Sagon n'a pas ressenti le choc. Son visage et ses mains sont assez grièvement brûlés, mais, tout compte fait, il n'a rien subi qui soit inquiétant. Il nous raconte lentement son histoire, d'une voix quel- [5] conque,[2] comme un compte rendu de corvée.

— ... J'ai compris qu'ils tiraient en me voyant enveloppé de balles lumineuses. Ma planche de bord[3] a éclaté. Puis j'ai aperçu un peu de fumée, oh pas beaucoup! qui semblait provenir de l'avant. J'ai pensé que c'était... vous savez il y a là un tuyau de conjugaison[4]... Oh ça ne [10] flambait pas beaucoup...

Sagon fait la moue. Il pèse la question. Il estime important de nous dire si ça flambait beaucoup, ou pas beaucoup. Il hésite:

— Tout de même... c'était le feu... Alors je leur ai dit de sauter...

Car le feu, dans les dix secondes, change un avion en torche! [15]

— J'ai ouvert, alors, ma trappe de départ.[5] J'ai eu tort. Ça a fait appel d'air[6]... le feu... J'ai été gêné.

Un four de locomotive vous crache dans le ventre un torrent de flammes, à sept mille mètres d'altitude, et vous êtes gêné! Je ne trahirai pas Sagon en exaltant son héroïsme ou sa pudeur. Il ne reconnaîtrait ni cet héroïsme, [20] ni cette pudeur. Il dirait « Si! Si! j'ai été gêné... » Il fait d'ailleurs des efforts visibles pour être exact.

Et je sais bien que le champ de la conscience est minuscule. Elle n'accepte qu'un problème à la fois. Si vous vous colletez[7] à coups de poing, et si la stratégie de la lutte vous préoccupe, vous ne souffrez pas des coups de [25] poing. Quand j'ai cru me noyer, au cours d'un accident d'hydravion, l'eau, qui était glacée, m'a paru tiède. Ou, plus exactement, ma conscience n'a pas considéré la température de l'eau. Elle était absorbée par d'autres préoccupations. La température de l'eau n'a laissé aucune trace dans mon souvenir. Ainsi la conscience de Sagon était-elle absorbée par la [30] technique du départ. L'univers de Sagon se limitait à la manivelle[8] qui commande la trappe coulissante,[9] à une certaine poignée du parachute dont l'emplacement le préoccupa, et au sort technique de son équipage. « Vous avez sauté? » Point de réponse. « Personne à bord? » Point de réponse.

— Je me suis cru seul. J'ai cru que je pouvais partir... (il avait déjà [35] le visage et les mains grillés). Je me suis soulevé, j'ai enjambé la carlingue,[10] et me suis maintenu d'abord sur l'aile. Une fois là, je me suis penché vers l'avant: je n'ai pas vu l'observateur...

L'observateur, tué net par le tir des chasseurs,[11] gisait dans le fond de la carlingue. [40]

— J'ai reculé alors vers l'arrière, et je n'ai pas vu non plus le mitrailleur[12]...

[1] tail fin, rear part. [2] indifferent, drab. [7] you are fighting. [8] crank. [9] sliding. [3] my instrument panel. [4] connecting [10] cockpit. [11] fighter planes. [12] machine. tube. [5] my jump door. [6] draft. chine gunner.

Le mitrailleur, lui aussi, s'était écroulé.

— Je me suis cru seul . . .

Il réfléchit:

— Si j'avais su . . . j'aurais pu remonter à bord . . . Ça ne flambait pas
5 tellement fort . . . Je suis resté, comme ça, longtemps sur l'aile . . . j'avais,
avant de quitter la carlingue, réglé l'avion au cabré.[13] Le vol était correct,
le souffle [14] supportable, et je me sentais à mon aise. Oh! oui je suis resté
longtemps sur l'aile . . . Je ne savais pas quoi faire . . .

Non qu'il se posât à Sagon des problèmes inextricables: il se croyait seul
10 à bord, l'avion flambait, et les chasseurs répétaient leurs passages en
l'éclaboussant [15] de projectiles. Ce que nous signifiait Sagon, c'est qu'il
n'éprouvait aucun désir. Il n'éprouvait rien. Il disposait de tout son
temps. Il baignait dans une sorte de loisir infini. Et, point par point, je
reconnaissais cette extraordinaire sensation qui accompagne parfois l'im-
15 minence de la mort: un loisir inattendu . . . Qu'elle est bien démentie [16]
par le réel l'imagerie de la haletante précipitation! Sagon demeurait là,
sur son aile, comme rejeté hors du temps!

— Et puis j'ai sauté, dit-il, j'ai mal sauté. Je me suis vu tourbillonner.[17]
J'ai craint, en l'ouvrant trop tôt, de m'entortiller dans mon parachute.
20 J'ai attendu d'être stabilisé. Oh j'ai attendu longtemps . . .

Sagon, ainsi, conserve le souvenir d'avoir, du début à la fin de son aventure, attendu. Attendu de flamber plus fort. Puis attendu sur l'aile, on
ne sait quoi. Et, en chute libre, à la verticale vers le sol, attendu encore.

Et il s'agissait bien de Sagon, et même il s'agissait d'un Sagon rudimen-
25 taire, plus ordinaire que de coutume, d'un Sagon un peu perplexe et qui,
au-dessus d'un abîme, piétinait [18] avec ennui.

Pilote de guerre (1942), pp. 63–66

OUVRAGES RECOMMANDÉS
Textes

Œuvres, éd. R. Caillois. Gallimard.
Vol de nuit. Collection Pourpre, Gallimard et Macmillan.
Terre des hommes. Collection Pourpre, Gallimard et Macmillan.
Le Petit Prince, éd. J. R. Miller. Houghton Mifflin.
Lettres à sa mère. Gallimard, 1955.

Discographie

Saint-Exupéry: Extraits de *Terre des hommes*, *Vol de nuit*, *Pilote de guerre*,
lus par Saint-Exupéry, Didier Daurat, Gérard Philipe, François Périer,
etc. 1 disque microsillon. Disques Festival, Period.
Le Petit Prince, extraits lus par Gérard Philipe, etc. 1 disque microsillon.
Period.

Critique

J.-Cl. Ibert. *Saint-Exupéry*. 128 p. Éditions Universitaires.

[13] set the plane tail down; **se cabrer,** (*of ... ing him. [16] contradicted. [17] whirling horse*) to rear. [14] blast. [15] spatter- around. [18] was marking time.

ANDRÉ MALRAUX

(1901–19   )

Le Goût de l'aventure et de l'art

Il naquit à Paris dans une famille de banquiers, fit ses études secondaires au lycée Condorcet, puis étudia à l'École des Langues Orientales. Il épousa une Allemande et partit en mission archéologique au Cambodge [1] (1923). Il se lia avec des communistes d'Indochine et de Chine, fit partie du Kuomintang, parti révolutionnaire chinois fondé par Sun Yat Sen (1893). Quand Chang-Kaï-Shek rompit avec les communistes, Malraux rentra en France (1927), écrivit des romans sur ses aventures. Ce furent *Les Conquérants* (1928, insurrection à Hong-Kong contre la domination anglaise), *La Voie royale* (1930, archéologie sur la route qui reliait Angkor [2] à la Vallée des Rois khmers [3]), *La Condition humaine* (p. 519), qui obtint le prix Goncourt (1933).

Après l'arrestation des prétendus incendiaires du Reichstag,[4] il protesta auprès de Hitler. *Le Temps du mépris* (1935) défend un révolutionnaire arrêté par les nazis; c'est une pré-vue des camps de concentration. Pendant la guerre des loyalistes espagnols contre Franco, il organisa l'aviation étrangère au service des républicains, fut blessé, fit une tournée aux États-Unis pour recueillir des fonds (1937). *L'Espoir* (1937) est basé sur ses aventures en Espagne. Dégoûté par le pacte Hitler-Staline du 23 août 1939, il rompit avec le communisme.

Pendant la 2ᵉ Grande Guerre il servit dans les chars; il fut blessé, fait prisonnier, s'évada (*La Lutte avec l'Ange*, manuscrit détruit par la Gestapo, dont il ne reste que *Les Noyers de l'Altenburg*). Pendant l'occupation nazie il fut un des chefs de la Résistance du Centre de la France sous le nom de colonel Berger. Il fut blessé, emprisonné, enfin libéré à Toulouse par les Forces Françaises de l'Intérieur (F.F.I.). Il prit part à la bataille d'Alsace (fin 1944) comme commandant d'une brigade de FFI intégrée à la 1ᵉʳᵉ armée du général de Lattre de Tassigny.[5] Le général de Gaulle en fit son ministre de l'Information (1945), puis un de ses principaux collaborateurs à la tête du R.P.F. (Rassemblement du Peuple Français), parti dont le succès fut éphémère.

Il a publié, depuis la Libération, les trois volumes d'une *Psychologie de l'art*, refondus en un seul, *Les Voix du silence;* ce sont les voix des statues et des personnages peints qui arrachent l'homme à son destin, le néant.

COUP DE MAIN COMMUNISTE SUR UN VAPEUR

1927. Les communistes de Shanghaï, dirigés par Kyo Gisors, fils d'un professeur français et d'une Japonaise, et par le Russe Katow, préparent la révolution contre Chang-Kaï-Shek.[1] Ancré loin du quai, un vapeur, le Shan-Tung, *contient trois*

[1] Cambodia, *state in SW Indo-China* (*Viet-Nam*).   [2] *Ruined city on the Great Lake of Cambodia; has Buddhist temple, walls, and gates.*   [3] *The Khmers are the earliest known inhabitants of Cambodia, Indo-China; they were great architects* (*Angkor*).   [4] *Legislative body of the German nation; its palace, in Berlin, was set on fire by order of the Nazi leaders to rouse* the people against the Communists (*1934*).
[5] *French general* (*1890–1952*) *commanding a French army of liberation, which landed on the Riviera in August, 1944; commander in chief of the ground forces of Western Europe* (*1948*); *waged a successful campaign in Indo-China; appointed marshal of France.*

[1] Chiang Kai-shek (*1886–19 *), *commander in chief of the Chinese armed* forces, leader of the Chinese Nationalists on Formosa.

cents longs pistolets pour le gouvernement de Chang. Le communiste Tchen a tué l'intermédiaire Tang-Yen-Ta pour lui dérober l'ordre de livraison des armes. Voici, la nuit, dans une vedette,[2] un groupe de communistes déguisés en marins gouvernementaux. Le baron français Clappique, débauché payé par Kyo, a annoncé au capitaine l'arrivée de cette vedette de marins gouvernementaux.

La vedette avançait toujours: le roulis était assez fort pour que la silhouette basse et trouble du vapeur [3] semblât se balancer lentement sur le fleuve; [4] à peine éclairée elle ne se distinguait que par une masse plus sombre sur le ciel couvert. Sans nul doute, le *Shan-Tung* était gardé. Le
5 projecteur d'un croiseur atteignit la vedette, la suivit un instant, l'abandonna. Elle avait décrit une courbe profonde et venait sur le vapeur par l'arrière, dérivant légèrement sur sa droite, comme si elle se fût dirigée vers le bateau voisin. Tous les hommes portaient le ciré [5] des marins, capuchon rabattu sur leur uniforme. Par ordre de la direction du port, les
10 échelles de coupée [6] de tous les bateaux étaient descendues; Katow regarda celle du *Shan-Tung* à travers ses jumelles cachées par son ciré: elle s'arrêtait à un mètre de l'eau, à peine éclairée par trois ampoules.[7] Si le capitaine demandait l'argent, qu'ils n'avaient pas, avant de les autoriser à monter à bord, les hommes devraient sauter un à un de la vedette; il serait difficile
15 de la maintenir sous l'échelle de coupée. Si l'on tentait, du bateau, de la remonter, Katow pourrait tirer sur ceux qui manœuvreraient le cordage: sous les poulies, rien ne protégeait. Mais le bateau se mettrait en état de défense.

La vedette vira de 90 degrés, arriva sur le *Shan-Tung*. Le courant,
20 puissant à cette heure, la prenait par le travers; le vapeur très haut maintenant (ils étaient au pied) semblait partir à toute vitesse dans la nuit comme un vaisseau fantôme. Le chauffeur fit donner au moteur de la vedette toute sa force: le *Shan-Tung* sembla ralentir, s'immobiliser, reculer. Ils approchaient de l'échelle de coupée. Katow la saisit au passage; d'un ré-
25 tablissement,[8] il se trouva sur le barreau.[9]

— Le document? demanda l'homme de coupée.

Katow le donna. L'homme le transmit, resta à sa place revolver au poing. Il fallait donc que le capitaine reconnût son propre document; c'était probable, puisqu'il l'avait reconnu lorsque Clappique le lui avait
30 communiqué. Pourtant... Sous la coupée, la vedette sombre montait et descendait avec le fleuve.

Le messager revint: « — Vous pouvez monter ». Katow ne bougea pas; l'un de ses hommes, qui portait des galons de lieutenant (le seul qui parlât anglais), quitta la vedette, monta et suivit le matelot messager, qui le
35 conduisit au capitaine.

Celui-ci, un Norvégien tondu,[10] aux joues couperosées,[11] l'attendait dans sa cabine, derrière son bureau. Le messager sortit.

— Nous venons saisir les armes, dit le lieutenant en anglais.

Le capitaine le regarda sans répondre, stupéfait. Les généraux avaient
40 toujours payé les armes; la vente de celles-ci avait été négociée clandestine-

---

[2] vedette boat, launch.　[3] *The "Shan-Tung."*　[4] *The Hong-Pou, S of the mouth of the Yangtze River.*　[5] oilskins.　[6] gang-way ladders.　[7] bulbs.　[8] hoisting himself, with a quick pull.　[9] rung.　[10] close-shaved.　[11] red-blotched.

ment, jusqu'à l'envoi de l'intermédiaire Tang-Yen-Ta, par l'attaché d'un consulat, contre une juste rétribution. S'ils ne tenaient plus leurs engagements à l'égard des importateurs clandestins, qui les ravitaillerait? Mais, puisqu'il n'avait affaire qu'au gouvernement de Shanghaï, il pouvait essayer de sauver ses armes. 5

— *Well!* Voici la clé.

Il fouilla dans la poche intérieure de son veston, calmement, en tira d'un coup son revolver — à la hauteur de la poitrine du lieutenant, dont il n'était séparé que par la table. Au même instant, il entendit derrière lui: « Haut les mains! » Katow, par la fenêtre ouverte sur la coursive,[12] le 10 tenait en joue. Le capitaine ne comprenait plus, car celui-là était un blanc: mais il n'y avait pas à insister pour l'instant. Les caisses d'armes ne valaient pas sa vie. « Un voyage à passer aux profits et pertes. »[13] Il verrait ce qu'il pourrait tenter avec son équipage. Il posa son revolver, que prit le lieutenant. 15

Katow entra et le fouilla: il n'avait pas d'autre arme.

— Absolument pas la peine d'avoir tant de revolvers à bord pour n'en porter qu'un sur soi », dit-il en anglais. Six de ses hommes entraient derrière lui, un à un, en silence. La démarche lourde, l'air costaud,[14] le nez en l'air[15] de Katow, ses cheveux blonds clairs étaient d'un Russe. Écossais? 20 Mais cet accent . . .

— Vous n'êtes pas du gouvernement, n'est-ce pas?

— T'occupe pas.

On apportait le second,[16] dûment ficelé par la tête et par les pieds, surpris pendant son sommeil. Les hommes ligotèrent le capitaine. Deux d'entre 25 eux restèrent pour le garder. Les autres descendirent avec Katow. Les hommes d'équipage du parti[17] leur montrèrent où les armes étaient cachées; la seule précaution des importateurs de Macao[18] avait été d'écrire « *Pièces détachées* » sur les caisses. Le déménagement commença. L'échelle de coupée abaissée, il fut aisé, car les caisses étaient petites. La dernière 30 caisse dans la vedette, Katow alla démolir le poste de T.S.F., puis passa chez le capitaine.

— Si vous êtes trop pressé de descendre à terre, je vous préviens que vous serez absolument descendu[19] au premier tournant de rue. Bonsoir.

Pure vantardise,[20] mais à quoi les cordes qui entraient dans les bras des 35 prisonniers donnaient de la force.

Les révolutionnaires, accompagnés des deux hommes de l'équipage qui les avaient renseignés, regagnèrent la vedette: elle se détacha de la coupée, fila vers le quai, sans détour cette fois. Chahutés[21] par le roulis, les hommes changeaient de costumes, ravis mais anxieux: jusqu'à la berge, rien n'était 40 sûr.

Là les attendait un camion, Kyo assis à côté du chauffeur.

— Alors?

— Rien. Une affaire pour débutants.

Le transbordement terminé, le camion partit, emportant Kyo, Katow 45

[12] passageway. [13] to charge up to profit and loss. [14] stalwart. [15] turned-up nose. [16] mate. [17] **communiste.** [18] *Por-tuguese colony and seaport in S China.* [19] bumped off. [20] bluff. [21] Shaken up.

et quatre hommes, dont l'un avait conservé son uniforme.   Les autres se
dispersèrent.

Il roulait à travers les rues de la ville chinoise avec un grondement qu'é-
crasait à chaque cahot un tintamarre de fer-blanc:[22] les côtés, près des
5 grillages, étaient garnis de touques à pétrole.[23] Il s'arrêtait à chaque *tchon* [24]
important: boutique, cave, appartement.   Une caisse était descendue;
fixée au côté, une note chiffrée de Kyo déterminait la répartition des armes,
dont quelques-unes devaient être distribuées aux organisations de combat
secondaires.   A peine si le camion s'arrêtait cinq minutes.   Mais il devait
10 visiter plus de vingt permanences.[25]

Ils n'avaient à craindre que la trahison: ce camion bruyant, conduit par
un chauffeur en uniforme de l'armée gouvernementale, n'éveillait nulle
méfiance.   Ils rencontrèrent une patrouille.   « Je deviens le laitier qui fait
sa tournée », pensa Kyo.
15 Le jour se levait.

La Condition humaine (1933), pp. 87–92

Copyright by Librairie Gallimard

OUVRAGES RECOMMANDÉS

Textes

Œuvres. Gallimard.
La Condition humaine. Collection Pourpre, Gallimard et Macmillan.

Discographie

Malraux, textes tirés de *La Condition humaine, L'Espoir, Les Voix du silence.*
   Microsillon Philips.

Critique

G. Picon. *Malraux par lui-même.* 192 p. Le Seuil.
Jeanne Delhomme. *Temps et Destin, essai sur André Malraux.* Gallimard
   1955.
Pierre de Boisdeffre. *André Malraux.* Éditions Universitaires, 1955.

JEAN-PAUL SARTRE
(1905–19)

Jean-Paul Sartre naquit à Paris (rue Mignard, Passy). Son père, polytechnicien,
officier de marine, mourut des fièvres en Cochinchine [1] (1906). Sa mère se remaria
avec un ingénieur de la marine qui fut bon pour le jeune orphelin maladif. On
alla vivre à La Rochelle où le beau-père avait été nommé directeur des chantiers [2]
maritimes. Jean-Paul avait onze ans; jusqu'à seize ans il fut un excellent élève
au lycée. Envoyé au lycée Henri IV à Paris, où son grand-père maternel était
professeur d'allemand, il passa son baccalauréat et fut reçu à l'École normale
supérieure. Il obtint son agrégation de philosophie (1928). Il fit seize mois de

---

[22] tin. [23] gasoline cans. [24] *Communist combat organization.* [25] headquarters (*per-manently open*).

[1] Cochin China, *southernmost state of Viet-Nam; cap. Saigon.* [2] yards.

service militaire dans la météorologie. Pensionnaire à l'Institut français de Berlin, il étudia la philosophie allemande contemporaine, surtout celle de Heidegger.[3] Il fut ensuite professeur dans des lycées de province (Laon, Le Havre). Six ans après, selon la règle, il enseigna dans des lycées de Paris (Condorcet, Janson-de-Sailly).

Il avait toujours aimé à écrire. Le succès lui vint avec un essai philosophique, un peu romancé, *La Nausée* (1938), sur le dégoût de l'existence; l'action se passe au Havre, qu'il nomme Bouville. Ce fut ensuite (1939) un recueil de cinq contes dont le premier donnait son nom à tout le volume, *Le Mur*.

Vint la 2e Grande Guerre. Ayant de mauvais yeux, il fut mobilisé comme infirmier. Fait prisonnier en juin 1940, il fut libéré au printemps de 1941 parce qu'il appartenait au service médical. Il reprit son enseignement à Janson-de-Sailly. Il exposa sa philosophie dans une grosse thèse de doctorat *L'Être et le Néant* (1943). Il écrivit pour la Résistance. Son chef-d'œuvre fut une pièce, *Les Mouches* (1943), qui montre Oreste [4] bravant Jupiter. C'était une critique, voilée naturellement, de la soumission du gouvernement de Vichy aux nazis. Il écrivit d'autres pièces, toujours fortes et donnant l'occasion de violentes controverses: *Huis-Clos* (*No Exit*, 1944), qui met en lumière l'absurdité de l'égoïsme (« L'Enfer, c'est les autres »); *Morts sans sépulture* (1946, résistants torturés par la police de Vichy); *La Putain* [5] *respectueuse* (1946, contre la persécution des nègres dans le Sud des États-Unis); *Les Jeux sont faits* (1947, scénario: la vie ne vaut pas la peine d'être vécue et revécue); *Les Mains sales* (1948, contre l'opportunisme communiste), etc. Romancier, il a publié trois volumes d'un roman-fleuve qu'il intitule *Les Chemins de la liberté* (1946–51) et qui ne valent pas ses pièces.

Il quitta l'enseignement à la libération de la France (1944) pour se consacrer entièrement à la littérature et à la philosophie. Il fonda une revue, *Les Temps modernes* (1946) qui attaque moins le communisme que la droite. Il fit des conférences: *L'Existentialisme est un humanisme*. Il fit plusieurs voyages aux États-Unis comme journaliste et auteur dramatique.

Sartre est l'écrivain français dont on parle le plus aujourd'hui. Il ne mène pas l'existence tapageuse de ses disciples de Saint-Germain-des-Prés [6] et des cafés de Flore et des Deux Magots. Il habite dans ce quartier, rue Bonaparte, parmi ses livres.

Ses dernières œuvres sont: *Le Diable et le Bon Dieu* (1951, long drame basé, comme celui de Gœthe, sur l'histoire de Gœtz de Berlichingen, chef de paysans allemands révoltés, 16e siècle; il traite le problème de l'homme sans Dieu); *Saint Genet comédien et martyr* (1952, apologie psychanalytique de Jean Genet,[7] l'écrivain lui-même apologiste de toutes les hontes); *Nekrassov* (1955, pièce crypto-communiste, farce satirique de la presse bourgeoise).

Selon Sartre il n'y a pas de Dieu; l'homme est seul, donc libre; le monde est étranger à l'homme. Pour que l'homme accomplisse sa liberté, il faut qu'il soit courageux et altruiste, il faut qu'il « s'engage », agisse (voir p. 530).

---

[3] *German existentialist philosopher (1889–19), professor at the University of Freiburg (SW Germany).* [4] *Orestes, son of Agamemnon and Clytemnestra, brother of Electra; he slew his mother and Aegisthus, who had slain Agamemnon. He married Hermione, daughter of his uncle Menelaus. See* Andromaque, *p. 146.* [5] *Prostitute.* [6] *Section of the center of Paris, around the church of Saint-Germain-des-Prés and the boulevard Saint-Germain, on the left bank of the Seine; center of existentialism.* [7] *Poet* (Le Miracle de la Rose), *playwright, novelist; condemned for robbery, pardoned by the president of the Republic; now wealthy; apologist of theft, murder, immorality, etc. (1909–).*

LES MAINS SALES DU COMPROMIS

L'histoire se passe dans une Illyrie [1] *plus ou moins fictive, au cours de la 2ᵉ Grande Guerre. Hugo, jeune intellectuel, fils d'un riche industriel, est le secrétaire particulier d'Hoederer, lui-même secrétaire général du parti communiste d'Illyrie. Le Régent, chef nationaliste, est en guerre avec la Russie. Hoederer voudrait que le parti communiste s'associât temporairement avec les nationalistes du Régent et le parti du Centre, le Pentagone. Hugo, doctrinaire, ne croit pas à la vertu d'un compromis. D'autres doctrinaires communistes il a reçu des ordres pour assassiner Hoederer à cause de son opportunisme.*

CINQUIÈME TABLEAU

SCÈNE III

HOEDERER. Mais de quoi parles-tu ?

HUGO. De notre Parti.

HOEDERER. De notre Parti ? Mais on y a toujours un peu menti. Comme partout ailleurs. Et toi Hugo, tu es sûr que tu ne t'es jamais menti,
5 que tu n'as jamais menti, que tu ne mens pas à cette minute même ?

HUGO. Je n'ai jamais menti aux camarades. Je . . . A quoi ça sert de lutter pour la libération des hommes, si on les méprise assez pour leur bourrer le crâne ? [2]

HOEDERER. Je mentirai quand il faudra et je ne méprise personne. Le
10 mensonge, ce n'est pas moi qui l'ai inventé: il est né dans une société divisée en classes et chacun de nous l'a hérité en naissant. Ce n'est pas en refusant de mentir que nous abolirons le mensonge: c'est en usant de tous les moyens pour supprimer les classes.

HUGO. Tous les moyens ne sont pas bons.

15 HOEDERER. Tous les moyens sont bons quand ils sont efficaces.

HUGO. Alors, de quel droit condamnez-vous la politique du Régent ? Il a déclaré la guerre à l'U. R. S. S. [3] parce que c'était le moyen le plus efficace de sauvegarder l'indépendance nationale.

HOEDERER. Est-ce que tu t'imagines que je la condamne ? Il a fait ce
20 que n'importe quel type de sa caste aurait fait à sa place. Nous ne luttons ni contre des hommes ni contre une politique mais contre la classe qui produit cette politique et ces hommes.

HUGO. Et le meilleur moyen que vous ayez trouvé pour lutter contre elle, c'est de lui offrir de partager le pouvoir avec vous ?

25 HOEDERER. Parfaitement. Aujourd'hui, c'est le meilleur moyen. (*Un temps.*) Comme tu tiens à ta pureté, mon petit gars ! Comme tu as peur de te salir les mains. Eh bien, reste pur ! A qui cela servira-t-il et pourquoi viens-tu parmi nous ? La pureté, c'est une idée de fakir et de moine. Vous autres, les intellectuels, les anarchistes bourgeois, vous en tirez prétexte
30 pour ne rien faire. Ne rien faire, rester immobile, serrer les coudes contre le corps, porter des gants. Moi j'ai les mains sales. Jusqu'aux coudes. Je

[1] Illyria, *ancient country along the E coast of the Adriatic, now part of Albania and Yugoslavia.* [2] cram propaganda into their heads, brainwash them. [3] **l'Union des Républiques Socialistes Soviétiques,** U.S.S.R., Russia.

les ai plongées dans la merde [4] et dans le sang. Et puis après? Est-ce que tu t'imagines qu'on peut gouverner innocemment?

HUGO. On s'apercevra peut-être un jour que je n'ai pas peur du sang.

HOEDERER. Parbleu: des gants rouges, c'est élégant. C'est le reste qui te fait peur. C'est ce qui pue à ton petit nez d'aristocrate. 5

HUGO. Et nous y voilà revenus: je suis un aristocrate, un type qui n'a jamais eu faim! Malheureusement pour vous, je ne suis pas seul de mon avis.

HOEDERER. Pas seul? Tu savais donc quelque chose de mes négociations avant de venir ici? 10

HUGO. N-non. On en avait parlé en l'air,[5] au Parti, et la plupart des types [6] n'étaient pas d'accord et je peux vous jurer que ce n'étaient pas des aristocrates.

HOEDERER. Mon petit, il y a malentendu: je les connais, les gars du Parti qui ne sont pas d'accord avec ma politique et je peux te dire qu'ils 15 sont de mon espèce, pas de la tienne — et tu ne tarderas pas à le découvrir. S'ils ont désapprouvé ces négociations, c'est tout simplement qu'ils les jugent inopportunes; en d'autres circonstances ils seraient les premiers à les engager. Toi, tu en fais une affaire de principes.

HUGO. Qui a parlé de principes? 20

HOEDERER. Tu n'en fais pas une affaire de principes? Bon. Alors voici qui doit te convaincre: si nous traitons avec le Régent, il arrête la guerre; les troupes illyriennes attendent gentiment que les Russes viennent les désarmer; si nous rompons les pourparlers, il sait qu'il est perdu et il se battra comme un chien enragé; des centaines de milliers d'hommes y 25 laisseront leur peau. Qu'en dis-tu? (*Un silence.*) Hein? Qu'en dis-tu? Peux-tu rayer cent mille hommes d'un trait de plume?

HUGO, *péniblement.* On ne fait pas la révolution avec des fleurs. S'ils doivent y rester . . .

HOEDERER. Eh bien? 30

HUGO. Eh bien, tant pis!

HOEDERER. Tu vois! tu vois bien! Tu n'aimes pas les hommes, Hugo. Tu n'aimes que les principes.

HUGO. Les hommes? Pourquoi les aimerais-je? Est-ce qu'ils m'aiment?

HOEDERER. Alors pourquoi es-tu venu chez nous? Si on n'aime pas les 35 hommes on ne peut pas lutter pour eux.

HUGO. Je suis entré au Parti parce que sa cause est juste et j'en sortirai quand elle cessera de l'être. Quant aux hommes, ce n'est pas ce qu'ils sont qui m'intéresse mais ce qu'ils pourront devenir.

HOEDERER. Et moi, je les aime pour ce qu'ils sont. Avec toutes leurs 40 saloperies [7] et tous leurs vices. J'aime leurs voix et leurs mains chaudes qui prennent et leur peau, la plus nue de toutes les peaux, et leur regard inquiet et la lutte désespérée qu'ils mènent chacun à son tour contre la mort et contre l'angoisse. Pour moi, ça compte un homme de plus ou de moins dans le monde. C'est précieux. Toi, je te connais bien mon petit, 45 tu es un destructeur. Les hommes, tu les détestes parce que tu te détestes

---

[4] *vulg.* excrements.　　[5] idly, not seriously.　　[6] fellows.　　[7] *vulg.* dirty tricks.

toi-même; ta pureté ressemble à la mort et la Révolution dont tu rêves n'est pas la nôtre: tu ne veux pas changer le monde, tu veux le faire sauter.

HUGO, *s'est levé.* Hoederer!

HOEDERER. Ce n'est pas ta faute: vous êtes tous pareils. Un intellectuel
5 ça n'est pas un vrai révolutionnaire; c'est tout juste bon à faire un assassin.

HUGO. Un assassin. Oui!

* * *

SIXIÈME TABLEAU
SCÈNE II

HUGO. N'importe qui peut tuer si le Parti le commande.

HOEDERER. Si le Parti te commandait de danser sur une corde raide, tu crois que tu pourrais y arriver? On est tueur de naissance. Toi, tu réfléchis
10 trop: tu ne pourrais pas.

HUGO. Je pourrais si je l'avais décidé.

HOEDERER. Tu pourrais me descendre [8] froidement d'une balle entre les deux yeux parce que je ne suis pas de ton avis sur la politique?

HUGO. Oui, si je l'avais décidé ou si le Parti me l'avait commandé.

15 HOEDERER. Tu m'étonnes. (*Hugo va pour plonger la main dans sa poche mais Hoederer la lui saisit et l'élève légèrement au-dessus de la table.*) Suppose que cette main tienne une arme et que ce doigt-là soit posé sur la gâchette [9] . . .

HUGO. Lâchez ma main.

20 HOEDERER, *sans le lâcher.* Suppose que je sois devant toi, exactement comme je suis et que tu me vises [10] . . .

HUGO. Lâchez-moi et travaillons.

HOEDERER. Tu me regardes et au moment de tirer, voilà que tu penses: « Si c'était lui qui avait raison? » Tu te rends compte?

25 HUGO. Je n'y penserais pas. Je ne penserais à rien d'autre qu'à tuer.

HOEDERER. Tu y penserais: un intellectuel, il faut que ça pense. Avant même de presser sur la gâchette tu aurais déjà vu toutes les conséquences possibles de ton acte: tout le travail d'une vie en ruines, une politique flanquée par terre,[11] personne pour me remplacer, le Parti condamné peut-
30 être à ne jamais prendre le pouvoir . . .

HUGO. Je vous dis que je n'y penserais pas!

HOEDERER. Tu ne pourrais pas t'en empêcher. Et ça vaudrait mieux parce que, tel que tu es fait, si tu n'y pensais pas *avant*, tu n'aurais pas trop de toute ta vie pour y penser *après*. (*Un temps.*) Quelle rage avez-vous
35 tous de jouer aux tueurs? Ce sont des types sans imagination: ça leur est égal de donner la mort parce qu'ils n'ont aucune idée de ce que c'est que la vie. Je préfère les gens qui ont peur de la mort des autres: c'est la preuve qu'ils savent vivre.

HUGO. Je ne suis pas fait pour vivre, je ne sais pas ce que c'est que la
40 vie et je n'ai pas besoin de le savoir. Je suis de trop, je n'ai pas ma place et je gêne tout le monde; personne ne m'aime, personne ne me fait confiance.

[8] bump me off.   [9] trigger.   [10] aimed at me.   [11] knocked down.

HOEDERER. Moi, je te fais confiance.

HUGO. Vous?

HOEDERER. Bien sûr. Tu es un môme [12] qui a de la peine à passer à l'âge d'homme mais tu feras un homme très acceptable si quelqu'un te facilite le passage. Si j'échappe à leurs pétards [13] et à leurs bombes, je te garderai près de moi et je t'aiderai.

HUGO. Pourquoi me le dire? Pourquoi me le dire aujourd'hui?

HOEDERER, *le lâchant.* Simplement pour te prouver qu'on ne peut pas buter [14] un homme de sang-froid à moins d'être un spécialiste.

HUGO. Si je l'ai décidé, je dois pouvoir le faire. (*Comme à lui-même, avec une sorte de désespoir.*) Je *dois* pouvoir le faire.

HOEDERER. Tu pourrais me tuer pendant que je te regarde? (*Ils se regardent. Hoederer se détache de la table et recule d'un pas.*) Les vrais tueurs ne soupçonnent même pas ce qui se passe dans les têtes. Toi, tu le sais: pourrais-tu supporter ce qui se passerait dans la mienne si je te voyais me viser? (*Un temps. Il le regarde toujours.*) Veux-tu du café? (*Hugo ne répond pas.*) Il est prêt; je vais t'en donner une tasse. (*Il tourne le dos à Hugo et verse du café dans une tasse. Hugo se lève et met la main dans la poche qui contient le revolver. On voit qu'il lutte contre lui-même. Au bout d'un moment, Hoederer se retourne et revient tranquillement vers Hugo en portant une tasse pleine. Il la lui tend.*) Prends. (*Hugo prend la tasse.*) A présent donne-moi ton revolver. Allons, donne-le: tu vois bien que je t'ai laissé ta chance et que tu n'en as pas profité. (*Il plonge la main dans la poche de Hugo et la ressort avec le revolver.*) Mais c'est un joujou! [15]

Il va à son bureau et jette le revolver dessus.

HUGO. Je vous hais.

Hoederer revient vers lui.

HOEDERER. Mais non, tu ne me hais pas. Quelle raison aurais-tu de me haïr?

HUGO. Vous me prenez pour un lâche.

HOEDERER. Pourquoi? Tu ne sais pas tuer mais ça n'est pas une raison pour que tu ne saches pas mourir. Au contraire.

HUGO. J'avais le doigt sur la gâchette.

HOEDERER. Oui.

HUGO. Et je ...

Geste d'impuissance.

HOEDERER. Oui. Je te l'ai dit: c'est plus dur qu'on ne pense.

HUGO. Je savais que vous me tourniez le dos exprès. C'est pour ça que ...

HOEDERER. Oh! de toute façon ...

HUGO. Je ne suis pas un traître!

HOEDERER. Qui te parle de ça? La trahison aussi, c'est une affaire de vocation. [16]

HUGO. Eux, ils penseront que je suis un traître parce que je n'ai pas fait ce qu'ils m'avaient chargé de faire.

HOEDERER. Qui, eux? (*Silence.*) C'est Louis qui t'a envoyé? (*Silence.*)

[12] kid.　[13] **pétards de dynamite,** dynamite sticks.　[14] murder, burke, settle.
[15] plaything.　[16] is a vocation.

Tu ne veux rien dire: c'est régulier. (*Un temps.*) Écoute: ton sort est
lié au mien. Depuis hier, j'ai des atouts dans mon jeu [17] et je vais essayer
de sauver nos deux peaux ensemble. Demain j'irai à la ville et je parlerai à
Louis. Il est coriace [18] mais je le suis aussi. Avec tes copains, ça s'arrangera.
5 Le plus difficile, c'est de t'arranger avec toi-même.

HUGO. Difficile? Ça sera vite fait. Vous n'avez qu'à me rendre le
revolver.

HOEDERER. Non.

HUGO. Qu'est-ce que ça peut vous faire que je me flanque [19] une balle
10 dans la peau. Je suis votre ennemi.

HOEDERER. D'abord, tu n'es pas mon ennemi. Et puis tu peux encore
servir.

HUGO. Vous savez bien que je suis foutu.[20]

HOEDERER. Que d'histoires! [21] Tu as voulu te prouver que tu étais
15 capable d'agir et tu as choisi les chemins difficiles: comme quand on veut
mériter le ciel; c'est de ton âge. Tu n'as pas réussi: bon, et après? Il
n'y a rien à prouver, tu sais; la Révolution n'est pas une question de mérite
mais d'efficacité; et il n'y a pas de ciel. Il y a du travail à faire, c'est tout.
Et il faut faire celui pour lequel on est doué: tant mieux s'il est facile. Le
20 meilleur travail n'est pas celui qui te coûtera le plus; c'est celui que tu
réussiras le mieux.

HUGO. Je ne suis doué pour rien.

HOEDERER. Tu es doué pour écrire.

HUGO. Pour écrire! Des mots! Toujours des mots!

25 HOEDERER. Eh bien quoi? Il faut gagner. Mieux vaut un bon journaliste qu'un mauvais assassin.

HUGO, *hésitant mais avec une sorte de confiance.* Hoederer! Quand vous
aviez mon âge . . .

HOEDERER. Eh bien?

30 HUGO. Qu'est-ce que vous auriez fait à ma place?

HOEDERER. Moi? J'aurais tiré. Mais ce n'est pas ce que j'aurais pu
faire de mieux. Et puis nous ne sommes pas de la même espèce.

HUGO. Je voudrais être de la vôtre: on doit se sentir bien dans sa peau.

HOEDERER. Tu crois? (*Un rire bref.*) Un jour, je te parlerai de moi.

35 HUGO. Un jour? (*Un temps.*) Hoederer j'ai manqué mon coup et je
sais à présent que je ne pourrai jamais tirer sur vous parce que . . . parce
que je tiens à vous. Mais il ne faut pas vous y tromper: sur ce que nous
avons discuté hier soir je ne serai jamais d'accord avec nous, je ne serai
jamais des vôtres et je ne veux pas que vous me défendiez. Ni demain ni
40 un autre jour.

HOEDERER. Comme tu voudras.

HUGO. A présent, je vous demande la permission de vous quitter. Je
veux réfléchir à toute cette histoire.

HOEDERER. Tu me jures que tu ne feras pas de bêtises avant de m'avoir
45 revu?

HUGO. Si vous voulez.

HOEDERER. Alors, va. Va prendre l'air et reviens dès que tu pourras.

[17] I have some trump cards.   [18] tough.   [19] put.   [20] done for.   [21] Nonsense!

Et n'oublie pas que tu es mon secrétaire. Tant que tu ne m'auras pas buté ou que je ne t'aurai pas congédié,[22] tu travailleras pour moi.

Hugo sort.

Les Mains sales, 1948

Finalement Hugo tuera Hoederer, non pour des raisons politiques, mais parce qu'il le surprend en train d'embrasser sa femme.

DÉFENSE DE L'EXISTENTIALISME

En termes philosophiques, tout objet a une essence et une existence. Une essence, c'est-à-dire un ensemble constant de propriétés; une existence, 5 c'est-à-dire une certaine présence effective dans le monde. Beaucoup de personnes croient que l'essence vient d'abord et l'existence ensuite: que les petits pois, par exemple, poussent et s'arrondissent conformément à l'idée de petits pois et que les cornichons [1] sont cornichons parce qu'ils participent à l'essence de cornichon. Cette idée a son origine dans la pensée 10 religieuse: par le fait, celui qui veut faire une maison, il faut qu'il sache au juste quel genre d'objet il va créer: l'essence précède l'existence; et pour tous ceux qui croient que Dieu créa les hommes, il faut bien qu'il l'ait fait en se référant à l'idée qu'il avait d'eux. Mais ceux mêmes qui n'ont pas la foi ont conservé cette opinion traditionnelle que l'objet n'existait 15 jamais qu'en conformité avec son essence, et le dix-huitième siècle tout entier a pensé qu'il y avait une essence commune à tous les hommes, que l'on nommait *nature humaine*. L'existentialiste tient, au contraire, que chez l'homme — et chez l'homme seul — l'existence précède l'essence.

Ceci signifie tout simplement que l'homme *est* d'abord et qu'ensuite seule- 20 ment il est ceci ou cela. En un mot, l'homme doit se créer sa propre essence; c'est en se jetant dans le monde, en y souffrant, en y luttant qu'il se définit peu à peu; et la définition demeure toujours ouverte; on ne peut point dire ce qu'est *cet* homme avant sa mort, ni l'humanité avant qu'elle ait disparu. Après cela, l'existentialisme est-il fasciste, conservateur, communiste ou 25 démocrate? La question est absurde: à ce degré de généralité, l'existentialisme n'est rien du tout sinon une certaine manière d'envisager les questions humaines en refusant de donner à l'homme une nature fixée pour toujours. Il allait de pair,[2] autrefois, chez Kierkegaard,[3] avec la foi religieuse. Aujourd'hui, l'existentialisme français tend à s'accompagner d'une 30 déclaration d'athéisme, mais cela n'est pas absolument nécessaire. Tout ce que je puis dire — et sans vouloir trop insister sur les ressemblances — c'est qu'il ne s'éloigne pas beaucoup de la conception de l'homme qu'on trouverait chez Marx. Marx n'accepterait-il pas, en effet, *cette devise de l'homme qui est la nôtre: faire et, en faisant, se faire et n'être rien que ce qu'il* 35 *s'est fait.*

[22] fired you.

[1] gherkins (*used in pickling*).   [2] **de pair ... avec,** on a par ... with, with.   [3] *Soren Kierkegaard, Danish religious existentialist (1813–55).*

Si l'existentialisme définit l'homme par l'action, il va de soi que cette philosophie n'est pas un quiétisme.[4] En fait, l'homme ne peut qu'agir; ses pensées sont des projets et des engagements, ses sentiments des entreprises; il n'est rien d'autre que sa vie et sa vie est l'unité de ses conduites.
5 Mais l'angoisse, dira-t-on? Eh bien! ce mot un peu solennel recouvre une réalité fort simple et quotidienne. Si l'homme *n'est* pas mais *se fait* et si en se faisant, il assume la responsabilité de l'espèce entière, s'il n'y a pas de valeur ni de morale qui soient données a priori,[5] mais si, en chaque cas, nous devons décider seuls, sans point d'appui, sans guides et cependant
10 *pour tous*, comment pourrions-nous ne pas nous sentir anxieux lorsqu'il nous faut agir? Chacun de nos actes met en jeu le sens du monde et la place de l'homme dans l'univers; par chacun d'eux, quand bien même nous ne le voudrions pas, nous constituons une échelle de valeurs universelles et l'on voudrait que nous ne soyons pas saisis de crainte devant
15 une responsabilité si entière? Ponge,[6] dans un très beau texte, a dit que l'homme est l'avenir de l'homme. Cet avenir n'est pas encore fait, il n'est pas décidé: c'est nous qui le ferons, chacun de nos gestes contribue à le dessiner: il faudrait beaucoup de pharisaïsme[7] pour ne pas sentir dans l'angoisse la mission redoutable qui est donnée à chacun de nous. Mais
20 vous, pour nous réfuter plus sûrement, vous avez fait exprès de confondre l'angoisse avec la neurasthénie; cette inquiétude virile dont parle l'existentialiste vous en avez fait je ne sais quelle terreur pathologique. Puisqu'il faut mettre les points sur les i,[8] je dirai donc que *l'angoisse, loin d'être un obstacle à l'action, en est la condition même et qu'elle ne fait qu'un avec le*
25 *sens de cette écrasante responsabilité de tous devant tous qui fait notre tourment et notre grandeur.* Quant au désespoir, il faut s'entendre: il est vrai que l'homme aurait tort *d'espérer.* Mais qu'est-ce à dire sinon que l'espoir est la pire entrave[9] à l'action. Faut-il espérer que la guerre se terminera toute seule et sans nous,[10] que les nazis nous tendront la main, que
30 les privilégiés de la société capitaliste abandonneront leurs privilèges dans la joie d'une nouvelle « nuit du 4 Août »?[11] Si nous espérons tout cela, nous n'avons plus qu'à attendre en nous croisant les bras. L'homme ne peut vouloir que s'il a d'abord compris qu'il ne peut compter sur rien d'autre que sur lui-même, qu'il est seul, délaissé sur la terre au milieu de ses res-
35 ponsabilités infinies, sans aide ni secours, sans autre but que celui qu'il se donnera à lui-même, sans autre destin que celui qu'il se forgera sur cette terre. Cette certitude, cette connaissance intuitive de sa situation, voilà ce que nous nommons désespoir: ce n'est pas un bel égarement romantique, on le voit, mais la conscience sèche et lucide de la condition humaine. *De*
40 *même que l'angoisse ne se distingue pas du sens de ses responsabilités, le désespoir ne fait qu'un avec la volonté;* avec le désespoir commence le véri-

[4] *See p. 126.*   [5] a priori, from cause to effect, beforehand.   [6] *Francis Ponge (1899–19), existentialist poet, born in Montpellier (Le Parti Pris des choses, Dix-Courts sur la méthode).*   [7] pharisaism, hypocrisy.   [8] speak very plainly, emphasize repeatedly an unpleasant fact.   [9] obstacle, snag.   [10] *This was written in 1944, when the Germans were still holding fast in France.*   [11] *During the night of August 4, 1789, in a burst of brotherly enthusiasm, the Constituent Assembly, including the representatives of the aristocracy and the higher clergy, voted to abolish all privileges accruing from class and wealth.*

table optimisme: celui de l'homme qui n'attend rien, qui sait qu'il n'a aucun droit et que rien ne lui est dû, qui se réjouit de compter sur soi seul et d'agir seul pour le bien de tous.

Reprochera-t-on à l'existentialisme d'affirmer la liberté humaine? Mais vous avez tous besoin de cette liberté; vous vous la masquez par hypocrisie 5 et vous y revenez sans cesse malgré vous; quand vous avez expliqué un homme par ses causes, par sa situation sociale, par ses intérêts, tout à coup vous vous indignez contre lui et vous lui reprochez amèrement sa conduite; et il est d'autres hommes que vous admirez au contraire et dont les actes vous servent de modèles. Eh bien! c'est donc que vous n'assimilez 10 pas les méchants au phylloxera [12] et les bons aux animaux utiles. Si vous les blâmez, si vous les louez, c'est qu'ils auraient pu faire autrement qu'ils n'ont fait. La lutte des classes est un fait, j'y souscris entièrement: mais comment ne voyez-vous pas qu'elle se situe sur le plan de la liberté? On nous traite de social-traître: avec l'opium de cette liberté, vous empêchez 15 l'homme de secouer ses chaînes. Quelle stupidité! Lorsque nous disons qu'un chômeur est libre, nous ne voulons pas dire qu'il peut faire ce qui lui plaît et se transformer à l'instant en un bourgeois riche et paisible. *Il est libre parce qu'il peut toujours choisir d'accepter son sort avec résignation ou de se révolter contre lui.* Et sans doute ne parviendrait-il pas à éviter 20 la misère: mais, du sein de cette misère qui l'englue,[13] il peut choisir de lutter contre toutes les formes de la misère, en son nom et en celui de tous les autres; il peut choisir d'être l'homme qui refuse que la misère soit le lot des hommes. Est-ce qu'on est un social-traître parce qu'on rappelle quelquefois ces vérités premières? Alors Marx est un social-traître, qui disait: 25 « Nous voulons changer le monde », et qui exprimait par cette simple phrase que l'homme est maître de son destin. Alors, vous tous, vous êtes des social-traîtres, car c'est aussi ce que vous pensez lorsque vous sortez des lisières [14] d'un matérialisme qui a rendu des services mais qui a vieilli. Et si vous ne le pensiez pas, alors c'est que l'homme serait une chose, tout 30 juste un peu de phosphore, de carbone et de soufre, et il ne serait pas nécessaire de lever le petit doigt pour lui.

En ai-je dit assez pour faire comprendre que *l'existentialisme n'est pas une délectation morose mais une philosophie humaniste de l'action, de l'effort, du combat, de la solidarité?* Retrouvera-t-on sous la plume des journalistes, 35 après cette mise au point, des allusions au « désespoir de nos distingués » et autres fariboles? C'est à voir. Je dirais volontiers à mes critiques: cela ne dépend plus que de vous. Après tout, vous aussi, vous êtes libres; et vous qui combattez pour la Révolution comme nous pensons le faire aussi, vous pouvez décider aussi bien que nous si elle se fera dans la bonne 40 ou dans la mauvaise foi. Le cas de l'existentialisme, philosophie abstraite et défendue par quelques hommes sans pouvoir, est bien mince et bien indigne: mais dans ce cas comme dans mille autres, selon que vous continuerez à mentir à son sujet ou que, tout en l'attaquant, vous lui rendrez

[12] phylloxera (*disease of grape vines, caused by lice*).   [13] which is like bird-lime around him.   [14] leading strings, leashes.

justice, vous déciderez de ce que sera l'homme.   Puissiez-vous le comprendre et en ressentir un peu de salutaire angoisse.

Jean-Paul Sartre
Action, 29 décembre, 1944
Copyright by Librairie Gallimard

OUVRAGES RECOMMANDÉS
Textes

Œuvres. Gallimard.
La Putain respectueuse. *L'Engrenage*. Le Livre de poche, Nagel.
La Nausée. Collection Pourpre, Gallimard et Macmillan.
Les Jeux sont faits, éd. M. E. Storer. Appleton-Century-Crofts, 1952.

Critique

R.-M. Albérès. *Jean-Paul Sartre*. 144 p. Éditions Universitaires.
Francis Jeanson. *Jean-Paul Sartre*. Le Seuil, 1955.

JEAN ANOUILH
(1910–   )
Un Créateur de loufoques et de héros

Il naquit à Bordeaux, fit ses études à l'école Colbert, au collège Chaptal[1] et à la Faculté de droit de Paris. Après avoir travaillé d'abord dans une maison de publicité, il s'intéressa au théâtre et au cinéma. Avec Jean Aurenche il écrivit *Humulus le muet*, piécette sur un garçon qui ne peut prononcer qu'un seul mot par jour. Ses pièces les plus importantes sont *L'Hermine* (1932), *La Sauvage* (1932, une jeune fille aigrie par la misère), *Le Voyageur sans bagages* (1936, un amnésique de guerre qui peu à peu retrouve son horrible passé), *Le Bal des voleurs* (1937, bouffonnerie d'un mélange de voleurs et d'honnêtes gens loufoques[2]), *Antigone*[3] (1942, d'après Sophocle, mais une Antigone modernisée, révoltée par une loi injuste), *Léocadia* (1939), *Le Rendez-vous de Senlis*[4] (1939), *Roméo et Jeannette* (1945, un jeune couple qui ne s'entend pas), *Ardèle ou la Marguerite* (1946).

En publiant ses pièces il les a divisées en *Pièces noires*, *Pièces roses*, et *Pièces brillantes*.

Ses dernières pièces sont: *La Répétition ou L'Amour puni* (1950), *Colombe* (1951, une jolie jeune femme se révolte contre l'amour dictatorial de son mari, un soldat, et devient une actrice à succès), *L'École des pères* (1952), *Médée* (1953), *L'Alouette* (1953, sur Jeanne d'Arc), *Ornifle ou Le Courant d'air* (1955, caricature d'un poète raté et donjuanesque).

Anouilh a épousé une actrice, Monelle Valentin, qui interpréta certaines de ses héroïnes les plus passionnées, Antigone par exemple.

Anouilh a un double talent: il est le maître du théâtre des fantoches[5] et des

---

[1] *High school and college in N Paris, named after the chemist Jean-Antoine Chaptal (1756–1832).*   [2] loony, daffy.   [3] *Daughter of Oedipus, by his mother Jocasta. Against the orders of Creon,* *king of Thebes, she performed funeral rites over her brother Polynices and was condemned to be immured alive; she hanged herself.*   [4] [sālis], *town, 27 mi. N of Paris.*   [5] weaklings.

loufoques qui évoluent dans un décor ou vulgaire ou de rêve, et il montre que la vie est ignoble. Il use beaucoup du thème des pauvres introduits chez les riches, des amnésiques. Certains de ses personnages, comme Antigone, préfèrent la mort au compromis, d'autres abdiquent, s'y adaptent et deviennent des ratés; par là il rejoint le néant de l'existentialisme.

DEUX CHARMANTES JEUNES FILLES

Isabelle, petite danseuse de l'Opéra, jolie mais pauvre, originaire de Saint-Flour,[1] en Auvergne, a été invitée au château de Mme Desmermortes par Horace, le neveu de celle-ci. Sur la promesse d'une forte somme d'argent, Horace lui demande de séduire Frédéric, son jumeau, pour le détacher de Diana, fille d'un multimillionnaire qui a commencé comme apprenti-tailleur à Istamboul.[2] Un bal est donné, où Isabelle éclipse Diana, qui essaie d'humilier sa rivale.

DIANA. Entre nous, cela ne vous gêne pas trop?

ISABELLE. Quoi?

DIANA. D'avoir sur le dos une robe que vous n'avez pas faite vous-même?

ISABELLE *montre sa robe.* Il y en a si peu!

DIANA. C'est égal. Vous ne devez pas vous sentir tout à fait chez vous. 5

ISABELLE. On s'y fait. En revanche, mes cils sont de moi.

DIANA. Je vous félicite. Ils sont très beaux. Les yeux aussi. Heureusement car vous aurez beaucoup besoin de tout cela demain, sans la robe.

ISABELLE. Je l'emporte. On me la donne.

DIANA. Comme je suis contente! Vous pourrez donc être belle encore 10 une fois. Il paraît qu'il y a un très joli bal pour le 14 juillet[3] à Saint-Flour. Vous y ferez sensation. Ma robe à moi, vous l'aimez?

ISABELLE. Elle est très belle.

DIANA. La voulez-vous? Je ne la remettrai jamais. Je les mets rarement plus de deux fois. D'ailleurs, j'ai horreur du vert. Demain j'en aurai 15 une rose, au dîner. Un chef-d'œuvre, ma chère, rien que des petits plis, vingt mètres de tissu. Une folie! Montez dans ma chambre, je vous la montrerai. Pour mon séjour ici j'en ai apporté douze. Venez les voir, je suis sûre que cela vous amusera beaucoup.

ISABELLE. Non. 20

DIANA. Pourquoi? Seriez-vous envieuse, ma chère? C'est un si vilain sentiment! (*Elle se rapproche.*) Vous auriez bien voulu être riche, n'est-ce pas? Vous auriez bien voulu que ce soit vrai l'histoire de ce soir et avoir beaucoup de robes comme moi?

ISABELLE. Naturellement. 25

DIANA. Et vous n'en aurez jamais qu'une, chère petite. Et si je mettais le pied sur votre traîne, là, tout de suite, comme cela, et si je tirais un tout petit peu, voilà que vous n'en auriez plus du tout.

ISABELLE. Enlevez votre pied de là!

DIANA. Non. 30

ISABELLE. Enlevez votre pied tout de suite ou je vous crève les yeux!

DIANA. Ne vous démenez pas ainsi, petite furie, cela va craquer!

La robe se déchire.

---

[1] *Town, 80 mi. SW of Lyon.*　　[2] Istanbul, *formerly called Constantinople, city in European Turkey.*　　[3] *Bastille Day.*

ISABELLE *a un petit cri navré.* Oh! ma robe!

DIANA. Vous l'avez voulu. Vous pourrez faire une petite couture; pour Saint-Flour cela sera encore très bien. Car c'est passionnant, je n'en doute pas, d'être une petite intrigante et de venir triompher pour un soir
5 avec une robe empruntée sur le dos, mais cela ne peut pas durer bien long-temps. Demain matin il faudra reprendre la petite valise de carton et le wagon de troisième classe qui sent le vomi et moi je serai encore là. Ce sera encore vrai demain pour moi, ma chère. C'est cela qui fait la différence entre nous.

10 ISABELLE *la considère sans haine, et lui dit soudain:* C'est amusant d'être méchant?

DIANA *change de ton, s'assoit et soupire.* Non, d'ailleurs. Mais on ne peut pas toujours s'amuser.

ISABELLE. Vous êtes malheureuse vous aussi? C'est étrange. Pourquoi?
15 DIANA. Je suis trop riche.

ISABELLE. Frédéric vous aime.

DIANA. Je ne l'aime pas. J'aime Horace et mon argent le dégoûte, et je pense qu'il a raison.

ISABELLE. Devenez pauvre.
20 DIANA. Si vous croyez que c'est facile!

ISABELLE. Je vous assure que je n'ai fait aucun effort!

DIANA. Vous n'avez pas un père comme moi! Vous n'avez pas dix ans de mauvaises habitudes derrière vous. Vous croyez que c'est amusant toutes ces robes? Je ne les aime plus, je ne les vois même plus. C'est
25 comme cela qu'on s'habille, voilà tout. Et la saison prochaine ce sera autrement. Cela serait si bon de n'en avoir qu'une et de l'aimer.

ISABELLE. Ce serait bon jusqu'à ce qu'on vous la déchire!

DIANA. Un petit accroc de rien du tout! Et vous allez encore en faire vos beaux soirs. Ah! vous ne savez pas votre chance... Regardez ce
30 tulle comme il est blanc, comme il est léger, comme il est beau! J'essaie de le voir avec vos yeux, avec les miens c'est impossible. Je ne vois plus rien. Cette bague, j'en ai dix autres, je ne la vois plus, ce n'est qu'une bague, je ne sais même plus quand ni pourquoi mon père me l'a donnée. Ce château, il doit être très agréable, mais tous mes amis ont des châteaux,
35 j'en ai aussi, c'est là que nous habitons, ce n'est plus « le château », c'est une maison comme les autres. Je sais que c'est très irritant, pour les pauvres, ce genre de raisonnement, mais essayez de comprendre tout de même: je ne serai plus jamais, plus jamais, quoi que je fasse, « invitée au château ».

40 ISABELLE. C'est vrai que c'est triste...

DIANA. C'est affreusement déprimant! Seulement il y a tellement de pauvres, ils sont tellement intrigants et agissants tous, et puis comme c'est presque toujours eux qui écrivent les livres et les pièces de théâtre, ils ont réussi à faire une réputation à l'argent. Mais l'argent ne donne
45 quelque chose qu'aux pauvres, précisément!

ISABELLE. Cela prouve qu'il y a quelque chose de mal fait sur cette terre. Mais cela nous dépasse l'une et l'autre. Et comme d'un autre côté on n'a jamais vu les riches faire un effort vraiment sérieux pour ne plus en avoir. (*Elle va vers elle.*) Comme, justement, moi, ce soir, si je suis humiliée, si je souffre et si j'ai ma seule robe déchirée, c'est parce que je suis pauvre. Je vais faire ce que font toujours les pauvres, les pauvres imbéciles qui sont si nombreux, si intrigants et qui ne comprennent jamais rien aux subtilités. Je vais passer aux actes et vous demander de sortir.   5

DIANA. Sortir? Vous vous croyez donc chez vous, ma petite?

ISABELLE. C'est aussi un défaut des pauvres. A force de n'être chez eux nulle part, ils ont fini par prendre le mauvais genre de s'y croire partout. Allez, allez ma belle, allez pleurer sur vos millions plus loin! Je suis bien bête et j'ai bien honte d'avoir perdu une seconde à essayer de vous com- 10 prendre. Où irait le monde si on se mettait tous à faire ça? Chacun chez soi! Je vais passer aux arguments des pauvres maintenant. Si vous ne sortez pas, je vais vous battre.

DIANA. Me battre? Je voudrais bien voir ça!

ISABELLE. Vous allez le voir! Et je ne vous déchirerai pas votre robe, 15 moi, puisque vous m'avez dit que vous en avez douze, et que cela ne vous ferait probablement rien. Je vous déchirerai votre figure, parce que le bon Dieu, qui pour une fois a été juste, n'en a distribué qu'une à chacun.

DIANA. Comme vous êtes vulgaire! Si vous croyez que vous me faites peur!   20

ISABELLE. Pas encore. Mais cela va peut-être venir!

Isabelle saute sur Diana. Elles se battent.

DIANA. Oh! petite peste! petit voyou! Mais elle me décoiffe!

ISABELLE. Votre femme de chambre arrangera cela! Elle est au courant.

DIANA *se battant.* Mais j'ai des poings comme vous, j'ai des griffes! 25

ISABELLE. Servez-vous-en!

Elles se battent. Diana s'arrête soudain et lui crie.

DIANA. J'ai été pauvre d'abord, moi aussi! A dix ans je me battais avec les gamins du port à Istamboul!

Elles se jettent à nouveau l'une sur l'autre et roulent par terre en silence. 30

L'Invitation au château (1948), Acte IV, pp. 165–174

Reproduit avec l'autorisation des Éditions de la Table Ronde, Paris

A la fin Isabelle épouse le sentimental Frédéric et Diana le cynique Horace.

OUVRAGES RECOMMANDÉS
Textes

Œuvres. La Table Ronde et Calmann-Lévy.

La Répétition ou l'Amour puni. Classiques Larousse.

Antigone, dans *Four French Plays of the Twentieth Century,* éd. E. M. Grant. Harper, 1949.

Humulus le muet, dans *Variétés modernes,* éd. Léon Verriest et Marie-Louise Michaud Hall. Houghton Mifflin, 1952.

Critique

S. Radine. *Anouilh, Lenormand, Salacrou.* 144 p. Genève: Éd. des Trois Collines.

Jean Mauduit. *Jean Anouilh.* Éditions Universitaires, 1955.

ALBERT CAMUS
(1913-   )
L'Homme révolté, le philosophe de l'absurde

Les débuts d'Albert Camus furent difficiles. Né dans une famille d'artisans pauvres, à Mondovi, département de Constantine,[1] il perdit bientôt son père. Il fit ses études à Alger tout en travaillant à divers métiers. Après sa licence et son diplôme d'études supérieures en philosophie, il tomba malade et abandonna l'idée de devenir professeur. A Alger, il fréquenta des écrivains, devint l'animateur d'une troupe théâtrale, fit du journalisme; il voyagea, puis se fixa à Paris en 1940. Il se maria (1940) et eut deux enfants. Il écrivit une pièce, *Caligula* (1938).

Pendant l'occupation nazie il fut un des dirigeants du groupe de résistance qui publiait le journal clandestin *Combat*, à Lyon. Il écrivit un court roman, *L'Étranger* (1942), dans un style simple et direct. Il y montrait l'absurdité de la vie dans la personne d'un homme indifférent à tout, même à sa mère, et qui commet ce que Gide appelait un « beau crime » désintéressé, sans raison.

Selon Camus, la vie est symbolisée par Sisyphe[2] et son rocher; elle ne rime à rien, mais l'effort déployé par Sisyphe lui procure un bonheur suffisant pour qu'on ne puisse vraiment appeler la vie « absurde » (*Le Mythe de Sisyphe*, 1942). La pièce *Le Malentendu* (1944) est l'horrible histoire de deux aubergistes de Tchécoslovaquie, la mère et la fille, qui tuent un voyageur pour le voler; ce voyageur se trouve être le fils et frère revenu incognito après une longue absence.

A la Libération, Camus retourna à Paris et fut le rédacteur en chef de *Combat* jusqu'en 1947. Son pessimisme s'atténua; de plus en plus se fit jour dans son œuvre un espoir concret pour la destinée humaine. *La Peste* (1947), sous la fiction d'une épidémie ravageant Oran,[3] montre l'épanouissement de la solidarité humaine, exalte la fraternité et le dévouement au-dessus des querelles religieuses et politiques. Cette peste est en réalité un mythe qui fait comprendre l'horreur de l'occupation allemande en France. *L'État de siège* (1948) porte au théâtre la lutte victorieuse de Cadix[4] contre la dictature et la peste, glorifie le courage individuel.

Œuvres depuis 1949: *Les Justes* (1949, des terroristes russes de 1905, qui, au contraire de leurs descendants communistes, gardent assez d'humanité pour ne pas jeter une bombe sur le passage d'un grand-duc parce qu'il est accompagné de deux enfants); *Actuelles* (1950, articles écrits de 1944 à 1948, insistant sur la dignité humaine, la nécessité d'une morale); *L'Homme révolté* (1951, études anticommunistes sur des révoltés fameux: Satan, Caïn, Spartacus,[5] Sade, Saint-Just,[6]

---

[1] *Town in Algeria, 230 mi. E of Algiers, on a steep hill; rebuilt by the Roman emperor Constantine.*   [2] *Sisyphus, Greek hero who, for offending the gods, was condemned to roll eternally uphill a big rock that always slipped back again.*   [3] *Seaport, 210 mi. SW of Algiers.*   [4] *Cadiz, seaport in SW Spain.*   [5] *Thracian slave in Capua; he proclaimed the abolition of* slavery and raised an army of 100,000. His army was defeated by the Romans in Sicily; he himself was slain (71 B.C.). [6] *Louis de Saint-Just* [ʒy] *(1767-94), young fanatical revolutionary, follower of Robespierre; guillotined like Danton, Camille Desmoulins, and many others that he had sent to the guillotine.*

Bakounine,[7] Dostoïevski,[8] Marx,[9] Lautréamont, Rimbaud, Nietzsche,[10] Lénine [11]);
Actuelles II, chroniques de 1948 à 1953; *L'Été* (1954, textes optimistes sur la nature méditerranéenne de l'auteur); *La Chute* (1956, autocritique cynique d'un avocat).

Camus a fait des conférences aux États-Unis en 1946. Il est aujourd'hui lecteur et employé à la librairie Gallimard, Paris. Ses rapports avec l'autre grand écrivain français de sa génération, Sartre, n'ont jamais été des meilleurs. Il a condamné l'existentialisme en ces termes: « L'existentialisme ne libère l'homme de toute entrave que pour le livrer à l'esclavage communiste » (1952).

L'INNOCENTE VICTIME DE LA PESTE

La peste s'étant déclarée à Oran, le docteur Rieux la combat, aidé d'équipes sanitaires dirigées par l'écrivain Tarrou, le journaliste Rambert, l'employé de mairie Grand, le Père Paneloux, jésuite qui dans ses sermons a déclaré que la peste était la punition des hommes pour leurs péchés. Le vieux docteur Castel a fabriqué un sérum que Rieux administre au fils du juge Othon.

Ce fut dans les derniers jours d'octobre que le sérum de Castel fut essayé. Pratiquement, il était le dernier espoir de Rieux. Dans le cas d'un nouvel échec, le docteur était persuadé que la ville serait livrée aux caprices de la maladie, soit que l'épidémie prolongeât ses effets pendant de longs mois encore, soit qu'elle décidât de s'arrêter sans raison. 5

La veille même du jour où Castel vint visiter Rieux, le fils de M. Othon était tombé malade et toute la famille avait dû gagner la quarantaine.[1] La mère, qui en était sortie peu auparavant, se vit donc isolée pour la seconde fois. Respectueux des consignes [2] données, le juge avait fait appeler le docteur Rieux, dès qu'il reconnut, sur le corps de l'enfant, les signes 10 de la maladie. Quand Rieux arriva, le père et la mère étaient debout au pied du lit. La petite fille avait été éloignée. L'enfant était dans la période d'abattement [3] et se laissa examiner sans se plaindre. Quand le docteur releva la tête, il rencontra le regard du juge et, derrière lui, le visage pâle de la mère qui avait mis un mouchoir sur sa bouche et suivait les gestes du 15 docteur avec des yeux élargis.

— C'est cela, n'est-ce pas? dit le juge d'une voix froide.

— Oui, répondit Rieux, en regardant de nouveau l'enfant.

Les yeux de la mère s'agrandirent, mais elle ne parlait toujours pas. Le juge se taisait aussi, puis il dit, sur un ton plus bas: 20

— Eh bien! docteur, nous devons faire ce qui est prescrit.

Rieux évitait de regarder la mère qui tenait toujours son mouchoir sur la bouche.

---

[7] *Mikhail Bakunin (1814–76), Russian anarchist, exiled to Siberia. He escaped and joined Marxian socialists in London.* [8] *Feodor Dostoievski (1821–81), Russian novelist who probed the tragic side of life* (Crime and Punishment, The Idiot, The Brothers Karamazov.) *He spent years of hard labor in Siberian mines for revolutionary activities.* [9] *Karl Marx (1818–83), German founder of modern socialism and communism. Banished from Germany in 1849, he spent the rest of his life in England.* [10] *Friedrich Nietzsche (1844–1900), German philosopher who advocated the "will to power," ruthlessness, the reign of Superman* (Thus Spake Zarathustra); *intellectual forerunner of Naziism.* [11] *Nikolai Lenin (1870–1924), Russian leader of the communist revolution of 1917, head of the Soviet government.*

[1] had to report to the quarantine camp. [2] orders. [3] prostration, exhaustion.

— Ce sera vite fait, dit-il en hésitant, si je puis téléphoner.

M. Othon dit qu'il allait le conduire. Mais le docteur se retourna vers la femme:

— Je suis désolé. Vous devriez préparer quelques affaires. Vous savez
5 ce que c'est.

Mme Othon parut interdite.[4] Elle regardait à terre.

— Oui, dit-elle en hochant la tête,[5] c'est ce que je vais faire.

Avant de les quitter, Rieux ne put s'empêcher de leur demander s'ils n'avaient besoin de rien. La femme le regardait toujours en silence. Mais
10 le juge détourna cette fois les yeux.

— Non, dit-il, puis il avala sa salive, mais sauvez mon enfant.

La quarantaine, qui au début n'était qu'une simple formalité, avait été organisée par Rieux et Rambert, de façon très stricte. En particulier, ils avaient exigé que les membres d'une même famille fussent toujours isolés
15 les uns des autres. Si l'un des membres de la famille avait été infecté sans le savoir, il ne fallait pas multiplier les chances de la maladie. Rieux expliqua ces raisons au juge qui les trouva bonnes. Cependant, sa femme et lui se regardèrent de telle façon que le docteur sentit à quel point cette séparation les laissait désemparés.[6] Mme Othon et sa petite fille purent être logées
20 dans l'hôtel de quarantaine dirigé par Rambert. Mais pour le juge d'instruction, il n'y avait plus de place, sinon dans le camp d'isolement que la préfecture [7] était en train d'organiser, sur le stade municipal, à l'aide de tentes prêtées par le service de voirie.[8] Rieux s'en excusa, mais M. Othon dit qu'il n'y avait qu'une règle pour tous et qu'il était juste d'obéir.

25 Quant à l'enfant, il fut transporté à l'hôpital auxiliaire, dans une ancienne salle de classe où dix lits avaient été installés. Au bout d'une vingtaine d'heures, Rieux jugea son cas désespéré. Le petit corps se laissait dévorer par l'infection, sans une réaction. De tout petits bubons,[9] douloureux, mais à peine formés, bloquaient les articulations de ses membres grêles.[10]
30 Il était vaincu d'avance. C'est pourquoi Rieux eut l'idée d'essayer sur lui le sérum de Castel. Le soir même, après le dîner, ils pratiquèrent la longue inoculation, sans obtenir une seule réaction de l'enfant. A l'aube, le lendemain, tous se rendirent auprès du petit garçon pour juger de cette expérience décisive.

35 L'enfant, sorti de sa torpeur, se tournait convulsivement dans les draps. Le docteur Castel et Tarrou, depuis quatre heures du matin, se tenaient près de lui, suivant pas à pas les progrès ou les haltes de la maladie. A la tête du lit, le corps massif de Tarrou était un peu voûté. Au pied du lit, assis près de Rieux debout, Castel lisait, avec toutes les apparences de la
40 tranquillité, un vieil ouvrage. Peu à peu, à mesure que le jour s'élargissait dans l'ancienne salle d'école, les autres arrivaient. Paneloux, d'abord, qui se plaça de l'autre côté du lit, par rapport à Tarrou, et adossé au mur. Une expression douloureuse se lisait sur son visage, et la fatigue de tous ces jours où il avait payé de sa personne [11] avait tracé des rides sur son front
45 congestionné.[12] A son tour, Joseph Grand arriva. Il était sept heures et

___

[4] put out. [5] nodding. [6] helpless. ings. [10] small, weak. [11] worked very
[7] department (State) government. hard. [12] red.
[8] street department. [9] buboes, swell-

l'employé s'excusa d'être essoufflé. Il n'allait rester qu'un moment, peut-être savait-on déjà quelque chose de précis. Sans mot dire, Rieux lui montra l'enfant qui, les yeux fermés dans une face décomposée, les dents serrées à la limite de ses forces, le corps immobile, tournait et retournait sa tête de droite à gauche, sur le traversin [13] sans draps. Lorsqu'il fit assez jour, enfin, pour qu'au fond de la salle, sur le tableau noir demeuré en place, on pût distinguer les traces d'anciennes formules d'équation, Rambert arriva. Il s'adossa au pied du lit voisin et sortit un paquet de cigarettes. Mais après un regard à l'enfant, il remit le paquet dans sa poche.

Castel, toujours assis, regardait Rieux par-dessus ses lunettes:
— Avez-vous des nouvelles du père?
— Non, dit Rieux, il est au camp d'isolement.

Le docteur serrait avec force la barre du lit où gémissait l'enfant. Il ne quittait pas des yeux le petit malade qui se raidit brusquement et, les dents de nouveau serrées, se creusa [14] un peu au niveau de la taille, écartant lentement les bras et les jambes. Du petit corps, nu sous la couverture militaire, montait une odeur de laine et d'aigre sueur. L'enfant se détendit peu à peu, ramena bras et jambes vers le centre du lit et, toujours aveugle et muet, parut respirer plus vite. Rieux rencontra le regard de Tarrou qui détourna les yeux.

Ils avaient déjà vu mourir des enfants puisque la terreur, depuis des mois, ne choisissait pas, mais ils n'avaient jamais encore suivi leurs souffrances minute après minute, comme ils le faisaient depuis le matin. Et, bien entendu, la douleur infligée à ces innocents n'avait jamais cessé de leur paraître ce qu'elle était en vérité, c'est-à-dire un scandale. Mais jusque-là du moins, ils se scandalisaient abstraitement, en quelque sorte, parce qu'ils n'avaient jamais regardé en face, si longuement, l'agonie d'un innocent.

Justement l'enfant, comme mordu à l'estomac, se pliait de nouveau, avec un gémissement grêle. Il resta creusé ainsi pendant de longues secondes, secoué de frissons et de tremblements convulsifs, comme si sa frêle carcasse pliait sous le vent furieux de la peste et craquait sous les souffles répétés de la fièvre. La bourrasque [15] passée, il se détendit un peu, la fièvre sembla se retirer et l'abandonner, haletant, sur une grève [16] humide et empoisonnée où le repos ressemblait déjà à la mort. Quand le flot brûlant l'atteignit à nouveau pour la troisième fois et le souleva un peu, l'enfant se recroquevilla,[17] recula au fond du lit dans l'épouvante de la flamme qui le brûlait et agita follement la tête, en rejetant sa couverture. De grosses larmes, jaillissant sous les paupières enflammées, se mirent à couler sur son visage plombé, et, au bout de la crise, épuisé, crispant [18] ses jambes osseuses et ses bras dont la chair avait fondu en quarante-huit heures, l'enfant prit dans le lit dévasté une pose de crucifié grotesque.

Tarrou se pencha et, de sa lourde main, essuya le petit visage trempé de larmes et de sueur. Depuis un moment, Castel avait fermé son livre et regardait le malade. Il commença une phrase, mais fut obligé de tousser pour pouvoir la terminer, parce que sa voix détonnait [19] brusquement:
— Il n'y a pas eu de rémission [20] matinale, n'est-ce pas, Rieux?

[13] the bolster.   [14] drew his body in.   [18] contracting.   [19] jarred.   [20] remission,
[15] squall.   [16] beach.   [17] curled up.   relaxation, lull.

Rieux dit que non, mais que l'enfant résistait depuis plus longtemps qu'il n'était normal. Paneloux, qui semblait un peu affaissé [21] contre le mur, dit alors sourdement:

— S'il doit mourir, il aura souffert plus longtemps.

5 Rieux se retourna brusquement vers lui et ouvrit la bouche pour parler, mais il se tut, fit un effort visible pour se dominer et ramena son regard sur l'enfant.

La lumière s'enflait dans la salle. Sur les cinq autres lits, des formes remuaient et gémissaient, mais avec une discrétion qui semblait concertée.
10 Le seul qui criât, à l'autre bout de la salle, poussait à intervalles réguliers de petites exclamations qui paraissaient traduire plus d'étonnement que de douleur. Il semblait que, même pour les malades, ce ne fût pas l'effroi du début. Il y avait même, maintenant, une sorte de consentement dans leur manière de prendre la maladie. Seul, l'enfant se débattait [22] de toutes
15 ses forces. Rieux qui, de temps en temps, lui prenait le pouls, sans nécessité d'ailleurs et plutôt pour sortir de l'immobilité impuissante où il était, sentait, en fermant les yeux, cette agitation se mêler au tumulte de son propre sang. Il se confondait alors avec l'enfant supplicié et tentait de le soutenir de toute sa force encore intacte. Mais une minute réunies, les
20 pulsations de leurs deux cœurs se désaccordaient, l'enfant lui échappait, et son effort sombrait dans le vide. Il lâchait alors le mince poignet et retournait à sa place.

Le long des murs peints à la chaux, la lumière passait du rose au jaune. Derrière la vitre, une matinée de chaleur commençait à crépiter.[23] C'est à
25 peine si on entendit Grand partir en disant qu'il reviendrait. Tous attendaient. L'enfant, les yeux toujours fermés, semblait se calmer un peu. Les mains, devenues comme des griffes, labouraient doucement les flancs du lit. Elles remontèrent, grattèrent la couverture près des genoux, et, soudain, l'enfant plia ses jambes, ramena ses cuisses près du ventre et s'im-
30 mobilisa. Il ouvrit alors les yeux pour la première fois et regarda Rieux qui se trouvait devant lui. Au creux de son visage maintenant figé dans une argile grise,[24] la bouche s'ouvrit, et presque aussitôt, il en sortit un seul cri continu, que la respiration nuançait à peine, et qui emplit soudain la salle d'une protestation monotone, discorde, et si peu humaine qu'elle semblait
35 venir de tous les hommes à la fois. Rieux serrait les dents et Tarrou se détourna. Rambert s'approcha du lit près de Castel qui ferma le livre, resté ouvert sur ses genoux. Paneloux regarda cette bouche enfantine, souillée par la maladie, pleine de ce cri de tous les âges. Et il se laissa glisser à genoux et tout le monde trouva naturel de l'entendre dire d'une
40 voix, un peu étouffée, mais distincte derrière la plainte anonyme qui n'arrêtait pas: « Mon Dieu, sauvez cet enfant. »

Mais l'enfant continuait de crier et, tout autour de lui, les malades s'agitèrent. Celui dont les exclamations n'avaient pas cessé, à l'autre bout de la pièce, précipita le rythme de sa plainte jusqu'à en faire, lui aussi, un
45 vrai cri, pendant que les autres gémissaient de plus en plus fort. Une marée de sanglots déferla [25] dans la salle, couvrant la prière de Paneloux,

---

[21] bowed.   [22] was struggling.   [23] crackle.   [24] frozen in a gray clay.   [25] A tide of sobs broke.

et Rieux, accroché à sa barre de lit, ferma les yeux, ivre de fatigue et de dégoût.

Quand il les rouvrit, il trouva Tarrou près de lui.

— Il faut que je m'en aille, dit Rieux. Je ne peux plus les supporter.

Mais brusquement, les autres malades se turent. Le docteur reconnut 5 alors que le cri de l'enfant avait faibli, qu'il faiblissait encore et qu'il venait de s'arrêter. Autour de lui, les plaintes reprenaient, mais sourdement, et comme un écho lointain de cette lutte qui venait de s'achever. Car elle s'était achevée. Castel était passé de l'autre côté du lit et dit que c'était fini. La bouche ouverte, mais muette, l'enfant reposait au creux des 10 couvertures en désordre, rapetissé [26] tout d'un coup, avec des restes de larmes sur son visage.

Paneloux s'approcha du lit et fit les gestes de la bénédiction. Puis il ramassa ses robes et sortit par l'allée [27] centrale.

— Faudra-t-il tout recommencer? demanda Tarrou à Castel. 15

Le vieux docteur secouait la tête.

— Peut-être, dit-il avec un sourire crispé. Après tout, il a longtemps résisté.

Mais Rieux quittait déjà la salle, d'un pas si précipité, et avec un tel air, que lorsqu'il dépassa Paneloux, celui-ci tendit le bras pour le retenir. 20

— Allons,[28] docteur, lui dit-il.

Dans le même mouvement emporté, Rieux se retourna et lui jeta avec violence:

— Ah! celui-là, au moins, était innocent, vous le savez bien!

Puis il se détourna et, franchissant les portes de la salle avant Paneloux, 25 il gagna le fond de la cour d'école. Il s'assit sur un banc, entre les petits arbres poudreux, et essuya la sueur qui lui coulait déjà dans les yeux. Il avait envie de crier encore pour dénouer enfin le nœud violent qui lui broyait le cœur. La chaleur tombait lentement entre les branches des ficus.[29] Le ciel bleu du matin se couvrait rapidement d'une taie [30] blanchâtre 30 qui rendait l'air plus étouffant. Rieux se laissa aller sur son banc. Il regardait les branches, le ciel, retrouvant lentement sa respiration, ravalant peu à peu sa fatigue.

— Pourquoi m'avoir parlé avec cette colère? dit une voix derrière lui. Pour moi aussi, ce spectacle était insupportable. 35

Rieux se retourna vers Paneloux:

— C'est vrai, dit-il. Pardonnez-moi. Mais la fatigue est une folie. Et il y a des heures dans cette ville où je ne sens plus que ma révolte.

— Je comprends, murmura Paneloux. Cela est révoltant parce que cela passe notre mesure. Mais peut-être devons-nous aimer ce que nous ne 40 pouvons pas comprendre.

Rieux se redressa d'un seul coup. Il regardait Paneloux, avec toute la force et la passion dont il était capable, et secouait la tête.

— Non, mon Père, dit-il. Je me fais une autre idée de l'amour. Et je refuserai jusqu'à la mort d'aimer cette création où des enfants sont tor- 45 turés.

Sur le visage de Paneloux, une ombre bouleversée passa.

[26] shrunk. [27] aisle. [28] Come on. [29] fig trees. [30] film.

—Ah! docteur, fit-il avec tristesse, je viens de comprendre ce qu'on appelle la grâce.

Mais Rieux s'était laissé aller de nouveau sur son banc. Du fond de sa fatigue revenue, il répondit avec plus de douceur:

5 —C'est ce que je n'ai pas, je le sais. Mais je ne veux pas discuter cela avec vous. Nous travaillons ensemble pour quelque chose qui nous réunit au-delà des blasphèmes et des prières. Cela seul est important.

Paneloux s'assit près de Rieux. Il avait l'air ému.

—Oui, dit-il, oui, vous aussi vous travaillez pour le salut de l'homme.

10 Rieux essayait de sourire.

—Le salut de l'homme est un trop grand mot pour moi. Je ne vais pas si loin. C'est sa santé qui m'intéresse, sa santé d'abord.

Paneloux hésita.

—Docteur, dit-il.

15 Mais il s'arrêta. Sur son front aussi la sueur commençait à ruisseler. Il murmura: « Au revoir », et ses yeux brillaient quand il se leva. Il allait partir quand Rieux, qui réfléchissait, se leva aussi et fit un pas vers lui.

—Pardonnez-moi encore, dit-il. Cet éclat [31] ne se renouvellera plus.

Paneloux tendit sa main et dit avec tristesse:

20 —Et pourtant je ne vous ai pas convaincu!

—Qu'est-ce que cela fait? dit Rieux. Ce que je hais, c'est la mort et le mal, vous le savez bien. Et que vous le vouliez ou non, nous sommes ensemble pour les souffrir et les combattre.

Rieux retenait la main de Paneloux.

25 —Vous voyez, dit-il en évitant de le regarder, Dieu lui-même ne peut maintenant nous séparer.

La Peste, pp. 232–241

Copyright by Librairie Gallimard

La peste ne disparaît qu'au bout de neuf mois, mais elle a emporté bien des personnages du roman, le Père Paneloux, le juge, Tarrou.

OUVRAGES RECOMMANDÉS
Textes

Œuvres. Gallimard.
La Peste. Collection Pourpre, Gallimard et Macmillan.
L'Étranger, éd. G. Brée et C. Lynes. Appleton-Century-Crofts.

Discographie

Albert Camus vous parle. Extraits de *Le Malentendu*, *L'Étranger*, *Les Amandiers*, lus par Camus, Maria Casarès, etc. 1 disque microsillon. Disques Festival, Period.

Critique

R. de Luppé. *Albert Camus.* 136 p. Le Seuil.

[31] scene.

Quelques Poètes d'aujourd'hui

I. PAUL ÉLUARD
(1895–1952)

Il fut parmi les plus clairs des poètes surréalistes.   Il chanta les misères de l'homme, le travail, la liberté, la justice, les joies de l'amour.   Pendant l'occupation nazie de la France il fut un résistant et adhéra au parti communiste.

LIBERTÉ

Ce poème a connu plusieurs titres: *Une seule pensée, J'écris ton nom.*   Il fut composé pendant l'occupation nazie.   Les pages du recueil, *Poésie et Vérité*, où il fut publié, portaient en filigrane [1] le mot Liberté; les nazis détruisirent tous les exemplaires qu'ils purent découvrir.

Sur mes cahiers d'écolier
Sur mon pupitre [2] et les arbres
Sur le sable sur la neige
J'écris ton nom

Sur toutes les pages lues
Sur toutes les pages blanches
Pierre sang papier ou cendre
J'écris ton nom

Sur les images dorées ·
Sur les armes des guerriers
Sur la couronne des rois
J'écris ton nom

Sur la jungle et le désert
Sur les nids sur les genêts [3]
Sur l'écho de mon enfance
J'écris ton nom

Sur les merveilles des nuits
Sur le pain blanc des journées
Sur les saisons fiancées
J'écris ton nom

Sur tous mes chiffons d'azur
Sur l'étang soleil moisi
Sur le lac lune vivante
J'écris ton nom

Sur les champs sur l'horizon
Sur les ailes des oiseaux
Et sur le moulin des ombres
J'écris ton nom

Sur chaque bouffée d'aurore
Sur la mer sur les bateaux
Sur la montagne démente
J'écris ton nom

Sur la mousse des nuages
Sur les sueurs de l'orage
Sur la pluie épaisse et fade
J'écris ton nom

Sur les formes scintillantes
Sur les cloches des couleurs
Sur la vérité physique
J'écris ton nom

Sur les sentiers éveillés
Sur les routes déployées
Sur les places qui débordent
J'écris ton nom

Sur la lampe qui s'allume
Sur la lampe qui s'éteint
Sur mes maisons réunies
J'écris ton nom

[1] watermark.   [2] slanting desk.   [3] broom.

Sur le fruit coupé en deux
Du miroir et de ma chambre
Sur mon lit coquille vide
J'écris ton nom

Sur mon chien gourmand et tendre
Sur ses oreilles dressées
Sur sa patte maladroite
J'écris ton nom

Sur le tremplin [4] de ma porte
Sur les objets familiers
Sur le flot du feu béni
J'écris ton nom

Sur toute chair accordée
Sur le front de mes amis
Sur chaque main qui se tend
J'écris ton nom

Sur la vitre des surprises
Sur les lèvres attentives
Bien au-dessus du silence
J'écris ton nom

Sur mes refuges détruits
Sur mes phares écroulés
Sur les murs de mon ennui
J'écris ton nom

Sur l'absence sans désirs
Sur la solitude nue
Sur les marches de la mort
J'écris ton nom

Sur la santé revenue
Sur le risque disparu
Sur l'espoir sans souvenirs
J'écris ton nom

Et par le pouvoir d'un mot
Je recommence ma vie
Je suis né pour te connaître
Pour te nommer

Liberté

Poésie et Vérité, 1942

Copyright by Librairie Gallimard

Textes et Critique

Louis Parrot. *Éluard*. 232 p. Seghers, 1948.

Discographie

Éluard, textes présentés par Christian David. Hachette.

II. LOUIS ARAGON

(1897–19)

Il est le directeur littéraire du parti communiste en France. Pendant la 2ᵉ Grande Guerre il prit part à la bataille de Dunkerque, fut évacué en Angleterre, revint en France et combattit en Anjou, sur la Loire. C'est cette campagne commencée dans les fleurs et la joie, en mai 1940, qu'il évoque dans le poème suivant.

Ses dernières œuvres sont *Le Neveu de M. Duval* (1953), *Les Yeux de la mémoire* (1954, long poème autobiographique), *Journal d'une poésie nationale* (1955), *Littératures soviétiques* (1955).

_____

[4] springboard.

LES LILAS ET LES ROSES

O mois des floraisons [1] mois des métamorphoses
Mai qui fut sans nuage et Juin poignardé [2]
Je n'oublierai jamais les lilas ni les roses
Ni ceux que le printemps dans ses plis a gardés

5 Je n'oublierai jamais l'illusion tragique
Le cortège [3] les cris la foule et le soleil
Les chars [4] chargés d'amour les dons de la Belgique [5]
L'air qui tremble et la route à ce bourdon d'abeilles [6]

Le triomphe imprudent qui prime [7] la querelle
10 Le sang que préfigure [8] en carmin le baiser
Et ceux qui vont mourir debout dans les tourelles [9]
Entourés de lilas par un peuple grisé

Je n'oublierai jamais les jardins de la France
Semblables aux missels [10] des siècles disparus
15 Ni le trouble [11] des soirs l'énigme du silence
Les roses tout le long du chemin parcouru
Le démenti [12] des fleurs au vent de la panique
Aux soldats qui passaient sur l'aile de la peur
Aux vélos délirants [13] aux canons ironiques
20 Au pitoyable accoutrement des faux campeurs [14]

Mais je ne sais pourquoi ce tourbillon [15] d'images
Me ramène toujours au même point d'arrêt
A Sainte-Marthe [16] Un général De noirs ramages [17]
Une villa normande au bord de la forêt
25 Tout se tait L'ennemi dans l'ombre se repose
On nous a dit ce soir que Paris s'est rendu [18]
Je n'oublierai jamais les lilas ni les roses
Et ni les deux amours [19] que nous avons perdus

Bouquets du premier jour [20] lilas lilas des Flandres
30 Douceur de l'ombre dont la mort farde les joues [21]
Et vous bouquets de la retraite roses tendres
Couleur de l'incendie au loin roses d'Anjou [22]

Le Crève-cœur, 1940

Reproduit avec la gracieuse permission de Monsieur Louis Aragon

[1] flowerings. [2] *Because Mussolini's declaration of war on France when she was already defeated by Germany, June 10, 1940, was like "a stab in the back."* [3] parade. [4] tanks. [5] *When the French army entered Flanders, in Belgium, to help her against the German invasion (May 10, 1940).* [6] humming of bees. [7] takes precedence over, makes the military forget. [8] foreshadows. [9] turrets (*of the tanks*). [10] (illuminated) Mass books. [11] emotions. [12] denial, challenge. [13] delirious bikes. [14] *Refugees who were not camping out for pleasure.* [15] vortex. [16] *Village on the Normandy border, 65 mi. W of Paris.* [17] **rameaux,** branches. [18] *June 10.* [19] *Paris and Aragon's wife, Elsa Triolet, who was there.* [20] *May 10, 1940, when Hitler started his offensive.* [21] on the cheeks of which death puts rouge. *This refers to the blood of the victims of the war in the shadows of night.* [22] *Province on the Loire River where Aragon fought (1940).*

Textes et Critique

Aragon. Claude Roy. Seghers, 1951.

III. HENRI MICHAUX
(1899–19)

D'origine belge, Michaux, qui est aussi un peintre et un malade, a créé dans ses œuvres un monde étrange de folie et de rêves qui a pourtant une logique.

JE SUIS NÉ TROUÉ

Il souffle un vent terrible.
Ce n'est qu'un petit trou dans ma poitrine,
Mais il y souffle un vent terrible . . .
Dans le trou il y a haine (toujours), effroi aussi et impuissance:
5 Il y a impuissance et le vent en est dense,
Fort comme sont les tourbillons,
Casserait une aiguille d'acier,
Et ce n'est qu'un vent, un vide . . .

Ecuador, 1929

EMPORTEZ-MOI

Emportez-moi dans une caravelle,
Dans une vieille et douce caravelle,
Dans l'étrave,[1] ou si l'on veut, dans l'écume,
Et perdez-moi, au loin, au loin.

5 Dans l'attelage d'un autre âge.
Dans le velours trompeur de la neige.
Dans l'haleine de quelques chiens réunis.
Dans la troupe exténuée des feuilles mortes.

Emportez-moi sans me briser, dans les baisers,
10 Dans les poitrines qui se soulèvent et respirent.
Sur les tapis des paumes et leur sourire,
Dans les corridors des os longs et des articulations.

Emportez-moi, ou plutôt enfouissez-moi.

Mes Propriétés, 1929

Textes et Critique

Face aux verrous. Gallimard, 1954.
René Bertelé. *Henri Michaux.* 222 p. Seghers, 1949.

---

[1] stem (*of a ship*).

IV. JACQUES PRÉVERT
(1900–19)

Né à Neuilly-sur-Seine (banlieue ouest de Paris), d'un père breton et d'une mère auvergnate, Prévert mena à Paris la jeunesse la plus libre avec son frère Pierre. Il fit beaucoup de métiers qui le mêlèrent aux gens des rues, des salles de théâtre et de cinéma, des gares. Il écrivit des chansons pour les cafés-concerts et les music-halls, des scénarios de films où il tint quelques rôles. Il s'intéressa au groupe surréaliste, mais, indépendant, refusa de suivre Breton après 1930.

Du modernisme, son œuvre a gardé le dédain des formes prosodiques, de la composition logique, du conformisme social. Il use du symbole, d'images saisissantes, de l'automatisme, de la musique, de l'énumération, du calembour. Il se dit anarchiste et athée; au fond, c'est un fantaisiste et un sentimental qui chante les humbles et la beauté de la nature. Ses thèmes de prédilection sont la « Misère » qui pousse les malheureux à se jeter dans la Seine, les prisonniers, les clochards,[1] les cireurs des rues, les enfants des taudis,[2] les animaux, les fleurs, le soleil et la nuit, l'aube où « le soleil plonge sa grande main chaude dans le décolleté de la nuit » (*Histoires*, p. 9).

Ses œuvres principales sont: *Paroles* (1946), *Histoires* (1946, en collaboration avec André Verdet). Il a écrit de nombreux scénarios, *Les Visiteurs du soir*, *Les Enfants du paradis*, *Les Portes de la nuit*. Ses derniers recueils de vers sont *Spectacle* (1951), *La Pluie et le beau temps* (1955).

Il a voyagé en Angleterre, en Russie, aux États-Unis. Il habite à Paris et à Saint-Paul-de-Vence (Côte d'Azur).

CHANSON DES ESCARGOTS QUI VONT A L'ENTERREMENT

A l'enterrement d'une feuille morte
Deux escargots s'en vont
Ils ont la coquille noire
De crêpe autour des cornes
5 Ils s'en vont dans le noir
Un très beau soir d'automne
Hélas quand ils arrivent
C'est déjà le printemps
Les feuilles qui étaient mortes
10 Sont toutes ressuscitées
Et les deux escargots
Sont très désappointés
Mais voilà le soleil
Le soleil qui leur dit
15 Prenez prenez la peine
La peine de vous asseoir
Prenez un verre de bière
Si le cœur vous en dit
Prenez si ça vous plaît

---

[1] tramps, hoboes. [2] slums.

20 L'autocar pour Paris
Il partira ce soir
Vous verrez du pays
Mais ne prenez pas le deuil
C'est moi qui vous le dis
25 Ça noircit le blanc de l'œil
Et puis ça enlaidit
Les histoires de cercueils
C'est triste et pas joli
Reprenez vos couleurs
30 Les couleurs de la vie
Alors toutes les bêtes
Les arbres et les plantes
Se mettent à chanter
A chanter à tue-tête
35 La vraie chanson vivante
La chanson de l'été
Et tout le monde de boire
Tout le monde de trinquer
C'est un très joli soir
40 Un joli soir d'été
Et les deux escargots
S'en retournent chez eux
Ils s'en vont très émus
Ils s'en vont très heureux
45 Comme ils ont beaucoup bu
Ils titubent [1] un p'tit peu
Mais là-haut dans le ciel
La lune veille sur eux.

Paroles (1947), pp. 89–91

Reproduit avec la gracieuse permission de Messieurs Jacques Prévert
et René Bertelé, et des Éditions du Point du Jour

BARBARA

Rappelle-toi Barbara [1]
Il pleuvait sans cesse sur Brest [2] ce jour-là
Et tu marchais souriante
Épanouie ravie ruisselante
5 Sous la pluie
Rappelle-toi Barbara
Il pleuvait sans cesse sur Brest
Et je t'ai croisée rue de Siam [3]

---

[1] stagger, reel.

[1] *Barbara is a very rare name for a French girl.* [2] *French naval base at the western extremity of Brittany; destroyed by Allied* *bombings during World War II; rebuilt.* [3] *Near the naval arsenal.*

Tu souriais
10 Et moi je souriais de même
Rappelle-toi Barbara
Toi que je ne connaissais pas
Toi qui ne me connaissais pas
Rappelle-toi
15 Rappelle-toi quand même ce jour-là
N'oublie pas
Un homme sous un porche s'abritait
Et il a crié ton nom
Barbara
20 Et tu as couru vers lui sous la pluie
Ruisselante ravie épanouie
Et tu t'es jetée dans ses bras
Rappelle-toi cela Barbara
Et ne m'en veux pas si je te tutoie
25 Je dis tu à tous ceux que j'aime
Même si je ne les ai vus qu'une seule fois
Je dis tu à tous ceux qui s'aiment
Même si je ne les connais pas
Rappelle-toi Barbara
30 N'oublie pas
Cette pluie sage et heureuse
Sur ton visage heureux
Sur cette ville heureuse
Cette pluie sur la mer
35 Sur l'arsenal
Sur le bateau d'Ouessant [4]
Oh Barbara
Quelle connerie [5] la guerre
Qu'es-tu devenue maintenant
40 Sous cette pluie de fer
De feu d'acier de sang
Et celui qui te serrait dans ses bras
Amoureusement
Est-il mort disparu ou bien encore vivant
45 Oh Barbara
Il pleut sans cesse sur Brest
Comme il pleuvait avant
Mais ce n'est plus pareil et tout est abîmé
C'est une pluie de deuil terrible et désolée
50 Ce n'est même plus l'orage
De fer d'acier de sang
Tout simplement des nuages
Qui crèvent comme des chiens
Des chiens qui disparaissent

[4] *Westernmost island of France, 27 mi. W of Brest.*   [5] *vulg.* stupid thing.

55 Au fil de l'eau sur Brest
Et vont pourrir au loin
Au loin très loin de Brest
Dont il ne reste rien.

Paroles (1947), pp. 237–239

Reproduit avec la gracieuse permission de Messieurs Jacques Prévert
et René Bertelé, et des Éditions du Point du Jour

Textes

Œuvres. Gallimard.

Discographie

Jacques Prévert dit . . . Hachette.

Critique

Jean Quéval. *Jacques Prévert.* Mercure de France, 1955.

V. RAYMOND QUENEAU
(1903–19)

Son originalité est dans son style à pirouettes où il fait voisiner l'expression soignée et le mot déformé, argotique, au genre parfois changé selon l'habitude des illettrés. Ses recueils de poésies sont: *Chêne et Chien, Les Ziaux, L'Instant fatal, Si tu t'imagines* (1952). Il a aussi écrit des romans dont les mêmes « exercices de style » rendent la lecture assez difficile, mais amusante: *Le Chiendent* (1933), *Un rude hiver* (1939), *Pierrot mon ami* (1945), *Loin de Rueil* (1946), *Saint-Glinglin* (1948), *Le Dimanche de la vie* (1951). Il est membre de l'Académie Goncourt (1951) et secrétaire général des éditions Gallimard.

TRAINS DANS LA BANLIEUE OUEST [1]

Le train court on ne sait où
avec ses pattes longues comme
le train court on ne sait où
longues longues c'est-à-dire comme
5 multivague vogue le train [2]
sur belles railles [3] bien en chair [4]
ah vive le chemin de fer
roi des mâles et des malins

Le train court court court court court court
10 sur les mignonnes railles nues
seins d'acier cuisses de satin
bras étendus sur les traverses [5]

---

[1] western suburbs (*of Paris*). [2] "multi-wave" the train sails. [3] **beaux rails.** *Gender and spelling are changed to achieve* a *ludicrous effect.* [4] on the fat side, nice and plump. [5] ties.

cadavre exquis tu boive'[6] encore
tu boive' encore le vin mousseux
15 la co la como la motive[7]
le tire encor par les cheveux

Voici passer auprès de toi
la douce enfant migne cervelle[8]
c'est ton grand train ton autocar
20 ton camion lourd ton omnibelle[9]

Nanterre et Rueil[10] qui donc arrueille[11]
qui donc arrueille les roseaux
qui donc anterre[12] qui donc anteille[13]
larmes mucus odeurs et os

25 Suresne'[14] Asnière'[15] on va-t-et-vient[16]
le long du fleuve aux bois méandres[17]
traîne la pierre aboie un chien
sur des sentiers à la chair tendre
Saint-Cloud[18] Croissy[19] croix et cresson[20]
30 qui dans le ruisseau s'entreruise[21]
la fleur au champ le champignon
et la mousse qui s'amenuise[22]

déjà née[23] il meurt le jour
déjà mort[24] la nuit elle naît
35 les trains courent à travers le jour
à travers nuit à travers nuée

les soleils d'hier près d'aujourd'hui
ceux d'aujourd'hui déjà bien morts
neige demain sèche avant-hier
40 ru[25] d'avenir coule en un puits

c'est la belle train des amours
c'est la belle train des vacances
elle mène jusqu'à la mort
qui vient après convalescence

L'Instant fatal, 1948

Textes

Œuvres. Gallimard.

[6] **tu bois.** [7] **la locomotive.** [8] **à mignonne cervelle.** [9] **omnibus.** [10] *Twin towns, 4 mi. W of Paris.* [11] **fait rouir,** rets, soaks in water (*as flax*). [12] **enterre.** [13] **teille,** scutches, dresses (*flax*) by beating. [14] **Suresnes,** *3 mi. W of Paris.* [15] **Asnières,** *2 mi. NW of Paris.* [16] **on va et vient.** [17] **bordé d'arbres et qui fait des** méandres. [18] *3 mi. SW of Paris.* [19] *6 mi. W of Paris.* [20] **croix** *was suggested by Croissy, and* **cresson** (watercress) *by the town of Vaucresson nearby.* [21] **s'entremêle,** *suggested by* **ruisseau.** [22] **dwindles.** [23] **né.** [24] **morte.** [25] **brook.**

VI. RENÉ CHAR
(1907–19)

Comme les cinq poètes précédents, Char fit pendant quelque temps partie du groupe surréaliste. Il se distingua dans la Résistance des Basses-Alpes, sous le nom de capitaine Alexandre. Il habite à Paris et dans son village natal de l'Isle-sur-Sorgue, à l'est d'Avignon. Sa poésie est forte comme son corps. Ses œuvres principales sont: *Le Marteau sans maître* (1934), *Seuls demeurent, Feuillets d'Hypnos* (poèmes de la Résistance), *Fureur et Mystère* (1948), *A une sérénité crispée* (1951), *La Paroi et la prairie* (1952), *Lettera amorosa* (1953), *Recherche de la base et du sommet* (1955).

VICTOIRE ÉCLAIR

L'oiseau bêche [1] la terre,
Le serpent sème,
La mort améliorée
Applaudit la récolte.

5 Pluton dans le ciel!

L'explosion en nous.
Là seulement dans moi.
Fol et sourd comment pourrais-je l'être davantage?

Plus de second soi-même, de visage changeant, plus de saison pour la flamme et de saison pour l'ombre!

10 Avec la lente neige descendent les lépreux.

Soudain l'amour, l'égal de la terreur,
D'une main jamais vue arrête l'incendie, redresse le soleil, reconstruit l'Amie.

Rien n'annonçait une existence si forte.

Poèmes des deux années, 1955

Reproduit avec la gracieuse permission de Monsieur René Char
et des Éditions G.L.M., Paris

Textes
Pierre Berger. *René Char.* 208 p. Seghers, 1951.
Critique
Georges Mounin. *Avez-vous lu Char?* Gallimard, 1941.

[1] spades.

INDEX

The order of page and note numbers is according to the amount of information supplied about each specific item. Pronunciation has been given for names which present some kind of difficulty.

553